JN451965

지역사회보건간호학 I

COMMUNITY HEALTH NURSING

차경미 강경희 강말순 권문희 권영채 김남희 김선희 김윤영 김은하
박민아 이경아 이원유 이지은 이춘지 이혜영 장현정 최현아 홍경숙 공저

JMK

머리말

이 책은 간호사가 되고자 입문하는 학생들에게 지역사회간호학에 대한 이론과 실무에 대한 정체성을 설명하고 있으며, 상병자를 대상으로 하는 병원 외에 있는 간호사의 일터인 다양한 실무현장을 소개하고 있다. 병원 밖에서 이루어지는 간호업무를 지역사회간호로 보고, 대상자별 및 실무현장별로 나누어 각각 업무의 중요성 및 필요성과 아울러 업무내용을 설명하고 있다.

지역사회간호의 대상은 개인, 가족, 인구집단, 지역사회 등으로 분류되며, 간호현장은 보건소, 보건지소 및 보건진료소 등과 같은 공공보건의료기관과 학교 및 산업장 등의 기관 및 조직체 등의 현장이 대부분이다. 시대의 흐름에 따라 앞으로 지역사회간호 요구는 수요가 급증할 것이며, 이에 따라 실무현장 또한 다양한 새로운 형태의 장이 개발될 것으로 본다.

지역사회간호는 각 국가의 정치적인 이념과 철학에 따라 각기 상이한 특성을 보여주고 있다. 이에 우리나라 외에도 세계 각국의 보건의료전달체계를 이해하는 데 도움이 될 수 있는 학습내용을 제시하고, 향후 우리나라 간호사들이 국제간호사의 역할을 수행할 수 있도록 국제보건규칙 등 국제보건의료의 주요정책들을 이해하는 데 도움이 되도록 하였다.

또한 지역사회간호현장에서는 대상자의 질병을 예방하고, 건강유지 및 증진을 위한 전문적 간호가 실시되고 있으며, 이를 수행하는 간호사에게 필요한 전문적 지식과 기술, 그리고 실무에 임하는 중요한 기능과 역할 그리고 책임 등을 설명하였다.

현대사회는 과학의 발달로 의료기술이 고도화되어 의료기기 및 의약품 등의 질적인 성장으로 인간의 수명이 빠른 속도로 증가되어 인구의 고령화를 초래했고, 산업화 현상은 저출산의 시대를 만들었다. 과거와 달리 질병의 양상도 급성질환에서 만성질환으로 변화하였으며, 아울러 건강소비자들의 교육수준이 높아지고 소득이 증가함에 따라 건강요구 또한 증가하였다. 이런 사회적 변화는 보건의료인의 대량 공급을 요구하고 있으며, 이런 문제를 해결하기 위한 일차보건의료의 주요 인력인 간호사는 보건의료소비자들에게 매우 우수한 보건의료인력으로 인정받고 있다.

이에 미래에 필요한 양질의 간호 인력이 될 학생들이 지역사회간호학의 전반적인 이론을 학습하고 이를 바탕으로 실무현장에서 필요로 하는 핵심기술을 습득하는 데 도움을 주는 내용으로 구성하였다.

책의 구성은 4부 15장으로 분류하였으며, 학습성과 중심의 새로운 학습목표를 제시하고 그에 맞는 학습내용을 체계적으로 학습할 수 있게 도움을 주고자 하였다.

이 책을 위하여 귀한 원고로 참여해 주신 저자 교수님들과 인쇄되어 출간될 수 있도록 기회를 만들어주신 JMK 관계자 여러분에게도 감사의 말씀을 드립니다.

2016년 2월
새 학기를 시작하면서
대표저자 드림

차례

제1부 지역사회간호 요구사정

제1장 국내 · 외 보건정책의 이해 3

제1절 주요 국가보건정책 4

1. 지역사회간호와 보건의료정책 4
   1) 지역사회간호(Community health nursing) 4
   2) 보건의료정책 6
   3) 우리나라 보건의료정책의 실제 15

제2절 지역사회간호의 정의 27

1. 지역사회의 정의 28
   1) 다양한 측면을 포괄한 개념 28
   2) 기능에 초점을 둔 정의 28
   3) 조직에 초점을 둔 정의 28
   4) 지역사회의 단체에 초점을 둔 정의 28
   5) 공동의 요구에 초점을 둔 정의 29
2. 지역사회의 속성 29
   1) 지리적 영역의 공유 29
   2) 사회적 상호작용 29
   3) 공동유대감 29
3. 지역사회의 유형 30
   1) 구조적 지역사회 30
   2) 기능적 지역사회 31
   3) 감정적 지역사회 31
4. 지역사회의 기능 32
   1) 경제적 기능(경제제도) 32
   2) 사회화 기능(가족제도) 32
   3) 사회통제의 기능(정치제도) 32
   4) 참여적 사회통합기능(종교제도 등) 32
   5) 상부상조의 기능(사회복지제도) 32
5. 지역사회보건 32
   1) 건강의 정의(WHO) 32
   2) 공중보건의 정의 33
   3) 지역사회보건의 정의 33
   4) 지역사회간호의 정의 34
   5) 김화중의 지역사회간호의 정의 35
   6) 보건간호와 지역사회간호의 차이 37
   7) 지역사회간호에 영향을 주는 사회현상 38
   8) 지역사회간호의 속성 39
   9) 지역사회간호업무의 표준 39
   10) 지역사회간호사업 40

제3절 지역사회간호의 역사 41

1. 외국 지역사회보건간호의 발달사 41
   1) 방문간호시대: 1900년 이전 41
   2) 보건간호 시대: 1900~1960년 44
   3) 지역사회간호시대: 1960~현재 45
2. 우리나라 지역사회간호의 발달사 46
   1) 방문간호시대: 1945년 이전 46
   2) 보건간호시대: 1945~1980년 47
   3) 지역사회보건간호시대: 1980년~현재 48

제4절 지역사회간호사의 역할 50

1. 지역사회간호사 역할 50
   1) 대상자 중심역할 51
   2) 서비스 전달 중심의 역할 51
   3) 인구집단 중심의 역할 51
2. 지역사회간호사의 역할 변화 52
   1) 지역사회간호사의 역할 확대 배경 52

차례

2) 지역사회간호사의 역할 개발 55
3. 지역사회간호사에게 요구되는 자질과 태도 56
1) 의사소통능력 56
2) 대인관계 능력 56
3) 문제해결 능력 56
4) 시간관리 능력 57
5) 윤리적 태도 57

제5절 국제보건의 이해 57

1. 국제보건의 개념 57
1) 국제보건의 정의 57
2) 국제보건규칙(IHR2005, International Regulation) 58
2. 국제보건의 목표 61
1) 2030 개발의제(2030 Agenda for Sustainable Development Goals, SDGs) 61
2) 국제보건의 목표와 간호 62
3. 국제보건활동 64
1) 국제기구 65
2) 국제개발협력(International Development Cooperation) 68
4. 국제보건에서의 간호사의 역할 70

제2장 역학지식 및 보건통계 75

제1절 역학의 이해 76

1. 역학의 정의 76
2. 역학의 목적과 활용 77
1) 기술적 역할 77
2) 원인 규명의 역할 77
3) 연구전략개발의 역할 78
4) 질병 및 유행발생의 감시 역할 78
5) 보건사업의 평가 78
6) 임상연구에서의 활용 78
3. 역사적 배경 79
4. 질병발생 모형과 원인적 연관성 80
1) 질병발생의 3요인 80
2) 질병발생의 모형 80
3) 원인적 연관성 82

제2절 인구 현상의 이해 84

1. 인구의 개념 84
1) 인구의 정의 84
2) 인구의 분류 85
3) 인구관련 이론 85
2. 인구통계자료 87
1) 인구정태통계(static statistics) 87
2) 인구동태통계(vital statistics) 88
3. 인구구조의 유형별 특징 89
1) 인구구조 89
2) 인구구조의 유형 90
3) 우리나라 인구구조 91
4. 우리나라 인구정책 91
1) 인구정책의 개념 91
2) 우리나라 인구정책의 변천 93
3) 저출산 · 고령사회 기본 계획 94

제3절 질병의 자연사와 예방수준 97

1. 질병의 자연사 97
1) 제1단계 97
2) 제2단계 97
3) 제3단계 97
4) 제4단계 97
5) 제5단계 97

차례

2. 예방수준 98
1) 1차 예방 98
2) 2차 예방 98
3) 3차 예방 98
3. 감염성 질환의 발생 98
1) 감염과정 98
2) 감염성질환의 생성과 전파 99
4. 감염성 질환의 관리 104
1) 숙주관리 105
2) 병원체와 병원소 관리 105
3) 전파방지를 위한 관리 105

제4절 역학적 측정지표 105
1. 측정의 의의와 기본단위 105
1) 빈도(count) 106
2) 비(ratio) 106
3) 구성비율(proportion) 108
4) 율(rate) 109
2. 이환지표(Morbidity Rate) 109
1) 발생률(incidence rate) 109
2) 유병률(prevalence rate) 110
3) 발생률과 유병률의 관계 110
3. 사망지표(Mortality Rate) 111
1) 조사망률(crude death rate) 111
2) 특수사망률(specific death rate) 112
3) 비례사망률((proportional mortality rate, PMR) 112
4) 비례사망지수(proportional mortality index, PMI) 112
5) 치명률(case−fatality rate) 113

제5절 건강검진의 진단검사 113
1. 타당도(validity) 114
1) 민감도(sensitivity) 114
2) 특이도(specificity) 114
3) 예측도(predictability) 115
4) 위음성률과 위양성률 115
2. 신뢰도(reliability) 116

제6절 역학적 연구방법 117
1. 기술역학(descriptive epidemiology) 117
2. 분석역학(analytic epidemiology) 118
1) 단면조사연구(cross−sectional study) 118
2) 환자−대조군 연구(case−control study) 119
3) 코호트 연구(cohort study) 119
4) 실험역학 121

제7절 보건통계활용 121
1. 인구집단 수준 건강관련 데이터 121
1) 주요사망원인 및 암발생률 122
2) 합계출산율(total fertility rate)과 노년부양비 122

제3장 지역사회 간호과정 129

제1절 건강도시 130
1. 건강한 지역사회의 특성 130
2. 건강도시 130
1) 건강도시의 정의 130
2) 건강도시와 관련된 개념 131
3) 건강도시의 특성 131
4) 우리나라의 건강도시 현황 132

차례

제2절 지역사회 간호과정 133
1. 지역사회 간호과정 133
2. 지역사회 간호사정 134
1) 자료수집 내용 134
2) 자료수집 방법 135
3) 자료분석 136
4) 간호문제도출(진단) 137
5) 기준 및 지침확인 138
6) 우선순위 결정 141
4. 지역사회 간호계획 142
1) 목표설정 143
2) 수단 및 방법의 선택 144
3) 수행계획 145
4) 평가계획 145
5. 지역사회 간호수행 145
6. 지역사회 간호평가 146
1) 평가유형 146
2) 평가의 범주 147
3) 평가절차 148
4) 평가방법 148
5) 평가결과 처리: 재계획 수립 149
7. 지역사회 간호과정의 실제 149
1) 지역사회 간호사정 149
2) 지역사회 간호계획 171
3) 지역사회 간호 수행 172
4) 지역사회 간호 평가 173

제4장 건강형평성 및 문화적 다양성 175

제1절 지역사회와 건강형평성 176
1. 건강개념의 유형 176
1) 건강개념의 변천 176
2) WHO의 건강개념 176
3) 간호학적 건강개념 177
2. 건강의 결정요인 178
1) 정의 178
2) 건강의 결정요인 178
3) 건강수준의 인과경로 179
3. 건강-질병의 연속성과 질병예방수준 180
1) 건강-질병의 연속성 180
2) 질병예방수준 181
4. 건강형평성과 건강 불평등 181
1) 정의 181
2) 건강형평성의 중요성 182
3) 건강형평성 정책 183
5. 건강권 보장 184

제2절 지역사회와 문화적 다양성 185
1. 다문화의 이해 185
1) 다문화의 정의 185
2) 다문화의 유형 185
3) 다문화의 배경 186
2. 다문화의 현황 187
1) 외국인주민의 통계현황 187
2) 외국인 환자의 통계현황 188
3. 문화적 다양성 189
1) 중국 189
2) 미국 190
3) 러시아 191
4) 일본 191
5) 베트남 192
6) 아랍에미레이트 192

차례

7) 필리핀 193
8) 싱가포르 193
4. 다문화의 정책현황 194
1) 다문화가족지원정책 195
제3절 취약가족과 간호 197
1. 취약가족의 건강문제 198
1) 결혼이주자의 건강문제 199
2) 외국인 근로자의 건강문제 200
3) 북한이탈주민의 건강문제 200
2. 취약가정 건강프로그램 운영 200
1) 건강교실프로그램 운영방법 200
2) 건강프로그램 운영내용 200

제2부 보건사업기획 및 자원활용

제5장 보건사업기획 207
제1절 지역사회 간호이론 208
1. 체계이론 208
1) 체계의 구조적 기능 208
2) 체계의 기능 208
3) 주요 개념 209
2. 기획이론(Planning Theory) 209
1) 이론의 개요 209
2) 보건기획의 필요성 210
3) 보건기획 과정 211
3. 오렘의 자가간호이론 211
1) 이론의 개요 211
2) 이론의 적용 214
4. 로이(Roy)의 적응이론 214
1) 이론의 개요 214
2) 이론의 적용 216
5. 교환이론 217
1) 이론의 개요 217
2) 이론의 적용 218
6. 베티 뉴만의 건강관리체계이론 218
1) 이론의 개요 218
2) 이론의 적용 220
제2절 지역사회 보건사업 기획 221
1. 지역사회 보건사업 기획의 정의 221
2. 기획의 구성요소 221
3. 보건사업 기획의 특성 222
4. 보건사업기획의 필요성 222
1) 지휘의 수단 222
2) 효과적 통제의 수단 223
3) 가용자원의 효율적 사용 223
4) 업무 수행능력의 강화 223
5) 미래에의 대비 223
5. 보건사업기획의 유형 223
1) 범위에 따른 분류 223
2) 대상에 따른 분류 224
3) 수단에 따른 분류 224
4) 기간에 따른 분류 224
5) 대상지역에 따른 분류 224

차례

6. 지역사회 보건사업의 기획과정 225
1) Galloway 225
2) PATCH(Planned Approach To Community Health) 225
3) MAPP(Mobilizing for Action through Planning and Partnerships) 225

제3절 보건간호사업 질 관리 226

1. 의료의 질 개념 226
1) 의료의 질의 정의 226
2) 의료의 질 관리의 접근방법 227
3) 질 관리의 단계적 접근방법 228
2. 의료의 질 향상 역사 229
1) 서구의 의료의 질 향상 역사적 발전과정 229
2) 우리나라 의료의 질 향상 역사적 발전과정 231
3. 지속적인 질 향상(Continuous Quality Improvement, CQI) 232
1) CQI의 정의 232
2) CQI Team 구성 및 운영 234
3) CQI Team의 주제 선정 234

제6장 자원 활용 237

제1절 지역사회 간호활동 238

1. 방문활동 238
1) 방문활동 목적 238
2) 방문활동 원리 238
3) 방문 활동 단계 239
4) 방문활동 시 안전을 위한 유의사항 241
5) 방문 가방 241
6) 방문활동의 장점 242
7) 방문활동의 단점 242
2. 건강관리실 활동 242
1) 건강관리실의 설치 242
2) 건강관리실 운영 243
4) 건강관리실 활동의 장점 243
5) 건강관리실 활동의 단점 244
3. 자원활용 및 의뢰 244
1) 자원의 종류 244
2) 자원의 활용 및 의뢰 245
4. 상담 활동 246
1) 상담의 원리 247
2) 상담의 과정 247
3) 상담 시 주의사항 248
5. 지역사회 조직의 활용 248
1) 기존 조직의 활용 248
2) 새로운 조직의 개발 248
3) 지역사회 조직화 과정 249
6. 집단지도 249
1) 집단 지도 내용 249
2) 집단지도 담당자의 역할 250
7. 지역주민 참여 250
1) 지역주민 참여의 중요성 250
2) 지역주민 참여 형태와 단계 251
3) 지역주민 참여에 대한 문제점 252
4) 지역주민 참여 활성화 방안 253
8. 매체활용 254
1) 전화 254
2) 방송 255
3) 멀티미디어 255
4) 인터넷 255
5) 스마트폰 256
6) SNS(Social Network Service) 256

차례

7) 우편 257
8) 유인물 257
9) 포스터/게시판 257

제2절 사례관리 257

1. 사례관리의 이해 257
1) 사례관리의 정의 257
2) 사례관리의 필요성 258
3) 사례관리 목적 259
4) 사례관리의 원칙 259
5) 사례관리 대상자 260
6) 사례관리자의 역할 및 자질 260
2. 사례관리 모형(model) 261
1) Lyon에 의한 분류 261
2) 사례관리자 역할에 따른 분류 262
3) 서비스 방법에 따른 분류 263
4) 목적이나 방법에 따른 분류 264
3. 사례관리 흐름과 절차 265
1) 1단계 : 접수 265
2) 2단계 : 사정 265
3) 3단계 : 목표 설정 및 계획 수립 265
4) 4단계 : 중재(개입) 266
5) 5단계 : 모니터링 및 추후관리(점검) 266
6) 6단계 : 재사정(평가) 및 종결 266
4. 우리나라 사례관리사업 운영 266
1) 의료급여 사례관리사업 266
2) 국민건강보험공단의 사례관리사업 270
3) 방문건강관리사업의 사례관리 274
4) 치매관리 사업의 사례관리 276
5) 재활 사례관리 사업 278
5. 사례관리 프로그램의 실제 281
1) 의료급여 사업 사례관리 실제
: 만성질환 의료급여수급자 대상 사례관리 281
2) 방문건강관리사업의 사례관리 실제
: 관절염 환자 사례관리 281

제3부 인구집단별 건강증진 및 유지

제7장 보건교육 289

제1절 보건교육 개념의 이해 290

1. 보건교육의 정의 290
2. 보건교육의 목적 290
3. 보건교육의 중요성 291
1) 인간의 수명연장 291
2) 만성질환 증가에 의한 국민 의료비 상승 291
3) 건강한 생활실천으로 삶의 질 향상 291
4) 건강소비자의 권리 강화 291
4. 보건교육의 이론과 원리 292
1) 보건교육의 학습이론 292
2) 보건교육 시 고려해야 할 일반적인 원리 294
3) 보건교육의 원리 중 기본요소 4가지 294
4) 교수-학습개념 294
5) 보건교육자로서의 지역사회간호사 역할 294

차례

제2절 보건교육프로그램 개발 296
1. 보건교육 계획 296
1) 1 단계: 대상자의 선정 및 특성 파악 296
2) 2 단계: 대상자의 요구 및 우선순위 파악 296
3) 3 단계: 보건교육의 목적(Goal)과 목표(Objective)결정 297
4) 4 단계: 세부 목표의 설정 297
5) 5단계: 이용 가능한 자원을 파악 298
6) 6단계: 내용 및 방법에 대한 계획 298
7) 7단계: 평가 방법의 계획 298
2. 학습목표 설정 299
1) 보건교육의 방향 설정 299
2) 보건교육의 학습내용을 결정하기 전에 교육자가 먼저 준비해야 할 사항 300
3) Bloom의 교육을 통한 학습목표의 영역과 수준 300
4) 학습 목표의 작성 원리 300
5) 학습 내용의 조직과 내용 선정 300
3. 보건교육 프로그램 301
1) 금연 프로그램 301
2) 절주 프로그램 302
3) 운동 프로그램 302
4) 영양 프로그램 303
5) 비만과 질병 306

제3절 보건교육의 수행 309
1. 보건교육 방법 309
■ 집단별 분류 309
1) 개별 보건교육 309
2) 집단 보건교육 310
■ 보건교육방법에 대한 분류 311
1) 강의(Lecture) 311
2) 집단 토의(Group discussion) 311
3) 버즈 학습(Buzz session discussion) 311
4) 브레인스토밍(Brainstorming) 311
5) 배심 토의(Panel discussion) 312
6) 강연식 토의법(심포지움, Symposium) 312
7) 프로젝트 방법(Project method) 312
8) 시범(Demonstration) 312
9) 역할극(Role playing) 313
10) 모의 상황(Simulated environment) 혹은 모의 실험극(Simulation) 313
11) 상담(Counseling) 313
12) 견학(Field Trip) 313
13) 대중매체 중심 314
2. 보건교육 진행과정 317
1) 도입단계 317
2) 전개단계 318
3) 요약 및 정리단계 319

제4절 보건교육 평가 319
1. 평가의 개념 319
2. 평가의 목적 319
3. 평가의 대상 320
4. 평가의 내용 320
5. 보건교육 평가단계 320
6. 보건교육 평가 유형 321
1) 기준에 따른 평가 321
2) 평가의 시기에 따라 과정에 따른 평가 321
7. 보건교육 평가방법 322
1) 영역별 평가방법 322
2) 좋은 평가도구가 갖추어야 할 조건 323

차례

3) 기타 시험에 의한 선택형(selection type) 323

제8장 건강증진 325

제1절 건강증진의 이해 326

1. 건강증진의 이해 326
   1) 건강증진의 개념 326
   2) 건강증진 국제회의 327
2. 건강증진 관련 이론 329
   1) 건강신념 모형 329
   2) 합리적/계획된 행위이론 331
   3) 펜더(Pender)의 건강증진 모형 (Health Promotion Model) 333
   4) PRECEDE–PROCEED 모형 335
   5) 범이론 337

제2절 건강증진 프로그램 339

1. 우리나라 건강증진 사업 339
2. 보건소 건강증진사업 339
   1) 보건소 모유수유클리닉 운영 339
   2) 금연 클리닉 운영 341
   3) 영양플러스 사업 350
   4) 신체활동 프로그램 352
3. 학교 건강증진사업 353
   1) 건강증진학교 353
   2) 학교 건강증진 354
   3) 학교 건강증진 프로그램 355
4. 산업장 건강증진사업 357
   1) 산업장 건강증진사업 357
   2) 근로자 건강증진활동 358

제9장 공공보건사업 371

제1절 보건의료 전달체계 372

1. 보건의료 전달체계의 구성요소 372
   1) 보건의료 자원의 개발 372
   2) 자원의 조직적 배치 380
   3) 보건의료의 제공 387
   4) 국가 보건의료 전달체계에 대한 경제적 지원 387
   5) 국가 보건의료 전달체계의 관리 390
2. 진료비 지불보상제도 390
   1) 행위별수가제(fee for service) 391
   2) 포괄수가제(case payment) 391
   3) 봉급제(salary) 391
   4) 인두제(capitation) 392
   5) 총액계약제(negtiation system) 392
3. 주요 국가별 보건의료 전달체계 393
   1) 보건의료전달 체계의 분류 393
   2) 주요 국가의 보건의료 전달체계 394

제2절 일차보건의료 397

1. 일차보건의료의 철학과 전략 397
   1) 일차 보건의료의 개념 397
   2) 일차보건의료의 철학 397
   3) 일차보건의료의 전략 398
2. 일차보건의료의 필수서비스 398
3. 일차보건의료 발전과정 399
   1) 지역사회 보건간호 399
   2) 한국보건개발연구원(KHDI)의 설립 399
   3) 농어촌 보건의료를 위한 특별조치법 적용 사업 400

차례

제3절 공중보건의 기능 및 체계 401

1. 보건소, 보건지소, 보건진료소의 기능 401
   1) 보건소 403
   2) 보건지소 411
   3) 건강생활지원센터 412
   4) 보건진료소 414
2. 지역보건의료계획 416
   1) 지역보건의료계획의 목적 418
   2) 지역보건의료계획의 수립 418
   3) 지역보건의료계획의 내용 419
   4) 지역보건의료계획의 평가 420
3. 보건전문간호사의 역할 421
   1) 보건전문간호사 421
   2) 보건전문간호사의 역할 422

제4절 영유아보건사업 422

1. 영유아보건사업의 대상 422
2. 영유아보건지표 423
   1) 영유아 사망지표 423
3. 영유아보건사업 내용 424
   1) 건강관리 424
   2) 예방접종사업 426
   3) 영양관리 428
   4) 통상증상 질환관리 및 응급처치 429
   5) 구강관리 430
   6) 미숙아 및 선천성이상아 등록관리 및 의료비 지원 430
4. 보건소 영유아실 관리 및 등록업무 절차 430

제5절 여성보건사업 431

1. 여성보건의 개념 431
2. 여성보건사업의 의의 및 목적 431
3. 여성보건사업의 변천 433
4. 여성보건지표 434
   1) 출산지표 434
   2) 사망지표 436
5. 여성보건사업의 내용 437
   1) 지역사회통합건강증진 사업내 여성 대상 특화 사업 437
   2) 혼전상담 438
   3) 산전관리 438
   4) 분만 및 산욕기 관리 443
   5) 산후우울증 관리 444
   6) 모유수유 증진을 위한 모유수유 클리닉 운영 및 홍보사업 444
   7) 임산부의 날 행사 및 임산부 배려 캠페인 실시 446
   8) 난임부부 지원사업 446
   9) 성교육 · 성상담 프로그램 446
   10) 피임방법 교육 447
   11) 여성건강관리 449
6. 보건소 여성 관리 및 등록업무 절차 450

제6절 노인보건사업 451

1. 노인보건의 정의 및 의의 451
2. 노인인구 변화추이 452
3. 노인의 사망률 저하 및 보건의료 수요의 증가 454
4. 노인보건사업 454
   1) 노인보건복지사업의 개요 454
   2) 노인장기요양보험제도 455
   3) 안전한 노후 생활 458
   4) 편안한 노후 생활 461

차례

5) 노인 일자리확충사업 463
6) 건강한 노후생활 464

제10장 감염성질환 및 만성질환관리 325

제1절 방문보건사업 468

1. 방문보건사업 468
1) 방문보건의 개념 468
2) 방문건강관리사업 468
3) 방문건강관리사업의 목적 470
4) 방문건강관리사업의 전략 470
5) 방문건강관리사업의 대상 472
6) 방문건강관리사업의 수행 472
7) 방문건강관리사업의 서비스 세부내용 475
8) 보건소 내 · 외 자원 연계서비스 478
9) 방문건강관리사업의 조직과 인력 479
2. 가정간호사업 480
1) 가정간호의 개념 및 정의 480
2) 가정간호사업 도입배경 483
3) 가정간호사업 목적 및 목표 483
4) 가정간호사업 대상자 483
5) 가정간호사업 수행 484
6) 가정간호사업팀 485
7) 가정간호의 수가 487
3. 노인장기요양보험의 방문간호사업 488
1) 노인장기요양보험 방문간호의 개념 488
2) 노인장기요양보험 방문간호의 목적 489
3) 노인장기요양보험 방문간호의 대상자와 내용 489
4) 노인장기요양보험 방문간호의 이용절차 490
5) 노인장기요양보험 방문간호의 인력기준 490
6) 방문건강관리사업, 가정간호, 노인장기요양보험 방문간호사업의 개념차이 491

제2절 만성질환관리사업 492

1. 만성질환 492
1) 만성질환 정의 및 특성 492
2) 만성질환관리 494
2. 만성질환관리사업 498
1) 배경 498
2) 사업내용 499
3) 만성질환의 감시체계 502

제3절 감염성질환관리사업 504

1. 감염성질환 504
2. 법정감염병 505
1) 법정감염병의 종류 506
2) 감시체계 506
3. 감염병관리 507
1) 감염병 관리방법 508
2) 주요 감염병 관리현황 509

제4절 재활간호사업 514

1. 재활간호사업의 개념 514
1) 장애의 정의와 분류 514
2) 재활간호사업의 정의 516
3) 지역사회 재활간호사업의 필요성 517
4) 지역사회 재활사업의 목적 517
5) 재활간호사업의 내용 518
2. 지역사회중심 재활사업의 개념 519
1) 지역사회중심 재활사업의 개요 519
2) 지역사회중심 재활사업의 목적 520
3) 지역사회중심 재활사업의 기본 방향 520

차례

4) 지역사회중심 재활사업의 대상 520
5) 지역사회중심 재활사업의 내용 521
3. 재활간호사업팀의 역할 526

제11장 가족간호 529

제1절 가족의 이해 530
1. 가족의 정의 530
2. 가족의 기능 531
1) 애정 및 성기능 531
2) 생식기능 531
3) 경제적 기능 531
4) 자녀양육과 사회화 기능 532
5) 정서적 안정과 휴식의 기능 532
3. 가족의 특성 533
1) 일차적 집단 533
2) 공동 사회 집단 533
3) 폐쇄적 집단 533
4) 형식적 집단이나, 가족관계는 비형식적 집단 533
4. 가족의 유형 534
1) 핵가족 534
2) 확대가족 534
5. 가족 역동 535
1) 가족역할 535
2) 가족권력 535
3) 가족의 의사소통 536

제2절 가족이해의 이론적 배경 539
1. 체계이론(system theory) 539
2. 구조기능적 이론(Structural-Functional Theory) 540
3. 상징적 상호작용이론(Interactional Theory) 540
4. 발달이론(Developmental Theory) 541

제3절 가족의 생활주기 및 발달과업 541
1) 신혼기 542
2) 양육기 가족 542
3) 학령전기 가족 542
4) 학령기 가족 543
5) 청소년기 가족 543
6) 진수기 가족 543
7) 중년기 가족 543
8) 노년기 가족 543

제4절 우리나라 가족의 변화 544
1. 가족의 변화 544
1) 가구의 축소와 세대의 단순화 544
2) 가족 주기의 변화 545
3) 가족 기능과 가치관의 변화 546

제5절 가족간호의 이해 546
1. 가족간호의 개념 546
1) 가족간호의 정의 547
2) 가족간호의 중요성 548
3) 가족간호의 대상 및 접근방법 548
2. 가족간호사의 역할 549
1) 가족과 지역사회간호의 이론적 관점 549
2) 가족간호사의 역할 549

제6절 가족간호과정 551
1. 가족 사정 551
1) 가족사정 시의 원칙 551
2) 자료수집 552
3) 가족 사정도구 552

차례

4) 자료분석 556
5) 가족간호진단 556
2. 가족간호계획 558
1) 목표설정 558
2) 간호계획 559
3. 가족간호수행 559
1) 수행전략은 아래와 같다. 559
2) 가족간호수행의 유형 560
4. 가족간호평가 561

제7절 고위험 가족간호 562
1. 고위험 가족의 정의 562
2. 고위험 가족의 특성 563
1) 고위험 가족의 가족기능상의 특성 563
2) 잠재적 위기 가족의 특징 563
3) 고위험 가족간호의 범위 563

제12장 학교보건 569

제1절 학교보건의 이해 570
1. 학교보건의 개념 570
2. 학교보건의 목적 570
3. 학교보건의 중요성 570
4. 학교보건의 내용 571
1) 학교보건서비스 571
2) 학교보건교육 571
3) 건강한 학교환경 조성 572
5. 학교보건의 인력 572
1) 보건교사 572
2) 학교의사, 학교약사 574
6. 학교보건관련 법률 574
1) 학교보건법 (2013. 12. 30. 일부개정) 575
2) 학교건강검사규칙 575
3) 감염병의 예방 및 관리에 관한 법률 575
4) 초 · 중등교육법 576
5) 교육기본법 576
6) 헌법 576

제2절 학교보건교육 576
1. 학교보건교육의 이해 577
1) 학교보건교육의 개념 577
2) 학교보건교육의 목적 577
3) 학교보건교육의 목표 577
4) 학교보건교육의 중요성 578
5) 학교보건교육의 법적근거 578
2. 학교보건교육의 계획 579
1) 학교보건교육의 요구 사정 579
2) 학교보건교육의 목표 설정 579
3) 학교보건교육의 계획 수립 580
4) 학교보건교육의 평가계획 581
5) 학교보건교육의 수행 582
6) 학교보건교육의 평가 584
3. 학교보건교육의 실제 585
1) 흡연예방교육 계획안(예시) 585

제3절 학교건강증진 588
1. 학교건강증진의 개요 588
1) 건강증진의 개념 588
2) 건강증진의 목적 588
3) 학교건강증진의 원칙 588
4) 학교건강증진의 기본방향 589
2. 학교건강증진사업의 내용 590
1) 전통적 학교보건사업의 범위 590
2) 학교건강증진사업의 범위 590

차례

3. 건강증진학교 590
4. 학교건강증진사업의 실제 591
1) 현황 591
2) 기본방침 591
3) 추진방향 591
4) 세부영역 592
5) 세부추진내용 593
5. 영역별 학교건강증진사업 593
1) 시력관리 593
2) 구강관리 594
3) 건강한 체중관리 595
4) 성폭력 · 성매매 예방 및 성교육 강화 596
5) 흡연 · 음주 등 약물 오 · 남용 예방 598
6) 정신건강관리 600

제4절 학교건강평가 603

1. 학교건강평가의 개요 603
1) 건강검사 필요성 및 목적 604
2) 법적 근거 604
3) 건강검사 실시계획의 수립 604
4) 건강검사 내용 및 방법 604
5) 학생건강조사 시스템 605
6) 건강검사 실시의 예외 606
2. 학교건강평가의 실제 606
1) 신체의 발달상황 606
2) 건강조사 606
3) 건강검진 607
4) 별도검사 611
5) 신체능력검사 615
3. 학교건강평가 결과의 관리 615
1) 법적근거 615
2) 건강검사 결과의 조치 616
3) 학생건강기록부 기록 · 보관 등 관리 616
4) 건강검사 결과의 활용 617

제5절 학교건강문제 관리 617

1. 통상적인 건강문제 관리 617
1) 복통 618
2) 소화불량(식체) 619
3) 설사 620
4) 구토(오심) 622
5) 두통 623
6) 발열 624
7) 요통 625
8) 월경곤란증 626
2. 응급한 건강문제 관리 627
1) 외상 628
2) 염좌 628
3) 골절 629
4) 화상 630
5) 비출혈 632
6) 눈의 외상과 이물 633
7) 귀의 외상과 이물 634
8) 구강 외상 634
9) 과호흡증후군 635
10) 천식 636
3. 건강관리 대상자 상담 및 추후관리 638
1) 목적 638
2) 시기 638
3) 대상자(학생 및 교직원) 639
4) 관리 내용 639
5) 관리 방법 639

차례

제6절 응급상황 관리 639

1. 응급상황 관리의 개요 640
   1) 목적 640
   2) 법적근거 640
   3) 용어 정리 640
   4) 응급처치의 기본자세 640
2. 응급상황 관리의 실제 641
   1) 보건교사의 역할 641
   2) 응급환자 후송 절차 641
   3) 응급환자 후송에 따른 행정사항 642
   4) 응급환자 후송 세부사항 644
   5) 응급환자 발생 시 교직원 행동수칙 644
   6) 학교 내 안전사고 예방을 위한 연수 등 조치사항 645
3. 응급환자 및 응급상황 646
   1) 응급환자 발생에 따른 처치 및 이송 판단기준 646
   2) 응급증상 VS 응급에 준하는 증상 646
   3) 신속한 처치와 이송이 필요한 응급상황 647
   4) 응급상황 발생 시 대처요령 647

제7절 학교감염병 관리 648

1. 감염병의 개요 649
   1) 감염병 관리의 목적 649
   2) 아동 · 청소년기 호발 법정감염병 및 특성 649
2. 감염병 예방 관리 650
   1) 예방접종 관리 650
   2) 면역증강을 위한 노력 650
   3) 학교환경 관리 650
   4) 건강검진 651
   5) 보건교육 651
3. 감염병 관리의 실제 654
   1) 감염병 예방활동 654
   2) 법정감염병 감염자 관리 655
   3) 법정감염병 유행에 따른 학사운영 관리 656
   4) 감염병 관리를 위한 업무분장 657
   5) 학교감염병 대응체계 658
4. 결핵 관리 659
   1) 결핵 관리체계 659
   2) 결핵환자 발생 시 관리체계 659
   3) 결핵예방 659

제8절 보건실 운영 663

1. 시설 관리 663
   1) 위치 663
   2) 면적 663
   3) 시설 663
2. 기구 및 약품 관리 664
   1) 기구 및 물품 관리 664
   2) 의약(외)품 관리 664
   3) 물품 및 약품 구입 절차 667
3. 문서 관리 668
   1) 문서관리의 목적 668
   2) 문서의 종류 668
   3) 기록 668
   4) 보고 668
   5) 공문 기안 작성법 669
4. 예산 관리 669
   1) 예산의 원칙 669
   2) 예산의 항목 670
   3) 지출 품의 기안 670

차례

제13장 산업간호 673

제1절 산업간호의 이해 674

1. 산업보건과 산업간호 674
   1) 산업보건과 산업간호의 개념 674
   2) 산업간호의 목적 674
   3) 산업보건의 중요성 675
2. 산업보건의 역사 675
   1) 외국의 역사 676
   2) 우리나라의 역사 677
3. 산업보건 조직 679
   1) 공공조직 679
   2) 민간조직 680
4. 안전보건관리체계 및 산업안전보건인력 681
   1) 사업장의 안전보건관리체계 681
   2) 산업안전보건인력의 이해 681
   3) 보건관리자의 이해 683
   4) 산업전문간호사의 자격 및 역할 686
   5) 산업전문간호사 역할 687
5. 보건관리대행 687

제2절 산업간호과정 688

1. 산업간호사정 688
2. 산업간호진단 689
3. 산업간호계획 689
4. 산업간호수행 691
5. 산업간호평가 및 재계획 691

제3절 근로자 건강진단 692

1. 근로자 건강진단의 종류와 내용 692
   1) 건강진단 종류 692
   2) 건강진단 사후관리 694

제4절 산업재해 697

1. 산업재해의 개요 697
   1) 산업재해의 개념 697
2. 산업재해의 원인 698
3. 산업재해 통계지표 699
   1) 재해율 699
   2) 사망 만인율 699
   3) 요양 재해율 700
   4) 도수율(빈도율, frequency rate) 700
   5) 강도율(severity rate) 700
4. 산업재해 발생현황 701
   1) 산업재해 현황 701
   2) 사망재해 현황 701
   3) 업무상질병자 현황 702
   4) 업무상질병 사망자 현황 703
5. 산업재해 예방대책 703
6. 산업재해보상보험제도 704
   1) 요양급여 704
   2) 휴업급여 705
   3) 장해급여 705
   4) 간병급여 705
   5) 유족급여 705
   6) 상병보상연금 705
   7) 장의비 706

제5절 작업환경관리 706

1. 작업환경 유해인자 706
   1) 물리적 인자 707
   2) 화학적 인자 707
   3) 생물학적 인자 708
   4) 인간공학적 인자 708

차례

5) 사회적 인자 708
2. 물리적 인자 및 화학물질의 노출기준 708
1) 노출기준의 개념 708
2) 노출기준 사용상의 유의사항 709
3. 유해성에 영향 미치는 요인 710
1) 농도 710
2) 노출시간 710
3) 작업의 강도 710
4) 개인의 감수성 710
5) 기상조건 711
4. 작업환경관리의 기본원칙 711
1) 발생원에 대한 대책 711
2) 전달과정에 대한 대책 712
3) 근로자에 대한 대책 712
5. 유해물질의 노출경로에 따른 관리 714
1) 호흡기 유해물질 관리 714
2) 소화기 유해물질 관리 715
3) 피부 유해물질 관리 715
6. 작업환경관리의 우선순위 715
7. MSDS와 GHS제도 715
1) 물질안전보건자료(Material Safety Data Sheet, MSDS)제도의 이해 715
2) 화학물질의 분류 및 표지에 관한 세계조화시스템(GHS: Globally Harmonized System of classification and labelling of chemicals) 717
8. 화학물질 위험성평가 718
1) 위험성평가단계 719
9. 작업환경측정 720
1) 작업환경측정의 개요 720
2) 작업환경 측정방법 721
3) 작업환경측정결과 사후관리 722
4) 작업환경측정과 관련된 보건관리자의 업무 723

제6절 업무상질병 관리 724

1. 업무상질병 724
1) 업무상질병 인정기준 724
2) 업무상질병 범위 724
2. 유해인자별 건강장해 및 관리방법 725
1) 물리적 인자와 건강장해 725
2) 화학적 인자와 건강장해 733
3) 분진과 건강장해 737
3. 작업관련성 질환 관리 740
1) 근골격계 질환 740
2) 직무스트레스 743

제7절 건강관리실 운영 746

1. 건강관리의 개요 746
2. 시설 및 비품확보 746
1) 시설선정 및 관리 746
3. 효과적인 건강관리실 운영방법 747

제4부 안전과 환경관리

제14장 환경보건관리 753

제1절 환경보건의 이해 754

1. 환경의 개념 754
2. 환경보건의 개념 754
3. 환경보전을 위한 대책 754
   1) 국내 754
   2) 국제 755
4. 환경영향평가 756
   1) 환경영향평가 756
   2) 환경영향평가 대상사업 및 절차 757
5. 환경오염 758
   1) 환경오염의 정의 758
   2) 환경오염의 발생 원인 758
   3) 환경호르몬 759

제2절 대기와 건강 760

1. 대기의 구성 760
2. 공기의 조성과 성상 760
   1) 산소(O2) 761
   2) 질소(N2) 761
   3) 이산화탄소(CO2) 761
   4) 일산화탄소(CO) 761
3. 기후(climate)와 건강 762
   1) 온열조건(thermal condition) 762
   2) 온열지수 763
4. 대기오염(air polluton) 764
   1) 대기오염의 정의 764
   2) 대기오염물질(air pollutants) 764
   3) 대기오염과 기상 767
5. 대기오염 대책 770
   1) 배출허용기준의 단계적 강화와 예시제 도입 770
   2) 자동차 공해관리 강화와 오존경보제 실시 770
   3) 총량규제의 단계적 도입과 오염원 집중관리 770
   4) 청정연료 공급 확대와 지역난방체계 구축 771
   5) 대기환경기준 강화와 지역환경기준 유도 771

제3절 물과 건강 771

1. 물의 자정작용 771
2. 상수도 수원 및 공급과정 772
   1) 수원 772
   2) 정수처리 과정 772
   3) 음용수(먹는 물)의 수질검사 항목 및 기준치 774
3. 수질오염 776
   1) 수질오염의 정의 및 원인 776
   2) 수질오염 사건 776
   3) 부영양화/적조현상 777
   4) 수질오염지표 778
   5) 수질오염의 대책 779
4. 하수처리 과정 779
   1) 예비처리 780
   2) 본처리 780

제4절 식품과 건강 781

1. 식품의 관리 781

차례

2. 식품에 의한 건강장애 782
  1) 식중독 발생현황 및 전망 783
  2) 식중독 예방대책 783
  3) 식중독 분류 784
  4) 식중독 예방방법 789

제5절 주거와 건강 789
1. 주택의 기본조건 789
  1) 대지의 선정 790
  2) 조명 790
  3) 환기 791
  4) 난방(heating)과 냉방(cooling) 792
2. 주거환경이 인체에 미치는 영향 792
  1) 새집증후군(sick house syndrome) 792
  2) 헌집증후군(sick house syndrome) 792

제6절 의복과 건강 793
1. 의복의 기능 793
2. 의복기후 793
3. 의복기후의 열전도율과 방한력 793
  1) 열전도율 793
  2) 방한력 단위(CLO, clothes unit) 794
4. 의복과 건강 794

제7절 폐기물과 건강 794
1. 폐기물 794
2. 폐기물 처리방법 795
3. 폐기물이 인체에 미치는 영향 796

제8절 토양과 건강 797
1. 토양오염의 정의 797
2. 토양오염의 특성 797
3. 토양오염의 기준 798
4. 토양오염의 원인 798
  1) 대기오염물질 798
  2) 수질오염물질 798
  3) 고형폐기물 798
  4) 농약 799
  5) 중금속에 의한 오염 799
  6) 방사성 물질에 의한 오염 799
  7) 각종 쓰레기(플라스틱, 비닐, 음식물 등) 799
5. 토양오염이 인체에 미치는 영향 800
6. 토양오염의 대책 800
  1) 토양오염의 방지 800
  2) 오염토양의 처리기술 800
  3) 농경지 개량법 801
  4) 보전농업 801

제9절 방사능과 건강 802
1. 방사능 피폭 802
2. 방사능이 인체에 미치는 영향 802

제10절 환경보건과 간호사의 역할 803
1. 환경유해요인에 노출될 위험인구 집단 확인 803
2. 환경보건서비스의 정의 및 목표 803
3. 환경건강 804
4. 환경에 대한 사정 804
5. 환경보건에서 리스크 커뮤니케이션의 역할 804
6. 환경보건에 관한 지역사회간호사의 역할 805

제15장 재난관리 807

제1절 재난의 정의 808
1. 재난의 정의 808
  1) 개념 808

차례

2) 재난의 유형 및 분류 808

2. 재난의 특성 809

3. 재난 발생현황 810

4. 재난 유형별 건강문제 814

1) 자연재난 814

2) 인위재난 815

3) 테러와 전쟁 816

5. 재난발생과 심리적 문제 817

1) 외상 후 스트레스 신드롬(PTSS : Post Traumatic Stress Syndrome) 817

2) 외상 후 스트레스 장애(PTSD: post traumatic stress disorder) 817

제2절 재난관리와 간호사의 역할 818

1. 재난관리의 개념 818

2. 재난관리 단계 및 단계별 간호요구 818

1) 예방(완화)단계 818

2) 준비(대비)단계 818

3) 대응단계 819

4) 복구(회복)단계 819

3. 재난 시 환자의 유형별 분류 819

4. 재난관리 시 필요한 간호사의 역할 820

1) 비판적 사고능력 820

2) 대상자 사정능력 820

3) 간호기술능력 821

4) 의료정보 및 의사소통능력 821

5) 질병관리능력 821

제3절 국내 · 외 재난관리 821

1. 국내 재난관리 체계 821

2. 국제재난 822

1) 국제재난구호 요청 822

2) 해외구호활동 824

3) 인도주의 824

3. 국제재난구호활동 단체 824

1) 비정부기관 824

2) 정부기관 825

3) 국제연합기관(United Nation) 826

찾아보기 / I-1

제 1 부

지역사회간호 요구사정

1장 국내 · 외 보건정책의 이해
2장 역학지식 및 보건통계
3장 지역사회 간호과정
4장 건강형평성 및 문화적 다양성

제 1 장

국내 · 외 보건정책의 이해

학습목표

- 보건정책의 중요성을 설명할 수 있다.
- 보건정책의 결정과정을 설명할 수 있다.
- 국민건강증진종합계획의 목표를 설명할 수 있다.
- 국민건강증진종합계획의 중점분야별 추진전략을 열거할 수 있다.
- 지역사회간호의 역사를 이해할 수 있다.
- 지역사회간호를 정의할 수 있다.
- 지역사회를 분류할 수 있다.
- 지역사회간호사의 역할을 설명할 수 있다.
- 지역사회간호사의 역할확대 배경을 설명할 수 있다.
- 국제보건의 목표를 설명할 수 있다.
- 국제보건활동을 열거할 수 있다.
- 국제보건에서의 간호사의 역할을 설명할 수 있다.

개요

- 이 장은 국내 · 외 주요보건의료정책을 이해하고, 지역사회간호의 정의와 역사를 설명하고 있다. 그리고 지역사회간호사의 역할은 무엇이며, 기존의 간호사의 역할이 건강소비자의 수요에 따라 확대될 수밖에 없었던 배경을 학습하게 한다.
- 또한 국제보건의 중요성과 필요성 및 국가 간에 지켜야하는 보건규칙을 이해하고 준수하여 국가 간 감염병 전파를 예방하고, 조기에 발견하여 확산되는 것을 막을 수 있도록 학습한다.

주요 용어

- 국민건강증진종합계획 • 지역보건의료계획 • 통합건강증진사업 • 지역사회간호의 정의 • 지역사회간호의 역사
- 지역사회간호사의 역할 • 국제보건규칙 • 국제보건기구 • 국제비정부기구

제1절 주요 국가보건정책

1. 지역사회간호와 보건의료정책

1) 지역사회간호(Community health nursing)

인간의 건강을 보호하기 위해 연구하는 학문은 여러 분야의 학문이 관련된다. 인간의 건강을 보호하기 위한 학문을 포괄적으로 '보건학(保健學)'이라고 볼 때, 의학 · 간호학 · 인구학 · 환경학 · 심리학 · 기타 많은 관련학문들이 모두 보건학의 일부분이라고 설명할 수 있다(그림 1-1).

이 중 간호학을 따로 분리하여 설명하면, 간호학은 임상간호학과 지역사회간호학으로 분류할 수 있으며, 이는 두 가지 측면에서 설명이 가능하다.

첫째, 대상자의 건강문제를 중심으로 분류하면 신체적 · 정신적 건강문제가 발생한 질병자 중심의 간호학 즉 임상간호학과 질병예방과 건강유지 및 건강증진을 필요로 하는 일반인 대상의 하는 지역사회간호학으로 나눌 수 있다.

둘째, 실무현장을 중심으로 분류하면 대상자가 의료기관 내에 있을 때는 임상간호학, 의료기관 밖에 있을 때는 지역사회간호학으로 설명이 가능하다.

여기서 의료기관 내에 있는 경우라 함은 병원 등의 통원진료 및 입원진료의 경우에 해당하는 간호를 말하며, 의료기관 밖에 있는 경우는 질환으로 인한 건강문제의 요구가 있거나 질병예방과 건강유지 및 증진을 위한 간호요구가 있는 경우로 대부분 실무현장은 지역사회 내에 있다.

예를 들어 지역사회 간호의 실무 현장으로는 보건소, 보건지소, 보건진료소, 산업장, 학교 등의 기관이 대표적이다. 그 외 가정 및 요양시설 등에 거주하는 대상자, 건강검진센터 등으로 간호사가 상주 또는 방문하면서 간호요구가 있는 대상자들의 건강관리를 책임지고 있는 다양한 형태의 기관들을 말한다.

이외에도 간호학자들은 각자 여러 측면에서 임상간호와 지역사회간호를 분류하고 있는 것이 현실이다.

지역사회의 간호는 영문으로 'Community Health Nursing' 으로 표기되며, '지역사회간호' 또는 '지역사회보건간호' 등으로 해석 된다.

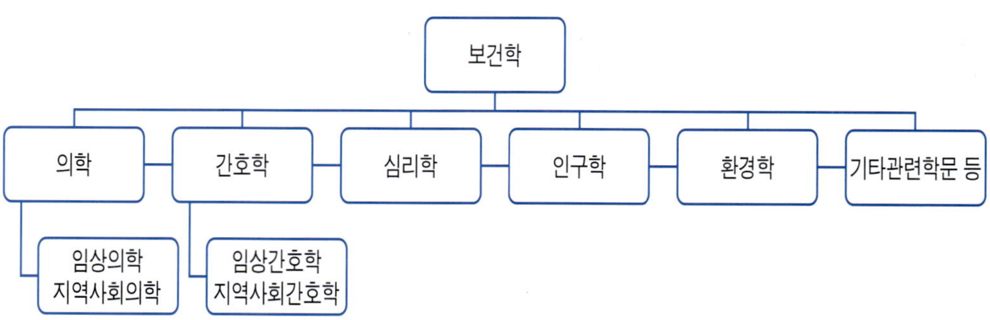

그림 1-1 지역사회간호학과 타 학문과의 관계

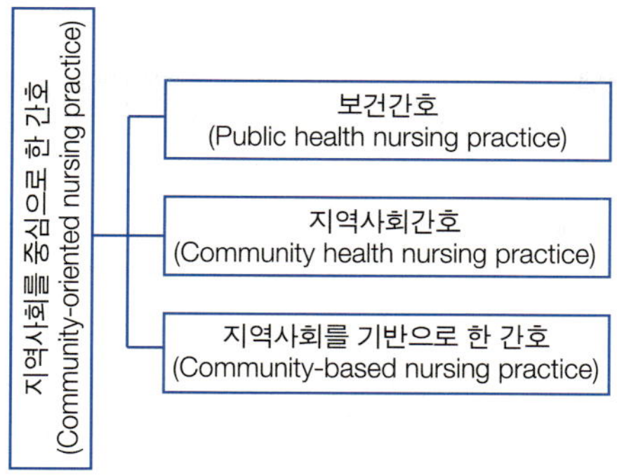

그림 1-2 지역사회를 중심으로 한 간호와 보건간호, 지역사회간호, 지역사회를 기반으로 한 간호의 상관관계(Stanhope & Lancaster, 2004)

최근 미국에서는 지역사회간호를 지역사회를 중심으로 한 간호(Community−oriented nursing practice)라고 말하며, 이를 보건간호(Public health nursing practice), 지역사회간호(Community health nursing practice), 지역사회를 기반으로 한 간호(Community−based nursing practice)로 세분화해서 분류하였다(Stanhope & Lancaster, 2004)(그림 1−2).

지역사회를 중심으로 한 간호(Community−oriented nursing practice)는 지역사회와 인구집단의 질병과 장애를 예방하고 건강유지 · 증진을 목적으로 분야별로 실무에 관한 전문교육을 받은 면허간호사와 분야별 자격증을 가진 전문간호사들이 주요 건강문제 및 환경문제를 지역사회의 진단과 분석, 건강감시와 모니터링 등으로 지역사회와 인구집단의 건강상태를 평가하여 지역주민이 최적의 건강상태에 이를 수 있도록 돕는 간호서비스 전달체계의 철학적인 개념이다.

보건간호(Public health nursing practice)는 간호이론과 공중보건학의 이론을 종합적으로 응용한 개념으로 인구집단의 건강을 증진하고 보호하는 것을 목적으로 한다. 보건간호는 지역사회를 하나의 통합체로 보고, 개인, 가족, 집단의 건강상태가 서로 상호영향을 미친다고 보았다. 따라서 간호의 목적은 질병을 예방하고 장애를 교정하며, 총체적 관점에서 지역사회의 건강을 증진시키는 것이다.

지역사회간호(Community health nursing practice)는 간호학 이론과 공중보건학 이론을 종합적으로 응용한 개별적 간호서비스 전달의 개념이다. 개인, 가족, 집단을 대상으로 개별적 건강관리 서비스를 제공하여 지역주민의 건강을 유지 · 증진하고, 질병을 예방한다는 목적을 갖고있다. 간호실무는 개인, 가족, 집단의 건강관리에 중점을 두고 이들 각각의 건강상태는 지역사회 전체에 영향을 미친다는 개념이다.

지역사회를 기반으로 한 간호(Community−based nursing practice)는 주어진 장소에 초점을 두는 개념으로, 질병에 걸린 개인과 가족을 대상으로 그들이 살고 있는 지역사회(가정, 직장, 학교)에서 대상자의 상황에 가장 잘 맞는 개별적인 간호를 제공한다. 주로 급 · 만성 질환을 앓고 있는 대상자가 해당되며, 각자 처한 환경에 적합한 포괄적 · 지속적 서비스를 제공한다. 간호영역은 모성 및 신생아, 소아, 성인 및 정신보건 영역이 주로 대상이 되며, 일반간호사와 전문간호사가 협력하여 해당 환자를 간호한다. 이상의 내용을 정리하면 다음과 같은 특성을 볼 수 있다(표 1−1) .

표 1-1 지역사회를 중심으로 한 간호, 보건간호, 지역사회간호, 지역사회를 기반으로 한 간호의 특성

구분	보건간호	지역사회간호	지역사회를 기반으로 하는 간호
철학	지역사회와 인구집단의 건강관리	지역사회 내의 개인, 가족, 집단의 건강관리에 중점을 둔다.	삶의 주기 전반에 걸쳐서 발생하는 개인, 가족의 상병관리에 중점을 둔다.
목적	질병예방과 건강보호	건강보호, 보존, 유지 · 증진	급 · 만성 증상관리
서비스 배경	지역사회와 인구집단의 건강관리에 최대 다수의 최대 행복추구	지역사회 주민 개인의 건강관리	가족중심의 상병관리
지역사회공동체 형태	세계, 국가, 도, 시, 군, 구의 다양한 형태	다양한 형태와 대체로 지역공동체 형태	인간생태학 중심의 형태
대상자의 특성	국가, 도, 지역사회, 건강문제가 있는 인구집단, 집단, 건강함, 문화적 다양성, 자발성, 건강문제 확인능력이 있음, 의사결정 주체로서의 대상자	건강에 문제가 있는 개인 · 가족 · 집단, 대체로건강함, 자발성, 스스로의 건강문제 확인능력이 있음, 의사결정 주체로서의 대상자	개인, 가족, 대체작으로 질병을 가지고 있음, 문화적 다양성, 문화적 다양성, 자발성,스스로의 건강문제확인 능력이 있음, 의사결정 참여자로서의 대상자
실무적용 현장	지역사회, 기관단체, 정부기관	지역사회 기관, 가정, 직장, 학교, 운동장, 놀이터, 일부 기관 · 단체, 일부 정부기관	지역사회 기관, 가정, 직장, 학교
상호작용 유형	정부지원, 기관단체, 정부기관	일대일 차원의 상호작용 그룹차원의 상호작용 기관단체 차원의 상호작용도 가능함	일대일 차원의 상호작용
서비스 유형	간접적 건강관리 서비스 인구집단에게 직접적 간호제공도 가능함	고위험 대상자에 대한 직접간호 제공 프로그램 관리 등 간접간호제공	상병을 가진 대상자에 대한 직접간호 제공
중점을 두는 예방단계	일차예방	일차예방, 이차예방(집단검진 등) 삼차예방과 재활	일차예방도 가능 이차예방 삼차예방
역할	[대상자와 사업단위 중심: 지역사회] 교육자, 자문담당자, 옹호자, 기획담당자, 협력자, 자료수집자/평가자, 건강감시자, 인력관리 전문가, 지역사회 개발담당, 동반자, 촉진자, 지역사회간호제공자, 사정담당, 정책수립자/입안자, 질 보장 관리자, 법률집행자/옹호자, 재해해결사	[대상자와 사업단위 중심: 개인, 가족, 집단] 간호제공자, 안전관리전문가, 교육자, 상담가, 옹호자, 사례관리자	[대상자와 사업단위 중심: 개인, 가족] 간호제공자, 교육자, 상담가, 옹호자, 사례관리자
	[인구집단 중심] 집단프로그램 촉진자, 프로그램 평가자, 상담자, 인구집단 건강의 변화촉진자, 교육자, 인구집단 옹호자	[그룹중심] 지도자, 개인건강관리자, 변화촉진자, 집단검진자, 지역사회 옹호자, 지역사회간호제공자, 사정담당자, 정책개발관리자, 질보장관리자, 법률입안자/집행자	[그룹중심] 지도자, 질병관리자, 변화촉진자, 관리간호제공자
간호활동 우선순위	지역사회 개발, 지역사회사정/감시, 건강관련정책/정치, 지역사회 교육, 다 학제적 접근, 프로그램관리, 지역사회/인구집단지지 및 옹호	사례발견, 대상자 교육, 지역사회 교육, 다 학제적 접근, 사례관리, 직접간호제공, 프로그램 기획 · 수행, 개인과 가족지지 및 옹호	사례관리, 직접간호제공, 환자교육, 개인과 가족지지 및 옹호, 다 학제적 접근, 간호제공의 연속성 보장

출처: 지역사회보건간호학 I , 최연희 외, 수문사, 2014

2) 보건의료정책

보건의료정책이란 어느 나라를 막론하고 그 나라 정부에서 하고자 하는 국민의 건강을 보호하기 위한 목적을

표 1-2 우리나라 건강정책별 내용

보건정책	내 용
국민건강증진종합계획	[국민건강 증진법 제4조2항] 1. 국민건강증진의 기본목표 및 추진방향 2. 국민건강증진을 위한 주요 추진과제 및 추진방법 3. 국민건강증진에 관한 인력의 관리 및 소요재원의 조달방안 4. 제22조의 규정에 따른 국민건강증진기금의 운용방안 4의2. 아동 · 여성 · 노인 · 장애인 등 건강취약 집단이나 계층에 대한 건강증진 지원방안 5. 국민건강증진 관련 통계 및 정보의 관리 방안 6. 그 밖에 국민건강증진을 위하여 필요한 사항
지역보건의료계획	[지역보건법 제7조1항] 1. 보건의료 수요의 측정 2. 지역보건의료서비스에 관한 장기 · 단기 공급대책 3. 인력 · 조직 · 재정 등 보건의료자원의 조달 및 관리 4. 지역보건의료서비스의 제공을 위한 전달체계 구성 방안 5. 지역보건의료에 관련된 통계의 수집 및 정리
통합건강증진사업	[국민건강증진법, 지역보건법] 1. 지역사회 통합 건강증진사업은 각 시 · 군 · 구별로 부여한 지출한도를 기준으로 일정한 사업 범위 내에서 자율적으로 기획하고 설계하는 사업 2. 지역사회 통합 건강증진사업의 범위: 금연, 절주, 신체활동, 영양, 비만, 구강보건, 심뇌혈관질환예방관리, 한의약 건강증진, 아토피천식예방관리, 여성어린이 특화, 치매관리, 지역사회중심재활, 방문건강관리(13개)

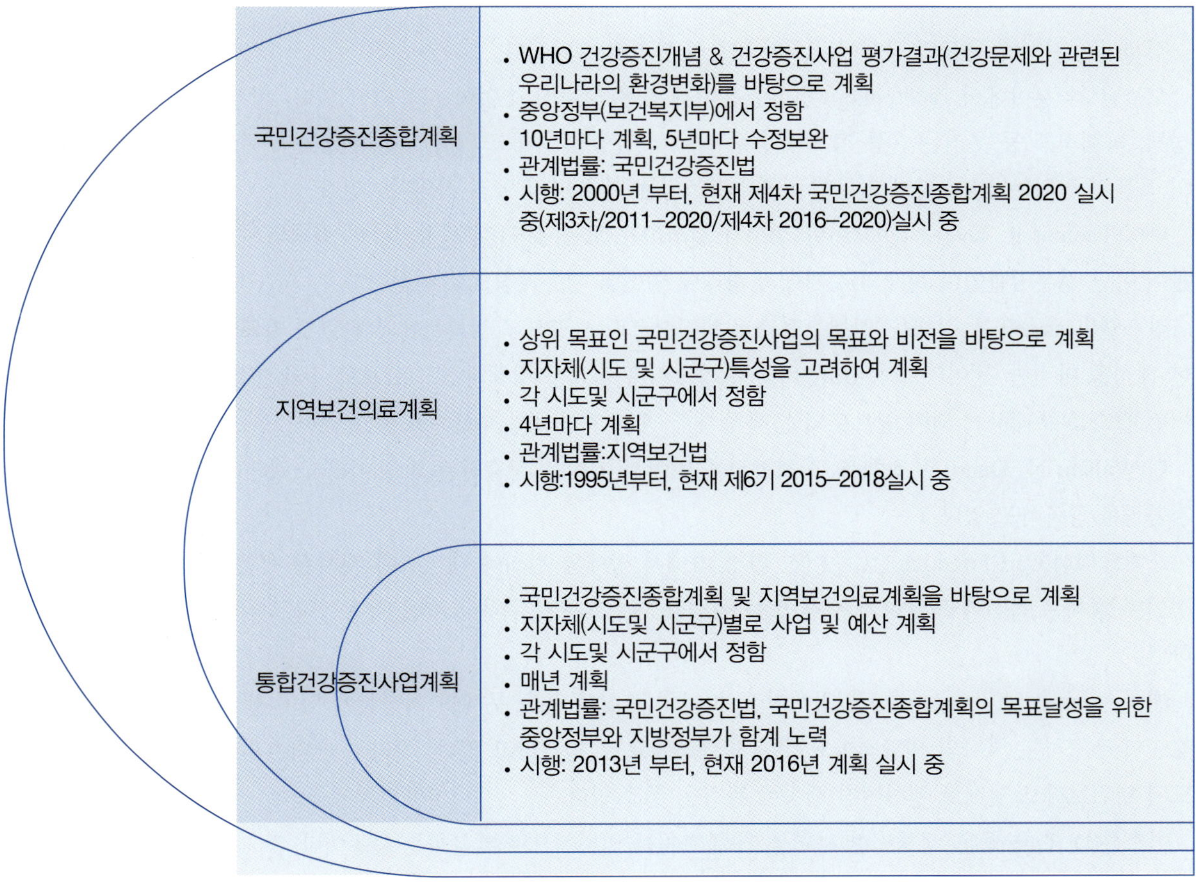

그림 1-3 우리나라 보건정책을 위해 실시되고 있는 사업계획의 연관관계

가진 비전이라고 말할 수 있다. 나라마다 정책은 리더의 정치적 철학과 추구하는 성향에 따라 약간의 차이가 있을 수 있다.

우리나라 보건의료정책은 현재 10년 마다 정하는 국민건강증진종합계획을 기본으로, 4년마다 정하는 지역보건의료계획과 연계해서 기본 방향을 설정하고 있다(표 1-2). 특히 국민건강증진종합계획은 세계보건기구가 추구하는 건강증진의 개념과 우리나라 국민건강증진 사업의 평가결과에 따라 목표와 비전을 계획하고 있다. 10년 장기계획으로 실시되나 5년마다 중간평가를 하여 수정하여 보완하는 것을 원칙으로 하고 있다. 지역보건의료계획은 중앙정부에서 기본계획을 마련하고 이를 바탕으로 각 시 · 도 및 시 · 군 · 구에서 지자체마다의 사회 · 경제적 특성을 고려한 건강정책을 마련하고 실시하도록 하는 상향식 정책 수용의 결과라고 말할 수 있다. 2013년부터는 사업운영의 효율을 높이기 위해 정부차원에서 지원되는 예산마저도 지자체가 독자적으로 계획하여 운영할 수 있도록 하는 통합건강증진사업을 계획하고 운영하게 하였다. 통합건강증진사업 계획은 해마다 지자체 별로 계획되고 시행된다(그림 1-3) .

이에 따라 진행되고 있는 현재의 우리나라 보건정책은 모든 국민이 함께 누리는 건강형평성이 제고된 나라를 만드는데 목적을 두고 있으며, 저출산 · 고령화 문제가 가장 중심이 되고 있다.

(1) 정책의 개념 및 정책과정

① 정책이란

정책이란 사회적 목표의 달성이나 문제해결의 합리적 수단이다.

오늘날 각 분야에서 정책(policy)이라는 용어가 붙은 말들이 수없이 사용되고 있다. 환경정책, 외교정책, 경제정책, 사회정책 등 우리는 온통 정책의 홍수 속에서 일상을 지내고 있다. 그럼에도 불구하고 정책에 대한 학자들의 공통된 정의는 없다. 각자 연구대상에서 강조되는 면에 따라 달리 정의되어진다.

다이(Thomas R. Dye)는 '정책이란 정부가 결정하는 모든 것'이라고 정의하여 정책의 주체는 개인이나 사적기관이 아닌 정부기관이며 현재의 위치에서 장래에 일어날 행동지침으로 해석된다.

라스웰(Lasswell)은 정책을 '정책결정과 정책집행으로 설명하고 정책문제와 관련된 자료를 수집하여 이것에 대한 해석을 마련한 것'이라고 하였다. 따라서 라스웰은 정책을 정책과정으로 보고 정책결정과 집행이 현실적으로 어떤 결과를 초래하게 되어 앞으로의 문제에 대한 해결 지향성을 제시하고 있다.

던(William N. Dunn)은 정책을 '정책과정에 있어서 지식을 창출하는 과정'이라고 정의하여 이 역시 문제해결 지향성을 강조하고 있다.

프리드리히(Carl Friedrich)는 '주어진 환경 속에서 장애와 기회에 대비하여 제시된 개인, 집단, 정부의 활동과정이며 정책은 목적에 도달하기 위해 또는 목적을 현실화하기 위해 노력을 유용화하고 극복하려고 한다'고 정의하였다.

앤더슨(James. E. Anderson)은 정책이란 '하나의 관심사 혹은 문제를 처리함에 있어 행위자 개인 혹은 행위자 집단이 추구하는 하나의 의도적이고 실제적 행동경로'로 정의하고 있다. 따라서 앤더슨은 정책을 제안하거나 의도된 행위보다도 실제로 행하여진 행동에 관심을 두고 있다.

이스튼(D. Easton)은 '정책이란 사회를 위해 가치를 권위적으로 배분하는 활동이다.

티트머스(Titmuss)는 '정책이란 목표를 성취하기 위해 지향된 행동원칙이다'라고 정의하였다.

위에서 보는바와 같이 정책의 정의는 연구자의 관심 연구 분야에 따라 달라질 수 있다.

백과사전에서 설명하고 있는 정의는 '정책(policy)이란 정부나 정치 단체, 개인 등이 정치적인 목적을 실현하거나 사회적인 문제를 해결하기 위하여 취하는 방침이나 수단'이다.

정책입안이란 어떤 수단이 어떤 효과를 가져 오는가 하는 사실판단과 그 담당 주체에 대한 능력 판단을 종합하여 당면한 상황에서 실행 가능한 선택 안을 설정하고 국민적 이익이라는 목표에 실질적으로 부합될 수 있도록 다양한 선택 안 중에서 최적의 방책을 선정하는 행위이다.

즉, 정책은 바람직한 사회를 만들려는 정책목표와 이를 달성하기 위해 필요한 정책수단에 대해 권위 있는 정부기관이 공식적으로 결정한 기본 방침이라고 설명할 수 있다.

이스튼(D. Easton)의 정책 결정 모형에 따르면 정책 결정과정은 정치에 대한 요구가 정책 결정 기구에 흘러 들어가는 투입과정과 그것이 하나의 정책으로 결정되어 사회로 흘러나오는 산출 과정으로 나눌 수 있다. 이 과정에서는 전문 지식이나 특수한 기술을 가진 전문가의 참여가 반드시 필요하다. 그러나 민주 국가에서의 정책 결정과정은 공정하고 국민의 여론을 반영하는 것이 무엇보다도 중요하다고 볼 수 있다. 그러므로 국민적 여론을 수렴하는 기초자료조사나 시범사업 등의 다양한 방법을 통하여 국민의 요구가 무엇인지를 철저히 파악하는 것이 가장 중요하다고 볼 수 있다.

위의 내용을 종합해 보면 정책(政策)은 결정 사항을 안내하고 합리적인 결과를 수행할 수 있게 하는 원칙이나 규율을 가리킨다.

사전적 의미로는 정치나 정무를 시행하는 방침이다. 이 용어는 실제로 끝난 것을 가리키는 데에는 잘 쓰이지 않고, 절차나 의정서를 가리키는 것이 보통이다. 정책이 "무엇"과 "왜"를 포함하지만, 절차나 의정서는 "무엇", "어떻게", "어디서", "언제"를 포함한다.

2 정책과정

정책과정(policy process)은 가장 많이 인용되는 앤더슨(James. E. Anderson)의 모형을 소개하면 다음과 같은 다섯 단계로 설명된다.

- 1단계: 문제의 정의와 정책의제 형성 단계(problem identification and agenda formation)
  - 문제가 확인되고 심각성을 인정하여 해결해야하는 정책을 형성하는 단계
- 2단계: 정책형성 단계(formulation)
  - 문제해결에 이바지할 수 있고 실현가능한 대안들을 발전시키는 단계
- 3단계: 정책채택 단계(adoption)
  - 최종안을 선택하고 지지를 모아서 권위 있는 기관이 의결하거나 합법성을 부여하는 단계
- 4단계: 정책집행 단계(implementation)
  - 정부의 행정기구가 결정된 정책을 실행에 옮기는 단계
- 5단계: 정책평가 단계(evaluation)
  - 정책이 효과적이었는지 판단하고 성공이나 실패의 원인을 찾는 단계

실제로 정책은 정책형성단계와 정책채택 단계에서 결정된다.

3 정책결정

정책을 결정하는 절차는 첫째, 정책 결정자가 일련의 정책 목표와 가치를 명료하게 정립하고 둘째, 목표를 달

그림 1-4 정책결정 절차

성하기 위한 모든 주요 대안적 전략을 제시하고 셋째, 어떤 전략이 해당 목표를 성취하느냐의 가능성을 검토하여 넷째, 성취 가능성이 가장 높은 전략을 선택하는 것이다(그림 1-4).

4 정책결정의 모형

정책결정은 곧 의사결정이며 '어떤 목적을 달성하기 위한 여러 가지 대안 중에서 최적의 대안을 선택하는 과정 또는 미래의 행동방안을 선택 및 결정하는 행위'를 말한다. 버나드(Chester. I. Barnard)는 "의사결정은 조직이 목표달성을 위해 여러 대안 중에서 최적의 것을 선택하는 논리 적 과정이다."이라고 정의하였고, 사이몬(Herbert A. Simon)은 행정과정을 의사결정과정이라고 말하며, "의사결정이란 어떤 목적을 달성하기 위해 가장 적절한 대안을 선택하는 연속적인 과정"이라고 하였고, 그리피스(D. E. Griffit)는 "의사결정이란 심사숙고 후에 도달된 결론"이라고 하였으며, 캠벨(R. F. Campbell)은 "결정이란 본질적으로 조직구성원이 목표로 지각한 것을 성취하기 위하여 어떤 방법을 선택하라는 것"이라고 정의하였다. 김종철은 "의사결정이란 보통 행동에 선행되는 과정으로서 목표의 수립, 수단의 선택 및 결과의 판정 등 합리적 행동의 제 단계에 있어서 불가결한 요소"라고 보았다.

의사결정 과정이란 행정가가 수행해야 할 행정과제 중 가장 중요한 기능 중의 하나이며, 일반행정 분야에서는 사이몬(H. A. Simon)의 이론을, 교육행정분야에서는 그리피스(D. E. Griffith)의 이론을 대표적으로 활용한다.

(2) 의사결정의 내용접근

의사결정은 조직의 구조가 공식적 및 비공식적 조직의 움직임이 일치할 경우 최고의 성취를 이룬다. 또한 행정가가 정책 또는 결정에 도달하는 의사결정과정을 어떻게 할 것인가에 신경을 쓰게 되면 부하들에게 더 잘 수용될 수 있으며, 행정가 자신을 의사결정의 통제자로 지각하면 그 의사결정이 더 효과적으로 이루어질 수 있다. 의사결정에 주로 활용되는 모형은 다음과 같다. 일반적으로 근본적 결정은 합리모형, 세부적 결정은 점증모형으로 활용된다.

1 합리적 모형(rational model)

합리적 모형은 인간이 이성과 합리성에 기초하여 문제에 대해 완전히 이해하여야하며, 문제와 목표를 정확히 정의해야한다. 또한 해결을 위한 모든 대안을 파악하고, 명확한 대안선택의 기준을 적용해야한다. 또한 충분한 자원이 필요하며, 이를 통해 합리적 최적의 대안을 선택하여야한다는 이론이다. 그러나 인간의 문제해결 능력에 한계가 있으며 불완전 정보, 시간, 경제적 비용이 많이 든다는 비판이 있다.

2 만족모형(satisfying model)

사이몬과 마치(Simon & March)가 제시한 이론으로 합리적 모형의 현실적 한계를 비판하여 등장했다. 합리적 모형이 제시하고 있는 절대적 합리성의 기준보다는 제한된 합리성의 기준에, 또 최적대안보다는 현실적으로 만족할 수 있는 만족 대안의 선택에 타당성을 두고 있는 모형이다. 이 만족이론에는 만족감 기준의 적절성에 대한 문제가 제기될 수 있고, 실증분석으로는 이론적 기여가 인정되나 규범적 기준으로서는 한계가 있다는 비판이 있다.

3 점증모형(incremental model)

린드블롬과 와일드아브스키(Lindblom & Wildavsky)가 제시한 이론으로 정책실현의 부분적인 변화를 도모하는 이론이다. 이 모형은 사회적 합리성을 강조한다. 또한 이 모형은 정책의 현재 문제에 대한 개선에 중점을 둔다. 그러나 점증모형은 안정된 사회에서만 적용되며, 혁신에 대한 방해로 안이한 정책결정을 조장하며 이로 인해 보수주의에 빠지기 쉽다는 비판이 따른다.

4 최적모형(optimal model)

드로르(Y. Dror)가 제시한 이론으로 합리모형(규범적 접근방법)과 점증모형(현실적 접근방법)의 비판으로 등장했다. 이 이론은 초 합리성을 강조했다. 즉, 합리성뿐만 아니라 직관, 판단 등의 초 합리성을 강조하여 정책을 결정한다. 역량향상을 위한 체계적 학습, 독창성, 창의성 고취 및 인력개발의 중요성을 강조한다.

최적모형은 상황에 따라 정책결정자는 위험최소화 전략과 혁신 전략의 양자 중 더 바람직한 것을 결정해야한다. 이 이론은 상위정책결정단계, 정책결정단계, 정책결정이후단계, 의사전달과 피드백단계로 구별하였으며 국가의 상위정책을 강조했다. 그러나 초 합리성의 달성방법이 불분명하며 초 합리성과 합리성의 관계가 모호하다는 비판이 있다.

5 혼합주사모형(mixed scanning model)

에트지오니(A. Etzioni)가 제시한 이론으로 합리모형과 점증모형을 절충한 모형이다. 이 이론에서는 근본적이고, 상위적 정책결정에 대한 정책결정체제의 노력과 시간 투입의 정도를 문제 삼는다. 이 문제에 대한 판단은 국가전체 차원에서 결정한다. Etzioni는 이를 범사회적지도체제라고 말한다.

이모형은 합리모형과 점증모형의 단점을 상호 보완적으로 통합하는 역할을 한다는 장점이 있다. 합리모형의 이상적 합리성을 현실화하며, 점증모형의 보수성을 극복할 수 있다. 그러나 이모형은 기본모형의 혼합에 지나지 않으며 근본적 결정과 세부적 결정을 구분할 수 있는 기준이 없다는 비판이 있다.

(3) 의사결정의 방법 접근

1 쓰레기통 모형(Garbage can model)

기본전제는 조직화된 무정부상태(Organized anarchies)에 있다. 구성원사이의 응집성이 매우 약한 조직의 의사결정과정으로 뒤죽박죽 뒤엉킨 상황에서 합리적이 아닌 '우연'에 의한 결정이다. 쓰레기통 모형에는 세 가지 기본가정이 있다.

첫째, 문제성향의 우선권(Problematic preferences)으로 목표가 불명확한 경우가 있다.

둘째, 불명확한 기술(Unclear technology)로 최선의 수단이 불분명한 경우가 있다.

셋째, 지속적인 참여가 아닌 수시적 참여자(Part-time participants)의 가정이 있다.

또한 이모형에는 의사결정의 네 가지 요소(문제, 해결책, 참여자, 기회)의 독자적 움직임에 따라 달라진다. 이러한 의사결정의 4 요소가 우연한 기회에 동시에 발생하게 되면 이를 계기로 인해 부각되게 된다. 그 예로 문제를 크게 부각시키는 사건이라던가, 정치적 사건이 있다. 이모형은 현실의 비합리적 정책결정을 보다 적절성이 있게 분석하였다는 평가를 받는다.

2 앨리슨(Allison) 모형

앨리슨 모형은 집단적인 의사결정을 성질별로 분류하여 정책결정에 적용한 모형이다. 앨리슨은 정책결정과정에 참여하는 조직원들의 응집성에 따라 결정과정을 세 가지로 나누었다.

(Ⅰ) 합리모형(합리적 행위자모형)

정부활동은 중앙집권적인 통제권과 완벽한 정보 및 가치극대화를 추구하는 합리적 의사결정자에 의해서 선택된 행위로 간주된다.

(Ⅱ) 조직과정모형

정부를 나름대로의 독자적 영영을 가진 느슨하게 연결된 조직체들의 거대한 집합으로 이해하고 있다. 따라서 정부활동은 지도자의 신중한 선택에 의해서가 아니라 정형화된 행동유형에 따라 움직이는 대규모 조직이 낳은 산출물로 이해된다.

광범위한 문제에 효율적으로 대응하기 위해 각각의 조직은 특정 영역에 대한 관할권을 가지고 있으며 조직간 관계는 반독립적(semi-independent)이다. 특히 국가적으로 중요한 문제의 관할범위는 한 조직에만 국한되어 있지 않다. 따라서 각 조직은 독자적으로 특정 문제에 대한 상이한 해결책을 제시하게 된다. 결국 정부정책이란 이들 여러 조직의 상반된 대안이 최고정책결정자의 조정을 거쳐 반영된 것에 불과하다. 환언하면 정부지도자는 각 조직들의 활동을 간섭할 수는 있어도 철저히 통제할 수는 없다. 그런데 조직의 산출물은 주로 표준운영절차(SOP/Standard Operating Procedure)를 거쳐 만들어지기 때문에 급격한 정부정책의 변화를 기대하기는 어려우며, 대신 조직학습과정을 통해 점진적 변화가 일어날 수 있다고 본다.

(Ⅲ) 정치모형(관료정치모형)

오직 한 가지 전략적 문제에만 관심을 쏟는 단일행위자를 가정하는 합리적 행위자모형과는 달리, 여러 다양한 문제에 관심을 갖는 다수행위자를 상정하며 이들의 전략적 목표는 일관된 것이 아니라 국가 · 조직 · 개인목표를 모두 고려하여 결정된다. 따라서 정치적 게임은 최고정책결정자와 상당한 권력을 보유한 해당 부서의 장에 의해서 이루어지는데, 이들은 각자 상당한 재량권을 가지고 있다.

정치적 게임에 참여하는 자들은 상당한 권력을 갖고 있으며, 문제를 보는 그들의 관점은 상이하기 때문에 이를

표 1-3 Allison모형

구분	합리모형(Ⅰ)	조직과정모형(Ⅱ)	정치모형(Ⅲ)
조직관	조정과 통제가 잘된 유기체	느슨하게 연결된 하위 조직들의 연합체	독립적인 개인적 행위자들의 집합체
권령의 소재	조직의 두뇌인 최고지도자가 보유	반독립적인 하위조직들이 분산 소유	개인적 행위자들의 정치적 자원에 의존
행위자의 목표	조직전체의 목표	조직전체의 목표 + 하위조직들의 목표	조직전체의 목표 + 하위조직들의 목표 + 개별 행위자들의 목표
목표의 공유 및 응집성	매우 강함	약함	매우 약함
정책결정의 양태	합리적 정책결정	SDP에 의한 의사결정, 갈등의 준해결	정치적 게임의 규칙에 다른 타협, 갈등, 흥정
정책결정의 일관성	매우 강함(항사 일관성 유지)	약함(자주 바뀜)	매우 약함(거의 일치하지 않음)
적용계층	모든 계층에서 나타날 수 있음	주로 하위계층에 나타남	주로 상위계층에 나타남

조정하기 위해서는 정치가 필수적이다. 정책이란 정해진 행동경로를 따라 이루어지거나 혹은 조직의 관행에 따라 만들어지는 것이 아니라, 특정대안에 대한 옹호자와 반대자가 사용하는 권력과 정치적 수완에 의해서 결정된다고 본다. 이 모형에 의하면 한마디로 정책이란 정치적 게임의 결과로 간주된다.

3 사이버네틱 모형

애쉬비와 와이너(Ashby & Weiner) 등에 의해 정립된 사이버네틱스 모형에서 Cybernetics란 인공두뇌학을 의미하며, 사이버네틱스모형은 인간의 두뇌가 외부환경으로부터의 정보와 이의 환류에 의해 환경에 적응해 나가는 과정을 조직의 의사결정에 적용한 모형이다.

이모형은 분석적 합리성이 존재하지 않는 상태에서의 의사결정이며, 합리모형과 가장 극단적으로 대립되는 모형으로 고도의 불확실성 속에서 정보를 제어하고 환류해 나가는 점증적 · 적응적 · 관습적 의사결정 모형이다. 끊임없는 시행착오를 통한 비목적적 적응적 의사결정을 말하며 의사결정자는 환류채널을 통해 들어온 정보가 사전에 설정된 목표를 벗어났는가의 여부만을 판단(불확실성의 통제)하고 그에 상응한 대응책을 표준운영절차(SOP/Standard Operating Procedure)에서 찾아낼 뿐이다. 또한 인과적 학습을 강조하는 합리모형과 달리 시행착오적 학습을 강조한다.

결론적으로 위의 여러 가지의 정책 결정 모형들 중 대표적인 모형들을 살펴보았다. 어느 한 개가 딱 옳다 그르다 말할 수는 없는 이론들이다. 또한 어느 이론 하나만을 딱 꼽아 실제 행정에 적용할 수 없다. 정책결정이론은 위에서 거론한 바와 같이 정책결정은 정부의제로 채택된 정책문제를 해결할 수 있는 대안을 개발하고 선택하는 일련의 활동들로 행정을 하는데 있어 정말 중요한 과정이라고 말할 수 있다. 효과적인 정책설정을 위해서는 우리나라 행정에 가장 적합한 이론이 무엇인지 인지하여야 한다. 또한 상황에 따라 여러 이론을 대입해 보며 문제를 풀어나가기 위해 위의 이론들의 숙지가 매우 중요하다.

(4) 보건의료정책의 개념, 기본이념, 특성

1 보건의료정책의 개념

보건의료는 국민의 건강을 보호증진하기 위해 국가, 지방자치단체, 보건의료기관 또는 의료인 등이 행하는 모든 활동이라고 「보건의료기본법」 제3조 1호에서 정의하고 있다. 즉, 보건의료정책은 국민 건강의 보호증진을 목표로 정부나 기타 단체들의 활동으로 정의된다. 활동은 기본적으로 3가지로 분류될 수 있다.

- 보건의료정책: 진단, 치료, 간호, 진료를 관리하는 것을 의미하며 이는 건강에 문제가 있는 사람들을 대상으로 하는 정책이다.
- 예방정책: 백신, 검진프로그램과 같은 특정질병의 예방을 위한 활동으로 보건정보와 교육 등의 건강증진 활동, 식수 · 음식에 대한 규제를 통한 간호활동 등을 포함한다.
- 직제 간 보건정책: 교통안전정책, 건축규제, 고용정책, 농업정책 등의 직접보건과 관련된 정책이 아니지만 건강에 더 큰 영향을 미치는 사회정책이나 복지정책을 포함한다.

[보건정책 수립 시 고려할 사항]

- 인구의 성장, 구성 및 동태
- 경제개발의 수준 및 단계
- 지배적인 가치관
- 보건의료제도
- 국민의 건강상태: 전염성 질환과 영양상태, 만성퇴행성 질환, 사고, 환경오염, 스트레스, 정신질환, 노인건강
- 사회구조와 생활패턴

2 보건의료정책의 기본이념

보건의료정책의 기본이념으로는 국민의 삶의 질을 향상시키기 위한 보건의료정책수립과 결정 시 세 가지 선택의 문제가 고려되어야한다.

첫째, 보건의료서비스에 투입되는 양과 서비스의 구성을 결정해야한다.

둘째, 보건의료서비스 생산의 최적방법을 선택해야한다.

셋째, 보건의료서비스를 필요로 하는 사람들에게 공정한 분배방법을 선택해야 한다(경제적 효율성과 형평성 확보문제로 귀결됨).

3 보건의료정책의 특성

[보건의료의 사회 · 경제적 특성]

- 예측이 불가능, 보건의료요구가 다양
- 질병에는 외부효과가 있음, 자의적 행동이 타인에게 파급되는 좋은 혹은 나쁜 효과로서의 결과를 뜻함
- 일부에서는 거의 무지상태에 있음
- 질병관리에는 소비적 요소와 투자요소가 함께 존재함
- 보건의료서비스는 노동집약적인 대인서비스(다른 산업에 비해 노동집약적이어서 인건비 상승에 따른 의료비는 상대적으로 다른 재화나 서비스에 비해 훨씬 높은 상승률을 나타내기 쉬움(자동화가 어렵기 때문)
- 보건의료서비스는 비영리적인 동기를 갖는다(=사명감)
- 보건의료는 서비스와 교육의 공동생산물임
- 보건의료서비스는 인간생활의 필수서비스이며 권리임. 의료비를 스스로 부담할 수 없는 사회계층까지도 확대되어야 함.(보건의료기본법에 건강권, 알권리, 자기결정권보장)

[보건의료정책의 특성]

- 보건의료정책의 형성과 집행에는 다른 정책과는 달리 전문가의 역할이 두드러지고 이들의 이해관계가 주로 반영됨 (전문가들 말로는 소비자를 대표한다고 하지만 소비자 보다는 의료공급자의 이익을 강조).
- 보건의료정책의 기본이 되는 '가치규정'이 어려움. 어떤 과정을 거쳐 추구해야할 가치를 합의하느냐에 대한 합의도 없는 형편. 명확한 동의를 얻기 어렵고 동시에 가치체계의 차이에 따른 개인과 집단 간의 갈등이 일어날 소지가 많다는 것
- 보건의료제공이 복잡하고 개인소비자가 의료의 질을 판단할 수 없기 때문에 경제나 사회분야의 다른 모형이 잘 적용되지 않는다는 점
- 환경적 측면에서는 대부분 보건의료정책이 비교적 우호적인 정책 환경 속에 있다는 것.(보건 분야에 자원을 투입하는 것에 대해 지지하는 것이 보통)

3) 우리나라 보건의료정책의 실제

(1) 국민건강증진종합계획

Ⅰ 국민건강증진종합계획의 연혁

표 1-4 제1차 국민건강증진종합계획 2010

시기	2002~2005
고려사항	• 2010년 국민소득 2만$ 수준의 경제로 선진국 진입과 함께 건강한 삶에 대한 국민들의 욕구 증가 • 의학기술 발달로 노인인구 비율이 2010년에는 10.7%에 도달하여 의료비 부담증가 • 질병구조의 다양화 만성화로 예방차원의 적극적 건강관리정책으로 전환 • 지역사회 건강증진사업을 통합·조정할 보건소의 기능 강화 • 국민건강증진기금으로 건강증진정책 수행 가능성 확보 ※ 1997년 5월 궐련 20개비 1갑당 2원, 2002년 2월 150원의 부담금 부과
추진전략	• 중점사업을 선정, 집중 추진: 국민전체에 대한 파급효과가 크고 취약계층에 대한 지원 효과가 높아 우선적으로 수행되어야 할 건강증진사업 선정. • 보건복지부 건강· 질병 정책관 수행과제 중심의 계획으로 40개의 목표 39개의 추진사업은 다음과 같음 – 금연, 절주, 운동, 영양/암 관리, 고혈압, 당뇨, 허혈성 심질환, 혈관질환, 관절염, 정신보건, 구강보건/모자보건, 생애주기별 건강증진/저소득층, 취약계층건강증진 • 사업간 연계를 위해 주체별·유형별 유사사업의 추진체계를 통합함으로써 건강증진정책의 효율성 제고 • 건강생활실천·만성질환예방을 생애주기별 건강증진과 연계

표 1-5 제2차 새국민건강증진종합계획 2010

시기	2006~2010
고려사항	• 행정계획으로 정부의 행정체계와 가용예산 등 실행가능성에 중점 – 국민건강증진부담금의 인상으로 재원사정의 호전: 2004년 12월 30일, 354원으로 인상 • 건강증진사업 수요의 변화: 인구의 고령화와 질병구조의 만성화가 2002년도 당초계획 보다 그 속도가 매우 빠르게 진전되어, 건강보험의 보장성 강화에 대한 국민요구 대비 보험급여와 보험재정지출을 억제하기 위한 건강증진과 예방보건에의 더욱 많은 노력의 필요성 고려 • 2002년도 계획에 비하여 범위가 확대됨. 보건복지부 외에 교육인적자원부와 노동부에서 수행하는 과제도 포함
수정보완 의 기본 틀 및 추진방향	• 건강생활실천의 확산을 주축으로 하는 건강증진을 사업전략의 핵심으로 하되, 예방중심의 보건의료서비스 제공, 유해환경의 폐해 방지도 포함하는 포괄적 건강관리전략을 동원하도록 기본구조로 설계 – 건강과 질병의 결정요인이 다양하고 결정과정이 복잡하다는 사실의 확실한 인식과 이해를 토대로 접근
비전 및 목표	• 비전: 국민의 건강은 개인이나 정부만의 노력으로는 효과적으로 관리할 수가 없고, 온 국민이 함께 만들어가고 누리는 것 • 목표: 보건의료부문의 일차적 목표인 국민의 건강수명 연장을 효과적으로 달성하려면 사회경제적 계층 간의 격차를 줄여야 할 것이므로 형평성 제고도 목표로 추구 – 국민건강증진사업은 이들 목표의 달성에 기여하기 위하여 건강잠재력의 강화, 질병과 조기사망의 감소 및 인구집단별 건강격차 완화를 지향
선정 배경 및 중점과제	• 선정배경: 건강을 관리하고 향상을 기하기 위해서 해결해야 할 여러 가지 문제 집중적 노력이 필요한 정책적 분야들을 중점과제로 선별 • 중점과제 – 건강생활실천의 확산, 예방중심의 질병/건강관리, 인구집단별 건강관리 및 건강지원, 환경의 조성으로 대별 – 주요질환(암, 만성병 등): 예방중심의 질병/건강관리 분과 – 이에 관련된다. 양한방 건강결정요인(금연, 절주, 운동, 영양): 건강생활실천의 확산 분과 – 저출산고령화로 인한 집중적인 관리가 필요한 집단과, 집단적으로 접근하였을 때 더 효과적인 근로자와 학생을 별도의 중점과제로 선정: 인구집단별 건강관리 분과 – 장기적인 관점에서 건강 환경조성부분(식품안전, 지역사회환경 등)을 선정하였으나, 구체적인 접근은 2020으로 연기(건강지원 환경 조성 분과)
추진전략	• 건강행태의 변화추진, 건강관련 사회적 환경의 변화추진, 예방보건서비스의 제공, 건강위해환경에 대한 조치 등을 위한 수단의 동원과 활동으로 구성

국민건강증진종합계획은 국민건강증진법 제5조에 근거하여 매 5년마다 수립하는 국가종합정책이다.

- 2002년 제1차 계획(2002~2005) 수립
- 2005년 제2차 계획(2006~2010) 수립
- 2010년 제3차 계획(2011~2020) 수립(국민건강증진법 개정에 근거)

2 제3차 국민건강증진종합계획 2020(2011~2020)

① 국민건강증진종합계획 2020(Health Plan 2020)의 개념

■ 국민건강증진종합계획 2020(Health Plan 2020)의 기본방향

HP 2020의 구성에 대한 기본 방향은 첫째, WHO의 건강증진 개념, 둘째, HP2010에 대한 개괄적 평가, 셋째, 건강문제와 관련된 우리나라 환경변화에 대한 전망을 통해 설정되었다.

- WHO의 건강 및 건강증진의 정의에 근거한 기본방향 설정(그림 1-5)
  - 근거중심으로 수립된 오타와 헌장, 방콕헌장 등에서 건강증진의 개념 및 실천방향을 정함
  - HP 2020에서는 WHO의 건강증진에 대한 시각을 존중하여 이를 근거로 계획을 수립함.
- HP 2010의 평가 및 시사점에 근거한 방향 수립(그림 1-6)
  - HP 2020의 선행연구인 국민건강증진종합계획 2020 총괄전략 수립에 관한 연구에서
  - HP 2010에 대해 개괄적으로 평가
- 건강문제와 관련된 우리나라의 환경변화에 대한 전망을 통한 방향 설정(그림 1-7)
  - 고령화, 노인인구증가, 만성질환으로 인한 증가하는 의료비 대책 필요

WHO의 건강증진에 대한 시각	건강증진종합계획 2020적용
- 건강증진 접근의 원칙은 개인의 주도적 참여를 유도하며, 이를 정부가 지원함	- 비전 : 온 국민이 함께 만들고 누리는 건강대상
- 건강은 기본권으로서 존중하며, 건강형평성을 중요시 함	- 목표 : 건강형평성 추가
- 건강증진의 변화대상은 건강결정요인임. 변화 가능한 건강결정요인을 적용함 이는 건강결정요인 중 34~81.0%를 차지함	- 2020의 중점분야 적용
- 건강결정요인 대분류	- 중점분야 적용
- 개인사회적 특성	- 인구집단별 접근
- 건강행동	- 건강생활실천 확산
- 보건의료 서비스	- 예방중심의 상병관리
- 사회물리적 환경	- 안전환경
- 건강증진 접근전략은 주창, 투자, 역량함양, 법규제정 및 규제, 파트너십의 형성 및 연대구축을 근간으로 함	- 접근전략 : 인프라, 평가, 정보 및 통계, 재원 등

그림 1-5 WHO 건강증진 시각과 HP 2020에의 적용

출처: 보건복지부. 제3차 국민건강증진종합계획(2011~2020). 2011.

	HP 2010 평가		HP 2020 적용
계획수립 과정	- 행정계획으로 이론적 근거 미흡	→	- 장기적인 인구경제사회문화의 변화를 고려
중점과제	- 질병, 인구집단 등 혼재	→	- 건강결정요인을 중심으로 재편 - 실행을 고려하여 행정구조도 고려
목표	- 측정이 불가능한 목표가 30.0%임.	→	- 측정 가능한 목표로 수정 - 모니터링체제의 강화
추진체계	- 중점과제에 포함하지 않아 순조롭게 수행되지 않았음	→	- 중점과제에 추진체계 포함
지자체, 관계부처 연계	- 교육부, 고용부가 참여, 독립적으로 계획수립 및 실행 - 지자체는 직접 참여하지 않아, 목표와 수행사업이 각 지자체의 특성을 고려하지 못했음	→	- 국방부 등 참여 부처 확대 및 연계 체계 확립 - 중앙단위의 목표와 수행사업을 최소화하고 각지자체별 추가할 수 있도록 구성

그림 1-6 HP 2010 평가와 HP 2010에의 적용

출처: 보건복지부. 제3차 국민건강증진종합계획(2011~2020). 2011.

– 저출산 경향이 지속되는 가운데 향후 인구의 자질향상을 위해 지속적인 모성 및 영유아 건강에 대한 정책 강화
– 경제성장 전망 하에 심화되는 양극화 현상에 대한 대책(형평성 제고)
– 현대생활 특성상 운동부족으로 인한 비만, 대사성질환 등에 대한 대책

건강 관련 환경변화		HP 2020 적용
- 병약하고 경제적 자립도가 낮은 노인인구 집단의 증가	→	- 노인인구집단에 적합한 건강증진사업 계획 수립
- 인구집단과의 양극화 심화	→	- 형평성을 고려한 취약계층에 대한 대책 수립
- 지방화의 진전	→	- 지자체별 탄력적 계획 수립 허용
- 만성질환의 지속적 증가 및 세계화에 따른 신종질병의 만연	→	- 중점과제에 포함
- 노령화와 고급서비스 욕구 증대에 따른 국민의료비 증가	→	- 예방적 계획 수립 - 생애주기별 접근
- 건강생활습관 등 건강결정요인의 악화	→	- 중점과제에 포함

그림 1-7 건강관련 환경변화와 HP 2020에의 적용

출처: 보건복지부. 제3차 국민건강증진종합계획(2011~2020). 2011.

■ HP 2020의 기본 틀

국민건강증진종합계획의 기본틀은 포괄적 건강의 정의와, 건강증진의 기본이념인 스스로 건강관리의 이념 및 기본권으로서의 건강개념을 적용하여, 국민 모두가 활기찬 건강과 장수를 누리는 사회의 구축을 향해서 건강수명의 연장과 건강형평성의 제고를 목표로 추구 한다. 그리고 이들 목표를 달성하기 위한 주된 사업과제는 건강결정요인에 근거하여 구성된 건강생활 실천 확산, 예방중심 상병관리, 안전 환경보건, 인구집단별 건강관리와 실천을 효과적으로 관리할 수 있는 사업체계의 확충과 관리 부분으로 대별될 수 있다.

- HP 2020의 비전: '온 국민이 함께 만들고 누리는 건강세상'
  - 건강의 포괄적인 개념인 신체, 정신, 사회적, 영적 건강개념을 추구하며
  - 건강증진의 정의에서 중시하는 각 구성원의 적극적인 자기건강관리 참여와 기본권으로서 평등하게 건강을 누릴 수 있다는 개념 적용(그림 1-8).
- HP 2020의 목표: 건강수명의 연장과 건강형평성 제고
  - 포괄적 건강의 정의와, 건강증진의 기본이념인 스스로 건강 관리이념 및 기본권으로서의 건강개념을 적용하여
  - 국민 모두가 활기찬 건강과 장수를 누리는 사회의 구축을 지향(그림 1-8).

〈참고〉 외국의 국민건강증진종합계획의 목표:

국가	국민건강증진종합계획의 목표
일본(건강일본21)	• 건강수명의 연장 및 삶의 질 향상
미국(Healthy People 2010)	• 건강형평성 제고
미국(Healty People 2020)	• 질환 · 장애 · 사고 · 조기사망 예방을 통한 삶의 질 제고 및 수명 연장 • 건강형평성 제고, 건강 환경조성, 생애주기별 건강증진
캐나다	• 건강의 증진, 형평성 제고

- HP 2020의 목표달성을 위한 주된 사업 분야: 사업목표 달성을 직접 겨냥하는 건강관리사업에 관한 과제와 이들 사업의 효과적 추진을 위한 수단과 사업체계에 관한 과제의 두 가지로 대별했다(그림 1-8).

구분	사업과제
건강 관리사업 과제	• 건강생활실천의 확산 분야 • 예방 중심의 상병관리 분야 • 환경보건 관리 • 인구집단별 건강관리
효과적 추진을 위한 수단과 사업체계	• 사업계층의 확충 및 효과적 관리 – 기반(인프라) – 정보 및 통계 – 평가 – 재원

- 건강관리사업 과제는 건강결정요인에 근거하여 건강생활 실천의 확산, 예방 중심의 상병관리, 안전 환경보건, 인구집단별 건강관리 등 4가지 사업으로 정하였다.

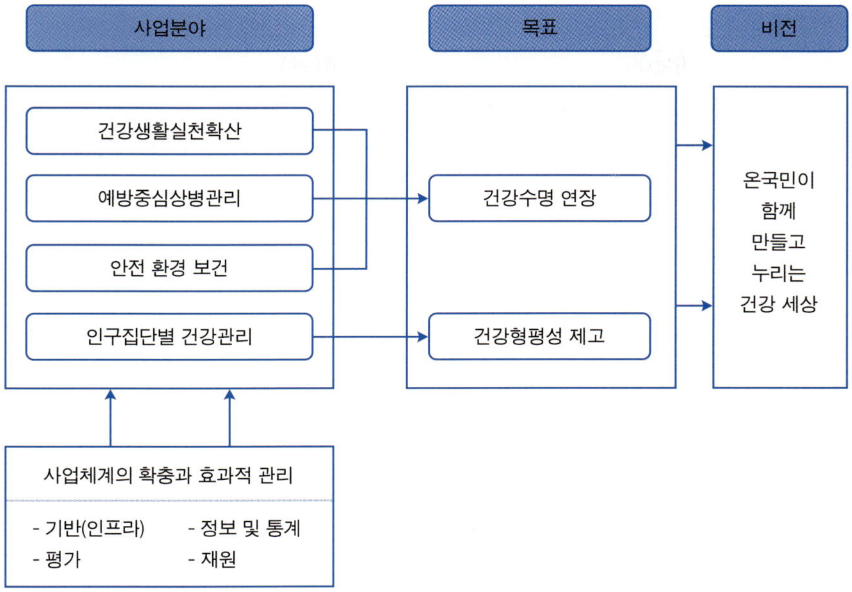

그림 1-8 HP 2020의 기본 틀

출처: 보건복지부. 제3차 국민건강증진종합계획(2011~2020). 2011.

– 건강생활실천의 확산 분야
  - 생활습관이 만성퇴행성 질환의 발병 및 경과와 밀접한 연관이 있으므로 오늘날에는 건강의 가장 중요한 근원적 결정요인 임.
  - 건강생활습관 중에서 만성질환과 관련성이 높은 금연, 절주, 운동 및 영양 등이 중점 과제임.

– 예방 중심의 상병관리 분야
  - 현재 유병률이 높거나, 조기사망의 원인이면서 예방관리를 통하여 유병률을 낮추고 조기사망을 낮출 수 있는 질환에 대한 예방적 관리 분야 임.
  - 만성질환 관련 중점과제로 암, 뇌혈관질환, 심혈관질환, 고혈압, 고지혈증, 당뇨, 비만, 정신보건, 구강보건 등이 있음.
  - 또한 신종전염병이 새로이 발생하므로 감염질환과 관련하여 예방접종, 방역대책 등의 체제를 갖추는 것이 필요하며, 지속적으로 유병률이 높으면서 전염이 우려되는 결핵과 에이즈도 중점과제로 선정
  - 보건의료와 관련된 사회적 · 물리적 환경관리 분야로서 식중독 등 식품안전, 손상예방, 그리고 건강영향평가 등이 중점과제로 선정

– 인구집단별 건강관리
  - 생애주기별 구분에 따라 모성, 영유아, 노인인구 집단이 중점과제로 포함되는 한편, setting별 구분에 따라 비교적 공동적 건강문제를 갖고 있으며, 접근이 용이한 대상 집단(근로자, 학생 등)이 포함.
  - 한편 총괄목표인 '형평성 제고'를 위해서 다문화가정, 취약가정을 주 대상으로 하는 방문보건, 장애인 등 취약계층이 포함됨.

표 1-6 우리나라의 평균수명과 건강수명

구분	건강수명					평균수명			
	2002년	2005년	2007년	HP 2010 (목표)	HP 2020 (목표)	2001년	2005년	2007년	2008년
전체	66.0	67.8	71.0	72.0	75.0	76.5	78.6	79.6	80.1
남자	63.2	64.8	68.0	69.7	73.2	72.8	75.1	76.1	76.5
여자	68.8	70.8	74.0	74.2	76.6	80.8	81.9	82.7	83.3

1) The World Health Report 2001: 2000년 추정치
2) The World Health Report 2003: 2002년 추정치
3) World Health Statistics 2009: 2007년 추정치
4) 보건복지부, 한국보건사회연구원, 새 국민건강증진종합계획수립, 2005.
5) 통계청 생명표: 각 년도

- 사업계층의 확충 및 효과적 관리
  - 여러 가지 건강관리사업의 추진을 위한 수단의 효과적 시행을 위한 계획으로서 사업운영체계, 정보통계, 평가, 재정 등을 포함.

② 국민건강증진종합계획 2020의 목표와 사업

■ 총괄목표: '건강수명의 연장과 건강형평성 제고'

- 건강수명지표는 국제적으로 비교 가능한 WHO의 건강수명지표를 사용함. 건강수명의 추계는 선진국의 건강수명 동향과 우리나라의 건강수명 추세를 감안하여 추정하였다.
  - HP 2020의 건강수명의 목표는 75세이다. HP 2010의 건강수명의 목표는 72세, 2007년 현재 건강수명은 71세이다(표 1-6).
  - 2007년 현재 WHO 회원 국 중 우리나라의 건강수명 순위는 28위이다(표 1-7) .
- 건강형평성은 각 분과의 주제별 특성에 따라 건강형평성 제고의 적용대상과 범위가 다양하다는 점을

표 1-7 주요 WHO 회원국의 건강수명 순위

국가	순위	건강수명(세)		
		남	여	전체
일본	1	73	78	76
산마리노	2	74	76	75
스위스	2	73	76	75
호주	4	75	72	74
캐나다	10	71	75	73
영국	21	71	73	72
한국	28	68	74	71
미국	31	68	72	70

출처: WHO, 2007 통계에서 발췌.출처: WHO, 2007 통계에서 발췌.

표 1-8 HP 2020의 분야별 중점과제 목표 및 사업개요

		HP 2020			HP 2010		
분야명		중점과제명	목표	세부사업	중점과제명	목표	세부사업
총계		32	151	140	24	169	108
건강생활 실천확산		금연	8	4	금연	10	5
		절주	5	6	절주	7	4
		신체활동	3	5	운동	5	5
		영양	5	7	영양	17	5
예방 중심의 상병 관리	만성 퇴행성 질환자 발명 위험 요인 관리	암	8	3	암관리	8	4
		건강검진	3	3	–		
		관절염	3	2	관절염	5	2
		심뇌혈관질환	9	6	심뇌혈관질환	6	3
		–			고혈압	4	4
		–			당뇨병	4	2
		비만	4	6	과체중비만	4	3
		정신보건	5	4	정신보건	15	6
		구강보건	12	9	구강보건	13	8
	감염 환자 관리	예방접종	6	6	예방접종 대상 감염병 관리	8	5
		비상방역체계	10	3	–		
		의료관련감염	5	5	–		
		–			매개체 감염병	5	3
		결핵	4	8	결핵 · 호흡기질환 및 약제내성 관리	11	4
		에이즈	4	4	에이즈 · 성병 및 혈액매개 감염병 관리	10	4
		–			신종감염병 관리	6	5
안전 환경보건		식품정책	4	5	식품매개 감염병 관리	3	4
		손상예방	3	2			
인구집단 건강관리		건강영향평가	3	3			
		모성건강	4	5	모성보건	5	3
		영유아건강	4	5	영유아보건	6	4
		노인건강	5	3	노인보건	3	4
		근로자건강증진	2	2	근로자건강증진	6	6
		군인건강증진	2	2			
		학교보건	8	8	학교보건	6	10
		다문화가족건강	1	2	–		
		취약가정방문건강	4	1	–		
		장애인건강	7	7	–		
		–			형평성확보	2	
사업체계관리		기반(인프라)	3	4	–		
		평가	1	4			
		정보 및 통계	4	4			
		재원	2	2			

감안하여 각 분과에서 건강형평성의 지표를 선정하도록 하였음. 건강형평성의 요소인 사회경제적 지표들은 건강생활실천, 질병예방(만성 및 감염성 질병) 분야에서 다양한 유형으로 나타나기 때문에 총괄에서 구체적 지표를 세우지 않고 각 분과의 중점과제에서 반영하되, 특히 공동적으로 건강형평성문제가 제기되는 취약계층은 인구집단별 건강관리 분과에서 별도의 중점과제로 추가하였음(예: 장애인, 다문화가족, 방문가정건강관리 등).

- HP 2020의 분야별 중점과제 목표 및 사업개요를 HP 2010과 비교하면 표 1-8과 같다.
- HP 2010의 평가결과를 기초로 마련한 HP 2020의 분야별 대표지표는 표 1-7과 같다.

(3) 지역보건의료계획

지역보건의료계획은 『지역보건법』 제7조에 의거하여 실행되고 있으며, 특별시장 · 광역시장 · 도지사(이하 "시 · 도지사"라 한다) 또는 특별자치시장 · 특별자치도지사 · 시장 · 군수 · 구청장(구청장은 자치구의 구청장을

표 1-9 HP 2020의 분야별 대표지표

	보건정책	내 용	지표추이		2020년 목표치
			2008년	2009년	
1	금연	성인남자흡연율	47.7%	46.9%	29.0%
2	절주	성인 고위험음주율	남자 28.3% 여자 8.5%	남자 24.6% 여자 7.3%	남자 18.0% 여자 5.0%
3	신체활동	중증도 신체활동 실천율 · 성인 (걷기제외)	14.5%	13.4%	20.0%
4	영양	건강식생활실천율 (지방, 나트륨, 과일/채소, 영양표시 4개 지표 중 2개 이상을 만족하는 인구 비율)	28.9%	–	35.0%
5	암관리	전 국민 암검진 수검률	50.7%	53.3%	80.0%
6	건강검진	일반건강검진 수검률	65.3%	65.8%	80.0%
7	심뇌혈관질환	고혈압 유병률(30세 이상)	26.9%	30.3%	23.0%
8	비만	성인비만유병률	남자 35.3% 여자 25.2%	남자 35.8% 여자 26.0%	남자 ≤ 35.0% 여자 ≤ 25.0%
9	정신보건	자살사망률 감소(인구 10만명당)	26명	31명	18명
10	구강보건	아동청소년 치아우식 경험률(영구치)	61.1% ('06)	60.5% ('10)	45.0%
11	예방접종	영유아 필수예방접종률	59.5%	–	95.0%
12	결핵	도말 양성 결핵 발생률(인구 10만명당)	22.7명	23.2명	10명
13	손상예방	교통사고 사망률(인구 10만명당)	16.1명 ('06)	–	7명
14	모성건강	모성사망비(출생 10만명당)	12명	–	9명
15	영유아건강	영아사망률(출생아 천명당)	3.4명	–	2.8명
16	노인건강	노인 활동제한율 – 일상생활수행능력(ADL) 장애율	11.4%	–	11.4%

말하며, 이하 "시장 · 군수 · 구청장"이라 한다)은 지역주민의 건강 증진을 위하여 다음 각 호의 사항이 포함된 지역보건의료계획을 4년마다, 그리고 연차별 시행계획을 매년 수립하여야 한다.

[지역보건의료계획에 포함되어야하는 사항 / 지역보건법 제7조 1항]

- 보건의료 수요의 측정
- 지역보건의료서비스에 관한 장기 · 단기 공급대책
- 인력 · 조직 · 재정 등 보건의료자원의 조달 및 관리
- 지역보건의료서비스의 제공을 위한 전달체계 구성 방안
- 지역보건의료에 관련된 통계의 수집 및 정리

시장 · 군수 · 구청장(특별자치시장 · 특별자치도지사는 제외)은 해당 시 · 군 · 구(특별자치시 · 특별자치도는 제외) 위원회의 심의를 거쳐 지역보건의료계획(연차별 시행계획을 포함)을 수립한 후 해당 시 · 군 · 구의회에 보고하고 시 · 도지사에게 제출하여야 한다.

특별자치시장 · 특별자치도지사 관할 시 · 군 · 구의 지역보건의료계획을 받은 시 · 도지사는 해당 위원회의 심의를 거쳐 시 · 도(특별자치시 · 특별자치도를 포함)의 지역보건의료계획을 수립한 후 해당 시 · 도의회에 보고하고 보건복지부장관에게 제출하여야 한다.

지역보건의료계획은 「사회보장기본법」 제16조에 따른 사회보장 기본계획 및 「사회보장급여의 이용 · 제공 및 수급권자 발굴에 관한 법률」에 따른 지역사회보장계획과 연계되도록 하여야 한다.

특별자치시장 · 특별자치도지사, 시 · 도지사 또는 시장 · 군수 · 구청장은 지역보건의료계획을 수립하는 데에 필요하다고 인정하는 경우에는 보건의료 관련기관 · 단체, 학교, 직장 등에 중복 · 유사 사업의 조정 등에 관한 의견을 듣거나 자료의 제공 및 협력을 요청할 수 있다. 이 경우 요청을 받은 해당 기관은 정당한 사유가 없으면 그 요청에 협조하여야 한다.

지역보건의료계획의 내용에 관하여 필요하다고 인정하는 경우 보건복지부장관은 특별자치시장 · 특별자치도지사 또는 시 · 도지사에게, 시 · 도지사는 시장 · 군수 · 구청장에게 각각 보건복지부령으로 정하는 바에 따라 그 조정을 권고할 수 있다.

기타 규정한 사항 외에 지역보건의료계획의 세부 내용, 수립 방법 · 시기 등에 관하여 필요한 사항은 대통령령으로 정한다.

(4) 지역사회 통합건강증진사업

Ⅰ 개요

지역사회 통합건강증진사업이란, 지자체가 지역사회 주민을 대상으로 실시하는 건강생활실천 및 만성질환 예방, 취약계층 건강관리를 목적으로 하는 사업을 통합하여 지역특성 및 주민 수요에 맞게 기획 · 추진하는 사업을 말한다.

이 사업은 전국을 대상으로 획일적으로 실시되던 국가주도형 top-down 방식의 기존국고보조사업을 탈피하여 지자체의 선택권과 자율성을 제고하여 지역여건에 맞는 지자체 주도형 건강증진사업을 추진할 수 있도록 제도를 개선(2013년)한 사업이다. 이로써 보건소 건강증진 국고보조사업은 17개 개별사업을 1개의 포괄보조사업으로 변

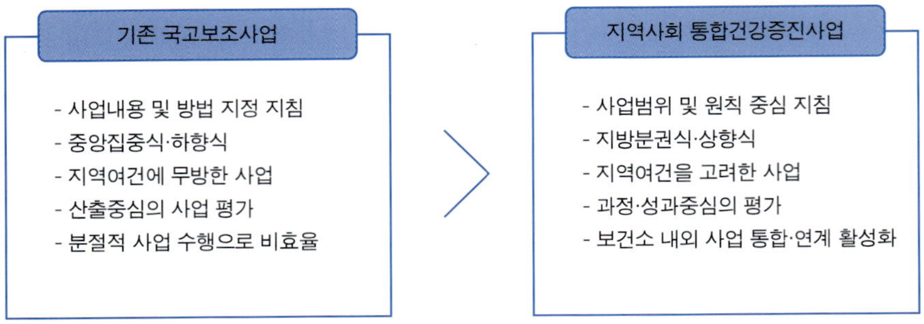

그림 1-9 지역사회 통합건강증진 사업의 의의와 특성

출처: 한국보건복지인력개발원 홈페이지(http://inhealth.kohi.or.kr/) 2016. 1.

경되었으며, 국가 국민건강증진계획의 목표에 부합하도록 사업구조를 재편성 개선하였다(그림 1-9).

2 사업목적 및 체계도

통합건강증진사업의 목적은 '지역사회 주민의 건강수준 향상을 위한 사업을 지자체가 주도적으로 발굴하여 추진함으로써 지역주민의 건강증진사업 체감도를 향상 시킨다'로 설명된다. 세부 사업내용은 지역별 다양한 특성과 수요에 부합하는 차별적인 건강증진사업을 개발하고, 중앙정부와 지자체가 함께 노력하여 제3차 국민건강증

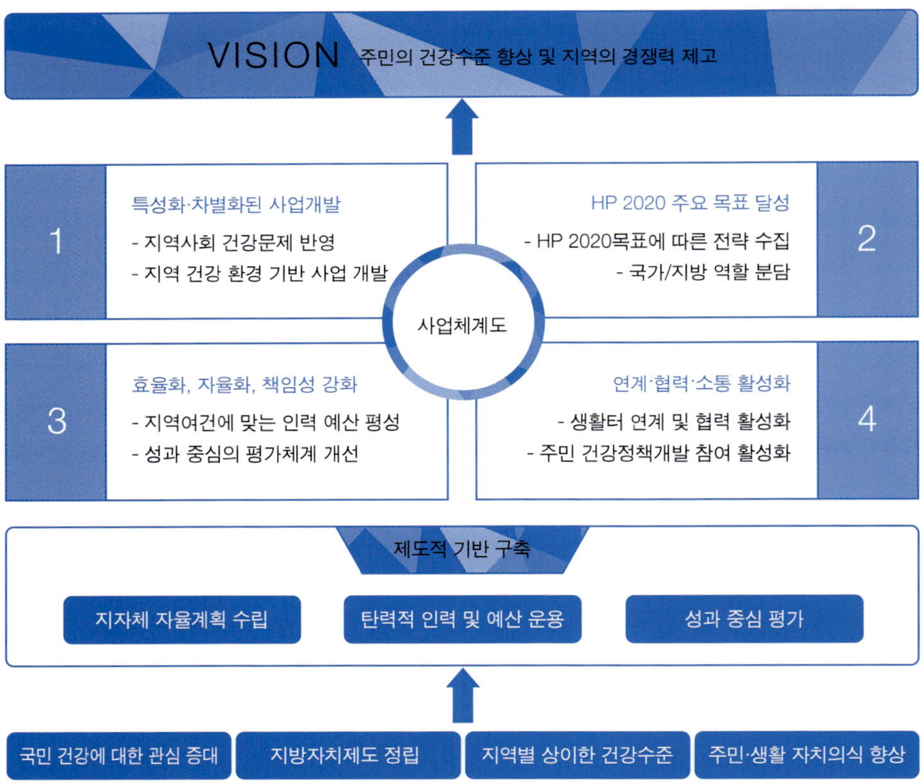

그림 1-10 통합건강증진 사업체계도

출처: 한국보건복지인력개발원 홈페이지 http://inhealth.kohi.or.kr/ 2016. 1.

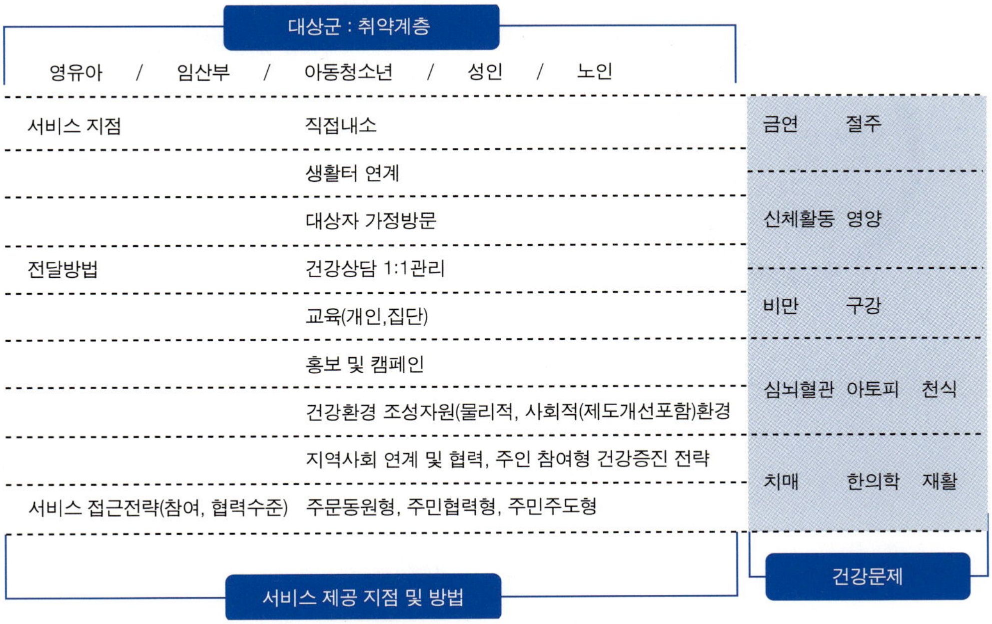

그림 1-11 통합건강증진사업 구성요소

출처: 한국보건복지인력개발원 홈페이지(http://inhealth.kohi.or.kr/) 2016. 1.

진종합계획 2020 목표를 달성하고자하는 데 의의를 둔다(그림 1-10).

3 주요사업내용

주요 사업내용은 지자체(보건소)별 예산액을 기준으로 다양한 건강증진 사업 분야에서 지역 여건에 따라 단위 사업을 자율적으로 기획 · 추진하도록 하였다.

▷ 사업분야 : 금연, 절주, 신체활동, 영양, 구강보건, 심뇌혈관질환관리, 한의약건강증진, 치매관리, 방문건강관리 등 13개 분야.

▷ 사업방법 : 기본 개별사업 간 경계를 없애고 개인별 · 생활터 · 인구집단별 특성에 맞는 서비스 제공방식으로 수행한다.

4 지역사회 통합건강증진사업 구성요소 및 모형

지역사회 통합건강증진사업의 구성요소는 그림 1-11과 같이 건강문제, 대상군, 수행방법 측면을 고려하여 사업을 구성하고 추진한다.

▷ 건강문제: 금연, 절주, 신체활동, 영양, 비만, 구강관리, 심뇌혈관관리, 아토피, 천식, 치매, 한의약 특화사업, 재활 등.

▷ 대상군(취약계층): 영유아, 임산부, 아동청소년, 성인, 노인을 대상으로 한다.

▷ 수행방법: 서비스지점(직접보건소 내소, 생활터 연계, 대상자 가정방문)을 두고 전달방법으로는 건강상담, 1:1 대상자관리, 개인 및 집단의 보건교육, 홍보 및 캠페인, 물리적 · 사회적 건강환경 조성, 지역사회 연계 및 협력, 주민참여형 건강증진 전략 등을 수단으로 활용한다.

▷ 서비스 접근전략: 주민동원형, 주민협력형, 주민주도형 참여 및 협력수준을 높인다.

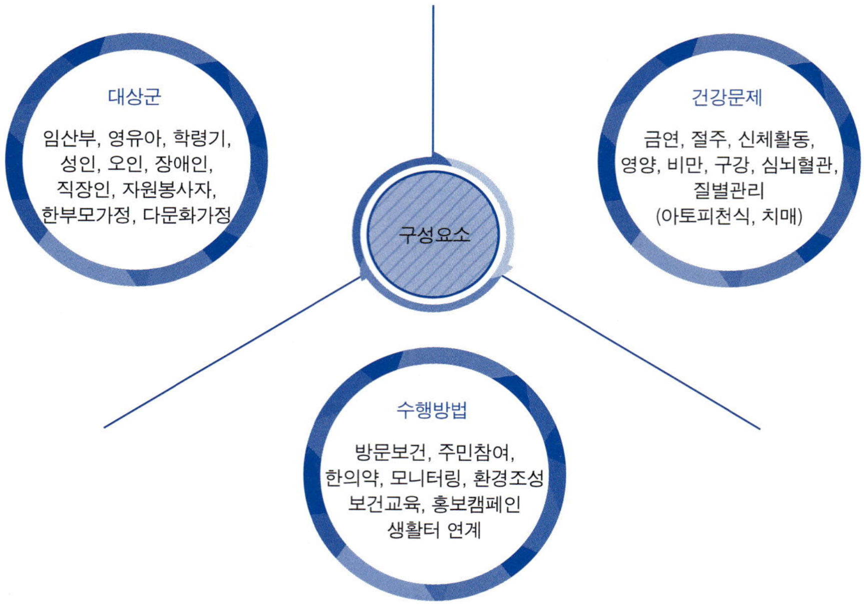

그림 1-12 통합건강증진사업 모형

출처: 한국보건복지인력개발원 홈페이지(http://inhealth.kohi.or.kr/) 2016. 1.

이상의 구성내용을 바탕으로 그려진 통합건강증진사업의 모형은 그림 1-12와 같다.

5 지역사회 통합건강증진사업 모형

지역사회 통합건강증진사업은 그림 1-10와 같이 모형으로 설명할 수 있으며, 구성요소는 그림 1-11과 같이 건강문제, 대상군, 수행방법 측면을 고려하여 사업을 구성하고 추진한다.

(5) 생애주기별 건강증진사업

생애주기별 건강관리란 정부에서 실시하고 있는 맞춤형 복지구현 정책 중 하나로 고위험 임산부에 대한 진료비 경감부터 말기암환자 호스피스 완화의료까지 「건강보험 보장성 5개년 계획('2114~'2018)」에 따라 연령대별로 필수의료비에 대한 건강보험 보장성이 확대되도록 하는 사업이다. 연령대별 분류는 임신 · 출산기, 아동 · 청소년기, 청 · 장년기, 노년기로 분류된다. 2015년 보건복지부가 발표한 소득계층 · 생애주기별 맞춤형 복지구현에 관한 내용은 그림 1-13에서 보는바와 같다.

- 임신 · 출산기는 의료비 걱정없이 임신 · 출산 가능한 지원체계 구축('15,'16), 선천성 기형 및 신생아에 대한 의료지원 확대('16,'18)
- 아동 · 청소년기는 국가무료접종항목에 A형간염(12~36개월 대상)을 추가 및 충치예방과 초기치료 지원('17~'18) 등
- 청 · 장년기에는 금연치료('15), 고혈압 · 당뇨 등 만성질환자 통합치료 체계 구축('15), 고도 비만 및 정신질환 치료('16~'18) 등
- 노년기에는 호스피스 완화의료('15), 치매검사 · 치료 및 65세 이상 임플란트('16~'18) 등

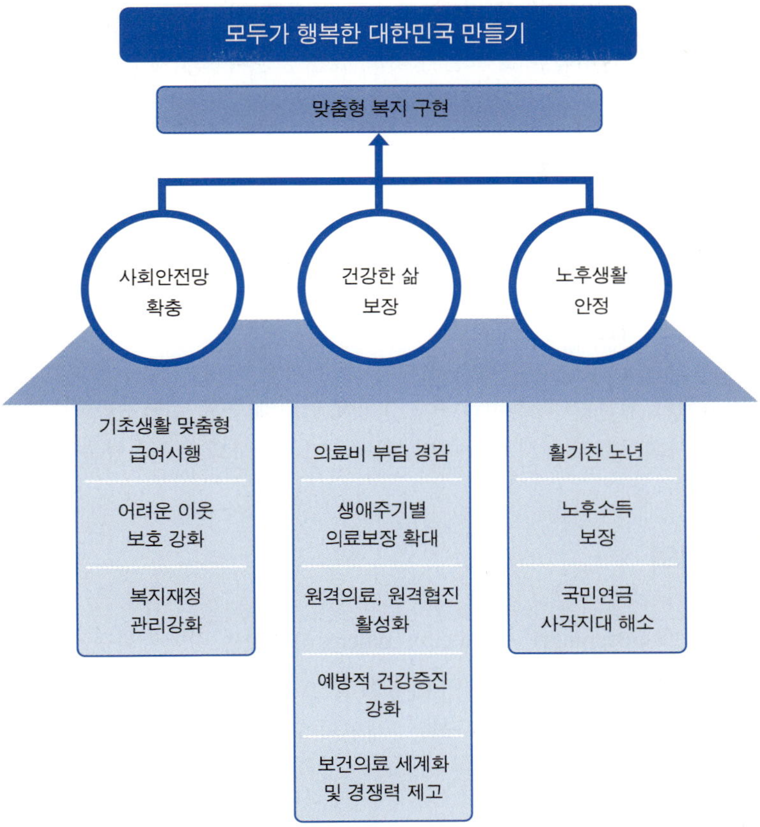

그림 1-13 소득계층 · 생애주기별 맞춤형 복지 구현(2015년 7월 보건복지부 발표)

출처: 보건복지부(http://www.mohw.go.kr/) 2015. 1.

- 그 외 치매 · 말기 암 환자 등 가족에게 큰 부담을 주는 질환에 대해서는 단계적으로 진료 외 간병이나 상담 서비스부분까지 건강보험이 지원될 수 있도록 할 계획이다. 특히, 말기암환자에 대한 호스피스완화의료는 금년 내 건강보험 수가를 신설하여 하반기 중에 적용할 예정이다. 전액 환자가 부담하던 선택 진료비, 1인실(임종 시), 간병비 등 주요 비급여비용과 환자 · 가족 심리상담 등도 포함한 건강보험 적용으로 환자 부담을 대폭 경감할 예정이다.

제2절 지역사회간호의 정의

지역사회간호를 설명하기 전에 지역사회간호의 대상이 되는 지역사회를 먼저 이해해야 할 필요가 있다. 지역사회는 지역사회간호학을 연구하는 간호학 분야 외에도 다양한 학문영역의 학자들에 의해 정의되고 있는 것이 사실이다. 이는 지역사회를 보는 관점에 따라 지역사회의 정의에 차이점이 있다. 지역사회를 간호학 측면에서 분류해보면 WHO에서는 다양한 측면을 포괄한 개념으로 지역사회를 정의하고 있다. 그 외에도 지역사회의 기능, 조직, 지역사회에 존재하는 단체들의 특성 및 그들이 갖고 있는 공동의 요구에 따라 지역사회를 분류하고 있다.

1. 지역사회의 정의

1) 다양한 측면을 포괄한 개념

WHO의 정의로 "지역사회란 지리적 경계 또는 공동가치와 관심에 의해 구분되는 사회집단으로 이들은 서로를 알고 상호작용하면서 특정 사회구조 내에서 기능하며, 규범 · 가치 · 사회제도를 창출한다"

2) 기능에 초점을 둔 정의

- 지오핑거, 라시터, 윌콕스(Goeppinger, Lassiter & Wilcox, 1982)는 지역사회는 "집단 구성원의 공동적 요구를 충족시키는 기능과 상호의존성에 의해 이어진 공식 또는 비공식적인 집단체계"라고 정의하였다.
- 위글리와 쿡(Wigley & Cook, 1975)은 지역사회는 "개인의 요구를 충족할 수 있는 곳"이라고 정의하였다.

3) 조직에 초점을 둔 정의

- 샤만스키와 페즈네커(Shamansky & Pesznecker, 1981)는 지역사회는 "공통적인 목표를 지닌 어느 특정한 시 · 공간에 있는 사람들의 집단"이다.
- 오르(Orr, 1992)는 "인간, 장소, 사회풍토, 사회구조, 사회활동 그리고 감정과 같은 구성요소가 하나로 통합된 것"이다.
- 지역사회는 "일정한 유형의 결속관계를 이루고 있는 인구집단, 서로 상호작용을 하고 있는 인구집단, 그리고 공통의 관심에 관하여 공동으로 기능하고 있는 인구집단"이다.

4) 지역사회의 단체에 초점을 둔 정의

- 톰슨과 킨느(Thompson & Kinne, 1990)는 "그들의 삶에 어떤 중요한 특징적인 것을 서로 나누며 사는 사람들의 집합체 혹은 가치관이나 공공시설을 서로 나누어 갖는 사람들의 모임"이다.
- 그린과 앤더슨(Green & Anderson(1986)은 "일정한 단위를 형성하고 있는 사람들 가운데 공통적인 생활을 취하고 있는 하나의 사회적 단위"이다.
- 캐스린, 가드너(Kathryn, Gardner, 1988)는 "지리학적 위치, 직업, 인종, 주택상태 등 최소한 한 가지 이상의 공통된 특성을 공유한 집단 또는 사람들의 모임"이다.

5) 공동의 요구에 초점을 둔 정의

단순한 집단의 개념으로 지역사회란 "지역사회간호사와 만나는 다양한 집단 혹은 공동요구를 지닌 집단"이다. 라고 설명될 수 있다.

2. 지역사회의 속성

지역사회는 몇 가지 속성을 가지고 있다. 지리적 영역을 공유하고, 이 공동영역 안에서는 주민간의 상호교류가 이루어지고 있으며, 특히 그들 영역 안에서 교류하는 사람들끼리의 공동유대감이 형성되는 것이 사실이다.

1) 지리적 영역의 공유

지역사회는 주민들 간에는 정신적 연계와 상호작용이 이루어질 지리적 영역이 필요하다. 지리적 영역이란 공간을 의미하며, 주민들 간에 서로 가까운 거리에 있어야한다. 요즘 대중매체나 교통망의 발달로 인해 지역사회로서의 지리적 영역이 광역화 되고 있다고 하지만, 지역사회간호의 대상이 되는 지역사회는 일정한 지리적 영역 내에서 공동으로 생활하는 환경이어야 상호교류가 가능한 지리적 영역을 공유한다고 말할 수 있다.

2) 사회적 상호작용

일정한 지리적 영역을 공유하고 있는 주민들은 함께 거주하는 공간 안에서 서로간의 사회적인 상호교류(social interaction)가 이루어진다. 이들은 상호교류를 통해 타인과의 소통과 교류를 위해 자기의 본성을 수정하고 안정된 자아를 형성하는 사회화 과정을 만들어간다. 이로서 같은 지역사회의 공간에 거주하는 주민들은 타인들과의 공동체 삶을 유지해 나가기 위한 사회적 상호작용은 필수적이라 할 수 있다. 이 상호작용에 문제가 있을 때에는 소외되고 외톨이가 되는 사회적 부적응이 생길 수 있다.

3) 공동유대감

공동유대감은 같은 공간 안에서 서로 사회적인 상호작용을 하면서 자연적으로 얻어지는 공동의식이라고 할 수 있다. 우리(We), 소속감(identification), 공동체 의식(common conscience) 등의 단어로 설명이 가능하다. 또한 공동유대감은 그 지역의 전통 및 제도에 영향을 받고, 가치체계를 만들어내고, 새로운 규범과 제도를 창출하는 등 심리적 측면의 지역변화를 이끌어내는 주축이 되기도 한다. 그러나 지나친 공동체 의식은 소속집단에 대한 강한 애착으로 이어지게 되고, 이것이 객관적 판단을 벗어나 한쪽으로 편향되면 오히려 지역사회 발전에 더 나쁜 영향을 줄 수도 있다.

3. 지역사회의 유형

지역사회의 분류는 여러 가지 측면에서 설명된다. 인구수에 따라, 집단구성원의 결속 유형에 따라 분류된다. 우리나라는 인구수에 따른 분류를 바탕으로 특별시, 광역시 및 시·도, 시·군·구, 읍·면, 리·동 등으로 행정구역을 나누고 있다. 이런 행정구역은 공공기관(보건소, 보건지소, 보건진료소)에서 이루어지는 공공보건의료사업에 해당하는 지역사회간호사업의 행정적인 처리를 위한 분류에 해당한다. 간호사업의 내용적인 측면에서 대상자의 요구에 맞는 간호사업을 위해서는 집단구성원의 결속 유형에 따른 분류(최일섭, 1997)를 활용한다. 이는 다음과 같이 분류할 수 있다.

1) 구조적 지역사회

지역주민이 시간적·공간적 관계로 모여진 공동체를 말한다. 이는 집합체, 대면공동체, 생태학적문제의 공동체, 지정학적 공동체, 조직, 문제해결 공동체 등이 구조적 지역사회에 속한다.

(1) **집합체**(aggregate):

- 사람이 모인 이유와 관계없이 단순히 모여진 '집합' 그 자체를 의미한다.
  예) 매매춘 관련 집단, 미혼모집단, 노숙자 집단, 광산촌 등

(2) **대면공동체**(face to face community):

- 구성원 간에 상호교류가 빈번하게 이루어지고 있어 정보전달이 용이한 서로 간에 친근감과 공동의식을 소유하고 있는 집단으로 지역사회의 기본적인 집단이다.
  예) 가족, 이웃, 교민회 등

(3) **생태학적문제의 공동체**(communities of ecology):

- 지리적 특성, 기후, 자연환경과 같은 요인의 영향으로 동일한 생태학적 문제를 갖고 있는 집단이다.
  예) 산림파괴, 산성비, 대기오염, 수질오염, 토양오염 등의 문제가 있는 지역사회 등

(4) **지정학적 공동체**(geopolitical community):

- 지리적·법적 경계로 나누어진 행정구역상의 지역사회이다.
  예) 특별시, 광역시, 시·도, 시·군·구, 읍·면, 리·동 등

(5) **조직**(organization):

- 동일한 환경 하에서 특정목표를 두고 그 목표를 추구하는 일정한 구조의 사회단위, 목표 지향적, 합리성, 보편성 등을 가지면서 특정목표를 달성하기 위한 환경과 끊임없이 상호작용하는 집단이다.

예) 보건소, 병원, 교회, 학교, 산업장 등

(6) **문제해결 공동체**(communities of solution):

– 문제가 무엇인지 정의가 가능하고, 이 문제를 함께 공유하고 있으며, 해결할 수 있는 범위 안의 구역에 함께 거주하는 집단이다. 해결해야할 문제의 종류에 따라 꼭 일정한 지역에 함께 거주하지 않을 수도 있다.
예) 오염된 식수문제를 함께 공유하는 공동체, 금연모임, 암환자 모임 등

2) 기능적 지역사회

단순한 지리적 경계가 아니라 추구하는 목표가 같은 사람들의 공동체 집단을 말한다. 이것은 지역사회의 관심과 목표에 따라 유동적일 수 있다.

(1) **동일한 요구를 가진 공동체**(communities of identifiable need):

– 특별한 문제가 있는 장소, 어떤 건강문제와 그 건강문제에 영향을 미치는 요인을 포함하고 있는 영역, 즉 주민들의 일반적인 공통문제 및 요구에 기초를 두고 있는 공동체 집단이다.
예) 핵연료로 인한 방사선 오염 지역 등

(2) **자원공동체**(critical mass community):

– 어떤 문제 해결을 위해 해결하고자하는 문제의 목적에 맞는 자원을 함께 활용하기 위해 모인 집단을 말한다. 자원으로는 경제력 · 인력 · 소비자 · 다른 지역사회에 대한 영향력 · 물자 등이 있으며, 이런 자원들은 문제해결 및 욕구충족 등에 제공된다.
예) 국민건강보험공단의 건강보험 · 산재보험 등

3) 감정적 지역사회

지역사회의 감각이나 감성을 중심으로 모인 공동체를 말한다.

(1) **소속공동체**(belonging community):

– 감정적인 지역사회로 동지애와 같은 정서적 감정으로 결속된 집단을 말한다.
예) 지연(같은 고향), 학연(같은 출신학교), 종친회(같은 성씨) 등

(2) **특수흥미공동체**(communities of interest orientation):

– 특수 분야에 서로 같은 관심과 목적을 가지고 함께 모인 집단이다.
예) 대한간호협회, 낚시회, 독서회, 축구회, 애견카페모임 등

4. 지역사회의 기능

길버트와 스페치(Gilbert & Specht)의 '지역사회 기능과 제도에 대한 이론'에 따라 다음과 같이 설명된다.

1) 경제적 기능(경제제도)

지역주민들의 생산, 분배, 소비 활동이 공동의 지역 내에서 이루어지는 것을 말한다.

2) 사회화 기능(가족제도)

사회화 기능은 교육적 기능이라고도 하며, 지역시회가 공유하는 지식, 가치, 행동양상을 창출 · 유지 · 전달하는 기능이다. 주로 가족단위에서 이루어지며 공동으로 교육과정을 만들고 한곳에 모여서 교육하기도 한다. 이를 통해 사회화가 이루어진다.

3) 사회통제의 기능(정치제도)

지역사회가 구성원들에게 사회규범에 순응하게 하는 기능이다. 지역사회 스스로 규칙이나 규범을 형성하여 구성원의 행동을 통제하는 기능을 말한다.

4) 참여적 사회통합기능(종교제도 등)

지역사회 구성원이나 단위조직 간의 관계와 관련된 기능으로서, 참여를 통해 지역사회 유지를 위한 결속력과 사기를 높이고 주민공동 문제 해결을 위해 공동으로 노력하는 활동 등을 말한다. 사회통합은 상부상조, 이웃과의 인간 관계형성, 자아정체감, 공동체 정신 등을 갖게 한다.

5) 상부상조의 기능(사회복지제도)

지역사회 내 질병, 사망, 실업, 경조사 등 도움이 필요한 상황에서 서로 지지해 주는 기능이다.

5. 지역사회보건

1) 건강의 정의(WHO)

세계 보건기구는 1948년에 "단순히 질병이 없는 상태가 아니라 신체적 · 정신적 · 사회적으로 안녕한 상태"라고 했다. 이 후 몇 번의 수정을 거쳐 현대적 건강의 정의를 "건강이란 단지 질병이 없거나 허약하지 않을 뿐만 아니라 육체적 · 정신적 · 사회적 및 안녕이 역동적이며 완전한 상태이다"라고 정의하여(WHO, 1998) 건강의 사회적 측면을 강조함과 동시에 적극적인 건강증진을 강조하고 있다. 강조되는 사회적 안녕(social-wellbeing)은 각 개인의 사회생활에서 역할을 잘 수행하여 자신에게 부과된 기능을 다해 원만한 대인관계를 유지하고 사회규제를 잘 지켜 사회생활에 잘 적응하는 상태를 말한다.

2) 공중보건의 정의

공중보건의 정의로 가장 대표적인 것은 윈슬로(Winslow, 1923)의 정의를 들 수 있다. "공중보건이란 조직된 지역사회의 노력으로 환경위생 관리, 전염병 관리, 개인위생에 관한 보건교육, 질병의 조기발견과 예방적 치료를 할 수 있는 의료 및 간호사업의 체계화 및 모든 사람들이 자기의 건강을 유지하는데 적합한 생활수준을 보장하도록 사회적 제도를 발전시킴으로써 질병을 예방하고 수명을 연장하며 건강을 유지 및 증진시키는 과학이요, 기술이다."라고 정의하였다.

공중보건이란 용어도 시대의 흐름에 따라 용어의 변화가 있었다. 즉 지금은 '공중보건'이라는 단어를 '지역사회보건'으로 사용하고 있다.

3) 지역사회보건의 정의

지역사회보건의 개념은 과거 공중보건의 현대적 용어라고 말할 수 있다. 지역사회의 건강상태는 그 지역사회를 구성하고 있는 개인 · 가족 · 집단의 건강으로 이루어진다. 그러나 지역사회구성원들의 건강상태 전부를 뜻하는 것이 아니라, 독특한 실체로서 지역사회에 있는 모든 것의 총합 그 이상을 의미한다.

한론과 피켓(Hanlon & Pickett, 1984)은 "지역사회보건은 주어진 시 · 공간에서 이용가능한 지식과 자원으로 높은 수준의 신체적 · 정신적 · 사회적 · 영적 안녕상태에 이르는 것"이라 했다.

반타(Banta, 1979)는 "인간이 생물학적 · 정신적 · 연대적인 잠재성을 실현하고 비교적 질병에서 벗어나 편안히 살도록 허용된 환경에 잘 적응하는 것"이라 했다.

위 내용들을 참고하면 현대사회의 지역사회보건은 안녕(wellness)에 중점을 두면서 "지역사회보건은 지역사회에 살고 있는 개개인의 주민과 하나의 실체로서의 지역사회가 최적의 생물학적 · 정신적 · 사회적 안녕상태로 이끄는 것"이다.

(1) 지역사회 보건의 목표

- 질병예방
  예) 예방주사, 비타민 섭취 등
- 예방과 치료가 가능한 만성질환의 예방
  예) 조기발견, 조기치료를 통한 매독의 합병증 예방 등
- 예방과 치료가 불가능한 질병을 예방

예) 관절염 환자의 근 수축예방 등

(2) 지역사회보건 실무의 목표

지역사회보건 실무의 목표는 "모든 사람이 건강할 수 있는 조건을 보장하려는 사회의 욕구를 충족시키는 것"이다(미국의료협의체, I.O.M, / Institute of Medicine, 1988).

(3) 지역사회보건의 목적

지역사회보건의 목적은 "건강에 관한 대중의 이익을 위하여 조직화된 지역사회의 노력을 활성화함에 있어 과학적이고 기술적인 지식을 적용함으로써 질병의 예방과 건강증진을 도모한다"이다(미국 IOM, 1988).

(4) 지역사회보건의 기능

1970년대 공중보건학자인 워렌(Warren)의 5가지 지역사회보건의 기능은 다음과 같다.

- 상품과 서비스를 생산하고 배분
- 사회적 상호작용의 규범을 통제하고 유지
- 지역사회 구성원의 사회참여 증진
- 지역사회 구성원의 사회화
- 지역사회 구성원의 개인적 요구를 충족시키기 위한 상호지지

(5) 지역사회보건의 기본요소

- 인적 요소: 건강의 유지 증진을 필요로 하는 지역주민과 건강요구에 맞는 서비스를 제공하여야 하는 보건 전문인들이다.
- 물적 요소: 주민의 건강유지와 증진에 노력하는 예방적 측면과 질병에 걸린 주민을 치료하고, 치료가 끝난 주민의 건강 생활적응을 위한 재활과 건강증진을 포함 한 관리과정을 수용해야 하는 보건의료 시설과 장비, 재원이 마련되어야 한다.
- 구조적 요소: 인력, 시설장비, 재정의 요소가 원활히 쓰일 수 있도록 지역사회 조직의 구조적 틀이 현실에 맞게 마련되고 운영되어야한다.

4) 지역사회간호의 정의

- 미국간호사협회(ANA, 1986)에서는 "지역사회간호업무는 간호학과 보건학에 관련된 지식과 기술을 통합하여 인구집단의 건강을 유지 · 증진한다. 지역사회간호업무는 포괄적이며 보편적이고, 어떤 특정 연령이나 특별한 진단을 받는 집단에 국한하지 않으며, 일시적이 것이 아니라 지속적이다. 간호업무는 개인 · 가족 · 집단을 향한 간호를 포함하고 있지만 지배적인 책임은 인구전체에 있다"라고 설명하였다.
- 제니스(Janice 등, 2003)은 "지역사회간호는 개인 · 가족 · 지역사회에서 최고수준의 안녕을 목적으로 여러 사람들과 계약관계를 맺고 수행하는 활동이다"라고 설명하였다.

• 히크만(Hickman, 1990)은 "지역사회간호는 병원이외의 장소에서 수행되는 간호영역으로 모든 사람들이 건강을 유지 · 증진하는데 적용되는 간호이론과 공중보건 이론의 종합이다"라고 설명하였다.
• 김화중(1984)은 "지역사회간호는 지역사회를 대상으로 간호제공 및 보건교육을 통해서 지역사회의 적정기능수준 향상에 기여하는 것을 궁극적인 목표로 하는 과학적인 실천이다"라고 정의하였다.
• 스미스(Smith, 1981)는 문헌고찰을 통하여 간호학에서 바라보는 건강에 대한 기본적인 개념을 알아본 결과 건강은 상대적인 개념으로 파악하고, 4가지 유형으로 나누어진다고 주창하였다. 4가지 유형은 다음과 같다.

Smith(1981)의 건강모형에 따른 건강–질병의 의미

모형	건강의 의미	질병의 의미
행복론	풍족한 안녕과 자아실현	무기력
적응론	유기체 환경과 융통성있게 적응	환경으로부터 유체의 소외
역할수행론	최고의 성과와 사회적 역할 수행	역할수행의 실패
임상적 모형	불구, 질병의 증상, 증후가 없는 것	질병의 증상, 증후가 있는 것

출처: 강향숙 외, 지역사회간호학, 퍼시픽북스, 2015.

5) 김화중의 지역사회간호의 정의

(1) 김화중의 지역사회간호의 개념틀

김화중 교수의 지역사회간호의 개념틀(그림 1-14)을 제시하고 지역사회간호를 설명하고자 한다.

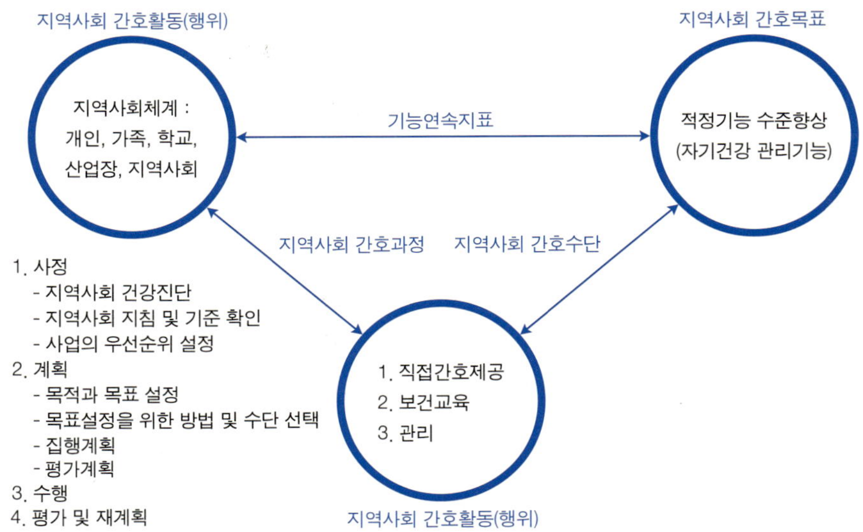

그림 1-14 김화중의 지역사회간호 개념틀

출처: 지역사회보건간호학, 최연희 외, 수문사, 2014.

김화중(1984)은 "지역사회간호는 지역사회를 대상으로 간호제공 및 보건교육을 통해서 지역사회의 적정기능 수준 향상에 기여하는 것을 궁극적인 목표로 하는 과학적인 실천이다"라고 정의하였다.

개념 틀에서 보는바와 같이 지역사회간호의 대상은 '지역사회'라고 하는 하나의 체계로 설명할 수 있으며, 현재 이루어지고 있는 지역사회간호실무의 대상은 개인, 가족, 학교, 산업장, 행정구역상의 지역사회 단위별로 이루어지고 있다. 지역사회간호활동은 직접간호제공과 보건교육, 관리 등의 내용으로 실무를 행하며, 지역사회간호의 목표는 지역사회간호 대상자의 적정기능수준을 향상시키는 것으로, 지역사회의 구성원들이 자기건강관리를 잘할 수 있도록 정부의 지원 등으로 직접간호 제공과 관리를 잘하고, 보건교육을 체계적으로 제공하여 최종목표인 최고의 안녕상태에 이를 수 있도록 과학적인 실천으로 돕는 이론과 실무를 겸비한 학문영역이다.

지역사회간호의 대상과 지역사회간호활동의 관계에서는 대상자에게 목표를 달성하기 위하여 간호활동을 제공할 때, 제시된 간호과정을 적용하여 체계적인 업무실시로 목표달성에 시간적 · 경제적 등의 효율을 기할 수 있도록 하였다. 또한 목표달성을 위해 간호행위를 제공하고자 할 때는 표 1- 10에서 제시하는 간호과정별 간호방법과 수단을 활용하면 목표달성의 효율을 기할 수 있다. 지역사회간호의 대상이 어느 정도 목표에 도달하였느냐를 평가하기 위해서는 기능연속지표를 활용하여 목표도달 정도를 평가할 수 있다. 기능연속지표는 그림 1-15 에서 보는바와 같다. 기능연속지표는 중간지점을 포인트로 긍정적인 측면의 끝을 적정기능수준에 도달하는 것으로 보고, 부정적인 측면의 끝은 기능장애가 생기게 되는 현상을 설명할 수가 있다. 이로써 지역사회간호사의 역할은 지역사회간호의 대상이 자기건강관리를 잘하여 최고수준의 안녕상태인 적정기능수준에 도달할 수 있도록 돕는 역할이라고 설명 할 수 있다. '적정기능수준'이란 기능을 수행하는데 영향을 미치는 모든 조건을 고려하여 최대한

표 1-10 간호대상과 간호과정별 지역사회간호수단

대상 &방법	개인	가족	지역사회
사정	• 가정방문: 면담, 직접신체사정, 관찰 • 2차적 자료 • 보건의료기록지 • 친지, 이웃에게서	• 면담 • 관찰 • 2차적 자료: 통계자료 • 연구결과 • 건강진단	• 정보원 면담 • 참여관찰 • 조사연구 • 차창 밖 조사 • 2차적 자료 • 주민참여
계획	• 총체적 접근 • 계약 • 검토	• 공청회 • 패널토의 • 브레인스토밍	
중재	• 가정방문: 직접간호제공, 보건교육실시, 상담 • 시범건강관리실 이용 • 편지 • 전화 • 집단토의	• 공청회 • 역할극 • 브레인스토밍 • 강의 • 집단토의, 분단토의 • 사례연구 · 공공정책 • 심포지엄 • 소비자 조직	• 계획적 사회변화 • 지역사회개발 • 시민참여 • 소집단과의 상호작용 • 대중매체 • 공공정책 • 일반적 조언 • 설문지 조사
평가	• 가정방문: 신체사정, 관찰, 면담, 설문지 • 직접감사: 기록, 보고, 제3자 평가	• 설문지 조사 • 사례연구 • 공청회	• 면담 • 관찰

출처: 지역사회보건간호학, 최연희 외, 수문사, 2014.

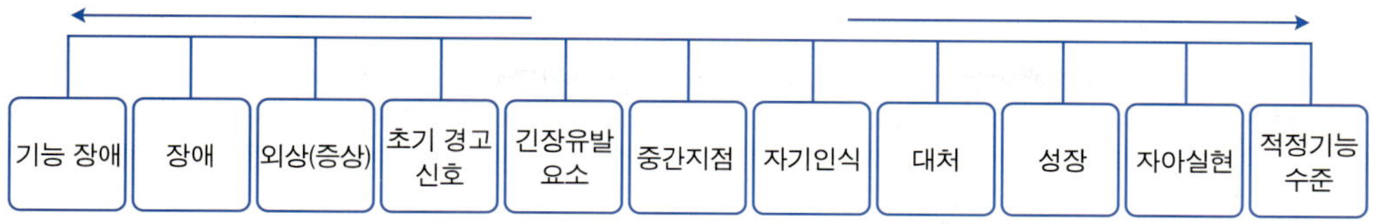

그림 1-15 프레시맨(Freshman)의 기능연속지표(1979)

출처: 지역사회보건간호학, 최연희 외, 수문사, 2014.

으로 할 수 있는 기능이다.

적정기능수준에 영향을 미치는 요인은 다음과 같다.

- 정치적 요인:
  - 지도자의 리더십과 관련된 요인으로 정치제도의 이념, 철학, 정책 등과 관련된 요인
    예) 범죄나 지역사회의 안정 결핍정도
- 생활 습관적 요인:
  - 물리적 문화적, 윤리적 요소들과 관련된 습관
    예) 흡연, 운동부족 등
- 유전적 요인:
  - 혈족관계에 의해 전해지는 질환 등과 관련된 요인
    예) 혈우병, 선천성당뇨 등.
- 환경적 요인:
  - 대상자가 거주하는 주위환경이 건강에 영향을 주는 경우에 해당
    예) 환경오염으로 인한 수은중독, 핵연료 유출에 의한 방사선 피해 등
- 사회 · 경제적 요인:
  - 사회 · 경제적 특성과 관련된 빈곤, 취약계층, 다문화가정에 대한 편견 등에 의한 요인
    예) 빈곤 등의 이유로 영양실조, 위생관리 부족, 이주 등으로 부적응 등
- 보건의료전달체계의 요인:
  - 보건의료전달체계의 중심이 질병중심체계인 경우는 지역사회보건사업 중심의 경우에 비해 적정기능수준 도달이 어렵다.

6) 보건간호와 지역사회간호의 차이

지역사회간호의 개념은 3절 지역사회간호의 역사에 기록된 내용을 참고하면 '공중보건사업'에서 '보건간호'그 다음은 '지역사회보건간호'또는 '지역사회간호'등으로 변화되어 사용되어지고 있다. 우리나라는 크게 보건간호와 지역사회간호로 차이를 비교해 볼 수 있다(표 1-11).

표 1-11 보건간호와 지역사회간호의 차이

	보건간호	지역사회간호
철학, 중점	지역사회와 인구집단의 건강관리에 중점을 둠	지역사회 내의 개인, 가족 집단의 건강관리에 중점
사업목적	질병예방, 건강보호	건강유지증진, 삶의 질 향상
운영주체	정부	정부, 지역사회 주민 및 기관
사업대상	선택된 집단	개인, 가족, 기관, 지역사회
재원조달	국비, 지방비	국비, 지방비, 지역사회기금
사업운영 방법	정부정책 지원사업, 지역진단에 의한 보조사업	대상과 요구에 근거한 지역보건사업
사업전달	수동적, 하향적 전달	능동적, 수평적 전달
간호체계	보건사업체계	건강관리 사업체계
지역사회개발	격리상태	지역사회개발사업의 일환

출처: 지역사회보건간호학, 최연희 외, 수문사, 2014.

7) 지역사회간호에 영향을 주는 사회현상

지역사회간호는 간호가 수행되는 지역사회 현장의 역사적 배경, 환경의 배경, 건강관리체계 등에 의해서 많은 영향을 받는다. 그 외에도 다양한 사회적 현상의 영향 또한 무시할 수 없다.

기본적으로 지역사회간호에 영향을 주는 사회적 현상은 다음과 같다.

① 일반적인 사회현상: 시장수요의 변화, 대상인구집단의 다양화, 노령인구의 증가, 대기오염 등 을 들 수 있다.

② 경제적 변화: 건강서비스에 대한 요구의 증가와 낮은 세금간의 갈등문제, 이익을 추구하는 건강관리서비스를 늘리는 것 등이 있다.

③ 정부의 정책변화: 정부가 공중보건 업무에 대한 이해가 부족하여 보건과에 대한 재정삭감, 건강관리서비스의 혜택을 받지 못하는 시민이 늘어남을 인정하지 않는 것 등이 있다.

④ 민간건강기관의 등장: 민간주도의 건강관리기관들이 등장하면서 공공기관에 근무하는 지역사회간호사의 역할 변화에 영향을 주고 있다.

⑤ 기술의 변화: 정보기술의 급속도 발전으로 새로 도입하거나 수정해야하는 정보체계의 변화 등이 영향을 준다.

⑥ 건강문제요구의 변화: 사회의 변화에 따라 건강문제의 요구도 달라지고 있다. 예를 들어 10대 임신, 폭력, 개인의 권리와 공중의 건강 간의 갈등 등이 사회변화에 따른 건강관리의 요구로 등장하고 있다.

⑦ 건강관리체계의 변화: 인구집단은 다양해지지만 거기에 맞는 건강자원이 부족하고, 변화가 필요한 새로운 간호관리방법의 중요성에 대한 인지도가 떨어지는 현상도 영향을 준다.

⑧ 전문성의 변화: 업무에 영향을 주는 간호자체의 특별한 훈련의 필요성에 초점을 두어야하는 것도 영향을 미치는 사회현상이다.

8) 지역사회간호의 속성

지역사회간호는 다음과 같은 속성을 갖고 있다(표 1–12). 지역사회간호를 크게 목표 및 대상관련, 대상자와 간호사와의 관계 그리고 건강에 대한 책임 소재측면으로 분류해서 살펴보면, 첫째 목표 및 대상관련의 특성은 건강을 지향하고, 인구집단을 중심으로 하는 속성이 있다. 둘째 대상자와 간호사와의 관계 측면에서 보면, 자율성, 지속성, 협력성, 상호작용, 친밀성, 변화성 등의 속성이 있다. 셋째, 건강의 책임성 측면에서서는 개인이 아닌 사회의 책임으로서 공중의 책임성을 볼 수 있다.

표 1-12 지역사회간호의 속성

관 련	속 성	내 용
목표, 대상관련	1. 건강지향성	질병치료보다 건강유지와 질병예방을 강조한다.
	2. 인구집단중심	개인, 가족보다 인구집단(지역사회)의 건강을 강조한다.
대상자와 간호사의 관계	3. 자율성	간호사는 대상자와 함께 건강관리를 결정한다.
	4. 지속성	대상자에게 포괄적이며, 지속적인 건강관리를 제공한다.
	5. 협력성	타 조직에 비해 간호사와 대상자의 관계가 동등하며, 협력하는 기회가 많다.
	6. 상호작용	건강과 관련된 다양한 요인에 관한 상호작용이 대상자와 간호사 간에 이루어진다.
	7. 친밀성	타 영역에 비해 대상자의 삶과 실체에 대해 많이 알고 있다.
	8. 변화성	여러 가지 조건(건강관리 현장과 인종 등)에 따라 대상자의 분포는 수준이 다양하다.
건강의 책임	9. 공중의 책임성	인구집단의 건강은 지역사회와 정부, 사회적인 책임으로 인지하고 있다.

9) 지역사회간호업무의 표준

지역사회간호의 표준이 필요한 이유는 전문성을 증명하기 위한 한 방법으로 업무의 표준을 설정했다(ANA, 1986).

미국간호협회(ANA: American Nursing Association)는 특징 있게, 측정 가능하게, 간호의 우수성을 달성하도록 지침을 제공하기 위해 '지역사회간호 업무의 표준'을 개발하였다. ANA가 제시한 지역사회간호업무의 표준은 다음과 같다.

각각의 표준에 대한 달성정도는 구조적(표준을 달성하는데 필요한 환경과 자원), 과정적(간호사가 표준에 맞게 행한 활동 혹은 과정), 결과적(간호사행동의 기대결과) 기준으로 평가한다.

지역사회간호업무의 표준

- 간호사는 업무상황에서 결정을 내리는데 기본원칙으로 이론적 개념을 적용한다.
- 포괄적이고 정확한 자료를 체계적으로 수집한다.
- 진단을 위해 지역사회, 가족, 개인에 대한 수집한 자료를 분석한다.
- 예방의 단계에 따라 대상자의 요구에 맞는 독특한 간호활동을 계획한다.
- 계획에 따라 건강유지 · 증진 · 회복하고 질병을 예방하고, 재활에 영향을 주는 간호를 수행한다.
- 수집된 자료, 진단, 계획을 수정하기 위해 간호수행을 한 개인, 가족, 지역사회의 반응을 평가한다.
- 간호업무의 질을 확실히 알기위해 동료평가 및 타 평가에 참여한다.
- 타 보건관리제공자 및 전문가와 협력한다.
- 연구를 통해 지역사회간호에서 이론과 업무에 기여한다.

10) 지역사회간호사업

(1) 구성요소

지역사회간호사업은 다음과 같은 내용으로 사업이 구성된다.

- 건강생활의 증진(Promotion of health living)
- 건강문제의 예방(Prevention of health problems)
- 건강문제의 치료(Treatment of disorder)
- 재활(Rehabilitation)
- 평가(Evaluation)
- 연구(Research)

(2) 실무현장

지역사회간호사업의 실무현장은 다양한 형태의 실무현장이 있지만, 대부분의 사업이 다음과 같은 실무현장에서 이루어진다.

- 지역사회를 대상으로 가정단위로 제공된다.
- 학교 및 산업장은 기능적 지역사회로서 지역사회간호사업의 특정실무현장이다.
- 보건소, 보건지소, 보건진료소는 국가 공공부문의 지역사회간호사업이 시행된다.
- 그 밖에 사회복지기관 및 보험관련 기관 등이 새로운 실무현장으로 정착되어가고 있다.

(3) 접근과정

지역사회간호사업의 접근과정은 문제중심, 가족중심, 지역사회중심과 개인문제별, 지역사회조직체계별, 또는 문화적, 제도적, 경제적 차이의 형태별 접근으로 다양하게 시도되고 있다.

제3절 지역사회간호의 역사

지역사회간호의 역사는 인류 역사의 일부분에 속하는 간호사(nursing history)의 일부분으로서 개인, 가족, 지역사회 또는 인구집단을 대상으로 한 지역사회간호의 성격을 띠는 간호를 모아서 정리한 것이다. 간호의 역사는 문헌에 기록된 사실만으로 대상으로 하였다.

지역사회간호의 역사는 외국과 우리나라로 구분하고, 간호의 주된 개념의 시대적 변화에 따른 간호실무의 특징을 기반으로 방문간호시대, 보건간호시대, 지역사회간호시대로 분류하여 설명하였다.

1. 외국 지역사회보건간호의 발달사

1) 방문간호시대: 1900년 이전

(1) 초기 기독교 시대의 간호(4~5세기 경)

- AD 60년경 여집사 페베(Phoebe)가 최초의 보건간호사가 되어 방문간호를 실시하였다.
- 주로 기독교 교회 조직으로 운영이 되었으며, 다양한 성격의 여집사단이 형성되어 간호사업 · 사회사업으로 발전하였다. 이시기에는 주로 상류층의 귀족들이 간호사업에 헌신하며 복음을 전파하였다.
- 파비올라(Fabiola)는 자신의 궁을 병원으로 개조해 노숙인, 행려병자들을 간호하였고, 제자 양성에도 열정적이었다.
- 파울라(Paula)는 베들레헴에 수도원, 병원을 세우고 간호사업에 헌신하였다.

(2) 중세시대의 간호: AD500~1,000년(총체적인 암흑시대)

- 상업발달과 도시인구 증가로 인해 위생문제가 대두되었다.
- 수녀들이 주로 환자들을 간호하였으며, 감염병의 유행은 신의 섭리로 여겼다.
- 1349년(중세 후기) 유럽 전역의 페스트 유행은 인구의 1/4에 해당하는 2,500만 명의 사망자를 발생시켰다. 감염병 유행에 대한 관리로 구획별 관리, 환자 색출, 격리소 설치, 환자의복과 침상 소각, 항구의 폐쇄 및 검역기간 규정과 같은 조치를 취하였다.
- 도시는 인구의 증가로 빈민가가 형성되고, 질병과 범죄, 폭력 등이 난무해 죽음의 온상이 되었다. 이런 현상들은 군집생활환경의 결과인 위생 불량 및 질병의 만연으로 이어졌으며, 이런 환자간호를 위한 새로운 유형의 단체설립의 필요성이 대두되었다.
- 11세기 말~13세기에 있었던 십자군 원정으로 여행병자 및 부상자가 생기고, 영양불량으로 인한 질병과 감염이 유행하였다. 이 문제를 해결하기 위해 '수녀간호단'이 간호를 하였지만, 부상자가 너무 많아 십자군 자신들이 문제해결을 위해 '기사간호단'을 창설하였다.

(3) 르네상스와 산업혁명(1500~1850년)

① 시대적 배경

- 이 시대에는 인간성을 회복하자는 여러 혁명과 인권선언 등이 있었으나, 여성의 지위향상에 영향을 미치지 못하였다. 남녀평등을 거론하지 않아 여성의 문제에 대해서는 여전히 보수적 이었다.
- 종교 개혁으로 가톨릭교회의 세력이 약화되어 교회가 경영하던 병원의료와 구호사업 등이 중단되고, 간호사업기관의 폐쇄로 수녀간호단이 해체 되었다.
- 수녀단체의 활동에 대한 부정적인 인식은 여자들의 사회활동을 제한하였으며, 훈련받은 간호인력도 부족하여, 간호의 암흑기가 되어버렸다. 병원은 공포의 장소가 되었고 비위생적인 환경으로 환자 사망률이 높아졌다.
- 산업혁명 이후 일자리의 증가로 여성의 사회참여 기회가 많아지고, 남녀평등의 사회적 인식이 간호업무를 '직업적 간호'로 만드는 전환기가 되었다.
- 영국에서는 빈민구제법(1834년)을 제정하여 모든 사람 특히 가난한 사람들에게 주택개선, 환경위생 개선, 영양 개선 등 혜택을 인류애에 입각하여 균등하게 제공해야 한다고 법률로 실천하게 되었다.

② 간호활동

- 프랑스의 성 프란시스 드 살레스(St. Francis de Sales)가 가정 내 간호사업체를 조직하여, 병든 자를 방문해 간호하였다(1610년).
- 프랑스의 성 빈센트 드 폴(St. Vicent de Paul) 신부는 가정방문간호를 위한 자선수녀단(Sister of Charity)을 조직하여 간호활동, 사회개혁활동을 전개하였다(1617년).
- 영국의 엘리자베스 프라이(Elizabeth Fry)는 여죄수에게 물질적 도움을 주는 등 사회활동을 실천하였고, 에밀리 시버킹(Amelie Sieveking)과 함께 콜레라 유행지역의 병원사업을 지원하였다.
- 독일의 프레드릭 문스터(Frederike Munster)는 신교 '여집사간호단'의 지도자로서, 남편인 프레드릭 프리드너(Frederike Friedner) 목사와 함께 빈민을 위한 병원을 세우고 여집사들을 대상으로 간호교육을 실시하였다. 훗날 영국의 나이팅게일(Florence Nightingale)이 교육 받은 곳(카이저스베르트 학교/Kaiserswerth school)이기도 하다.
- 종합해 보면 이시기의 방문간호의 공통점은 비전문인에 의한 종교적 형태의 사업이었다.

③ 공중보건발전이 간호에 미친 영향

- 근대 공중보건은 르네상스와 산업혁명을 계기로 발전하였다.
- 근대 과학의 발전으로 감염성질환의 원인을 규명하고, 공중보건은 급속도로 발전하는 계기가 되었다.
- 영국의 에드윈 체드윅(Edwin Chadwick)은 1837년에서 1838년까지 런던을 중심으로 유행하던 열병을 대상으로 연구한 보고서(Fever Report)에 위생개혁의 중요성, 지역 공중보건활동의 중요성, 보건행정 기구의 필요성 등을 제시하였다. 그 결과로 1948년 세계 최초로 공중보건법을 제정하고 정부조직에 공중보건국, 지방보건국을 설치하였다.
- 현미경의 발달로 세균에 대한 연구가 활발하게 되어, 과학적인 근거를 통해 공중보건이 발전함에 따라 질병을 예방하기 위한 위생관리의 중요성을 확인하였다. 이는 감염성질환에 대한 관리방법, 환경위생의 중요성을 내용으로 예방 및 관리차원의 간호활동이 활성화되는 중요한 이유가 되었다.

(4) 나이팅게일과 근대 간호(1850~1900년)

① 영국 방문간호사업의 발전

- 나이팅게일은 지역사회간호, 구역간호 발달에 많은 도움을 주었고, 독일의 카이저스베르트 학교(Kaiserswerth school)에서 간호교육을 받았다.
- 카이저스베르트 학교(Kaiserswerth school)는 여집사들의 교육과 훈련을 위해 감염병동, 회복기 환자병동, 남자 및 여자병실, 어린이 병실 등으로 설계되었다. 교육내용은 방문간호교육, 임상환자간호에 대한 이론, 침상교육, 종교교육, 윤리교육 등을 포함하여 3년 교육과정으로 운영되었다.
- 윌리엄 라스본(William Rathbone)은 영국에서 최초로 비종교적인 방문간호단을 조직하여 구역간호사업을 전개하였다(1859). 리버풀(Liverpool)시를 8개 구역으로 나누고 메리 로빈슨(Mary Robinson)을 고용하여 구역간호사업(District Nursing)을 실시하였다. 또한 런던에서 가정간호사업을 시행하기 위해 메트로폴리탄 간호협회(Metropolitan Nurses Association)를 창설하였다. 이 시기의 구역간호는 간호교육을 받은 전문가에 의해 시행된 비종교적 형태의 사업이었다.

② 나이팅게일이 영국 방문간호사업에 미친 영향

- 농촌지역의 위생관리와 방문간호사업 및 방문간호사 양성을 주장하여, 나이팅게일 간호학교를 졸업한 간호사에 의해 방문간호사업이 적극적으로 진행되었다.
- 아그네스 존스(Agne Jones)는 빈민수용시설에서 간호학교를 세우고, 자격을 가진 간호사가 가난한 지역민을 위한 간호를 하게하여 지역사회간호의 기반을 만들었다(1864).
- 플로렌스 리스(Florence Lees)는 나이팅게일 간호학교 출신으로 간호학교와 사회사업의 성격인 병원을 설립해 지역간호사업을 실시하였다.
- 빅토리아 여왕 희년기념관(Queens Victoria Jubilee Institute for Nursing)이 설립되어, 이를 중심으로 지역간호사업체가 합류되어 전국적 조직체가 되었다(1889년). 이로써 가난한 가정을 방문하는 간호사업이 농촌지역으로 확대되었다.
- 앙리 뒤낭(Henri Dunant)에 의해 스위스에 국제적십자사가 조직되어(1863), 지역사회 현장에 간호제공의 기회가 광범위하게 확산되었다. 사회에서 받아들여지는 지역사회간호사업의 확장에 대한 당위성도 높게 평가되었다.

③ 미국 방문간호사업의 발전

- 프란시스 루트(France Root)는 졸업간호사로서 뉴욕선교회 여성부에 채용되어 비위생적인 주거 환경, 불충분한 영양, 비위생적인 분만으로 고생하는 가난한 지역주민을 위한 질병예방, 방문간호사업을 전개하였다(1877년).
- 뉴욕시는 4명의 간호사를 고용하여 현장방문간호를 수행하였다(1878년).
- 보스턴과 필라델피아에 구역간호사협회가 결성되어 가정간호를 제공하였다(1886년).
- 릴리안 왈드(Lillian Wald)와 매리 브루스터(Mary Brewster)는 보건간호사업(Public Health Nursing)을 실시하였다. 뉴욕 헨리가의 건강관리를 실시하기 위해 방문간호사업체(Henry Street Settlement Project in New York)를 설립하고 가난한 사람들을 위한 방문간호를 실시하였다(1893년). 질병간호, 생활위생문제, 경제문제, 직장문제 등을 내용으로 방문간호를 제공하였다. 사업소는 대상자들의 거주지에 설치하였으며, 사

업의 결과 감염성 질환으로 인한 사망률을 감소시키는 평가가 있었다. 방문비용은 자선비용과 지불능력이 있는 가족에게는 비용을 받기도 하며 비종교적인 전문적 교육을 받은 간호사에 의해 전개하였다. 훗날 뉴욕방문간호사회의 모체가 되었을 뿐 아니라, 간호비용지불체계를 확립하는 계기가 되었으며, 이사업은 지역사회간호의 발전에 큰 영향을 주었다.

2) 보건간호 시대: 1900~1960년

(1) 20세기 이후 보건의료 환경의 변화

- 가난하고 병든 사람들 뿐 아니라 일반 대중을 포함하는 사업형태로 발전하였다.
- 두 번에 걸친 1, 2차 세계대전에 의해 감염성질환 예방과 관리, 환경위생관리 등에 초점을 두던 건강문제가 전쟁 이후 개인의 건강보호와 증진을 위한 사회적 관심이 대두되면서 공중보건사업의 변화와 발전에 영향을 주었다.
- 변화에 따라 지역주민의 건강유지 · 증진에 대한 요구가 커지면서 보건사업기관이 증가하였고, 지역주민의 요구에 따라 특수보건사업인 영유아보건, 결핵관리, 성병관리 등의 사업을 전개하게 되어 특수화 · 전문화된 간호사업(specialized nursing care)이 수행되었다.

  미국의 산업보건사업은 1895년 Vermont Marble Company의 종업원들이 살고 있는 마을의 건강요구조사를 실시하기 위해 간호사를 채용함으로 시작되었다. 이를 계기로 1897년 뉴욕시 존 와나메이커스 백화점(John Wanamaker's Department Store)은 간호사를 채용하여 방문간호 실시, 응급처치, 질병과 작업장에서 상해의 예방과 치료 등의 업무를 실시함으로 산업보건간호사업의 역할이 확대되었다.

  미국의 학교보건사업은 1902년에 뉴욕시 교육위원회에서 학교간호사를 채용하고 학교보건사업을 시작하였다. 일상적인 건강문제 해결과 감염병 관리 등의 업무가 이루어졌다.
- 1910년 '미연방정부법'에서 지역주민들의 건강을 위한 제반 사업에 주 정부에게 책임지도록 하여 구역간호사의 역할이 확대되었다. 또한 구역간호사의 명칭을 보건간호사로 변경하였다.
- 건강에 대한 개념이 확대되어 결핵관리, 학교보건, 산업보건, 정신보건 등과 같은 지식과 기술이 향상되었다.

(2) 미국 보건간호사업의 발전

- 1920년 대부분의 대도시에 보건소를 설치하고, 간호사가 보건소 업무의 주요 인력으로 등장하였다.
- 1935년 사회보장법 통과로 지역사회보건사업의 범위가 확대되고, 주 정부와 지방보건인력의 훈련이 강화되었다. 이에 보건간호사의 교육과 채용에 필요한 재정지원을 하게 되었다.
- 제2차 세계대전으로 인해 간호사의 요구가 증가하였고, 실무범위가 농촌과 공공의료기관으로 확장되었다. 농촌지역 간호사업은 1925년경부터 미개척지역과 농촌지역주민들에게 제공되어, 제2차 세계대전 이후는 말, 자전거, 오토바이 등의 교통수단에서 자동차를 이용하는 방문간호사업으로 발전하게 되었다.
- 보건소는 참전 군인들이 사회로 돌아오면서 정서적 문제, 사고, 알코올 중독 등의 건강문제가 등장하게 되었으며, 성병, 암, 결핵, 정신질환 등의 특정한 건강문제를 지닌 대상자를 위한 재정지원이 증가되었다. 보건

소 사업의 급증으로 군단위의 많은 보건소들이 전일제 보건사업을 제공하기도 하였으며, 보건간호사는 보건소 인력의 제일 많은 수의 비율을 차지하게 되었다. 또한 민간단체의 방문간호사회가 결성되어 활동에 많은 영향을 주었다.

- 보건간호사는 가족과 지역사회를 대상으로 건강생활을 위한 보건교육 및 질병간호의 독자적인 역할을 수행하였으며, 이러한 보건간호사업의 관리와 지원은 정부 주도로 운영되었다.

3) 지역사회간호시대: 1960~현재

(1) 일차보건의료와 간호

- 1960년대 미국에서의 보건의료 개혁은 보건사업과 보건간호사업에도 영향을 미쳤다.
- 1964년 미국의 '경제기획법'이 통과되어 지역사회 건강센터에 재정지원이 이루어졌다. 이로 보건사업과 보건사업을 위한 훈련에 재원이 증가되었다.
- 노인을 위한 보건의료 혜택인 메디케어(Medicare, 1965)와 저소득층의 보건의료 혜택인 메디케이드(Medicaid)가 제정되었다. 이 제도에는 예방보건사업에 대한 비용 지불이 제외된 반면에, 의사의 지시에 의한 가정간호사업의 비용 지불은 허용되었다. 이 제도의 실시이후 가정간호기관은 급속한 증가세를 보였고, 주 정부와 지방 정부의 보건소는 비용을 받을 수 있는 가정간호사업으로 전환하였다. 결과, 1960년에 가정간호를 제공하는 보건소가 250개에 불과했으나 1968년에는 1,328개로 증가하였다.
- 1965년 콜로라도 대학에서 시작된 전문간호사제도는 일차보건의료에 간호사의 적극적인 참여를 가능하게 하였다. 전문간호사제도는 1960년대 보건사업효과 평가제도와 함께 보건사업에 영향을 준 중요한 사건이다.
- 1970년대에는 포괄적인 보건의료제도로 전환되었는데 이 때의 지역사회간호는 지역사회 건강을 향상시키는 영향력 있는 영역으로 인식되었다.
- 1978년 소련의 '알마아타'에서 열린 세계보건기구 총회는 'Health for All by the Year 2000'을 선언하고 인류의 모든 사람들이 일차보건관리에 접근할 수 있도록 결의하였다. 이 개념은 WHO 건강증진의 보건 전략으로 발전되어 각 나라의 보건에 영향을 미쳤으며, 간호전문직은 일차보건의료 영역에서 보다 비용 대비 효과적인 인력으로 받아들여졌다.

(2) 건강증진과 간호

- 1980년 보건의료의 비용효과 측면이 강조되어 건강증진과 질병예방에 대한 우선순위가 높아졌다. 미국에서는 건강유지조직(HMO, Health Maintenance Organization)의 이용과 통원치료를 권장하였고 그 결과 가정간호와 전문간호사의 이용이 증가되었다. 건강수준에 대한 자기 스스로의 책임이 강조되었고 보건교육의 실시가 더욱 보편화되었다. 건강증진을 위해 음주운전 규제와 공공지역에서의 금연 등을 합법화하도록 주장하기도 하였다.
- 1980에는 국립보건연구소에 간호연구센터가 설치되어 효과적인 간호전달체계를 확립하기 위해 연구하고

있다.

- 1996년 미국 공중보건협회의 보건간호 분야에서 보건간호사의 정의와 역할이 재정의 되었다.
- 1999년 미국간호협회(ANA)에서는 지역사회 중심 간호와 지역사회를 기반으로 한 간호의 차이점 구분하여 공중보건간호 표준화를 시도하였다.
- 2000년 미국은 'Healthy People 2010'을 계획하였다. 2011년 'Healthy People 2020'을 계획하였다.
- 2001년 9월 11일 뉴욕 테러사건 이후 테러예방 및 관리자로서의 역할 또한 지역사회 주요 간호업무로 인식되었다.
- 2003년~현재에 이르기까지 세계 곳곳에서 발생한 다발성 자연 재해(쓰나미, 화산폭발, 지진 등)예방 및 관리자로서의 역할이 주요 간호업무로 인식되고 있다.

2. 우리나라 지역사회간호의 발달사

1) 방문간호시대: 1945년 이전

(1) 대한제국시대의 간호

간호학교가 설립되어 간호사를 배출하며 보건간호사업이 시작되었다.

(2) 일제강점기의 간호

- 1913년 학교간호사업이 서양인 선교간호사에 의해 보구여관초등학교(이화고등보통학교)에서 처음 실행되었다. 1915년부터 박혜라 전담간호사가 기숙사에 거주하면서 학교간호업무를 시행하였다. 1920년대에 들어와서 간호사를 전담인력으로 하는 학교보건이 활성화되었다. 1927년에는 일부 학교에서 간호사를 실무인력으로 배치해 학교보건사업을 실시하였다.
- 1920년대에는 선교계에 기반을 둔 간호활동이 시작되었다. 엘리자베스 로버츠(Elizabeth S. Roverts)에 의해 본격적으로 이루어졌다. 1917년 세브란스병원에서는 모자보건시설을 갖추고 아기 돌보는 방법과 목욕법을 중심으로 보건교육을 실시하였으며, 임산부를 위한 가정방문을 실시하였다.
- 우리나라 최초의 보건간호사인 로젠버거(Elma T. Rosenberger, 로선복)는 우리나라 사람들의 비위생적인 생활양식을 보고 한신광과 함께 종로에 태화여자관을 설립하고 보건사업부를 설치하여 모자보건사업을 중심으로 보건간호 사업을 시행하였다. 이후 토론토대학에서 유학하고 돌아온 이금전과 합류하여 사업을 확장하였다. 1929년에는 3개 선교회 기관인 서울 세브란스병원, 동대문 부인병원, 태화여자관이 '경성연합아동건강회'를 조직하여 모자보건사업을 실시하였다. 업무는 건아클리닉, 산전방문, 가정방문, 학교에서의 건강진단, 학교에서의 건강강연, 어머니 모임, 목욕소 운영, 두유보급을 포함하는 우유보급소 운영, 간호사의 보건집담회, 1년에 한 번 유아주간 갖기 등으로 실시되었다. 1930년대 중반 이후 일본과 미국의 관계 악화에 따라 서양인 선교사들이 귀국하면서 선교계에 기반을 둔 사업이 극도로 위축되어 사업이 중단되었다.

- 1930년대 이후 일본의 전쟁확대에 투입되어야하는 간호인력 수요 증가에 대처하기 위해 조선총독부는 간호정책으로 간호교육기관을 대폭 증설하였다. 1944년 12월에는 '조선간호부규칙'을 개정하여 간호인력 자격기준을 기존의 간호사 양성소 출신과 고등여학교 졸업자로 자격을 완화함으로 간호수준은 격하되었다.

2) 보건간호시대: 1945~1980년

(1) 정부 주도의 보건사업과 보건간호

- 1946년 미군정하에서는 정부조직에 보건후생국 설립되어 바로 보건후생부로 승격 개편되었다. 보건후생부의 6개 국 중에 '간호사업국'을 개설하였다. 이는 지역사회보건간호사업이 제도적으로 가장 확대된 시기였으며, 간호사업국의 하부조직은 간호교육과, 간호행정과, 산파과, 보건간호과, 등록과 및 서무과를 두었다.
- 1948년 대한민국 정부수립 후 보건후생부는 사회부 보건국으로 축소되고, 정부조직 내의 보건행정조직은 위축되었다.
- 1970년에는 '간호사업과'가 '간호담당관실'로 축소되었다.
- 1975년에는 의정2과에 속한 '간호계'로 축소되었다.
- 1981년 '간호사업계'가 폐지되면서 간호사업의 정책결정은 일관성을 잃게 되었다.
- 1956년 보건소법의 개정으로 부분적 · 지역적인 수준의 보건간호사업이 1962년 보건소법의 전면개정으로 전국적인 정부차원의 사업내용과 목표량 달성하는 보건간호 실무수행(결핵관리, 모자보건 및 가족계획 등)만으로 하향식 사업으로 실시되었다.
  이금전은 '보건간호학' 이라는 교재를 저술하여 체계적인 실무교육의 기반을 마련하였으며, 우리나라 최초로 보건간호사 자격증을 취득하였다.
  1973년에는 의료법 시행규칙에 의해 분야별 간호사의 하나로 '보건간호사'제도가 마련되었다.

(2) 지역사회보건사업과 지역사회간호

- 1969년 우리나라에 비로소 조직적이고 체계적인 지역사회보건 개념에 의한 지역사회보건사업이 실시되었다. 미국 장로교 파견 시블리(Dr. Sibley) 원장을 중심으로 서울대학교 보건대학원의 보건간호과정(CPHN, Certified Public Health Nurse)을 수료한 4명의 간호사가 거제도에서 지역사회보건사업을 시작하면서 소개되었다. 새로운 개념으로 지역사회 주민의 참여, 포괄적인 보건의료의 개념, 지역사회보건사업을 위한 팀 접근법 활용을 도입해 '지역사회 간호사업'을 전개하였다.
- 1970년 전 후로 대학 중심의 지역사회보건의료사업이 시작되었다. 사업은 연세대학교 의과대학의 강화지역사회보건사업, 이화여자대학교의 수동면사업, 연세대학교의 연희지역사회보건사업, 전주예수병원의 지역사회보건사업, 서울대학교 의과대학 춘성군 보건사업 등 10여 곳의 시범사업들이 이루어졌다.
- 정부에서는 '한국보건개발연구원(KHDI)'을 설립하고 각 대학의 시범사업의 경험을 바탕으로 강원도 홍천, 전라북도 옥구, 경상북도 군위의 3개 군에서 시범사업을 시작하였다. 이 사업은 민간부문에서 개발된 지역사회보건사업의 접근방법을 바탕으로 체계적인 공중보건사업을 실시하였다. 마을건강요원과 운영협의회를 활용하여 주민의 참여를 유도하고, 훈련된 지역사회간호사(보건진료원)를 지역사회에 투입하는 사업을 전개하였다.

3) 지역사회보건간호시대: 1980년~현재

(1) 보건의료 환경의 변화와 지역사회보건간호

- 1980년 이후는 지역사회간호사의 역할이 확대되고, 실무범위가 확대되는 전환시기이다.
- 1980년 12월 '농어촌 등 보건의료를 위한 특별조치법'을 공포하여 읍 · 면 이하 단위의 무의촌 지역에 보건진료소를 설치하고, 24주 직무교육을 받은 훈련된 간호인력 보건진료전담공무원(전 보건진료원)을 배치하였다.
- 1985년 군 단위 보건소를 대상으로 통합보건사업을 실시하였다. 한사람의 보건요원이 보건교육, 성인병 관리 사업을 포함한 통합보건사업을 가족단위, 마을단위로 포괄적으로 실시하여 주민에 대한 접근성과 사업에 대한 효율성을 높였다.

(2) 보건의료 제도의 변화와 지역사회간호

① 일차보건의료와 지역사회보건간호

- 일차보건의료가 중심철학이 되면서 의료혜택을 받지 못하는 지역주민에 대한 관심이 높아졌다. 이에 해결방법을 보건진료소 설치 지역은 보건진료 전담공무원이, 보건 진료소가 설치되지 않은 지역은 통합보건요원이 직접 방문서비스를 제공하도록 하여 질병예방활동을 비롯한 일차보건의료(Primary Health Care)를 강조하였다.
- 도시영세민을 위한 일차보건의료사업을 한국인구보건연구원에서 유엔아동기금(UNICEF, United Nations International Children's Emergency Fund)의 지원을 받아(1982~1986년까지) '모자보건센터' 사업을 실시하였다.

② 건강보험제도의 변화

- 1963년 의료보험법 제정
- 1977년 500인 이상의 사업장을 당연적용 대상으로 직장의료보험을 실시하였다.
- 1988년 5인 이상의 사업장으로 직장의료보험을 확대 실시하고 농어촌 지역을 대상으로 지역의료보험이 확대 실시되었다.
- 1989년 도시지역의 지역의료보험이 실시되면서 전 국민 의료보험이 실현되었다.
- 1999년 국민의료보험관리공단이 출범하였다(지역의료보험조합+공무원 및 교직원의료보험관리공단).
- 2000년 국민건강보험공단이 출범하였다(국민의료보험관리공단+직장의료보험조합의 통합으로 완전통합).
- 2007년 노인장기요양보험법 제정
- 2008년 7월 '노인장기요양보험'제도 실시

③ 지역사회간호와 관련된 법과 제도의 변화

- 1990년 12월 산업안전보건법이 개정되어 간호사는 의사, 산업위생기사와 함께 보건관리담당자에서 '보건관리자'로 개칭되면서 관리자로서의 독자적인 역할을 수행하도록 확대하였다.
- 1991년에 학교보건법을 개정하여 양호교사의 직무를 학교에서 일차보건의료 제공자 역할을 수행하고, 독자적인 역할을 수행하도록 확대하였다.
- 1991년 '가정간호사제도'가 실시되었다. 이 제도는 질병양상의 변화, 노인인구 비율의 증가, 보건의료 전

달체계, 평균수명의 연장, 사회구조의 변화 등으로 생기는 질병의 특성을 고려하여, 퇴원 후에도 전문가정간호사에 의하여 가정에서 지속적인 간호와 의료서비스를 받을 수 있도록 하는 제도이다. 가정간호사의 역할은 대상자가 병원에서와 동일한 수준의 의료서비스를 가정에서 받을 수 있도록 제공하는 것이다. 1990년 의료법 개정으로 가정전문간호사제도가 합법화 되었다. 1994년에는 병원중심 가정간호 시범사업이 시작되었고, 1996년에는 병원중심 가정간호 시범사업이 확대 실시되었다.

- 1995년 보건소법이 '지역보건법'으로 개정되고, '국민건강증진법' 과 '정신보건법'이 제정되었다. 이로 인해 보건소 중심의 지역사회 간호사업은 더욱 확대되었다.
- 1998년 공공근로방문간호사업, 2007~2011년 까지는 맞춤형방문건강관리사업, 2012년에는 방문건강관리사업 등으로 방문간호사업의 명칭과 내용이 변화를 겪었다. 2013년부터는 통합건강증진사업의 일부분으로 운영되고 있다.

- 2002년 8월에 양호교사가 보건교사로 개칭되었다.
- 2007년 12월 학교보건법 개정으로 모든 초 · 중 · 고등학교에는 보건교사가 배치되도록 변경하고 보건교육에 대한 규정 강화하였다.
- 2003년 10월 의료법 개정으로 전문간호사는 보건, 마취, 정신, 가정, 노인, 응급, 산업, 감염관리, 중환자, 호스피스 등 10개영역으로 확대되었으며, 2006년 종양, 임상, 아동 영역을 추가하여 현재 13개 영역으로 운영되고 있다.
- 2005년 보건소 건강증진사업을 전체 보건소가 참여하는 전국사업으로 전환하여 보건진료소까지 확대되어 건강증진사업을 활발히 시행하고 있다.
- 2013년부터는 '통합건강증진사업'의 형태로 Health Plan 2020과 연계하여 효율적이고 자율적이며 책임성을 강화한 사업을 추진하고 있다.

④ 지역사회보건간호의 학문적 발전

- 1970년 대한간호학회 발족
- 1971년 대한간호학회 보건간호 분과학회
- 1976년 지역사회간호 분과학회
- 1987년 지역사회간호학회로 개칭
- 그외 한국학교보건학회(1987), 한국보건간호학회(1993), 한국산업간호학회(1990, 2012년 한국직업건강학회로 개칭), 한국가정간호학회(1993), 한국농촌간호학회(2006) 등이 있다.

⑤ 우리나라의 국민건강증진정책

국민건강증진정책의 자세한 내용은 1절 지역사회간호와 보건정책에서 참고하도록 한다. 간단하게 설명하면 다음과 같다.

- 2002년부터 제1차 · 2차(2006년) · 3차(2011년) · 4차(2016년) 국민건강증진정책종합계획을 수립 · 시행하였다.
- 2003년 저출산 · 고령사회 대응을 위한 국가실천전략을 수립하였다.
- 2005년 저출산 · 고령사회기본법의 제정을 제정하고, 대통령 직속의 저출산 · 고령사회위원회를 설치하였다. 기본계획에 따라 중앙부처와 지자체가 매년 시행계획을 수립하여 추진하고 있다.

• 2008년 7월: 고령화정책의 일환으로 노인장기요양보험제도가 출범하였고, 장기요양입소시설, 재가 장기요양 방문간호서비스의 체계가 마련되었다.

제4절 지역사회간호사의 역할

1. 지역사회간호사 역할

지역사회간호사는 개인, 가족, 집단을 포함한 지역사회 단위를 대상으로 질환관리 및 간호, 질병 및 사고 예방과 건강증진, 재활 등의 모든 간호수준과 단계에서 광범위한 역할을 수행해야 한다. 실무현장은 정부의 중앙부서에서부터 보건행정분야와 각종 건강센터, 그 외 학교, 산업장 등으로 다양하다.

지역사회간호사의 역할에 대해서 학자들은 각기 자신의 입장에서 분류하고 있다. 캐나다 공중보건협회(CPHA, 1990)는 자문가, 교육자, 지역사회개발자, 촉진자, 대변자, 사회마케팅 경영자, 정책입안자라고 분류하였다.

김모임(2002)은 일차의료제공자, 직접간호제공자, 교육자, 상담자, 대변자(옹호자), 관리자, 의뢰자(알선자), 연구자, 변화촉진자, 관찰자, 지역사회조직 및 개발자 등으로 설명하였다.

클락(Clark, 2008)은 지역사회간호사의 역할을 간호제공의 초점에 따라 대상자 중심, 서비스 전달 중심, 인구집단 중심으로 분류하여 다음과 같이 제시하고 있다. 대상자 중심의 역할, 서비스 전달 중심의 역할은 개인이나 가족의 서비스 제공과 관련되고, 인구집단 중심의 역할은 지역사회나 인구집단의 간호와 관련이 있다.

대상자 중심 역할	서비스 전달 중심 역할	인구집단 중심 역할
• 직접간호 제공자 • 교육자 • 상담자 • 의뢰자 • 역할모델 • 사례관리자	• 조정자 • 협력자	• 대상 발굴자 • 지도자 • 변화촉진자 • 옹호자 • 사회적 마케터 • 연구자

1) 대상자 중심역할

분류	역할
직접 간호 제공자	• 지역사회간호사의 역할 중 가장 오래됨 • 개인, 가족, 지역사회를 대상으로 역학적 원칙과 간호과정을 적용함 • 기본간호 기술, 특수간호 기술, 신체사정 및 신체간호 기술, 면담술, 의사소통 기술, 보건교육 기술, 상담 기술 등이 요구됨
교육자	• 건강영향요인을 설명하고 건강행위와 관련된 태도나 기술을 개발하는 것
상담자	• 문제해결 과정을 통해 가장 적절한 행동을 결정하도록 도와주는 것
의뢰자	• 유용한 기관이나 자원에 관한 지식을 가지고 대상자의 다양한 요구를 해결할 수 있도록 여러 분야와 접촉하며 필요시 의뢰함
역할 모델	• 유사한 활동을 하고자 하는 타인에게 의식적 또는 무의식적으로 행동을 설명
사례 관리자	• 대상자로 하여금 건강관리서비스에 대한 의사결정을 하고 서비스가 통합적으로 제공될 수 있도록 도움

2) 서비스 전달 중심의 역할

분류	역할
조정자	• 지역사회에서 서비스를 제공하고 있는 기관을 파악 후 어떤 서비스가 중복되는지, 누락되는 서비스는 무엇인지 결정함 • 대상자의 요구를 충족시킬 수 있는 다른 서비스 제공기관을 탐색하여 논의 • 대상자와 다름 서비스 제공자나 기관 등을 참석하게 하여 조정회의를 개최
협력자	• 둘 또는 그 이상의 사람들이 의사결정을 함께하는 과정 • 5가지 특성: 공동의 목적, 상호참여, 자원활용의 극대화, 분명한 책임소재, 업무범위 • 협력적 관계(파트너십): 일정한 단계를 거치게 됨(협력의 3단계) – 초기단계: 대상자를 포함하여 서로에 대해 알기, 적합한 의사소통 방법 구축, 신뢰형성, 대상자의 요구를 규명하고 목표 정하기 – 중간단계: 목표 달성을 위한 활동 시작, 사정, 계획, 수립, 평가를 지속적으로 수행 – 종결단계: 목표 달성 후 종결, 종결은 서서히, 구성원들의 참여 하에 준비 • 협력자로서의 역할 – 대상자의 건강문제를 해결하기 위한 의사결정 과정에 함께 참여함 – 건강관리팀과 협조체계를 구축하여 협력적으로 실무를 수행함 – 동료간호사를 지지하고 원활한 간호가 되도록 함

3) 인구집단 중심의 역할

분류	역할
대상 발굴자	• 서비스가 필요한 개인, 특정 질병에 이환되었거나 건강문제가 있는 대상자의 발견을 의미함
지도자	• 조직원들의 요구 파악, 바람직한 해결방안을 모색함
변화 촉진자	• 의사결정 과정에 영향력을 행사하여 대상자의 행동이 바람직한 방향으로 변화되도록 유도함
옹호자	• 역할 – 대상자의 유익을 위해 행동하며 대상자의 입장에서 의견을 제시함 – 스스로 정보를 얻는 능력이 생길 때 까지 안내하고 도와줌 (대상자가 독립적으로 자기의사 결정 능력을 갖게 한고, 건강관리체계가 대상자들의 요구에 충실할 수 있도록 함) • 위험을 감수할 의지, 의사소통 기술과 협상 능력, 적절한 자원 활용 능력이 필요함
사회적 마케터	• 대상자의 행동 변화를 통해 대상자의 요구가 무엇인지 확인함 • 바람직한 행동 변화를 촉진하거나 방해가 되는 요인을 분석한 뒤 바람직한 중재 방안을 개발 · 시도하고 최종적으로는 바람직한 전략을 개발함
연구자	• 지역사회간호 실무의 발전과 대상자의 문제해결을 위해 자료를 체계적으로 수집 · 분석함 • 질문 제기, 가설 설정 및 검증 과정을 거쳐 결론을 유출하거나 대안을 찾음 • 주의 깊은 관찰력과 지속적인 탐구심, 연구 수행을 위한 자료수집 기술과 분석 기술이 필요함

2. 지역사회간호사의 역할 변화

1) 지역사회간호사의 역할 확대 배경

지역사회간호사의 역할을 3가지 측면에서 설명하면 다음과 같다.

- 의료적 측면
  - 의료가 전문화되어 진료 영역이 더욱 세분화 되고 있음
  - 환자를 전인적인 인간으로 보기보다 병든 세포 중심으로 보는 탈 인간화 현상이 일어남
- 건강소비자 측면
  - 국민의 교육수준과 소득수준이 향상되면서 건강을 기본권으로 인식함
- 국가적 측면
  - 복지사회를 구현하기 위하여 의료보장과 형평의 의무를 지니고 있으나 자원은 제한되어 있고 의료비는 상승하여 형평에 맞는 의료제공이 어렵게 됨

현재 우리나라의 지역사회간호사는 실무영역에 따라 전문간호사, 보건교사, 보건진료전담공무원, 조산사, 보건관리자(산업간호사) 등의 이름으로 각자의 역할을 하고 있다. 각자의 영역에 해당하는 법률에 따라 이루어지는 역할은 다음과 같다.

우리나라 전문간호사의 주요 역할	
전문가적 간호실무 제공자	전문 분야에서 간호와 간호 관련 학문에 대한 폭넓은 지식과 기술을 기초로 대상자에게 상급 간호 실무를 제공
교육자	환자, 가족, 일반간호사, 간호학생, 타 보건의료인력을 대상으로 교육을 실시, 보수교육 또는 실무교육 프로그램 개발
연구자	기존의 연구 결과를 적용, 실무 중에서 간호 문제를 발견하여 연구문제 제시, 연구를 시행하거나 참여
지도자	변화촉진자, 역할 모델 및 옹호자로 활동하는 임상적 지도력
자문가	환자, 가족, 일반간호사, 타 보건의료인력에게 상급지식과 기술, 판단력을 사용하여 자문
협동자	일반간호사 및 보건의료인력과 협동적 관계 형성 및 조정

(1) 전문간호사

① 자격기준

- 자격: 간호사 면허를 소지하고 해당 분야의 간호실무경력이 3년 이상인 자로서 대학원(전문간호사과정) 또는 그 수준에 준한 전문간호사 교육과정을 이수하고 전문간호사 자격 시험에 합격한 자
- 자격인정: 보건복지부 장관
- 자격갱신: 5년마다 갱신해야 하며 매년 간호사 보수교육을 받아야 함. 보수교육 미 이수자는 자격시험 재시험에 응시해야 함

② 전문간호사 시험

- 1차 시험: 전문분야별 종합시험(필기) 2차 시험: 실기시험 및 면접

③ 전문간호사 교육기관

- 교육기관: 3차 진료기관을 가지고 있는 4년제 간호대학 및 간호학과나 간호학 전공이 있는 대학원

- 교수요원: 전공영역별 전임교수 1인 이상, 실습지도전문간호사 3인 이상
- 실습기관: 대한간호협회가 인정하며 가톨릭 대학교 간호대학원에서 운영

(2) 보건교사

① 자격기준

- 교사는 정교사(1급, 2급), 준교사, 특수학교교사, 교도교사, 실기교사, 보건교사로 나누되 다음의 자격기준에 해당하는 자로서 대통령이 정하는 바에 의하여 교육과학기술부장관이 수여하는 자격증을 받은 자라야 함

> • 대학의 간호학과 졸업자나 전문대학의 간호과 졸업자로서 재학 중 소정의 교직학점을 취득하고 간호사 면허증을 소지한 자

② 근거법률

- 「교육법」 제79조 교원의 종별과 자격 조항 및 「학교보건법 시행령」 제6조 제3항 직무 조항에 의함

③ 직무

- 「학교보건법 시행령」 제23조 제3항에 의한 보건교사의 직무

보건교사의 직무

- 학교보건계획의 수립
- 학교환경위생의 유지관리 및 개선에 관한 사항
- 학생 및 교직원에 대한 건강진단 실시의 준비와 실시에 관한 협조
- 각종 질병의 예방처치 및 보건지도
- 학생 및 교직원의 건강관찰과 건강상담, 건강평가 등의 실시에 관한 협조
- 신체허약 학생에 대한 보건지도
- 보건지도를 위한 학생의 가정방문
- 교사의 보건교육에 관한 협조와 필요시의 보건교육
- 보건실의 시설, 설비 및 약품 등의 관리
- 보건교육자료의 수집, 관리
- 학생건강기록부의 관리
- 다음의 의료행위(간호사 면허를 가진 자에 한한다.)
  - 외상 등 흔히 볼 수 있는 환자의 치료
  - 응급을 요하는 자에 대한 응급관리
  - 상병의 악화방지를 위한 처치
  - 건강진단결과 발견된 질병자의 요양지도 및 관리
  - 위의 4가지 의료행위에 따르는 의약품의 투여
- 기타 학교의 보건관리

(3) 보건진료전담공무원

① 자격기준

- 「농어촌 보건의료에 관한 특별조치법」 제16조 보건진료전담공무원의 자격조항에 의한 보건진료전담공무원의 자격은 다음과 같음

> • 보건진료전담공무원은 간호사, 조산사, 면허를 가진 자로서 보건복지부장관이 실시하는 24주 이내의 직무교육을 받은 자이어야 함
> • 제1항의 직무교육에 관하여 필요한 사항은 보건복지부령으로 정함

② 근거법률

- 「농어촌 보건의료에 관한 특별조치법」 제15조 보건진료소의 설치 운영 조항 및 제16조 보건진료전담공무원의 자격 조항에 의함

③ 운영기준

- 군수는 의료취약 주민의 보건의료행위를 할 수 있도록 보건진료소를 설치운영함
- 보건진료소에는 보건진료원과 필요한 직원을 둠
- 보건진료소 설치기준은 보건복지부령으로 정함

④ 직무

- 상병상태를 판별하기 위한 진찰, 검사행위
- 환자의 이송
- 외상 등 흔히 볼 수 있는 환자의 치료 및 응급환자에 대한 응급처치
- 상병의 악화방지를 위한 처치
- 만성병 환자의 요양지도 및 관리
- 정상분만 시의 분만개조
- 예방접종
- 상기 의료행위에 따르는 의약품 투여

(4) 조산사

① 자격기준

- 조산사가 되고자 하는 자는 다음에 해당하는 자격을 갖추고 조산사 국가시험에 합격한 후 보건복지부장관의 면허를 받아야 함

> • 간호사의 면허를 가지고 보건복지부장관이 인정하는 의료기관에서 1년간의 조산의 수습과정을 마친 자
> • 보건복지부장관이 인정하는 외국의 조산사 면허를 받은 자

② 근거법률

- 「의료법」 제2장 제6조의 조항에 의함

(5) 보건관리자(산업간호사)

① 근거법률

- 보건관리자의 배치(산업안전보건법 제16조)
- 사업주는 제13조 제1항 각 호의 사항 중 보건에 관한 기술적인 사항에 관하여 사업주 또는 관리책임자를 보좌하고 관리감독자에게 지도 · 조언을 하도록 하기 위하여 사업장에 보건관리자를 두어야 함
- 보건관리자를 두어야 할 사업의 종류 · 규모, 보건관리자의 수 · 자격 · 직무 · 권한 · 선임방법, 그 밖에 필요한 사항은 대통령령으로 정함

② 보건관리자의 자격(산업안전보건법시행령 제18조 관련)

- 보건관리자는 다음의 어느 하나에 해당하는 사람으로 함

> - 「의료법」에 따른 의사나 간호사
> - 「의료법」에 따른 의사 법 제52조의 2제2항에 따른 산업위생지도사
> - 「국가기술자격법」에 따른 산업위생관리기사 또는 환경관리기사(대기 분야만 해당한다) 이상의 자격을 취득한 사람
> - 「국가기술자격법」에 따른 산업위생관리산업기사 또는 환경관리산업기사(대기 분야만 해당한다) 의 자격을 취득한 사람
> - 「고등교육법」에 따른 전문대학 또는 이와 같은 수준 이상의 학교에서 – 산업보건 또는 산업위생 관련 학과를 졸업한 사람
> - 「고등교육법」에 따른 전문대학 또는 이와 같은 수준 이상의 학교에서 보건 위생 관련 학과를 졸업한 사람으로서 산업보건위생에 관한 학과목을 12학점 이상 수료한 사람

③ 시설 · 장비 지원

- 사업주는 시행 규칙 제16조에 따라 보건관리자에게 그 직무수행에 필요한 시설 및 장비를 지원하여야 하며, 의사 또는 간호사인 보건관리자를 둔 경우에는 다음 각 호의 시설 및 장비를 지원하여야 함

④ 산업간호사

- 직무

> - 근로자의 건강진단 및 추후관리
> - 직업병 조사와 대책
> - 보건교육
> - 작업환경관리
> - 사고예방 및 사후관리
> - 건강관리실 운영
> - 건강증진

- 자격: 간호사 면허를 가진 자

2) 지역사회간호사의 역할 개발

우리나라에서 대표적인 간호사의 역할확대 및 개발에 해당하는 직종은 보건진료전담공무원(구 보건진료원)을 들 수 있다. 보건진료전담공무원은 일정기간의 교육과정을 마치고 전국의 지역사회에 배치되어 있는 지역사회간

호사의 확대된 역할을 수행하고 있다. 그 외에 의료법에 의한 전문간호사 중 보건 전문 간호사, 가정 전문 간호사, 산업 전문 간호사 등이 확대된 역할을 지역사회간호실무영역에서 수행하고 있다.

3. 지역사회간호사에게 요구되는 자질과 태도

지역사회간호사에게 요구되는 능력은 의사소통 능력, 대인관계를 잘 할 수 있는 능력, 문제를 해결할 수 있는 능력, 시간관리를 잘 할 수 있는 능력, 윤리적으로 기본을 지키는 태도 등이 필요하다.

1) 의사소통능력

성공적인 의사소통을 위한 기술은 첫째 신뢰감 형성(공감, 일관성, 자신감을 바탕으로 이루어진다), 둘째 주의집중과 변화를 위해 준비된 행동 및 변화에 대해 관심을 보인다. 셋째 좋은 청취자가 되어야한다.

2) 대인관계 능력

대상자와의 대인관계가 좋아야 성공적인 교육의 효과를 기대할 수 있다.

대인관계에서 기본자세

- 남으로부터 신뢰를 받을 수 있는 능력이 있어야 함
- 좋은 청취자가 되어야 함
- 도움을 필요한 사람의 인격을 존중하고 도움이 되겠다는 마음의 자세
- 관찰력과 이해력, 융통성과 적응력이 필요함
- 효과적인 의사소통 능력이 있어야 함
- 인간 및 사회현상에 대한 통찰력이 있어야 함
- 대상자의 개인적인 비밀을 보장해 주어야 함

3) 문제해결 능력

지역사회간호사에게 있어서 문제해결능력은 필수적이라 할 수 있다.

문제해결 접근을 하기 위한 기본적인 검토사항

- 남으로부터 신뢰를 받을 수 있는 능력이 있어야 함
- 좋은 청취자가 되어야 함
- 도움이 필요한 사람의 인격을 존중하고 도움이 되겠다는 마음의 자세

4) 시간관리 능력

시간을 효과적으로 활용하기 위해서는 의식적으로 노력을 하여야한다.

효과적인 시간관리 기술	
• 시간일지 기록하기	• 가장 능률적인 시간 선택하기
• 하지 말아야 할 것을 정하기	• 긴급하지 않은 일에 '아니오'라고 말하기
• 중요도와 긴급성에 따라서 일의 우선순위를 결정하기	• 중요하고 시급한 일에 전념하기
• 중요한 일의 마감시간 정하기	• 한 번에 한 가지 일에만 전념하기
• 행동하기 전에 계획부터 하기	• 자신의 능력에 맞는 작업량 결정하기

5) 윤리적 태도

- 윤리적 논쟁을 하게 되는 대부분의 사례에서 어려운 점은 관련된 모든 사람들이 타인의 관점에서 주의 깊게 듣게 하는 것이다.
- 계속해서 도덕적 딜레마를 피하려는 사람은 그들의 가치를 깊이 탐색하게 하고 그것을 더욱 생산적으로 다루는 방법을 배우는데 작용하는 가치를 명확히 해주는 것이 도움이 된다.
- 문제확인, 가치명료화, 협상, 협력, 평가의 기술은 지역사회 간호사가 의사결정과정을 비판적으로 분석하고 지도할 수 있도록 해준다.

제5절 국제보건의 이해

1. 국제보건의 개념

1) 국제보건의 정의

국제보건(Global health)은 전 세계 모든 사람들의 건강수준과 건강 형평성을 향상시키기 위한 연구, 사업 활동을 말한다. 국제보건에 대한 정의는 매우 다양해서 합의된 정의가 아직 마련되어 있지 않으며, 유사한 개념들 간의 차이와 관련성을 분석하여왔다. 개인을 대상으로 임상의학적 접근보다는 인구집단을 대상으로 한 공중보건학적 접근을 중시하며, 치료보다는 예방을 중시하고 사회경제적으로 취약한 인구집단의 건강에 더 많은 관심을 가진다는 점에서 국제보건(Global Health, GH)과 국가간보건(International Health, IH), 그리고 공중보건(Public Health, HP)은 유사한 점이 있다(표 1-13)

표 1-13 국제보건의 개념

모형	국제보건, 세계보건 (global health)	국가간 보건 (international health)	공중보건 (public health)
지리적 범위	국가간 경계를 넘는 보건문제를 다룸	다른 나라, 특히 후진국과 개발도상국에 관심	지역이나 국가의 인구집단에 관심
협력의 수준	전 지구적 협력	주로 두 국가간 협력	주로 한 국가의 자체적 노력
개인과 집단	인구집단과 개인 모두 포함	인구집단과 개인 모두 포함	주로 인구집단의 예방사업에 주력
건강에 대한 접근	국가간, 개인간 건강 형평성이 주요 목표	다른 나라 사람을 돕는데에 관심	국가 혹은 지역 내 건강형평성이 관심
분야의 범위	보건과 의학을 넘는 다분야, 분야간 협력	일부 분야, 다분야 접근에 대한 강조는 약함	다분야 접근 강조, 특히 보건학과 사회과학과의 협력

하지만, 지리적 범위에서 국제보건(GH)은 한 국가의 경계를 넘는 건강문제에 대해 개별국가의 관심과 무관하게 지구촌 전체 구성원의 건강에 관심을 갖기 때문에(김창엽, 2013), 국가 간의 양자협력을 강조하는 국가간보건(IH)에 비해 다자간 협력을 강조한다(Brown, Cueto, & Fee, 2006). 인구집단 대상 접근의 공중보건(PH)에 비해 국제보건(GH)은 건강문제해결을 위한 인구집단 대상의 예방과 개인대상 진료를 모두 활용하기 때문에서 공중보건에 비해 다 학제적 접근을 더욱 강조한다(Koplan, 2009). 이상에서 국제보건은 지리적 관점에서 여러 국가에 걸쳐 발생하는 건강문제를 대상으로 하며, 문제의 규모면에서 여러 나라에서 공통적으로 관심을 갖는 건강문제를 대상으로 함을 알 수 있다. 국제보건에서의 우선순위를 살펴보면, 과거 감염성질환이나 모자보건이 가장 중요한 건강문제였던 것에서 질병구조가 변화되어 감염성질환에 비해 만성질환과 정신질환, 손상과 같은 건강문제로 인한 질병부담이 증가함에 따라 질병부담의 크기를 중요하게 고려하게 되었다. 교통과 통신의 속도가 급격하게 빨라지면서 국가들 사이에 경제적인 의존이 증가되었고, 이에 따라 각국의 건강수준에 큰 영향을 미치게 되었다. 이러한 변화에 따라 국제보건은 국가 간의 경계와 정치 · 경제적 영향을 초월한 전 세계인의 평등한 건강과 건강증진을 위한 연구와 실무에 우선순위를 둔 학문으로 정의하고 있다(Global Health Initiative, 2008).

국제보건에서 핵심을 차지하는 문제는 불평등(inequity)의 문제라고 할 수 있다. 국가가 당면하는 불평등한 건강결과와 이를 해결하는데 필요한 불평등한 자원의 문제를 해결하는데 관심을 가진다. 미국 대학 간 컨소시엄에서는 국제보건은 '여러 학문분야가 연관되며 개인수준의 임상적 도움과 인구집단 기반의 예방을 함께 고려하고, 학제 간 협력을 장려하며 전 세계적 건강 이슈 및 결정요인'에 대하여 강조하여야 한다고 설명하였다(Consortium of universities for global health, 2011). 따라서 국제보건은 전 세계적 차원의 건강불평등 혹은 이와 관련된 과제를 해결하려는 국가와 그 구성원들의 자발적인 협력이라고 할 수 있다.

2) 국제보건규칙(IHR2005, International Regulation)

국제 여행의 폭발적인 증가로 인해 감염병이 전염될 수 있는 접촉기회가 획기적으로 증가하였고, 국제기구와 특정국가의 건강관련 정책은 다른 나라의 정책에도 영향을 미치게 되었다. 이러한 세계화에 따라 국제적 공조를 통해 건강문제를 해결하는 것이 가장 효과적인 방법으로 인식되면서 국제협약이 국내 규제정책과 맞물려야 효과를 낼 수 있음에 합의함으로써 '국제보건규칙'을 개정하게 되었다(최연희, 2014).

국제보건규칙은 제58차 세계보건기구 총회에서 국제보건규칙(IHR2005, International Regulation) 최종개정안이 통과되어(2005. 5.23), 사무총장의 인준(2005. 6.15)후, 2007년 6월에 발효되었다. 주요내용은 신종 감염병 등의 출현에 즉시 대처할 수 있도록 국제공중보건비상사태(public health emergency of international concern)이라는 항을 두어 다양한 질병위협에 대처할 수 있도록 하고, 적용대상 질병을 기존 콜레라, 페스트, 황열에서 '원인이나 출처와 상관없이 사람에게 현저한 손상을 야기하거나 야기할 수 있는 질환 또는 의학적 상태'로 정의하였다(질병관리본부, 2007).

(1) 국제보건규칙의 목적

: 국제적인 질병확산을 예방, 방어, 관리, 대응하는 것으로 규정하면서 그 방법은 '공중보건에 대한 위험에 상응하는 제한된 방식으로 국제교통에 대한 불필요한 방해를 피하여야 한다.' 라고 규정하였다.

(2) 규칙에서 전반적으로 적용되는 원칙

: 인간의 존엄, 권리, 근본적인 자유의 전적인 존중과 국제연합헌장과 세계보건기구 헌장의 준수, 질병의 국가간 전파에서 세계 모든 사람을 보호하기 위한 보편적 적용과 자국의 보건정책을 수행하기 위한 법률제정과 시행에 관한 각 국가의 주권존중이다.

(3) 국가대표기관과 책임당국을 지정 또는 설치요구

: 국가를 대표하여 세계보건기구 IHR 연락사무소에 각종 신고를 하는 역할과 국가의 다른 행정부에 관련 정보를 제공하고 의견수렴을 하는 역할을 담당하기 위한 국가대표기관으로 우리나라는 질병관리본부를 지정하였다(질병관리본부, 2007).

(4) 국제보건규칙의 공중보건 대응

: 새로운 국제보건규칙은 각 회원국이 자국의 질병발생 상황을 "국제공중보건 비상사태의 평가 및 보고를 위한 결정도구"에 따라 평가하고 그 결과에 따라 세계보건기구(WHO)에 신고토록 하였다(WHO, 2005).

① 신고대상 질병

천연두(두창, small pox), 야생폴리오바이러스에 의한 폴리오(polio), 신규 아형으로 인한 인체감염 인플루엔자(influenza), 중증 급성호흡기증후군(SARS) 등 4종 감염병은 1건이 발생한 경우에도 신고하여야 한다.

콜레라, 페스트, 황열, 바이러스성 출혈열(에볼라, 라싸, 마버그), 웨스트나일열 및 국가 또는 지역사회 특히 우려 대상이 되는 기타 감염병(뎅기열, 리프트밸리열, 수막구균감염증 등)과 원인 또는 출처 미상의 사건을 포함한, 잠재적으로 국제공중보건 상 우려사항이 될 수 있는 사건은 다음의 경우에 신고하고 답변이나 수신확인을 24시간이내에 해야 한다.

- 사건이 공중보건에 미칠 영향이 심각하고 이례적이거나 예기치 않은 것일 때
- 국제적으로 확산될 위험이 상당할 때
- 국제여행이나 교역을 제한할 위험이 상당할 때

이 밖에 각 국가에서 세계보건기구에 신고하여야 하는 사항과 시기는 다음과 같다.

- 국제보건 비상사태가 성립할 수 있는 모든 사건을 평가 후 24시간 내에게 가능한 가장 효율적인 통신수단을 이용하여 세계보건기구에 신고
- 동 사건에 대응하여 시행한 보건조치의 내용에 대한 신고
- 신고한 사건에 대하여 입수한 시의적절하고 정확하며 충분히 상세한 공중보건정보, 환례 정의, 검사 결과, 위험의 출처와 유형, 환자 수와 사망자 수, 질병확산에 영향을 미친 조건 및 시행된 보건조치를 지속적으로 세계보건기구에 제공
- 국제공중보건 비상사태가 될 수 있는 예기치 못하였거나 특이한 공중보건상의 사건이 자국영토에서 발생한 증거를 보유하면 원인이나 출처와 상관없이 모든 관련 정보를 세계보건기구에 제공
- 평가결과, 신고를 필요로 하지 않는 사건인 경우에도 WHO의 자문을 구하고 적절한 보건조치에 대하여 협의하거나 지원 요청가능
- 자국 영토 밖에서 발견된 공중보건위험이 질병의 국제적 확산을 야기할 수 있다는 증거(인체감염 사례, 감염이나 오염을 전파하는 매개체 또는 오염된 상품이 유 · 출입되는 경우)를 입수한 경우에는 그 사실을 가능한 한 24시간 내에 WHO에 통보
- 신고한 사건에 대한 검증 요청이 있을 경우 일차적인 답변이나 수신확인을 24시간 내에 실시

2 세계보건기구의 대응

세계보건기구 사무총장은 각 국가의 신고를 받거나 다양한 출처를 통해 정보를 얻을 수 있도록 한 규정이 새로운 규칙에 포함되어 있으며, 이러한 정보를 바탕으로 국제공중보건 비상사태 발생 시 임시 권고안을 발동하거나 종료할 수 있다. 또한 일상적 또는 주기적으로 적용하는 지속 권고안을 발동할 수 있고, 각 회원국의 역량이 감염병 확산의 방지라는 목표를 충분히 달성하지 못할 경우, 세계보건기구가 직접 개입하여 수행할 수 있다(표 1–14)

3 회원국의 역량개발

국제보건규칙은 각 회원국이 반드시 갖추어야 할 핵심역량을 제시하고 있는데, 회원국이 감염병의 예방과 관리를 능동적이며 효과적으로 수행할 수 있는 핵심요소일 뿐 아니라 세계보건기구가 감염병의 발병 양상 등을 확인하고 이에 대응할 수 있도록 하는 정보망의 기본요소로도 볼 수 있다. 특히 검역 등에 있어 필수적인 요건과 세

표 1-14 세계보건기구의 대응

사람을 대상으로 하는 조치	수하물, 화물, 컨테이너, 운송수단, 상품, 소포우편물의 관련 조치
• 감염지역에서의 여행 경력 심사 • 의학적 검사와 실험실 분석의 증거 심사 • 의학적 검사 요구, 예방접종이나 기타 예방법의 증거 심사 • 예방접종이나 기타 예방조치 요구 • 질환의심환자를 대상으로 공중보건관찰 • 질환의심환자에 대한 검역 및 기타보건조치실시 • 필요한 경우 감염자의 격리 및 치료 실시 • 질환의심환자나 감염자의 접촉자에 대한 추적검사 실시 • 질환 의심환자나 감염자의 입국 거부 • 감염지역으로 비감염자의 입국 거부 • 감염지역에서 온 사람에 대한 입국심사 및 출국제한 실시	• 특정 보건조치에 대한 권고는 없음 • 적하목록과 운송경로 심사 • 수하물과 화물에 대한 조사 실시 • 감염 또는 오염 제거를 위하여 출국환승 시 취하는 조치에 대한 증거 실시 • 매개체와 병원소를 포함한 감염 또는 오염제거 조치의 실시 • 격리 또는 검역 실시 • 이용가능한 성공적인 절차가 별도로 없는 경우 통제된 상황 아래에서 오염되거나 의심되는 수하물, 화물, 컨테이너, 운송수단, 상품 또는 소포우편물의 압류 또는 파기 • 출입국 거부

계보건기구와의 지속적이면서도 광범위한 정보교환을 강조하고 있으며, 각 회원국이 감시와 대응, 검역 등의 영역에서 핵심적으로 갖추어야 할 요건을 제시하고 있다(보건복지부, 2007. 6월 15일 보도자료). 이에 우리나라는 핵심역량을 강화할 공항과 항만을 지정하여 세계보건기구에 보고하고, 감염병 예방 및 관리에 관한 법률(감염병 예방법, 2015. 7월 개정)과 검역법(2014. 3월 개정)을 정비하였으며, 보건기관에 지침을 시달하여 교육을 실시하였다.

2. 국제보건의 목표

1) 2030 개발의제 (2030 Agenda for Sustainable Development Goals, SDGs)

2000년 9월 한국을 포함한 전 세계 198개국은 빈곤과 저개발로 고통 받는 사람들의 생활수준을 개선하기 위해 '새천년 정상회의'에서 '유엔새천년정상선언'을 채택하였고, 새천년 정상선언을 기반으로 '새천년개발목표(Millenium Development Goals)'로 명명된 구체적이고 측정 가능한 개발 목표들이 제시되었다(United States, 2015).

① 절대 빈곤과 기아 퇴치(Eradiate extreme poverty and hunger)
② 보편적 초등교육 달성(Achieve universal primary education)
③ 성 평등과 여성 능력 고양(Promote gender equality and empower women)
④ 영유아 사망률 감소(Reduce child mortality)
⑤ 산모건강 증진(Improve maternal health)
⑥ HIV/AIDS, 말라리아 퇴치(Combat HIV/AIDS, Malaria and other diseases)
⑦ 지속 가능한 환경 보장(Ensure environmental sustainability)
⑧ 개발을 위한 전 세계 차원의 협력관계 구축(Global partnership for development)

8개의 목표(Goals)와 21개의 세부목표(Targets) 추진을 통해 국제사회는 빈곤 퇴치를 위한 정치적 의지를 결집하고 개발을 위한 다양한 재원들을 동원하였으며, 개도국의 초등교육과 아동 보건의료 분야에서 상당한 개선을 이루는 등 국제개발협력의 성과를 성취하였다.

새천년 개발목표(MDG)가 2015년 이행 시한이 만료됨에 따라, 국제사회는 2015년 이후 추진해나갈 후속 국제개발목표 수립 논의를 진행되어왔다. 2012년 Rio+20 정상회의에서 세계 각국은 지속가능개발목표(Sustainable Development Goals)를 수립할 것을 합의하였으며, 유엔기구의 여러 보고서와 회원국 간 협의를 바탕으로 2014년 유엔 정부 간 공개 작업반(Open Working Group)에서 17개 목표(Goals)와 169개 세부목표(Targets)를 마련하였다. 2015년 1월부터 7월까지 8차 개최된 정부 간 협상을 통해, 유엔 회원국들은 2015년 9월 개발정상회의에서 채택할 결과문서의 주요 요소들을 협의하여 최종 문안인 "2030 지속가능개발의제(Transforming our world: the 2030 agenda for sustainable development)" 마련에 합의하였다.

① 모든 국가에서 모든 형태의 빈곤 종식
② 기아의 종식, 식량안보 확보, 영양상태 개선 및 지속가능 농업 증진
③ 모든 사람의 건강한 삶을 보장하고 웰빙(well-being)을 증진
④ 모든 사람을 위한 포용적이고 형평성 있는 양질의 교육 보장 및 평생교육 기회 증진
⑤ 성 평등 달성 및 여성 · 여아의 역량 강화
⑥ 모두를 위한 식수와 위생시설 접근성 및 지속가능한 관리 확립
⑦ 모두에게 지속가능한 에너지 보장
⑧ 지속적 · 포괄적 · 지속가능한 경제성장 및 생산적 완전고용과 양질의 일자리 증진
⑨ 건실한 인프라 구축, 포용적이고 지속가능한 산업화 진흥 및 혁신
⑩ 국가 내 · 국가 간 불평등 완화
⑪ 포용적인 · 안전한 · 회복력 있는 · 지속가능한 도시와 거주지 조성
⑫ 지속가능한 소비 및 생산 패턴 확립
⑬ 기후변화와 그 영향을 대처하는 긴급 조치 시행
⑭ 지속가능발전을 위한 해양 · 바다 · 해양자원 보존과 지속가능한 사용
⑮ 육지생태계 보호와 복구 및 지속가능한 수준에서의 사용 증진 및 산림의 지속가능한 관리, 사막화 대처, 토지황폐화 중단 및 회복 및 생물다양성 손실 중단
⑯ 지속가능발전을 위한 평화적이고 포괄적인 사회 증진과 모두 가 접근할 수 있는 사법제도, 모든 수준에서 효과적 · 책무성 있는 · 포용적인 제도 구축
⑰ 이행수단 강화 및 지속가능발전을 위한 글로벌 파트너십 재활성화

2016년부터 2030년까지 국제사회가 함께 달성 노력해 나갈 '2030 개발의제'는 서문, 선언, 지속가능개발목표 및 세부목표, 이행수단 및 글로벌파트너십, 후속조치 및 평가 총 5개 섹션으로 구성되어 있다. 개발 이행의 주체로서 개도국과 선진국에 모두 적용되는 의제이며, 사회 · 경제 · 환경 분야의 개발목표들을 모두 포함하여 보편성을 확보하였다. 특히 개발목표 이행과정에서 소외되고 취약한 계층들에 대한 포용성을 강조하며 누구도 소외되지 않는(leave no one behind) 사회실현을 위해 전 세계가 노력할 것을 촉구하고 있다. 목표를 성공적으로 이행하기 위하여 각국정부의 우선적인 책임을 강조하면서도 다양한 이해관계자들이 참여하는 파트너십(multi-stake-holder partnership) 구축의 필수불가결성을 인정하였고, 구체적인 이행수단 및 통합적이고 체계적인 다층적 후속조치 및 평가(follow-up and review) 체제를 수립하였다.

2) 국제보건의 목표와 간호

새천년개발목표(MDs) 중 보건의료분야와 관련이 있는 과제는 절대빈곤 및 기아퇴치(MDs 1), 아동사망률 감소(MDs 4), 모성보건 증진(MDs 5), HIV/AIDS, 말라리아 및 각종 질병퇴치(MDs 6), 지속적인 환경확보(MDs 7)와 개발을 위한 글로벌파트너십 구축(MDs 8)이라고 할 수 있다(표 1-15).

새천년개발목표 결과보고서에 따르면, 개발목표 4, 5, 6과 7은 보건 분야와 관련된 개발목표 중에서 2015년까

표 1-15 보건분야 새천년개발목표(MDs)

세부목표	지표
Goal 1. 절대빈곤 및 기아퇴치	
3. 1990 ~ 2015년간 기아 인구 비율 반감	8. 5세 미만 저체중 아동 비율 9. 최소열량섭취 기준미만 인구 비율
Goal 4. 아동사망률 감소	
6. 1990 ~ 2015년간 5세 미만 아동사망률 2/3 감소	16. 5세 미만 아동사망률 17. 영아사망률 18. 1세미만 유아 홍역 예방접종률
Goal 5. 모성보건 증진	
7. 1990 ~ 2015년 산모사망률 3/4 감소	19. 산모사망률 20. 숙련된 보건의료인에 의한 출산 비율
8. 2015년까지 출산보건에 대한 보편적 이용 확대	21. 피임률 22. 청소년 출산 비율 23. 산전 관리 범위(최소 1회 또는 4회 방문) 24. 가족계획 요구 일치도
Goal 6. HIV/AIDS 말라리아, 기타 각종 질병퇴치	
9. 2015년까지 AIDS 확산 저지 및 감소	25. 15 ~ 24세 인구 중 HIV 감염 비율 26. 고위험자의 피임도구 사용 27. 15 ~ 24세 인구 중 HIV/AIDS의 정확한 지식 보유 비율 28. 10 ~ 14세 아동 중 비고아아동 대 고아아동 학교 출석 비율
10. 2010년까지 필요한 사람들에게 HIV/AIDS 치료의 보편적 보급	29. 항레트로 치료가능 HIV 보균자 인구 비율
11. 2015년까지 말라리아 및 기타 주요 질병 발생저지 및 감소	30. 말라리아 발생율과 사망률 31. 살충처리 모기장 사용 5세 미만 아동 비율 32. 5세 미만 아동 중 적합한 항말라리아 약품치료 중 열발생 비율 33. 결핵발생율, 감염비율, 사망률 34. 결핵 발견사례 및 DOTS 치료사례 비율
Goal 7. 지속가능한 환경확보	
14. 2015년까지 안전한 식수 및 기초적 위생환경에 대한 접근성이 부족한 인구비율 반감	42. 개선된 식수자원 사용 인구 비율 43. 개선된 위생시설 사용 인구 비율
Goal 8. 개발을 위한 글로벌 파트너십 구축	
20. 민간제약회사와 협력, 필수 의약품의 개도국 제공	57. 지속적 구입가능 필수의약품 이용가능 인구 비율

출처: 임소진(2012).국제사회의 post-2015 개발프레임워크 수립동향 및 한국ODA의 기여방안. KOICA 개발정책포커스 제14호. 56-59.

지 계획한 정도를 달성하지 못하였다. 아동사망률은 1991년 이후 41%가 급감하였으나, 2011년 690만 명의 5세 미만 영유아들이 예방 가능한 질병으로 인하여 사망하고 있으며, 사하라이남 아프리카에서는 9명 중 1명이 5세 이전에 사망하는 것으로 보고되었다(그림 1-16). 모성보건에서 산모사망률은 1990년에 비해 거의 절반으로 감소하였으나, 출산과 관련한 보건의료 서비스 및 가족계획에 대한 지원이 감소하면서 2000년 이후 피임사용률의 증가속도가 느려지고 있으며, 가족계획의 성공률도 2000년 이후 개선되고 있지 않는 것을 알 수 있었다. HIV/AIDS, 말라리아 및 각종 질병의 퇴치와 HIV 발병률은 전반적으로 감소하였으나, 보균자 수는 증가한 것으로 보고되었고, 말라리아 발생률과 사망률 및 결핵 발생률과 사망률은 모두 감소하였다. 그러나 전체 결핵환자 중에서 3분의 1이 넘는 수가 직접 복약 확인 단기치료법에 따른 치료를 받지 못하고 있으며, 다제내성 결핵 및 HIV 양성

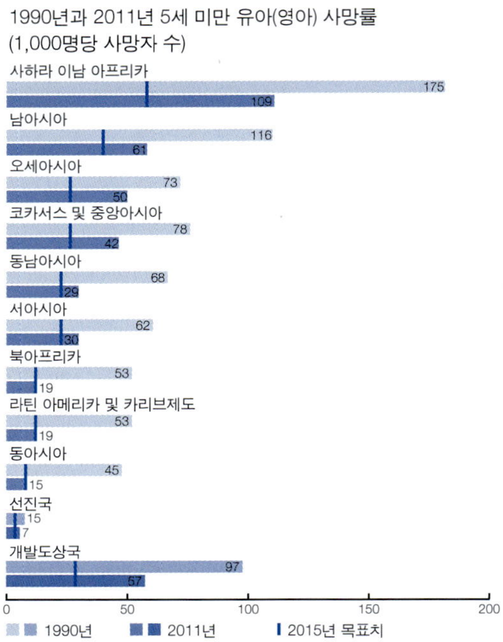

그림 1-16 5세 미만 영유아사망률

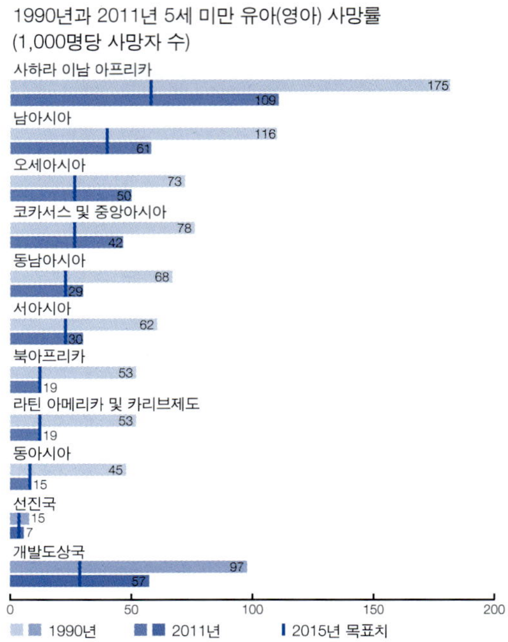

그림 1-17 빈민지역에 거주 도시 인구 비율

출처: 유엔 한국위원회(2015). The Millenium Development Goals Report 2013-2014

환자 중 결핵환자에 대한 치료가 미흡한 한계를 보이고 있는 실정이었다. 지속한 가능한 환경확보는 1990년 이래 21억 명 이상이 개량된 수원을 이용할 수 있게 되었고, 19억 명 이상이 위생시설을 사용할 수 있게 되었으나, 빈곤층의 사회안전망 기능을 하고 있는 산림은 급속도로 소실되고 있으며, 1990년 이래 전 세계 이산화탄소 배출은 46%이상 증가하였고, 보호구역의 증가에도 불구하고 많은 종이 멸종위기에 처했다. 현재 개발도상국의 약 8억 6천3백만 명의 인구는 빈민가에 거주하고 있다(그림 1-17).

이상에서 전 세계적으로 취약계층에 대한 건강불평등을 해결하기 위한 영유아, 모성과 감염성 질환에 대한 체계적인 접근이 필요하며, 이를 위해서는 국제보건문제에 대한 정보의 공유 및 공동연구를 위한 지속적이고 적극적인 협력을 강화할 필요가 있다.

3. 국제보건활동

국제보건활동은 국제기구의 참여와 국제개발협력으로 요약할 수 있으며, 이중 국제개발협력은 정부의 활동으로 다자간 혹은 양자 간의 공적개발원조(Official Development Assistance), 국제기구에 공무원 파견과 정부/민간 초청연수를 포함한다.

1) 국제기구

국제보건 정책에 영향을 미치는 보건복지 분야의 국제기구로는 세계보건기구(WHO), 국제간호협의회(ICN), 시그마국제학회(STTI, sigma theta tau international), 유엔아동기금(UNICEP), 세계식량계획(WFP), 유엔인구활동기금(UNFPA), 유엔에이즈계획(UNAIDS), 세계은행(World Bank Group), 경제협력개발기구(OECD), 국제 비정부기구(NGOs)와 민간재단 등이 있다.

(1) 세계보건기구(WHO, world health organization)

1948년 UN산하에 설립된 국제연합의 17개 전문기구 중 하나로 정부 간 기구로, 국제연합 체계 안에서 보건문제를 지도하고 조정하는 기관이다. 2016년 1월 현재 194개 국가가 회원국으로 가입되어 있고, 본부는 스위스 제네바에 있다. 세계를 아프리카지역, 미주지역, 동남아시아지역, 유럽지역, 동지중해지역 및 서태평양지역으로 6개로 나누어 각 지역총회가 구성되어 있다. 우리나라는 1949년에 회원으로 가입하여 필리핀 마닐라에 지역총회를 둔 서태평양지역 본부에 속해있다. WHO의 설립목적은 모든 사람이 가능한 최고 수준의 건강을 영위하게 하는 것이다. 이에 따라 WHO는 인류가 당면한 보건문제를 해결하고 국가 상호간의 협력을 추구하며, 국제화에 대처하기 위한 의제를 아래와 같이 제시하고 있다.

- 2개의 목표: 건강과 개발증진, 건강보장 강화
- 2개의 전략: 건강전달체계 강화, 연구와 정보 및 근거제공
- 2개의 조작적 접근: 파트너십 확대, 효과적이고 효율적인 수행

(2) 국제 간호협회(ICN, International Council of Nurses)

1899년에 설립된 전 세계 간호사를 대표하는 비정부기구인 국제 간호협회는 현재 135개국, 1,600만 명의 회원이 가입되어 있고 스위스 제네바에 본부를 두고 있다. 전 세계 간호전문직의 발전 도모 및 보건의료정책에 영향력을 발휘하도록 하는 것을 목표로 전문직 간호실무 표준화 및 수준 향상, 간호규정(법과 윤리)을 통한 전문직 자율규제 강화와 간호사의 사회 · 경제 • 복지 향상을 핵심가치로 설정하였다. 1900년 6월 펜위크 여사가 초대 회장으로 선출된 이후, 1920년대에는 나이팅게일 국제재단 (FNIF), 1993년도에는 국제간호협의회 재단 (ICNF)을 창립하여 미래 간호 지도자를 양성하기 위해 노력하여왔다. 국제대회는 4년마다 열리고 있으며, 회원국의 회원들에게는 국제 대회에 참석할 권한이 주어진다. 2015년에는 서울에서 국제 간호협의회 각국대표자회의 및 국제학술대회(ICN Conference and CNR)를 개최하여 세계 135개국 간호단체 대표와 간호지도자 400여 명이 모여 최신 간호이슈에 대해 함께 논의하고 정보를 교류하는 장이 되었다.

(3) 시그마 국제학회(STTI, sigma theta tau international)

1992년에 미국 인디애나 대학교에서 간호사들의 학습, 지식, 전문직 개발을 지원하고, 간호연구의 과학적 기반을 공고히 하여 인류의 건강을 증진할 목적으로 설립되었다. STTI의 어원은 그리스어로 사랑, 용기, 명예를 뜻한다. 흔히 STTI로 알려져 있으나 정식명칭은 The Honor Society of Nursing, Sigma Theta Tau International이다. 2014년 현재 지금까지 90개국에 431개의 지부를 두고 있으며, 전 세계 515개 대학교가 시그마 국제학회와 함께

활발한 연구 활동을 펼치고 있으며, 전 세계에 회원을 둔 두 번째로 큰 간호전문직 단체이다.

(4) 유엔아동기금(UNICEF, United Nations International Children's Emergency Fund)

1946년에 유엔 국제아동 긴급구호기금이라는 명칭으로 발족하여 1953년 UN총회를 거쳐 현재 상설기관이 되었으며, 본부는 뉴욕과 제네바에 있다. 중추적인 역할은 뉴욕에서 담당하고 제네바에서는 커뮤니케이션 역할을 하고 있다. 설립정신은 국적이나 이념, 종교 등의 차별 없이 어린이를 구호한다는 것이며, 2차 세계대전의 승전국과 패전국, 동유럽과 중국 및 한국의 어린이를 동등하게 도왔다. 또한 개발도상국 아동을 위한 긴급구호, 영양, 예방접종, 식수 및 환경개선과 기초교육 등의 사업을 펼쳐왔다. 국가위원회와 본부로부터 지원을 받은 126개 국가사무소는 157개 개발도상국에서 어린이 보호 프로그램 활동을 한다. 유니세프가 직접 관여하는 나라의 수는 194개국이며 전 세계 8개 지역 사무소에서 해당 지역 내 국가 간의 조정 역할 등을 담당하고 있다. 우리나라는 1950년 3월에 정식으로 회원국으로 가입이 된 후 1993년까지 유니세프로부터 각종 지원을 받았고, 1988년 유니세프 집행이사국이 되었으며, 1994년 1월 한국 유니세프 대표사무소가 유니세프 한국위원회로 명칭을 변경하였다.

(5) 세계식량계획(WFP, World Food Programme)

1961년 UN 총회와 유엔식량농업기구(FAO, Food and Agriculture Organization)의 결의에 따라 설립되어 1963년부터 본격적인 활동을 시작하였다. 식량원조와 긴급구호활동을 통해 저개발국과 개발도상국의 경제개발을 촉진시키고 사회발전을 돕는 것이 목적이며, 주요사업은 긴급지원(Emergency Operation), 개발원조(Development Project), 특별사업(Special Operation), 장기구호사업(Protracted Relief and Recovery Operation)으로 전 세계 기아퇴치를 위한 활동을 한다. 사무국은 이탈리아 로마에 있으며, 식량원조 정책 및 계획위원회(CFA, Committee of Food Aid Policies and Programmes), 국제연합경제사회이사회(UNECOSOC, United Nations Economic and Social Council)와 유엔식량농업기구에서 선출된 인원이 모여 매년 2회 정기회의를 개최한다. 우리나라는 2011년부터 세계식량계획의 집행이사회의 이사국으로 활동하고 있으며, 1995년 10월에는 북한 평양시에 세계식량계획 상주사무소를 개소하고, 같은 해 11월에 쌀을 원조하기도 하였다.

(6) 유엔인구활동기금(UNFPA, United Nations Population Fund)

1967년 유엔인구활동신탁기금으로 설립되었다가 1987년에 국제연합인구활동기금(United Nations Fund for Population Activities)으로 바뀌었고, 현재의 이름으로 변경되었으며 UFPA라는 약어를 사용한다. 주요활동은 세계 인구문제 해결에 필요한 자금지원, 언론 및 교육사업, 인구밀도, 기본자료 수집 등이며, 개발도상국의 인구정책과 가족계획을 위해 각 대상 국가에 적합한 방법으로 조직적이고 지속적인 원조를 제공하며, 가족계획의 인권적 측면에 관한 인식, 세계의 인구문제가 갖는 사회적 · 환경적 의미에 대한 인식을 제고하기 위한 전략을 개발하는 역할을 한다. 본부는 뉴욕에 있으며, 조직은 사무국장과 이사회로 구성되고, 사무국장은 기금에 대한 행정책임자로서 유엔총회의 지시를 받는다. 이사회는 경제사회이사회가 정하는 조건에 따라 국제연합개발계획(United Nations Development Programme)의 집행이사회가 겸한다. 155개국이 가입하였고 우리나라는 1973년에 가입하였다. 재원은 기금설치 목적에 동의한 자발적 기여금으로 조성된다.

(7) 유엔에이즈계획(UNAIDS, United Nations Programme on HIV/AIDS)

1994년 6개 UN산하기구(UNICEF, UNDP, UNFPA, UNESCO, WHO, World Bank)가 참여하여 유엔에이즈계획을 실시하였고, 세계식량계획(WFP), 유엔마약 및 범죄사무소(UNODC), 국제노동기구(ILO)가 합류하여, 총 9개 기구가 참여하고 있다. 주요 활동으로 각 국가에 에이즈 관련 정보를 신속하게 제공하고 있으며, 에이즈 확산 방지와 감염인 또는 그로 인한 피해자를 지원하는 등의 활동을 펼친다. 사무국은 현재 스위스 제네바에 있으며 직접적 자금지원기구나 참여기관들의 대표로서가 아니라 에이즈 관련사업 촉진 · 조정역할을 주로 하고 있다. 매년 6천만 달러의 예산을 확보하고 있으며, 129명의 전문가와 전 세계에서 참여한 22개 정부대표와 9개의 공동후원기관, 에이즈 관련 5개의 비정부기구(NGOs)가 대표로 있는 프로그램조정위원회에 의해 운영되고 있다.

(8) 세계은행(World Bank Group)

1944년 브레턴우즈 협정(Bretton Woods Agreements)에 근거해 설립된 국제연합 산하의 금융기관으로, 1945년 12월 27일 설립된 국제부흥개발은행(IBRD)이 그 시초이며, 국제개발협회(IDA), 국제금융공사(IFC), 국제투자보증기구(MIGA), 국제투자분쟁해결본부(ICSID) 등을 합쳐 세계은행그룹(World Bank Group)이라고 한다. 이 중에서 IBRD와 IDA를 합쳐 흔히 세계은행이라고 부른다. 본부는 미국 워싱턴 DC에 있고, 주요 활동으로는 전 세계의 빈곤 문제와 보건 문제 등을 해결하기 위한 목적으로 저소득 국가의 경제개발과 생산성 향상을 위해 저금리의 융자를 지원해주고 있다. 우리나라는 현재 1955년 58번째 세계은행 회원국이 되었고, 1970년 대표이사국으로 선임되었다.

(9) 경제협력개발기구(OECD, Organization for Economic Cooperation and Development)

1961년 9월 파리에서 발족한 정부 간 정책연구 및 협력기구로, 유럽 이외의 미국, 캐나다 등 서방 선진국 모두를 회원국으로 포함하고 있으며, 개발원조 협력위원회를 통해서 국제보건 문제를 비롯한 각종 개발원조 정책을 조율하고 있다. 주요 활동으로는 각종 국제기구와 밀접한 관계를 구축하고, 경제정책, 에너지, 국제무역, 식량, 환경, 과학, 노동등과 같은 사회분야 정책 전반에 걸쳐 수시 논의 및 협력을 추진하고 있다. 우리나라는 1996년 12월에 29번째 회원국으로 가입하였다.

(10) 경제개발협력기구/개발원조위원회 (OECD/DAC: Development Assistance Committee)

OECD에 속해 있는 개발원조위원회는 공적개발원조(ODA) 공여국의 대표적인 협의체로서 29개 회원국, 기타 재단 및 국제기구들이 200여개 개발도상국과 저소득국을 대상으로 다양한 분야에 무상과 유상원조를 시행하도록 하고 있다. 우리나라는 2010년 24번째 회원국으로 가입하였다. DAC 산하에는 8개의 작업반이 있어서, 개별 이슈에 대하여 ODA 효과성 제고를 위하여 회원국 간에 동료평가(Peer Review), 상호학습 및 토론 등을 거쳐 국제적 규범을 정립하고, 3~4년에 한 번씩 개최되는 원조효과성에 관한 고위급포럼(High Level Forum on Aid Effectiveness, HLF)을 계기로 DAC 회원국은 물론 DAC 비회원국, 개도국, 시민사회 등으로 규범 확산 및 공약 이행 촉진의 역할을 하고 있다. 2013년 DAC 회원국의 전체 공적개발원조(ODA) 규모는 1,351억불로, GNI대비 평균 0.30%의 비율이며, 유엔이 제시한 ODA 목표치인 GNI대비 0.7%를 넘어서는 회원국은 영국, 스웨덴, 노르웨

표 1-16 OECD-DAC 회원국의 가입

연도	가입국	국가 수
1961년 (창립연도)	벨기에, 캐나다, 프랑스, 독일, 이탈리아, 일본, 네덜란드, 포르투갈, 영국, 미국, EU	11개국
1960년대	노르웨이(1962), 덴마크(1963), 스웨덴(1965), 오스트리아(1965), 호주(1966), 스위스(1968)	6개국
1970년대	뉴질랜드(1973), 핀란드(1975)	2개국
1980년대	아일랜드(1985)	1개국
1990년대	포르투갈(1991), 스페인(1991), 룩셈부르크(1992), 그리스(1999)	4개국
2000년대 이후	한국(2010), 체코공화국(2013), 이슬란드(2013), 폴란드(2013), 슬로바키아(2013), 슬로베니아(2013)	5개국

출처: http://www.odakorea.go.kr/ODAPage_2012/T01/L04_S01_01.jsp

이, 덴마크, 룩셈부르크이다. DAC 회원국 중 ODA 지원규모 상위 5개국은 미국(315억불), 영국(179억불), 독일(142억불), 일본(118억불), 프랑스(113억불) 순이다.

이 밖에도 국제보건에 영향을 미치는 민간재단으로는 마이크로소프트 창설자인 빌 게이츠가 부모의 이름으로 설립한 빌 · 멜린다 게이츠 제단(B&MGF, Bill & Melinda Gates Foundation)이 있다. 이 재단은 극심한 가난을 퇴치하고 교육의 기회와 정보에 대한 접근성을 높임으로써 궁극적으로는 건강을 증진시킬 목적으로 설립되었다. 세계보건프로그램(Global Health Program)을 위해 매년 약 8억 달러를 지원하고 있으며, 보건정보 네트워크(Health Metrics Network)의 정책 수행을 위해 2005년부터 2011년까지 7년 동안 총 5천만 달러를 지원했다

(11) 국제비정부기구(NGOs, Nongovernmental Organizations)와 민간재단

국제보건문제에 관심을 가지고 직접적인 공헌을 하고 있는 비정부기구는 국제적십자사(ICRC, International Committee of the Red Cross), 케어(Care), 국경없는 의사회(MSF, Medecins Sans Frontieres), 옥스팜(OXFAM), 카리타스(Caritas) 등이 있다. 주요활동은 주요 개발도상국의 현장에 투신하여 보건 관련개발 원조를 직접 실행하는 역할을 한다. 실제로 원조사업의 1/3이 이러한 비정부기구들을 통해서 이루어지고 있다. 1990년대 후반 이후 국제 비정부기구의 금연, 결핵, HIV/AIDS와 같은 영역에서의 개입 활동이 증가하고 있는 추세이다.

2) 국제개발협력(International Development Cooperation)

국제개발협력이란 선진국-개발도상국 간, 개발도상국-개발도상국 간, 또는 개발도상국 내에 존재하는 개발 및 빈부의 격차를 줄이고, 개발도상국의 빈곤문제 해결하기 위한 공적개발원조를 의미한다. 1961년에 경제협력개발기구 개발원조위원회(OECD-DAC)가 출범한 이래로 정부를 비롯한 공공기관이 개발도상국의 경제발전과 사회복지 증진을 목표로 제공하는 것으로 개발도상국 정부 및 지역, 또는 국제기구에 제공되는 자금이나 기술협력을 포함하는 개념이다.

(1) 공적개발원조(ODA: Official Development Assistance)

보건의료분야의 공적개발원조는 개발도상국과 저소득 국가 국민의 건강향상과 빈곤퇴치를 위해 '공적개발원

조 전략'에 따라 추진되었다. 미국은 국제개발협력국(US agency for international development)에서 국제개발협력정책을 총괄하고, 일본은 '글로벌 보건의료정책 2011-2015'를 발표하여 추진하고 있으며(Ministry of Foreign Affairs of Japan, 2010), 유럽연합집행위원회는 '국제보건에서의 유럽연합의 역할(The UN role in global health)'이라는 전략보고서를 발표하고, 보건의료공적개발원조의 거버넌스(governance), 의료서비스의 접근성, 정책의 조율과 일관성을 개선한다는 목표를 제시하였다(European Commission, 2010).

우리나라는 2010년 '국제개발협력기본법'을 제정하였고, 같은 해 '분야별 국제개발협력 기본계획'과 '세부분야별 공적개발원조 전략'을 발표하였다(Hong, Cho, & Chang, 2011). 보건의료 분야의 지원전략은 무상원조와 유상원조로 나누어, 무상원조는 '보건의료 인적역량 강화, 제도적 역량강화 및 서비스 접근성 강화를 통한 개도국의 보건의료체계 강화지원'과 '모자보건 및 가족계획 향상, 감염병 예방 및 관리 강화 등 취약계층의 취약질병 지원 강화'가 제시되었다. 유상원조는 '단순한 시공보다는 개발계획, 병원건설, 초기 의약품 공급, 의료진 교육, 유지관리를 연계하는 총체적 시스템 구축'으로 제시하였다(Hong, Cho, & Chang, 2011).

우리나라 보건의료 공적개발원조(ODA)사업현황을 살펴보면, 국무총리실 산하 국제개발협력위원회가 2011년 '국제개발협력 분야별 종합시행계획'을 수립하였다. 무상원조는 총 33개 기관이 71개국을 대상으로 781개의 사업을 통해 총 5,832억원(US$ 5억7백만)을 집행하였다. 이중 보건관련 사업은 12.6%를 차지하였다(ODA Watch 정책감시팀, 2010).

(2) 한국국제협력단(KOICA, Korea International Cooperation Agency)

보건의료분야 ODA 집행기관 중 가장 큰 규모를 차지하는 단체로 '개발도상국 주민의 건강한 삶을 통하여 지속가능한 발전에 기여한다.'는 비전을 가지고 활동하고 있다(오충환, 2007). 2009년에는 총 ODA 투입자금의 23.1%가 보건의료분야에 지출되었고, 2010년에는 17.8%가 투자되었다. 주요사업은 1999년부터 2009년까지는 물자지원, 긴급구호, 개발조사, 연수생초청, 전문가 및 의료단 파견, 해외봉사단 파견, 국제기구협력 및 NGO 지원 사업을 수행하였다. 2011-2015년에는 보건의료사업지원 중기전략을 통해 보건의료분야의 인프라 및 물자지원뿐만 아니라 프로젝트 위주의 사업에서 보건부문 전반으로 접근할 수 있는 프로그램들을 지원하는 등 지원방식을 다양화하였다. 또한 그동안의 개발경험 및 노하우가 축적된 기생충 및 결핵퇴치 사업과 같은 질병관리 인프라 구축을 적극지원하고, 민간부문과의 혁신적인 파트너십을 구축하고자 노력하였다(오충현, 2011).

(3) 한국국제보건의료재단(KOFIH)

보건의료분야의 두 번째로 큰 규모의 ODA를 집행하는 단체로, 정부 차원의 보건의료분야 대외무상지원 사업을 수행하는 기관이며 2006년 8월에 설립되었다. 주요활동으로는 개발도상국가를 비롯하여 북한에 대한 보건의료 지원 사업, 긴급구호사업, 외국인 노동자 및 재외동포에 대한 보건의료지원 사업을 시행하며, 보건의료지원을 위한 조사 연구사업 및 의료기기 지원 사업, 그리고 보건의료 인력양성 프로그램인 이종욱 기념사업 등이 있다(권순만, 박건희, 2010). 또한 보건의료인력 교육 사업으로 개도국에 의대교수, 임상의, 간호대 교수, 의공기사 등을 대상으로 한 중장기 초청교육(이종욱 펠로우십)이 있고, 2007년부터 2012년까지 의사 167명, 간호사 51명 등 총 278명이 우리나라에서 임상의학, 통계, 간호이론 및 실습등의 교육을 수료하였다. 이 밖에도 라오스 통합 모자보건 증진사업의 경험을 살려, 2011년부터 캄보디아에서 조산사양성 센터 건립을 포함한 통합모자보건 증진

사업('11~'16, 106억)이 지원되고 있고, 필리핀에서는 결핵관리요원 교육, 환자발견 · 진단능력 개선을 목표로 한 결핵관리 지원 사업('11~'16, 52억)도 추진 중이다. 한편, 수원국의 지속가능한 보건의료 인프라 운영을 보다 효과적으로 지원하기 위한 성공적인 개발 경험과 비교우위가 있는 것으로 평가되고 있는 모자보건사업, 감염병 퇴치사업, 의료인력 교육 등을 추진하고 있다.

4. 국제보건에서의 간호사의 역할

급속한 세계화와 병원균의 대륙 간 이동감염, 의료인의 활발한 국제적 활동 등으로 지난 수년간 간호대학 및 의과대학에서의 국제보건교육(Global health education)에 대한 수요는 크게 증가하여 왔다(Mitchell et al, 2013). 간호사는 국제보건 프로그램의 특수성과 국제보건표준을 이해하는 전문직 종사자로서 일차보건의 인식개선을 통한 행위수정 중심의 교육수행을 위한 실무자로서 기여할 수 있으며(Lee, 2004), 일차보건의료수준이 취약한 국외 현지에서 지역사회기반의 참여형 교육사업을 통해 주민들의 역량을 향상시킬 수 있다(Shin, Kim, Yoo & Lee, 2010). 또한 보건진료원으로서 국내의 다문화 대상자에게 임상적으로 숙련되고 안전한 그리고 문화적으로 적절한 간호를 제공해야 하므로(Lee, Kim & Kim, 2012), 특히 간호학생들과 간호사는 국제보건역량을 갖추는 것이 필수적이다(Bradbury-Jones, 2009). 국제간호협회는 간호사가 새천년개발목표달성을 위하여 기아퇴치, 아동사망률 감소, 모자보건향상, 에이즈와 말라리아 및 기타 각종 질병 퇴치에서 중요한 역할을 해야 한다고 강조하였다(International Council of Nurses, 2008). 따라서 국제보건프로그램의 특수성과 국제표준의 이해를 바탕으로 지속적인 ODA사업의 감독 및 평가가 필요하며, 이를 수행하기 위해서는 예비 의료인 대상의 보건의료 ODA 사업 분야에 대한 실질적이고 체계적인 교육이 필요하다(Long, 2014). 간호학생들의 국제보건역량을 강화시키기 위한 프로그램은 문제해결과 의사결정을 위한 목적으로 문제 상황에 적극적으로 참여하려는 비판적 사고성향과 국제보건 관련 잠재적 리더 발굴을 위한 글로벌 리더십 양성을 목적으로 해야 한다(Facione, Facione & Sanchez, 1994).

2014년 현재 전국 201개의 간호교육기관에서 '국내외 보건의료변화 인지'가 간호교육의 중요한 프로그램 학습 성과 중 하나로 강조되고 있다. 뿐만 아니라 높은 학습역량과 함께 임상영역의 학습과 지역사회 간호 및 일차보건, 역학, 리더십, 보건교육 프로그램 이수 등을 통해 예비 전문 의료인으로 훈련되고 있다. 그러나 현재 국제보건사업을 체계적으로 진행하는 간호대학은 소수에 지나지 않으며, 대부분 간호대학의 국제보건역량증진을 위한 교육은 학술세미나 또는 강의식 수업으로 진행되고 있다(Hwang, Kim, Ahn & Kang, 2015). 간호학생들의 국제화역량을 강화하기 위해서는 현장실습위주의 교육을 통해 다양한 문화의 사람들과 살아있는 체험이 중요하다(International Council of Nurses, 2010).

이로서, 국제보건을 위한 간호사의 역할은 아래와 같이 요약할 수 있다(최연희 외, 2014).

① 건강에 영향을 주는 사회적 환경개선: 여성교육수준 향상, 빈곤감소, 모성사망관련 사회적 여건 향상

② 아동 및 청소년 건강증진: 영아사망률 감소, 모성사망률 감소, 미숙아 감소, 청소년 건강증진, 성인건강과 질병의 아동기 선행요인 확인

③ 가족계획 개선

④ 약물남용 감소

⑤ 감염성질환의 확대 예방

⑥ 신체적, 정신적 질환관리: 만성질환 발생 감소, 건강증진을 위한 기술사용, 우울 발생 감소, 통증관리 향상, 욕창 발생 감소

⑦ 국제적 필요성과 요구에 따른 보건의료전달체계의 적용 및 개발

⑧ 타당하고 경제적으로 용이한 건강측정방법의 연구 및 개발

참고문헌

- 강향숙 외, 지역사회간호학. 퍼시픽북스. 2015.
- 공은숙 외, 보건교육학. ㈜정담. 2015.
- 서울대학교 교육연구소, 교육학용어사전. 지구문화사. 2011.
- 권순만, 박건희, 보건의료분야 국제개발사업 수행체계 및 프로그램 개발. 보건복지부. 2010.
- 권영숙 외, 원론지역사회간호학(5판). 신광출판사. 2014.
- 김창엽, 국제보건의 국제적 동향과 이론. 건강정책학회. 2010.
- 김창엽, 국제보건의료의 근거와 책임. 의료정책포럼. 2013;11(2);8-13.
- 김화중 외, 지역사회간호학(9판). 수문사. 2013.
- 오미성 외, 성과기반 지역사회간호학. 퍼시픽북스. 2015.
- 안양희 외, 지역사회보건간호학. 현문사. 2014.
- 오충현, KOICA 보건의료 전략(2011-2015). 한국국제협력단. 2011.
- 오충환, 해외원조 현황과 발전방향. 한국국제협력단. 2007.
- 유엔새천년개발목표 보고서 한국위원회, 유엔새천년개발목표 보고서 2013-2014. [cited 2013 October 17] available from: 지구촌 빈곤퇴치시민네트워크. 26-52.
- 유광수 외, 지역사회간호학(3판). 정담미디어. 2013.
- 유호신 외, 지역사회간호학. 수무사. 2011.
- 윤지웅, 우리나라의 공적개발원조현황에 대한 국제비교 및 제언: 보건의료분야를 중심으로. 정책논단: 국제협력과 국제개발. 2013;Autumn.; 25-34.
- 임소진, 국제사회의 Post-2015 개발 프레임워크 수립동향 및 한국 ODA의 기여방안. KOICA 개발정책 포커스. 한국국제협력단. 2012:14.
- 조순자 외, 지역사회 간호학 총론. 현문사. 2012.
- 조유향 외, 지역사회간호학 총론(7판). 현문사. 2014.
- 정문희 외, 21C 지역사회보건간호학(5판). 신광출판사. 2014.
- 질병관리본부. 보도자료-국제보건규칙(IHR2005) 발효에 따른 대응대비책 마련. 질병관리본부. 2007.
- 최연희, 이지현 외, 지역사회보건간호학 I. 수문사. 2014.
- 최일섭, 지역사회복지론. 서울대학교출판부. 1997.
- 행정학용어표준화연구회, 행정학용어사전 새정보미디어. 2010.
- Bank of Korea. National Incomes. 2013. Seoul: Bank of Korea.
- Bradbury-Jones C. Globalization and its implications for health care and nursing practice. Nursing Standard. 2009;23(25);43-37. http://dx.doi.org/10.7748/ns2009.02.23.25.43.c6831.
- Brown TM, Cueto M., Fee F. The World Health Organization and the transition from "international" to "global" public health. American Journal of Public Health. 2006; 96(1): 62-72.
- Committee of International Development Cooperation of Korea. Strategic plan for international development cooperation. 2010. Sejong: Commitee of International Development Cooperation of Korea.
- Consortium of Universities for Global Health. Inaugural meeting report. retrieved 2016. January 12. available from: http://www.cugh.org/sites/default/files/inaugural-meeting-report.pdf.
- Development Assistance Committee of the Organization for Economic Cooperation and Development. Resent trends in official development assistance to health. 2009. Paris: Organization for Economic Cooperation and Development.
- European Commission. The EU role in global health. Bussets: European Commission.
- Facione N., Facione PA, Sanchez CA. Critical thinking disposition as a measure of competent clinical judgement: The Development of the Califonia Critical Thinking Disposition Inventory. Journal of Nursing Education. 1994: 33(8):345-350.

- Global Health Initiative. Why Global Health Matters. 2008. Washington D.C.: Families USA.
- Hong SP. Cho MS. Chang JY. Study of improving effectiveness of Korea's health field ODA. 2011. Seoul; Korea Institute for Health and Social Affaires.
- Hwang SY, Kim JS, Ahn H, Kang SJ. Development and effect of global health capacity building program for nursing students. Journal of Korean Academy of Community Health Nursing. 2015;26(3);209-220. http://dx.doi.org/10.12799/jkachn.2015.26.3.209.
- International Council of Nurses. Delivering quality, serving communities nurses leading primary health care.[internet].Geneva; International Council of Nurses. 2008 [cited 2016 January 121] available from: http//www.icn.ch/publications/2008-delivering-quality-serving-communities-nurses-leading-primary-health-care.
- International Council of Nurses. Vision for the future of nursing.[internet].Geneva; International Council of Nurses. 2010[cited 2016 January 12] available from:
- http//www.icn.ch/about-icn/icns-vision-for-the-future-of-nursing.
- Koplan Jeffrey PT. Christoper Bond MH. Merson et al. Towards a common definition of global health. Lancet. 2009;373(9679);1993-1995.
- Lee NJ. The impact of international experience on student nurses' personal and proessional development. International Nursing Review. 2004;51(2);113-122.
- Lee EJ, Kim YK, Lee H. A study on the cultural competence of community health practitioners. Journal of Korean Academy of Community Health Nursing. 2012;23(2);179-188.
- Long T. Influence of international service-learning on nursing student self-efficacy toward cultural competence. Journal of Nursing Education. 2014:53(8):474-478.
- Ministry of Foreign Affairs of Japan. Japan's global health policy 2011-2015. 2010. Tokyo: Ministry of Foreign Affairs of Japan.
- Mitchell RD, Jamieson JC, Parker J, Hersch FB, Wainer Z, Moodie AR. Global health training and prostgraduate medical education in Australia: the case for grater integration. Medical Journal of Australia. 2013;198(6);316-319.
- ODA Watch 정책감시팀. 원조분절화 문제의 해결방법을 찾아서-보건분야. 2010. ODAWatch 뉴스레터 63호.
- Shin H., Kim ES, Yoo BW, Lee H. Development of a community-based participant global health project model for primary health care capacity development: A case study from a rural community in Ecuador. Journal of Korean Academy of Community Health Nursing. 2010:21(3):31-42.
- UNDP (2012). The Millennium Development Goals Report 2012. New York, United Nations.
- United Nations. Millenium Development Goals and beyond 2015. http://www.un.org/milleniumgoals.
- White F, Nann DJ. Ch 76: International and Global Health. 2008. In Mexico-Rosenau-Last. Public Health and Preventive Medicine(15th ed.) Columbus: McGraw Hill.

참고사이트

- 경제개발협력기구/개발원조위원회 http://www.oecd.org/dac
- 국무조정실 개발협력정책관실 http://www.odakorea.go.kr/oz.main.ODAMain.do
- 미국간호사협회 http://www.nursingworld.org
- 미국보건간호협회 http://www.apha.org
- 미국의료협의체(IOM) http://www.iom.edu.np
- 세계간호사협회 http://www.icn.ch
- 세계지역사회간호학회 http://ichn.ie
- 한국건강증진개발원 http://www.khealth.or.kr
- 한국지역사회간호학회 http://www.kchn.or.kr
- 해피캠퍼스 http://www.happycampus.com/

제 2 장

역학지식 및 보건통계

학습목표

- 역학의 정의와 목적을 설명할 수 있다.
- 질병의 역학모형을 설명할 수 있다.
- 인구 통계자료를 기술할 수 있다.
- 인구구조의 유형별 특징을 설명할 수 있다.
- 우리나라 인구구조의 변화를 설명할 수 있다.
- 질병의 자연사를 설명할 수 있다.
- 질병의 자연사와 예방수준과의 연관성을 규명할 수 있다.
- 감염성 질환의 발생과정을 설명할 수 있다.
- 감염성 질환 발생에서 집단면역을 설명할 수 있다.
- 역학적 측정 지표를 산출할 수 있다.
- 역학적 측정지표를 활용할 수 있다.
- 진단검사의 타당도를 설명할 수 있다.
- 진단검사의 신뢰도를 설명할 수 있다.
- 역학연구의 종류와 특성을 설명할 수 있다.
- 인구집단 수준의 건강관련 데이터를 확인할 수 있다.
- 기초적인 건강관련 데이터를 해석할 수 있다.
- 데이터 출처의 질을 평가할 수 있다.

개요

본 장에서는 질병발생기전을 규명하고 질병의 효과적인 예방법을 개발하기 위한 역학의 이론과 연구방법에 대하여 소개하고 있다. 지역사회간호 실무에 적용 할 수 있는 건강수준지표의 정의와 감염성질병의 예방방법을 제시하고, 인구의 종류와 인구 통계에 관한 특성 및 생정통계 기본지표를 제시하고 있다. 인구구조의 특성으로 연령구조, 인구 피라미드의 유형, 그리고 인구 전환이론과 우리나라 인구변동의 특성과 그에 따른 인구정책을 설명하고 있다.

주요 용어

- 기술역학 • 인구통계 • 인구구조 • 인구정책 • 발생률 • 발병률 • 병인요인 • 상대위험비 • 숙주요인 • 민감도
- 환경요인 • 역학모형 • 유병률 • 유행 • 신뢰도 • 집단검진 • 단면연구 • 코호트연구 • 환자–대조군연구 • 1차 예방
- 2차 예방 • 3차 예방 • 예측도 • 타당도 • 특이도

제1절 역학의 이해

1. 역학의 정의

역학(疫學, epidemiology)은 그리스어에서 그 어원을 갖는 것으로서 epi는 '~에 관한, upon', demos는 '인구, people', ology는 '과학 또는 학문, science, study'라는 뜻을 갖고 있으며, epidemic은 일정 기간 발병이 급증하거나 평상시의 발생보다 증가하는 유행병을 뜻하기도 한다. 즉, 역학의 의미는 인구에 관한 학문 또는 인구집단의 유행병에 관한 학문이라고 할 수 있다. 예로부터 우리나라에서 '역(疫)'은 역질(疫疾)이라 하여 전염병을 의미하는 단어로 전염병의 집단발생을 의미하는 epidemic의 뜻이었으나 오늘날에는 감염병에 한정되지 않고 모든 생리적 상태와 이상상태의 집단발생을 의미하는 다양한 개념으로 사용하고 있다.

시대의 변천에 따른 여러 학자들의 역학에 대한 정의가 다양하지만 역학은 인간집단을 대상으로 모든 생리적 상태 및 이상상태의 빈도와 분포를 기술하고 이들과 관련된 물리적, 생물학적, 사회문화적 요인들 뿐만 아니라 건강에 영향을 미칠 수 있는 행동요인과의 원인적 연관성 여부를 근거로 그 발생 요인을 밝혀냄으로써 효율적 예방법을 개발하는 학문이라고 할 수 있다.

역학에 대한 정의는 학자마다 달리하고 하고 있으나, 김정순(2004)은 '역학은 인구집단을 대상으로 이들에서 발생하는 생리적 상태 및 이상상태에 대해 빈도와 분포를 기술하고 이들 빈도와 분포를 결정하는 요인들을 원인적 연관성 여부를 근거로 그 발생요인을 밝혀냄으로써 효율적 예방법을 개발하는 학문'이라고 정의하였다.

위의 역학의 정의 중 5가지 구성내용을 좀 더 구체적으로 살펴보면 다음과 같다.

첫째, 역학의 대상이 인간집단임을 명시한 것은 역학의 대상은 환자는 물론 지역사회의 모든 주민, 즉 건강인도 포함한다는 것을 강조한 것이다.

둘째, 역학 연구의 대상은 생리적 상태와 이상상태를 모두 포함하는 것은 인간에게 필연적으로 발생할 수 있는 모든 사건의 자연사가 됨을 의미한다. 즉 생리적 상태라는 것은 인간이 수정란에서 출발하여 출생한 뒤 성장과 발육, 성숙, 노쇠, 사망에 이르는 모든 생리적 과정을 의미한다. 이에 비해 이상상태란 건강상태에서 벗어난 상태, 즉 질병, 결손, 불능, 장애, 사망 등이 모두 포함된다.

셋째, 빈도와 분포를 기술한다는 것은 인간집단 내에서 발생하는 생리적 상태와 이상 상태의 빈도를 기술하고, 성별, 직업별, 교육수준별, 지역별, 시간별 특성 등 여러 가지 변수가 고려하여 분포를 논리적으로 설명하는 것을 의미한다.

넷째, 다양한 역학 연구 방법을 통하여 빈도와 분포를 결정하는 요인을 원인적 연관성 여부에 근거를 두고 밝혀내어 사건발생과 관련요인간의 인과관계를 제시하는 것이다.

다섯째, 역학의 궁극적 목적은 질병의 효율적 예방법을 개발하여 질병 발생을 막는 1차 예방, 발병 후 조기치료를 통하여 진행을 막는 2차 예방, 그리고 재활 및 조기사망을 예방하는 3차 예방 등 모든 수준의 예방을 포함하고 있다.

2. 역학의 목적과 활용

의학과 과학의 발전은 많은 사회적 변화를 가져왔으며 이에 따라 역학의 개념과 목적이 변화되었다. 1950년대까지 전염병이 주요한 사망원인이었던 시대의 역학은 유행병에 관한 과학으로서 전염병의 분포와 발생 원인을 파악하고 연구하는 학문이었다. 그러나 경제수준의 향상과 사회변화에 따라 건강권에 대한 인식이 증가하게 되었고 질병발생양상은 급성 전염성 질환에서 만성퇴행성질환으로 전환되기 시작하였으며 더불어 재해와 각종 사고의 발생 등이 증가하면서 이에 따라 역학의 개념과 목적도 변화되었다.

학자들의 다양한 정의를 종합해보면 역학은 인간에게 발생하는 질병과 각종 사고의 발생의 분포와 빈도를 기술하고 이러한 질병 발생과 사고 발생을 결정하는 요인들을 규명함으로써 인구집단의 건강문제발생을 효율적으로 예방하고 관리하는 방법을 연구하는 학문이라고 할 수 있는 역학의 기능과 실제 활용목적은 다음과 같다.

1) 기술적 역할

(1) 자연사에 대한 기술

질병의 발생 초기부터 끝까지 진행되는 과정, 즉 자연사(自然史)를 기술하는 것으로 질병의 임상적 특성, 임상경과 등 자연사에 관한 통계는 발생 가능한 질병의 예방, 질병의 진단 및 예후를 추정하는 데 유용하다.

(2) 건강수준과 질병양상에 대한 기술

건강상태를 측정하는 여러 가지 보건지표(예 ; 발생률, 유병률, 사망률 등)의 기술 뿐 아니라 이들을 결정하는 요인을 관련시켜 기술함으로써 질병 발생의 원인을 규명하기 위한 가설설정의 실마리를 제공한다. 한편, 건강수준 및 질병양상을 기술하려면 계량화된 측정 도구가 필요하며, 이러한 도구는 여러 사람이 동일한 개념으로 사용할 수 있도록 표준화된 것이어야 한다. 따라서 건강수준을 좀 더 정확히 기술할 수 있는 보건지표를 개발하고 이러한 지표로 측정된 값이 얼마나 정확하고 신뢰할 만한지 검증하는 것도 역학의 주요한 역할이다.

(3) 인구동태에 관한 기술

역학은 인구집단을 대상으로 하는 만큼 어떤 사건을 기술할 때는 인구집단에 대한 상세한 기술이 항상 병행되어야 한다. 더구나 어떤 집단의 출생률, 사망률 등은 인구의 양적 변화 및 구조적 변화를 초래하여 질병양상에도 영향을 줄 수 있다. 따라서 출생 및 사망과 같은 주어진 인구집단의 인구동태 자료는 건강수준 측정에 주요한 보건지표가 된다.

2) 원인 규명의 역할

역학연구의 근본 목적이며 가장 중요한 역할인 질병의 원인과 전파경로를 찾아내어 치료를 촉진시키고 전파를 차단하고, 여러 위험요인들에 대한 관리대책을 수립함으로써 질병발생을 억제하는 데 기여한다.

3) 연구전략개발의 역할

역학은 인간을 대상으로 하므로 함부로 조작을 가하는 실험을 할 수 없다. 따라서 사람의 건강에는 전혀 영향을 미치지 않으면서도 어떤 특정 요인의 존재나 부재가 건강에 미치는 결과를 명백히 증명해 줄 수 있는 연구방법의 개발이 필요하다. 역학연구방법으로 단면조사연구, 환자-대조군 연구, 코호트 연구 등이 있다. 역학은 이와 같은 다양한 연구방법을 활용하여 원인-결과의 관계를 규명하는 데 필요한 여러 가지 과학적인 방법을 개발하는 데 많은 기여를 하고 있다.

4) 질병 및 유행발생의 감시 역할

감시(surveillance)란 공중보건을 계획, 수행, 평가하는 데 중요한 건강자료를 수집, 분석, 해석하고 이러한 자료를 필요로 하는 사람에게 적절히 보급하는 일련의 과정을 말한다. 따라서 감시는 어떤 현상을 일상적으로 측정하여 분석하는 모니터링 이상의 개념으로 질병이나 이상상태의 발생 분포를 지속적으로 파악함으로써 이들의 변화를 조기에 감지하여 적절한 조치를 취함으로써 질병의 발생을 예방하고 관리하기 위한 좀 더 종합적이고, 체계적인 과정이다. 역학은 인간집단에서 일어나는 이상상태의 빈도와 분포를 파악하여 기술함으로써 이들의 변화를 조기에 발견하고 신속히 처리할 수 있도록 해 주는 상황판단에 좋은 길잡이 역할을 한다.

세계보건기구(WHO)에서는 '국제적인 질병확산을 예방 · 방어 · 관리 · 대응하는 것'을 목적으로 국제보건규칙을 제정하여 신종감염병 등의 출현에 즉시 대처할 수 있도록 국제공중보건비상사태(public health emergency of international concern)라는 항을 두어 다양한 질병위협에 대처할 수 있도록 하고 있다.

미국에서는 질병관리센터(Center for Disease Control and Prevention ; CDC)가 있어 각 주로부터 모든 질병이나 사망과 관련된 자료를 보고받아 정리한 후 MMWR(Mortality Morbidity Weekly Report)을 발간하고 있으며, 국내에서는 질병관리본부 내 질병조사감시부 질병감시과에서 매주 감염병 발생주보(Communicable Diseases Weekly Report ; CDWR)와 감염병발생정보(Communicable Diseases Monthly Report ; CDMR) 및 감염병 감시연보를 발간하여 감염병의 원인별로 관리 전략을 수립하여 질병 및 유행발생의 감시 역할을 강화하고 있다(안양희 외, 2008)

5) 보건사업의 평가

지역사회보건사업의 계획 및 수행에 대한 평가, 새로운 사업에 대한 평가, 사업진행 중간의 평가, 사업의 효율성 평가 및 사업의 효과를 평가하는데 다양한 역학방법이 사용된다.

6) 임상연구에서의 활용

신약의 효과나 새로운 치료법의 효과 등 다양한 임상 분야의 연구에 많은 기여를 하고 있다.

이상과 같이 역학의 목적은 특정 건강문제의 분포를 기술하고 원인을 규명할 뿐만 아니라 건강문제가 얼마나 발생할 것인지 예견하고 예견된 건강문제의 발생을 통제함으로써 인구집단이 최적의 건강을 유지 증진하는 데 기여한다.

3. 역사적 배경

역학 연구의 기원은 BC 5세기인 히포크라테스(460~377 BC) 시대에서 시작되었다. 히포크라테스는 그의 저서인 Epidemic에서 질병의 발생은 기후의 영향이 인간생활에 미치는 영향이라고 하면서 질병의 발생은 환경, 기후, 생활양식에 의한다고 주장하였으며, 인체의 모든 생물학적 현상을 건, 습, 열, 냉의 네 가지 요소로 구분하여 설명하였다.

19C 이후에 역학의 학문체계를 갖추고 인구집단에서 특정 질병의 분포를 측정하는 연구가 시작된 것은 주로 위생과 관련한 질병 발생의 경로를 추적하여 환경을 관리하는 수단으로 사용되었다. 이 시대의 대표적인 역학자로는 괴혈병의 발생원인을 알아낸 린드(James Lind: 1716~1794)와 1855년 콜레라의 원인을 오염된 상수나 음식물로 전파되는 질병이라는 것을 규명하여 런던의 콜레라의 유행을 막은 스노(John Snow: 1813~1858)가 있다.

20C에는 영양결핍증에 의해 펠라그라(pellagra, 홍반병)가 발생한다는 것을 증명한 골드버거(Goldberger, 1914)와 모기가 황열의 발생에 병원소 역할을 한다는 것을 증명한 간호사 루이즈 마스(Clara Louise Maass: 1876~1901)의 공헌 등은 역학적 연구의 기초가 되었으며, 1950년대까지는 주요 사망원인인 전염성 질환과 관련한 역학조사가 주로 이루어졌다. 20C 중반 이후 만성질환이 사망원인으로 대두되기 시작하면서 역학연구는 질병 발생뿐 아니라 인간의 건강에 영향을 미치는 사회적, 경제적, 환경적 요인들을 포함한 연구가 활발해지기 시작하였다. 1948년에 심장병의 원인규명을 위한 미국 프레이밍햄(Framingham) 지역의 프레이밍햄 심장연구(Framingham Heart Study), 1950년에 흡연과 폐암발생을 연구한 영국의 돌과 힐(Doll and Hill)의 연구 등 만성질환에 관한 중요한 역학적 연구결과를 내었으며, 그 외에도 소아마비 예방접종 효과성 연구, 암발생 관리를 포함한 만성병역학연구 등이 이루어졌다. 현대역학자들은 고혈압과, 당뇨 등 만성질환의 관련요인에 대한 연구, 에이즈, 약물남용, 자살, 아동학대 등 건강과 관련된 사회적, 신체적 요인을 파악하는데 노력하고 있다. 1980년 이후 건강증진과 관련한 법률과 정책 등의 제정에 힘입어 역학은 건강관련 행위에 관심을 두기 시작했다. 즉, 질병의 발생에 관한 연구에서 건강을 증진하기 위한 연구로 전환되어 비만예방을 위한 연구, 사고예방을 위한 연구, 중독을 예방하기 위한 연구 등 인구집단의 건강행위를 변화시킬 수 있는 방법과 관련한 연구들이 증가하게 되었다.

역학 연구의 범위와 변화 방향이 질병의 발생 중심에서 건강증진으로 전환된 시점에서 간호사는 개인, 집단, 지역사회의 적정수준의 건강을 유지 · 증진하기 위해 다양한 전략과 접근을 활용할 수 있다. 특정 질병에 대한 고위험 인구를 사정하고 이들의 건강행위가 건강문제로 유발되지 않도록 하기 위해 개별적 보건교육 등을 실시하거나 잠재적 대상자들에게 관련 질환의 발생을 예방하기 위한 건강한 생활습관을 갖도록 집단 교육을 실시하는 것이 포함될 수 있다.

4. 질병발생 모형과 원인적 연관성

1) 질병발생의 3요인

(1) 병원체(agent)

어떤 질병발생에 직접적 원인이 되는 요인을 그 질병의 병원체 또는 병인이라고 한다. 클락(Clark, 1999)은 병원체를 크게 5가지로 나누고 있다.

- 물리적 요인: 전리방사선, 화학물질, 냉 · 과열 등
- 화학적 요인: 오염원, 약물 등
- 영양 요인: 과잉 또는 결핍
- 심리적 요인: 스트레스, 사회적 격리, 사회적 지지 등
- 생물학적 요인: 세균, 바이러스, 곰팡이, 기생충 등

(2) 숙주(host)

같은 조건의 병인과 환경이라 할지라도 숙주의 병인에 대한 감수성과 면역수준에 따라 질병발생 양상은 다르게 나타난다. 숙주의 저항력에 영향을 미치는 요인들은 다음과 같다.

- 유전적 소인
- 성, 연령 등 생물학적 요인
- 과거 폭로경험, 영양상태, 성격 등 체질적 요인
- 사회, 경제적 수준과 결혼 및 가족형태, 직업 등 사회적 요인

(3) 환경(environment)

환경은 질병발생에 영향을 미치는 외적 요인으로서 크게 생물학적, 사회적, 물리적 환경 등 세 가지로 분류 할 수 있다.

- 생물학적 환경: 동식물, 미생물, 감염성 질환의 매개체, 감염원 등
- 사회적 환경: 문화적, 기술적, 교육적, 정치적, 인구학적, 사회학적, 경제학적, 법적 특성 등
- 물리적 환경: 고열과 한랭 및 공기, 기압, 주택 시설, 음료수, 소음, 지질, 지형 등

2) 질병발생의 모형

(1) 생태학적 모형(ecological model)

John Gordon의 지렛대이론(Lever Theory)은 질병 혹은 유행의 발생기전을 환경이란 지레받침대의 양쪽 끝에 병원체와 숙주라는 추가 놓인 지렛대에 비유하여 설명하고 있다. 개인 혹은 지역사회의 건강상태는 병원체, 숙주, 환경요인들이 평행을 이루어 어느 쪽으로도 기울지 않는 상태이며, 세 가지의 요인 중 어느 한 가지 요인이

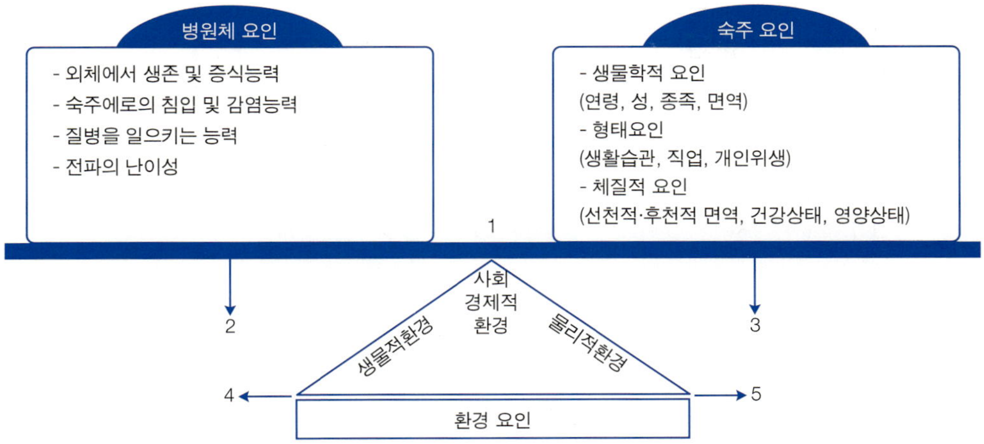

그림 2-1 생태학적 모형에 의한 질병 발생기전

출처: 김정순(2000). 역학원론. 신광출판사.

①은 평형상태, ②는 병원체 요인의 변화, ③은 개인 혹은 집단의 면역수준의 변화로 인한 숙주의 감수성 변화, ④와 ⑤는 환경 변화를 의미

변동을 일으켰을 때 평형은 깨어지고 어느 한 쪽으로 기울어진 상태일 때 질병 혹은 유행이 발생된다는 이론이다(그림2-1).

(2) 수레바퀴 모형(wheel model)

수레바퀴 모형은 질병발생에 대한 원인요소들의 기여 정도에 중점을 두고 설명하고 있는데, 병원체는 환경의 일부로 간주되므로 크게 숙주와 환경 사이의 관계를 설명하는 모형으로 질병의 병인을 강조하지 않고 다요인적 병인을 확인할 필요성을 강조하고 있는 것이 특징이다. 수레바퀴의 중심은 유전적 소인을 가진 숙주가 있고, 그 숙주를 둘러싸고 있는 환경은 생물학적, 물리적, 화학적, 사회적 환경으로 구분된다(그림 2-2). 이 모형은 질병의 종류에 따라 각 바퀴를 구성하는 각 부분의 기여도 크기에 의해 면적의 크기가 달라진다. 감염성질환에서는 숙주의 면역상태와 생물학적 환경이 크게 관여하고, 유전성 질환에서는 유전적 요인 부분이 비교적 크게 관여한다.

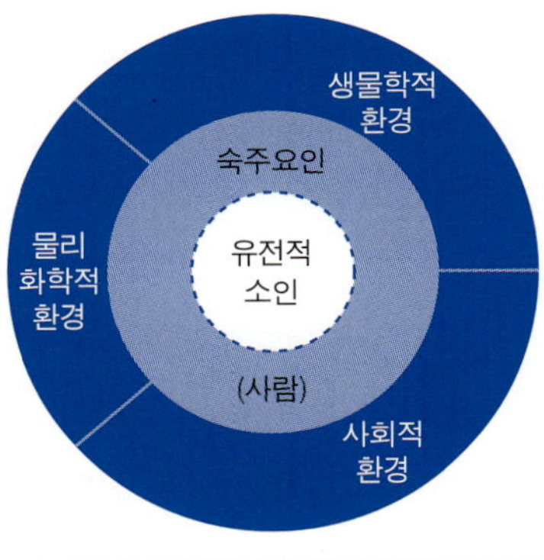

그림 2-2 수레바퀴 모형

출처: 김정순(2000). 역학원론. 신광출판사.

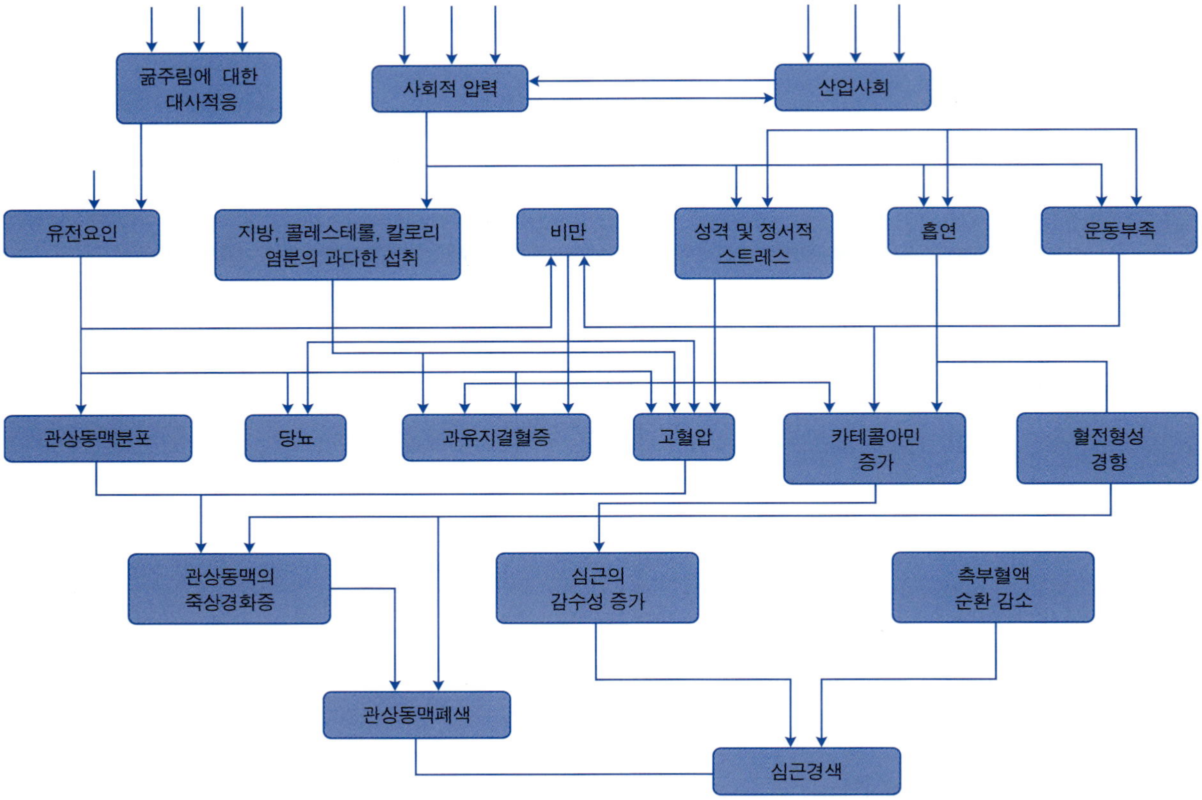

그림 2-3 관상동맥질환의 발생을 설명한 거미줄 모형

출처: Friedman CE(1987). Primer of epidemiology. 3th ed. NY : McGraw-Hill.

(3) 거미줄 모형(web of causation model)

맥마흔(MacMahon: 1923~2007)은 질병발생에 관여하는 여러 직·간접적인 요인들이 거미줄처럼 서로 얽혀 질병을 발생시킨다고 주장하였는데, 거미줄 모형은 질병 발생이 어느 한 가지 원인에 의한 것이 아니라 여러 가지 원인이 서로 연관되어 있고 반드시 선행하는 요소가 거미줄처럼 복잡하게 얽혀 어떤 질병이 발생된다는 설이다. 이 모형에서는 질병발생에 영향을 주는 요인으로 병인과 숙주, 환경 등 사람의 내부와 외부의 여러 환경들이 서로 연결되어 만성질병을 발생하는 것을 설명하고 있으며, 질병을 예방하려면 많은 원인 요소 중 질병발생 경로상의 몇 개의 요인을 제거하면 된다는 것을 보여 주고 있다. Friedman(1980)은 만성병 발생 기전을 심근경색증의 예를 들어 거미줄모형으로 설명하였다(그림2-3).

3) 원인적 연관성

원인이란 독립된 단일 개념이기 보다는 결과라는 개념과 짝지어짐으로써 정의될 수 있으며 두 사상 간에는 시간적인 전후 관계를 지닌다. 즉 시간적으로 앞선 사상은 뒤이어 발생한 사상(결과)의 원인이 된다. 그러나 이 두 개 사상 간의 관계는 쉽게 확정되어지지는 않는데 전혀 상관없이 우연히 그렇게 시간적으로 연결되어 발생할 수

그림 2-4 원인적 연관성에 대한 역학적 결과 해석

출처: 김정순(2000). 역학원론. 신광출판사.

도 있기 때문이다.

따라서 우연의 발생과 실재하는 인과관계를 구별하려면 확률에 근거를 두어 여러 번 반복된 관찰에서 동일한 관계가 성립되어야 하며(통계적 연관성), 이들 중 일부만이 원인적 연관성을 가질 수 있다. 따라서 어떤 두 개의 사상사이의 관계는 다음의 그림 2-4와 같이 정리될 수 있다. 서로 독립된 관계는 두 개 사상 간에 아무런 관계도 없는 것으로 홍역의 유행과 여자들의 미니스커트 유행과 같은 관계이다.

통계적으로 연관된 관계는 한 개의 사상이 존재할 때 다른 한 개의 사상이 발생할 확률이 사상이 존재하지 않을 때의 발생확률에 비해 통계적으로 유의하게 높거나 낮은 관계이다. 예로 소득수준과 당뇨병 발생률 사이의 관계이다. 비원인적 연관성은 통계적 연관성을 가진 두 사상 간의 관계 중에서 원인적 연관성을 확정 짓는데 필요한 조건을 만족하지 못한 연관성으로 3가지의 가능한 요인에 의한다. 첫째 우연에 의한 것, 둘째 연구 설계 및 방법상의 문제, 셋째 두 사상 간에 아무런 관련이 없더라도 관련이 있는 것처럼 나타나게 하는 제3의 요인, 즉 혼란변수(confounding variable)의 개입 등이다.

원인적 연관성은 한 개 사상의 양과 질이 변화됨에 따라 다른 한 개 사상의 양과 질도 변화하는 두 사상 간의 관계로 홍역 예방접종률의 증가에 따라 홍역 발생률이 감소하는 관계이다. 역학에서의 원인에 대한 개념은 질병의 예방을 목표로 원인적 연관성 유무의 확정만으로도 잠정적 원인으로 간주하고, 이를 예방에 활용해야 하므로 임상의학에서의 원인적 연관성과는 뚜렷한 차이가 있다(표2-1).

원인적 연관성과 비원인적 연관성을 판별하여 확정하기 위해서는 여러 가지 필요한 조건을 충족시켜야한다. 역

표 2-1 코흐의 가설(Koch's postulates)

- 동일 질환을 가진 각 환자 모두로부터 동일 세균이 발견되어야 한다.
- 그 세균은 분리되어져야 하고 순수배양에서 자라야 한다.
- 감수성 있는 동물에게 그 순수배양 된 세균을 접종하면 동일 질병을 발생 시켜야 한다.
- 그 세균은 실험적으로 발병하게 한 동물로부터 다시 발견되어야 한다.

학적인 방법으로 분석된 자료가 다음의 조건을 충족시키면 인과관계의 가능성이 큰 것으로 결론을 내릴 수 있다.

- 시간적 속발성(temporality): 원인으로 생각되는 사건이 결과로 생각되는 사건의 발생보다 시간적으로 선행되어야 한다.
- 통계적 연관성의 강도(strength): 통계적 연관성의 강도가 클수록 인과관계의 가능성이 높다고 할 수 있다.
- 기존 지식과의 일치성(consistency): 이미 알려진 지식과 일치할 경우 원인적 연관성의 강도는 커진다.
- 생물학적 발생빈도(biologic gradient): 질병의 발생률은 요인에 대한 폭로의 양이나 기간에 따라 상관성이 있어야 한다. 즉 용량–반응관계(dose–response)가 있어야 한다.
- 특이성(specificity): 어떤 요인이 특정질병에 관련을 보이나 다른 질병에는 관련성을 보이지 않는 경우 특정질병과의 인과관계의 가능성이 높아지는 것을 의미한다.
- 생물학적 설명 가능성(biological plausibility): 역학적으로 관찰된 두 변수의 사이의 연관성이 생물학적 기전으로 설명 가능하다면 인과관계의 가능성이 높다.
- 일관성(coherence): 어떤 폭로요인과 질병의 관계가 반복하여 같은 결과를 나타내는 경우 신뢰성이 높다. 다른 집단에서 행할 경우에도 같은 경향을 보일 수 있어야 한다.
- 실험적 증거(experimental evidence): 실험을 통해 요인에 노출할 때 질병발생이 확인되거나 요인 제거로 질병발생이 감소한다면 원인일 가능성이 높다.
- 가역성(reversibility): 어떤 요인이 제거되거나 그 원인에의 노출이 감소되면 질병발생위험이 감소된다면 인과관계가 존재할 가능성이 높다.

제2절 인구 현상의 이해

1. 인구의 개념

1) 인구의 정의

인구(population)는 일정기간 내에 일정지역에 생존하는 인간의 집단을 의미한다. 인구를 정의할 때 필요한 요소는 시간성, 공간성, 조사방법 및 조사원칙 등이다(은기수 외, 2011). 예를 들어, '2014년 한국 인구'라고 하면 거주를 어떻게 규정하는지 알아야 제대로 된 인구분석을 하고, 인구현상을 이해할 수 있다. 일반적으로 "한국 인구" 또는 "우리나라 인구"라고 말할 때에는 한국 거주 외국인과 장기(6개월 이상) 해외 체류자를 제외한 '센서스 인구' 또는 이를 보정하여 만든 연앙인구를 일컫는다. 1790년에 미국에서 최초로 실시하였고 19세기 중엽부터는 유럽의 여러 나라에서 체계적인 인구조사가 실시되었다. 1960년 이후에는 UN의 권고와 지원으로 개발도상국에서도 혼인, 출생, 사망, 거주지 변동 등 신고로 이루어지는 다양한 인구자료가 생산되고 있으며, 인구와 관련된 용어는 다음과 같다.

(1) 인구수용력

그 나라 가용자원에 의해 지지될 수 있는 인구지지능력

(2) 가용인구

인구 수용력에 의해 수용할 수 있는 있는 인구의 수

(3) 적정인구

그 나라의 복지수준을 고려한 질적 차원에서 지지될 수 있는 인구 정확한 정적인구 규모를 측정하기 어렵다.

- 고정되지 않고 유동적인 개념: 인구가 늘어나면 1인당 경지의 규모가 감소되고 생산량이 저하되기도 하지만 인구증가에 비례하여 분업화현상이 가속화되어 일을 효율적으로 할 수 있으므로 노동생산성이 향상되기 때문이다.
- 적정인구 규모의 측정: 인구과잉에 따른 여러 가지 현상이 나타나기 시작할 시점의 인구규모로 보는 것이 통상적이다.

(4) 인구충돌

가용자원은 증가하지 않고 인구규모만 증가함으로써 나타나는 현상

(5) 과잉인구

인구충돌에 의해 나타나는 인구(총인구−적정인구)

2) 인구의 분류

인구는 시간적인 관점, 지리적인 관점과 관계성의 3가지 관점으로 분류할 수 있다(은기수 외, 2011). 시간적인 관점에 의한 분류는 인구성장과 관련된 것이며, 지리적 관점에 의한 분류는 선진사회와 후진사회, 도시와 농촌사이의 인구분포와 그 유형의 변화를 의미한다. 관계성에 의한 분류는 최근 들어 개별사회의 인구문제들이 사회경제적 요인과 관련되어 그 사회의 핵심적인 문제로 등장하는 경향이 강해졌기 때문에 중요해졌다. 예를 들어, 인구의 고령화, 경제활동 인구의 추세, 인종 분포 및 혼인상태 분포는 인구학적 구조와 사회경제적인 양상에 따라 발생한 것으로 인구의 성장과 분포의 결과이기도 하지만 그 변화의 원인이 되기도 하기 때문이다.

3) 인구관련 이론

(1) 맬더스(Malthus)의 인구성장이론

Thomas Malthus(1798)는 ‘인구론(An Essay on the principle of population)’이라는 저서를 통해 ’인구는 기하급

수적으로 증가하는 반면에 식량은 산술급수적으로 증가하기 때문에 필연적으로 과잉인구를 나타낸다'고 전제하였다. 생존 자료에 의해 규제(규제의 원리)되는 인구는 생존 자료가 증가함에 따라 증가하며(증식의 원리), 증식과 규제의 상호 작용에 의해 균형에서 균형 교란으로, 다시 균형 회복으로 부단한 파동을 주기적으로 반복하게 된다(파동의 원리). 이를 억제하기 위해서는 적극적 억제와 예방적 억제를 사용해야 한다고 설명하였다. 적극적 억제는 전쟁, 기아, 천재지변, 전염병, 화산 폭발 등을 의미하고, 예방적 억제는 도덕적 억제, 만혼, 금욕 등이라고 하였다.

(2) 신맬더스주의(Neo-Malthusianism) 인구이론

프란시스 플레이스(Francis Place)는 맬더스(Malthus)의 도덕적 억제는 현실성이 없으므로 산아조절로 인구문제를 개선할 수 있다고 주장하였다. 과잉인구는 사회진보에 최대 장애요인이 되기 때문에 개인과 가정의 복지를 향상하기 위해서는 가족계획을 위한 피임방법이 필요하다고 하였다.

(3) 인구변천이론

W. Thompson(1929)은 개발도상국의 200년간의 출생률과 사망률의 변화를 관찰하여 산업이전시기와 산업화에 따른 국가인구의 변화(demographic transition)에 대해 2단계로 제시하였다. 그리고 1940−1950년대에 F. Notestein이 한 국가 인구의 성장비율은 출생률과 사망률의 다양한 영향요인에 의해 변화함을 주장하면서 4단계의 인구변화모형(demographic transition model)을 완성하였다(Caldwell et al, 2006, 재인용). 그 후로 W. Robert(2000)는 경제수준에 따라서 출산율과 사망률이 변화되기 때문에, 미래의 인구변화를 예측하기 위하여 기존의 모형을 확장한 5단계의 이론(expending demographic transition theory)을 제시하게 되었다. 이는 시간에 따라 인구변화가 나타나는 과정에 대한 경험적 모델을 제시하였다는 점에서 의의가 있다. 인구변화의 5단계는 다음과 같다(그림 2−5).

① 1단계: 고위정지기, (다산)다사형− 높은 영아사망률이 특징이며 낮은 인구증가율 때문에 인구는 정체기에 있다. 중부 아프리카 내 국가에서 볼 수 있는 후진국의 인구형태이다.

② 2단계: 초기확장기, 다산(감사)형− 의학이 발달하면서 사망률이 급격히 낮아져서 인구증가율과 인구가 급증한다. 경제개발 초기 단계에 있는 아시아의 국가 등에서 볼 수 있는 개발도상국가형의 인구형태이다.

③ 3단계: 후기확장기, 감산(소사)형−가족계획으로 출생률이 감소하여 인구는 증가하지만 인구증가율은 감소하게 된다. 대부분 산업발달과 핵가족화 경향이 있는 국가들의 인구형태이다.

④ 4단계: 저위정지기, 소산(소사)형−인구의 낮은 사망률과 매우 낮은 수준의 출생률로 인해 인구성장이 둔화되어 인구감소 상태가 유지될 것으로 예측된다. 이탈리아, 중동아시아, 구소련 등의 인구형태이다.

⑤ 5단계: 감퇴기−인구의 노령화가 진행되면서 인구의 출생률이 사망률보다 낮아지는 인구 감소형태이다. 북유럽, 북아메리카, 일본 및 뉴질랜드 등의 선진국들이 여기에 속한다.

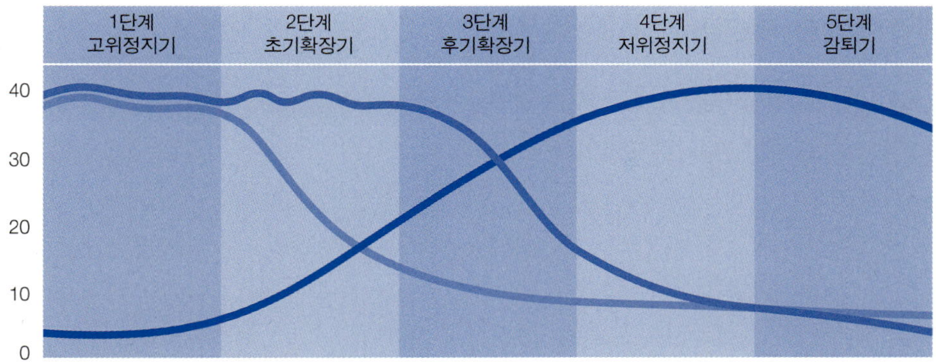

그림 2-5 인구변천의 단계

출처: Caldwell, J. C., Caldwell, B. K., Caldwell P., McDonald P. F., Schindlmayr, T. (2006). Demographic Transition Theory. The Netherlands: Springer.

2. 인구통계자료

1) 인구정태통계(static statistics)

인구정태자료는 인구조사(census), 등록 인구조사(sample survey), 추계에 의한 조사를 통해 얻을 수 있으며, 어떤 시간적인 단면의 조사시점을 정하여 인구특성을 파악하는 것이다.

(1) 인구조사

인구정태에 가장 기본적인 인구의 규모를 조사하는 것으로 인구학적 지표인 성별과 연령, 경제적 지표인 직업, 소속 산업, 종업상의 지위, 취업 상태, 취업 장소가 있고, 사회적 지표로 배우자와의 관계, 출생지, 상주지, 교육 정도, 세대, 주거의 상황 등이 있다. 이들은 정책입안을 위한 기초자료, 국민소득의 기본적 추계자료, 국민건강보험, 의무교육, 사회복지 및 가구와 관련된 여러 조사의 표본들의 기초자료로 활용되고 있다.

(2) 등록 인구조사

전수항목에 대해 가구를 방문하지 않고 주민등록자료, 건축물 대장 등 행정 자료를 활용하여 인구. 가구. 주택 정보를 파악하는 것이다. 주민등록인구는 주민등록상의 거주지와 실제 거주지의 불일치, 거주불명자, 유학이나 취업 등으로 해외에 거주하는 내국인이 상당수 포함되어 있는 등의 한계점을 가지고 있다.

(3) 추계인구조사

주민등록인구와 총 조사인구가 가지는 한계를 극복하기 위해 통계청이 총 조사인구를 토대로 출생, 사망, 인구이동 등 여러 가지 변수를 고려해 실제적인 인구를 추정하여 작성하는 인구통계이다. 추계인구는 정부의 인구에 관한 공식통계로서 주요 정책 수립에 활용된다. 다만, 추계인구의 경우 추계의 특성상 추계 시 전제했던 상황과 달리 인구변화가 일어날 때 일부 차이가 발생할 가능성이 있다

2) 인구동태통계(vital statistics)

인구동태를 출생, 사망, 전입 및 전출 등으로 변화하는 것에 대한 통계이다. 주민등록이나 호적 신고 등의 법적 의무신고에서 간접적으로 얻는 자료를 의미한다.

(1) 출산력

한 인구가 가지는 실제적인 출산의 빈도로서 생물학적 임신능력을 말하는 가임역과는 구별되는 개념이다.

① 조출생률(Crude birth rate): 보통출생률이라고도 하며 여기서 말하는 출생이란 정상출생(live birth)를 말하고, 사산을 포함하지 않으며 사산아를 포함할 때에는 출산(出産)이라 한다.

$$\text{조출생률} = \frac{\text{연간출생아수}}{\text{연간인구}} \times 1{,}000(\text{명})$$

② 일반출생(가임)률(General fertility rate): 가임여성(15~49세)에 대한 출생수의 계산으로서 1,000명당 계산한다.

$$\text{일반출생(가임)률} = \frac{\text{연간출생아수}}{\text{임신가능(15-49세)여자인구}} \times 1{,}000(\text{명})$$

③ 연령별 출생률(age specific fertility rate): 어떤 연도에 있어서 한 연령의 여자 인구 1,000명당에 대한 같은 연령의 여자가 출생한 출생아수이다.

$$\text{연령별 출생률} = \frac{\text{해당 연도중 CHI 세가 낳은 출생아수}}{\text{어떤연도의 CHI 세 여자인구}} \times 1{,}000(\text{명})$$

④ 재생산율(Reproduction)이란 현재의 출산력과 사망현상이 그대로 지속된다고 가정 할 때 다음세대의 인구의 양적 변화는 증가 하는가 감소하는가를 비교 하는데 이용되는 통계이다.

- 합계생산율(Total fertility rate): 한 여성이 일생동안(15~49세) 아기를 출산한 수
- 총재생산율(Gross reproduction rate): 한 여성이 일생동안 몇 명의 여아를 출산한 수
- 순재생산율(Wet reproduction): 가임연령 도달된 여성 · 생존율

순재생산율이 1이라면 인구의 증감은 없고, 1 이하면 인구감소, 1이상이면 인구증가를 나타낸다.

(2) 사망력

사망력은 경제성장 및 이에 따른 생활수준의 향상, 보건제도의 확립, 의료시설의 향상과 영양상태 등의 요인에 의해 영향을 받는다.

① 조사망률(Crude death rate, 보통사망률): 보통사망률이라고 하며 인구 1,000명당 1년간의 발생 사망수로 표시하는 비율임.

$$\text{조사망률} = \frac{\text{그 연도의 연간 사망자수}}{\text{어떤 연도의 연앙인구}} \times 1{,}000(\text{명})$$

② 영아사망률(Infant mortality rate): 국가사회나 지역사회의 보건수준을 나타내는 지표임

$$\text{영아사망률} = \frac{\text{연간 영아사망수}}{\text{연간 출생아수}} \times 1{,}000(\text{명})$$

③ 보정사망률(Corrected death rate 출생코호트 영아사망률): 어떤 해의 출생 코호트에 따른 영아사망률을 말한다. 즉 보정영아사망률은 어떤 특정한 연도에 특정 사유가 있을 때 이를 고려하여 어느 해 출생한 영아들이 각각 1년 미만에 사망하는 사망률을 계산하는 것이다.

$$\text{보정영아사망률} = \frac{\text{어떤해에 출생한 자 중 1년 미만 사망자수}}{\text{해당연도의 출생아 총수}} \times 1{,}000(\text{명})$$

④ 신생아 사망률(Neonatal death rate): 생후 28일 미만의 영아를 말한다. 영아사망률 중 신생아사망률이 차지하는 비율은 보건 수준 평가에 도움이 된다.

$$\text{신생아 사망률} = \frac{\text{연간 신생아사망수(생후 28일 미만)}}{\text{연간의 출생아수}} \times 1{,}000(\text{명})$$

$$^{*}\ \alpha\text{-index} = \frac{\text{어느해의 영아사망수}}{\text{어느해의 신생아사망수}}$$ α−index 1에 가까울수록 보건수준이 높다는 뜻

⑤ 모성 사망률(Maternal death rate): 임신, 분만, 산욕과 관계되는 합병증에 의한 사망이며, 임신 중에 생긴 교통사고나 감염병은 제외 된다.

$$\text{모성 사망률} = \frac{\text{연간모성사망수}}{\text{연간출생아수}} \times 10{,}000\text{명(또는 }100{,}000\text{명)}$$

⑥ 사산율(Still birth rate): 우리나라 보건통계에서는 임신 28주 이상의 사태아 분만을 말하며 WHO 규정은 임신 20주 이상을 말하므로 통계산출시 규정을 명시하여야 한다.

$$\text{사산율} = \frac{\text{1년간의 사산수}}{\text{1년간의 출산수(사산수+출생수)}} \times 1{,}000(\text{명})$$

⑦ 주산기 사망률(Perinatal death rate): 임신 28주 이상의 사산과 생후 1주 미만의 신생아 사망을 말한다.

$$\text{주산기 사망률} = \frac{\text{임신 8개월(28주)이후 사산수} + \text{생후 1주일 미만의 사망 수}}{\text{출 생 수}} \times 1{,}000$$

3. 인구구조의 유형별 특징

1) 인구구조

인구구조는 전체인구의 성별, 연령별, 지역별 등의 분포상황을 살펴본 것이다. 성별과 연령별로 분석하는 것이 가장 일반적이며, 인구규모와 함께 국가의 기본정책을 수립하는데 가장 근원적인 기초자료가 된다. 인구규모는 인구의 양적인 측면을 의미하지만, 인구구조는 인구의 질적인 측면을 나타낸다. 이는 성별, 연령별, 지역별과 사회경제적 분포상황을 나타내므로, 사회, 문화적, 경제적 변화를 예측하는데 활용된다.

(1) 성별 분석

인구구조를 분석함에 있어 총인구와 남자 및 여자인구는 천명단위로 측정하고, 성비는 여자 100명당 남자수를 나타내는 수치로서 100을 초과하면 남자가 많은 것이고 100미만이면 여자가 많은 것을 의미한다. 2015년 우리나

라 총인구는 50,617천명이었고, 남자는 25,303천명, 여자는 25,315천명으로 나타나서 성비는 99.95로 나타났다. 총인구의 성비는 출생 시에 남녀의 성비가 안정화되고 여자의 기대수명이 높아짐에 따라 점차 낮아질 것으로 예상되며, 2030년에는 98.6, 2050년에 97.3에 이른 후 2060년에는 98.1가 될 것으로 예측하고 있다.

(2) 연령별 분석

연령별 분석은 일반적으로 5세 간격을 많이 사용하는데, 경제활동을 기준으로 하여 15~64세의 생산인구, 0~14세의 유년인구와 65세 이상의 노년인구로 구분하고 유년인구와 노년인구는 비생산인구로 분류한다. 2015년 현재 우리나라의 유소년인구(0~14세)는 감소하고 있으며, 노령인구(65세 이상)는 증가하고 있어, 2016년을 기점으로 생산가능인구(15~64세)가 감소할 것으로 예상된다. 인구의 고령화가 급진전되면서 총인구중 65세 이상 노인의 비율은 1970년 3.1%에서 2008년에 10.3%, 2026년에 20.8%, 2030년에 24.3%, 2060년에는 40.1%로 점차 증가할 것으로 예측된다.

2) 인구구조의 유형

일정한 지역 내 인구의 연령과 성별 구성을 동시에 보여주는 방법으로 성별은 중앙의 수직 축을 중심으로 왼쪽에는 남자, 오른쪽에는 여자를 표시한다. 연령이 어릴수록 아래쪽에, 위쪽으로 올라갈수록 연령이 많은 사람들의 숫자를 표시한다. 인구구조는 정형화된 유형과 지역특성에 따른 유형으로 나눌 수 있다(그림 2-6).

(1) 정형화된 유형

1 피라미드형(pyramid form)

출생률과 사망률이 모두 높은 다산다사형(多産多死形)으로, 사망률보다 높은 출생률로 인해 0~14세 인구가 50세 이상의 2배가 넘으므로 인구가 증가한다. 전형적인 후진국 형태로서 17~18세기 대부분의 국가들이 이에 속하였다.

2 종형(bell form)

출생률과 사망률이 모두 낮은 소산소사형(小産小死形)으로, 인구가 정지해 있는 구조로서 0~14세 인구가 50세 이상 인구의 2배와 같아지는 선진국 형태로 노인인구의 증가로 인해 이에 대한 대책이 요구된다.

3 방추형(pot form)

출생률과 사망률이 더욱 낮아져 결국에는 인구가 감퇴하는 형이다. 0~14세 인구가 50세 이상 인구의 2배가 되지 않는다.

(2) 지역특성에 따른 유형

1 별형(star form)

생산연령층 인구가 도시로 들어오는 유입형 또는 도시형 구조로, 15~49세 생산층 인구가 전체 도시인구의

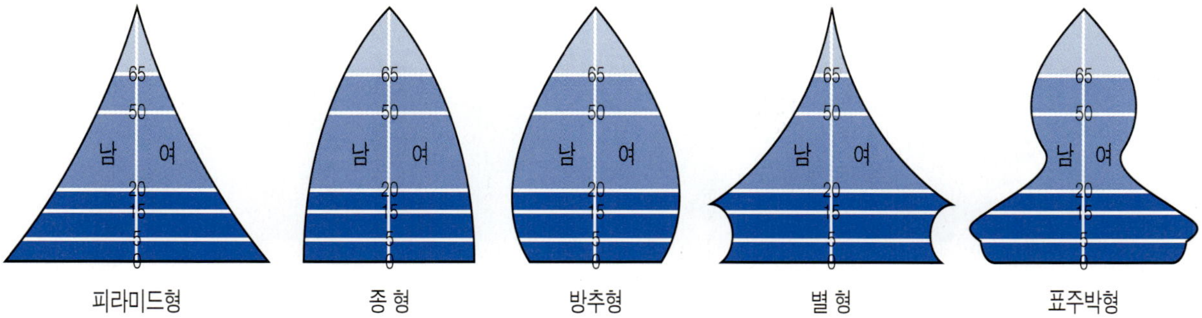

그림 2-6 인구구조의 유형

출처: 권이혁(2005). 인구 · 보건 · 환경. 서울대학교 출판부.

50%를 차지함에 따라 출산율에도 영향을 미쳐 유년층의 비율도 높다.

② **표주박형**(guitar form)

생산연령층 인구가 농촌에서 도시로 이동하여 생기는 유출형구조로 15~49세 인구가 전체 농촌인구의 50%가 되지 않는다. 청 · 장년층의 저하로 인하여 출산력이 저하되어 유년층의 비율이 낮으며 노동력, 시설 및 자본의 부족현상을 가져올 수 있다.

3) 우리나라 인구구조

우리나라 인구구조는 2010년 현재 20대 이하가 전체인구의 37.3%, 30~50대는 47.2%, 60대 이상이 15.5%로 중간 연령층이 많은 종형 구조이었으나, 점차 아랫부분이 좁아지고, 윗부분(특히 고령)이 넓어지면서 2060년에는 20대 이하는 21.8%로 감소하는 반면, 60대 이상이 47.4%로 가장 큰 비중을 차지하는 역삼각형의 항아리 구조로 변화할 것으로 예상된다(그림 2-7).

4. 우리나라 인구정책

1) 인구정책의 개념

한 국가의 사회경제적 기능이 이상적으로 발휘될 수 있고 국민이 쾌적한 생활환경 속에서 살 수 있는 여건을 조성하기 위하여 인구의 양과 질에 영향을 줄 수 있는 국가 또는 공공단체의 행동계획 또는 원칙"으로 정의되며, 인구조정정책과 인구대응정책으로 구분된다(한국인구학회, 2006). 인구조정정책은 인구의 규모와 구조를 국가나 사회 그리고 개인 등에 유리하게 변화시키는 목표를 가지며, 이를 달성하기 위하여 출생, 사망 및 인구이동에 영향을 미치고자하는 정책을 의미한다. 인구변동요소로서 출생, 사망 및 인구이동 중 어느 부문을 대상으로 삼을 것인가에 따라 출산조절정책과 인구이동정책으로 구분할 수 있다. 인구대응정책은 최근 보건의료발달 등에 따라

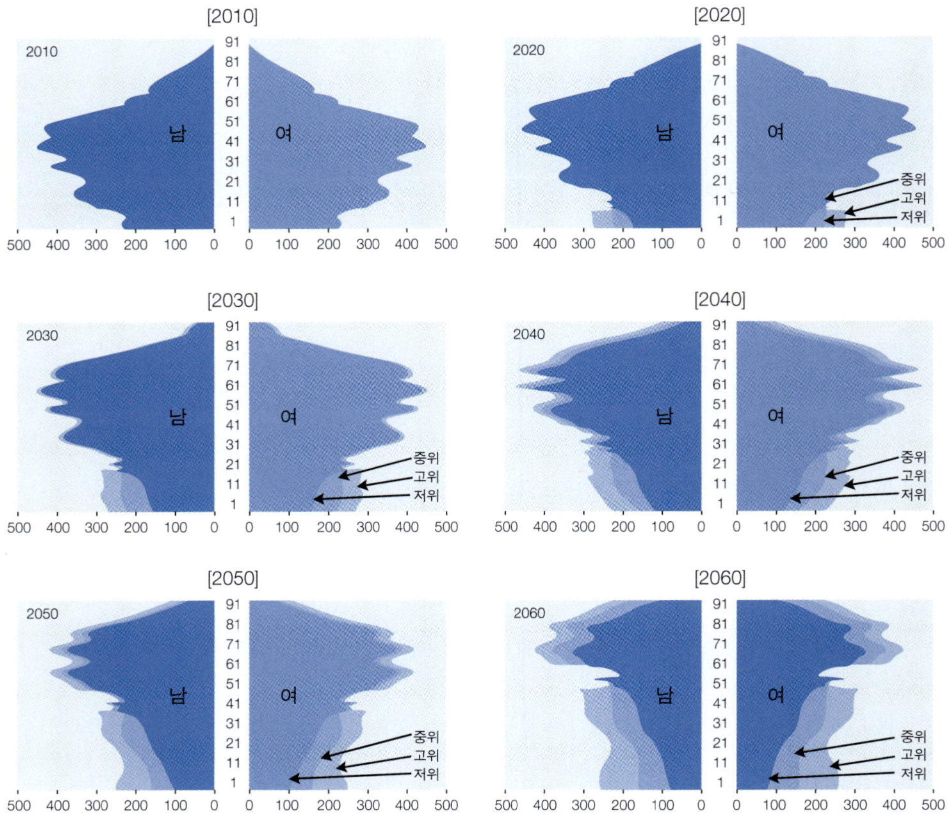

그림 2-7 우리나라 인구구조 변화

출처: 통계청(2015). 장래인구추계 2010-2060.

평균수명이 지속적으로 증가하고 있는 상황에서는 중요시되고 있는 것으로 예를 들어, 건강수명 증진 등이다. 이는 인구 변동에 의한 부정적인 영향을 극복하거나 완화하기 위한 각종 사회정책, 경제정책 등을 포함된다.

(1) 인구정책의 수립과정

장래 예상되는 인구현상을 추계함으로써 바람직하다고 평가되는 기준 시점에서의 목표를 설정한 후에 목표를 달성하기 위한 정책과 전략을 수립하는 것이다.

(2) 인구정책의 유형

인구정책의 수립과정을 통해 수립된 정책의 유형은 다음의 3가지로 구분할 수 있다. 첫째, 인구의 양적인 측면에 개입하여 인구성장 수준을 조정하는 정책, 둘째로 인구의 질적 향상을 위한 인구자질 향상 정책과 셋째는 지역 간 인구의 균형적 분포를 위한 인구 분산정책이다.

2) 우리나라 인구정책의 변천

우리나라의 인구문제는 지역적 편제, 성비불균형, 외국인 근로자문제와 고령화라고 할 수 있다. 이러한 문제를 해결하기 위하여 가족계획과 이민정책을 통한 인구증가 억제정책을 시행하였던 것에서 인구분산정책을 통한 인구자질 향상정책으로 변화되었고, 장기화되는 고령화를 극복하기 위한 저출산 · 고령화 대응정책을 마련하기에 이르렀다(그림 2-8).

(1) 인구증가 억제정책(1961-1995)

1960년대 초 폭발적인 인구증가율로 인한 낮은 경제성장률을 잠식하고 빈곤의 악순환을 해결하기 위하여 1차 경제개발 5개년계획부터 인구증가 억제정책을 통합 추진하게 되었다. 정부주도의 강력한 가족계획사업을 통해 산아제한정책을 실시한 결과, 출산율이 1960년 6.0명에서 1983년 인구대체수준(2.1명)으로 급속하게 낮아져 단기간 내 경제사회 발전을 구현하는 것이 가능하였다. 1974년 루마니아의 수도 부쿠레슈티에서 개최된 '세계인구회의'에서 경제사회발전을 통해 인구문제를 해결하기 위한 노력의 일환으로 가족계획사업을 접목함으로써 현재까지 개발도상국의 모델이 되고 있다.

구 분	1940~1950년대	1960~1980년대	1990~2000년대
특 징	인구 증가	인구 억제	인구 복지·출산 장려
	- 인구유입 - 인구조사 - 출산증가 - 전쟁고아	- 가족계획 - 해외이민 - 인구교육 - 인구분산	- 출산장려 - 고령화 - 삶의질 - 균형발전
내 용	- 인구조사 실시 - 6.25 전쟁 및 피난 - 베이비 붐(Baby Boom)시작	- 가족계획 사업 - 모자보건 정책수립 - 해외이민 추진 - 인구증가 억제정책 지속	- 인구자질 및 복지정책 도입 - 신인구정책 추진 및 제도화 - 저출산.고령사회 대책 마련 - 체계적 인구복지정책 추진
주요기록	- 인구조사법('49) - 피난민 귀향이송 요령('51) - 간이인총조사령('55) - 연말 현주인구 조사보고서 ('57) - 구세조사위원회 설치요령 ('58)	- 가족계획 추진에 관한 건 ('61) - 해외이주정책('61) - 모자보건법('72) - 인구증가 억제방안('81) - 모자복지법('89)	- 저출산시대 인구문제와 정책과제('96) - 최근의 인구동향과 대응정책('98) - 장례인구추계('06) - 저출산 정책의 방향과 미래('06) - 제1차 저출산.고령사회 기본계획(보완판)('09)
주요표어	- 건강한 어머니에 되어 나온 옥동자 - 3남 2녀로 5명은 낳아야죠	- 덮어놓고 낳다보면 거지꼴을 못 면한다 - 딸아들 구별말고 둘만 낳아 잘 기르자 - 축복 속에 자녀하나 사랑으로 튼튼하게 - 신혼부부 첫 약속은 웃으면서 가족계획	- 자녀에게 가장 큰 선물은 동생 입니다 - 자녀에게 돌려줄 최고의 유산은 형제입니다 - 낳을수록 희망가득 기를수록 행복가득 - 아이가 행복한 세상 미래가 희망찬 나라

그림 2-8 한국 인구전략의 전개과정

출처: 국가기록원(2015). 한눈에 보는 인구정책. http://theme.archives.go.kr.

(2) 인구자질 향상정책(1996-2004)

1984년 이후 출산율이 인구대체수준보다 낮게 유지됨에 따라, 1996년 인구정책심의위원회의 건의에 따라 인구증가억제정책을 폐지하고 '인구자질 및 복지 증진정책'으로 전환하게 되었다. 주요 내용으로는 유병률과 사망률 개선, 출생성비 균형, 인공임신중절 방지, 남녀평등 및 여권 신장, 청소년의 성 활동 예방, 에이즈 및 성병 예방, 인구분포의 균형, 가족보건 및 복지 증진, 노인복지 증진 등 포함하였다. 대내적으로 사회발전 정도에 부합하여 인구자질 및 복지 향상을 위한 정책을 확대하는 계기를 마련하는데 기여하였고, 대외적으로는 1994년 인구개발국제회의(ICPD) 행동강령을 반영하여 국제사회의 결정에 적극 참여하게 되었다.

(3) 저출산 · 고령사회 대응정책(2005-현재)

2000년대에 들어 1.2 미만의 초저출산율이 장기화되고 향후 인구고령화가 급진전될 것으로 예상됨에 따라 2005년 저출산고령사회기본법을 제정하고 2006년에 저출산 고령사회기본계획을 수립하여 저출산 고령사회에 본격적인 대응을 시작하였다. 저출산 고령화를 국가의제로 삼고, 법 제도 정비, 추진체계 구축 등 대응기반 구축을 위한 토대를 마련하였다. 범정부 차원의 대응 본격화 및 다양한 사회주체와 일반국민의 공감대를 형성한 결과 출산율이 2005년 1.08을 저점으로 더 이상 떨어지지 않고 있으며, 최근에는 1.2이상으로 증가하고 있다.

3) 저출산 · 고령사회 기본 계획

우리나라는 급속한 고령화에 대응하기 위하여 2005년 저출산 · 고령사회기본법을 제정하였다. 또한 정부는 2005년부터 5년마다 단계적으로 출산 및 노인관련문제에 대응하기 위한 목표를 설정하고 그에 따른 기본계획을 수립하여 실행하고 있다(이삼식, 2011).

(1) 제 1차 저출산 · 고령사회 기본계획(2006-2010)

저출산 · 고령화에 관한 문제를 국가적으로 인식하고 이에 대응하기 위한 기초를 구성하는데 중점을 두어 출산 및 양육에 유리한 환경을 조성하고 고령사회 대응기반을 구축하고자 하였다. 세부적인 사항으로는 기초노령연금, 장기요양보험, 그리고 적극적 고용개선조치에 대한 공감대 및 제도시행을 위한 기본 틀을 마련하였다. 그 결과 사회전체에 있어 고령화에 대한 심각성과 그에 따른 대응 정책의 필요성을 공감할 수 있는 계기가 되었지만 정책 내용 면에서는 구체적이지 못했으며, 현실과 정책사이의 괴리를 좁히지 못했다는 평가를 받았다.

(2) 제2차 저출산 · 고령사회 기본계획(2011~2015)

기존 계획의 성과를 계승하고 한계점을 보완하는 방향으로 제정되었으며, 실제적으로 정책의 적용이 필요한 대상군을 세분화하고 다양한 영역과의 상호작용을 통해 종합적인 접근이 가능하도록 하였다. 이에 장기적으로 저출산 · 고령사회에 성공적으로 대응하여 국민의 삶의 질을 향상하고, 국가의 지속가능성을 유지함으로써 활력 있는 선진국가로의 도약을 지향하는 것을 비전으로 설정하였다. 이를 위해 향후 5년간 점진적 출산율 회복과 고령사회 대응체계를 확립하여 4대 분야의 세부과제를 추진하고자 하였다. 구체적으로 보면 다음과 같다.

출산과 양육에 유리한 환경조성: 일–가정 양립을 사회 각 부분에 확산, 결혼 · 출산 · 양육부담 경감, 아동 · 청소년을 위한 건강하고 안전한 성장환경 조성 추진

① 고령사회 삶의 질 향상 기반 구축: 베이비붐 세대의 고령화 대응체계 구축, 안정되고 활기찬 노후생활 보장, 주거 · 교통사회 기반시설 전반을 고령 친화적 사회 환경으로 조성 추진

② 성장동력 및 분야별 제도 개선: 잠재인력 활용기반 구축 및 인적 자원 경쟁력 제고, 인구구조 변화에 대응한 경제사회제도 개선, 고령친화산업 육성을 추진

③ 저출산 · 고령화 대응 사회적 분위기 조성: 전략적 홍보 · 교육, 민간의 참여를 바탕으로 범국민운동 확산, 정책 효과성 제고를 위한 추진체계 구축

지난 1,2차 기본계획의 수립 및 시행으로 인한 성과를 요약하면 고령화가 시작되는 시점에서 선제적 대응을 시도함으로써 저출산 고령화에 대응할 수 있는 패러다임으로 전환하였다는 점이다. 저출산 정책면에서 건강한 임신출산을 위한 국가지원체계를 구축하고 여성에 집중된 출산 및 양육책임을 국가, 사회와 남성이 분담하는 계기를 제공하여 일과 가족생활을 병행할 수 있는 여건을 조성하였다는 점이다. 고령화 정책측면에서는 길어진 노후에 대비한 소득과 건강보장제도를 구축하고 활기찬 노후생활을 위한 환경을 조성하였으며 고령사회에 대응할 잠재인력의 역할을 강화할 수 있는 기반을 마련함으로써 인구해결을 위한 범정부적 대응체계를 구축하였다는 점이다(한국보건사회연구원, 2015).

반면에 다양한 정책의 실행 및 투자증대에도 불구하고 출산율을 반등시키는 데는 실패하였다는 점에서 몇 가지 한계점을 드러내었다. 첫째, 저 출산의 주요원인인 만혼 및 비혼에 대한 대책이 미흡하였고, 육아지원서비스 양적확대에도 다양한 수요와 질적 요구에 부응하지 못하였을 뿐만 아니라 태어난 아동의 건강하고 안전한 성장을 위한 체계적 대책이 미흡하였다. 둘째, 노인인구의 특성변화에 대응한 접근이 미흡하였으며, 인구감소에 대응할 수 있는 중장기 종합대책 마련 및 실천이 미비하였다. 또한 미시적 접근으로 사회구조적 원인, 정책 간 균형적 발전을 유도하는데 미흡하였을 뿐만 아니라 과거 문화 및 관행의 지속으로 일과 가정의 균형을 유지하는데 부족하였다

(3) 제 3차 저출산 · 고령사회 기본계획(2016~2020)

보건복지부 제3차 저출산 · 고령화 기본계획(2016.1.21.) 브릿지 플랜 2020을 요약 정리한 내용이다.

1 저출산 · 고령사회 대응 패러다임 전환

3차 기본계획은 인구위기 극복을 위한 종합적이고 구조적 접근 및 저출산 · 고령사회 대응은 사회전반의 인식 · 문화가 바뀌어야 하는 문제이므로 정부 정책만으로는 한계가 있어 민간 · 지역과의 협력과 20~30년을 내다보는 장기적 접근을 강화한 것이 특징이다. 저출산 · 고령사회대책 패러다임 전환 방향은 그림 2–9와 같다.

2 브릿지 플랜 2020

제3차 기본계획은 합계출산율을 현재 1.21명에서 2020년 1.5명으로 높은 초저출산을 탈피하고 노인빈곤율을 현재 49.6%에서 2020년 39%까지 감축시킨다는 목표를 가지고 계획된 사업으로 추진체계도는 그림 2–10과 같다.

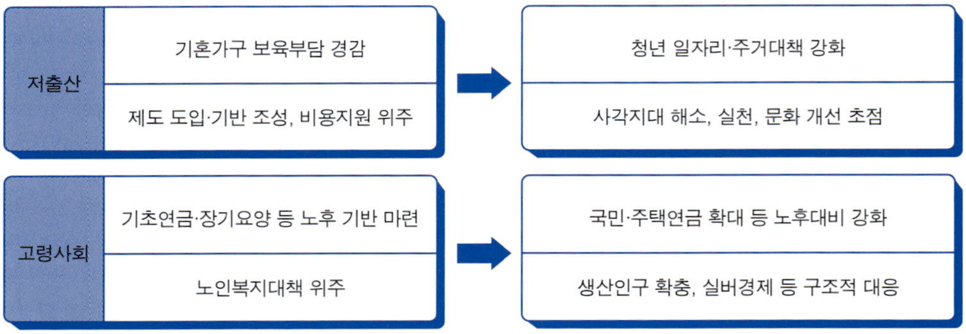

그림 2-9 저출산 · 고령사회대책 패러다임 전환 방향

출처: 보건복지부(2016). 제3차 저출산 · 고령사회 기본계획. 브릿지 플랜 2020.

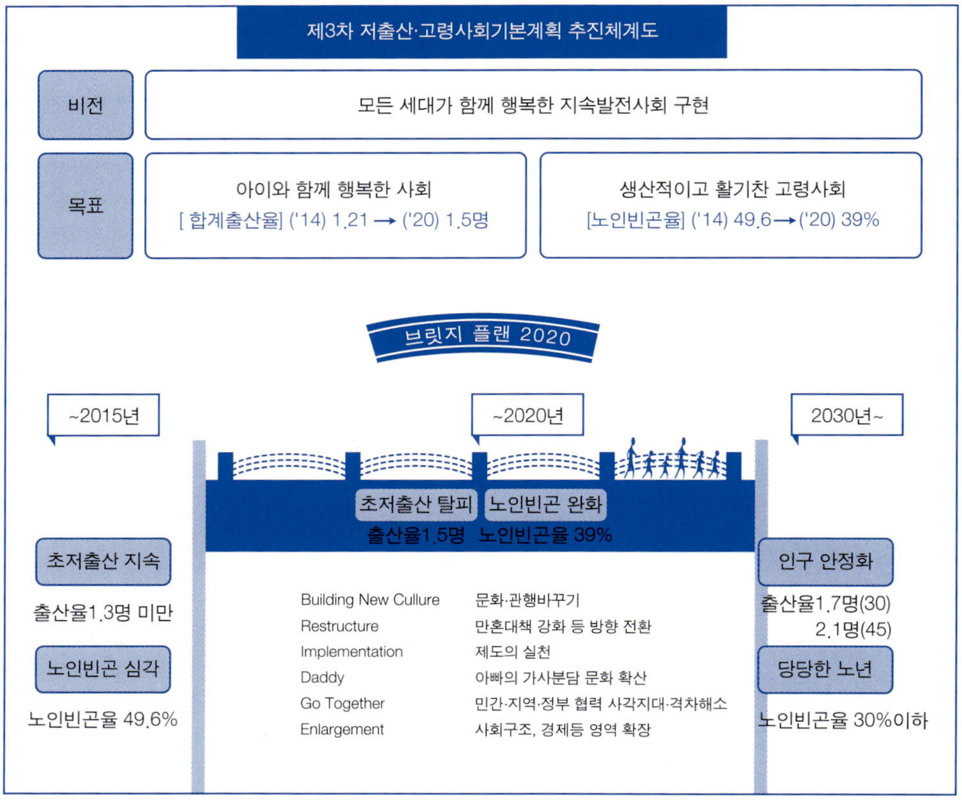

그림 2-10 제3차 저출산 · 고령사회기본계획 추진체계도

출처: 보건복지부(2016). 제3차 저출산 · 고령사회 기본계획. 브릿지 플랜 2020.

제3절 질병의 자연사와 예방수준

1. 질병의 자연사

질병의 자연사란 질병의 시작으로부터 소멸에 이르기까지 어떤 경과를 거치게 되는가 하는 것을 말한다. 특정 집단의 질병 및 건강과 관련된 요인, 현상 등을 규명하는데 질병의 자연사를 연구하는 것은 중요하다. 왜냐하면, 이를 통하여 질병의 진행속도, 특징, 증세, 질병경과 등에 영향을 미치는 질병발생 3가지 요인, 즉 병인, 환경, 숙주에 대한 정보를 알 수 있고, 이들이 인간에게 미치는 영향을 통제함으로써 질병예방을 위한 방법을 개발 할 수 있다. 어떤 질병의 자연사 과정에 대한 경과는 크게 5단계로 구분된다.

1) 제1단계

병인, 숙주 및 환경의 상호작용에 있어서 숙주의 저항력이나 환경요인이 숙주에게 유리하게 작용하여 병인의 숙주에 대한 자극을 극복할 수 있는 상태로서 건강이 유지되고 있는 기간이다.

2) 제2단계

병원체의 자극이 시작되는 질병 전기로서 숙주의 면역강화로 인하여 질병에 대한 저항력이 요구되는 기간이다.

3) 제3단계

병원체의 자극에 대한 숙주의 반응이 시작되는 조기의 병적 변화기로써 전염병의 경우는 잠복기에 해당되고, 비전염성 질환의 경우는 자각증상이 없는 초기단계가 된다.

4) 제4단계

임상적인 증상이 나타나는 시기로써 해부학적 또는 기능적 변화가 있으며, 이에 대한 적절한 치료를 요하는 시기이다.

5) 제5단계

재활의 단계로써 회복기에 있는 환자에게 질병으로 인한 신체적, 정신적 후유증이나 불구를 최소화시키고 잔여기능을 최대한으로 재생시켜 활용하도록 도와주는 단계이다.

2. 예방수준

질병의 자연사 과정에 대한 경과는 크게 5단계로 구분된다. 리벨(Leavell, 1965)은 질병의 자연사 단계에 따른 질병예방 및 관리방법을 제시하였다.

1) 1차 예방

질병발생을 억제하는 것으로 질병의 자연사 단계 중 1, 2단계를 위한 예방이다. 질병을 예방하기 위해서는 생활조건 개선, 체력증강을 통한 환경적응, 생리적 기능 향상 및 보건지식을 습득하여 건강을 증진시키며, 예방접종, 환경개선, 영양섭취, 안전관리 등 특수대책을 강구하고 건강을 저해하는 인자를 제거하여 건강을 보호하도록 한다.

2) 2차 예방

질병의 조기발견과 조기치료가 이루어지며 질병의 자연사 단계 중 3, 4단계를 위한 예방이다. 감염성 질환인 경우에는 질병의 전파를 막고 치료기간을 단축시키기 위해 감염기회를 최소화하며, 비감염성 질환은 질병의 조기 발견 및 조기치료로 치료기간을 단축시키고 생존율을 증가시킬 수 있다.

3) 3차 예방

자연사 단계 중 5단계를 위한 예방으로 건강회복 및 재활이다. 질병으로 인한 신체적, 정신적 손상에 대한 후유증을 최소화 하고, 신체적 기능회복, 기능 장애를 최소한으로 경감시켜 정상적인 사회생활을 할 수 있도록 한다.

3. 감염성 질환의 발생

1) 감염과정

감염(infection)이란 병원체가 숙주에 침입한 뒤 증식하여 세포와 조직에 병리변화를 일으켜 증상과 증후를 나타내거나 면역반응을 야기하는 상태이다. 감염과정은 감염성 병원체, 감수성 있는 숙주와 환경간의 상호작용에 의해 이루어진다.

감염병은 감염된 사람 또는 동물 등의 병원소(reservoir; 사람, 동물, 식물, 흙 등)로부터 새로운 숙주로 병원체 또는 병원체의 산물이 전파되어 발생하는 병을 말한다. 숙주가 감염으로 질병 증상 및 증후가 나타날 때 감염성 질환(infectious disease)이 있다고 하며, 모든 감염성 질환은 전염성이 있다고 할 수는 없다. 왜냐하면, 전염성 질환(communicable disease)은 한 사람(또는 동물)에서 다른 사람(또는 동물)으로 전파가 일어난다. 따라서 감염

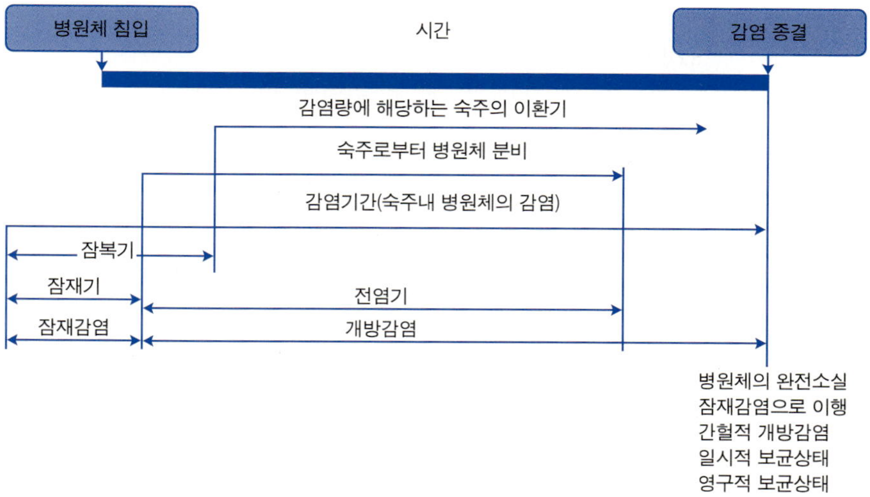

그림 2-11 감염의 경시적 과정

출처: 김정순 등(1996). 역학과 지역사회 보건관리. 서울대학교 출판부.

과정에서 잠복기(incubation period)란 병원체가 숙주에 침입한 시간부터 발병할 때까지의 시간을 말하며, 전염기(period of communicability)란 병원체를 체외로 방출하여 다른 숙주를 감염시킬 수 있을 때를 말한다. 감염되었음에도 불구하고 증상이 전혀 나타나지 않는 경우를 불현성 감염(inapparent infection)이라 하고 증상이 나타나는 경우를 현성 감염(apparent infection)이라 한다. 감염 과정에서 병원체가 숙주 안에 생존하고 있으면서도 숨어 있어 발견할 수 없는 상태를 잠재감염(latent infection)이라고 하며, 이 기간이 잠재기간(latent period)이다. 이와 반대로 병원체가 숙주의 기도분비물, 분변, 혈액 혹은 조직에서 발견되는 감염상태를 개방감염(patent infection)이라 하며, 이 기간을 개방기간(patent period)라고 한다(그림 2-11). 숙주와 병원체간의 반응결과는 그림 2-12와 같다.

인간에게서 감염은 몇 가지 요소가 서로 고리가 연결되어 일어나는 데 이를 감염고리(chain of infection)라 하며, 여기에는 병원체, 병원소, 병원소로부터의 탈출구, 전파수단, 새로운 숙주로의 침입, 감수성 숙주 등이 포함된다(그림 2-13). 이러한 감염고리 중 어느 한 부분이 끊어지면 감염의 전파, 즉 새로운 감염은 발생하지 않는다.

2) 감염성질환의 생성과 전파

일반적으로 감염성 질환의 발생과 전파는 병원체로부터 숙주의 저항성에 이르기까지 6단계에 걸쳐 이루어진다(그림 2-14). 6단계의 순서는 병원체 → 병원소 → 탈출 → 전파 → 침입 → 숙주의 순서로 이루어지는데 이 중 한 단계라도 거치지 않으면 감염은 이루어지지 않으므로 이 중 한 단계만이라도 제거하면 감염사슬은 성공적으로 생성되지 못하므로 질병발생을 막을 수 있다. 즉 어떤 조치를 취해서 감염고리를 끊는 것이다.

(1) 병원체

감염성 병원체(infectious agent 또는 pathogen)는 감염이나 감염성 질환을 일으킬 수 있는 유기체로 흔히 세균,

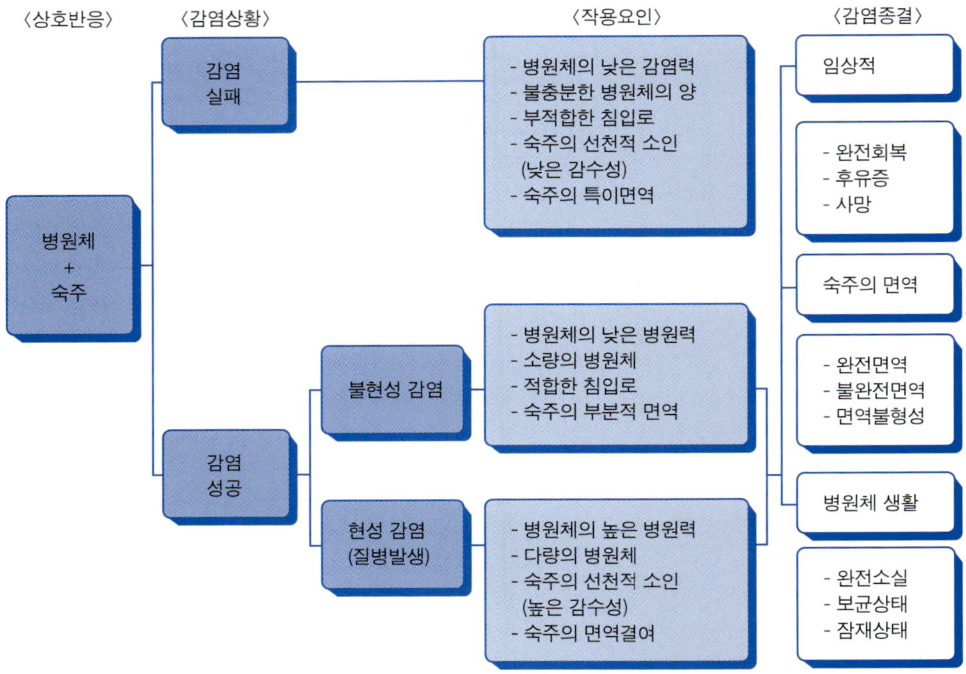

그림 2-12 숙주와 병원체 접촉에 의한 상호반응의 결과

출처: 김정순(2004). 역학원론. 신광출판사.

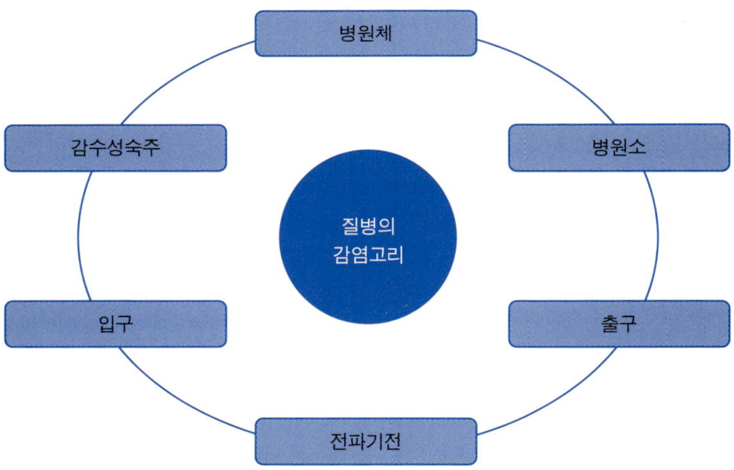

그림 2-13 감염병의 감염고리

바이러스, 리케차, 곰팡이, 원충, 그리고 기생충 등이 이에 포함된다. 모든 감염성 병원체는 독특한 내적 특성을 가지고 있으며 이런 특성으로는 크기, 화학적 구성 및 구조, 성장요건, 항원 특성, 독소생성력, 환경적 요인에 대한 저항력, 새로운 유전적 정보를 얻는 능력, 그리고 숙주 밖에서 생존할 수 있는 능력 등이 있다. 이러한 병원체

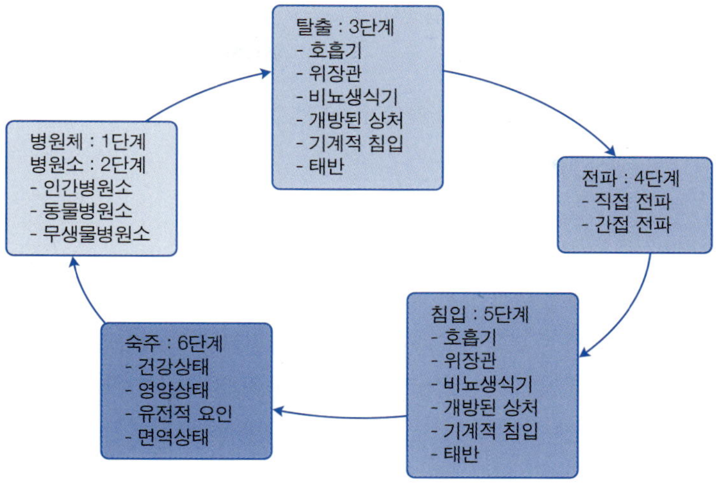

그림 2-14 감염성 질환의 발생과정

표 2-2 감염병에서 감염력, 병원력, 독력의 상대적 강도

	감염력	병원력	독력
정의	가족내 발단자와 접촉한 감수성자 중 감염자 수(발병자+항체상승자)	전체 감염자 중 발병자 수	전체 발병자 중 중증환자(후유증 또는 사망자)수
높다	두창, 홍역, 수두, 폴리오	두창, 광견병, 홍역, 수두, 감기	광견병, 두창, 결핵, 한센병
중간	풍진, 유행성 이하선염	풍진, 유행성 이하선염	폴리오
낮다	결핵, 한센병	폴리오, 결핵, 한센병	홍역, 풍진, 수두, 감기

출처: 김정순(2000). 역학원론. 신광출판사.

와 인간과의 상호작용을 통해 나타나는 현상으로 감염력, 병원력, 독력, 면역력 등이 있다(표2-2).

1 감염력(infectivity)

감염력(infectivity)이란 감염을 성공적으로 유도하는데 요구되는 최저 병원체의 수를 말한다. 콜레라는 장티푸스에 비해 적은 수로도 감염을 일으킬 수 있으므로 콜레라는 장티푸스보다 감염력이 높다고 할 수 있다. 감염은 현성감염(apparent infection)과 불현성 감염(inapparent infection)으로 구분된다. 현성감염은 증상을 가지고 항체가 형성된 감염이고 불현성 감염은 증상 없이 항체만 형성되는 감염이다. 감염력(infectivity)은 병원체가 숙주에 침범하여 증식하는 능력으로 감염력은 침입경로, 병원체의 병원소, 숙주 감수성에 따라 달라진다.

$$\text{감염력} = \frac{\text{불현성 감염자 수} + \text{현성 감염자 수}}{\text{감수성이 있는 대상자 총수}}$$

2 병원력(pathogenicity)

병원력(pathogenicity)은 병원체가 감수성 숙주에게 감염성 질환을 일으킬 수 있는 능력으로 감염된 숙주 중 현성감염을 나타내는 수준이다. 질병을 일으키는 미생물의 잠재력은 체세포를 침입하고 파괴하는 능력, 독소를 생산하는 능력, 면역반응을 일으키는 능력에 따라 다르다.

$$병원력 = \frac{발병자\ 수(현성\ 감염자\ 수)}{감염자\ 수}$$

3 독력(virulence)

독력(virulence)은 병원체가 숙주에게 일으키는 매우 심각한 증상이나 장애를 초래하는 정도를 말한다. 병원력 또는 질병 가능성의 양적 측정치로서 수두와 풍진은 감염력과 병원력은 높지만 독력은 낮다. 치명률(case fatality rate)은 이런 독력 측정치의 하나로서 사망으로 인한 독력을 나타낸다. 감염력, 병원력과 마찬가지로 독력도 병원체의 양, 감염경로, 숙주 요인 등에 따라 달라진다.

$$독력 = \frac{중환자\ 수 + 사망자\ 수}{발병자\ 수}$$

$$치명률 = \frac{사망자\ 수}{발병자\ 수}$$

4 면역력(immunogenicity)

면역력(immunogenicity)은 병원체가 숙주 내에서 특정 면역체를 생성하는 능력이다. 홍역 바이러스와 같은 일부 감염에서는 일생 동안 지속되는 면역체를 생성한다. 하지만 이질균과 같은 것은 강한 항원적 특성이 없으며, 재감염이 일어날 수 있다. 면역력은 나이, 영양, 기타 숙주의 특성, 독력, 병원체의 양, 침입경로 등과 같은 요인에 영향을 받는다.

(2) 병원소

병원소(reservior of infection)란 병원체가 생활하고 증식하며, 생존을 계속해서 다른 숙주에게 전파될 수 있는 상태로 저장되는 장소이다. 병원소에는 인간병원소, 동물병원소, 무생물병원소가 있다.

1 인간병원소

사람에게 감염을 일으키는 대부분의 병원체는 인간병원소를 필요로 하며 인간 → 인간 → 인간으로 전파되는 양상을 띤다. 인간병원소에는 임상증상을 뚜렷하게 나타내는 환자(frank case), 임상증상이 아주 미약하여 간과되기 쉬운 무증상 감염(subclinical infection), 인지할 만한 증상이 없으면서 체내에 병원체를 보유하며(잠재감염, latent infection), 항상 또는 때때로 균을 배출하는 보균자(carrier) 등이 있다. 보균자에도 다음의 여러 종류가 있다.

- 불현성 감염과 같은 상태로 증상이 없으면서 균을 보유하고 있는 건강보균자(healthy carrier, 예: B형 간염)
- 증상이 나타나기 전에 균을 보유하고 있는 잠복기보균자(incubatory carrier, 예: 많은 호흡기감염성 질병)
- 회복기에 균을 보유하고 있는 회복기보균자(convalescent carrier, 예: 많은 위장관감염성 질병)
- 균을 오랫동안 지속적으로 보유하고 있는 만성보균자(chronic carrier, 예: 장티푸스, B형간염)

보균자들 중에서도 건강보균자(B형 간염)와 잠복기보균자(호흡기감염성 질병)의 경우는 인지되지 않는 경우가 많아서 감염성 질병관리에 큰 문제가 된다.

[2] 동물병원소

대부분의 가축(소, 말, 돼지, 개, 닭)과 쥐, 다람쥐 등이 있으며, 사람과 가축에 공통적으로 옮기는 질병을 인수공통질병(zoonosis)이라고 한다. 예를 들면 결핵(소, 돼지, 새), 일본뇌염(돼지, 조류, 뱀), 광견병(개, 고양이, 기타 야생동물), 황열(원숭이) 등이 있다. 그리고 이집트숲 모기나 흰줄숲 모기에 의한 지카 바이러스 감염증, 단봉낙타에 의한 감염으로 메르스가 있다. 가축에 비해서 야생동물은 감염 여부 파악뿐만 아니라 관리도 어렵다.

[3] 무생물 병원소

흙, 먼지 등이 있으며 모양은 무생물이면서 병원소 역할을 한다. 그 대표적인 예가 파상풍이다.

(3) 병원소로부터의 병원체의 탈출

병원체가 병원소로부터 탈출하는 경로는 다음과 같은 5가지로 분류된다.

- 호흡기로부터의 탈출: 대화, 기침, 재채기 등을 통해 탈출된다(결핵, 감기, 홍역, 디프테리아, 메르스 등).
- 소화기로부터의 탈출: 토물이나 분변을 통해 탈출된다(장티푸스, 콜레라, 폴리오 등).
- 비뇨생식기로부터의 탈출: 혈액성 질환의 균이 소변, 성기, 점막을 통해 탈출된다(성병, 임질,지카 바이러스 감염 등).
- 기계적 탈출: 주사기나 동물매개체를 통해 직 · 간접으로 탈출된다(뇌염, 간염 등).
- 개방병소: 병소를 통해 직접 배출된다(한센병, 종기, 트라코마 등).

(4) 전파방법

일단 탈출한 병원체가 새로운 숙주에 옮겨지는 과정을 전파라고 한다. 병원체가 어떤 매개체 없이 숙주에서 다른 숙주로 직접 옮겨지는 직접전파와 중간매개체를 통해 숙주에게 전파되는 간접전파가 있다. 간접전파 중에서도 감염원에서 탈출한 병원체를 동물매개체가 그대로 옮겨주는 기계적 전파와 병원체가 매개체 내에 침입하여 그들 생활사의 일부를 지낸 후에 새로운 숙주에게로 옮겨가는 생물학적 전파가 있다.

(5) 새로운 숙주로의 침입

병원체의 침입양식은 병원체의 탈출과 같이 주로 호흡기계, 소화기계, 비뇨기계, 개방병소 및 기계적으로 침입된다. 병원체에 따라서 침입경로가 정해져 있으며, 그 경로가 달라지면 감염이 안 되는 것이 보통이다. 예를 들면, 광견병 바이러스는 개방된 병소를 통해 침입한 경우에는 감염이 이루어지지만 가령 입으로 침입하였을 때는 감염을 일으키지 않는다. 이와 반대로 이질은 입으로 침입하였을 때 장관에 병변을 일으키지만 피부의 상처로 침입했을 때는 아무런 변화가 일어나지 않는다. 이와 같이 침입경로가 파악되면 감염성질환관리의 예방법으로 이용 될 수 있다.

(6) 새로운 숙주의 감수성과 면역

병원체가 숙주에 도달하여 침입하였다 하더라도 각 개인이 가지는 방어력으로 저항력이나 면역성이 있으면 감

표 2-3 획득된 면역의 종류

면역의 형태		취득방법	면역기간
자연적 면역	능동면역	항원, 자연적인 접촉으로 감염	일시적 혹은 영구적
	피동면역	태반, 초유나 모유수유를 통해 획득	일시적
인공적 면역	능동면역	항원을 접종	일시적 혹은 영구적
	피동면역	항체나 항독소 접종	일시적

염은 성립되지 않는다(표2-3). 그러나 병원체의 양이 충분하고 침입구도 적합하며 숙주가 방어에 실패한 경우에 병원체는 숙주 내에서 생존과 증식을 하게 된다. 이 때 숙주에게 나타나는 반응은 두 가지로 나타날 수 있다.

첫째, 병원체의 병원력과 숙주의 선천적인 요인 및 특이항체에 의한 면역수준 정도에 따라 불현성 감염으로 끝나는 경우이다.

둘째, 숙주가 병원체 감염으로 인해 전형적 질병을 발현하는 경우로 임상적 병세도 아주 경미한 상태에서 사망에 이르거나 후유증을 남기는 경우이다.

숙주의 감수성과 관련하여 지역사회 또는 집단에 병원체가 침입하여 전파하는 것에 대한 집단의 저항성을 나타내는 지표로 집단면역(herd immunity)이 있다. 집단면역은 집단의 총 인구 중 면역성을 갖고 있는 사람의 비로 정의된다.

$$\text{집단면역} = \frac{\text{면역을 갖고 있는 사람}}{\text{총 인구 수}} \times 100$$

집단면역을 이해하기 위해서는 기본감염재생산수(Basic reproductive number, R0)에 대한 개념이해가 필요하다. 기본감염재생산수는 어떤 집단의 모든 인구가 감수성이 있다고 가정할 때 한 명의 감염병 환자가 감염가능기간동안 직접 감염시키는 평균 인원수를 말한다. 이 기본감염재생산수는 질병마다 다른데, 전염성이 높은 질병의 경우 기본감염재생산수가 많고, 그렇지 않은 경우 기본감염재생산수가 작다. 예를 들면, 홍역은 무려 12~18이고, 볼거리는 4~7, 디프테리아는 6~7이다.

실제 지역사회에는 비면역집단이 있지만, 면역을 가진 사람들 덕분에 감염재생산자수가 1보다 작아져서 질병의 유행이 일어나지 않고 소멸하게 되는데 이것을 바로 집단면역이라 한다. 흔한 질병인 홍역의 경우 R0가 12에서 18이다. 즉, 1명이 12에서 18명을 감염시킨다는 것을 의미한다. 홍역, 풍진, 백일해 등은 3~4년마다 유행을 일으키는데 이는 집단면역으로 설명된다. 유행을 막기 위해서는 질병마다 다르기는 하지만 최소 83~94%의 집단면역이 필요하며 이를 통하여 유행이 일어나지 않게 된다.

4. 감염성 질환의 관리

감염성 질환의 관리는 전파에 관여하는 병원체, 숙주, 환경, 병원체의 탈출, 전파, 새숙주로의 침입 등 감염성

질환의 전파과정을 차단하는 것이다. 간호학 입장에서 감염성 질환의 관리는 크게 예방접종, 환경 및 개인위생 관리, 항균제의 사용과 내성균 관리, 격리 등의 기본 지침 준수가 필요하다.

1) 숙주관리

숙주의 관리는 숙주의 방어력 또는 면역력 증강을 의미한다. 면역력은 주로 예방접종을 통해 획득한다. 감염병의 관리에 중요한 접근법이 예방접종이다. 이는 개인을 감염에서 보호하는 차원뿐 아니라 지역사회의 집단면역의 수준을 높여서 감염성 질환의 침입자체를 방어하는 의미가 더 크다. 일반적으로 바이러스감염은 예방접종으로 관리하나 세균감염은 환경관리와 숙주의 개인위생이 더 효과적임을 익히 잘려진 사실이다.

2) 병원체와 병원소 관리

병원체와 병원소를 관리하는 방법에는 이들을 제거하거나 격리하는 방법이 있다. 제거하는 방법으로는 동물이 병원소인 경우 도축하거나 매장 등을 통하여 박멸하는 방법이 있고, 사람의 경우에는 약물이나 수술 요법 등을 통해 제거한다.

격리하는 방법으로는 격리(isolation)와 검역(quarantine)이 있는데, 격리란 다른 사람에게 감염 시킬 우려가 있는 환자나 보균자를 전염성이 해소 될 때까지 건강한 사람들로부터 분리시켜 놓는 것을 말한다. 검역이란 유행지에서 들어오는 사람들을 유행지를 떠난 날로부터 계산하여 병원체의 잠복기 동안 일정한 장소에 머물게 하여 감염여부를 확인 할 때까지 감시하는 것이다. 선박, 비행기, 차량 통제 등도 있다.

3) 전파방지를 위한 관리

병원소로부터 병원체의 탈출을 저지하거나 일단 탈출하였다하더라도 새로운 숙주에게 전파되지 못하도록 전파과정을 차단하는 것이다. 예를 들면, 장티푸스와 콜레라 같은 위장관 감염성 질환은 안전한 식수와 음식을 공급하고 환경위생과 개인위생을 철저히 관리한다.

제4절 역학적 측정지표

1. 측정의 의의와 기본단위

인구집단에서의 질병의 분포와 결정인자를 밝히기 위해서 우선 필요한 것은 질병의 빈도를 측정하는 것이다. 이런 측정결과는 질병발생과 사망원인의 추정, 지역사회보건사업의 기획, 제한된 의료자원 배분의 우선순위 결정 등에 유용하게 사용 될 수 있다는데 의의가 있다.

지표란 어떤 현상을 정확하게 파악하고 평가하기 위해 활용할 수 있는 자료들 중에서 그 값을 통해 자료의 특성을 잘 나타낼 수 있는 값을 의미한다. 개인이나 집단의 건강수준을 측정하고 이를 비교할 목적으로 사용하는 것이 여러 건강지표(health index)이다. 개인이나 집단, 지역사회, 그리고 한 국가의 건강수준을 포함한 보건수준을 파악하기 위해 다양한 건강지표(health index)들이 개발되어 활용되고 있다. 보건통계 자료 중 건강지표로 활용되는 것은 사망통계자료(mortality statistics), 질병통계(morbidity statistics), 암 등록자료(cancer registry data), 전염성 질환 감시자료(communicable disease surveillance data) 등이 있다. 인구자료(demographic data)의 경우 일정 지역 인구의 규모, 연령구조, 교육수준, 경제적 상태와 같은 지역사회주민의 특징에 대한 많은 정보를 제공하며 통계의 흐름을 분석하는 기준선을 제공하여 유용하므로 한 지역사회나 국가의 사회적 지표로 활용되고 있다(안양희 외, 2015).

건강지표에는 사망에 관한 지표로 사망률, 유병률, 이환율 등이 있으며, 인구재산생산 수준에 관한 지표로 출산율, 출생률 등이 있으며, 건강수준에 관한 지표로 평균수명이 있다. 건강지표 산출시 활용될 수 있는 대표적인 자료원으로는 보건복지부의 통계연보, 통계청의 인구동태 통계연보, 국민건강보험공단의 국민건강 보험자료 등이 있다.

지역사회의 건강을 유지, 증진하기 위한 목적으로 그 지역에서 중점적으로 다루어야 하는 건강요구와 건강문제의 파악이 요구되며 지역사회에서 발생하는 건강상태 및 질병을 파악하기 위한 기본적인 측정이 빈도측정이다. 빈도측정은 연구대상인 사건의 규모를 파악하게 하는 것으로 가장 많이 사용되는 것으로는 빈도(count), 비(ratio), 구성비율(proportion), 율(rate) 등이 있다.

1) 빈도(count)

빈도는 해당 사건에 해당하는 수를 의미하며 분모의 개념이 포함되지 않은 것이다. 예를 들어 수두 발생을 볼 때, A지역은 20명이 발생했고, B지역은 40명이 발생했을 경우, 발생수는 B지역이 많지만, 발생수(빈도)만을 가지고 B지역이 수두의 심각성이 크다고 할 수는 없다. 빈도는 분모를 고려하지 않은 측정치이므로 질환의 발생이나 사망을 측정할 때는 전체 몇 명 중에서 몇 명이 발생했는지 분모를 고려하여 나타내야 한다.

2) 비(ratio)

비는 두 사건 및 상황의 빈도를 비교할 때 각각의 비율을 비교하거나 두 사건의 건수를 직접 비교하는 것이다. 즉, 한 측정값을 다른 측정값으로 나눈 값으로 A : B 또는 A/B의 형태를 나타내는 측정치이다. 분자의 분모에 대한 비로서 분자는 분모에 포함되지 않는다. 예를 들면 성비(sex ratio)인 남자 대 여자, 영유아의 수 대 노인의 수, 그리고 태아사망비가 해당된다. 비에는 분자가 분모에 포함되지 않기 때문에 분자가 분모에 포함되는 구성비율(proportion)과 구별되고, 시간개념이 적용되지 않아 비율(rate)과도 구별된다. 표시방법이 간단한 장점은 있으나 모집단의 개념이 결여된 단점이 있다.

(1) 상대위험비(relative risk ratio, RR)

어떤 질환의 발생률을 비교할 때 특정 위험요인에 노출된 사람과 노출되지 않은 사람들의 질환발생률을 비교하는 것을 상대위험비(relative risk ratio)라 한다. 이것은 코호트 연구에서 위험요인에 폭로된 군과 폭로되지 않은 군의 발생률의 비를 말한다(표 2-4). 상대위험비가 1이라는 것은 폭로군과 비폭로군에서의 질병발생 위험이 동일하다는 것을 의미한다. 상대위험비가 커질수록 위험요인 폭로군의 질병발생 위험이 커진다는 것을 의미하며 상대위험비가 1보다 작은 것은 폭로군에서의 위험이 더 낮고 비폭로군에서의 위험이 더 크다는 것으로 폭로 여부가 질병 발생의 보호요인으로 작용한다는 것을 의미한다. 즉 질병발생을 예방하는 효과가 있다고 말 할 수 있다.

위의 표에 따라 특정 질병발생에 대한 위험요인 폭로군과 비폭로군의 발생률을 상대위험비로 표시하면 다음과 같다.

$$상대위험비 = \frac{위험요인에\ 폭로된\ 집단에서의\ 특정질병발생률}{위험요인에\ 폭로되지\ 않은\ 집단에서의\ 특정질병\ 발생률} = \frac{A/(A+B)}{C/(C+D)}$$

흡연으로 인한 폐암 발생에 대한 상대위험비와 기여위험도를 산출하여 상대위험비가 6.45이면 흡연자가 비흡연자보다 폐암에 걸릴 위험정도가 6.45배 더 높다는 것을 의미한다.

표 2-4 상대위험비 산출 공식 예

위험요인 \ 질병유무	질병		계
	있다	없다	
폭로	A	B	A+B
비폭로	C	D	C+D
계	A+C	B+D	A+B+C+D

(2) 교차비 또는 비의비(odds ratio, OR)

특정 질병을 가진 사람들(환자군) 중에서 위험요인에 폭로된 사람의 비를 구하고, 특정 질병을 가진 사람들(대조군) 중에서 위험요인에 폭로되지 않은 사람의 비를 구한 뒤, 이들 두 비 간의 비를 구한 것을 교차비(비의비, OR)이라 한다. 특정 질병을 가진 환자군에서 위험요인에 폭로된 사람의 비와 대조군에서 위험요인에 폭로된 사람의 비를 구하고 두 비의 비를 구하면 교차비는 다음과 같다.

$$교차비 = \frac{환자군에서\ 특정요인에\ 폭로된\ 사람과\ 폭로되지\ 않은\ 사람의\ 비}{대조군에서\ 특정요인에\ 폭로된\ 사람과\ 폭로되지\ 않은\ 사람의\ 비} = \frac{A/C}{B/D} = \frac{AD}{BC}$$

교차비는 유병률이 낮을수록 코호트 연구에서 산출되는 상대위험비의 값과 근사해진다. 즉 고혈압이 있는 경우와 그렇지 않은 경우에 비해 뇌졸중이 약 10.6배 더 많이 발생한다(표 2-6).

표 2-5 교차비 산출계산 예

고혈압 여부	뇌졸중 발생 여부	
	예	아니오
예	140	260
아니오	50	980

- 환자군의 폭로와 비폭로 비=140/50
- 대조군의 폭로와 비폭로 비=260/980
- 교차비=(140/50) / (260/980)=(140×980) / (50×260)=10.6

(3) 기여위험도(귀속위험도: attributable risk, AR)

기여위험도는 폭로군과 비폭로군의 발생률의 차이를 말하며 요인과 질병발생의 관련을 나타낸다. 특정요인에 폭로된 군에서 질병 또는 건강관련 사건 발생 위험이 비폭로군에 비해 얼마나 더 높은 가를 나타낸다.

기여위험도=폭로군에서 발생률 – 비폭로군에서의 발생률

표 2-6 흡연으로 인한 폐암 발생에 대한 상대위험비와 기여위험도 계산의 예

흡연여부	폐암발생 여부		계
	있다	없다	
예	107	287	394
아니오	43	985	1,028
계	150	1,272	1,422

노출군의 폐암발생률=A/(A+B)=107/394=0.271
비노출군의 폐암발생률=C/(C+D)=43/1,028=0.042
상대위험비={A/(A+B)}/{C/(C+D)}=27.1/4.2=6.45
귀속위험도=노출군에서의 발생률 – 비노출군에서의 발생률=27.1–4.2=22.9

3) 구성비율(proportion)

구성비율은 상대빈도, 구성비, 분율이라 하며, 전체 중에서 어떤 특성을 가진 하위 집단의 상대적인 비중을 의미한다. A/(A+B)의 형태를 나타내는 측정치이며 분자는 항상 분모에 포함되며 주로 백분율(%)의 형태로 표현된다. 값은 전체가 1이므로 0에서 1 사이의 값을 취하며 단위는 없다. 예를 들면, 사망자 총 수 중에서 고혈압에 의한 사망자수를 백분율로 나타낸 것이다.

4) 율(rate)

율은 특정기간 한 인구집단에서 발생한 사건의 빈도를 표현하는 지표로 값은 0에서 무한대의 범위를 지닌다. 율을 계산할 때 주의할 점은 분자에 해당하는 인구는 분모에 포함되는 인구(A/A+B)이며, 분자와 분모는 동일 기간이어야 하고 분모는 어떤 사건을 같이 경험하는 위험집단이어야 한다. 율을 계산할 때는 분모(전체 모집단), 분자(모집단에서의 사건 수), 기본인구, 기간, 지역 등에 대한 정보가 필요하다. 많이 쓰이는 보건지표 중 율의 예로는 조사망률, 연령별 특수사망률, 발생률, 발병률, 유병률 등이 있다.

2. 이환지표(Morbidity Rate)

이환지표란 인구집단에서 질병의 존재여부, 또는 사건의 위험 수준을 나타내는 값이다. 흔히 사용하는 이환지표로는 발생률, 유병률, 발병률 등이 있다.

1) 발생률(incidence rate)

한 집단의 건강한 전체 인구 수 중에서 관찰기간 동안 특정 질병으로 새로 발생한 환자 수를 단위인구로 표시한 것이다. 질병에 걸릴 확률이나 위험도를 직접 추정하게 하는 측정치이다. 발생률은 특정 질병이 없었던 사람이 특정 기간 동안(흔히 1년) 질병이 발생할 확률을 측정하는 것으로 누적 발생률(cumulative incidence rate)과 발생빈도(incidence density)의 두 종류가 있다. 발생률은 한 인구집단에서 어떤 질병발생의 확률이 될 수 있다. 즉 인구집단 내의 한 개인이 일정기간 동안 질병에 이환될 위험(risk)이 어느 정도인지를 설명해준다. 따라서 다른 속성을 가진 둘 이상의 인구집단을 대상으로 특정 질병의 발생률을 비교하면 질병의 발생과 관련이 있는 요인들을 찾아낼 수 있다.

$$\text{발생률} = \frac{\text{특정기간 동안 새로 발생한 환자 수}}{\text{특정기간 동안 위험에 노출된 인구 수}} \times 1{,}000$$

(1) 누적발생률(cumulative incidence rate)

누적발생률은 일정기간에 질병에 걸리는 사람들의 분율을 나타낸다. 예를 들어 10년간 1,000명의 인구 중에 60명의 환자가 발생하였다면 누적발생률은 10년간 100명당 6명 혹은 연간 1,000명당 6명이 된다. 누적발생률은 특정한 기간에 한 개인이 질병에 걸릴 확률 또는 위험도를 추정한다.

$$\text{누적발생률} = \frac{\text{일정지역 특정기간 내 새롭게 발생한 환자 수}}{\text{동일한 기간 내 질병이 발생할 가능성이 있는 인구 수}} \times 1{,}000 \times \text{시간}$$

(2) 발생밀도(평균발생률: incidence density)

어떤 일정한 인구집단에서 질병의 순간발생률을 측정하는 것으로 최근에는 분모의 개념을 보다 세분화시킨 발생밀도(incidence density)가 자주 사용되고 있다. 실제 연구에 참여하는 시기가 서로 다르기 때문에 연구기간 중 고위험인구라는 분모에 기여하는 정도가 다를 수 있다. 발생빈도를 표현하는데 흔히 사용하는 방법은 인년으로 person−year, person−day등이 있다. person−day는 1일 동안 한 사람이 가지는 위험, person−year는 1년 동안 한 사람이 가지는 위험을 반영한다.

$$\text{평균발생률} = \frac{\text{일정지역 특정기간 내 새롭게 발생한 환자 수}}{\text{총관찰인년}} \times 1{,}000$$

2) 유병률(prevalence rate)

유병률은 한 시점이나 일정한 기간 동안에 특정 질병을 가진 사람의 수로 그 시점이나 일정 기간의 인구 중 존재하는 환자의 비율을 의미한다. 유병률은 시점 유병률(point prevalence rate)과 기간 유병률(period prevalence rate)이 있다.

시점 유병률은 한 시점에서의 유병상태를 나타내며 시간경과에 따라 질병양상이 어떻게 변화하는지 파악 할 수 있고, 당뇨병 인지율, 치료율 등과 같이 어떤 변화가 있는지를 파악하는데도 유용하게 사용 할 수 있다.

기간 유병률은 어떤 특정한 기간에 어떤 인구 중에서의 질병상태를 나타낸다. 기간유병률의 분자는 특정기간이 시작되는 시점에 질병을 가진 사람들과 그 기간에 새롭게 질병이 발생한 사람의 수를 합한 값이 된다.

$$\text{유병률} = \frac{\text{주어진 기간 동안 환자 수(기존환자 수+신환 수)}}{\text{주어진 기간 동안 주어진 인구 집단 내의 인구 수}} \times 1{,}000$$

$$\text{시점 유병률} = \frac{\text{같은 시점에서의 환자 수}}{\text{특정시점에서의 인구 수}} \times 1{,}000$$

$$\text{기간 유병률} = \frac{\text{그 기간 내에 존재하는 환자 수}}{\text{특정기간의 연중앙 인구 수}} \times 1{,}000$$

유병률은 한 지역사회의 특정 질병에 대한 부담을 측정하고 지역사회 요구를 충족시키기 위한 시설, 프로그램 및 인력의 필요성을 결정하는 데 유용하다. 즉 특정 질병에 대한 유병률을 통해 그 지역사회의 보건요구와 건강요구를 충족시키기 위한 구체적인 서비스를 결정할 수 있다.

3) 발생률과 유병률의 관계

특정 질병의 발생률과 유병률은 이환기간에 의해 결정된다. 그러므로 유병률의 변화는 질병에 이환된 사람의 수가 많았더라도 사망하거나 회복이 되어 이환기간이 짧다면 현재 질병에 이환되어 있는 사람의 수는 적을 것이다. 질병의 발생률 I(incidence rate), 유병률 P(prevalence), 질병의 평균 이환기간 D(average duration) 사이에는 다음의 관계가 성립된다.

유병율(P)=발생률(I) × 이환기간(D)

급성 질환의 경우 질병의 이환기간이 매우 짧을 경우에는 위의 관계에서 질병의 평균 이환기간(D)은 발생률(I)에 가깝게 되므로 다음의 관계가 성립된다.

유병율(P)=발생률(I)

즉 질병의 이환기간이 아주 짧을 경우 유병률과 발생률은 거의 같다고 할 수 있다. 그러나 치명률이 높은 경우에는 오히려 유병률보다 발생률이 더 높을 것이며, 만성질병의 경우에는 이환기간이 1년 이상 장기간 동안 이환하고 치명률이 낮기 때문에 유병률이 발생률 보다 높은 것을 알 수 있다.

발생률은 질병의 원인을 찾는데 가장 필요한 측정 지표이며, 유병률은 질병의 이환기간과 발생률을 동시에 포함하고 있기 때문에 만성질환의 관리사업을 평가하는 데 사용될 수 있다.

3. 사망지표(Mortality Rate)

사망률은 특정기간에 한정된 인구집단에서 발생하는 사망의 빈도를 측정하는 것이다. 일반적으로 사망률에서 사용하는 분모는 일정 기간의 중앙 인구수가 된다.

1) 조사망률(crude death rate)

조사망률(粗死亡率)은 사망률 중 분모의 성, 연령 등을 고려치 않고 모든 사망원인에 의한 사망률로 주어진 기간에 중앙인구 1,000명 당 또는 10만 명 당 발생한 사망자수로 표시한다. '조(粗)'는 거칠 조이며, '조(粗)'는 '대략(大略)', '대강(大綱)'을 뜻한다.

조사망률은 조출생률과 함께 주어진 인구의 성장 및 변화 수준을 나타내는 기본적인 지표의 하나이다. 조사망률은 다른 지표들에 비해 계산에 필요한 자료를 상대적으로 쉽게 구할 수 있고, 그 계산 또한 간편하다는 장점은 있으나 인구의 연령구조에 따라 직접적인 영향을 받는다. 즉, 연령은 사망의 위험에 영향을 주는 주요 요인이며, 노령인구는 젊은 층 인구에 비해 원인별 사망률이 다르기 때문이다.

2) 특수사망률(specific death rate)

특수사망률은 주어진 기간에 인구집단에서 성, 연령, 직업, 사망원인 등의 인구 특성별로 구한 사망률을 말하며 성별 사망률, 연령별 사망률, 사인별 사망률 등이 있다.

$$\text{특수사망률} = \frac{\text{동일기간 해당질병의 사망자 수}}{\text{주어진 기간의 특정집단의 연평균 또는 중앙인구}} \times 1{,}000$$

(1) 연령별 특수 사망률(age specific death rate)

특정 연령군에 한정된 사망률을 말한다. 연령별 사망률에는 신생아사망률, 영아사망률, 유아사망률 등이 있다.

$$\text{연령별 사망률} = \frac{\text{특정연령군의 사망자 수}}{\text{특정연령군의 인구}} \times 1{,}000$$

(2) 사인별 특수사망률(cause specific death rate)

사인별 특수사망률은 인구 10만 명당 주어진 기간에 특정 원인으로 사망한 수를 말한다.

$$\text{사인별 사망률} = \frac{\text{그 기간의 특정 원인으로 인한 사망수}}{\text{주어진 기간의 연평균 또는 중앙인구}} \times 1{,}000$$

3) 비례사망률((proportional mortality rate, PMR)

1년 동안 총 사망자수 중에서 특정원인에 의한 사망자수의 구성 비율로서 사인별 사망분포를 나타낸다.

$$\text{비례사망률} = \frac{\text{그 연도의 특정질환에 의한 사망자 수}}{\text{어떤 연도의 총 사망자 수}} \times 100$$

4) 비례사망지수(proportional mortality index, PMI)

어떤 연도의 사망자 중에서 50세 이상의 사망자 수를 나타내는 구성 비율이다. 비례사망지수는 연령별 사망률만 구하면 산출 할 수 있으므로 조사망률, 평균수명과 함께 한 나라의 건강수준을 파악하는 동시에 다른 지역과 보건수준을 비교 할 수 있는 대표적인 보건지표로서 비례사망지수가 클수록 그 나라의 보건의료수준과 건강수준이 높은 것을 의미한다. PMI값이 높을수록 고령자의 사망수가 많다는 것을 의미하며, 선진국일수록 높다.

$$비례사망지수 = \frac{그\ 연도의\ 50세이상\ 사망자\ 수}{어떤\ 연도의\ 사망자수} \times 100$$

5) 치명률(case-fatality rate)

어떤 병에 걸린 환자 중에서 그 병으로 죽은 환자의 비율을 말하며 백분율로 나타낸다. 치사율이라고도 하며, 질병의 생명에 대한 위험도를 나타내는 지표이다.

$$치명률 = \frac{그\ 기간동안\ 특정\ 질병에\ 의한\ 사망\ 수}{어떤\ 기간동안\ 특정\ 질병이\ 발생한\ 환자\ 수} \times 100$$

제5절 건강검진의 진단검사

최근에는 국제적으로 에볼라, 메르스, 지카 바이러스감염증 등 감염병의 유행으로 세계보건기구(WHO)에서 '국제공중보건 비상사태'를 선포하기에 이르렀고, 우리나라도 이에 질병관리본부에서 대응책을 마련하는 등 국민의 안전을 위해서 감염병 예방관리에 만전을 기하고 있다. 감염병 관리는 2차 예방보다 1차 예방이 국민건강증진 차원에서 중요하다고 하겠다. 그러나 비감염성 질병은 질병 발생 전 예방이 매우 어려우므로 질병을 조기에 발견하여 조기에 치료함으로써 국가적 손실을 최소화 하고 삶의 질을 증진 시킬 수 있는 2차 예방이 효과적이라고 할 수 있다. 질병의 조기발견을 위해서는 집단검진(mass screening)을 통하여 어떤 지역사회의 유병률과 건강상태를 정확히 파악하고 질병 전체의 규모나 발생 양상 등에 대한 정보를 수집하여 조기에 치료 및 예방을 하는 것이 중요하다. 집단검진을 위한 구비 조건으로는 첫째, 질병이 발견되면 이를 치료 할 수 있어야 하며, 둘째, 정확하게 진단을 내리고 치료를 할 수 있는 시설이 있어야 하고, 셋째, 치료를 해야 할 환자로 규정하는 기준이 마련되어 있어야 하며, 넷째, 선별해 내려는 상태는 중요한 건강문제이어야 한다. 다섯째, 검사방법은 주민들이 받아들일 수 있는 방법이어야 하며, 여섯째, 질병의 발생 및 진행과정, 즉 질병의 자연사가 알려진 질병이어야 한다. 일곱째, 어느 정도 잠복기 또는 초기증상을 나타내는 시기가 있는 질병이어야 하며, 여덟째, 환자를 발견 및 치료를 하는데 쓰이는 경비가 일상적인 의료비에 비해서 경제적이어야 한다. 마지막으로 타당하고 신뢰성 있는 검사방법이어야 한다.

역학적 검사방법에서는 그 측정이 얼마나 정확하고 믿을 수 있는가의 문제는 중요하다. 즉, 타당도와 신뢰도가 매우 중요하다. 측정자체가 정확하지 못했을 때는 좋은 연구결과를 얻었더라도 신뢰 할 수 없으며 오류를 범할 수 있다. 타당도(validity)와 신뢰도(reliability)가 높을수록 정확한 검사방법이기 때문이다. 타당도에는 민감도(sensitivity), 특이도(specificity), 예측도(predictability)가 있다.

표 2-7 검사의 정확도 평가를 위한 지표

검사결과	확진에 의한 질병 유무		계
	질병(+)	질병(−)	
양성(+)	A (진양성)	B (가양성)(=위양성)	A+B (총검사양성수)
음성(−)	C (가음성)(=위음성)	D (진음성)	C+D (총검사음성수)
계	A+C (총 환자 수)	B+D (총 비환자 수)	A+B+C+D (총계)

출처: 김정순(2000). 역학원론. 신광출판사.

1. 타당도(validity)

타당도란 한 개의 검사도구 혹은 측정도구가 측정하려고 의도하는 것을 어느 정도 충실히 재고 있느냐의 정도를 말한다. 즉 측정하고자 하는 내용을 어느 정도 정확하게 검사결과가 반영해 주는가 알려주는 정도이다. 정확도의 계산공식은 표 2−7과 같다. 검사방법의 타당도는 민감도와 특이도로 평가하는데, 가장 완벽한 검사방법은 검사결과가 질병을 가진 사람에게서는 언제나 양성으로 나오고, 질병을 가지지 않은 사람에게서는 언제나 음성이 나와야 한다. 양성결과를 평가하는 것이 민감도이고, 음성결과를 평가하는 것이 특이도이다. 민감도와 특이도는 확진된 질병을 특정검사방법이 그 질병의 유무를 판단해 주는 능력이므로 높아야 하며, 예측도는 검사방법이 그 질병이라고 판단한 사람들 중에서 실제로 그 질병을 가진 사람들의 비율로서 그 검사방법의 예측능력을 말한다.

1) 민감도(sensitivity)

질병을 가진 환자의 검사가 양성으로 나타나는 경우를 말한다. 즉 양성으로 나온 사람의 수가 실제 환자 수에서 차지하는 비율을 말한다.

$$\text{민감도(sensitivity)} = \frac{\text{검사 양성 수}}{\text{총환자 수}} = \frac{A}{A+C} \times 100$$

2) 특이도(specificity)

질병이 없는 사람이 검사결과가 음성으로 나타나는 경우를 말한다. 즉 질병이 없을 때 특정 검사방법이 질병이 없는 것으로 확인된 사례의 비율로 음성으로 나온 수가 실제 비환자수에서 차지하는 비율이다.

$$\text{특이도(specificity)} = \frac{\text{검사 음성 수}}{\text{총 비환자 수}} = \frac{B}{B+D} \times 100$$

3) 예측도(predictability)

측정에 의해 질병이 있다고 판단한 사람들 중에 실제로 그 질병을 가진 사람들의 비율인 양성예측도(positive predictability)와 측정에 의해 질병이 없다고 판단한 사람들 중에 실제로 그 질병을 가지지 않은 사람들의 비율인 음성예측도(negative predictability)가 있다.

$$\text{양성예측도} = \frac{\text{확진된 환자 수}}{\text{총검사 양성 수}} = \frac{A}{A+B} \times 100$$

$$\text{음성예측도} = \frac{\text{확진된 비환자 수}}{\text{총검사 음성 수}} = \frac{D}{C+D} \times 100$$

4) 위음성률과 위양성률

검사방법의 정확도를 평가하는 민감도와 특이도 외에 검사의 타당성을 보여주는 지표로 위음성률과 위양성률이 있다. 위음성률은 검사결과 음성자 중에서 가음성자수이며, 위양성률은 검사결과 양성자 중에서 가양성자수를 말한다. 진양성자와 진음성자는 검사방법에 의해서도 양성이나 음성으로 나온 사람들이 확진에 의한 질병 유무에 있어서도 실제 환자나 비환자로 판명된 사람들을 의미한다. 가양성자(false positive)는 검사방법에 의해서는 양성으로 나왔지만 확진에 의한 질병 유무에서는 질병이 없는 사람들이며 가음성자(false negative)는 검사방법에 의해서 음성으로 나왔지만 실제는 질병을 갖고 있는 사람들이다. 가양성률이 높을수록 양성예측도는 떨어지며, 가음성률이 높을수록 음성예측도는 떨어진다.

집단검진 방법이 갖추어야 할 조건으로는 민감도, 특이도, 음성예측도, 양성예측도가 높아야 하며, 가음성률과 가양성률은 낮아야 한다. 특이도가 높다는 것은 진음성이 많고 가양성이 적은 것을 말한다. 가양성자는 실제는 양성이 아닌데 측정상 양성으로 나타나는 사람이며, 가음성자는 실제는 음성이 아닌데 측정상 음성으로 나타나는 사람을 말한다. 또한 정확도 지표는 그 집단의 유병률과 깊은 관계를 가지고 있다. 유병률이 낮을수록 가양성률이 높아지는 반면 가음성률은 낮아진다. 따라서 유병률이 높은 지역에서는 민감도가 높은 검사방법을 사용하고 유병률이 낮은 지역에서는 특이도가 높은 진담검사방법을 사용하는 것이 바람직하다(김일순, 1986). 그러므로 정확한 검사를 위해서는 측정의 정확도에 영향을 미치는 요인을 이해하는 것이 필요하며, 정확도에 영향을 미치는 요인은 다음과 같다(김정순, 2000).

- 환자사례 정의에 대한 기준의 명확성, 즉 질병이 있는 사람과 없는 사람을 구분하는 기준의 명확성
- 검사결과 중 어떤 단계를 음성, 양성으로 분류할 것인지에 대한 기준, 한계치(cutting point)의 기준에 대한 명확한 정의: 자궁경부암 세포진 검사(pap smear)로 암을 진단하는 경우 세포진 분류를 Ⅱ 이상을 검사 양성이

표 2-8 검사결과의 양성과 음성을 구분하는 한계치에 따른 정확도의 변화

세포진의 분류	검사수	자궁경부암 확진
I	305	0
II	203	12
III	119	57
Ⅳ	78	68
V	84	64

가. 세포진 분류 Ⅱ 이상을 검사 양성으로 하는 경우 세포진 검사의 정확도

세포진	생검에 의한 확진		계
	자궁경부암(+)	자궁경부암(−)	
양성	201	283	484
음성	0	305	305
계	201	588	786

민감도: 100%, 특이도: 48.1%, 양성예측도: 41.5%, 음성예측도: 100%

나. 세포진 분류 Ⅲ 이상을 검사 양성으로 하는 경우 세포진 검사의 정확도

세포진	생검에 의한 확진		계
	자궁경부암(+)	자궁경부암(−)	
양성	189	92	281
음성	12	496	508
계	201	588	789

민감도: 94.0%, 특이도: 84.3%, 양성예측도: 67.3%, 음성예측도: 97.6%

출처: 김정순(2000). 역학원론. 신광출판사.

라고 하는 경우(가)와 세포진 분류 Ⅲ 이상을 검사양성이라고 하는 경우(나) 정확도 지표는 달라진다(표 2−8).

- 대상인구 집단에서의 측정하고자 하는 건강상태의 유병률, 즉 유병률이 낮을수록 가양성률이 높아지고 가음성률은 낮아지므로 특정질병에 대한 유병률도 깊은 관계를 가지고 있다. 예측도는 가양성률과 가음성률이 관여하므로 정확도 지표는 모두 가양성률과 가음성률에 의해 좌우된다.
- 측정의 신뢰도가 높을 때 타당도가 높아지므로 측정의 신뢰도
- 측정자의 성실성

2. 신뢰도(reliability)

신뢰도는 측정한 자료가 얼마나 믿을 만한가와 관련된 개념으로서 동일 대상에게 동일한 방법으로 반복 측정할 때에 얼마나 일치된 결과를 나타내는가를 의미한다. 신뢰도는 정확도의 필수조건이므로 신뢰도가 높을수록

측정도구로서는 적절하다. 그러므로 신뢰도를 높이기 위해서는 측정자의 숙련도도 신뢰도에 영향을 미치므로 측정자가 측정도구를 다루는데 익숙해야 하고, 측정자수를 줄임으로써 측정자간에 발생할 수 있는 오차를 감소시키며, 측정도구, 검사 시기, 검사조건 등 표준화된 환경에서 측정하도록 한다.

제6절 역학적 연구방법

역학적 연구방법은 질병의 원인에 대한 개념을 기초로 하여 질병발생의 원인을 어떻게 조사하고 규명해낼 것인가 하는 방법으로서 질병의 분포 및 자연사를 파악하고 질병의 원인과 전파에 관련되는 요인, 숙주, 환경의 상호관계를 기초로 질병의 발생요인을 규명하고, 집단의 역학적 진단과 질병관리방법에 대한 대책을 수립하는 것이다.

역학연구에서 흔히 쓰이는 연구방법은 크게 가설을 설정하는 연구인 기술역학(descriptive epidemiology)과 가설을 검정하는 연구인 분석역학(analytic epidemiology)으로 분류할 수 있으며 분석역학은 관찰연구와 실험연구로 구분된다. 분석역학 중 관찰방법을 적용한 연구에는 단면연구(cross−sectional study), 환자−대조군연구(case−control study), 코호트연구(cohort study)가 포함된다. 또한 분석역학 중 실험적인 방법을 적용한 실험역학에는 임상실험연구(clinical trial)와 지역사회에서 시행되는 예방 및 중재효과 측정연구(intervention study)가 있다.

1. 기술역학(descriptive epidemiology)

기술역학은 건강과 건강관련 상황이 발생했을 때 있는 그대로의 상황을 기술하는 것이다. 기술역학은 분야는 특정지역의 건강수준과 보건의료 수요 등의 추정에 필요한 정보를 제공할 뿐만 아니라 분석연구에서 검증할 가설을 제공하며, 질병발생의 분포와 양상을 기술한다. 또한 질병원인에 대한 가설 유도, 질병의 자연사나 치료방법 도입에 따른 질병경과의 변화 등도 기술한다. 기술역학은 연구자가 질병발생 양상에서 추측 할 수 있는 가정을 원인에 입각하여 검증하도록 원인변수별 질병분포와 변동을 기술하는 연구로 인적 특성, 장소, 시간적 변수로 질병의 분포와 양을 기술한다. 표 2−9는 기술역학의 주요변수이다. 기술역학은 기존자료를 이용할 수 있다는 장점이 있으나 자료의 정확도와 방대한 자료 분석의 문제점도 있다.

기술역학의 주요변수에서 지역적 변수 중 토착성(endemic), 유행성(epidemic), 대유행성(pandemic, 범세계적)이 있다. 토착성이란 어떤 주어진 지역에 그 질병이 어떤 형태이건 항상 존재하며 비교적 오랜 기간 동안 발생수준이 일정한 양상을 유지하는 것을 말하며, 유행성은 토착성 발생수준 이상으로 많은 환자가 발생하거나 그 지역에 전혀 없던 질병이 외부로부터 유입되어 환자가 발생하는 것을 의미한다(그림 2−15). 그리고 대유행성은 질병발생이 한 지역에 국한 되지 않고 최소한 두 국가 이상의 광범위한 지역에 동시에 발생 또는 유행하는 것을 말한다. 시간별로 유행을 기술하기 위해서는 유행곡선(epidemic curve)을 만든다. 환자수를 질병 발생의 시간별로 흔

표 2-9 기술역학의 주요변수

인적변수	지역적 변수	시간적 변수
▪ 연령, 성, 결혼상태, 교육 수준, 종족, 직업, 종교, 가족수, 출산순위, 부모 연령 등	▪ 지대적(한대, 온대, 열대) 국제적, 지구적, 국내적(행정 지역적), 도시, 농촌 등	▪ 토착성, 유행성, 대유행성, 산발성, 장기변동, 주기변동, 계절 변동

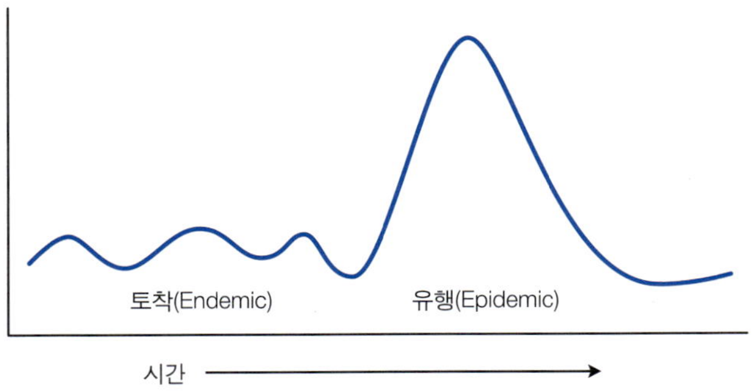

그림 2-15 토착과 유행의 비교

출처: Gordis, L.(1996). Epidemiology. Philadelphia: WB Saunders.

히 시, 일, 주, 달 등으로 나누어 그린다. 추세변동와 주기변동을 관찰하여 해당질병발생과 관련 된 요인이나 조기발견 및 치료효과를 평가하는데 활용하여 질병의 유행을 예방할 수 있다.

2. 분석역학(analytic epidemiology)

분석역학은 관찰을 통하여 얻어진 질병 발생과 그 요인 또는 속성과의 인과관계를 규명해 내는 연구방법으로서 기술역학에서 조사된 질병의 분포와 발생에 관련된 결과를 바탕으로 질병 발생에 대한 가설을 설정하고 그 가설을 검정해 내는 것이다.

분석역학의 종류에는 현재의 시점에서 현상을 연구하는 단면조사연구, 현재의 결과에서 과거의 원인을 찾고자 하는 환자-대조군 연구(후향적 조사 연구), 현재의 원인 노출에 따라 앞으로의 결과를 추적 조사하는 코호트연구(전향적, 또는 후향적 연구)가 있다. 환자-대조군연구와 코호트연구는 비교군을 가지고 두 군 이상의 질병 빈도 차이를 관찰하는 연구방법이다.

1) 단면조사연구(cross-sectional study)

단면조사 연구의 주요 목적은 원인규명에 있으며, 일정한 인구집단을 대상으로 특정한 시점이나 일정한 기간 내에 질병을 조사하고 각 질병과 그 인구집단과의 관련성을 보는 방법으로 상호관계 연구(correlation study)라고도 한다(그림 2-16). 또한 대상 집단의 특정질병에 대한 유병률을 알아낼 수 있어 유병 조사(prevalence study)라

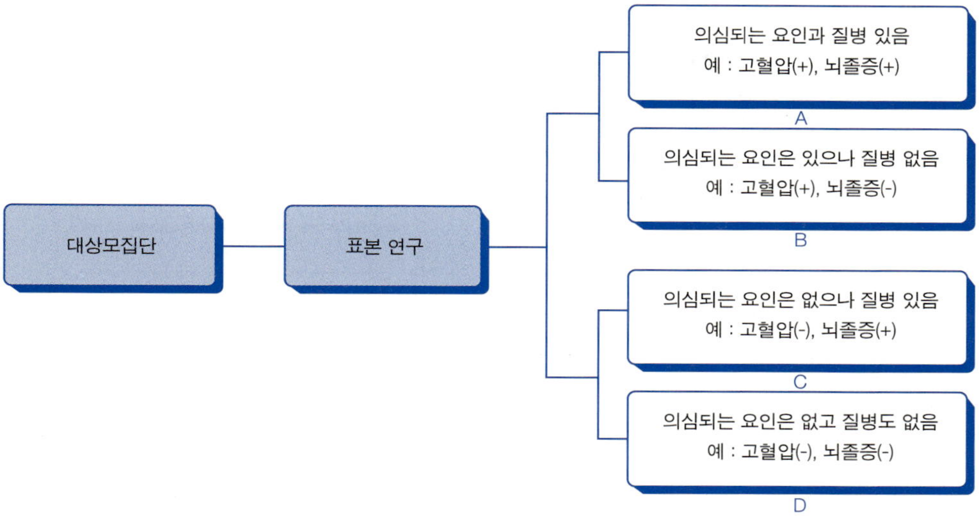

그림 2-16 단면연구의 설계

고도 하며, 단면조사연구에서 얻은 자료를 이용한 분석 방법으로는 유병률과 상대 위험비 산출이 있다.

단면연구의 장점은 집단의 질병양상과 이와 관련된 여러 속성을 동시에 파악할 수 있으며, 모집단에서 대표성을 지닌 표본을 통해 실시하므로 연구결과를 모집단에 적용 할 수 있고, 시점조사로 끝나므로 시간과 경비가 절약 된다. 단면연구의 단점은 일정한 시점에서 자료를 수집하기 때문에 인과관계를 따질 시간적 속발성을 확정 짓기 어려워 연구결과에 따라 규명하는 목적을 달성하는데 제한이 있으며, 표본의 규모가 커야 한다.

2) 환자-대조군 연구(case-control study)

환자-대조군연구는 연구하고자 하는 질병에 이환된 집단(환자군)과 질병이 없는 군(대조군)을 선정하여 질병 발생과 관련이 있다고 의심되는 요인들(risk factor, 위험요인)과 질병 발생과의 원인관계를 규명하는 연구 방법이다. 현재 질병이 있는 환자군이 과거에 어떤 요인에 폭로되었는가를 조사하는 것으로 후향성 연구(retrospective study)라고도 한다(그림 2-17). 이미 발생한 결과를 중심으로 과거의 경험을 확인하거나 기록을 검토하여 원인과의 연관성 가설을 확인하는 연구로 만성병과 희귀한 건강문제 원인을 규명하기에 적합하다. 환자-대조군 연구에서 얻은 자료를 이용하여 교차비를 구할 수 있다.

환자-대조군 연구의 장점은 여러 개의 가설을 동시에 검증할 수 있어 시간, 경비, 노력이 적게 들고 비교적 자료를 얻기가 용이하다. 환자-대조군 연구의 단점은 이미 발병 한 후에 실시하는 연구이므로 의심되는 요인에 대한 정보에 편견이 작용할 수 있으며, 분모가 없어 발병확률을 알 수 없고 인과관계의 질을 확인 할 수가 없다.

3) 코호트 연구(cohort study)

코호트 연구는 연구하고자 하는 질병에 이환되지 않은 건강군을 대상으로 하여 그 질병 발생의 요인에 폭로된

그림 2-17 환자-대조군 연구설계

집단(폭로군)과 폭로되지 않은 집단(비폭로군)간의 질병 발생률을 비교 · 분석하는 방법이다. 현시점을 기준으로 앞으로의 결과를 검토하는 것으로 전향적 연구(prospective study)라고도 한다(그림 2-18). 위험요인의 노출여부가 정해진 대상자에게 시간 경과에 따른 건강문제 발생여부를 확인 할 수 있으므로 위험요인과 건강문제 간의 원인적 연관성을 확인 할 수 있는 연구방법이다. 현재의 원인 노출에 따라 앞으로의 결과를 추적 조사하는 전향적 연구가 일반적이며, 과거 위험 요인에의 폭로자료가 있는 경우 후향적 연구도 가능하다. 코호트 연구의 장점은 일정기간 추구조사하여 이들 각 군에서 발생하는 환자를 대상으로 조사하는 방법이므로 위험요인 폭로군과 비폭로군의 발생률을 구할 수 있고, 위험요인 노출부터 질병진행의 전과정을 관찰 할 수 있어 수집된 정보들의 편견

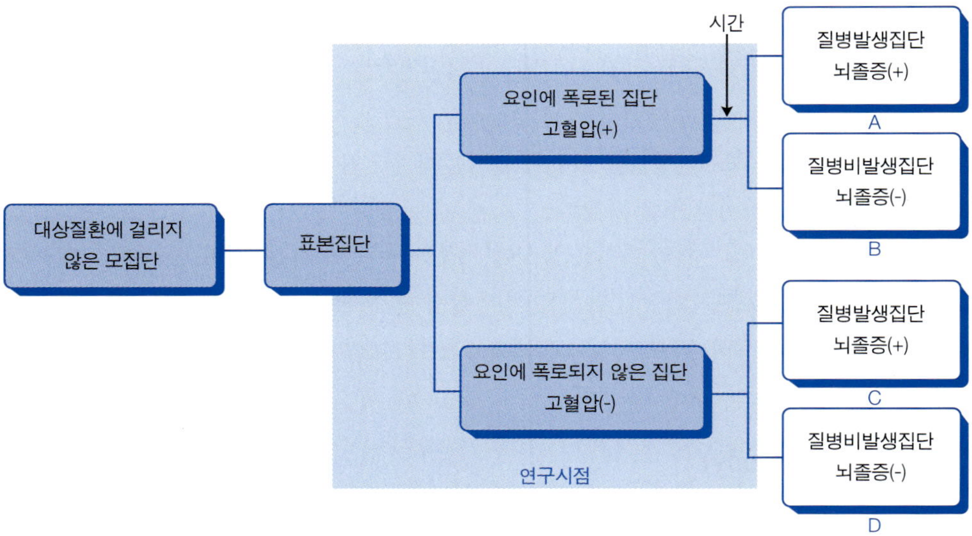

그림 2-18 코호트연구 설계

이 적으며, 위험요인 폭로 수준을 정확히 측정 할 수 있어 인과관계의 질을 확인 할 수 있다. 단점으로는 발병률이 높은 질환이어야 한다는 제한점과 표본수가 커야 하며, 장기간 관찰하는 동안 설정한 코호트의 구성원이 이사, 이민 등으로 추적 관찰할 수 없는 부분이 커지면 연구를 성공적으로 수행하기 어렵고, 시간, 경비, 노력이 많이 드는 것 등이 단점이다. 코호트 연구에서 얻은 자료를 이용하여 상대위험비, 기여위험도(귀속위험도)를 구할 수 있다.

4) 실험역학

실험역학은 질병의 원인을 규명하거나 분석역학에서 얻은 위험요인을 관리하는 중재방법의 효과 검증, 치료효과의 임상적 평가 등을 목적으로 이용하는 연구방법이다. 인위적으로 실험군에는 의심되는 요인을 폭로시키고 대조군은 의심되는 요인에 폭로시키지 않으며, 실험군과 대조군을 무작위 할당으로 선정하여 연구대상자와 실험자 모두 실험내용을 모르게 하는 이중 맹검법(double blind method)을 사용하여 연구한다. 실험역학 중 임상실험연구(clinical trial)는 새로운 중재방법의 효과를 검증하기 위하여 사람이나 동물을 대상으로 병원 등에서 이루어진다. 장점은 인과관계를 정확하게 확인 할 수 있으나, 윤리적 문제로 연구의 제한점이 있는 것이 단점이다.

제7절 보건통계활용

1. 인구집단 수준 건강관련 데이터

최근에는 자료의 중요성이 대두되면서 국가통계는 물론이고 여론조사 자료에서도 데이터 품질관리에 관심이 커지고 있다. 이에 따라 국가통계에 대한 품질관리가 실시되고 있으며 공공기관의 자료뿐만 아니라 개인 연구 자료에도 품질관리의 중요성이 강조되고 있다. 데이터 품질관리의 시작은 1985년 캐나다에서 통계품질 가이드라인을 발간한 후 국제기구와 선진국들이 관심을 가지기 시작하였다. 조사품질에 대한 인식의 변화는 1995년 영국에서 개최된 국제회의가 계기가 되었다. 우리나라는 통계청에서 1999년부터 통계품질관리 업무를 시작하였고, 2000년 12월에 IMF와 공동으로 통계품질평가 세미나를 개최한 이래 정확성, 정시성, 관련성, 접근성, 비교성 및 효율성을 평가지표로 삼고 국가통계의 품질관리를 해오고 있다(이동명 외, 2002).

그러므로 국가 간 보건의료수준과 경제수준을 비교 할 수 있는 보건지표도 품질관리가 중요하다고 하겠다. 인구집단 수준의 건강관련 데이터는 국내 · 외적으로 집단적 비교가 가능하고 시계열적 변화에서 정태적 · 동태적 변동의 크기를 잘 설명 할 수 있는 타당하고 신뢰도가 높아 유용성이 있어야 하며 경제적이며 계측이 가능하여야 한다. 집단의 건강수준뿐만 아니라 국제비교도 가능한 보건지표로는 사망지표와 상병지표, 출산력지표 등이 가장 많이 이용되는 지표이다.

1) 주요사망원인 및 암발생률

사망원인별 구성비는 한 국가의 보건의료수준이 향상됨에 따라 총사망자수가 상대적 크기변화와 함께 사망원인의 구성에도 변화가 온다는 사실에 근거를 둔 지표로 전체사망자 수에 대한 사인별 사망자 수를 백분비로 나타낸 것이다. 보건의료수준이 낮은 국가에서는 사망률이 높고 전염병 등이 차지하는 비율이 선진국보다 높으며 보건의료수준이 높은 국가의 경우에는 사망률이 낮고 만성퇴행성질환과 사고 등이 많은 사망원인을 차지하고 있다. 그림 2-19는 우리나라 사망원인 추이 통계이다.

$$\text{사망원인별 사망률} = \frac{\text{특정사인에 의한 사망자 수}}{\text{연앙인구 수}} \times 100{,}000$$

우리나라 암 조발생률은 해당 관찰기간동안 특정 인구집단에서 새롭게 발생한 암환자 수로 인구 10만 명당 발생하는 암환자 수를 의미하며 동일 환자에게 발생한 다중원발암은 또 한명의 새로운 암환자로 간주되어 새롭게 발생한 암환자 수에 포함하여 계산한다. 그림 2-20은 우리나라 주요 암발생 추이 통계이다.

2) 합계출산율(total fertility rate)과 노년부양비

우리나라는 2017년부터 생산가능인구가 감소세로 돌아서면서 소위 '인구절벽' 사태에 직면하게 될 것으로 전망하고 있다. 생산가능인구란 만 15~64세로 경제활동을 할 수 있는 인원을 의미한다. 생산가능인구 가운데 취업한 비율을 고용률이라고 한다. 인구절벽 사태는 노동력 감소뿐만 아니라 고령층 증가에 따른 복지부담 확대 및 내수시장 침체, 대외 수출경쟁력 악화 등 경제 문제와 교육 · 사회구조 전반의 위기를 몰고 올 것으로 우려된다. 정부는 2015년에 제3차 저출산 · 고령사회 기본계획(2016 ~ 2020) 브릿지 플랜 2020을 발표하고 저출산 · 고령화 사회로 진입하는 인구절벽 사태 관련 대응태세에 돌입했다. 현재의 경제활동 참가율을 전제할 경우 2021년부터 노

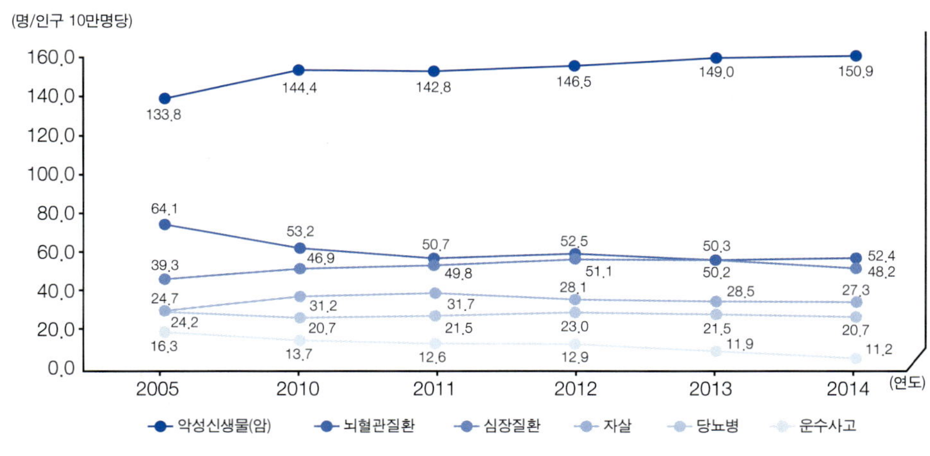

그림 2-19 주요사망원인 추이

출처: 보건부지부. 보건복지통계연보. 2015.

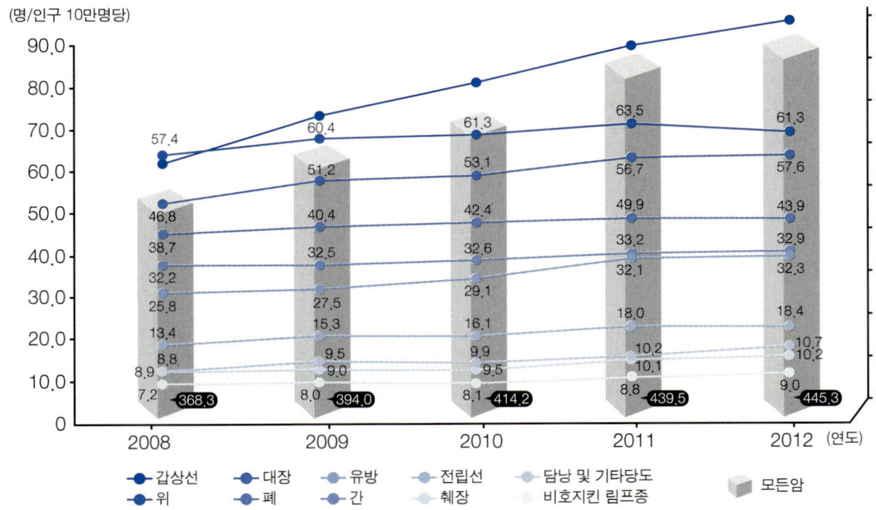

그림 2-20 주요 암 조발생률 추이

출처: 보건부지부. 보건복지통계연보. 2015.

동력 부족이 현실화되고, 2030년에는 280만 명의 노동력이 부족할 것으로 관측된다. 이는 낮은 출산율에서 기인한다. 한 여자가 가임기간(15세~49세) 동안 낳을 것으로 예상되는 평균 출생아 수인 합계출산율이 지난 2014년 기준 1.21명으로 세계 최저 수준이다(그림 2-21). 경제협력개발기구(OECD) 평균 1.7명에 비해 낮은 수준이다. 저출산은 합계 출산율이 2.1명 이하로 지속되는 현상을 말한다. 초저출산은 합계 출산율이 1.3명 이하인 현상을 뜻한다. 인구재생산이 가능한 출산율은 2.1명으로 우리나라는 인구재생산이 아닌 1960년대 6명이던 출산율이 1983년 2.1명 아래로 떨어져 저출산 국가가 됐다. 2001년부터는 15년째 초저출산(1.3명 이하) 국가에 머물고 있

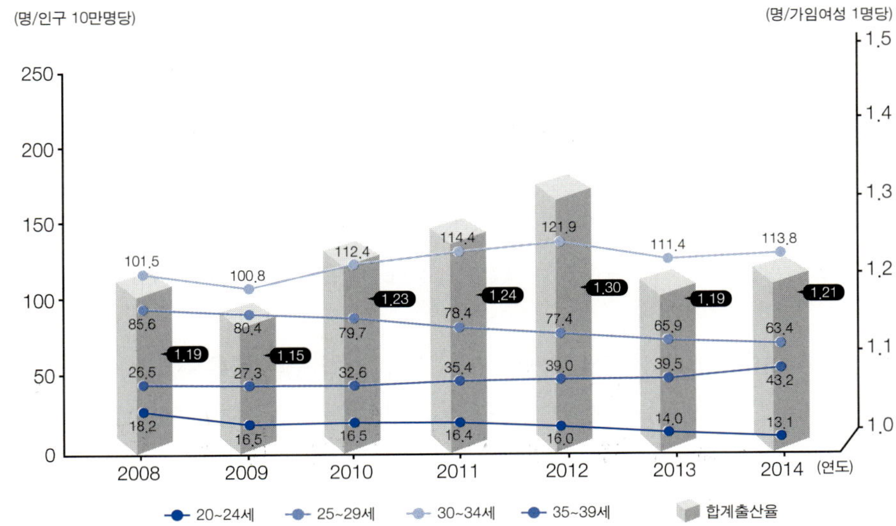

그림 2-21 합계출산율과 모의연령별출산율(2008~2014)

출처: 보건복지부. 보건복지통계연보. 2015.

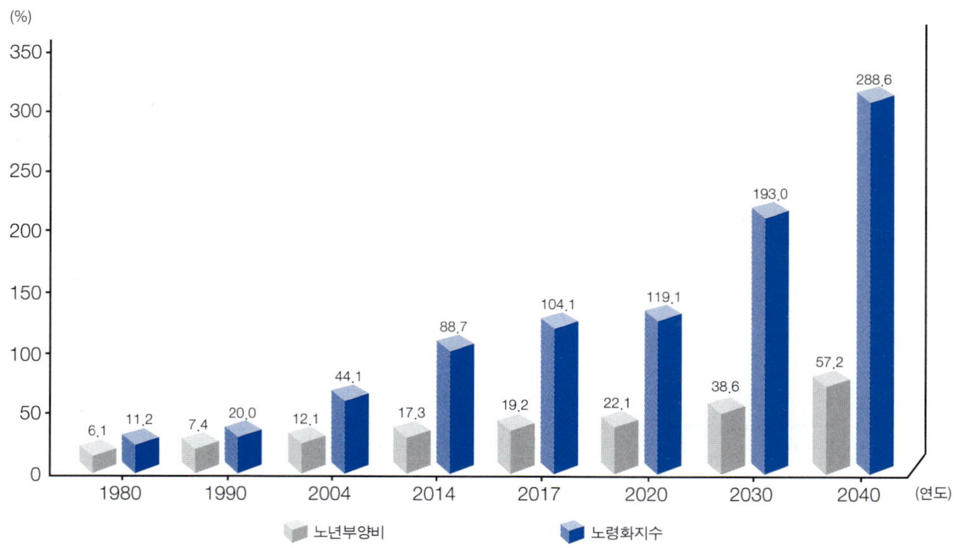

그림 2-22 노년부양비와 노령화지수(1980~2040)

출처: 보건부지부. 보건복지통계연보. 2015.

다. 반면 기대수명 증가 등으로 노인인구 비중은 급격히 증가해 우리 사회는 2017년부터 고령사회에 진입한 뒤 2026년부터 초고령 사회에 들어설 것으로 보인다.

통계청은 2030년 24.3%, 2060년 40.1%로 고령인구가 가파르게 늘어날 것으로 전망했다(장래인구추계조사, 2010-2060). 유엔은 전체 인구 중 65세 이상 인구 비율이 7% 이상~14% 미만 사회를 고령화 사회, 14% 이상~20% 미만을 고령사회, 20% 이상을 초고령사회로 분류한다. 생산가능인구(15~64세) 100명에 대한 고령인구 비(比)인 노년부양비는 24.6명으로 4.1명이 노인 1명을 부양하는 것으로 나타났다. 통계청은 저출산이 지속하면 2020년에는 생산가능인구 3.4명이 노인 1명을, 2040년에는 1.3명이 1명을 부양해야 할 것으로 전망했다(그림 2-22).

한국의 고령화가 얼마나 심각한 지는 노령화지수를 봐도 알 수 있다. 노령화지수(0~14세의 유소년인구 100명당 65세 이상 인구)는 94.1명을 기록해 5년 전(68.4명)보다 25.7명이나 높아졌다. 노령화지수는 2017년이면 104.1명으로 높아질 것으로 예측됐다. 이는 65세 이상 고령 인구가 유소년 인구보다 많다는 의미다.

이에 정부는 출산율을 높이기 위한 다양한 대책을 쏟아냈지만 출산율은 오히려 더 떨어져 지난 2014년 기준 1.21명으로까지 급감했다. 실업난, 경제적 부담, 여성의 사회참여 증가, 결혼연령 상승 등이 복합적으로 작용한 결과다.

우리나라의 인구절벽 현상은 왕성하게 경제활동을 하는 생산가능인구의 빠른 감소로 이어져 심각성을 더하고 있다. 생산가능인구가 줄어든다는 것은 경제의 활력을 잃고 저성장국가로 전락한다는 것을 의미하기 때문이다. 게다가 빠른 고령화로 인해 적은 생산가능인구가 많은 노인들을 부양해야 한다는 차원에서도 엄청난 부담이 될 수밖에 없다. 우리나라 인구는 2030년 정점에 도달한 이후 점차 감소할 것으로 추정되는데 더욱 심각한 문제는 인구의 절대규모가 줄어드는 것뿐만 아니라 연령구조가 급격하게 변화한다는 데 있다.

출산수준이 지속적으로 낮아지고 수명이 연장됨에 따라 2060년에는 생산가능인구와 0~14세까지의 유소년 인

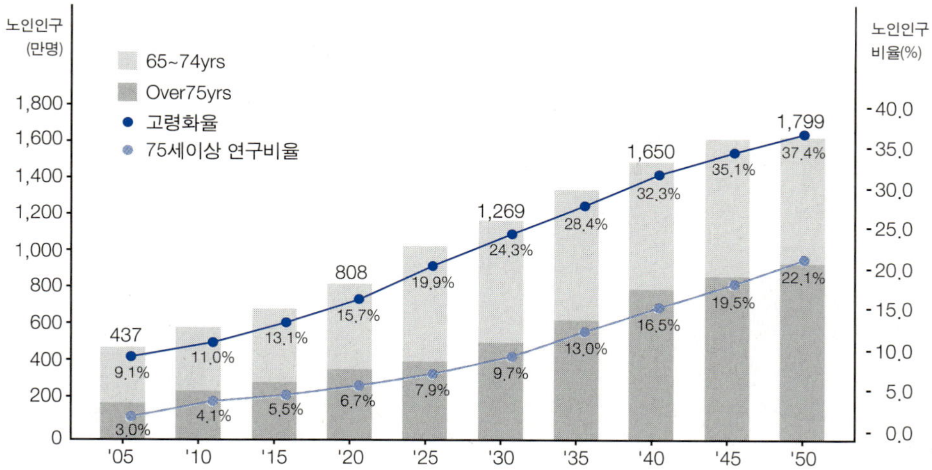

그림 2-23 고령화추이 전망

출처: 보건부지부, 보건복지통계연보, 2015.

구가 지난해의 59.2%, 63.5%로 각각 감소하는 반면 65세 이상 고령인구는 2015년의 2.7배 규모로 증가할 것으로 예상된다. 이는 2060년이 되면 우리나라 인구의 연령구조가 전형적인 역삼각형으로 바뀐다는 것을 의미한다(그림 2–23).

급속한 고령화로 2060년에는 65세 이상 노인의 의료비가 올해 정부 예산보다 많은 391조에 육박할 수 있다는 연구결과가 나왔다. 2014년보다 20배 가까이 치솟은 수치다. 건강보험 재정 안정을 위해서 국가 차원의 예방 및 건강증진 정책이 중요해지고 있다. 건강보험정책연구원(2015)은 2016년 1월에 '65세 이상 노인 진료비 지출 중장기 추계 연구' 보고서를 내고 2060년 노인 진료비가 최대 390조7949억원에 이른다고 예측했다(그림 2–24). 국내총생산(GDP) 대비 6.57% 규모다. 2014년 기준 노인 진료비는 19조8604억원으로 GDP의 1.34%였다. 2060년 노인 진료비가 현재보다 19.7배나 증가할 수 있다는 뜻이다. 노인 진료비는 2007년(9조1190억 원) 이후 매년 평균

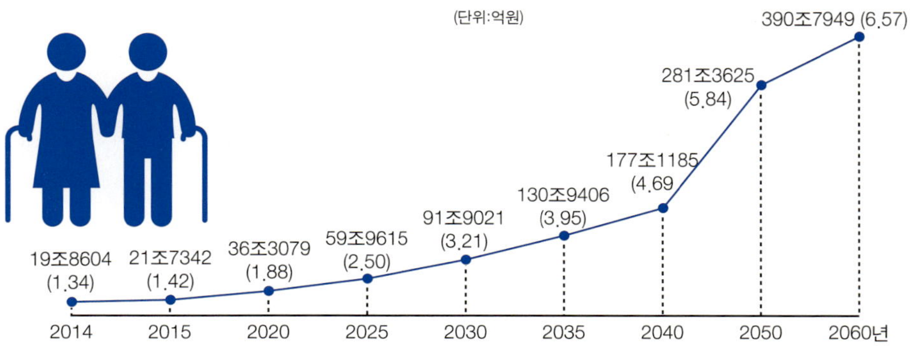

통계청 장래인구추계 중 인구가 가장 많이 증가하는 '고위인구'상황에서 건강상태 개선 없이 평균 수명만 연장되고 의료비 증가에 대한 소득 증가 비율은 0.8인 경우로 가정.( )는 국내총생산(GDP)대비 비중,%

그림 2-24 65세 이상 노인의 진료비 지출예상

출처: 국민건강보험정책연구원(2015). 65세 이상 노인 진료비 지출 중장기 추계 연구 보고서

그림 2-25 우리나라 노년부양비

출처: 보건부지부. 보건복지통계연보. 2015.

11.85% 늘고 있다.

저출산과 평균수명의 증가로 노인인구가 급격히 증가하면서 초고령 사회 진입으로 인하여 노년부양비가 2015년 17.9에서 2030년 38.6이 되어 2배 이상 증가할 것으로 나타났다(그림 2-25).

참고문헌

- 김일순(1986). 역학적 연구방법. 민음사.
- 김정순(2000). 역학원론. 신광출판사.
- 김정순(2004). 역학원론. 신광출판사.
- 김정순 등(1996). 역학과 지역사회 보건관리. 서울대학교 출판부.
- 김화중 외(2013). 지역사회간호학. 수문사.
- 대한예방희학회(2013). 예방의학과 공중보건학. 계축문화사.
- 이동명 외(2002). 국가통계품질측정을 위한 체계적 접근의 품질평가. 한국조사연구학회 추계학술대회 발표논문집, 111-127.
- 안양희 외(2014). 지역사회보건간호학. 현문사.
- 안양희 외(2008). 지역사회간호학Ⅱ. 정담미디어.
- 오미성 외(2015). 지역사회간호학. 퍼시픽북.
- 조유향 외(2015). 지역사호간호학 분야. 현문사.
- 최연희 외(2014). 지역사회보건간호학. 수문사.
- 국민건강보험공단 건강보험정책연구원(2015). 65세 이상 노인 진료비 지출 중장기 추계 연구 보고서
- 보건복지부(2016). 제3차 저출산 · 고령사회 기본계획. 브릿지 플랜 2020.
- 보건복지부. 보건복지통계연보. 2015.
- 통계청. 출생 통계. 2011.
- 통계청. 장래인구 추계. 2012.
- 통계청. 인구동향조사. 2014.
- 통계청. 인구동향조사. 2016.
- Gordis, L.(1996). Epidemiology. Philadelphia: WB Saunders.
- Friedman CE(1987). Primer of epidemiology, 3th ed. NY ; McGraw-Hill.
- Harkness, G. A.(1995). Epidemiology in Nursing Practice . Mosby.
- Leavell, H. F. & Clark, E.G.(1965). Preventive medicine for the doctor in his community: an
- epidemiology approach. NY: McGraw-Hill.
- MacMahon, B. & Puch, T. F. (1970). Epidemiology: Principles and methods, Little Brown and Company.

참고사이트

- 국민건강보험공단, http://www.nhic.or.kr.
- 보건복지부, http://www.mohw.go.kr.
- 질병관리본부, http://www.cdc.go.kr.
- 국가통계포털, http://www.kosis.kr.

제 3 장

지역사회 간호과정

학습목표

- 건강한 지역사회의 특성을 알 수 있다.
- 지역사회 집단과 협력하여 사정계획을 수립하고 가용한 지역사회 예산과 자원을 조사할 수 있다.
- 지역사회와 인구집단의 건강수준 및 강점을 사정할 수 있다.
- 건강요구도가 높은 개인, 집단, 지역사회를 규명할 수 있다.
- 수집된 지역사회 사정자료를 분석할 수 있다.
- 우선순위에 따른 지역사회 간호진단을 도출할 수 있다.
- 관련 보건의료 인력 및 지역주민과 함께 간호계획을 수립할 수 있다.
- 간호수행 및 평가에 필요한 자원과 예산을 계획할 수 있다.
- 법적 기준 및 지침에 의거 지역사회 간호사업을 수행할 수 있다.
- 수행한 지역사회 간호사업을 평가할 수 있다.

개요

본 장에서는 지역사회 건강요구를 사정하고, 가용한 자원을 확인하여 지역사회의 적정기능 수준 향상을 위한 지역사회 간호과정을 이해하고 이를 실무에 적용할 수 있다.

주요 용어

• 건강도시 • 지역사회 간호사정 • 계획 • 수행 • 평가

제1절 건강도시

산업화 및 경제적 성장으로 인해 도시화가 나타나게 되었다. 하지만 이러한 도시화는 주거문제, 고용문제, 환경오염, 건강문제, 범죄문제, 국가의 재앙문제, 스트레스 증가, 출산율 감소 등의 다양한 문제를 야기하였다. 그리하여 도시화에 따른 지역사회 주민들의 문제를 해결하기 위한 방법으로 건강도시라는 개념이 나타났으며 관련된 프로젝트가 시도되었다.

1. 건강한 지역사회의 특성

지역사회는 복잡하고 다양하며 변화한다. 건강한 지역사회는 오타와 헌장의 건강증진개념으로 설명될 수 있다. 그래서 건강한 지역사회는 단지 질병이 없는 상태뿐만 아니라 사람들이 높은 삶의 질과 생산성이 유지되게 하는 아래와 같은 특성을 가지고 있다.

① 지역사회의 모든 구성원에게 치료 및 예방에 초점을 둔 총체적 건강관리체계의 접근을 제공한다.
② 안전한 지역사회이다.
③ 도로, 학교, 운동장 등의 사회기반시설을 가지고 있다.
④ 건강하고 안전한 환경을 가진다.

이러한 조건을 가진 지역사회는 건강하며 지역사회에 속한 구성원들은 적정기능 수준 향상을 통한 삶의 질과 높은 생산성을 유지할 수 있다.

2. 건강도시

1) 건강도시의 정의

세계보건기구(1998)에서 건강도시란 물리적, 사회적 환경을 지속적으로 개선하고 창출하며, 지역사회의 자원을 증대함으로써 도시 구성원들이 개개인의 능력을 모두 발휘하고 잠재능력을 최대한 개발하여 서로 상부상조할 수 있도록 하는 도시라고 정의했다.

따라서 건강도시는 시민의 건강과 안녕을 의사결정 과정중에 가장 중심에 두는 도시로 건강을 도시의 주요문제로 인식하고 주민들의 건강에 대해 우선순위를 갖고 그것을 개선하려고 노력한다면 현재의 건강수준과 관계없이 건강도시가 될 수 있다. 건강도시에서 가장 중요한 것은 건강에 대한 신념이며, 지역주민의 건강에 대한 정책 및 이를 실천하고자 하는 의지이다.

2) 건강도시와 관련된 개념

건강도시의 개념은 건강을 결정하는 사회적요인, 알마타선언, 오타와헌장, 유엔환경개발회의 지역의 제21 등을 근거로 하여 발전되었다.

(1) 사회적요인

개인은 유전적으로 타고난 건강과 관련된 결정인자가 있으며 그러한 결정인자를 둘러싼 다양한 주변요인에 의하여 건강이 영향을 받을 수 있다. 여기에서 말하는 주변요인은 개인적 삶의 방식, 지역사회 네트워크, 생활 및 근로조건, 주택, 서비스에 대한 접근법 등으로 지역사회 내에서 개인, 가족, 집단등의 생활에 영향을 미칠 수 있는 모든 요소들이다.

(2) 알마타선언(Health for All)

1978년 WHO 국제회의 선언에서 '모든 인류에게 건강을(Health for all by the year 2000)'을 목표로 일차보건의료의 개념이 도입되었다. 이러한 선언 중 건강도시와 관련된 원칙으로는 형평성의 원칙으로 이는 모든 사람은 자신의 건강 잠재력을 인지하고 추구할 수 있는 기회와 권리가 있다는 것이다.

(3) 오타와헌장(Ottawa charter)

오타와헌장(1986)은 제 1차 국제건강증진회의 결과 채택되었으며 알마타 선언에서 주장한 목표 달성을 위해 건강증진이라는 개념을 도입하였다. 구체적으로 건강한 공공정책 수립, 지지적 환경 조성, 지역사회 활동 강화와 개인 능력 개발, 보건 서비스의 재순응이라는 활동 명령을 언급하고 있다.

(4) 지역의제 21(Local agenda 21)

1992년 브라질 리우데자네이루에서 개최된 유엔 환경개발회의에서 채택되었다. 지구 전체의 환경을 보존하기 위해 사회적 요인, 환경사안, 법과 제도, 기술 및 재정등의 광범위한 지원체계를 이행하는 방법을 서술하고 있다.

3) 건강도시의 특성

건강도시는 아래와 같은 특성을 갖추고 있다.

(1) 깨끗하고 안전하며, 질 높은 도시의 물리적 환경

(2) 안정되고, 장기적으로 지속 가능한 생태계

(3) 계층 및 부분간 강한 상호지원 체계와 착취하지 않는 지역사회

(4) 개개인의 삶, 건강 및 복지에 영향을 미치는 문제에 대한 시민의 높은 참여와 통제

(5) 모든 시민을 위한 기본적 요구(음식, 물, 주거, 소득, 안전, 직장) 등의 충족

(6) 시민들 간의 다양한 만남, 상호작용 및 의사소통을 가능하게 하는 기회와 자원에 대한 접근성

(7) 다양하고 활기 넘치며, 혁신적인 도시경제
(8) 역사, 문화 및 생물학적 유산 혹은 지역사회 내 모임들과 개인간의 연계를 도모
(9) 모든 시민에 대한 적절한 공중보건 및 치료서비스의 최적화
(10) 높은 수준의 건강을 고취하고 낮은 수준의 질병발생 유지
(11) 이상의 요건들이 서로 양립할 뿐만 아니라 더불어 이 요소들을 증진시키는 도시행태

4) 우리나라의 건강도시 현황

우리나라 건강도시 프로젝트는 1986년 초기에 소개되었으나 1996년 과천시를 시작으로 시도되기 시작되었다. 2004년 4개도시(창원시, 서울시, 원주시, 부산진구)가 세계보건기구 건강도시연맹 정회원으로 가입된 후 관심이 급증하였고, 2015년 12월 기준 81개의 도시가 건강도시 프로젝트를 수행하고 있다. 중앙정부차원에서도 행정복합도시를 건강도시로 만들기 위해 준비가 진행중이며, 최근 시민사회단체나 자발적 모임을 중심으로 생태마을, 깨끗한 지역가꾸기 운동 등의 이름으로 건강한 마을 만들기 운동이 진행되고 있다. 이러한 프로젝트는 다양한 지역에서 이루어지고 있으며 제3차 국민건강증진종합계획(Health plan 2020)에서 목표달성을 위해 건강도시의 확대 및 활성화를 계획하고 있다. 그 중 초기에 제일 먼저 건강도시에 대한 사업을 시행한 과천시와 창원시를 대표적으로 알아보도록 하자.

과천시는 과천시 보건소, 연세대학교 보건대학원의 건강증진연구소가 협력하여 과천 건강도시사업을 추진하였으며, 1996년 '건강도시를 위한 건강증진 실현방안 연구' 및 1998년 '건강환경과천 21사업'을 추진하였다. 이를 통해 보건의식, 건강상태 등의 조사를 통한 건강도시 장단기 계획을 수립하여 건강정보지 발간, 금연 및 흡연 예방 프로그램, 영양 프로그램, 여성건강 프로그램, 지역건강관리 프로그램, 고혈압 예방 및 관리사업 등 여러 보건사업을 시행하였다.

창원시는 기존 계획도시 기반위에 건강도시 프로젝트를 수행하였다. 2002년 지역사회진단 계획 수립을 시작으로 건강도시 창원을 추진하기 시작하였다. 2004년 7월부터 우리나라 최초로 건강도시담당 직제를 신설 운영하고 조례를 제정하는 등 활발한 사업을 추진했다. 지속가능한 도시개발, 물리적 환경 개선, 깨끗한 음용수 공급, 운송체계의 개선, 주거정책의 개선, 감염성 질환, 식중독 그리고 예방접종, 음주습관 개선, 금연프로그램, 외국인 근로자의 건강증진, 젊은이들의 건강증진 등을 포함하여 10대 과제를 선정하여 구축하려고 노력하였다.

이밖에도 서울시, 원주시, 부산진구등이 건강도시 프로젝트를 추진하고 있으며 지역주민들의 건강수준 향상을 위한 다양한 노력을 기울이고 있다.

제2절 지역사회 간호과정

1. 지역사회 간호과정

지역사회 간호과정은 지역사회에 초점을 맞추고 있다. 체계적이고 순환적인 과정이며 지역사회에서 나타나는 건강문제를 해결하는 과학적이고 논리적인 방법이다. 이러한 지역사회 간호과정은 지역사회 주민들의 적정기능 수준의 향상을 통하여 최적의 건강상태를 유지하도록 돕는다.

지역사회 간호과정은 사정, 계획, 수행, 평가의 단계로 진행된다. 대상자의 건강상태와 다양한 직 · 간접적 자료를 수집하여 분석하는 과정을 통하여 대상자를 사정하고, 간호문제를 규명하여 중재한다. 또한 그후 평가하여 환류가 될 수 있도록 한다. 각각의 단계를 간단히 요약하면 아래와 같다.

- 간호사정(nursing assessment): 대상자의 건강문제를 파악하기 위해 자료를 수집하고, 검토, 분석하는 과정이다. 사정단계에서는 간호력 작성, 신체검진, 기록지 조사, 문헌고찰 등이 이루어지며 다양한 출처로부터 대상자의 전반적 상태에 대한 정보를 획득한다. 이는 간호활동의 가장 우선적 단계로 충분한 자료수집이 이루어져야 대상자의 문제파악이 보다 정확하게 이루어진다는 점에서 중요한 활동이다. 또한 자료분석 과정을 통해 도출된 판단을 진단학적으로 서술된 간호진단은 기준 및 지침에 따라 우선순위를 확인하여 이에 따라 해결해야 하는 건강문제를 결정한다.
- 간호계획(nursing planning): 대상자의 건강문제(진단)가 해결될 수 있는 다양한 문제해결 방안을 수립하는 과정이다. 목표를 설정하며 기대되는 결과를 진술한다. 이때 간호계획은 문제해결에 도움이 될 수 있는 여러 가지 대안을 세우는 데 간호사의 직접적 해결방법뿐 아니라 다른 건강요원과의 상담과 의뢰 및 협조를 포함할 수 있다.
- 간호수행(nursing implementation): 대상자의 문제를 해결하고 간호목표를 달성하기 위해 선택된 간호계획을 실천하는 활동이 이루어진다. 수행단계에서도 간호사는 자료를 계속 수집하여 대상자 상태의 변화뿐만 아니라 평가에 필요한 자료도 얻어야 한다. 특히 이 단계에서는 간호사와 대상자 사이의 직접적인 상호작용이 이루어지므로 간호행위의 효과를 판단할 수 있다.
- 간호평가(nursing evaluation): 성취된 간호목표의 범위를 결정하기 위해 수행된 간호중재의 효과를 정해진 평가기준과 비교하는 과정이다. 간호목표의 성취 정도를 측정하고 결과에 따른 원인을 분석하며 재사정과 계획, 수행의 개선이 이루어진다.

이러한 지역사회 간호과정을 도식화하면 그림 3-1과 같다. 모든 과정은 회환(feed back)을 통해 점검되고 재계획될 수 있다.

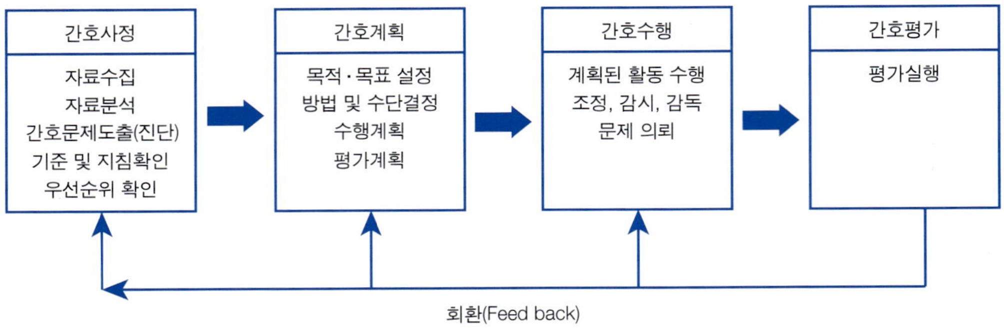

그림 3-1 지역사회 간호과정

2. 지역사회 간호사정

지역사회 건강요구를 확인하기 위해 다양한 정보를 수집하는 간호사정 활동이 이루어져야 한다. 개인을 포함한 가족, 집단 및 지역사회 전체를 대상으로 한 광범위한 자료수집은 정확한 간호진단 및 수행을 할 수 있는 기반이 될 수 있다. 또한 수집된 내용을 바탕으로 분석하여 간호문제(진단)을 도출해내는 과정이 요구된다.

1) 자료수집 내용

(1) 지역사회의 특성

① 지역의 역사적 배경과 발달과정
② 대상 지역의 지역도 작성(가구배치 특성, 하천, 산, 논밭, 주요 기관 등 표시)
③ 마을, 지역 간 거리와 소요시간 측정
④ 지역 내 지리적 특성과 지역소재 기관의 파악

(2) 인구학적 특성: 일반적 · 인적 특성에 관한 정보

① 지역주민 수와 성별, 연령별 분포
② 지역주민의 교육수준, 결혼상태
③ 지역주민의 경제수준 및 직업별 분포
④ 지역주민의 종교별 분포

(3) 자원 및 환경 특성

① 물리적 환경 특성: 면적, 경계선, 지형, 공장분포 등
② 사회적 자원의 분포: 각종 사회조직, 기관, 단체의 유무

③ 인적 자원의 분포: 보건의료 전문인, 특정 전문가, 지도자, 사적 조직인력
④ 보건의료자원: 병원, 약국, 조산소 등 각종 의료관계 시설의 분포
⑤ 환경 위생학적 특성: 가옥구조, 화장실 및 부엌상태, 상수원, 하수시설, 쓰레기 처리방법 등

(4) 사회문화적 특성

① 지역사회의 풍습과 전통
② 고유의 건강습관과 신념
③ 미신이나 금기행위
④ 상호작용 특성: 의사소통, 관계유지, 상호작용 기전
⑤ 문화시설 보유상태: 전화 및 TV 보유, 신문구독, 냉장고 등 생활용품 소유 정도

(5) 건강상태

① 생정통계: 출생률, 사망률
② 특정 인구집단 통계: 모성 및 영유아 사망자 수 및 사망원인
③ 질병발생 정도: 결핵 사망자 수, 전염병 발생현황, 각종 질병발생 정도
④ 건강행위 관련 통계: 의료기관 이용률, 건강검진율, 예방접종률 등
⑤ 기타 보건지표: 출산율, 부양비, 사고발생율 등

2) 자료수집 방법

지역사회 간호문제 규명을 위한 자료수집 방법은 크게 직접법과 간접법 두가지로 나뉘어진다. 직접법은 건강정보를 직접 수집하는 방법이나, 간접법은 기존의 연구, 문헌, 통계조사를 활용하여 얻고자 하는 자료를 2차적으로 조사하는 방법이다.

(1) 직접법

직접적으로 정보를 수집하는 방법은 간접적으로 자료를 확보할 수 없거나, 기존자료의 타당성이 문제될 때 개별적인 간호를 위한 자료수집인 경우에 시행될 수 있으며 종류로는 설문지, 면담, 참여관찰, 차창밖 조사 등이 있다.

① 설문지 조사(Survey): 전체 가구를 대상으로 설문지를 이용하여 조사한다. 지역주민들의 특정 문제를 파악하는데 사용될 수 있으며 비교적 시간과 비용이 많이 든다는 단점이 있다.
② 면담(Interview): 대상자와 대화를 통해 필요한 자료를 수집하는 방법이다. 면담은 어떤 대상자와 어떤 목적으로 면담하느냐에 따라 다른 의사소통 기술이 요구된다. 면담자는 사려깊은 경청자세와 대상자를 수용하고 존중해 주는 태도를 보이도록 이끌어야 한다. 이러한 면담 중 하나의 방법인 정보원 면담(Informant interview)은 지역사회 가치, 규범, 권력구조, 문제해결 과정 등을 알기 위해 지역사회 주요 지도자 및 전문가와 면담을 하는 것이다.

③ 참여관찰(Participant observation): 지역사회 주민들에게 영향을 미치는 의식이나 행사 등에 직접적으로 참여하여 관찰하는 방법으로 주민들의 자발적인 참여정도, 주민들 간의 상호관계 등을 파악할 수 있다.

④ 차창밖조사(Windshield survey): 신속하게 지역사회의 환경, 생활상 등을 관찰할 수 있는 방법으로 차를 타고 다니면서 관찰하거나 걸어다니며 관찰하기도 한다.

(2) 간접법

기존의 생정통계나 인구통계자료, 연구논문, 보고서 등을 활용하여 자료를 수집하는 방법이다. 자료획득이 빠르고 유용하나 자료의 신뢰성 및 정확도에 따라 사용할 수 있는 범위가 제한된다. 지역사회 간호사가 활용할 수 있는 국가 단위의 기초조사 자료로는 국민건강영양조사, 지역사회건강조사, 노인생활실태조사 등이 있다.

3) 자료분석

(1) 자료분석 단계

간호사정 단계를 통해 수집된 자료는 간호문제도출(진단)을 내리기 위해 분류 및 정리되어져야 한다. 이러한 자료분석단계는 크게 분류(범주화), 요약, 비교, 결론단계로 나뉘어진다.

1 분류(Categorize)

자료의 분류는 수집된 자료를 유사한 항목끼리 묶는 것이다. 포괄적으로 자료가 수집되었다면 이를 공통적인 속성끼리 묶어 자료를 범주화 하는 것을 말한다. 예를 들어 지역사회의 건강문제 조사를 위해 다양한 측면에서 자료를 수집하였다면 수집된 자료를 인구학적 측면, 환경적 측면, 사회적 측면, 자원적 측면으로 나누는 것이 이것에 해당된다.

2 요약(Summarize)

분류된 자료를 한눈에 보기 쉽도록 표나 도표로 정리하는 단계이다.

3 비교(Compare)

자료를 유사한 규모의 다른 지역, 국가 혹은 이전에 선행 연구와 현재의 결과를 비교하는 단계이다. 이를 통하여 현재 상황을 판단하고 양상을 확인할 수 있는 근거가 된다.

4 결론(Conclusion)

분석된 자료를 바탕으로 지역사회가 가지고 있는 문제를 추론하여 결론을 도출하는 단계이다. 이렇게 도출된 결론은 간호진단으로 기술될 수 있다.

(2) SWOT 분석법

조직의 내부 환경과 외부 환경을 분석하여 강점(strength), 약점(weakness), 기회(opportunity), 위협(threat) 요인을 규정하고 이를 토대로 경영 전략을 수립하는 기법으로, 미국의 경영컨설턴트인 알버트 험프리(Albert Humphrey)에 의해 고안되었다. SWOT 분석의 가장 큰 장점은 내·외부 환경 변화를 동시에 파악할 수 있다는 것이다. 내부 환경을 분석하여 강점과 약점을 찾아내며, 외부 환경 분석을 통해서는 기회와 위협을 찾아낸다.

① 강점(strength): 내부 환경의 강점

② 약점(weakness): 내부 환경의 약점

③ 기회(opportunity): 외부 환경에서 비롯된 기회

④ 위협(threat): 외부 환경에서 비롯된 위협

SWOT 분석은 외부로부터 온 기회는 최대한 살리고 위협은 회피하는 방향으로 자신의 강점은 최대한 활용하고 약점은 보완한다는 논리에 기초를 두고 있다. SWOT 분석에 의한 전략은 다음과 같이 정리할 수 있다. SWOT 분석은 방법론적으로 간결하고 응용범위가 넓은 일반화된 분석 기법이기 때문에 여러 분야에서 널리 사용되고 있으며 지역사회의 현황을 분석할 때 유용하게 사용될 수 있다.

SO전략(강점-기회 전략) 강점을 살려 기회를 포착	ST전략(강점-위협 전략) 강점을 살려 위협을 회피
WO전략(약점-기회 전략) 약점을 보완하여 기회를 포착	WT전략(약점-위협 전략) 약점을 보완하여 위협을 회피

4) 간호문제도출(진단)

지역사회 간호문제도출(진단)은 수집된 자료를 분석하고 다양한 지침을 확인 후 다양한 지역사회 건강문제를 우선순위를 정하여 해결할 문제를 선정하는 것이다. 간호진단이란 대상자의 모든 측면의 정보를 관찰이나 환자의 호소에서 정보를 수집 · 분석하여 대상자의 문제점을 명백히 하는 것이며 의사가 행하는 의학적 진단처럼 문제를 규명하여 간호행위의 방향을 나타내 주는 전문적 활동이다.

간호문제도출(진단)의 서술은 임상의 간호문제와 같이 원인과 문제명이 함께 포함되는 인과관계로 진술하여야 하는데, 지역사회 간호진단의 경우 문제명 중심으로 서술되기도 한다. 지역사회 간호진단시 참고할 수 있는 표준화된 진단목록은 북미간호진단협회(NANDA)에 의해 개발된 것과 오마하 문제분류체계(Omaha System)가 있다. NANDA의 간호진단 목록은 개별 간호대상자의 문제를 파악할 때 주로 활용될 수 있고, 가족이나 지역사회와 같이 집단화된 대상자에게 적용할 수 있는 문제의 목록은 제한적이다.

(1) NANDA 간호진단

북미간호진단협회에 의해 개발된 간호진단 목록은 1973년 초창기 때에 30개에서 출발하여 계속적으로 목록 개발이 이루어져 2000년에 간호진단 분류체계Ⅱ를 개발하였다. 이는 고든(Gorden)의 기능적 건강양상의 틀에 맞추어 진단 과정 시 고려해야 할 인간 반응의 종류인 7개의 축(Axis)으로 진단적 개념(diagnostic concept), 시간(time), 간호의 대상(unit of care), 연령(age), 잠재성(potentiality), 서술자(descriptor), 부위(topology)로 구성된 13개 영역과 46개 범주 그리고 155개 진단이다. 각 간호진단은 진단명, 정의, 특성정의 및 관련/위험요인을 포함하고 있다. 13개의 영역(domain)은 건강증진, 영양, 배설/교환, 활동/휴식, 지각/인지, 자아지각, 역할관계, 성, 대응/스트레스내성, 삶의 원칙, 안전/보호, 안위, 성장/발달이다. 최종적으로 13개 영역과 47개의 범주, 221개 진단 목록으로 변화되었다. 지역사회의 간호문제에 적용할 수 있는 NANDA 간호진단의 예는 표 3-1과 같다.

표 3-1 NANDA 간호진단의 예

영역(Domains)	분 류(Classes) / 간호진단(Nursing Diagnoses)
건강증진 (Health-Promotion): 안녕감 혹은 기능이 정상임을 인식하는 것 그리고 이를 조절하고 증진하는 전략을 인식하는 것.	1. 건강인식(Health Awareness) 정상적인 기능과 안녕상태를 인지하는 것 (1) 여가활동 부족(Deficient Diversonal Activity) (2) 비활동적 생활양식(Sedentary Lifestyle) 2. 건강관리(Health Management) 건강과 안녕을 유지하는 활동을 규명하고, 조절하며, 수행하고, 통합하는 것. (3) 지역건강자원 부족(Deficient Community Health) (4) 모험적 건강행위 위험성(Risk Prone Health Behavior) (5) 건강유지능력의 변화(Ineffective health maintenance) (6) 면역상태 향상 가능성(Readiness for enhanced immunization state) (7) 방어능력 저하(Ineffective Protection) (8) 비효율적인 자가 건강관리(Ineffective self health management) (9) 자가 건강관리 향상 가능성(Readiness for enhanced self health management) (10) 치료요법의 비효율적 이행: 가족(Ineffective family therapeutic regimen management)

(2) 오마하 문제분류 체계

오마하 체계는 오마하의 방문간호사회와 네브라스카의 행정가들이 간호기록 방법을 문제중심 기록으로 전환하여 사용하였으나 간호대상자의 문제를 체계적으로 분류할 수 없어 지역사회 보건사업소에서 적용할 수 있는 신뢰성있고 타당성있는 간호진단 개발을 위해 체계화되었다. 이러한 오마하체계는 문제분류체계, 중재체계, 성과에 대한 문제등급척도로 나뉘어진다. 문제분류체계는 자료수집과 사정, 문제인식 및 간호진단에 해당된다. 중재체계는 간호계획 및 간호중재에 해당되며 성과에 대한 문제등급척도는 대상자의 지식, 행위, 상태의 등급을 사정하고 변화된 지식, 행위, 상태의 등급의 정도를 측정한다. 오마하체계는 사정, 진단, 계획, 중재, 평가를 모두 다루고 있어 지역사회에서 유용한 도구이다.

문제분류체계는 대상자 중심의 문제 분류로서 구체적 용어로 이루어져 있으며 다양한 지역사회 전문가들이 공통적으로 사용할 수 있다. 이 체계의 수준은 4단계로 구성되었으며, 4개의 영역(domain), 각 영역별 42개의 문제(problem), 문제별 수정인자(modifier), 그리고 문제별 378개의 증상 또는 증후(sign, symptom)로 되어있다. 문제분류체계는 표 3-2와 같다.

그 외에도 상황 및 대상자의 범위에 따라 국제간호협회에서 개발한 국제간호실무 분류체계(ICNP, International Classification for Nursing Practice), 가정간호분류체계(HHCC, Home health care classification)등이 사용될 수 있다.

5) 기준 및 지침확인

지역사회간호사는 자신이 활동하고 있는 지역사회 간호현장과 관련된 각종 법규, 규정, 기준 및 업무분장 등에 대해 알고 이에 따른 자신의 활동범위와 역할을 수행할 수 있는 계획을 수립하여야 한다. 예를 들어, 도서지역에 근무하는 보건진료전담공무원은 지역사회 주민에게 제공할 수 있는 업무의 권한을 확인하고 상부조직의 지침을 확인 후 업무를 수행해야 한다. 간호사업의 기준 및 지침은 제공되는 간호사업의 내용에 참고가 되고 법적인 책임문제가 동반되므로 확실히 알고 활용하여 간호업무를 향상시키고 발전시킬 수 있도록 노력해야 한다.

표 3-2 오마하 문제분류체계

영역(domain)	문제(problem)	증상과 징후(sign · symptom, 378개)
Ⅰ. 환경영역 (4개문제)	1. 수입	• 낮은 수입/수입 없음, 일반수가로 의료비 지급, 부적절한 금전관리, 필수품만 구입 가능, 필수품 구입 곤란, 기타(6개)
	2. 위생	• 불결한 생활지역, 부적절한 음식저장/처리, 곤충/설치류, 불쾌한 냄새, 부적절한 식수공급, 부적절한 쓰레기 처리, 부적절한 세탁시설, 알레르겐 감염원/오염원, 곰팡이 발생, 애완동물 과도노출, 기타(12개)
	3. 주거	• 구조적 불량, 부적절한 냉/온방, 가파른 층계, 부적절한/차단된 출입구, 어수선한 생활공간, 위험한 물건/약품의 불안전한 보관, 불안전한 매트/던져진 깔개, 부적절한 안전장치, 납 성분 페인트, 불안전한 가스/전력 설비, 부적합한/밀집된 생활공간, 배관노출, 장애물 구조, 집이 없음, 기타(15개)
	4. 이웃/직장의 안전	• 높은 범죄율, 높은 오염수준, 방치된 동물들, 불안전한 놀이지역, 부적절한 장소/건강증진자원, 위협적 폭행, 물리적인 위험, 교통수단의 위험, 화학적 위험, 방사능 위험, 기타(11개)
Ⅱ. 심리사회 영역 (12개 문제)	5. 지역사회 자원과의 의사소통	• 확보된 서비스의 선택/절차를 잘 모름, 서비스 제공자의 역할/규정 이해곤란, 서비스 제공자에게 용건전달 불능, 서비스에 불만족, 언어장애, 부적절한/이용할 수 없는 자원, 문화적 장애, 교육적 장애, 이동수단 장애, 간호접근의 제한/서비스/양호, 사용할 수 없음/의사소통 장치/장비의 부적절함, 기타(12개)
	6. 사회적 접촉	• 제한된 사회적 접촉, 사회 접촉에 건강관리 제공자 이용, 외부자극/여가시간 활동 극소화, 기타(4개)
	7. 역할 변화	• 본의 아닌 역할의 전도, 새로운 역할 인수, 이전역할 상실, 기타(4개)
	8. 대인관계	• 관계형성/유지 곤란, 최소한의 공동생활, 부적합한 가치/목표, 부적절한 의사소통기술, 지속적인 긴장, 부적합한 의심/속임/지배, 물리적/정신적 배우자 학대, 충돌이 없는 문제해결의 어려움, 기타(9개)
	9. 영성	• 영적 문제 표현, 붕괴된 영적 의식, 붕괴된 영적 믿음, 영적 신념과 의료의 갈등, 기타(5개)
	10. 슬픔	• 정상적인 슬픔의 반응 인식 실패, 슬픔의 반응 대처 곤란, 슬픔의 반응 표현 곤란, 식구들/개인 간에 슬픔과정 단계의 갈등, 기타(5개)
	11. 정서적 안정	• 슬픔/무기력/무가치, 염려/알 수 없는 두려움, 활동/자가 간호/흥미상실, 좁혀진 지각/초점, 주의 분산, 따분한 정서, 불안정/동요/공격적, 목적 없는 행동, 스트레스 관리 곤란, 분노 조절 곤란, 신체적 호소/피로, 망상, 환상/환각, 자살/살인의사, 자살/살인시도, 자아절단/기분동요, 발끈, 성냄, 기타(18개)
	12. 성적관심	• 성행위의 결과 인식 곤란, 친밀감 표현 곤란, 성적 인식 혼동, 성적 가치 혼동, 성관계 불만족, 불안정한 성행위, 성적 행위/자극적 행동/괴로움, 성범죄/강간, 기타(9개)
	13. 돌봄/양육	• 신체적 간호/안전 제공 곤란, 정서적 지지 제공 곤란, 이□적 학습경험과 활동 제공 곤란, 예방적/치료적 건강관리 제공 곤란, 성장과 발달단계에서 부적합한 기대감, 책임 불만족/어려움, 언어적/ 비언어적 의사소통의 응답이나 설명의 어려움, 태만, 학대, 기타(10개)
	14. 무시	• 적절한 신체적 돌봄 부족, 정서적 양육/지지 부족, 적절한 자극/인지적 경험 부족, 홀로 방치된 부적절함, 필요한 감독 부족, 부적합한/지연된 건강관리, 기타(7개)
	15. 학대	• 호된/과도한 훈련, 채찍자국/타박상/화상, 상처에 대한 의심스런 설명, 언어적 공격, 두렵고/과도하게 경계하는 행위, 폭력적 환경, 지속되는 부정적인 메시지, 성적 폭행, 기타(9개)
	16. 성장과 발달	• 발달검사의 비정상적인 결과, 체중/키/두위의 비정상, 연령에 맞지 않는 행위, 발달과제의 부적절한 달성/유지, 기타(5개)
	17. 청각	• 정상 어조에 대한 난청, 많은 군중 속에서 듣고 말하기 어려움, 높은 진동 소리에 대한 난청, 소리에 대한 비정상적/무반응, 청력감별검사에서 비정상적 결과, 기타(6개)
	18. 시각	• 작은 글자/눈금 보기 곤란, 먼 거리 물체 식별 곤란, 가까운 물체 식별 곤란, 시각자극에 대한 무반응/비정상적 반응, 시각감별검사의 비정상적 결과, 사시/눈 깜빡임/눈물/흐린 시야, 부표/번뜩임, 색맹, 기타(9개)
	19. 언어와 말	• 부적절한/비정상적인 의사소통기술, 부적절한/비정상적인 이해력 부족, 의사소통기술 부족, 부적절한 문장구조 사용, 제한된 발음/명료성 제한, 부적절한 단어 사용, 기타(7개)
	20. 구강건강	• 비정상적 치아, 카리에스, 치석과다, 치은종/치은종창/출혈성 치은, 부적절한 틀니, 부정교합, 냉/온의 민감성, 기타(8개)
	21. 인지	• 판단력 감소, 지남력 장애, 최근 기억력 제한, 과거 기억력 제한, 집중력 제한의 최소화, 순차능력과 계산능력, 추론/추상적 사고능력의 최소화, 충동성, 반복적 언어와 행동, 배회, 기타(11개)

영역	문제	내용
	22. 동통	• 불편감/통증의 표현, 맥박/호흡/혈압 증가, 보상적인 행동, 안절부절, 안면 찡그림, 창백/발한, 기타(7개)
	23. 의식	• 무기력, 혼미, 무반응, 혼수, 기타(5개)
	24. 피부	• 병변, 발진, 과다건조, 과다지성, 염증, 소양증, 배액, 빈상출혈, 손톱/발톱의 과다증식, 상처 회복의 지연, 기타(11개)
	25. 신경/근육/골격기능	• 관절가동범위(ROM) 제한, 근력감소, 조정력감소, 감소된 근긴장도, 증가된 근긴장도, 감각감소, 감각증가, 균형감소, 보행/거동장애, 이동의 어려움, 골절, 진전(tremor)/발작, 체온조절장애, 기타(14개)
	26. 호흡	• 비정상적 호흡양상, 자가(독립적) 호흡 불능, 기침, 자가(독립적) 기침/배출 불능, 청색증, 비정상적 객담, 시끄러운 호흡음, 비루증(콧물)/비강울혈, 비정상적 호흡음, 비정상적 호흡기 검사결과, 기타(11개)
	27. 순환	• 부종, 말초통증/경련, 맥박감소, 청색증과 피부변색, 이환부위의 체온 변화, 정맥류, 실신/어지러움, 비정상적인 혈압, 맥박결손, 불규칙한 심박수, 빈맥, 서맥, 협심증, 비정상적 심음/잡음, 비정상적 응고, 비정상적 심장 검사결과, 기타(18개)
	28. 소화와 수분	• 오심/구토, 저작/연하/소화 불능과 곤란, 소화불량, 역류, 식욕부진, 빈혈, 복수, 황달/간 비대, 피부 탄력 감소, 토순/구강건조, 전해질 불균형, 기타(12개)
	29. 배변기능	• 비정상적 변의 굳기/빈도, 배변 시 동통, 장음 감소, 혈변, 비정상적인 대변색깔, 복부경련/불편감, 변실금, 기타(8개)
	30. 배뇨기능	• 배뇨 시 동통/작열감, 요실금, 긴박성/빈뇨, 배뇨 시작의 어려움, 배뇨장애, 비정상적 소변량, 혈뇨/비정상적 색깔, 야뇨, 비정상적 비뇨기 검사결과, 기타(10개)
	31. 생식기능	• 비정상적 분비물, 비정상적 월경 양상, 갱년기 관리의 어려움, 여성/남성의 생식기관의 비정상적 덩어리/부종/압통, 성교 중/후 통증, 불임증, 성교불능, 기타(8개)
	32. 임신	• 태아와의 유대 어려움, 신체 변화에 대한 적응 어려움, 산전 운동/휴식/식이/행동의 어려움, 분만 과정에 대한 두려움, 산전/분만 합병증, 부적절한 사회적 지지, 기타(7개)
	33. 산후	• 모유수유 곤란, 산후 변화에 대한 적응 곤란, 산후 운동/휴식/식이/행동의 어려움, 질 분비/비정상적 출혈, 산후 합병증, 비정상적인 우울증, 기타(7개)
	34. 전염성/감염성 질환	• 감염, 침입, 열, 생리적 위험, 명확한 검사/배양/검사실 결과, 부적절한 전염 예방정책/기구/지지, 감염 관리 식이요법의 불이행, 부적절한 면역, 기타(9개)
Ⅳ. 건강관련 행위영역 (8개문제)	35. 영양	• 과체중: 성인 BMI 25.0이상, 어린이 BMI 95%이상, 저체중: 성인 BMI 18.5이하, 어린이 BMI 5%미만, 일일 표준열량/수분섭취 부족, 일일 표준열량/수분섭취 과잉, 불균형적인 식이, 부적당한 연령별 식이, 처방된 식이 불이행, 설명되지 않는/계속적 체중 감소, 식이 준비/섭취의 불가능, 저혈당증, 과혈당증, 기타(12개)
	36. 수면과 휴식	• 가족을 방해하는 수면/휴식 양상, 밤에 자주 깸, 몽유병, 수면장애(불면), 악몽, 연령/신체적 상태에 비해 불충분한 수면/휴식, 수면 무호흡, 코골이, 기타(9개)
	37. 신체적 활동	• 좌식 생활양식, 부적절한/비지속적인 운동, 연령/신체적 상태에 비해 부적절한 운동의 형태/양, 기타(4개)
	38. 개인위생	• 의복의 불충분한 세탁, 부적절한 목욕, 부적절한 배설활동, 부적절한 하의 입기, 부적절한 상의 입기, 체취, 부적절한 머리 감기/머리 빗기, 부적절한 칫솔질/치아 사이 깨끗하게 하기/구강관리, 개인위생의 망각/어려움/의지 없음, 기타(10개)
	39. 약물오용	• 처방되지 않은 약/쉽게 구할 수 있는 약 남용, 기분전환 약물 사용, 알코올 남용, 흡연, 일상적일 수행 어려움, 반사장애(이완장애), 행위 변화, 엽궐련 흡연/엽궐련 연기에 노출, 불법 물질의 판매/구입, 기타(10개)
	40. 가족계획	• 가족계획 방법에 대한 부적절한/불충분한 지식, 태아 성감별 행위에 대한 부적절한/불충분한 지식, 부정확한/일관성 없는 가족계획 방법 사용, 현재의 가족계획 방법에 대한 불만, 선택된 가족계획과 관련된 다른 사람의 반응에 대한 두려움, 가족계획 방법 성취의 어려움, 기타(7개)
	41. 건강관리감시	• 건강관리의 예방적/규칙적 성취의 실패, 치료/평가가 요구되는 증상에 대한 치료 못함, 의료인의 요구를 지키지 않음, 치료계획/약속을 지키지 않음, 건강자원의 부조화, 부적절한 건강자원, 부적절한 치료 계획, 기타(8개)
	42. 투약	• 투약의 부적절, 처방된 양/시간을 지키지 않음, 부작용이 나타남, 약물보관의 부적절, 적절한 재보충(refill)실패, 면역획득의 실패, 부적절한 약물요법, 도움 없이 약 복용이 어려움, 기타(9개)

6) 우선순위 결정

사정을 통하여 얻어진 대상자의 다양한 간호문제는 지역사회 간호사가 이를 한꺼번에 해결할 수 없기 때문에 간호사는 자신이 동원할 수 있는 기술과 자원을 활용하여 대상자의 욕구를 충족시켜줄 수 있는 해결순서를 판단해야 한다. 우선순위를 결정하는 것은 객관적이고 타당한 기준이 필요하고 우선순위 결과가 대상자 및 간호제공자가 모두 만족할 수 있는 수준이어야 하며, 가용한 자원의 활용 범위 내에서 선정되어져야 한다. 이러한 우선순위를 결정방법은 다양하다. 하지만 지역사회 건강증진이라는 목표를 달성하기 위해서 우선순위 결정시 유의사항은 다음과 같다.

첫째, 객관적 측정 자료로 비교할 수 있는 문제를 선정해야 한다. 가령, 흡연과 당뇨와 같이 하나의 문제가 다른 문제의 위험요인이 될 수 있는 경우 중재해야 하는 문제의 선정이 어려울 수 있다.

둘째, 우선순위 결정방법 선정 시 다양한 전문가와 협의하고 문헌고찰을 통해 가장 정확하게 측정가능한 방법을 사용해야 한다.

셋째, 의사결정시 문제를 가지고 있는 대상자와 전문가들이 충분히 협의한 문제를 우선순위로 결정해야 한다.

넷째, 활용 가능한 재원 및 자원을 고려하여 우선순위를 결정해야 한다.

스텐호프와 랑카스터(Stanhope & Lancaster, 1996)는 우선순위 결정시 기준을 지역사회 건강문제에 대한 지역주민들의 인식정도, 건강문제를 해결하려는 지역사회의 동기화 수준, 건강문제 해결에 영향을 미치는 간호사 능력, 건강문제 해결에 필요한 적절한 전문가의 유용성 정도, 해결되지 않았을 때 발생하는 결과의 심각성, 해결에 소모되는 시간으로 제시하였다. 이제부터는 일반적으로 보건사업 기획시 많이 사용되는 우선순위 설정방법인 기초우선순위 평정법, PATCH, PEARL 방법에 대하여 알아보도록 하자.

(1) 기초우선순위평정법(Basic Priority Rating System, BPRS)

BPRS법은 보건사업을 수행할 때 널리 사용되는 방법 중 하나이다. BPRS법은 문제의 크기, 심각도, 사업의 추정효과를 10점 척도로 점수화하여 아래(표 3-3)의 공식에 따라 산출하고 점수가 높은 문제부터 해결하는 방법이

표 3-3 BPRS 산출방법

산출방법

$(A + 2B) \times C$

A : 문제의 크기　B : 문제의 심각도　C : 사업의 추정효과

문제의 크기		문제의 심각도		사업의 추정효과	
건강문제 인구비율	결 과	문제의 심각도	결 과	사업의 효과	결 과
25% 이상	9 or 10	매우 심각	9 or 10	80~100%	9 or 10
10~24.9%	7 or 8	심각	6,7 or 8	60~80%	7 or 8
1.0~9.99%	5 or 6	보통	3,4 or 5	40~60%	5 or 6
0.10~0.99%	3 or 4	심각하지 않음	0,1 or 2	20~40%	3 or 4
0.01~0.09%	1 or 2			5~20%	1 or 2
0.01% 이하	0			5% 미만	0

표 3-4 PEARL 산출방법

산출방법 P × E × A × R × L(각 항목 0 또는 1로 계산)	
P(Properiety, 적절성)	기관내의 업무범위내에 해당하는가?
E(Ecomomic Feasibility, 경제적타당성)	해결하는 것이 경제적으로 효율적인가?
A(Acceptability, 수용성)	지역사회와 주민들이 수용할 수 있는가?
R(Resources, 자원이용가능성)	자원이나 재원이 있는가?
L(Legality, 적법성)	법적인 문제는 없는가?

다. 이러한 BPRS법은 연구자의 주관적인 판단에 의해 점수화 될 수 있기에 전문가의 조언을 참고하고 다양한 문헌고찰을 통하여 객관적으로 결정해야 한다.

(2) PATCH(Planned Approach To Community Health)

미국 질병관리본부에서 개발한 방법으로 건강문제의 중요성과 건강문제의 변화가능성을 가지고 우선순위를 결정하는 방법이다. 중요성은 건강문제가 지역사회에 얼마나 심각한 영향을 주는지 평가하는 것이며, 주로 유병율과 발생률을 비교, 사망률, 장애발생률, 경제적 부담 등을 이용하여 판단한다. 변화가능성은 건강문제가 얼마나 용이하게 변화될 수 있는가를 판단하여 평가한다. 변화가능성을 판단하는 지표는 문헌고찰, 타 지역의 선례 등의 과학적인 근거이다.

(3) PEARL(Propriety, Economic feasibility, Acceptability, Resources, Legality)

PEARL 방법은 우선순위 결정 시 BPRS법으로 선정된 진단이 실현가능한지 판단하기 위해 사용될 수 있다. 우선순위가 잘 드러나지 않는 지역사회 간호사업인 경우 활용하면 유용하다. 산출방법은 표3-4와 같다.

4. 지역사회 간호계획

간호계획은 우선순위에 의해 결정된 대상자의 문제를 해결하기 위한 전략을 수립하는 과정이다. 이때 지역사회 간호사는 대상자와 함께 목표를 세우고 해결방안을 수립하여 대상자의 참여를 증진시켜 목표 달성을 용이하게 할 수 있다. 지역사회 간호계획에는 목표설정, 방법 및 수단의 선택, 집행계획 수립, 평가계획 수립이 포함된다.

간호계획은 최선책을 결정할 수 있도록 다양한 대안을 세우는 과정이므로 목표달성을 위한 모든 간호수단, 활동, 자원 활용을 포함하여 수립한다. 이때 간호중재 방법의 장단점과 특성을 고려하여 효율성과 타당성 있는 방법이 모색되도록 최선의 구체적 활동을 서술한다.

특히 대상자의 능동적 참여를 유도하기 위해서 간호계획은 제공자의 일방적 결정보다는 대상자와 함께 계획한다면 성과를 높일 수 있음을 알고 있어야 한다. 집행계획에는 구체적 간호활동에 대한 것으로 언제, 누가, 무엇을, 어떻게 수행할 것인지에 대한 구체적 계획이 필요하다. 또한 사업을 진행할 시간적 단계별로 연간, 월간, 주간 계획이나 분기별 계획을 세워야 한다.

1) 목표설정

간호문제별로 우선순위가 결정되면 문제에 대한 목표를 설정한다. 목표(Objective)란 사업을 수행하여 성취하여야 할 기대되는 대상자의 변화 상태를 서술한 것으로 지역사회 간호사업의 방향을 제시해준다. 이러한 목표설정은 구체적인 간호사업을 계획할 수 있고 사업 수행 후 평가기준이 될 수 있기 때문에 적절한 목표를 수립하는 것이 매우 중요하다. 이러한 목표와 유사하게 사용되는 목적(Goal)이라는 개념이 있는데 목적은 궁극적으로 달성하고자 하는 것에 대한 일반적인 기술로서, 건강한 지역사회에 대한 조직의 비전으로부터 시작된다. 목표와 목적의 차이는 표 3-5와 같다.

목표는 다양한 기준에 의해 분류될 수 있다.

첫 번째, 목표달성을 위한 소요시간에 따라 장기목표(Long-term objectives), 중기목표(Intermediate objectives), 단기목표(Short-term objectives)로 나눌 수 있다. 이것은 건강문제의 범위와도 관련이 있으며 문제가 광범위하고 복합적이면 해결에 5~10년 소요된다면 장기목표이며, 비교적 단순한 문제로 2~3개월 정도의 적은 시간이 소요된다면 단기목표이다.

두 번째, 일반적 목표와 구체적 목표로 구분할 수 있다. 일반적 목표는 보다 포괄적이고 세부목표의 상위단계에서 이루고자 하는 목표의 수준이며 구체적 목표는 일반적 목표를 달성하기 위한 각기 세부 목표이다.

세 번째, 투입(Input)-산출(output)모형에 따라 목표를 나눌 수 있다. 이것은 보건사업에 투입하는 시간, 장비, 시설 등의 자원(Input), 보건사업의 결과로 나타나는 활동(output), 결과와 연관되어 나타나는 건강수준이나 결정요인의 변화(outcome)으로 서술될 수 있다.

이러한 목표를 서술할 때 고려해야 할 원칙으로 "RUMBA"를 사용할 수 있으며 내용은 아래와 같다.

① 현실적이고 구체적으로 수행할 수 있어야 하며 지역사회 정책과도 일관성이 있어야 한다(Real, Related)
② 이해가능한 수준이어야 한다(Understanding). 대상자 및 간호제공자 모두 이해 가능하고 수용할 수 있어야 한다.
③ 측정 가능한 목표로 서술되어야 한다(Measurable). 성취된 결과를 양적으로 수량화하여 정확하게 판단할 수 있을 때 보다 객관적인 목표가 될 수 있다.

표 3-5 목적과 목표의 차이

목적(Goal)	목표(Objective)
추상적 장기적 철학적 관리나 평가의 대상이 아님	구체적 단기적 관리 및 평가의 대상

④ 행위수준으로 표현되어야 한다(Behavioral). 애매모호한 추상적인 표현보다 확인가능한 행위로 서술되어져야 한다. 예를 들어, "예방한다" 라는 표현은 관찰하여 측정하기 어려우므로 "예방접종을 수행한다"는 행위적인 표현으로 하는 것이 더욱 적합하다.

⑤ 성취 가능해야 한다(Achievable). 목표는 현재 가용한 자원을 바탕으로 간호문제 해결을 위해 나타내는 기준이 될 수 있다. 그러므로 목표는 성취할 수 있는 수준이어야 한다.

이러한 목표가 서술될 때 포함되어야 할 구성요소는 대상자, 기간, 내용, 수행, 기준, 조건이 모두 포함된 진술문을 기술하여야 한다.

① 무엇(What): 변화 또는 달성해야 하는 상태나 조건을 말한다.
② 어디서(Where): 사업이 시행되는 장소를 의미한다.
③ 누가(Who): 바람직하게 변화되어야 할 인간이나 환경의 부분이다.
④ 언제까지(When): 바람직하게 상태나 조건이 수행되어야 할 기간이나 시기를 말한다.
⑤ 얼마나(How much): 달성하려는 상태나 조건의 양을 말한다.

[목표서술의 예]

2015년 9월 1일부터 10월 30일까지 A지역 주민들의 독감예방접종률은 전년보다 10%이상 증가할 것이다.
언제까지 / 어디 / 누가 / 무엇 / 얼마나

2) 수단 및 방법의 선택

목표가 설정되면 설정된 목표를 달성하기 위해 적절한 간호수단 및 방법을 선택해야 한다. 직접간호제공, 보건교육, 조정, 관리등의 다양한 지역사회 간호활동 중 적절한 간호활동 및 수단을 선택하는 절차는 아래와 같다.

① 목표달성을 위한 다양한 방법 및 수단을 찾는다.
② 간호문제 해결을 위해 요구되는 자원과 이용 가능한 자원을 조사하여 나열해본다.
③ 가장 최선의 방법 및 수단을 선택한다.
④ 최선의 방법 및 수단에 따른 구체적인 활동계획을 작성한다.

이렇게 적절한 활동 및 수단을 선택한 후에는 이러한 활동수단이 4가지 측면에서 타당한지 검증하는 단계를 거치게 된다.

① 기술적 타당성: 방법 및 수단이 기술적으로 효과가 있는가?
② 경제적 타당성: 비용 효과적인가?
③ 법적 타당성: 법적으로 문제가 없는가?
④ 사회적 타당성: 대상자들이 이 방법에 대하여 수용할 수 있는가?

3) 수행계획

지역사회 간호사가 타당성 검증을 마친 방법 및 수단을 가지고 실제로 수행할 수 있는 계획을 세우는 단계이다. 이러한 수행계획을 작성할 때 포함되어야 하는 요소는 인력(누가), 기간(언제), 자원의 종류(도구), 장소(어디서)이다. 이러한 수행계획은 최대한 자세하게 제시될수록 사업을 실현하기 용이하다.

(1) 인력

대상자에게 중재를 누가 제공할 것이며 몇 명이 제공할 것인가에 대한 내용이다.

(2) 기간

대상자에게 활동의 시작시점과 종료시점을 결정하여 계획표를 작성하는 것이다.

(3) 자원의 종류

어떠한 자원을 가지고 할 것이기에 자원을 구비하기 위한 가용 예산을 편성하고 목록을 작성하는 것이다.

(4) 장소

대상자에게 어느 지역에서 중재를 제공할 것인가에 대한 것이다.

4) 평가계획

간호계획에는 전체적으로 사업의 진행계획이나 평가계획이 함께 이루어져야 한다. 평가계획에는 목표달성의 정도를 평가할 방법, 기준, 시기를 비롯하여 평가자, 평가범위를 설정함으로써 객관적이고 정확한 평가가 수립될 수 있도록 한다. 계획을 세우면 보다 구체적 계획이 수립될 수 있다. 이때 농번기와 같은 시기별 특성이나 지역행사 등을 고려하거나 주민의 참여 여건을 참고할 필요가 있다.

5. 지역사회 간호수행

간호수행은 계획된 활동이 실제적으로 제공되는 과정으로 대상자의 욕구를 충족시키는 간호행위가 이루어진다. 간호중재(nursing intervention)라는 용어로도 사용되면서 간호사의 간호 대상자와의 관계형성이 보다 중요하게 인식되었다. 이 단계에서는 간호사의 지적, 관계적, 기술적 수행능력이 통합되고 대상자와 치료적 인간관계가 형성되기 때문이다.

간호중재는 일반적으로 의존적, 독자적, 상호 의존적 활동으로 구분되는데 전문적 간호사의 역할수행은 독자적 간호행위를 얼마나 수행하느냐에 따라 자율성과 책임이 따르게 된다. 의존적 활동은 주로 의사의 처방에 의해 이루어지는 처치와 투약과 같은 활동이며, 상호 의존적 활동은 공동적 팀 접근방법이 해당된다. 독자적 간호활동은 간호사의 판단에 의해 수행되는 활동으로 가정방문, 클리닉 운영, 보건교육, 가정간호 등의 활동이 대상자의 문제해결을 위해 제공된다.

간호대상자에게 제공되는 간호사업이 효과적으로 이루어지기 위해 지역사회간호사는 여러 가지 수행기전을 활용할 필요가 있다. 예를 들어, 소집단 모임, 조언가 활용, 대중매체, 정책적 제시등이 활용될 수 있다.

소집단은 지역 내 부녀회나 청년 단체와 같은 기존의 모임을 이용할 수도 있고, 새로운 집단을 형성하여 변화에 빨리 적응할 수 있는 촉진제 역할을 하도록 한다. 또한 지역사회의 지도자들의 의사결정이 중요한 영향력을 미칠 수 있으므로 이들의 조언을 참고할 수 있고, 대중매체를 통한 정보전달의 효과를 활용할 수 있다.

이 밖에 간호수행 내용으로 포함되는 활동은 다음과 같다.

(1) 업무조정과 의사소통: 다른 전문요원과 공동적 사업을 제공할 경우 이들과의 업무조정과 원활한 의사소통은 업무의 불필요한 중복과 누락을 방지할 수 있고, 적절한 인력동원으로 사업의 효율성을 높일 수 있다.

(2) 감시(monitoring): 목표달성을 위해 계획대로 진행되고 있는지를 확인 점검한다. 업무활동의 표준을 유지하기 위해 업무수행 수준, 절차, 결과의 정도를 살펴서 불충분할 경우 원인을 파악한다. 감시방법에는 계속적 관찰, 기록의 감사, 물품 점검 등이 있다.

(3) 감독(supervising): 감독은 목표진행 정도를 평가하거나 주어진 업무의 수행수준을 관찰하기도 하며 발견사항 중 개선점을 토의하고 필요 시 조언한다.

(4) 진행단계별 평가 활동: 중간평가의 형태로 사업의 진행단계별 목표수준의 달성 정도를 평가하고 가능하면 업무와 수행방법 등을 재조정한다.

6. 지역사회 간호평가

간호평가는 간호수행 후 결과를 측정하는 것으로 간호대상자의 목표달성 수준, 즉 사업효과를 파악하는 과정이다. 이는 대상자의 변화된 정도를 목표수준과 비교하여 어느 정도 성취하였는지를 결정하고, 결과에 미친 영향요인을 파악하면서 개선점을 모색하여 새롭게 재계획을 수립하는 과정(replanning)으로 연결된다. 간호중재에 대한 대상자의 다양한 반응을 나타내는 자료를 수집하여 기준과 비교함으로써 향후 간호활동의 방향을 결정할 수 있는 회환(feedback) 자료가 된다.

평가결과가 재계획의 자료로 활용되지 않으면 평가하는 의미가 없다. 목표달성에 성공한 이유나 달성하지 못한 실패의 원인이 분석되고 이 결과는 다음 사업의 계획이나 수행에 보완 되어 반영되었을 때 간호사업의 발전이 이루어질 수 있다.

또한 지역사회간호사업의 평가는 질적, 양적 평가가 모두 이루어져야 하며 계속적으로 사업을 진행시키는 데 필요한 근거자료로 활용되고 나아가 사업의 지침이나 기준, 관련 법령 개정에도 영향을 줄 수 있어야 한다.

1) 평가유형

평가의 유형은 무엇을 기준으로 평가하느냐에 따라 구분되는데, 체계이론에 근거한 투입-변환-산출을 대상으로 한 세 가지 유형이 있다.

(1) 구조평가(Structure evaluation)

사업에 투입되는 자원의 적절성을 평가한다. 즉, 사업이 시작되기 전, 투입되는 인력, 시설, 장비, 재원 등의 적절성에 대하여 평가하는 것이다. 이러한 자원들이 양적, 질적으로 적정한 양이 투입되는지를 확인하는 것뿐만 아니라 최근에는 투입되는 정보의 적정성도 판단하는 추세이다.

(2) 과정평가(Process evaluation)

사업이 시행되는 과정 중 계획과 비교하여 얼마나 계획대로 시행되고 있는지 파악하고 목표달성이 잘 되고 있는지 판단하는 평가이다. 만약 목표달성을 저해하는 요소가 있다면 제거하고 최대한 목표달성할 수 있도록 개선 방안을 마련하는데 목적이 있다.

(3) 결과평가(Outcome evaluation)

사업이 종료된 후 계획된 목표가 얼마나 달성되었는지 파악하는 것으로 사업의 효과를 판단할 수 있다. 사업 대상자의 변화 혹은 이득으로 측정가능하다. 결과평가는 두 가지 수준으로 이루어지는데 양적 평가와 질적 평가가 있다. 양적 평가는 단순히 수량적 평가를 하는 것으로 교육참가주민수, 가정방문 횟수, 예방접종 건수 등이 해당된다. 이에 비해 질적 평가는 대상자의 실제적 변화 정도를 평가하는 것으로 태도나 행동의 변화 정도를 측정하는 것이다. 예를 들어, 건강검진에 대하여 긍정적인 인식변화가 이루어졌다거나 의료기관 이용률의 증가, 피임 실천율, 질병 발생률의 감소 등이다. 두 가지 수준의 평가는 모두 결과변화를 반영해 주는 것이므로 어느 한 가지 평가만으로 측정하기보다는 양적, 질적 변화를 함께 평가하는 것이 필요하다.

2) 평가의 범주

(1) 투입자원 평가: 지역사회 간호사를 포함한 간호제공자들의 간호시간이나 가정방문 횟수, 인력, 물품소비 정도를 모두 포함한 자원의 소비량을 산출하는 것이다. 즉, 사업에 투입된 전체 노력의 정도를 측정하는 것으로 반드시 많은 노력이 투입되어야만 좋은 것이 아니고, 결과가 효과적으로 나타날 수 있는 노력이 투입되어야 한다.

(2) 사업진행 평가: 계획된 일정대로 사업이 수행되었는지 순서와 진행 정도를 파악한다. 만일 계획과 차질이 생겼다면 원인을 분석하고 문제점이 무엇인지, 어떤 사항을 개선해야 할 것인지 계획변경 여부를 평가한다.

(3) 목표달성 정도 평가: 계획된 목표수준에 어느 정도 도달했는지 구체적 목표성취 여부를 평가한다. 역시 목표수준에 성취되지 못한 경우에는 그 이유를 파악하여 집행시기, 방법 등의 문제 여부를 확인한다. 전체 목표에 도달하기 위한 세부 목표의 달성 정도를 측정하고 목표 성취에 기여한 사항이 무엇인가를 확인하여 차기 계획수립에 참고할 수 있도록 한다.

(4) 사업 효율성 평가: 효율성의 평가는 사업수행에 투입된 노력의 비용이 결과에 대해 어느 정도인가에 대한 경제성을 측정하는 것이다. 이는 최소의 비용으로 최대의 목표달성(효과)을 하자는 의도를 충족시켜 준다. 사업수행 방법이 모두 효과적일 때 투입된 비용이 적은 방법을 선택할 수 있는 근거를 제시해 주고 산출된

목표량에 대한 비용을 서로 비교할 수 있게 해 준다.

(5) 사업의 적합성 평가: 지역사회 간호사업은 지역주민의 요구와 정부정책을 기본으로 하나 제한된 자원 내에서 운영되므로 지역사회 요구를 충족시키지 못할 수도 있다. 사업의 적합성은 사업의 결과에 따른 지역주민의 요구충족도를 측정하는 것이다. 즉, 인적 · 물적 자원의 공급정도가 충족된 정도를 평가한다. 예를 들어, 보건교육을 통해 가족계획을 실천하는 대상자가 100명이었고 이 숫자는 전체 지역사회 내 가족계획 대상자의 90%에 해당되었다면, 보건교육이 적합한 간호사업이라고 평가할 수 있을 것이다.

3) 평가절차

평가과정은 체계적인 절차에 의해 이루어져야 하며, 평가하기 이전에 평가계획을 수립하고 목표설정에 근거한 평가기준이 만들어져 있어야 한다. 평가기준을 사업수행 기간 동안이나 종료 후에 만든다면 객관적 평가가 이루어지기 어려울 것이다. 체계적인 평가절차는 다음과 같다.

(1) 평가내용과 기준의 결정: 평가되어야 할 내용과 평가를 위한 측정기준을 설정하는 것으로 이는 목표수준과 일치하여야 한다. 만일 영아사망률의 감소를 사업목표로 수립했다면, 평가사항은 영아사망률의 변화 정도를 보는 것이고 평가기준은 출생아 1,000명에 대한 영아 사망수를 계산하면 된다.

(2) 평가자료의 수집: 평가에 필요한 관련 정보와 자료를 수집한다. 영아사망 실태를 파악하기 위해 사망신고자료를 구하거나 지역주민을 대상으로 설문조사를 실시한다. 평가자료 로 활용될 수 있는 각종 기록이나 통계지표를 파악한다.

(3) 설정된 목표와 비교: 목표수준과 현재 도달한 상태를 비교한다.

(4) 목표 도달 정도의 판단과 분석(가치판단): 실제적으로 도달한 목표수준의 성취 정도를 파악하고 성패에 대한 요인을 분석한다.

(5) 재계획 수립: 평가결과에 따라 사업의 진행여부, 개선사항을 반영하여 다음의 사업진행 방향을 결정한다.

4) 평가방법

간호사업의 평가방법은 자료수집 방법과 동일하다. 평가범주와 평가사항이 무엇인가에 따라 적절한 평가방법을 결정하여야 하며 각각의 방법의 특성을 고려하는 것이 좋다. 또한 해결되지 못하거나 목적달성을 못했을 경우에도 역시 그 이유의 분석을 통하여 양적 문제 인지, 질적 문제인지, 그 결과가 계획의 실패인지, 계획을 추진할 인적 요소의 부족인지, 행정체계의 부조리인지, 예산의 부족인지, 사업계획 시 목적과 지역주민의 요구가 맞지 않는 것인지를 분석하여 결함을 보완함으로써 보다 발전된 간호문제 해결방법을 수립할 수 있다.

평가방법도 계획단계에서 미리 결정하고 필요한 평가도구를 개발하는 것이 요구된다. 평가방법은 자료수집 시에 활용하였던 관찰, 면담, 설문조사, 검진, 체크리스트(checklist), 통계자료 등이 모두 활용될 수 있다. 만일 평가도구를 별도로 사용해야 할 경우, 신뢰도와 타당도가 높은 도구를 개발해야 한다.

평가방법의 적용은 대상 인원의 규모나 사업의 성격, 평가 종류에 따라 적절한 방법이 선택되어야 정확한 평가가 가능하다.

① 사업에 참여한 직원의 여론을 청취하는 방법
② 보고자료, 즉 일보, 연보를 기준으로 평가하는 방법
③ 사업기록, 즉 상담기록이나 가정방문 기록 등 사업별 필요한 기록을 검토하는 평가방법(가족들의 순응도 조사)
④ 적은 집단일 때는 간단한 시험 평가방법도 가능하다.
⑤ 사례 연구자의 방문, 즉 사례대상을 선정 검토함으로써 질적인 변화 사항을 평가할 수 있는 방법이다.

5) 평가결과 처리: 재계획 수립

평가를 실시한 후에 재계획의 수립이 없다는 것은 평가자료를 활용하지 못한 경우이다. 평가 후, 목적한 바가 달성되었으면 그 이유를 분석하여 다른 사업이나 다른 요원들에게 경험을 공유할 수 있게 해야 한다. 또한 충분히 목표 달성을 했더라도 주기적으로 재평가를 한 후 회환(feedback) 과정을 시행해야 한다.

7. 지역사회 간호과정의 실제

1) 지역사회 간호사정

(1) 지역사회 자료수집

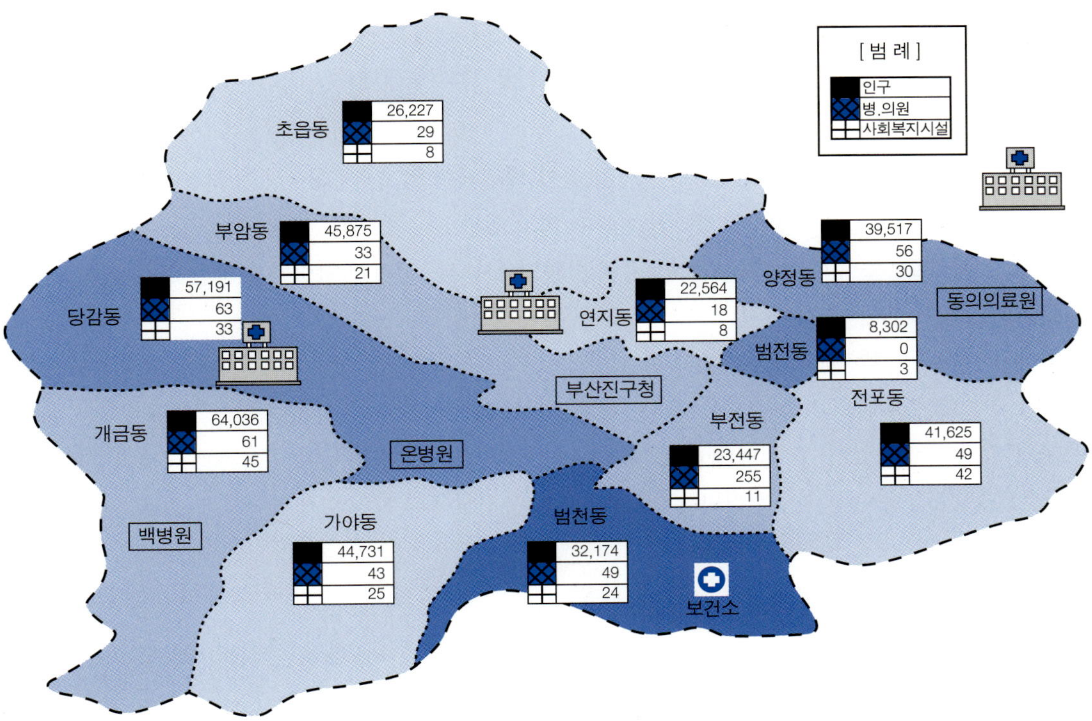

1 기본현황

- 세 대: 153,413세대
- 인 구: 395,689명
- 면 적: 29.68km^2(주거 37.4%, 상업 16.9%, 녹지 45.7%)
- 행정구역: 25개동 476개통 2,774개반
- 기 구: 4국 1보건소, 1실 18과, 25동
- 공 무 원: 873명(구 545, 보건소 46, 동 264, 의회 18)
- 도 로: 309.9km ⇒ 도로율 23.05% (부산시 19.7%)
- 상 수 도: 42,142전 ⇒ 보급률 100% (부산시 99.6%)
- 하 수 도: 583.9km ⇒ 보급률 99.6% (부산시 99%)
- 자 동 차: 127,423대 ⇒ 승용 102,261 승합 · 화물 25,162
- 총 예 산: 234,688백만원(재정자립도 23.06%)

(2) 자료수집

1 지역사회 특성

① 지리적 특성

- 부산진구는 지리적으로 부산의 중심부에 위치하며, 동쪽으로는 황령산을 경계로 연제구, 남구와 접하고, 서쪽으로는 사상구, 남쪽으로는 동구, 북쪽으로는 북구와 접하고 있다.

② 자연적 특성

- 백양산, 황령산, 엄광산으로 둘러싸여 있고 도심 중앙으로는 동천이 흐른다.
- 여름에는 열섬 현상으로 열대야가 나타나며, 산과 바다로 인해 겨울에는 차고 매서운 바람이 불어 도심 주변의 저소득층 밀집지역 주거 상황이 열악하여 기후 변화에 그대로 노출 된다.

③ 사회 환경적 특성

- 부전동 서면 교차로에 상업, 금융, 유통시설 등이 밀집되어 있고, 재래시장과 대형마트가 집중되어 있어 부산 최대 상업지역으로 서민 경제의 중심축이 되고 있다.
- 중앙로, 가야로, 동서고가로 등 도로망이 잘 발달되어 동서, 남북간 연결된 원활한 도심 교통망을 갖추어 접근성이 용이하다.
- 지하철 1,2호선, 부전역의 KTX 중간 역 지정, 동해남부선 복선 전철화 사업, 경전선 직 · 복선전철화사업 등이 추진되어 동부산 관광기능과 서부산 경제권역의 가교역할을 하고 있다.
- 70개의 초, 중, 고교가 구 전역에 분포되어 있고 초읍, 연지지역의 시민 도서관과 국립국악원, 부전동의 글로벌 빌리지(영어마을)이 건립되어 있으며, 서면 중심부에는 학원과 대형서점 등 교육관련 기관이 밀집되어 있다.

④ 민간의료기관의 주민 접근성

- 민간의료기관은 654개소(병원 22개소, 의원 365개소, 치과의원 141개소, 한의원 126개소)로써, 2차 · 3차

병원의 경우 개금 · 가야권역의 개금 백병원, 당감 · 부암 · 부전권역의 온병원, 초읍 · 양정 · 전포권역의 동의병원, 범천권역의 춘해 병원이 위치하여 골고루 분포되어 있고, 1차 의료기관도 각 동별 고른 분포로 주민들의 접근성이 매우 높다.

– 특히, 민간의료기관 중 283개소는 교통의 중심지인 부전동에 집적되어 있어 메디컬스트리트 조성사업 등 의료 인프라 구축과 병행하여 의료기관의 질적 수준 향상을 위한 JCI(Joint Commission International) 인증지원 등을 실시하고 의료기관간 협조체계를 구축하는 등 의료서비스 산업을 지원하여 "서면 메디컬스트리트"가 명실상부한 의료관광의 중심지로 자리매김 되도록 행정적 지원을 다 할 계획이다.

⑤ 경제적 특성

– 빈곤선 이하 인구(기초생활 대상자수)

= [년도별 국민기초생활보장수급자 수 / 부산진구 전체인구]

: 부산진구 관내의 전체 국민기초생활보장 수급자 수는 2002년 10,749명에서 2007년 14,054명으로 지속적으로 증가하고 있으며, 전체 구민대비 비율도 2.54%에서 3.48%로 꾸준히 증가하고 있다.

년도	전체 수급자수(명)	일반 수급자(명)	시설 수급자(명)	특례 수급자(명)	인구대비(%)
2002	10749	10303	178	268	2.54
2003	11509	11079	165	265	2.79
2004	12533	12122	156	255	3.08
2005	13251	12857	142	252	3.22
2006	14124	13629	138	357	3.47
2007	14054	13617	138	299	3.48

출처: 부산진구 통계연보 2008

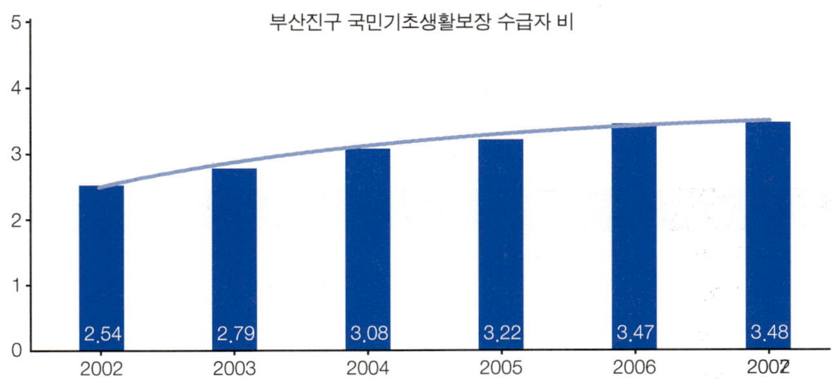

⑥ 사업별 취업인구 현황 [연간 부산진구 관내 각 사업별 취업인구 수 현황]

: 부산진구 관내의 전체 취업인원수는 2003년 136,136명에서 증가와 감소를 반복하여 2007년 143,683명을 기록했다. 사업별로는 유통 · 운수업이 26%로 가장 많았고, 그 다음은 기술서비스업으로 18%, 금융 · 보험 · 부동산업이 14%, 숙박 · 음식업이 12%로 그 다음을 기록하고 있다.

년도	합계(명)	광업 제조업	환경 건설	유통 운수	숙박 음식점	금융 보험 부동산	행정 교육	보건 복지	기술 서비스
2003	136136	13149	6965	39715	19467	15954	13429	6353	19720
2004	138360	11857	8504	39613	19007	16339	13755	6794	21264
2005	134623	10630	6251	37949	17993	16774	13873	7435	22721
2006	151885	10261	9024	49222	18454	17955	14106	7783	24113
2007	143683	10177	8966	37955	17363	20147	15046	8209	25820

⑦ 사회적 특성

• 범죄율

부산진구 사업별 취업인구 분포

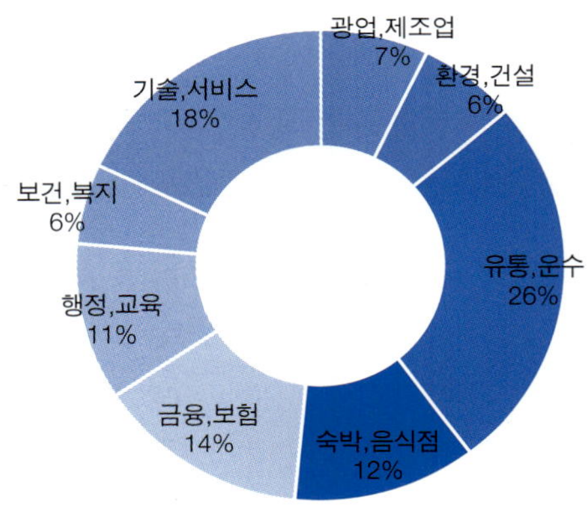

– 범죄발생률 및 범죄 검거율: 범죄발생율 및 범죄검거율은 각각 증가후 감소를 겪음, 현재 완만한 증가추세를 보이고 있다.

$$\frac{\text{년간 범죄 발생건 수}}{\text{당해연도 부산진구 총 인구 수}} \times 100$$

	범죄발생(건)	범죄검거(건)	부산진구인구	범죄발생율	범죄검거율
1996	15131	13384	446474	3.4	3.0
1997	17054	14299	441781	3.9	3.2
2000	18972	18634	431149	4.4	4.3
2002	22530	20740	421759	5.3	4.9
2005	14047	12010	412055	3.4	2.9
2007	15801	14210	404331	3.9	3.51

• 강력범죄율[전체 범죄발생건수 중의 강력범죄 비율, 강력범죄 발생건수중 검거된 사건의 비율]

: 강력범죄 발생건수 및 검거건수 모두 지속적인 증가추세를 보이고 있다. 전체 범죄 발생건수 중의 강력범 발생율이 지속적으로 증가하고 있어 전반적인 범죄가 강력화되고 있음을 알 수 있다.

연도	범죄발생(건)	범죄검거(건)	부산진구 인구	강력범 발생(건)	강력범 검거(건)	강력범 발생율	강력범 검거율
1996	15131	13384	446474	108	102	0.71	94.44
1997	17054	14299	441781	111	90	0.65	81.08
2000	18972	18634	431149	192	186	1.01	96.87
2002	22530	20740	421759	187	183	0.90	97.86
2005	14047	12010	412055	151	133	1.26	88.08
2007	15801	14210	404331	224	214	1.41	95.54

• 평생학습기관수(평생학습계좌)[부산진구 관내 등록된 평생학습기관 수]

: 부산진구는 2007년 구청 내 평생학습 전담 부서를 설치하고 관내의 대학, 교육청 및 민간 기관 등과의 협약을 통해 평생학습 분위기를 만들어 가고 있다. 현재 등록된 평생학습관련기관 수는 81개소로 그 중 주민센터가 25개소로 40%를 차지하고 있고, 그 다음이 노인장애인 관련 시설이 18개소, 여성청소년 관련 시설이 9개소, 민간시설 6개소 등의 순이었다.

부산진구 평생학습기관 현황

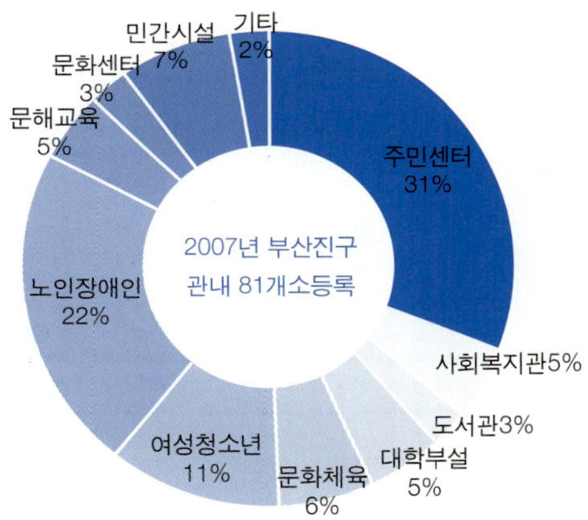

2 인구학적 특성

① 부산진구 인구 변동 추이

연도별	세대수	인구수 계	인구수 남	인구수 여	성비(%)	증감율(%)	인구밀도(명/㎢)	세대당 인구(명)	65세이상 고령자 인구(명)	65세이상 고령자 구성비(%)
2005	147,811	410,610	204,291	206,319	1.01	1.3	13,835	2.78	36,250	8.8
2006	149,836	405,775	201,709	204,066	1.01	−1.2	13,672	2.71	38,461	9.5
2007	151,256	402,359	199,766	202,593	1.01	−0.8	13,557	2.66	41,069	10.2
2008	152,942	400,516	198,474	202,042	1.02	−0.5	13,494	2.62	43,228	10.8
2009	153,413	395,689	195,868	199,821	1.02	−1.2	13,332	2.58	45,117	11.4

– 총 인구는 2000년 430,373명에서 2009년말 현재 395,689명으로 2000년부터 평균 0.91%씩 감소하였다.

- 인구밀도는 13,332명/㎢, 총세대수는 153,413세대로 인구는 감소하고 있으나 세대수의 증가한 것은 핵가족화 시대(2세대가구, 1세대가구, 1인가구)의 추세에 의한 것으로 분석된다.
- 65세 이상 고령자 인구비율은 2000년 전체인구 대비 6.4%였으나, 2009년 현재 11.4%로 매년 증가 추세를 보이고 있으며, 이는 부산진구의 인구구조가 이미 고령화 사회로 접어들었음을 나타내는 것으로 고령사회에 대비한 노인을 위한 복지, 의료, 주거, 여가선용을 위한 시설 등에 충분한 검토가 있어야 될 것으로 보여진다.

연도별 인구 증감율

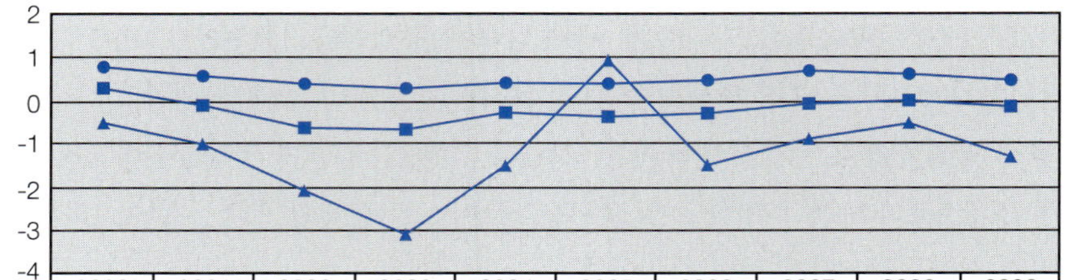

	2000	2001	2002	2003	2004	2005	2006	2007	2008	2009
부산진구	-0.8	-0.9	-1.4	-2.4	-1.2	1.3	-1.2	-0.8	-0.5	-1.2
부산광역시	-0.5	-0.7	-1.1	-1	-0.7	-0.8	-0.7	-0.7	-0.6	-0.6
전국	0.8	0.6	0.4	0.3	0.4	0.4	0.4	0.6	0.6	0.5

부산진구 연도별 인구현황

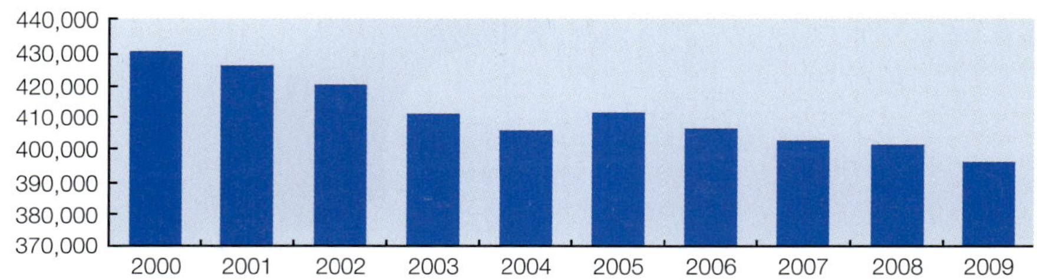

② 2009년도 부산진구 5세별 주민등록 인구피라미드

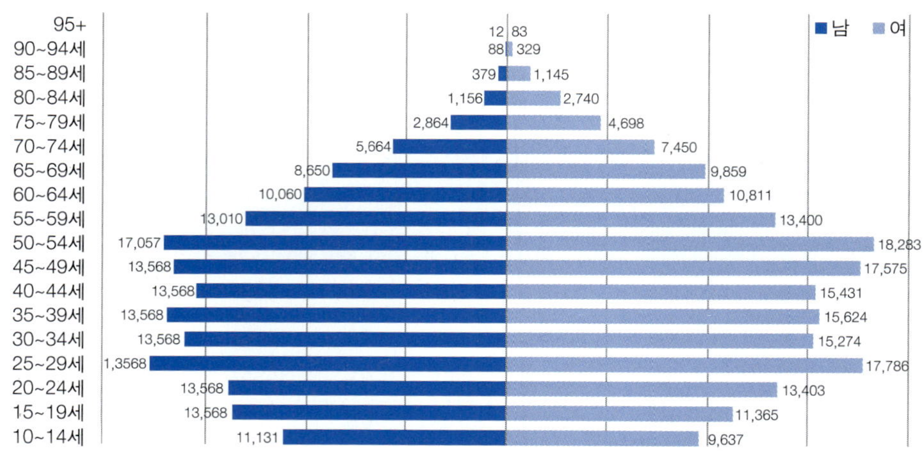

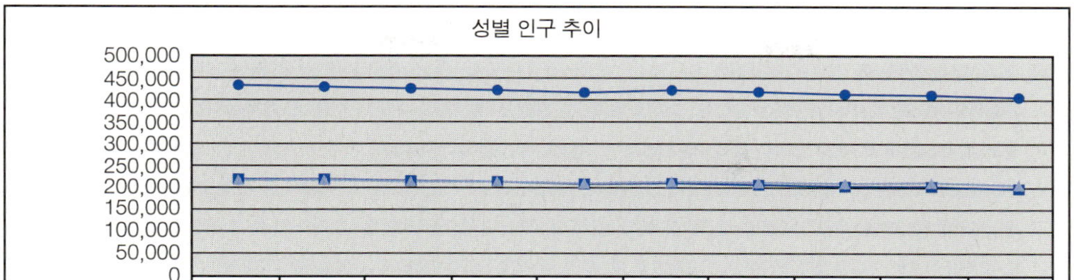

	2000	2001	2002	2003	2004	2005	2006	2007	2008	2009
인구	430.3	426.5	420.6	410.6	405.5	410.6	405.7	402.3	400.5	395.6
남	215.3	213.2	210.1	204.9	202.3	204.2	201.7	199.7	198.4	195.8
여	214.9	213.3	210.5	205.6	203.1	206.3	204.0	202.5	202.0	199.8

- 인구 피라미드 구조는 2000년부터 이미 출생률이 사망률보다 낮아 인구 감소가 예상되는 방추형으로 나타났으며 이는 실제 인구 감소로 나타나 2009년 인구수는 2000년 인구수보다 8.1% 감소하였다.
- 성별 인구 구조는 2000년까지 남성의 인구비율이 여성보다 높은 남초현상을 보였으나 2001년부터는 여성의 인구비율이 남성의 인구비율보다 높은 여초현상을 보이고 있으며 2001년 성비 100.1에서 꾸준히 감소하여 2009년 98.0으로 나타났다.

③ 생애주기별 인구수

연도 / 연령	2000	2001	2002	2003	2004	2005	2006	2007	2008	2009
계	430,373	426,518	420,645	410,603	405,534	410,610	405,775	402,359	400,516	395,689
0–4세	22,333	21,149	19,598	17,919	16,807	16,238	15,323	15,193	15,022	14,611
5–19세	89,320	84,659	80,066	75,522	72,435	71,590	69,190	66,756	64,426	61,891
20–44세	191,907	189,685	185,967	179,422	174,446	174,478	168,720	164,347	161,768	157,370
44–64세	99,414	101,905	104,425	105,790	107,852	112,054	114,081	114,994	116,072	116,700
65세 이상	27,399	29,120	30,589	31,950	33,994	36,250	38,461	41,069	43,228	45,117

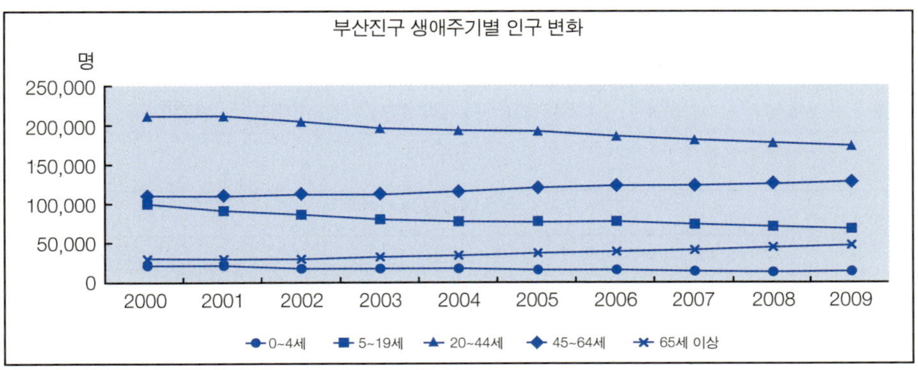

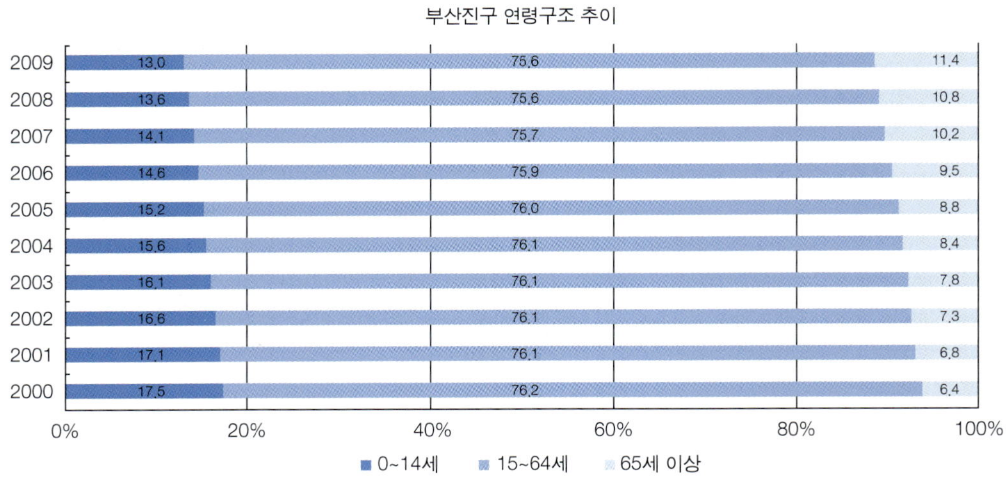

– 2000년 이후 유소년층 인구와 청장년층 인구가 감소하는 경향을 보이며 45세 이상 인구 특히 65세 이상 노인인구의 증가가 뚜렷하게 나타나고 있다.

④ 노인인구비율 추이

연도	부산진구			부 산			전 국		
	전 체 인구수	65세이상 고령자		전 체 인구수	65세이상 고령자		전 체 인구수	65세이상 고령자	
		인구	구성비		인구	구성비		인구	구성비
2000	430,373	27,399	6.4	3,796,506	229,075	6.0	47,732,558	3,355,614	7.0
2001	426,518	29,120	6.8	3,770,536	242,143	6.4	48,021,543	3,533,470	7.4
2002	420,645	30,589	7.3	3,730,125	254,642	6.8	48,229,948	3,712,626	7.7
2003	410,603	31,950	7.8	3,691,445	268,235	7.3	48,386,823	3,904,984	8.1
2004	405,534	33,994	8.4	3,666,345	285,927	7.8	48,583,805	4,124,946	8.5
2005	410,610	36,250	8.8	3,638,293	302,784	8.3	48,782,274	4,324,524	8.9
2006	405,775	38,461	9.5	3,661,992	322,019	8.9	48,991,779	4,556,733	9.3
2007	402,359	41,069	10.2	3,587,439	345,492	9.6	49,268,928	4,861,476	9.9
2008	400,516	43,228	10.8	3,564,577	363,639	10.2	49,540,367	5,069,273	10.2
2009	395,689	45,117	11.4	3,543,030	381,771	10.8	49,773,145	5,267,708	10.6

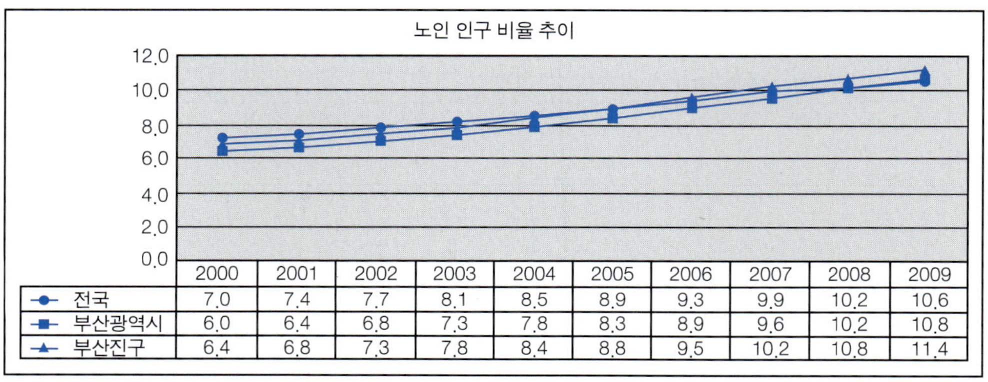

- 65세 이상 노인인구 비율은 2000년 부산시, 부산진구 모두 전국 평균 7.0%보다 낮은 수준인 6.0%, 6.4%였으나, 2002년 7%를 넘어섰고 이후 꾸준히 증가하여 2009년 전국 평균 10.6%보다 상회하며 부산시는 10.8%, 부산진구는 11.4%로 나타나 초고령화 사회로 빠르게 진입하고 있다.

⑤ 노년부양지수

연도	부산진구				부 산				전 국			
	부양비			노령화 지 수	부양비			노령화 지 수	부양비			노령화 지 수
	총 부양비	유 년 부양비	노 년 부양비		총 부양비	유 년 부양비	노 년 부양비		총 부양비	유 년 부양비	노 년 부양비	
2000	31.3	22.9	8.4	36.5	32.6	24.6	8.0	32.6	38.7	28.9	9.7	33.7
2001	31.4	22.4	9.0	40.0	32.6	24.1	8.5	35.4	38.8	28.6	10.2	35.7
2002	31.4	21.8	9.6	43.7	32.5	23.5	9.0	38.5	38.8	28.1	10.7	38.0
2003	31.4	21.2	10.2	48.3	32.6	22.9	9.6	42.0	38.8	27.6	11.2	40.6
2004	31.5	20.4	11.0	53.9	32.7	22.3	10.3	46.3	38.8	27.0	11.8	43.6
2005	31.6	20.0	11.6	58.2	32.7	21.7	11.0	51.0	38.6	26.3	12.3	46.7
2006	31.8	19.3	12.5	64.8	32.7	20.9	11.8	56.7	38.3	25.4	12.9	50.6
2007	32.1	18.6	13.5	72.3	32.9	20.1	12.8	63.7	38.2	24.6	13.6	55.5
2008	32.2	18.0	14.3	79.4	32.8	19.3	13.5	70.3	37.8	23.7	14.1	59.5
2009	32.3	17.2	15.1	87.5	32.8	18.5	14.3	77.4	37.3	22.8	14.5	63.9

- 노인 비율의 증가와 아울러 노년부양비 증가 속도는 부산과 전국에 비하여 빠른 것으로 나타남.

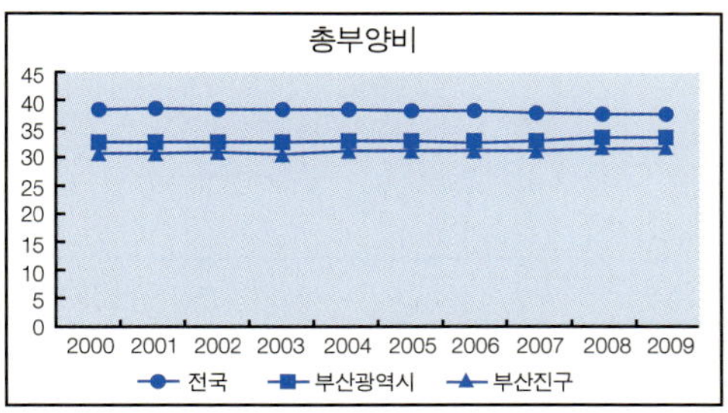

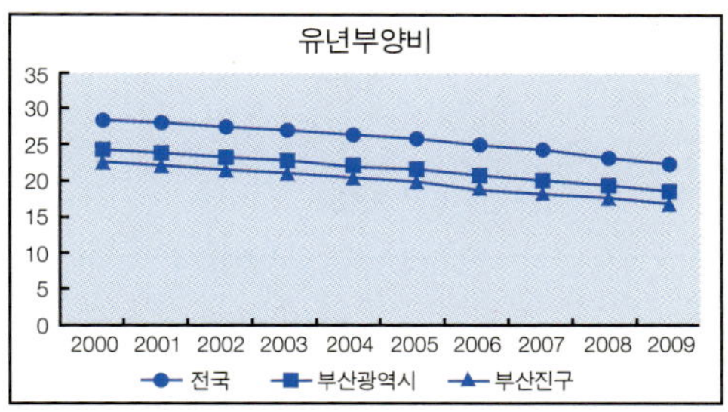

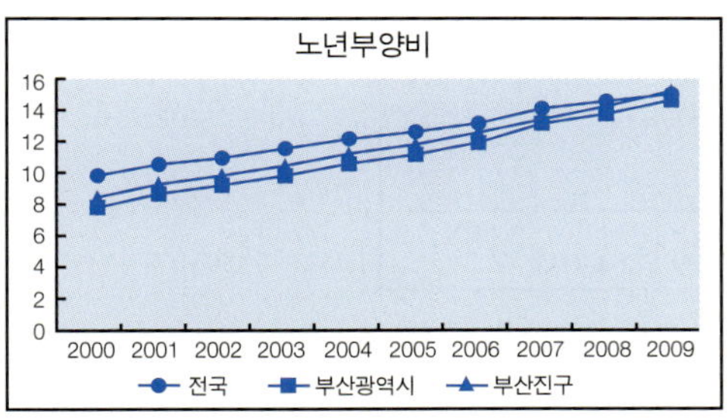

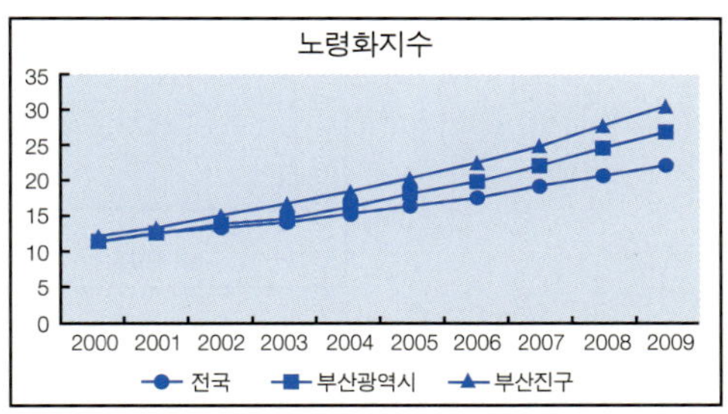

주 1) 총 부 양 비: 유년부양비+노년부양비

2) 유년부양비: 총인구중에서 생산가능 연령층(15~64세) 인구에 대한 유년층 인구(0~14세)의 백분비

3) 노년부양비: 총인구중에서 생산가능 연령층(15~64세) 인구에 대한 노년인구(65세 이상)의 백분비

4) 노령화지수: 14세 이하 인구 대비 65세 이상 노령 인구의 백분율

⑥ **동별 노인인구 분포현황**

- 노인 인구수는 초읍동 3,676명으로 가장 많았으며, 개금3동 2,978명, 연지동 649명, 전포2동, 양정1동, 부암3동, 부암1동, 당감3동, 양정2동의 순으로 나타났다.
- 노인 인구비율은 범전동이 16.8%로 가장 높았으며, 당감1동 16.5%, 전포1동 16.0%, 부전1동, 범천1동, 초읍동, 양정2동 등의 순으로 나타났다.

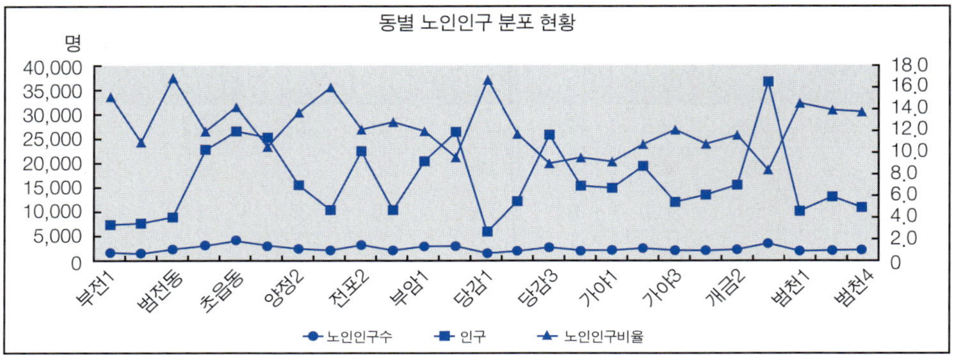

⑦ **합계출산율**

(단위: 명)

지역 \ 연도	2005	2006	2007	2008
부산진구	0.911	0.945	1.056	0.999
부 산	0.879	0.908	1.016	0.980
전 국	1.133	1.179	1.321	1.258

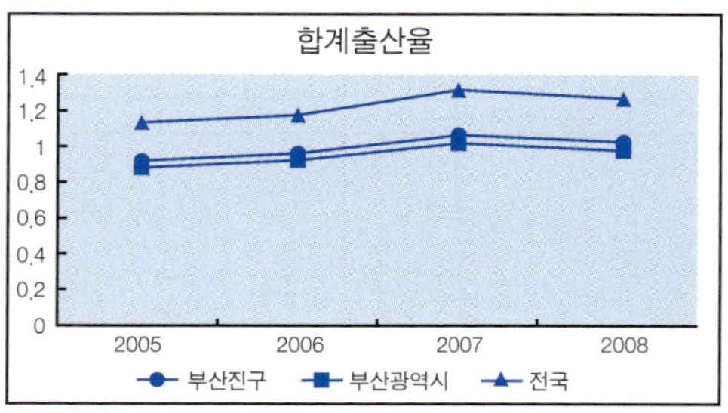

동천유역의 월평균 수질오염 현황(2008년)

- 합계 출산율은 2005년 이후 전국, 부산시, 부산진구 모두 다소 상승하는 경향을 보이고 있으나 2008년 합계 출산율은 부산시 0.98명, 부산진구 0.99명으로 전국 1.26명에 못 미치는 수준을 보이고 있다.

3 환경적 특성

① **대기오염**[이산화질소, 일산화탄소, 오존, 아황산가스, 미세먼지의 독립적 측정치]

: 기준치 초과는 없으며, 전국 시도 중 비교적 낮은 측정값 보임

② **수질**[수온, DO, BOD, COD,SS, TN, TP 의 독립측정치]

: 연평균 DO, BOD, COD 등은 개선되고 있는 경향을 보임.

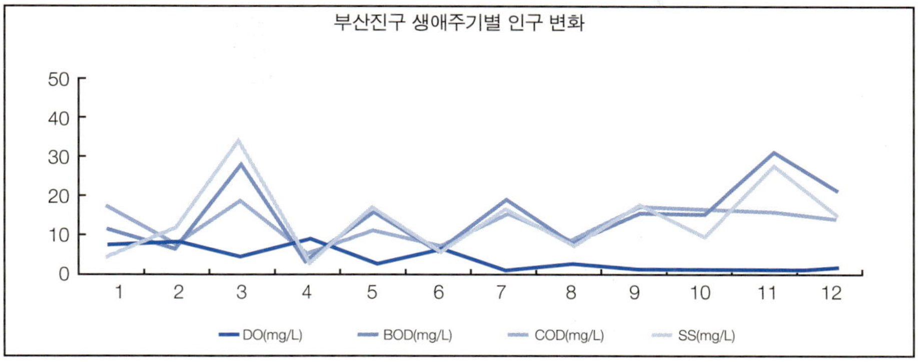

출처: 동천유역의 월평균 수질오염 현황(2008년)

③ 주거공간

- [주택총수 / 세대 수] × 100
- [무허가 건축물 수 / 세대 수] × 100

: 전체 세대수는 감소추세이나 주택총수는 증가하고 있어 주택보급율은 2005년 이후 100%를 상회하고 있다. 그러나 무허가 건축물의 숫자는 꾸준히 증가하고 있어 주거공간의 질은 악화되고 있는 경향을 보이고 있다.

연도	세대수	주택총수	주택보급율	잔여무허가 건축물	무허가 건축물 비율
1997	134,044	94,370	81.0	7,232	5.40
1999	136,360	99,334	83.9	7,319	5.37
2001	139,247	103,239	85.2	7,454	5.35
2003	106,438	98,378	92.4	7,511	7.63
2005	107,728	110,040	102.7	7,707	7.00
2007	107,177	116,354	108.5	7,850	6.74

4 건강상태

① 사망자수 및 사망률

구분 구분	2005			2006			2007			2008		
	사망자 수	조사 망률	연령 표준화 사망률	사망자 수	조사 망률	연령 표준화 사망률	사망자 수	조사 망률	연령 표준화 사망률	사망자 수	조사 망률	연령 표준화 사망률
부산진구	2,145	525.6	566.1	2,176	533.1	552.8	2,165	535.8	531.6	2,256	562.0	533.2
부 산	18,727	512.7	568.7	18,862	520.3	550.2	19,072	529.8	535.6	19,385	542.1	518.7
전 국	243,883	501.0	532.0	242,266	495.6	508.7	244,874	498.4	493.9	246,113	498.2	473.6

– 부산진구의 한해 사망자 수는 약 2,200명 정도이며, 연령 표준화 사망률이 부산 및 전국에 비해 높게 나타났다.

② 주요 사망원인

구 분	순 위	부산진구			부산	전국
		사망사인	사망자수	사망분율		
상병명	1	신생물	675	39.5	신생물	신생물
	2	뇌혈관질환	278	16.3	뇌혈관질환	뇌혈관질환
	3	심장질환	249	14.6	심장질환	심장질환
	4	고의적 자살	119	7.0	고의적 자살(자살)	고의적 자살(자살)
	5	간질환	96	5.6	간질환	당뇨병
	6	당뇨병	89	5.2	당뇨병	만성하기도질환
	7	고혈압성질환	61	3.6	고혈압성질환	운수사고
	8	만성하기도질환	53	3.1	만성하기도질환	간질환
	9	운수사고	48	2.8	운수사고	폐렴
	10	폐렴	39	2.3	폐렴	고혈압성질환

출처: 통계청 2008 사망 및 사망원인통계

– 10대 사망원인 중 만성질환이 4가지를 차지하고 있으며, 사망 및 질병 구조가 만성질환 위주로 변화되고 있다.

③ 심뇌혈관질환 연령별 유병률

(단위: %/1,000명당)

구분	고혈압		당뇨병		심장질환		뇌졸중	
	부산진구	부산	부산진구	부산	부산진구	부산	부산진구	부산
19–29	0.7	0.8	–	0.4	–	0.4	–	–
30–39	9.7	3.2	–	1.3	–	1.5	–	–
40–49	23.1	4.9	14.0	2.9	–	2.3	–	0.5
50–59	24.6	8.1	13.1	4.6	13.5	4.3	6.6	2.4
60–69	45.7	12.0	19.8	7.8	12.6	7.3	7.7	4.6
70 이상	39.6	15.4	28.7	10.8	23.7	11.3	13.8	6.1

출처: 2008년 부산시, 부산진구 지역사회건강조사

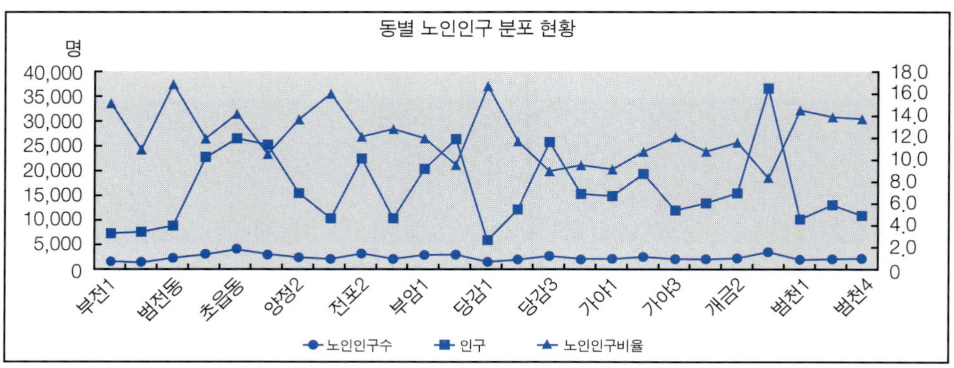

- 심뇌혈관질환 유병률이 부산보다 부산진구가 매우 높아 체계적이고도 집중적인 접근이 필요하다.
- 부산시와 비교해 유의한 차이가 있지는 않으나, 연령이 증가할수록 고혈압, 심뇌혈관질환이 증가함
- 만성질환이 40대부터 급격히 증가함에 있어 40대 이전에는 직장교육, 단체 사업장 방문 순회 교육 등 심뇌혈관질환의 예방에 관한 교육에 치중하며 건강한 생활습관 형성에 초점을 맞춰야 할 것이며 40대 이후부터는 관리방법 및 합병증 예방교육에 집중해야 할 것임

④ 고혈압 · 당뇨병 평생 의사진단 경험률

(단위: %)

구분	고혈압		당뇨병	
	부산진구	부산	부산진구	부산
19–29	2.9	1.3	–	0.2
30–39	2.2	2.1	–	0.8
40–49	12.3	9.4	4.7	3.6
50–59	15.5	18.8	6.0	7.6
60–69	31.8	38.8	11.3	14.7
70 이상	50.0	46.0	18.0	18.2

출처: 2009 부산시, 부산진구 지역사회건강조사

⑤ 연간 평균 혈압 및 혈당 측정횟수

구분	연간 평균 혈압 측정 횟수		연간 평균 혈당 측정 횟수	
	부산진구	부산	부산진구	부산
19–29	4.0	6.7	0.6	1.0
30–39	19.4	9.4	0.9	2.8
40–49	8.2	8.8	2.0	4.9
50–59	16.9	15.9	2.3	9.6
60–69	14.1	20.9	27.4	16.6
70 이상	52.7	25.2	10.6	17.7

출처: 2009 부산시, 부산진구 지역사회건강조사

⑥ 중점과제관련 건강상태 및 형태

- 현재 흡연율
  - 현재 흡연율이 전국 및 부산과 비교해 높으며, 40대가 가장 높고, 30대, 19~29세 순으로 나타나 비교적 젊은층에서 높게 나타남
  - 여성흡연율은 70세 이상이 가장 높으며 나이가 들수록 흡연율이 높게 나타남

(단위: %)

구분	남			여		
	부산진구	부 산	전 국	부산진구	부 산	전 국
19–29	55.2	50.6	53.6	3.5	2.5	12.7
30–39	60.2	60.6	56.4	2.4	2.5	7.1
40–49	62.6	53.9	49.1	4.1	2.7	5.7
50–59	45.1	46.6	41.5	4.5	3.9	3.4
60–69	25.8	36.1	34.5	5.0	5.1	4.7
70이상	33.1	28.8	27.9	7.2	7.9	8.7
전 체	51.5	49.8	47.7	4.2	3.6	7.4

출처: 2008 부산시, 부산진구 지역사회건강조사, 2008 국민건강통계

– 고도위험 음주율

(단위: %)

구분	남		여	
	부산진구	전 국	부산진구	전 국
19–29	21.7	23	3.3	12.5
30–39	24.4	28.6	2.0	9.4
40–49	48.1	35.1	5.4	9.9
50–59	31.6	37.1	3.3	6.3
60–69	17.3	21.1	2.5	1.0
70이상	10	15.9	10.5	2.8
전체	28.6	29	3.7	9.0

출처: 2009 부산진구 지역사회건강조사, 2008 국민건강통계

※고도위험음주율: 최근1년 동안 한번의 술자리에서 남자는 7잔(여자의 경우 5잔) 이상을 주2회이상 마신다고 응답한 사람의 수/최근1년 동안 음주한 사람의 수)×100

– 고위험 음주율은 전국과 비교해 40대 남자가 높았으며, 70대 이상 여자 고령자에게서 높게 나타남

– 신체활동

세부 구분	건강정보 자료변수	국민건강영양조사				지역사회건강조사		지역사회건강조사	
		2001	2005	2007	2008	2008		2009	
		전국	전국	전국	전국	부산진구	부 산	부산진구	부 산
신체활동	중등도이상 신체활동실천율		18.7	9.9	14.5	–	–	19	20.3
신체활동	걷기운동 실천율	75.6	60.7	45.7	46.9	58.8	52.2	47.7	47.3

1) 중등도 이상 신체활동 실천율: 최근 1주일(7일) 동안 격렬한 신체활동을 1회 20분 이상 주 3일 이상 실천한 사람 또는 최근 1주일(7일) 동안 중등도 신체활동을 1회 30분 이상 주 5일 이상 실천한 사람의 분율

2) 걷기운동 실천율: 최근 1주일(7일) 동안 1회 30분 이상 걷기를 주 5일 이상 실천한 사람의 분율(%)

- 걷기운동 실천율 연도별 비교

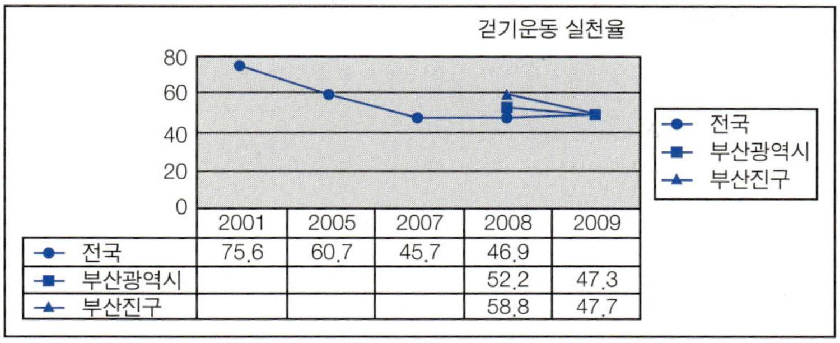

	2001	2005	2007	2008	2009
전국	75.6	60.7	45.7	46.9	
부산광역시				52.2	47.3
부산진구				58.8	47.7

- 지역사회 내 운동시설 접근율

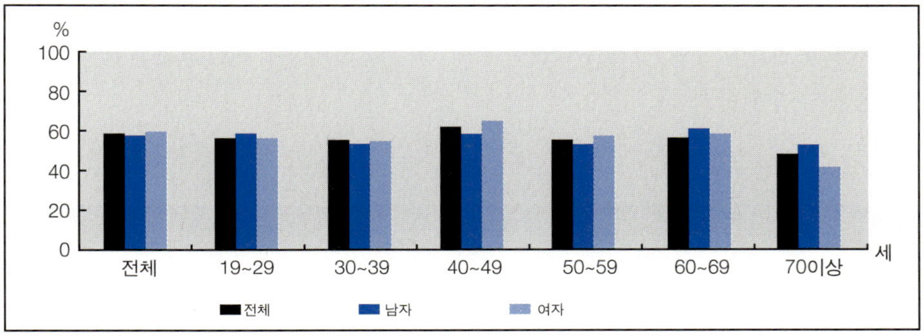

- 지역사회 내 운동 프로그램 참여율

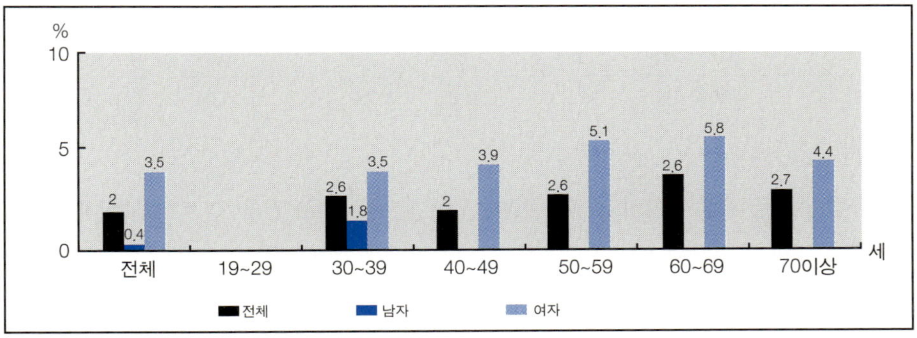

- 걷기운동 실천율은 전국과 비슷한 수준이지만, 2008년 대비 부산시는 4.9% 감소했으나 부산진구는 11.1% 감소하였음.
- 지역사회 운동시설 접근율은 남자 58.8%, 여자 60.1% 전체 59.4%로 고른 분포를 보이고 있음.
- 지역사회 내 운동프로그램 참여율은 남자 0.4%, 여자 3.5%로 차이를 보여, 운동시설 접근율 대비 참여율은 낮은 것으로 보여짐

⑦ **심뇌혈관질환 지속 치료율**

- 고혈압

(단위: %)

구분 \ 연도	진료일수	2006년	2007년	2008년
부산진구	240~359일	21.07	34.06	29.33
	360일 이상	7.37	14.88	23.27
부산	240~359일	18.60	31.95	28.98
	360일 이상	6.41	13.09	22.59
전국	240~359일	18.07	32.36	29.36
	360일 이상	4.15	12.57	23.63

출처: 국가통계포털

- 240일 이상 투약률은 점점 증가하고 있고 2008년 현재 52.6%로 전국 52.99%에 비해 유의한 차이는 없으나 전체적으로 고혈압에 대한 지속 투약률이 낮아 투약의 중요성에 대한 보건교육 실시로 병식을 높이고 지속 투약율을 높여야 함
- 당뇨병

(단위: %)

구분 \ 연도	진료일수	2006년	2007년	2008년
부산진구	300~359일	8.34	14.92	14.71
	360일 이상	10.04	14.95	20.63
부산	300~359일	6.81	13.60	14.38
	360일 이상	8.64	12.16	18.99
전국	300~359일	4.38	13.37	13.98
	360일 이상	5.09	11.04	19.94

출처: 국가통계포털

- 300일 이상 투약률은 매년 증가하고 있고 2008년 현재 35.34%로 전국 33.92%에 비해 높은 편이나 전체적으로 당뇨병에 대한 지속적인 투약률이 낮아 투약중요성에 대해 병식을 높이고 지속 투약율을 높여야 함

⑧ 보건의료기관 만성질환자 등록 및 관리 현황

- 만성질환 관리 대상자 현황

(단위: %)

사업 대상		인 구
전체 주민		398,101
30세 이상 주민		257,525
연령보정 예상 유병자 수	고혈압	44,408
	당뇨병	14,787
	이상지질혈증	13,985
	합계	73,180

출처: 2009 부산진구 통계연보

– 부산진구 관내 30세 이상 주민 257,525명중 1/3인 73,180명이 만성질환 유병자로 추정됨

– 만성질환 등록 · 관리 시스템 등록자 현황

(단위: %)

구 분	고혈압	당뇨병	이상지혈증	총계
전체 등록자	9,375	3,139	1,016	13,530
현재 관리자	8,943	2,965	1,016	12,924
등록자	1,796	687	196	2,679
퇴록자	40	42	0	82

출처: 2009 만성질환예방관리 프로그램

– 현재 만성질환 관리프로그램에 등록되어 있는 사람은 부산진구 연령보정 예상 유병자 73,180명의 33%정도인 15,530명(20%)으로 조기발견사업, 만성질환 예방교육 및 홍보사업을 통한 적극적인 질환자 발견 및 등록이 필요함

– 만성질환자 등록 현황

(단위: %)

구 분	총계	소 계		고혈압		당 뇨		이상 지질혈증
		진료실	방문실	진료실	방문실	진료실	방문실	
2006년	13,946	11,340	2,364	8,082	1,660	3,258	704	242
2007년	9,510	5,402	3,894	3,961	2,789	1,429	1,105	214
2008년	10,986	5,510	5,476	4,228	3,949	635	1,527	647
2009년	10,670	5,486	5,184	3,717	3,763	1,405	1,421	364

출처: 2009 보건행정시스템

⑨ 당뇨병 합병증 관리

(단위: %)

구분	안질환 합병증 수진율		신장질환 합병증검사 수진율	
	부산진구	부산	부산진구	부산
19–29	–	–	–	–
30–39	–	20.2	–	46.1
40–49	55.9	30.1	68.2	43.4
50–59	32.1	29.4	27.2	41.4
60–69	53.8	35.6	53.8	32.2
70 이상	20.9	36.5	20.9	37.3
계	40.2	33.0	42.0	37.6

출처: 2008 지역사회건강조사

– 당뇨병 합병증의 관리수준은 부산시에 비해 높은 편이나 안질환 합병증 수진율은 40.2%, 신장질환 합병증 검사 수진율은 37.6%로 나타나, 당뇨병 합병증 예방을 위한 질환자의 적극적인 검진 독려가 필요함.

⑩ 보건기관 고혈압 환자 연간진료일수 분포

(단위: %)

구분	2006			2007			2008		
	부산진구	부 산	전 국	부산진구	부 산	전 국	부산진구	부 산	전 국
179일 이하	35.09	60.85	59.25	37.46	58.98	56.10	51.85	62.09	52.11
180~239일	8.88	9.33	9.52	8.76	8.05	8.51	26.18	9.21	8.42
240~359일	31.39	19.49	21.62	32.23	21.66	23.79	15.16	18.10	24.76
360일 이상	24.64	10.33	9.61	21.55	11.31	11.60	6.81	10.60	14.71
합 계	100.00	100.00	100.00	100.00	100.00	100.00	100.00	100.00	100.00

출처: 국민건강보험공단. http://m.nhis.or.kr. 2016. 01.

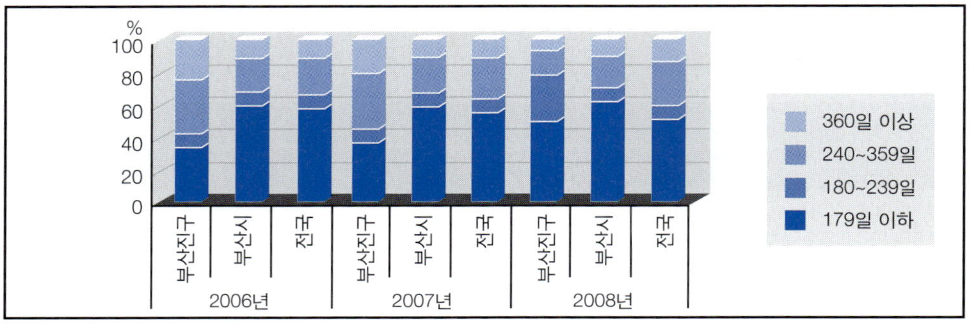

구 분	2006			2007			2008		
	부산진구	부 산	전 국	부산진구	부 산	전 국	부산진구	부 산	전 국
179일 이하	70.11	78.11	81.49	68.70	76.35	78.02	83.37	81.66	76.58
180~239일	6.04	6.23	6.00	6.53	7.30	6.82	4.53	5.57	7.15
240~359일	13.30	8.22	6.73	14.76	9.52	8.29	6.63	6.67	8.34
360일 이상	10.55	7.44	5.78	10.01	6.83	6.87	5.47	6.10	7.93
합 계	100.00	100.00	100.00	100.00	100.00	100.00	100.00	100.00	100.00

출처: 국민건강보험공단. http://m.nhis.or.kr. 2016. 01.

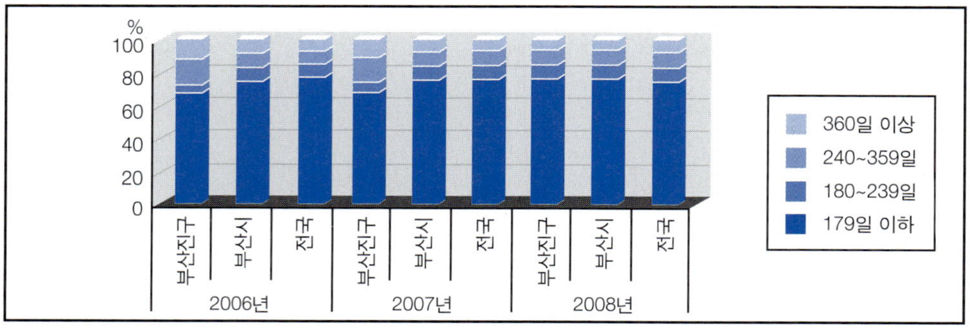

– 의료기관의 고혈압, 당뇨환자의 연간 진료일수는 전국, 부산시, 부산진구 모두 증가 추세이나, 지역보건기관의 경우는 전국, 부산시가 증가세를 보이는데 반해 부산진구는 감소추세를 보여 주민의 만성질환 관리율이 떨어지는 현상을 나타내고 있다. 고혈압에 대한 지속 관리율이 계속 감소 추세에 있으며, 당뇨도 마찬가지로 보건기관 지속 관리율이 감소하고 있음.

⑪ 주민 설문조사

– 설문조사 개요
- 조사기간: 2010. 7. 15 ~ 7. 30(16일간)
- 설문내용: 보건사업 중요도, 연령별 건강문제 등 8개 분야
- 설문대상: 901명(구청간부, 보건소직원, 통장, 구의원, 보건소 방문민원 등)
- 응답자수: 767명(회수율 85.1%)

– 성인건강문제

순위	세부내용	비율(%)
1	스트레스 등 정신건강관리	29.3
2	금연 실천	24.3
3	5대 암 검진율 향상	19.7
4	운동 실천	15.1
5	기 타	11.6

– 노인건강문제

순위	세부내용	비율(%)
1	스트레스 등 정신건강관리	25.3
2	거동불능노인 관리문제	21.7
3	치매노인 관리문제	21.1
4	구강건강관리	11.4
5	기 타	20.5

– 보건소가 주민요구에 부응하는 행정을 한다고 생각하는지?

순위	세부내용	비율(%)
1	매우 그렇다	8.2
2	그런 편이다	36.1
3	보통이다	44.5
4	그렇치 않은 편이다	9.8
5	전혀 그렇치 않다	1.4

– 의료정보를 주로 얻는 곳

순위	세부내용	비율(%)
1	TV 또는 라디오	49.7
2	잡지 등 간행물	14.3
3	의사 등 의료전문가	13.6
4	친 구	7.6
5	기 타	14.8

- 설문조사 결과 "보건소가 주민요구에 부응하는 행정을 한다고 생각하는지"를 묻는 질문에서 "보통이다" 이하가 55.7%로 응답하여 대체로 만족스럽지 않게 나타나 보건소 직원들이 많은 노력을 기울여야 될 것으로 판단되며,
- 보건사업 중요도를 묻는 질문에서 설문조사 결과와 같이 약간의 차이는 있으나 대부분의 계층에서 전반적으로 건강검진사업과 암관리사업을 중요한 사업으로 응답하였고,
- 연령별 건강문제를 묻는 질문에서는 성인, 노인, 청소년 등 대부분의 연령층에서 스트레스 등 현대사회에서 문제시되고 있는 "정신건강관리 문제"와 최근 보건당국에서 적극적인 관심을 보이고 있는"흡연 문제"가 시급하다고 응답함으로써 앞으로 집중적인 역량을 투입하여 효율적으로 해결하여야 함

(3) 자료 분석

구분	자료요약	결론	더 필요한 자료
지리적 특성	- 부산의 원도심 중심부에 위치 - 계절풍이 뚜렷하여 여름에는 열대야 현상이 나타나고 겨울에는 매우 춥고 건 조하다. - 메디컬스트리트 조성사업으로 주민들의 의료기관 접근성이 매우 좋다. - 구 전역에 많은 학교, 학원, 서면 중심 에 금융권, 대형마트, 재래시장이 밀집 되어있다.	- 부산 최대 상업지역으로 서민경제의 중심축. - 저소득층 밀집지역 주거 환경 열악	- 저소득층이 차지하는 비율
사회적 특성	- 음주문화 확대와 유동인구가 늘어남에 따라 범죄율과 강력 범죄율은 점차적으로 상승하고 있다. - 평생학습관련기관 수는 81개소로 그중 주민센터가 25개소로 40%를 차지하고 있고, 그 다음이 노인 장애인 관련 시설이 18개소, 여성청소년 관련 시설이 9개소, 민간시설 6개소 등의 순이다.	- 강력범죄율 증가	- 범죄가 빈번하게 일어나는 지역과 그 지역의 특성
인구특성	- 총인구: 2000년부터 평균 0.91%씩 감소되었다. - 인구밀도: 인구수는 감소하지만 세대수는 증가되었다. - 65세 이상 고령자 인구비율은 매년 증가 추세이다. - 인구피라미드는 출생률이 사망률 보다 낮은 방추형으로 나타났다.	- 인구밀도의 변화는 핵가족화 시대의 추세에 의한 것으로 보여진다. - 부산진구는 이미 고령화 사회로 접어들었다. - 노인 비율의 증가로 노년 부양비가 증가되었다.	- 노인들이 밀집되어 있는 지역의 위치나 환경에 대한 자료 - 각 지역의 노인 인구의 비율
환경적 특성	- 대기오염은 기준치 초과는 없으며, 전국 시도 중 비교적 낮은 측정값 보였다. - 수질오염도 검사에서 연평균 DO, BOD, COD 등은 개선되고 있는 경향을 보였다. - 주택 보급율은 2005년 이후 100%를 상회하고 있으나, 무허가 건축물의 숫자는 꾸준히 증가하고 있다.	- 무허가 건축물의 증가로 주거 공간의 질이 악화되고 있다.	- 무허가 건축물의 지역별 분포 수
건강 특성	- 주요사망원인 중 만성질환(고혈압성 질환, 당뇨병, 뇌혈관 질환, 심장질환)이 큰 비율 차지 - 고혈압, 당뇨 평생 의사진단 경험율은 부산시에 비해 조금 높다. - 혈압, 혈당 측정 횟수는 매우 높다. - 중등도 신체활동 실천율은 낮은편이다. - 고혈압, 당뇨병 투약율은 높으나 지속적 투약율은 낮다. - 흡연율, 음주율은 40대에서 높게 나타났다. - 걷기운동 실천율은 매우 높게 나타났다.	- 사망 및 질병구조가 만성 질환 위주로 변화되고 있다. - 만성질환에 대한 인식은 높은 편이나 지속적인 관리가 잘 되지 않고 있다.	- 만성질환 관리와 운동의 중요성 및 식이요법 교육활동 및 홍보 관련 자료
오락, 휴식 공간	- 부산의 중심에 위치하여 다양한 분야로 많은 발전을 하고 있지만, 이미 고령화 사회에 접어듦에 따라 노년인구를 위한학습, 여가, 휴식 공간이 적다.	- 노년인구를 위한 기관이 노인 인구수에 비해 적다.	- 각 지역마다 노인을 위한 기관의 분포 수

(4) 지역사회 간호문제

간호문제	관련요인
저소득층의 열악한 주거환경	– 계절풍에 그대로 노출 – 교통 불편 – 높은 경사 – 무허가 건축물의 증가 – 냉/온방 시설의 미흡으로 연탄 사용하거나 전기장판, 기름 난로를 사용하는 세대 다수
노인 인구의 복지, 의료, 여가선용을 위한 시설 부족	– 노년 인구의 증가로 고령화 사회로 진입 – 동네마다 있는 낡은 경로당이 전부 – 서면 중심의 발전에 비하여 부족한 노인을 위한 시설
만성질환 관리 실천율 저조	– 30대 이상 주민 257,525명 중 1/30이 만성질환 유병자 – 만성질환 관리프로그램에 등록되어 있는 사람은 유병자의 20%에 불과 – 고혈압, 당뇨병의 투약율은 높지만 지속적 투약율은 낮게 나타났다.
범죄 및 강력범죄율 증가	– 서면 중심의 음주문화, 여가, 문화활동의 증가 – 유동인구의 증가

(5) 간호진단수립

영역	문제	진단명	증상과 징후
Ⅰ. 환경	주거	부적절한 주거 구조	– 가파른 경사 – 부적절한 밀집된 생활공간 – 부적절한 냉/온방 시설 – 교통수단의 부족
	이웃/직장의 안전	불안전한 생활환경	– 높은 범죄율 – 불건전한 음주문화의 확대 – 유동인구의 확대
Ⅱ. 심리사회	지역사회자원과의 의사소통	고령인구를 위한 시설의 부재	– 불충분한 노인시설 – 현재 존재하는 노인시설의 열악함
	돌봄/양육	만성질환에 대한 지연된 건강관리	– 건강관리의 중요성 인식정도 미약 – 건강을 촉진하기에 불충분한 환경/자원

(6) 우선순위 설정

간호진단	적용인구의 크기	대상자의 취약성	문제의 심각성	문제해결 가능성	주민의 관심도	총점
밀집된 구조와 부적절한 냉/온방 시설과 관련된 부적절한 주거 구조	2	3	2	0	1	8
높은 범죄율과 관련된 불안전한 생활환경	1	1	2	1	2	7
지역사회 자원 부족과 관련된 고령인구를 위한 시설의 부재	2	3	2	1	1	9
인식 부족과 관련된 만성질환 건강관리 지연	3	2	2	2	2	10

2) 지역사회 간호계획

(1) 목표설정

① 지역사회 간호진단: 인식 부족과 관련된 만성질환 건강관리 지연

② 일반적 목표: 2009년 7월부터 12월까지 만성질환 유병자의 30% 이상이 만성질환 관리 프로그램에 등록할 것이다.

(* 현재 만성질환 유병자 등록률: 20%)

③ 구체적 목표: – 2009년 10월까지 만성질환 유병자들의 지속적 투약율은 1% 높아질 것이다.

– 올해 10월 말까지 지역사회는 만성질환 유병자들을 위한 다양한 건강 프로그램을 계획하고 홍보를 통해 프로그램 참여율을 남녀 각각 1%씩 높여 만성질환 유병자들의 건강관리를 도울 것이다.

(* 현재 프로그램 참여율: 남자 – 0.4%, 여자 – 3.5%)

(2) 수행계획 & 평가계획

수행계획				평가계획	
수행내용	수행자	수행방법	장소	평가기준	평가방법
보건소 방문 대상자 만성질환 교육	보건소간호사 방문간호사 학생간호사	– 대상자의 평소 생활습관, 식이 습관 등을 사정한다. – 만성질환의 증상과 관리의 중요성에 대해 교육하고 관리 수첩 지급	보건소 가정	– 만성질환의 자가관리 능력과 인식정도	– 만성질환 대상자 관리 기록지 – 설문지
지속적인 투약의 중요성에 대해 알림	보건소간호사 방문간호사 학생간호사	– 투약을 매일 꾸준하게 할 수 있도록 스케줄 표제공. – 방문할 때 마다 투약여부에 대해 확인 한다.	보건소 가정	– 지속적으로 투약하고 있 는지 확인 – 남아있는 약물 확인	– 대상자 방문시 또는 주기적으로 대상자에게 전화하여 확인 – 투약 스케줄 표 확인
방문간호	방문간호사 학생간호사	– 혈당 & 혈압 체크 – 채혈을 통한 혈액검사(보건소와 연계하여 검사결과 얻을 수 있음) – 만성질환 관리 프로그램에 등록하도록 권유 – 주기적인 혈액검사	가정 경로당 무료급식소	가정방문 횟수	– 대상자 건강관리 수첩 – 방문기록지
만성질환 건강 프로그램 홍보	보건소간호사 방문간호사 학생간호사	– 건강관리의 중요성 강조와 함께 프로그램 홍보로 참여율 증가시킴 – 만성 질환 유병자들이 부담 없이 참여할 수 있는 프로그램 계획	보건소 가정	– 만성질환 건강관리 프로그램 참여율	– 설문지 – 만족도 조사
혈압, 혈당 측정기 대여	보건소간호사	– 보건소 방문이 어려운 대상자를 위하여 가정에서도 지속적 관리를 할 수 있도록 혈압, 혈당 측정기를 대여해준다.	보건소	– 혈압, 혈당 측정기 대여율	– 대상자 건강관리 수첩
지지그룹 및 체계 소개	보건소간호사	– 보건소 간호사나 믿을만한 기관 등 지지체계 안내 – 비슷한 질환을 가진 대상자 모임 소개	보건소 가정 경로당	– 지지그룹의 모임 횟수 – 질환에 대한 대상자의 지식정도	– 대상자만족도

3) 지역사회 간호 수행

① 만성질환으로 인한 사망률이 높음을 강조하고 만성질환 관리의 중요성에 대해 교육한다.

② 대상자들에게 고혈압, 당뇨 관리 수첩을 지급하고 보건소에 방문할 때 마다 체크한 결과를 관리수첩에 기록하여 만성질환 대상자들의 건강을 체계적으로 관리 한다.

〈혈압 및 혈당 기록〉

날 짜	체 중	혈 압(mmHg)		혈 당(mg/dL)	
		수축기 (120미만)	이완기 (80미만)	공복혈당 (80~130)	수축기 (180미만)
12.02.12	51	118	75	110	172
12.02.13	51.5	116	77	110	173

③ 대상자가 지속적으로 투약을 이행하도록 투약 스케줄 표를 만들어 주어 스스로 관리하도록 한다.

	혈압약	당뇨약
3/25 오전 9시	○	○
3/25 오후 4시		
3/26 오전 9시		
3/26 오후 4시		

④ 만성질환 관리 프로그램 미등록 대상자에게 등록을 권유한다.

⑤ 만성질환은 지속적인 투약이 중요함을 교육하고, 대상자의 평소 생활 습관이나 식이습관을 사정하여 개선점에 대하여 교육한다.

⑥ 방문간호 시 투약 스케줄 표나 남아있는 약 수를 통해 지속적 투약을 관리한다.

⑦ 방문간호 시 대상자의 혈압과 혈당을 측정하여 대상자 관리 수첩에 기록하고 주기적으로 대상자의 혈액을 채혈 하여 보건소와의 연계를 통해 혈액검사를 시행한다.

⑧ 각 질환마다 적절한 영양관리, 운동에 대해 교육하고 건강관리 프로그램을 소개하며 참여를 권유 한다.

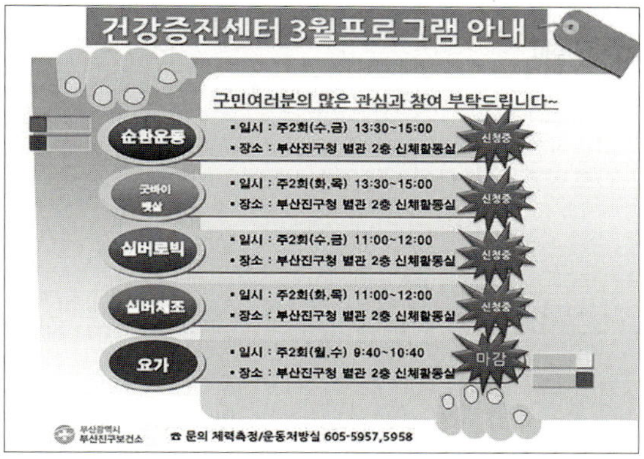

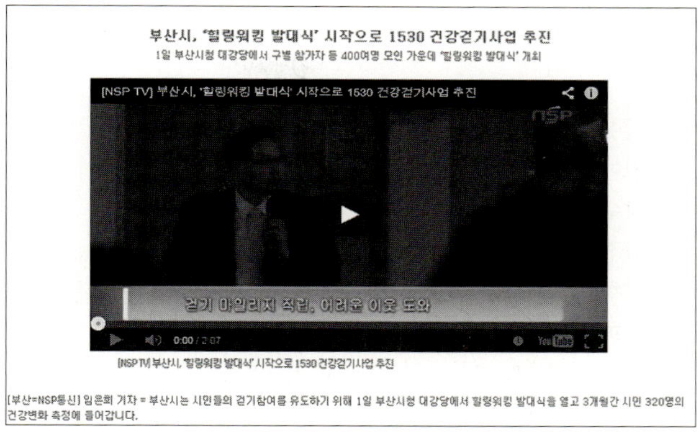

⑨ 보건소 방문이 어려운 대상자들에게는 가정용 혈압 측정기와 혈당 측정기를 대여해 주어 지속적으로 관리하도록 한다.

⑩ 대상자가 방문할 때 마다 투약 스케줄 표나 남아있는 약 수를 통해 지속적 투약을 관리하고 또한 주기적으로 방문이나 전화를통해 대상자가 건강관리, 투약, 운동, 식이를 잘 지키고 있는지, 프로그램 참여 또한 잘하고 있는지 확인한다.

⑪ 지지체계: 모르는 것이나 궁금한 것이 있을 때 보건소의 담당 방문 간호사나 기타 믿을 수 있는 건강관리기관에 전화하여 정보를 얻도록 한다.

⑫ 지지그룹: 주변의 비슷한 만성질환을 가진 대상자 모임을 소개시켜주어 서로 지지하며 정보를 공유할 수 있도록 한다.

4) 지역사회 간호 평가

- 대부분의 대상자들은 자신의 잘못된 생활습관과 식이습관 등을 인지하고 개선 의지를 보였으며 적극적인 태도로 궁금한 점이나 개선점에 대해 묻는 모습이 관찰 되었다.
- 건강관리 프로그램 홍보를 통해 몇몇 대상자들은 건강증진센터 운동 프로그램에 참여 해보겠다는 의사를 밝혔다.
- 거동이 불편한 대상자들에게 방문간호나 혈당측정기, 혈압측정기 대여를 통해 대상자들의 건강 상태를 자주 측정하여 대상자들의 건강관리가 더 용이해 졌다.
- 매일 잊지 않고 투약하는 것이 힘들었던 대상자들에게 투약 스케줄표를 만들어 주니 대상자들이 잊어버리고 약을 먹지 않는 일이 줄어들었다.

참고문헌

- 김성실 외. 지역사회간호학. 정문각. 2003.
- 김영아(2013). 응급실 입원환자에 적용된 간호진단 분석. 전남대학교 간호학과 석사학위논문.
- 배상수. 보건사업기획 제 2판. 계축문화사. 2012.
- 시사경제용어사전, 기획재정부, 2010. 11
- 안양희(2007). 지역사회 역량구축과 지역사회 간호. 보건간호학회지 21(1). p102-109.
- 안양희 외. 지역사회보건간호학. 현문사. 2014.
- 오미성 외. 성과기반 지역사회간호학. 퍼시픽북스. 2015.
- 유광수 외. 지역사회간호학 Ⅰ. 정담미디어. 2013.
- 이정열. 지역사회간호학 이론과 실제. 현문사. 2014.
- 전경자 외(2000). 간호대상자로서의 지역사회 개념 및 지역사회간호사정에 관한 문헌분석. 지역사회간호학회지 11(1). p 3-20.
- 최연희 외. 지역사회보건간호학Ⅰ. 수문사. 2014.
- 최현희(2015). 외과계중환자실 환자에게 적용된 간호진단 분석. 전남대학교 간호학과 석사학위논문
- 조유향 외. 총론 지역사회간호학. 현문사. 2014.
- Clark, M.J(1999). Nursing in the community. Appleton & Lange.
- Clark, M.J(2008). Community health nursing(5th ed.). New Jersey: Pearson Prentice Hall.
- Frshman, R.P(1979). Community health nursing. Duxbury Press.
- Gorden, M(1976). Nursing diagnsis and the diagnotice process. American Journal of Nursing, 76(8), pp 1298~1300
- Green, L.W.&Kreuter, M.W. (1991), Health promotion planning: An Educational and environmental approach (2nd ed.), Mayfield Publishing Co.
- Pender et al.(2006). Health promotion in nursing prctice.
- Stanhope, M. & Lancaster, J. 1996. Community Health Nursing(4th ed.). Mosby.

참고사이트

- 국가통계포털. http://www.kosis.kr.
- 대한민국건강도시협의회. www.khcp.kr.
- 보건복지부. www.mohw.go.kr.
- 부산진구보건소. http://health.busanjin.go.kr.
- 세계지역사회간호학회. http://ichn.je.
- e-나라지표. www.index.go.kr.
- 제주특별자치도청. www.jeju.go.kr.
- 지역사회 건강조사. chs.cdc.go.kr.
- 질병관리본부. http://www.cdc.go.kr.
- 통계청. www.kostat.go.kr.
- 한국건강증진개발원. http://www.khealth.or.kr.

제 4 장

건강형평성 및 문화적 다양성

학습목표

- 건강개념의 유형을 비교할 수 있다.
- 건강의 결정요인을 설명할 수 있다.
- 건강의 연속성과 질병예방수준의 관계를 확인할 수 있다.
- 건강형평성의 개념을 설명할 수 있다.
- 건강권 보장의 의미를 설명할 수 있다.
- 다문화의 정의와 유형을 설명할 수 있다.
- 외국인 주민과 환자의 현황을 설명할 수 있다.
- 나라별 문화적 다양성을 이해할 수 있다.
- 다문화의 정책현황을 설명할 수 있다.
- 취약가족의 건강문제를 설명할 수 있다.

개요

건강은 인간이 기본적으로 추구하는 욕구로 건강의 개념은 인간의 생활환경과 시대적인 여건에 따라 변화되며 정의되어 왔다. 이 장에서는 시대적인 흐름에 따른 건강의 개념을 학습하고 건강에 영향을 미치는 건강결정요인과 건강불평등 발생기전을 파악하며 건강형평성을 추구하기 위한 관련 정책 및 건강권보장의 개념을 이해할 수 있도록 한다. 특히 다문화 취약가족의 건강은 구성원들에 대한 인간존엄성의 존중차원에서 기본적인 건강권이 보호되어야 한다. 따라서 지역사회 다문화의 다양성을 이해하고, 이들의 건강문제를 확인함으로써 간호실무에 반영할 수 있도록 한다.

주요용어

- 건강 • 건강결정요인 • 건강연속성 • 질병예방 • 건강불평등 • 건강형평성 • 건강권 보장 • 다문화 • 취약가정
- 문화적 다양성

제1절 지역사회와 건강형평성

1. 건강개념의 유형

건강은 인간다운 삶을 가능하게 하는 잠재력의 중요한 요소로 많이 사용하지만 복합적인 개념이므로 쉽게 정의하거나 측정하기 어렵다. 따라서 건강개념의 변천과 간호학적 건강개념을 통해 건강의 의미를 이해하고자 한다.

1) 건강개념의 변천

건강을 의미하는 영어의 'health'는 고어인 'hal'에 어원을 두고 있으며, '전체(whole)의 의미로 '온전한' 또는 '건전한'의 뜻을 내포하고 있다. 16세기 이전까지 건강하다는 것은 자연적이며 자연과 조화를 이룬 상태로 해석되는 반면, 건강하지 못한 것은 부자연스러운 것 혹은 자연과 상충되는 것으로 간주하였다.

16세기경부터는 정신과 신체를 분리하고 신체적 현상을 기계론적으로 해석하는 생의학적(biomedical) 건강개념이 형성되었다. 이 관점에서 질병은 기계가 고장난 것으로, 의사의 역할은 손상된 기계를 고치는 것으로 보았다. 이에 따라 질병의 원인, 기전과 설명을 중요시하는 신체의 내부적 요인에만 초점을 맞추는 결과를 가져왔다.

그 후 유럽이 자본주의 초기에 급속한 산업화와 도시화를 겪으면서 불충분한 영양, 불결한 위생, 장시간의 근로시간, 유해한 작업환경과 여가시간 부족 등이 건강에 해로운 영향을 미치는 것으로 규명되면서, 19세기에는 물리적 환경과 더불어 사회경제적 · 문화적 요인을 고려하는 사회의학적(sociomedical) 관점의 건강개념이 발전하였다.

이후 건강이나 질병은 사회 · 환경적 요인뿐만 아니라 개인의 신체적 · 정신적 잠재력 등 다양한 내 · 외적 요인의 상호작용의 결과에 의한 것으로 보는 사회생태학적 패러다임(socioecological paradigm)에 근거한 건강개념이 등장하였다.

1900년대 후반 물질적 풍요에 대한 부작용들이 가시화 되면서 삶의 가치에 대한 인식을 새롭게 추구하는 패러다임의 변화로 웰빙(Well-being) 개념이 도입되면서 건강과 몸과 마음을 중요시하는 21세기의 새로운 트렌드의 핵심으로 자리 잡고 있다. 웰빙의 어원은 웰니스(Wellness)로 환경과 신체, 마음, 정신 등 다방면의 국면이 가장 조화롭고 만족스런 상태를 의미한다. 비슷한 개념으로 LOHAS(Life of Health and Sustainability)가 있는데, 웰빙의 핵심 개념이 건강이라면 LOHAS는 '건강(Health)'에 '지속가능한 발전(Sustainability)=친환경'을 더해서 공동체적 가치를 추구하는 것이다(김영숙, 2007).

2) WHO의 건강개념

현재 가장 널리 알려지고 또 기준이 되는 개념은 세계보건기구(WHO)의 건강 정의이다.

1948년 세계보건기구 헌장에서 정의한 바에 의하면 '건강이란 질병이나 불구가 없을 뿐만 아니라 신체적, 정신적 및 사회적으로 완전한 안녕상태(Health is the state of complete physical, mental and social well-being and not merely the absence of disease or infirmity)'라고 정의하였다. 이 정의에서 보는 바와 같이 신체적으로 고통과 불편이 없이 편안하고, 정신적으로 불안이나 긴장 · 걱정이 없이 안정되고, 사회적으로 적합한 상태를 이상적인 건강의 수준으로 제시하고 있다.

1957년에는 '유전적, 환경적으로 주어진 조건하에서 신체의 각 부위가 적절하게 기능을 발휘할 수 있는 개체의 상태 혹은 자질을 의미한다'는 실용적인 정의를 내렸고, 1974년에는 총체성과 건강의 긍정적인 질을 강조하였다. 이러한 WHO의 건강의 정의는 여러 가지 의미에서 혁신적이었는데, 개인을 부분의 합으로 보기보다 전체적 인간으로서 관점을 반영하였다는 것, 환경이라는 맥락 내에 건강을 놓았다는 것, 건강을 생산적이고 창조적인 삶과 연결시켰다는 것이다.

WHO의 정의는 건강의 다차원성에 관심을 불러 일으켰다. 이 정의에 기초해서 웨어(Ware)는 건강을 포괄적으로 측정하기 위해 다섯 가지 서로 다른 차원을 제시하였다. 즉, 신체적 건강, 정신적 건강(정서적, 인지적 기능 수행), 사회적 기능 수행, 역할기능 수행, 안녕에 대한 일반적 인식이다. 건강은 다차원적일 뿐 아니라 개인, 집단 모두에 적용할 수 있는 개념으로 점차 인식되고 있다.

3) 간호학적 건강개념

간호이론에서 간호패러다임을 구성하는 네 가지 주요개념은 건강, 인간, 환경 및 간호로 이론개발의 원형이 된 이론이 무엇인가에 따라 건강에 대한 정의도 다양하다.

스미스(Smith, 1983)는 간호학 내에서 건강에 대한 기본적인 개념을 문헌고찰을 통해 네 가지로 분류하여 모형을 제시하였는데, 건강에 대한 각 모형은 건강-질병 연속선의 각 극단에 의해 정의하였다. 네 가지 모형은 임상모형, 역할수행모형, 적응모형, 행복모형으로 구분하였다.

첫째, 임상모형은 최신의학에서 개발되었는데 건강은 연속선상의 한쪽 끝으로 의학으로 확인된 질병이나 장애의 증상, 징후가 없는 상태이며, 반대편 끝인 질병은 증상, 징후가 있는 상태이다.

둘째, 역할수행모형은 사회의학과 구조기능주의자인 파슨(Parson)의 저서에 근거하는데 건강은 자신에게 기대되는 사회적 역할을 효과적으로 수행하는 상태이며, 질병은 자신에게 주어진 일상적인 역할을 수행하지 못하는 상태이다.

셋째, 적응모형은 두보(Dubos)의 저서에 기초하며 건강은 유기체가 환경과 효과적인 상호작용을 하여 적응하여 나가는 상태이며, 적응하지 못하면 질병이라고 본다.

넷째, 행복모형은 고대 그리스 의학, 플라톤과 아리스토텔레스의 도덕철학에 근거를 두는데 건강은 잠재력을 통하여 안녕과 자아실현을 완성하는 상태이며, 질병이란 자아실현을 저해하는 무기력과 쇠약한 상태를 의미하다.

임상모형과 역할수행모형은 유기체의 안정성 유지가 초점인 반면, 적응모형과 행복모형은 변화와 발전에 초점을 두어 간호실무의 영역을 확대시키고 간호사들이 개인의 삶의 질에 관심을 갖도록 만들었다.

2. 건강의 결정요인

1) 정의

건강결정요인이란 어떤 특정한 인구집단이나 개인의 건강수준을 높이거나 낮추는 요인들을 총칭한 것으로 건강문제에 직접적으로 연관되어 있는 과학적으로 입증된 요인이라 할 수 있다. 미국질병관리본부(CDC)에 의하면 이러한 결정요인에는 직접기여요인과 간접기여요인이 있는데, 직접적 기여요인은 결정요인수준에 직접적으로 영향을 주는 과학적으로 정립된 요인이며, 간접적 기여요인은 직접적 기여요인에 영향을 주는 지역사회 특수적 요인으로, 이는 다시 결정요인에 영향을 주고 결정요인은 최종적으로 건강수준에 영향을 준다. 신생아 사망률의 결정요인으로 저체중을 예로 들 경우 직접기여요인은 부적절한 산전건강관리이며, 간접적 기여요인으로 의료접근성이 낮은 것이 될 수 있다.

2) 건강의 결정요인

건강결정요인이 언급되기 시작한 것은 캐나다의 라론드(Lalonde) 보고서(1974)로 개인의 건강을 결정하는 요인을 유전요인, 환경요인, 생활습관, 보건의료조직으로 구분하고, 기존의 치료차원 접근보다 국민건강증진을 위해 개인의 생활습관에 보다 중점을 두어야 함을 강조하고 있다. 달그렌과 화이트헤드(Dahlgren & Whitehead, 1991)의 건강결정요인 모델에서는 개인생활양식요인, 사회적 네트워크와 같은 지역사회요인, 생활 및 근로요인, 일반적인 사회경제적, 문화적, 환경적 요인으로 건강결정요인을 구분하였다(그림4-1).

세계보건기구는 건강의 결정요소를 크게 사회경제적 환경, 물리적 환경, 사람의 개인적 특성과 행동의 세 가지로 제시하고 있다. 세부적으로 제시하면 다음과 같다.

- 수입과 사회적 신분: 높은 수입의 수준과 높은 사회적 신분은 좋은 건강과 연계되어 있다. 부유층과 빈곤층 간에 격차가 클수록 건강의 차이가 그 만큼 크다.

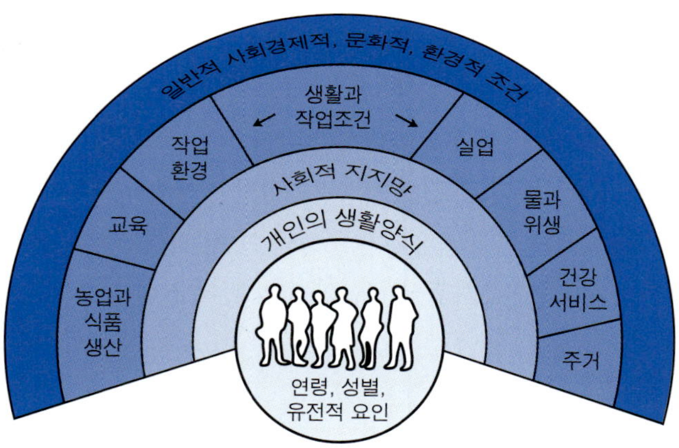

그림 4-1 건강의 주요 결정요인 (Dahlgren &Whitehead, 1991)

출처: 범미보건기구. http://www.paho.org. 2016. 1.

- 교육: 낮은 교육 수준은 나쁜 건강상태, 더 많은 스트레스, 자신감의 부족과 연계되어있다.
- 물리적 환경: 안전한 물, 깨끗한 공기, 건강에 이로운 작업장, 안전한 가옥, 안전한 지역사회, 안전한 도로 등은 모두 건강에 기여한다.
- 고용과 작업조건: 작업이 있는 사람은 없는 사람에 비하여 더 건강하고 자신의 작업조건을 보다 많이 통제할 수 있는 사람들은 특히 더 건강하다.
- 사회적 지지망: 가족들, 친구들, 그리고 지역사회 등으로부터 지지를 더 많이 얻는 것도 좋은 건강과 연계되어 있다.
- 문화: 가족들과 지역사회의 관습과 전통, 그리고 신념들도 건강에 영향을 미친다.
- 유전적 특질: 유전형질은 수명, 건강상태, 특정한 질환의 발현 가능성을 결정하는데 일정한 몫을 한다.
- 개인의 생활양식: 균형 잡힌 식사, 계속되는 활동, 흡연, 음주, 스트레스와 도전을 다루는 방법 등도 건강에 영향을 미친다.
- 건강서비스: 질병을 예방하고 치료하는 서비스에 대한 접근과 이용 역시 건강에 영향을 미친다.
- 성: 사람은 성별에 따라 각각 상이한 질병으로 고통을 당한다.

위와 같이 개인과 지역사회의 건강은 여러 가지 요인들이 조합되어 복합적으로 영향을 받는다. 어떤 인구집단이 건강한가 혹은 건강하지 않은가는 그 인구집단이 처하고 있는 주위의 사정과 환경에 의해 많은 부분이 결정된다. 반면에 보건의료서비스에 대한 접근이나 서비스의 이용 등과 같은 요인들은 일반적으로 생각해온 정도보다는 그 영향이 의외로 낮다(한국보건사회연구원, 2014).

미국의 위스콘신(Wisconsin)주에서는 건강결정요인을 보건의료접근성, 건강행태, 건강관련 사회경제적 요인, 물리적 환경의 4개 영역으로 구성하고 있다. 건강결정요인 및 건강수준에 대한 기여도 분석 결과를 살펴보면, 기존에 중요시 되었던 보건의료접근이 건강에 미치는 영향은 10%이며, 건강행태결정요인이 40%, 사회경제적 요인 40%, 물리적 환경이 10%인 것으로 나타났다(Peppard et al., 2004). 따라서 인구구성원의 건강수준을 변화시키기 위해서는 물리적 사회적 환경에서의 변화를 유도할 수 있도록 고려하는 동시에 건강행태에 영향을 주고 있는 요인을 고려하여 보건의료중재를 신속히 실행한다면 질병부담을 감소시키는데 매우 비용-효과적일 것이다.

3) 건강수준의 인과경로

건강에 영향을 주는 요인들의 복잡성을 고려하여 머레이와 로페즈(Murray & Lopez, 1999)는 건강수준의 인과관계 경로를 단순화하여 제시하였다(그림4-2). 사회적요인(빈곤, 차별, 불평등, 사회적 고립 등)은 개인의 건강

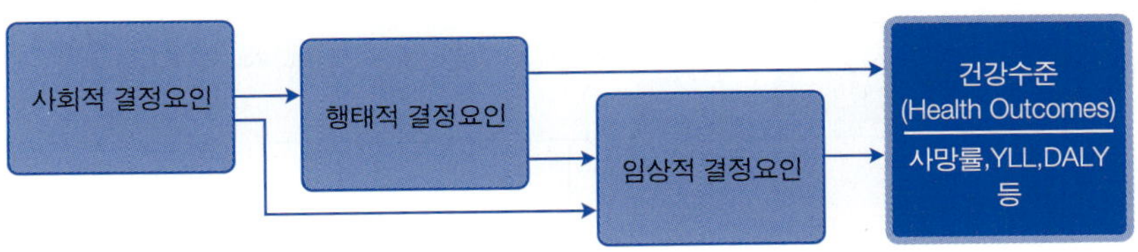

그림 4-2 건강수준에 대한 인과경로(Murray & Lopez, 1999)

출처: 한국보건사회연구원. https://www.kihasa.re.kr. 2016. 1.

행위와 태도에 영향을 주고 이는 개인의 유전 생물학적 요인에 영향을 주어 임상적 증상이나 증후를 나타나게 하여 사망과 같은 건강결과를 가져오게 한다는 것이다. 인구 구성원의 건강을 이러한 방식을 통해 평가하고 그 결과를 통해 건강위험요인을 예방한다면 건강불평등을 제거하는데 큰 역할을 할 수 있을 것이다(정영호 등, 2006).

3. 건강-질병의 연속성과 질병예방수준

1) 건강-질병의 연속성

던(Dunn, 1959)이 제시한 건강–불건강의 연속선(health–illness continum) 개념에 의하면 건강과 불건강은 유동적으로 변화하는 상태이기 때문에 인간의 건강상태는 최고의 건강(peak wellness)에서 죽음 직전의 최저의 건강(extreme poor health)까지의 연속선상에서 변화하는 것이라고 한다. 생활에서 효율적으로 대처하고 기능하는 것을 건강상태라 한다면 적절히 대처하지 못하거나 통합하지 못하는 것을 불건강상태라 할 수 있으며, 인체가 완전히 회복 불가능한 장애를 받으면 사망하게 된다. 던의 정의에 의하면 건강은 최적의 건강(optimal health)상태가 가장 기초가 되는 개념이며 자신에게 가능한 안녕상태, 즉 최적의 기능상태를 의미한다.

미국의 테리스(Terris, 1975)는 건강상태나 상병상태는 어떤 절대치가 아니고 정도의 차이를 가지고 연속된 상태이므로 WHO의 건강 정의에서 '완전한'이라는 어휘는 삭제해야 하며, 질병(disease)이란 용어 대신 상병(illness)이라고 함이 타당하다고 주장했다. 그 이유는 임상적으로 전혀 앓지 않고도 질병을 가지고 있을 수 있어(예: 동맥경화증이란 질병을 가진 극히 일부 사람만이 앓는 병) 건강과 질병은 공존할 수 있지만 건강과 상병은 배타적인 까닭에 건강–상병을 정도의 차이로 개량하여 그 연속성을 가지고 표현할 수 있기 때문이라고 했다. 또 건강을 정의할 때 기분이 좋은 상태의 주관적 건강과 기능수행을 할 수 있는 능력의 객관적 건강으로 구분하여 건강에 관한 WHO의 정의에 건강은 기능 수행 능력이라는 말이 첨가되어야 한다고 주장했다. 테리스의 건강에 대한 새로운 개념은 그림 4–3과 같다.

프레시만(Freshman, 1979)의 기능 연속지표에서는 긍정적으로 영향을 주는 기능과 부정적으로 영향을 주는 기능으로 분류된다. 2개의 대비되는 기능의 중심을 중앙에 두고 어느 주어진 시점에서의 건강수준은 기능의 연

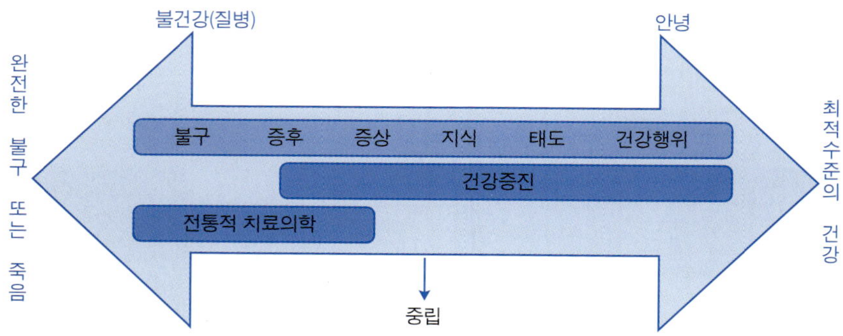

그림 4-3 건강–질병의 연속선 개념(Terris, 1975)

출처: 지역사회간호학. 퍼시픽북스(2015).

속선상인 적정 기능수준과 부정적 기능인 기능장애 사이에 놓이게 된다. 자기 인식은 한 대상자가 있는 장소, 그들에게 일어나는 일들을 이해할 수 있는 것을 말한다. 대처는 현재 발생된 문제를 처리할 수 있는 능력을 말하며, 성장은 상황에 적합한 태도의 변화를 의미하고, 자아실현은 지역사회의 견지에 맞는 적절한 성취를 이루고 이를 유지하는 것을 의미하며, 적정기능수준은 '고려할 수 있는 모든 요인에 대하여 최대한으로 이룩할 수 있는 기능'을 의미한다. 다시 말하면 기능을 수행하는 데 영향을 미치는 모든 조건을 고려하여 최대한으로 할 수 있는 기능을 의미한다(그림 1-15).

2) 질병예방수준

리벨과 클라크(Leavel & Clark, 1965)는 질병의 자연사를 5단계로 나눈 뒤 각 단계마다 예방적 단계를 제시하였다.

첫째, 일차적 예방단계는 질병이 발생되기 이전에 사전에 예방하거나 발생하더라도 그 정도를 약하게 하는 것으로 건강증진과 건강보호를 포함한다. 건강증진은 발달단계에 맞는 영양 섭취, 규칙적 운동, 적절한 휴식, 보건교육 등 생활조건을 개선하여 생리적 기능을 향상시키므로 질병발생 억제를 위한 예방활동을 하는 것이고, 건강보호는 예방접종, 사고예방 및 건강위험요인에 노출 예방 등 건강에 해로운 인자를 피하는 행위이다.

둘째, 이차적 예방단계는 병리적 진단이 확인되거나 병의 중증화를 예방하거나 악화를 지연시키는 것으로 조기진단 및 치료와 장애감소를 포함한다. 조기진단 및 치료는 집단 검진을 통하여 치료가 가능한 시간 내에 사례를 발견하여 적절한 치료를 하는 것이고, 장애 감소는 지속적이고 적절한 치료를 함으로써 장애를 최소화 하는 것이다.

셋째, 삼차적 예방단계는 재활로서 질병으로 인한 신체적, 정신적 후유증을 최소화하고, 발생한 장애는 물리치료 등을 통하여 신체기능을 회복하거나 기능장애를 최소한으로 경감시키고 남아있는 기능을 최대한으로 활용하여 정상적인 사회생활을 할 수 있도록 하는 것이다.

4. 건강형평성과 건강 불평등

1) 정의

건강 불평등(health inequality)이란 건강에서 나타나는 개인들이나 집단들 사이의 차이(differences), 변이(variation), 격차(disparities)를 지칭하는 일반적 용어로 상대적으로 건강상태가 다른 것을 나타낸다. 이에 비해 건강불형평성(health inequity)이란 불공정이나 부당함에서 비롯된 불평등을 의미한다(한국건강형평성학회, 2008). 즉, 건강불평등이 측정 가능한 양적 차이를 나타내는 산술적 개념이라면, 건강불형평성은 가치판단을 내포한 윤리적/도덕적 개념이라고 할 수 있다(Kawachi, Subramanian, & Almeida-Filho, 2002). 현재로서는, 엄밀한 개념적 정의가 필요한 경우를 제외하고 건강불평등과 건강불형평성을 혼용하거나 사회경제적 위치지표에 따른 건강수준의 차이를 나타내는 용어로 '사회경제적 건강불평등'이 사용될 수 있다.

건강형평성은 '사회적 경제적, 인구학적 지리적으로 정의된 인구집단 간 하나 또는 그 이상의 측면에서 건강상의 잠재적으로 치유 가능한 체계적인 차이가 없는 것'으로 정의한다(International Society for Equity in Health, 2005).

사회경제적 건강불평등은 교육수준, 직업계층, 소득수준, 재산 등과 같은 사회경제적 지위에 따른 건강상의 차이를 의미한다. 즉, 개인 간의 건강수준 차이가 아니라 사회경제적 지위의 차이에 따른 집단 간 건강수준의 차이를 의미한다(Asada Y., & Hedemann, 2005). 국민건강영양조사 자료에 따르면 직업을 비육체노동자, 육체노동자 및 기타로 나누었을 때, 비육체노동자에 비하여 육체노동자는 2.73배, 기타군은 4.94배 사망 위험이 높은 것으로 나타났다. 교육수준도 낮아질수록 사망위험이 높아지는 양상을 나타냈는데, 대학교 이상의 학력을 가진 사람에 비하여 고등학교 이하의 학력을 가진 사람의 사망위험은 30-71% 높았다. 소득수준에 있어서도 소득이 가장 높은 군에 비하여 가장 낮은 군의 사망위험은 2.63배였다. 건강의 지역적 불평등 현상을 살펴보면 대도시의 표준화 사망률이 가장 낮고, 다음으로 중소도시, 농촌지역, 해안지역의 순서로 높아지는 것을 알 수 있다.

이러한 건강불평등은 경제성장과 의학기술의 눈부신 발전을 가져온 서구 선진국들에서도 지속되고 있다. 이것은 시간이 흐르면서 한 사회의 중요한 질병, 위험요인, 그 위험요인에 관한 지식, 치료의 효과성은 변화하지만, 사람들이 가진 자원은 한 상황에서 다른 상황으로 이전하므로 불리한 조건에 있는 사람들의 건강수준이 낮을 가능성이 여전히 존재하기 때문이다(Link, & Phelan, 1995). 우리나라의 다문화가족이 증가하면서 타문화권 출신이 건강서비스 이용 시 경험하는 편견과 차별 등도 건강불공평의 또 다른 측면이다.

보건의료형평성(equity in health care)이란 용어도 사용되고 있는데, 이것은 보건의료서비스에 대한 접근성과 의료이용, 의료비지출과 의료자원배분에서의 형평성을 의미한다(Culyer & Wagstaff, 1993). 보건의료형평성은 보건의료의 결과로 나타나는 건강수준보다는 보건의료의 과정인 의료재정과 의료서비스 전달에 초점을 둔다. 그리고 지불능력에 따른 부담수준이 다른 수직적 형평성과 의료필요에 따라 동등한 의료이용을 하는 수평적 형평성으로 구분한다.

2) 건강형평성의 중요성

건강형평성에 대한 논의가 중요한 이유는 아래와 같다.

첫째, 도덕론적 가치에 입각해서 설명하자면 건강불평등이 정의와 공정성의 가치에 위배된다는 것이다. 현재의 건강불평등은 수준 낮은 사회정책과 사업, 불공정한 경제적 질서, 그리고 좋지 않은 정치의 조합일 수가 있다(WHO, 2008). 알마아타선언에서도 '사람들이 건강상태에 대해 존재하는 불평등은 정치적, 사회적, 경제적으로 용납될 수 없다'고 밝히고 있다(WHO, 1978)

둘째, 건강은 국민의 기본권적 생존 권리로서 중요하다. '모든 사람이 건강과 안녕을 위해 적절한 생활수준을 향유할 권리가 있다'라고 명시한 세계인권선언(1948), 대한민국 헌법과 보건의료기본법도 건강권 보장을 언급하고 있다.

셋째, 건강불평등 자체가 인구집단 전체의 평균적인 건강수준을 저하시킨다는 것이다(Mackenbach, & Baker, 2002). 미국의 예를 들면 고소득 백인의 장애보정 평균 수명은 전 세계적으로 볼 때 최상위 수준을 유지하고 있음에도 불구하고 미국전체의 장애보정 기대수명은 191개국 중 수준면에서 24위, 형평성면에서 34위에 머물고 있다. 따라서 한 국가의 건강불평등을 줄이지 않고는 국민전체의 건강수준을 향상시킬 수 없다.

넷째, 불평등을 감소시키는 시도들이 비용효과적인 경우가 많아 기술적, 정책적 가치가 있다는 것이다. 따라서 취약계층의 건강을 개선하기 위해 열악한 환경과 불건강 문제, 이로 인해 야기되는 다양한 사회문제들을 정부가 적절하게 대응하는 것이 현실적인 과제이다(신영전, 윤태호, 김명희, 2009).

3) 건강형평성 정책

(1) 외국의 건강형평성 정책

1990년대 이후 유럽 국가들에서부터 시작하여 2000년대 들어서는 전 세계적으로 형평성에 근거한 건강정책 및 전략에 대한 관심사가 급증하고 있다. 1999년 세계보건기구 유럽지역사무국은 유럽 지역 내 국가 간 기대수명을 최소 30% 줄이고 사회경제적 집단 간 기대수명 격차를 최소 25% 줄일 것을 권고하는 'Health 21'을 발표하였고, 영국, 미국, 스웨덴, 네덜란드 등 주요 선진국들도 건강불평등의 해결하기 위해 국가의 주요한 건강목표 중 하나로 정하고 다양한 정책들을 추진하고 있다.

세계보건기구의 2008년 보고서 'Closing the Gap in a Generation'은 전 세계적으로 건강형평정책의 중요성을 알리는 계기가 되었다. 보고서는 그간의 건강불평등 현황으로 보아 건강불평등 감소는 보건에만 국한된 문제가 아닌 사회전반의 문제로서 다뤄져야 함을 강조하면서, 건강불평등 감소를 위한3가지 정책을 제안하고 있다. 정책 제안 내용으로는 일상생활 상태의 개선, 권력 · 돈 · 자원의 불평등 해결, 문제의 이해와 건강의 사회적 결정요인에 관한 평가가 포함되어 있다(WHO, 1999; Commission on Social Determinants of Health, 2008).

(2) 우리나라의 건강형평성 정책

우리나라도 2005년 제2차 국민건강증진종합 계획을 통해 처음으로 건강형평성 제고를 국가적 목표로 제시하였으며, 제3차 국민건강증진종합계획에서도 그 기조를 계속 유지하고 있다(보건복지부, 2011). 총괄목표를 달성하기 위한 사업 분야에 "건강형평성 제고"를 위한 구체적인 노력들이 반영되어 정책화되어야 하나 실행계획에서는 건강형평성이 구체적으로 다루어지지 못하고 있다. 공공보건을 수행하고 있는 지역의 보건소 250개 중에서 건강형평성을 위한 대책이 명시적으로 기술되어 사업을 수행하고 있는 보건소는 33.6%에 불과하여 아직 건강형평성을 위한 체계적인 접근을 못하고 있다(신영전 등, 2011). 뿐만 아니라 현재의 사업 분야들은 건강에 영향을 미치는 요인들 간의 인과관계나 혹은 건강결정요인들이 건강에 영향을 미치는 경로를 설명해 주지 못하고 있다(김동진 등, 2013).

WHO 건강의 사회적 결정요인 위원회(WHO CSDH, 2008)는 개인들의 행태가 아닌 건강의 사회적 결정요인들에 주목하고, 일부 취약집단에만 한정하는 것이 아닌 불평등 전체의 기울기를 고려해야 한다고 지적한 바 있다. 그러나 WHO 건강의 사회적 결정요인 위원회의 권고와는 달리 "인구집단별 건강관리"라는 별도 영역을 통해 취약계층에게 추가적인 서비스를 제공함으로써 건강형평성을 제고하는 것으로 개념화 되어있다. 건강불평등 해소를 위해서는 건강불평등이 발생하는 원인(distal)이나 근인(proximal)이 골고루 잘 나타나 있어야 하고, 건강불평등 해소를 위한 정책적인 접근이 가능하도록 기존의 건강관련 정책과의 연결고리를 가져야 할 것이다(김동진 등, 2013). 다문화 가족 여성과 아동의 건강실태 파악과 적절한 지원 정책 또한 향후 건강형평성 및 인구자질 및 장래의 질병부담에 대처하기 위한 중요한 보건정책과제로 인식될 필요성이 있다.

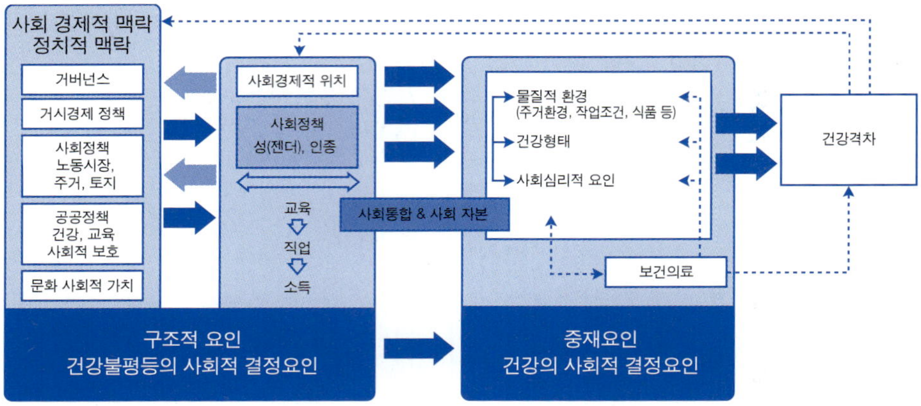

그림 4-4 WHO에서 제시한 건강불평등 발생기전 (WHO Commission on Social Determinants of Health, 2008)

출처: 한국보건사회연구원. https://www.kihasa.re.kr. 2016. 1.

우리나라의 제3차 국민건강증진종합계획에 나타난 건강결정요인을 포괄하면서 건강불평등 발생 기전을 보다 잘 설명해 줄 수 있는 모형으로서 WHO 건강의 사회적 결정요인 위원회(2008)가 제시한 모형이 있다(그림 4-4). 이 모형에서의 핵심구성요소는 사회 정치적 맥락, 구조적 요인 및 건강불평등의 사회경제적 결정요인, 그리고 중재적 요인 및 건강불평등의 사회경제적 결정요인 등이다. 사회적 맥락은 사회적 계층화로 개인의 사회적 지위를 만들어내고, 사회적 계층화는 결국 건강상태에 따라 차별적인 노출과 차별적인 취약성에 노출되게 하며, 결국 취약계층이 병에 쉽게 걸리는 등 차별적인 결과를 가져옴을 설명하고 있다. 맥락적 요소들 가운데에서도 건강에 가장 큰 영향을 미치는 것은 정부의 복지 · 분배 정책임을 강조하고 있다.

5. 건강권 보장

누구나 건강하게 살 권리, 즉 건강권은 최근에 등장한 용어로 국가가 건강권 보장의 의무를 가지며, 헌법과 법률에 명시되어 있다. 건강권은 인권과 불가분의 관계를 맺고 있는데, 1946년 세계보건기구(WHO)는 세계보건기구 헌장의 서문에 '가능한 최고수준의 건강을 가져야함은 모든 인간의 기본적 권리의 하나이며, 인종, 종교, 정치적 신조, 경제 및 사회조건에 관계없이 차별이 있어서는 안된다'라고 하였다.

1948년 제3차 유엔총회는 세계인권선언문에서 '모든 사람은 의식주, 의료 및 필요한 사회복지를 포함하여 자신과 가족의 건강과 안녕에 적합한 생활수준을 누릴 권리와 실업, 질병, 장애, 배우자 사망, 노령 또는 기타 불가항력의 상황으로 인한 생계 결핍의 경우 보장을 받을 권리를 가진다.'라고 명시하여 보건의료를 생존권적 기본권의 하나로 보고 있다. 더 나아가 유엔총회는 1976년 경제사회 문화적 권리에 관한 국제규약(사회권 규약) 12조에서 '성취할 수 있는 최고수준의 신체적, 정신적 건강을 누릴 권리' 즉 건강권을 인정하였다.

그러나 이를 달성하는 것은 실제 상황에서는 쉽지 않다. 이것은 보건의료를 포함하여 건강에 영향을 미치는 여러 가지 결정요인을 건강수준 달성에 유리한 방향으로 성취하는 것과 관련이 있고, 궁극적으로는 평등한 건강수준을 지향하는 것이 건강권을 충족시키는 것이 될 것이다(김창엽, 2013).

우리나라의 경우 헌법에 '모든 국민은 보건에 관하여 국가의 보호를 받는다'라고 명시하였고, 보건의료기본법을 포함하여 기타 법률 등에서 건강권을 정의하고 보장하여 건강권 실현을 위한 기준을 마련하였다. 1989년 도시지역까지 의료보험이 확대되어 전 국민의료보험을 실시함으로써 적절한 수준의 보건의료서비스를 모든 국민이 누릴 수 있도록 하여 건강권 실현의 발판이 되었다. 1998년에는 지역의료보험조합과 공·교 의료보험 관리공단이 통합한 국민의료보험 관리공단이 출범하였고, 2000년에는 국민의료보험 관리공단과 직장의료보험조합이 통합함으로써 국민건강보험공단이 출범하여 의료보험이 완전 통합하게 되었다. 이후 2008년 노인 장기요양보험을 실시함으로써 건강권 실현이 본격적인 궤도에 올라서게 되었다.

제2절 지역사회와 문화적 다양성

1. 다문화의 이해

1) 다문화의 정의

다문화라는 용어는 여러 문화의 생활양식으로 문화 간의 충돌이 가시화되면서 생기는 문제를 조화롭게 극복하고자하는 의도에서 만들어졌다. 다문화란 여러 나라의 문화를 연결시키고 반영하고 적용하는 것으로 각 문화의 차별화를 강조하고 문화의 다양성을 추구하는 것이다.

웹스터사전에서 정의하는 다문화는 단절된 문화를 연결시키고 반영하고 적용하는 것이다. 즉 서로 다른 두 개 이상의 문화가 존재할 때 가능하다. 다문화는 문화에서 유래되었는데, 문화란 사상, 의상, 언어, 종교, 의례, 법이나 도덕 등의 규범, 가치관과 같은 것들을 포괄하는 사회전반의 생활양식이며, 인간 행위와 생활양식에 대한 문화들 중에서 유사하게 유지되는 공통적으로 공유된 가치, 행위 규정 및 생활 패턴을 일컫는다. 따라서 다문화는 문화의 다양성을 관리하기 위해 상호존중과 문화적 차이에 대한 관용과 배려를 중시하며 이해해야한다.

그래서 다문화가정은 우리와 다른 민족 또는 다른 문화적 배경을 가진 사람들이 포함된 가정이라고 정의한다. 우리나라의 다문화가정은 좁은 의미로 단순한 거주만이 아닌 가족 중 한명이 국적을 취득해 구성된 가정을 의미하며, 넓은 의미로 결혼 이미자, 이주노동자, 북한이탈주민, 유학생, 난민 등 우리와 다른 민족적 · 문화적 배경을 가진 사람들로 구성된 가정으로 자국 내에 거주하는 모든 외국인을 포함하는 가정을 의미한다. 한국인 남성과 결혼한 결혼이민여성가족, 한국인 여성과 결혼한 이주남성 가족, 이주노동자, 유학생, 새터민을 포함한 이주민과 혼혈한국인 및 결혼한 이주민 가족의 자녀들을 포함한다.

2) 다문화의 유형

다문화는 여러 문화가 밀접한 관계를 맺는 가운데 하위문화 간에 여러 문제가 발생될 수 있는데 이런 문제는 다문화집단 구성원 간의 결속형태를 통해 이해할 수 있다. 다문화사회는 구조적, 기능적, 감정적 차원으로 구분할 수 있다.

① 구조적 다문화사회(structural multi-cultural society)는 시간적 · 공간적 관계에 의해 모인 공동체이며 동일한 다문화적인 요구를 가진 집합체(aggregate), 구성원 상호간에 빈번한 교류를 통해 친근감과 공동의식을 소유하는 대면적 다문화 공동체(face to face multi-cultural society), 법적, 지리적 경계로 구분하며 숙소와 같은 물리적 경계를 지닌 지정학적 다문화 공동체(geopolitical multi-cultural society)이다.

② 기능적 다문화사회(functional multi-cultural society)는 동일한 요구를 지닌 공동체로 지리적 경계보다는 목표성취라는 과업으로 특별한 문제를 지닌다. 예를 들어 학교에서 따돌림을 받고 있는 다문화 가정 자녀들을 가진 학부모들의 공통체이다. 또는 언어문제를 가지고 있는 외국인 주민모임, 불공정 대우를 받고 있는 외국인 근로자들의 집단 등이 이에 해당된다.

③ 감정적 다문화 사회(emotional multi-cultural society)는 감각이나 감성을 중심으로 모인 공동체로 같은 관심과 목적을 가지고 관계를 맺고 있는 공동체이며 예로 외국인 근로자 산악회, 결혼이주여성의 노래교실 등이 있다.

3) 다문화의 배경

다문화는 1950년대 이후에 많은 나라의 문화와 정체성의 다양성으로 사회 · 정치면에서 부각되기 시작되었다. 1960년대 이후 다문화주의의 개념이 대두되었고, 1970년대에 세계적인 인권운동이 일어나면서 미국, 캐나다와 호주에서 소수 인종의 권리주장이 있게 되었다. 그리고 유럽계 미국인들의 민족 부흥의 주장이 있었다.

1960년대 초반에 미국에서는 소수민족의 자아 정체성을 높이려는 의도로 민족연구(ethnic study)라는 용어가 사용되었고, 특별한 집단뿐 만아니라 모든 학생들이 미국의 다양한 문화를 배우기 시작하였다.

다문화라는 용어는 미국, 캐나다와 호주등과 같이 주요문화와 하위문화로 구성되는 나라에서 사용된 언어로 다양한 문화가 갈등하는 상황에서 서로의 문화를 이해하는데 사용되어 온 것이다.

따라서 다문화 사회는 다양한 문화가 함께 공존하므로 상이한 문화집단을 평등한 문화적, 정치적 지위를 가질 수 있도록 끌어안아야 한다. 그리고 주류문화에 속하는 사람들은 외국인들의 행동을 고유문화의 편향된 시각으로 보거나 해석하는 자문화 중심주의 편견에서 탈피해야 된다.

최근 국제사회는 인적교류, 경제적 교류 및 정보교류가 활발해 지고 탈 국가 현상이 가속되면서 급속히 다문화 시대로 전환되고 있다. 단일민족임을 자긍심으로 가졌던 우리나라도 저 출산과 노인인구 증가, 3D업종의 기피로 노동력이 부족하여 제 3세계로부터 외국인 근로자를 유입하는 결과를 가져오게 되었다. 1980년대 말부터 제조업과 건설업종에서 외국인 이주 노동자들이 유입되었고 1990년대 중반부터는 국제결혼이 급증하게 되었다.

2. 다문화의 현황

다문화로 인해 인구가 유입된다는 것은 인구증가와 문화의 이동을 의미한다. 인구변화에 따른 유입인구의 증가는 새로운 문화를 형성하고 다문화사회를 형성한다는 의미이다. 다문화 현황을 파악하여 다문화사회로 진입하는 한국의 다문화의 변화와 다문화의 정책현황을 알아보고자 한다.

1) 외국인주민의 통계현황

우리나라에 거주하는 인구 100명 중 3명은 외국인주민인 것으로 나타났다. 안전행정부가 발표한 『2014년 지방자치단체 외국인주민 현황('14.1.1. 기준)』에 따르면, 우리나라에 거주하는 장기체류 외국인 · 귀화자 · 외국인 주민 자녀는 모두 1,569,470명인 것으로 조사됐다. 이는 우리나라 전체 주민등록인구(51,141,463명) 대비 3.1%에 해당하는 것으로, 외국인주민 규모가 광주광역시 주민등록인구(1,472,910명)나 대전광역시 주민등록인구(1,532,811명)보다 큰 것으로 나타났다.

외국인주민수의 전년대비 증가폭을 보면, 올해 8.6%(123,839명) 증가해서 지난해 2.6%로 주춤하였던 증가폭이 다시 확대됐다. 금년도에는 중국동포에 대한 재외동포자격 대상 확대, 국적요건을 갖춘 외국국적동포의 영주자격 신청 증가 등에 따라 증가폭이 8.6%까지 확대됐다(그림4-5).

외국인주민을 유형별로 살펴보면, 한국국적을 갖지 않은 사람이 1,219,188명(전체 외국인주민의 77.7%), 한국국적을 갖고 있는 사람은 결혼이민자는 146,078명(9.3%), 외국인주민 자녀는 204,204명(13%)으로 나타났다.

한국국적을 갖지 않은 사람 중 외국인근로자는 538,587명으로 전체 외국인주민의 34.3%를 차지하였으며, 결혼이민자는 149,764명(9.5%), 유학생은 80,570명(5.1%), 외국국적 동포는 233,265명(14.9%), 기업 투자자 등 기타는 217,002명(13.8%)으로 조사됐다. 한국국적을 갖고 있는 사람은 혼인귀화자가 90,439명(5.8%), 기타사유 귀화자가 55,639명(3.5%)으로 집계됐다(그림 4-6).

국적별로는 한국계 중국인을 포함한 중국 국적자가 843,655명(53.7%)으로 가장 큰 비중을 차지하고 있으며, 이어서 베트남 185,470명(11.8%), 파키스탄 · 스리랑카 등 남부아시아 75,645명(4.8%), 미국 71,053명(4.5%), 필리핀 64,785명(4.1%) 순이었다(그림 4-7).

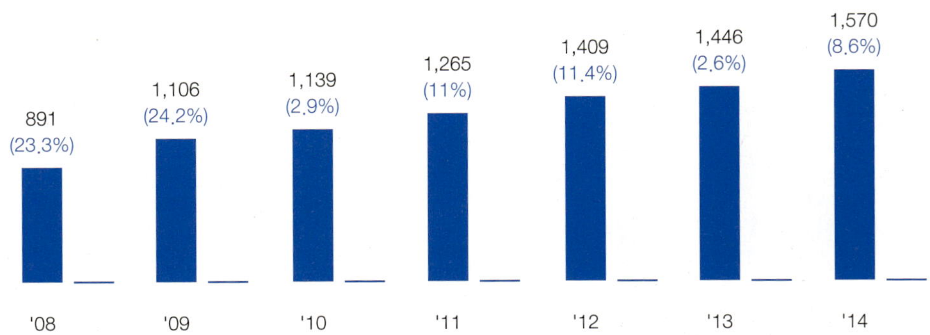

그림 4-5 외국인 주민수 변동 추이

출처: 행정자치부. http://www.mospa.go.kr. 2016. 1

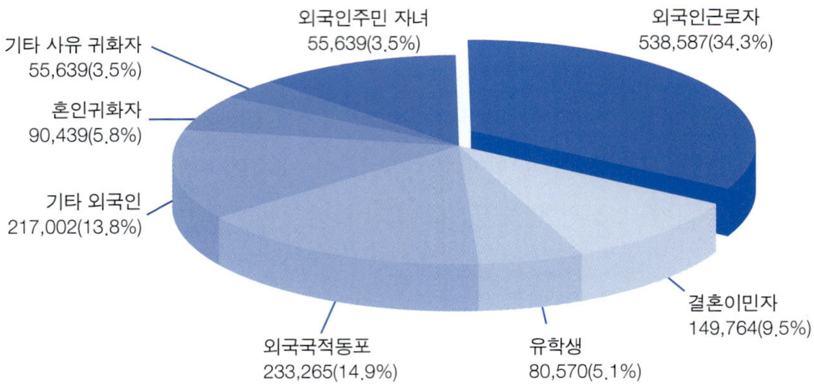

그림 4-6 외국인주민 유형별 현황

출처: 행정자치부. http://www.mospa.go.kr. 2016. 1

성별로는 남성 810,131명(51.6%), 여성 759,339명(48.4%)으로 나타나, 비교적 균등한 비율을 보이고 있다. 다만, 세부 유형별로 보면 외국인근로자는 남성(73.2%)이 대부분인데 비해, 한국국적을 가지고 있는 사람(여성 81.6%)과 결혼이민자(여성 85.3%)는 여성이 대부분을 차지하는 것으로 나타났다.

거주 지역별로 보면 경기도 492,790명(31.4%), 서울특별시 415,059명(26.4%), 경상남도 97,148명(6.2%) 순으로, 기업체와 대학 등이 많이 소재하고 있는 수도권(서울 · 경기 · 인천)에 63.1%가 집중 거주하고 있는 것으로 드러났다(그림 4-8). 시 · 군 · 구별로는 경기도 안산시(75,137명)에 가장 많은 외국인주민이 거주하며, 서울특별시 영등포구(58,927명), 경기도 수원시(47,237명), 서울특별시 구로구(45,232명) 순으로 집계되었다.

2) 외국인 환자의 통계현황

우리나라는 최근 의료관광의 중요성을 인식하고 2009년 의료법 개정을 통해 외국인환자를 유치하고 있다. 국내에 거주하는 외국인 주민이외에도 의료와 관광을 접목하여 의료관광사업으로 외국인환자 수가 크게 증가하였

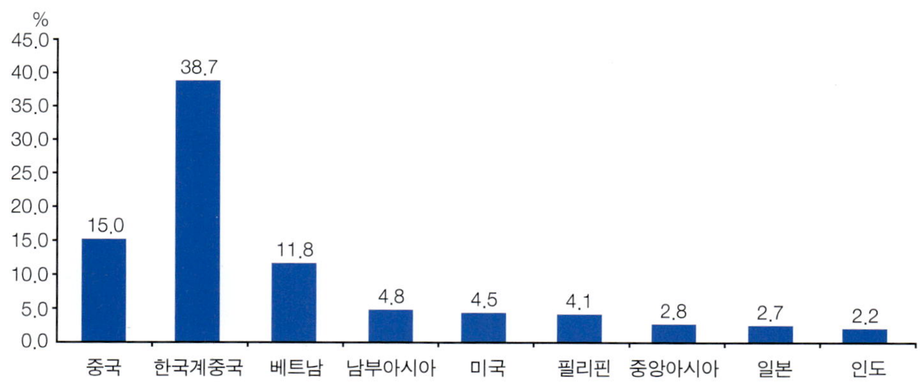

그림 4-7 외국인주민 국적별 분포

출처: 행정자치부. http://www.mospa.go.kr. 2016. 1

경기	492,790명(31.4%)
서울	415,059명(26.4%)
인천	82,523명(5.3%)
대전	23,729명(1.5%)
세종	3,782명(0.2%)
충북	43,148명(2.7%)
충남	75,438명(4.8%)
광주	24,466명(1.6%)
전북	39,777명(2.5%)
전남	43,828명(2.8%)

강원	25,141명(1.6%)
대구	34,976명(2.2%)
경북	64,931명(4.1%)
부산	54,394명(3.5%)
울산	32,772명(2.1%)
경남	97,148명(6.2%)
제주	15,568명(1.0%)

합계 : 1,569,740명 (100%)

그림 4-8 외국인주민 지역별 분포

출처: 행정자치부. http://www.mospa.go.kr. 2016. 1

다. 한류바람과 한국의료에 대한 이미지 제고로 한국을 찾는 외국인환자가 증가하기 때문이다. 2009년 141개국, 6만명에서 2014년도에는 191개국, 26.7만명으로 증가하였다.

그중에서도 특히 중국인환자가 41.7%의 큰 폭으로 증가하였다. 또한 중동, 중앙아시아 등 한국의료 세계화를 위해 정부간 협력(G2G)을 강화하고 있는 전략국가의 환자 수도 꾸준히 증가하고 있다. 정부간 환자송출 협약의 성과로 2014년 아랍에미레이트 환자(2,633명)는 '13년(1,151명) 대비 129% 증가하였으며, 카자흐스탄 환자(8,029명)는 2013년 대비 177.8%, 우즈베키스탄 환자(1,904명)는 2013년 대비 40.2% 증가하였다(표4-1).

3. 문화적 다양성

문화적 다양성이 강조되면서 간호사들은 문화적 역량을 갖아야 되는 사회적 기대에 직면하게 된다. 문화적 역량을 위해 문화의 이해가 먼저 되어야 한다. 우리나라에 거주하는 외국인주민 국적별, 외국인 환자 유치국 별로 다문화의 다양성을 문화, 건강, 종교측면에서 살펴보고자 한다.

1) 중국

① 문화: 중화사상의 자긍심과 자존심이 강하기 때문에 체면을 상하게 해서는 안 되며 인간관계를 중시하기 때문에 신뢰를 형성하는 것이 중요하다. 중국의 문화는 자연과 조화를 강조하고 색깔과 숫자에 대한 믿음이 있다. 흰색과 숫자 4는 죽음과 불운을 가져온다고 믿는다. 그래서 보건의료팀의 흰색 가운은 불편함을 느낄 수 있고, 환자의 죽음에 대해서 상의하지 않으려 할 수 있다. 죽음이라는 불운을 최대로 미루려는 경향이 있기 때문에 환자의 수명을 연장시키려는 노력을 한다.

표 4-1 2009-2014년 주요 국적별 외국인환자 현황

[단위 : 명, %]

구분	2009년	2010년	2011년	2012년	2013년	2014년	전년대비 증가율
중국	4,725 (7.8%)	12,789 (15.6%)	19,222 (15.7%)	32,503 (20.4%)	56,075 (26.5%)	79,481 (29.8%)	41.7
미국	13,976 (23.2%)	21,338 (26.1%)	27,529 (22.5%)	30,582 (19.2%)	32,750 (15.5%)	35,491 (13.3%)	8.4
러시아	1,758 (2.9%)	5,098 (6.2%)	9,651 (7.9%)	16,438 (10.3%)	24,026 (11.4%)	31,829 (11.9%)	32.5
일본	12,997 (21.6%)	11,035 (13.5%)	22,491 (18.4%)	19,744 (12.4%)	16,849 (8.0%)	14,336 (5.4%)	△14.9
몽골	850 (1.4%)	1,860 (2.3%)	3,266 (2.7%)	8,407 (5.3%)	12,034 (5.7%)	12,803 (4.8%)	6.4
카자흐	128 (0.2%)	346 (0.4%)	732 (0.6%)	1,633 (1.0%)	2,890 (1.4%)	8,029 (3.0%)	177.8
베트남	327 (0.5%)	921 (1.1%)	1,336 (1.1%)	2,231 (1.4%)	2,988 (1.4%)	3,728 (1.4%)	24.8
캐나다	984 (1.6%)	1714 (2.1%)	2051 (1.7%)	2756 (1.7%)	2770 (1.3%)	2,941 (1.1%)	6.2
UAE	17 (0%)	54 (0.1%)	158 (0.1%)	342 (0.2%)	1,151 (0.5%)	2,633 (1.0%)	128.8
필리핀	356 (0.6%)	957 (1.2%)	1,178 (1.0%)	1,787 (1.1%)	1,848 (0.9%)	2,032 (0.8%)	10.0
우즈벡	113 (0.2%)	298 (0.4%)	491 (0.4%)	824 (0.5%)	1,358 (0.6%)	1,904 (0.7%)	40.2

출처: 한국보건산업진흥원. 2014년 외국인환자현황. http://www.khidi.or.kr.

② 건강: 중국에서는 질병을 음행오행설에 기반하여 음과 양의 조화와 균형이 깨진 상태로 설명한다. 중의학은 침, 약초, 부항, 기공요법을 중심으로 이루어진다. 중국인의 평균 수명이 과거 20년간 크게 늘어났고 5세 미만 영유아 사망률 또한 큰 폭으로 감소하였다. 중국 내 평균 수명이 가장 길었던 지역은 상하이(上海)로 남성이 80세, 여성이 85세를 기록했다. 주요 사인은 순환기질환, 호흡계 질환 및 폐암이다. 최근 내 당뇨병 환자가 급증하면서 성인 당뇨병의 발병률은 11.6%로 중국은 세계 1위 당뇨병 대국으로 부상하였다. 또한 서구인에 비해 골밀도가 낮아서 골절이나 골다공증 환자가 많고 남자흡연율이 24%로 2010년 OECE 평균 21%를 웃돈다.

③ 종교: 중국의 전통적인 민간신앙은 불교, 도교, 유교등에서 기원하며 그외 이슬람교, 기독교, 천주교를 합법적으로 간주한다.

2) 미국

① 문화: 미국은 지구상의 모든 인종과 민족이 뒤섞여 있는 세계 최대의 다민족 국가이기 때문에 다양하고 복

잡한 국민성을 보인다. 선택의 자유와 책임감이 많고, 독립심과 자립심을 크고, 준법정신과 애국심이 많고, 남녀평등과 개방적인 성문화가 발달되었다. 환자에게 혼자서 할 수 있는 일은 혼자서 할 수 있도록 격려하고 신뢰관계가 형성되면 가벼운 유머로 긴장감을 해소한다.

② 건강: 미국인이 국내 주요 질환으로 자궁암, 위암, 백내장, 추간판 전위등으로 입원하며, 국내 가장 많이 찾은 진료과는 내과 14.1%, 검진센터 12.0%, 가정의학과 9.5%순이다.

③ 종교: 종교의 자유를 인정하는 나라이며 다수의 인종 · 민족으로 구성된 나라이기 때문에 거의 모든 종류의 종교를 볼 수 있지만, 유럽에서 온 이민이 주체를 이루고 있기 때문에 기독교인이 압도적 다수를 차지한다. 개신교가 46.5%, 무교가 22.8%, 가톨릭이 20.8%이다.

3) 러시아

① 문화: 러시아의 문화는 유럽의 문화와 아시아의 문화가 혼합된 문화이며, 기독교 문화는 주로 동로마 제국의 영향을 받았다. 몽골의 지배 때에는 아시아의 영향을 받아, 다른 유럽 국가들에서는 볼 수 없는 독특한 문화가 나타난다. 경제개방이 본격화하면서 새로운 부유층이 광범위하게 형성되어 저소득층과 고소득층의 소득 격차가 심화되고 있다. 러시아의 사회에서는 3세대 동거가구를 흔히 볼 수 있으며, 대부분 자녀는 할머니가 돌보고 있다. 또한 부모에 대한 자녀의 봉양의무가 강하게 남아 있고 명절이나 특별한 가족 행사 때 친인척이 모이는 것이 보편적이다. 또한 가장의 권위가 높고 일상의 가사와 금전관리는 주부가 한다. 노동연령에 있는 여성 대부분이 학업이나 취업을 하고 있어 주부들도 직장에 나가는 경우가 많다. 결혼연령은 평균 20대 전반으로 빠른 편이다. 성도덕이 문란하고 결혼한 3쌍 중 1쌍이 이혼할 정도로 이혼율이 높다.

② 건강: 러시아 여성 평균수명은73.2세인 반면에 남성 평균수명은 59세이다. 알코올 중독은 러시아의 심각한 사회 문제이며, 남성들의 자살률이 미국의 4배에 이를 정도로 높다. 알코올 섭취로 간경화증이 많고, WHO에 의하면 담배로 인한 위험요소가 여성, 남성 모두 높은 편이다. 현재 신생아출생률은 점점 낮아지고 사망률은 점점 높아지는 심각한 보건 위기 상황에서 태어나고 있다.

③ 종교: 러시아의 종교는 러시아의 역사에서 중요한 기독교와 이슬람교, 불교, 유대교 등으로 다양하다. 동방정교회는 러시아 최대의 전통종교다. 등록된 정교회 예배당의 약 95%가 러시아 정교회에 속해 있다. 각 종교 비율은 기독교 45.6%, (동방정교회 42.5%, 그 외 기독교 4.1%), 이슬람교 6.5%, 전통종교 1.2%, 불교 0.5%, 그 외 1.7%이고 무종교가 43%이다.

4) 일본

① 문화: 집단주의 문화와 단결력이 강하며 섬나라로 인한 지역분할이 용이한데서 폐쇄성 양상이 있다. 예의를 중시하기 때문에 일본문화는 감사와 미안함의 표시를 일상화 한다. 따라서 일본 환자가 국내에 입원한 경우에는 친절하고 예의 있게 대하도록 신경 써야 된다.

② 건강: 일본의 기대수명은 83.2세로 세계 1위, 건강달성도의 종합평가도 세계 1위이며 OECD 유아사망률은 스웨덴에 이어 2위로 일본인의 건강수준과 의료수준이 높다. 따라서 일본은 이미 초고령 사회에 진입한 상태이다. 그러나 보수적인 특성이 강하여 위험도가 높은 수술이나 타인으로 부터의 장기나 혈액을 받는 장기

이식수술 및 수혈에 대해 거부감이 있는 편이다. 일본인의 주된 사인은 암이 가장 많고, 다음으로는 심장병, 뇌졸중 등의 성인병과 자살, 교통사고 등이 그 뒤를 이었다.

③ 종교: 일본의 주된 종교들은 신토와 불교이며 일본인들의 90% 이상이 신토를 믿고 있다. 일본에서 종교는 생활의 일부로 섞여있으며, 여러 개의 종교를 갖고 있는 사람들이 흔하다.

5) 베트남

① 문화: 공산주의의 영향으로 직업별 소득의 차가 크지 않고, 남녀평등사상이 확산되고 있다. 수십 년 동안 외국 문화가 차단되고 소련, 중화인민공화국, 쿠바 등 공산주의 국가의 문화를 공유하다가 1990년대 이래로 동남아시아, 유럽, 미국의 문화와 미디어에 대폭적으로 노출되기 시작하였다. 베트남사람들은 근면 성실하며 인내력이 강하고, 한국 사람들과 외모가 유사하며 한국에 온 여성들은 한국가족과 좋은 관계를 유지하며 지역사회에 동화를 잘한다. 그래서 한국남성들이 베트남 여성을 선호한다. 말보다 행동을 통해 상대방을 파악하는 성향이 있고, 앞서는 것을 좋아해서 급하게 서두르는 성격이 있어 차선교통위반과 충돌사고가 많다. 베트남 문화에서 다리를 꼬고 앉는 것은 실례이며, 팔짱을 끼거나 손을 엉덩이 아래로 넣는 것은 언짢은 표시임으로 유의해야 한다.

② 건강: 보건의료지표에 따르면 베트남 사람들의 주요 질환은 심장병, 폐렴, 신장병등인데 최근 뎅기열과 수족구병이 확산되어 주의하고 있고, 국제원조자금에 의존했던 HIV/AIDS의 원조중단으로 확산이 우려되고 있다.

③ 종교: 베트남의 종교는 불교, 기독교 등이다. 중국의 유교의 영향을 많이 받았으나 윗사람과 아랫사람이라는 상하개념은 없는 편이다.

6) 아랍에미레이트

① 문화: 아랍에미리트는 세계에서 6번째로 규모가 큰 석유 매장량을 보유하고 있으며, 중동 지역에서 경제 선진국으로 꼽히는 나라이다. 북쪽은 페르시아만에 접해 있으나 대부분의 지역이 사막에 위치해 있으며, 건조한 사막 기후를 보이는 곳이다. 언어는 아랍어가 공용어이지만, 영국으로부터 비교적 최근에 독립했고 외국 출신 이주민이 많이 거주하고 있기 때문에 영어가 두루 쓰인다. 아랍에미리트인들은 대체로 순박하고 사교적이며 성격이 느긋하여 서두르지 않고 매사에 의연하게 대처한다. '조급하게 굴지 말라'는 코란의 계율에 따라 일을 서두르는 것을 믿음이 없는 사람의 경박한 행위로 간주한다. 또한 혈연 · 가족관계 및 체면 · 명예를 중시하며 외형이 내면을 규정한다고 믿고 있고 자신의 재산과 부계 혈통을 과시한다. 다른 사람에게 발바닥을 보이는 것은 남을 모욕하는 행위로 인식한다.

② 건강: 2010년 통계에 의하면 심장 질환이 전체 사망의 27%(총 2,879명) 차지하고 다음으로는 외상(19%, 교통사고 등), 종양(암 16%) 사망률이 높은 것으로 집계되며, 병원을 찾는 15%는 호흡기 질환과 연계되어 있다. 전체 남성의 33%, 여성의 38%가 비만군에 속해 생활 습관에 따른 식습관에 문제가 있는 것을 알 수 있다. 아랍에미리트는 자국 내 의료기술로 치료가 어려운 환자를 국비로 한국, 독일 등 의료선진국에 보내는

프로그램을 운영하고 있고, 2011년 한-UAE 간 보건의료협력 MOU 체결 이후로 지속적으로 보건의료협력을 확대해가고 있다.

③ 종교: 이슬람교가 국교이나 이주민을 중심으로 힌두교, 기독교 등이 신앙되고 있으며, 아라비아 반도에서는 카타르, 오만과 함께 기독교회의 설립이 허용된 나라들 중 하나이다.

7) 필리핀

① 문화: 필리핀은 오랫동안 스페인과 미국의 식민통치로 동양 문화와 서양 문화가 혼재되어 있다. 오늘날 대부분의 필리핀 사람들은 서구화된 보편적인 평상복을 주로 입지만, 중요한 자리에는 항상 필리핀 전통 상의인 바롱 따갈로그를 즐겨 입는다. 얇고 투명한 천을 사용하는데 이는 옷 속에 무기를 감추지 못하게 하기 위해서고, 주머니를 만들지 못하게 한 것은 도둑질을 못하게 하기 위한 것인데 이는 스페인 식민통치기간에 원주민구별을 위한 것이라고 한다. 이들은 느긋하고 낙천적이며 웃음이 많다. 일반적으로 시간관념이 희박하여 약속한 시간에 대한 인식과 책임인식이 부족하다.

② 건강: 출생 시 기대수명은 68.8세이며, 여성 사망률은 여성 1000명당 144.8명, 남성 사망률은 261.9명, 5세 미만 아동의 사망률은 25.4명으로 보고된다. 빈도가 높은 질환을 보면 1위 급성 호흡기 감염, 2위 폐렴, 3위 기관지염 순이며, 호흡기 질환이 가장 많은 것을 알 수 있다. 필리핀인들은 질병을 신의 뜻으로 간주하여 간호보다는 신에 맡기고 운명론적 인식을 갖고 기도로 대처한다.

③ 종교: 필리핀은 아시아에서 유일한 로마 가톨릭 국가이다. 주요 도시마다 대부분 화려한 바로크양식의 로마 가톨릭 교회가 있는데 특히 필리핀의 로마 가톨릭 교회행사는 열광적인 것으로 유명하다.

8) 싱가포르

① 문화: 싱가포르 사람들은 애국심이 강하다. 이들은 연령과 체면을 중시하기 때문에 환자를 대할 때 체면을 깎아 내리는 행동이나 그 나라를 험담해서는 안 된다. 식사도중에 물을 먹지 않으므로 환자가 식사할 때 무조건 권하지 않도록 하고 채소는 반듯이 익혀먹는다. 왼손을 불결한 손으로 간주하여 의료행위를 하거나 환자를 접촉할 때 왼손 사용을 하지 않도록 한다. 대부분 표준어를 중국어를 쓰지만 영국식민지였기 때문에 영어를 공용어로 쓴다.

② 건강: 최근 싱가포르 보건부는 알레르기성 비염, 천식, 기관지염, 만성폐쇄성 폐질환이 동남아시아의 산불로 인한 공기오염질환인 헤이즈(haze)로 인해 호흡기질환이 20% 증가하였다.

③ 종교: 국교는 없으며 불교, 기독교, 이슬람교, 힌두교 등 다양한 종교를 믿는 인종들이 같이 살고 있다. 무슬림을 위해 하람(Haram, 금기)인 돼지비계기름(Lard)의 사용 유무를 표시한 레스토랑을 쉽게 볼 수 있으며, 또한 하람과 할랄(Halal, 허용)을 준수하는 음식점과 채식주의 자를 위한 음식점이 증가하여 음식문화는 종교와 관련한다.

4. 다문화의 정책현황

다문화사회로의 전환으로 인한 인구학적 특성은 다양한 국적, 인종, 민족 및 문화적 배경을 내포하게 된다. 그 동안 한국 사회는 문화적 · 민족적 · 인종적으로 다양한 사람들과 어울려 살아온 경험이 드물기 때문에 자신과 배경이 다른 사람들과 어떻게 함께 공존해야 하는지에 대한 적극적인 국민 의식의 전환이 절실히 요구된다. 따라서 정부나 민간 차원에서 성공적인 사회 정착을 위하여 다양한 사회구성원들의 공존과 사회통합이 필요하여 2006년부터 범정부 차원에서 정치, 경제, 사회, 문화 및 환경적인 분야에서 결혼이주자를 위한 정책을 본격적으로 추진하고, 법적 · 제도적 기반을 마련하였다. 그러나 다문화가족 자녀 및 배우자 등 가족 전체를 대상으로 한 정책이 부족하고, 보건 · 복지 · 가족 영역 간의 연계가 미흡하여 정책의 시너지 효과가 적었고, 다문화가족 지원을 위한 서비스 전달 체계가 분산적이고 단편적이어서 지역별 · 서비스별 문제점의 보완이 요구되었다(보건복지부, 2008).

또한 다문화사회의 주요 구성원으로 외국인근로자를 비롯한 결혼이주자, 북한이탈주민 등의 다문화가족을 위한 사회의 안정적 토대 구축과 글로벌 인재 육성이라는 적극적 미래 발전을 위한 전략적 정책이 절실히 필요한 시점이다. 이에 보건복지가족부에서는 「다문화가족 생애주기별 맞춤형 지원 강화대책」을 통해 다문화가족들의 건강 문제를 생애주기별로 구분하였다.

"성숙한 세계국가"와 맥을 같이 하는 "글로벌 코리아를 향한 열린 다문화사회"라는 정책비전 아래 4대 정책목표와 3대 정책추진 방향을 제시하였다. 정책의 목표는 정책대상별로 결혼이민자의 조기정착과 자립역량 강화, 다문화가족의 안정적 생활유지, 자녀의 건강한 성장 및 글로벌 인재 육성 및 국민의 다문화사회 이해 증진하는 것이었다. 또한 정책방향은 결혼이민자와 자녀, 배우자 등 가족구성원 전체를 대상으로 정책을 체계화하고 가족 생애주기별로 맞춤형 서비스를 제공하며, 민 · 관 협력을 통한 효율적 서비스 전달체계 구축이다.

다문화가족 생애주기에 맞춰 7대 정책과제는 다음과 같이 구성되어 있다(그림 4-9).

추진과제의 주요특징은, 가족생애주기 전반에 걸쳐 배우자교육, 가족통합교육, 부모자녀프로그램 등 가족전체를 대상으로 하는 사업을 체계화하고, 확대 · 다양화했으며, 앞으로 우리 사회의 기둥이 될 자녀의 건강한 성장을 지원하기 위한 자녀 양육 · 보육 및 성장지원 정책에 비중을 두고 있다. 또한, 결혼이민자가 겪는 가장 큰 어려움인 의사소통 문제를 해소하기 위한 통 · 번역 지원사업을 본격적으로 실시하는 방안을 포함하였다.

무엇보다도 대책은 서비스 등록 · 제공 시스템 정립, 다문화가족지원센터를 핵심전달체계로 확대 설치, 다양한 기관간의 연계 · 협력 체계 구축 등을 통해 서비스 사각지대 해소와 중복을 방지해 사업 효율화와 수요자 체감도

주기	결혼 준비기	가족 형성기	자녀 양육기	자녀 교육기	가족역량 강화기	가족 해체시	전(全) 단계
정책 과제	결혼중개 탈법방지 및 결혼 예정자 사전 준비 지원	결혼이민자 조기적응 및 다문화가족의 안정적 생활지원	다문화 가족자녀 임신 · 출산 · 양육지원	다문화 아동 · 청소년 학습발달 및 역량개발 강화	결혼이민자 경제 · 사회적 자립 역량 강화	해체 다문화 가족 자녀 및 한부모 가족 보호 · 지원	다문화사회 이행을 위한 기반 구축

그림 4-9 가족 생애주기별 7대 과제

출처: 보건복지부. http://www.mohw.go.kr. 2016.1

를 제고하는데 초점을 두었다.

보건복지가족부는 본 대책 추진의 실효성을 높이기 위해 관련 부서 및 부처, 지자체, 관련기관들과 협의 · 협조 체계를 강화하는 한편, 다문화가족 실태조사와 중장기 추이 및 영향 분석을 통하여 중장기 차원의 정책수립에 토대를 마련하고자 하였다.

1) 다문화가족지원정책

2009년에 다문화가족지원정책을 총괄하는 다문화가족정책위원회가 구성되었고, 위원장은 국무총리고 실무위원회를 두었다. 2010년 다문화가족 정책의 주관부서가 보건복지가족부에서 여성가족부로 변경되면서 여성가족부장관으로 위원장이 되었다.

제1차 다문화가족지원정책 기본계획(2010～2012)은 '다문화사회와 성숙한 세계국가 구현'을 비전으로 하고, 목표는 '다문화가족의 삶의 질을 향상하고 안정적인 정책지원 및 다문화가족자녀에 대한 지원강화 와 글로벌 인재육성'이다. 다문화가족의 정책을 체계적으로 정비하기 위해 5대 영역을 수립하였다. 제 1영역은 다문화가족지원정책 추진체계 정비, 제 2영역은 국제결혼중개관리 및 입국 전 검증 시스템강화, 제 3영역은 결혼이민자 정책지원 및 자립지원강화, 제 4영역은 다문화가족 자녀의 건강한 성장환경조정, 제 5영역은 다문화에 대한 사회적 이해 제고 등을 중점으로 수립되었다.

제2차 다문화가족정책 기본계획 (2013～2017)은 "활기찬 다문화가족, 함께하는 사회"를 비전으로, 사회발전 동력으로서의 다문화가족 역량 강화와 다양성이 존중되는 다문화사회 구현을 목표로 하고 있다. 결혼이민자의 한국 거주기간이 점차 길어짐에 따라 결혼이민자의 취업지원과 자녀세대의 학교생활 적응 등 다문화가족 구성원의 역량 강화에 중점을 두었으며, 다문화가족의 사회통합에 대한 기본 관점을 정립하고, 법 · 제도적 · 실질적 사각지대를 해소하여 진정한 다문화사회를 구현코자 하였다. 제2차 기본계획(6대 영역, 86개 세부과제)의 정책과제는 실제적으로 지원이 필요한 다문화가족에게 서비스가 제공될 수 있도록 소득수준, 거주기간 등을 고려하여 합리적으로 차등 지원 · 추진해 나갈 계획이며, 정부가 추진할 주요 사업은 다음과 같다.

① 다양한 문화가 있는 다문화가족 구현을 위해 주요 상대국과의 결혼시 상대국의 제도 · 문화 교육을 강화하고, 가족관계 증진을 위해 다문화가족 통합교육을 강화해 나갈 것이며, 쌍방향 문화교류 확대 및 사회적 지지 환경 조성을 위해 아리랑TV에 다언어 프로그램을 편성하고, 장기적으로 기존 방송국의 특정 시간대를 구매하여 케이블 다문화방송을 추진할 것이다.

② 다문화가족 자녀의 성장과 발달 지원을 위해 다문화가족 학생이 정규학교에 배치되기 전 사전 적응교육을 받을 수 있도록 예비학교를 전국적으로 운영('12년 26개소 → '13년 24개소 추가 총 50개소)하는 한편, 다문화가족 자녀가 학교생활에 어려움을 겪지 않도록 '초등학교 입학 전 프로그램을 개발 · 실시하며, 언어 · 수학 · 과학 · 예체능 등 영역별 우수 학생을 육성(연 300명)해 나갈 것이다.

③ 안정적인 가족생활 기반 구축을 위해서는 결혼이민자 사증 심사 시 초청자의 실질적 피 초청자 부양가능 여부 심사 등 국제결혼 사증심사를 강화하고, 대상자별 특성에 따른 맞춤지원을 위해 다문화가족지원센터에 "다문화가족 코디네이터*"를 양성 · 지원하고, 연도별로 확대 배치해 나갈 계획이다. 또한, 가족해체 예방을 위한 가족 교육을 강화하고, 맞벌이 다문화가족 자녀의 돌봄 서비스 우선 지원 및 결혼이민자 한 부모 가

족 등에 대한 지원 확대 등 가족차원의 서비스도 강화해 나갈 것이다.

④ 결혼이민자의 사회경제적 진출 확대를 위해서는 결혼이민자를 채용하는 (예비)사회적 기업에 최저임금 수준 인건비 및 보험료를 지원하고, 사회서비스 일자리 발굴 및 반듯한 시간제 일자리를 적극 알선해 나갈 것이며, 결혼이민자의 사회참여 확대를 위해 민간단체 지원사업 선정시 결혼이민자 활동비율이 높은 경우 가점을 부여할 계획이다.

⑤ 다문화가족에 대한 사회적 수용성 제고를 위해 인종 · 문화 등 차별에 대한 법 · 제도*를 개선하고 일반국민의 다문화 이해 제고 및 다양한 문화를 인정하는 사회문화를 조성할 것이며, 다문화가족 구성원의 입영에 따른 병영 환경 조성을 위해 간부 및 일반장병 대상 다문화 이해 교육을 실시하고, 소수 종교자에 대한 배려를 제공할 계획이다.

⑥ 다문화가족의 추진체계 정비를 위해 다문화가족 분포, 중 · 장기 센터 이용 수요 등을 고려하여 '다문화가족지원센터 장기발전방안'을 마련하고, 이주노동자 가족, 유학생 가족 등 합법적으로 체류하고 있는 외국인

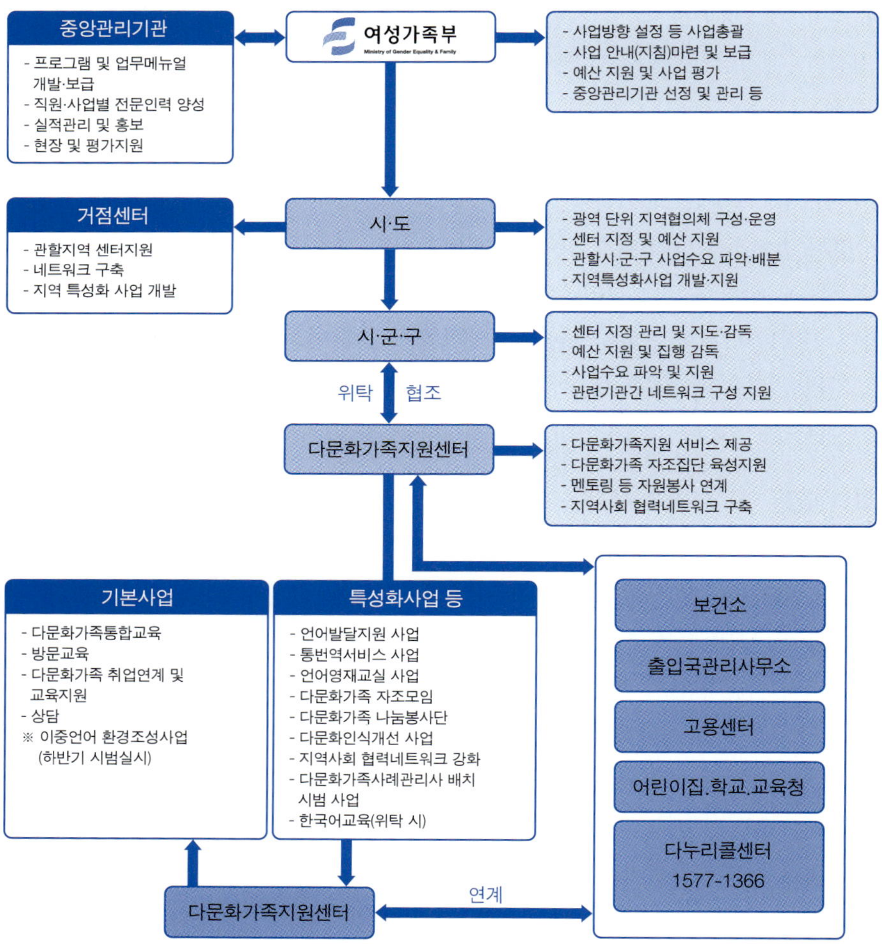

그림 4-10 다문화가족지원센터 운영사업체계

출처: 다문화 지원센터 http://www.liveinkorea.kr/2016.1

가족에 대하여는 가족상담 · 자녀발달지원 등을 다문화가족 수준으로 지원하여 다문화가족 지원서비스의 보편성 · 효율성을 확대하고자 한다.

다문화가족지원센터는 다문화가족을 위한 가족교육, 상담, 문화 프로그램등 서비스 제공을 통해 결혼이미자의 한국사회 조기적응 및 다문화가족의 안정적인 가족생활지원을 한다. 전국 다문화가족지원센터운영에 필요한 프로그램 및 매뉴얼 개발 · 보급, 인력양성, 사업관리 등을 담당하는 사업추진체계는 다음과 같다(그림 4-10).

그 외 다문화가족지원센터 관련 사업내용은 다누리콜센터 혹은 다누리 홈페이지를 통해 상세히 알 수 있다.

다문화가족을 대상으로 시행되고 있는 보건의료정책으로 임신, 출산, 및 국민건강보험과 관련해서 확인할 수 있다. 2012년 여성가족부, 포스포, 전국다문화가족사업지원단(한국건강가정진흥원)에서 제작한 정보제공서비스 다누리 콜센터 전화상담실무 매뉴얼을 통해 살펴보면, 임산부가 받아야 할 검사는 혈액검사, 소변검사, 초음파검사이고 이외에도 임산부나 태아의 건강상태에 따라 정밀한 검사를 받을 수 있다. 여성결혼이민자는 임신을 하면 보건소에서 외국인 등록증을 소지하면 무료로 건강관리를 받을 수 있다. 임산부를 위한 서비스로 무료산전검사, 임산부 철분영양제 지원, 출산준비교실등 교육실시 및 보충 영양관리사업이 있다.

출산과 관련된 정책으로 출산지원사업과 보건소 예방접종사업, 그리고 통 · 번역지원 서비스를 이용할 수 있다. 출산지원사업은 출산 축하금 지원, 신생아 장애예방검사, 미숙아 · 선천성 이상아 의료비지원, 영유아건강검진 지원, 난임부부 체외수정 및 인공수정시술비용지원, 산모 도우미 서비스, 임산부 · 영유아 영양플러스, 의료기간외 출산시 출산비지급, 산전 후 휴가가 있다. 예방접종은 보건소에서 필수 예방접종군에게 무료로 실시한다.

국민건강보험은 외국인 등록을 한 자로 직장가입자 적용사업장에 근무하는 자와 공무원 · 교직원으로 임용 또는 채용된 직장가입자에게 적용된다. 직장가입자가 아닌 경우에는 국내에서 3개월 이상 거주한 외국인에 한해서 본인의 신청에 따라 지역가입자가 된다. 다만 국내에서 3개월 이상 거주하지 아니한 재외국민 또는 외국인이라도 유학 · 취업등의 사유로 3개월 이상 거주할 것이 명백한 사람도 건강보험에 가입할 수 있다.

제3절 취약가족과 간호

취약계층은 대체로 빈곤층, 장애인, 실업자, 한부모가족, 결혼이민자, 북한이탈주민 등으로 표현되는데, 본문에서 취약가족은 다문화가정으로 한정하였다. 취약가족인 다문화가족의 건강은 구성원들에 대한 인간 존엄성의 존중 차원에서 기본적인 건강권이 보호되어야 한다. 우리나라도 사회적 구조가 다문화사회로 전환되면서 인간의 기본권에 속하는 건강권에 대한 다각적 차원의 대비책이 요구된다.

외국인 이주민들은 새로운 사회에서의 이주 생활에서 생소한 문화에 적응해야 하고, 의사소통의 어려움, 신분상의 불안전성, 경제적 어려움 등 새로운 사회에의 적응을 방해하는 다양한 요소에 직면한다.

외국인 근로자들은 가족과 멀리 떨어져 살면서 과도한 업무, 불안정한 거주 환경, 저임금, 열악한 숙소 환경, 언어 장벽, 자녀 교육 문제, 상사에 의한 착취, 불안정한 법적 지위, 새로운 환경의 적응 등으로 건강 문제를 겪게 된다. 또한 결혼이주여성들은 대부분 결혼중개업체를 통해 결혼하게 되었으며, 결혼 후 한국의 일상생활, 언어, 음식, 가족 관계 등의 한국 문화에 적응하는 데 어려움을 겪는 동시에 경제적인 어려움까지 함께 겪게 된다. 이렇게 문화 적응의 어려움, 경제적 곤란과 임신, 출산, 육아 등의 과정에서 국내 일반 여성보다 더 많은 스트레스와 건강 문제가 야기될 수 있다. 그 외에 북한이탈주민은 언어는 동일하나 의사소통에서 많은 차이가 있으며, 문화의 차이나 경제적 어려움, 불안정한 직업, 자녀 교육 등으로 내국인보다 많은 불안과 스트레스를 겪는다.

다문화의 다양한 인종과 종교와 문화를 존중하면서 사회적 시각을 확대하는 것이 절실히 요구된다. 또한 사회 적응에 성공적인 심리적 · 사회문화적 적응을 위해서 인간의 전체적인 측면의 신체적 · 정신적 · 사회적 · 영적 건강의 안녕 상태를 확립하여, 문화적 차이를 잘 극복하고 건강하고 행복한 삶을 살 수 있도록 건강한 사회적 환경이 마련되어야 한다.

환경에 적응하는 수단이나 공유된 지식으로서의 문화는 매우 다양하다. 인간 환경은 끊임없이 변화하며 변화하는 환경에 적응하기 위하여 문화적 요소간의 내적 · 외적인 교류와 함께 개인적, 집단적 혹은 사회적 돌봄이 이루어진다. 돌봄은 건강하게 살아가기 위해 서로 의존하면서 상호 간에 유대감을 강하게 형성하여 인간 집단을 연결시키는 고리이기도 하다. 돌봄 개념의 본질은 개인이 속한 문화적 의미, 생활양식, 건강 신념 및 일상적 행위에 대한 지식 등, 개인이 속한 해당 문화에서 시작한다.

메들린 레닌저의 횡문화 돌봄 이론(Madeleine Leininger, 1985)은 문화적 이해 속에서 인간의 출생과 발달, 성장, 생존 및 평화로운 죽음에 이르기까지 생물학적 · 문화적 · 사회적 · 환경적 차원의 돌봄을 설명하였다. 돌봄은 하나의 현상으로서 인간의 상태나 생활 방식을 개선하고 향상시키기 위해 분명한 또는 예상되는 욕구를 가진 개인이나 집단을 도와주고 지지하고 촉진하려는 활동이다. 문화는 사고, 결정, 행동 및 생활 방식 등을 인도해서 학습되고 공유되어 전수된 가치, 신념, 규범 및 생활 방식을 말한다. 따라서 횡문화적 돌봄이란 횡문화적인 이해를 기초로 돌봄 행위, 즉 인간의 상태나 생활 방식을 개선하고 향상시키기 위해 분명한 또는 예상되는 욕구를 가진 집단을 도와주고 지지하고 촉진하려는 활동을 일컫는다. 따라서 새롭게 형성되는 우리의 다문화사회 모든 구성원들에게 일상적 혹은 특수한 상황에서 서로의 문화적 가치와 신념 양상의 차이를 내포한 삶을 인정하는 횡문화적 돌봄과 조화 및 배려는 아름다운 사회를 만들어 가며 공존하는 데 있어 필연적 요구이다.

건강은 적응적 인간과 환경의 상호작용의 반영으로 적응이 어려우면 질병이나 다양한 건강상의 문제점을 초래할 수 있다. 새로운 사회에 공존하기 위한 전략으로 '적응'은 매우 중요한 상황이다. 인간은 하나의 체계로서 주위 환경으로부터 계속적으로 자극을 받으며 환경의 변화에 부단히 적응해 나가는 존재다. 실제로 결혼이주자, 외국인근로자, 북한이탈주민, 다문화가정 자녀, 유학생 및 난민 등의 우리 사회 정착 과정에서 새로운 생활과 사회 적응에 수반되는 문제를 최소화하고, 적응 과정에서 발생할 수 있는 개인적 · 심리적 · 문화적 부적응과 갈등으로 인한 피해와 문제를 최소화하는 것이 중요하다.

칼리스타 로이(Callista Roy)의 적응 이론에 의하면 인간의 생존에는 환경의 요구와 적응 능력의 계속되는 자기조절 기전이 작용하며, 적응 과정은 심리적 · 사회문화적 적응뿐만 아니라 생리적 과정과 연결되어 인간의 전인적 측면에서 진행된다(Lutjens, 1991). 따라서 건강은 적응의 결과라고 할 수 있다.

1. 취약가족의 건강문제

외국인 주민들은 우리나라로 들어오면서 다양한 요구와 상황에 처하게 된다. 대부분이 경제적으로 어려움에 벗어나고자 모국보다 잘 사는 한국사회로 이동하게 된다. 그러나 한국에서의 새로운 적응과 경제적인 안정이라는 어려움에 처한다. 외국인 주민들은 의사소통의 장애, 경제적인 어려움과 문화적인 부적응이라는 어려움에 처하면서 많은 스트레스를 겪으며 정신적인 불안을 겪게 된다. 따라서 취약해진 외국인 주민들의 건강문제를 확인하고 이에 대한 대책을 살펴보아야 한다.

Spector(2009)은 이주민들이 건강관리를 제대로 받지 못하는 요인들을 다음과 같이 18가지로 분류하였다.

- 접근성: 건강관리를 제공하는 서비스지역으로의 접근성
- 연령: 연령으로 건강관리 서비스에서 제한되는 경우
- 계급: 주류집단에 속하지 못한 계급으로 건강관리를 스스로 선택할 능력이 없는 경우
- 교육: 그 나라의 교육이 되지 않아 글쓰기, 읽기, 말하기가 되지 않는 경우
- 성: 건강관리 서비스에서 성적 제한이 있는 경우
- 지리적 여건: 의료서비스 시설이 지리적으로 제한이 있는 경우
- 무주택: 무주택으로 인해 의료기관의 혜택을 제한받는 경우
- 보험: 건강보험증이 없거나 있어도 건강문제를 감당하지 못하는 경우
- 언어: 건강문제관련 의사소통이 되지 않는 경우
- 매너: 의료서비스 제공자에게 거는 기대가 충족되지 못하는 경우
- 철학: 의료기관의 철학이 종교적, 개인적 철학이 맞지 않는 경우
- 편견: 의료기관이나 건강관리제공자로부터 편견을 느끼는 경우
- 인종: 인종차별에 대해 건강관리제공자로부터 느껴지는 경우
- 인종차별주의: 자국민과 외국인에 대한 처우가 다른 경우
- 종교: 종교적인 편견으로 다른 사람들을 치료하지 않거나 치료를 받지 않는 경우
- 사회경제적 상태: 사회경제적인 차이로 서비스를 받기 어렵거나 다른 사람을 꺼리는 경우
- 기술: 진단검사나 치료비용을 감당하지 못하는 경우
- 교통수단: 교통수단이 용이하지 못하는 경우

국내 거주하는 기간이 길어질수록 다양한 현실에 직면하게 된다. 결혼이주자, 외국인 근로자, 북한 이탈주민, 유학생들의 정착과정은 점점 더 이질적이 요소가 늘어날 것이고 건강문제는 이런 문제들과 함께 문화적인 적응을 어렵게 한다. 다음은 결혼이주자, 외국인 근로자, 북한 이탈주민의 건강문제를 살펴본다.

1) 결혼이주자의 건강문제

결혼이주자 여성은 스스로가 건강하다고 생각하고 있으나 유병 경험률이 10%가 넘어 한국 20, 30대 평균보다 다소 높은 것으로 나타났다. 서울시 여성결혼이주자의 1/4이 한국사회의 적응과 가족생활에서 오는 스트레스, 가정 폭력 등으로 우울을 경험하는 것으로 보고되었다. 구체적으로 보면 한국어 능력 부족, 미래에 대한 낮은 기대, 낮은 사회적 지지에 따른 높은 문화적응, 낮은 자아존중감과 연결되어 나타난다. 또한 국내 6년 이상 거주하는 결혼이주여성에게 빈혈이 1순위로 나타났고 위장질환, 부인과 질환 순이었고, 1/5정도가 저체중이었다. 충남지역에서는 구강문제와 비만문제도 지적하였다.

결혼이주자 10명중에 1명은 자연유산을 경험하였고, 임신부의 90%가 병의원에서 출산한 것으로 나타난다. 이들은 출산 후 아기돌보기와 언어발달에 대한 산전과 산후 관리 등에 대한 교육 요구도가 많았고 자녀의 영양, 전염병 및 예방접종관리에 대해 교육을 희망하였다.

2) 외국인 근로자의 건강문제

외국인 근로자들은 이주에 따른 사회적, 환경적 요인 등으로 정신적, 육체적 건강의 저하를 겪게 된다. 근로노동자들은 주관적으로 절반정도가 비교적 건강하다고 인식하고 있고 1/3은 본국에서 보다 건강이 나빠졌다고 보고했다. 이들은 주로 신체적 질환으로 근골격계 질환을 호소하였고 남성유병률이 여성에 비해 2배 높았다. 또한 가장 빈번하게 경험하는 건강문제는 설사, 감기, 충치순이었다. 주로 외국인 신체적 피로와 정신적 스트레스 등으로 건강장해를 호소한다.

3) 북한이탈주민의 건강문제

북한이탈주민의 신체건강문제는 최악의 식량난을 겪으면서 결핵으로 수십만 명이 사망했을 정도로 심각해지고 있다. 현제 북한이주민의 결핵 유병률은 2%로 충분한 영양섭취를 받지 못한 결과이다. 또한 B형 간염 보균자는 10.7%로 내국인에 비해 4배 이상의 높은 감염률을 나타내고 있다. 그 원인은 출산시 B형 간염예방접종을 실시하지 않았고, 1회용 주사기를 사용하지 않았으며, 가정에서 출산함에 따라 비위생적인 관리에 따른 2차 감염으로 예측된다. 또한 북한이탈 여성은 임신과 출산시 적절한 관리와 산후 몸조리를 못해서 부인과 질환에 노출된다. 북한이탈여성의 대부분이 만성골반내 염증이 있으며 80~90%에서 질염의 소견을 보인다.

한편 북한이탈주민의 제 3국으로의 탈출과정과 한국사회의 적응에서 다양한 외상후 스트레스를 갖게 되는 경우가 많다. 정신적 건강문제로 불안, 우울장애, 죄책감, 피해의식, 수면장애등이다. 그 외 약물에 의존하는 문제가 심각하여 약물중독 및 오남용의 문제로 이어지고 있다.

2. 취약가정 건강프로그램 운영

1) 건강교실프로그램 운영방법

일개 S보건소의 취약가정 건강프로그램의 운영방법을 살펴보면 기초자료 통계 분석 및 운영협의를 거처 건강교실프로그램을 운영하고 사후평가 및 내년도 사업에 반영한다(그림 4-11).

2) 건강프로그램 운영내용

일개 보건소의 취약가정 건강프로그램으로 진행되는 결혼이주여성 건강교실, 다문화 임산부 건강교실 및 다문

다문화 여성건강교실운영관련 기초자료 통계분석 및 운영협의		다문화 여성 건강프로그램 운영		사후평가 및 내년도 사업반영
• 서울시 및 S구 통계연보 활용 • S구 다문화가족지원센터 – 교육장소 및 대상자모집 – 교실운영 전 기본건강조사설문 • 보건지소내 사업별 지원담당자 협의 – 방문, 건강증진, 구강보건등	➔	• 대상자 모집홍보 방법 – 보건지소 자체모집홍보 홈페이지, S소식지, 외국인식품점 – S구 다문화가족지원센터 참여자 모집 • 건강프로그램 운영 전화 및 SMS문자전송 – 장소: 지소 및 S구 다문화 가족지원센터 – 대상자: 다문화여성 (일반, 임산부, 출산부) • 동반아동해피! 베이비교실 건강리더 참석	➔	• 운영 후 교실별 결과 보고 – 만족도조사 – 결과보고 후 개선 방향제고 • 사후평가 후 내년도 사업계획 반영

그림 4-11 다문화 건강교실 프로그램

출처: S보건소 2014년 다문화 건강교실 평가보고

화 우울증관리 미술치료교실의 내용을 살펴보면 다음과 같다.

- 국제결혼이주여성 건강교실
  - 국제이주여성 건강교실 참여자 전원은 방문보건 등록 후 개별 건강관리로 연계한다.
- 다문화 임산부 및 출산부 건강교실
  - 관내 다문화 임산부 및 출산부를 위한 건강교실을 운영한다.
- 우울증 및 스트레스 감소대체방안을 모색하기 위한 다문화집단 미술치료교실을 운영한다.

국제결혼이주여성 건강교실	
• 1주: 무료 사전 혈액검사 • 2주: 혈액검사결과를 통한 개별 운동, 영양상담 • 3주: 우울증예방 및 스트레스관리교육 • 4주: 건강한 성생활 및 여성질환 예방교육	• 5주: 구강관리(양치질 및 치실사용방법, 자녀구강 관리) • 6주: 생활 속 안전관리 및 약물오남용 • 7주: 건강한 한국음식 배웅기

그림 4-12 국제결혼이주여성 건강교실 프로그램

출처: S보건소 2014년 다문화 건강교실 평가보고

임산부 건강교실	출산부 건강교실
• 1주: 출산과정의 이해 • 2주: 올바른 모유수유방법 • 3주: 산후관리 및 신생아 응급처치	• 1주: 아기 마사지 및 예방접종 • 2주: 아이와 함께하는 체조 1 • 3주: 아이와 함께하는 체조 2

그림 4-13 다문화 임산부 및 출산부 건강교실 프로그램

출처: S보건소 2014년 다문화 건강교실 평가보고

미술활동주제를 통하여 표현하기 실습활동	
• 1주: "나는" 주제로 나무그리기 활동 • 2주: "마음대로" 주제로 감정표현하기	• 3주: "마음의 정원" 주제로 점토 만들기 • 4주: "비오는 날" 주제로 미술작업활동

그림 4-14 다문화 우울증관리 미술치료교실 프로그램

출처: S보건소 2014년 다문화 건강교실 평가보고

참고문헌

- 강영호(2006). 한국의 건강불평등 현황. 한겨레-한국 형평성학회 공동토론회
- 강영호, 김혜련(2006). 우리나라의 사회경제적 사망률 불평등: 1988년도 국민건강영양조사 자료의 사망추적 결과. 예방의학회지, 39(2), 115-122.
- 강향숙 외 (2015). 지역사회간호학. 퍼시픽북스.
- 강혜정(2013). 문화와 건강-우리나라 다문화사회의 이해-. 현문사.
- 김동진, 이소영, 기명, 김명희, 김승섭, 김유미 등(2013). 한국의 건강불평등 지표와 정책과제. 한국보건사회연구원.
- 김두섭, 박효준(2003). 사망력 수준의 시, 군별 편차 및 그 변화추이, 1999-2000 한국인구학, 12(2), 1-30.
- 김성실 등(2005). 지역사회간호학. 정문각.
- 김성혁, 안옥희, 최혜정, 박연숙, 백선숙, 전미순(2012). 다문화의 이해와 건강, 정담미디어.
- 김신정, 오진아(2011). 의료관광의 이해와 실제. 포널스.
- 김영숙(2007). 건강지향적 소비성향이 웰빙소비트렌드에 미치는 영향, 사회과학연구, 23(2), 1-21.
- 김창엽(2013). 건강과 인권-한국적 상황과 적용. 보건학 논집, 50(2).
- 김화중 등(2013). 지역사회간호학(9판). 수문사.
- 노인숙, 전상희, 이명희, 이경혜, 장정미, 전정희(2012). 다문화 사회와 건강간호. 현문사.
- 보건복지부(2011). 제3차 건강증진종합계획. 서울: 한국보건사회연구원.
- 손수경, 권소희, 권수혜, 김민주(2014). 간호와 다문화 역량. 수문사.
- 신영전, 윤태호, 김명희(2009). 건강불평등 완화를 위한 건강증진 전략 및 사업개발. 서울: 보건복지부.
- 신영전, 윤태호, 김명희, 정백근, 서제희(2011). 건강형평정책과 시업: 건강불평등 완화를 위한 접근. 한국사회정책, 18(4), 41-77.
- 안양희 등(2014). 지역사회보건간호학. 현문사.
- 이은희, 서길희, 소애영, 윤기주, 이경숙, 임선옥, 정주연, 최선하, 최정숙, 홍은영(2012). 간호에서의 다문화 개념. 수문사
- 정영호, 서미경, 이종태, 정형선, 고숙자, 채수미 등(2006). 우리나라 국민의 건강결정요인 분석. 서울: 한국보건사회연구원.
- 조유향 등(2014). 지역사회간호학. 현문사.
- 최연희 등(2014). 지역사회보건간호학. 수문사.
- 한국건강형평성학회(2008). 건강형평성 측정 방법론. 한울아카데미.
- Asada Y., & Hedemann, T. (2005). A Problem with the individual approach in the WHO health inequality measurement 2008. International Journal of Equity in Health, 1. Commission on social determinants of health final report[Closing the gap in a generation]
- Commission on Social Determinants of Health. (2008). Closing the Gap in a Generation: Health Equity Through Action on the Social Determinants of Health: Final Report of the Commission on Social Determinants of Health. World Health Organization.
- Culyer, A. J., & Wagstaff, A. (1993). Equity and equality in health and health care. Journal of Health Economics. 12, 431-457.
- Dahlgren, G., & Whitehead, M. (1991). Policies and strategies to promote social equity in health. Institute for Future Studies. Stockholm: Institute for future studies.
- Dunn, H. L. (1959). What high-level wellness means. Can J Public Health. November, 50(11), 447-457.
- Freshman, R. P. (1979). Community health nursing. Duxbury Press.
- International Society for Equity in Health. (2005). Equity forum: working definitions.
- Kawachi, I, Subramanian, S. V, & Almeida-Filho, N. (2002). A glossary for health inequalities. J Epidemiol Community Health, 56(9), 647-652.
- Lalonde, M.(1974). A new perspective on the health of Canadians: A working document, Government of Canada.
- Leavel, H. F., & Clark, E. G. (1965). Preventive medicine for the doctor in his community: an epidemiologic approach. NY: MgGraw-Hill.

- Leininger, M. M.(1985). Transcultural care, diversity, and universality: A theory of nursing. Nursing & Health Care, 6(4), 208–212.
- Link, B. G., Phelan, J. (1995). Social condition as fundamental cause of disease. J Health Soc Behav, Spec No: 80–94.
- Lutjens, L. R. J. (1991). Callista Roy: An Adaptation Model (Notes on Nursing Theories). SAGE Publications, Inc (September 16, 1991)
- Mackenbach, J., Baker, M. (2002). Reducing inequalities in health: A European perspective. Routeledge.
- Murray, C. J. & Lopez, A. D. (1999), On the comparable quantification of health risks: lessons from the Global Burden of Disease Study. Epidemiology, 10(5), 594–605.
- Peppard, P. E., Kindig, D., Jovaag, A. et al.,(2004). An initial attempt at raking population health outcomes and determinants. Wisconsin Medical Journal, 103(3), 52–56.
- Smith, J. (1983). The idea of health: Implications for the Nursing Profession. New York, NY; Teachers College Press; 31.
- Spector, R. F.(2009). Cultural Diversitiy in Health and Illness, 7th ed, Prentice Hall Health.
- Terris, M. (1975). Approaches to an epidemiology of health. American Journal of Public Health. 65, 1037–1045.
- WHO (1999). Health21–the health for all polish framework for the WHO European region. Copenhagen: WHO European region.

참고사이트

- 국민건강보험공단. http://www.nhis.or.kr.
- 범미보건기구. http://www.paho.org.
- 한국보건사회연구원. https://www.kihasa.re.kr.
- 미국질병통제예방센터. https://npin.cdc.gov.
- 다문화 지원센터. http://www.liveinkorea.kr.
- 다문화가족 생애주기별 맞춤형 지원강화. 보건복지부. http://www.mohw.go.kr.
- 2014년 외국인주민현황 조사결과 발표. 행정자치부. http://www.mospa.go.kr.
- 한국보건산업진흥원. 2014년 외국인환자현황. http://www.khidi.or.kr.

제 2 부

보건사업기획 및 자원활용

5장 보건사업기획
6장 자원 활용

제 5 장

보건사업기획

학습목표

- 체계이론의 특성과 기능을 설명할 수 있다.
- 기획이론의 필요성과 과정을 설명할 수 있다.
- 자가간호 이론의 구성을 설명할 수 있다.
- 적응이론에 따른 적응양상을 판단할 수 있다.
- 건강관리체계 이론의 적응양상을 설명할 수 있다.
- 보건사업기획의 정의를 이해하고 기획의 특성을 설명할 수 있다.
- 기획의 필요성과 과정을 이해할 수 있다.
- 보건의료의 질 관리의 접근방법을 설명할 수 있다.

개요

지역사회간호와 관련된 이론들을 소개하고 보건사업기획의 유형, 특성 및 과정 등을 설명한다. 또한 보건의료의 질 관리 접근방법을 소개한다.

주요용어

• 체계이론 • 적응이론 • 자가간호이론 • 건강관리 체계이론 • 기획 • 지역사회 보건사업기획 • 의료 질 관리 • 병원표준화심사

제1절 지역사회 간호이론

1. 체계이론

오늘날 많은 학문영역에서 가장 광범위하게 적용되고 있는 일반 체계이론의 개발은 1952년 폰 베르탈란피(Von Bertalanffy)에 의해 이루어진 것으로 전체 "체계"에 적용할 수 있는 일반 이론이다. 그는 모든 유기체는 하나의 체계이며 상호작용하는 여러 구성요소로 이루어진 복합체로 본다.

체계(system)란 "그들 간에 환경과 상호작용하는 요소들의 집합체"로 부분의 합보다 큰 것으로 설명된다. 체계의 유형은 외부 환경과 내부의 구성요소 간의 상호작용 여부에 따라 서로 상호작용이 있는 경우를 개방체계라 하고 상호작용이 없으면 폐쇄체계라 한다

1) 체계의 구조적 기능

① 경계(boundary): 체계를 환경으로부터 구분하는 것으로 경계의 투과성에 따라 체계의 개방성 정도가 결정된다. 경계를 통해 환경과 상호작용하는 정도에 따라 체계는 개방적 이거나 폐쇄적이다.
② 환경(environment): 경계 외부의 세계로 속성의 변화가 이루어지게 하는 요소이다
③ 계층(hierarchy): 체계의 배열은 계층적 위계질서를 가지며, 하위체계의 계속적 활동으로 체계가 유지된다.
④ 속성(attributes): 체계의 부분이나 요소들의 특성을 의미한다.

2) 체계의 기능

체계의 기능은 체계에 의해 행해지는 활동으로 에너지를 필요로 하며 에너지는 물질, 정보의 형태로 존재할 수 있다.

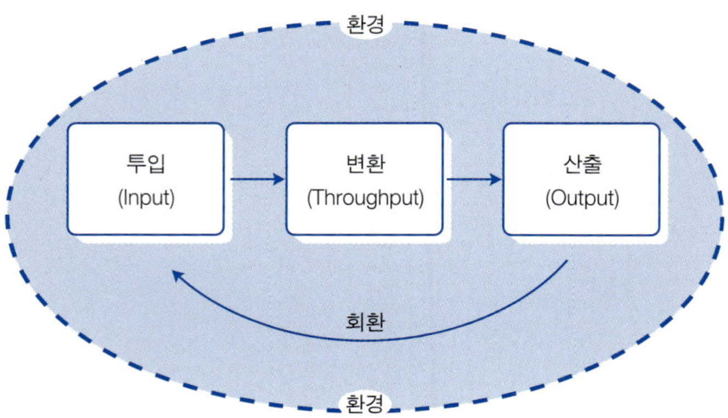

그림 5-1 체계 모형

① 투입(input): 체계 내로 에너지(정보, 물질 등)가 유입되는 과정
② 산출(output): 체계 내 보유되지 않는 에너지를 배출하는 과정
③ 변환(throughput): 체계 내에서 에너지, 정보, 물질을 사용하는 과정
④ 회환(feedback): 체계가 완전한 기능을 발휘하기 위해 산출의 일부가 재투입되는 과정. 이러한 체계의 기능을 모형으로 나타내면 그림 5-1과 같은데, 이는 체계를 둘러싼 일정

한 환경 내에서 이루어지는 단순 통제과정을 보여준다. 개방체계는 보다 복잡하게 여러 형태의 투입이 유입되고 역동적 전환과정과 내적 회환을 거쳐 산출이 이루어지며, 이는 다시 체계 밖의 회환을 거치게 된다.

유기체는 생존과 성장을 하기 위해 기능을 하며 적응, 통합 및 의사결정을 수행해 나간다. 즉 세 과정이 서로 상호작용함으로써 체계는 환경과의 끊임없는 변화에 대응할 수 있게 된다.

3) 주요 개념

① 물질과 에너지: 물질은 질량을 갖고 공간에 존재하며 에너지는 일할 수 있는 능력을 말한다. 에너지는 한 형태에서 다른 형태로 전환하거나 이전될 수 있고, 물질과 에너지는 동등하여 서로 변환이 가능하다. 엔트로피(entropy)는 일로 전환될 수 없는 체계내 에너지의 양으로 '무질서의 에너지'라고도 한다. 한편 네겐트로피(negentropy)는 체계에 의해 사용되는 '자유 에너지'로 일할 수 있는 에너지의 양이다. 개방체계는 네겐트로피에 의해 물질유입이 가능하기 때문에 폐쇄체계와는 달리 고도의 질서와 분화를 통해 발달과 진화가 이루어질 수 있다.
② 항상성(steady state): 생성과 파괴가 일어남에도 변화하지 않고 체계내 요소들이 균형상태를 유지하는 것으로 자가 조절능력에 의해 안정상태가 이루어진다. 체계내 조절작용은 회환에 의해 이루어지는데, 체온조절이나 역동적 상호조절을 통해 질서가 이루어지는 경우이다.
③ 균등종국(equifinality): 시작상태에 관계없이 과정에 장애가 있어도 동일한 목표에 도달하는 것으로, 개방체계의 특성이다. 체계는 목표지향적이기 때문에 서로 다른 시작 조건과 과정을 거치면서 궁극적으로 동일한 목표에 도달한다.
④ 위계적 질서: 하부체계 간의 구조적, 기능적 관계가 유지되는 것으로, 상호작용에 영향을 미친다.

2. 기획이론(Planning Theory)

1) 이론의 개요

기획이란 행동하기 전에 무엇을 어떻게 해야 하는지를 결정하는 것이다. 이는 미래를 예측하는 것이고, 특정한 목표를 달성하기 위해 최상의 이용 가능한 미래의 방법 및 절차를 의식적으로 개발하는 조직적 · 지속적 · 동적인 과정이다. 기획이란 현재보다 더 좋은 미래를 만들고, 미래의 일에 대한 불확실성을 경감시킬 목적을 갖는 하나의 사회적 과정이다. 기획과정은 기획을 하는 절차로, 어느 사업이나 사업의 궁극적 목표를 달성하기 위한 구체

적인 단계와 방법을 제시하여 준다. 그리고 개인과 지역사회의 요구를 충족시키기 위해 부족한 자원을 효율적으로 배분하도록 하며, 지역사회의 다양한 집단들의 서로 다른 가치와 견해를 조정하고, 의사결정을 하도록 한다. 기획의 본질을 탐구하기 위해 여러 학자들이 다음과 같이 기획의 정의를 내렸다.

- 기획이란 복잡한 상황하에서 발생하는 새로운 문제들을 해결함으로써 바람직한 목표를 달성하기 위해 최적의 전략을 개발하려는 의도적인 사회활동 또는 조직활동이라고 정의할 수 있다. 이 활동들은 선택된 전략을 집행하는 데 필요한 자원과 권한을 수반해야 한다(E. R. Alexander).
- 기획은 미리 정해진 방법으로 대상에 변화를 발생시켜 줄 행동을 설계하는 것이다(H. Ozbekhan).
- 기획이란 현재와 미래에 사용 가능한 자원을 효율적이며 적절하게 사용하여 미래의 명확한 목표를 달성하기 위한 체계적인 방법이다(A. Green).
- 보건기획은 보건상의 목표를 달성하기 위해 복수의 대안 중에서 최선의 안을 선택하여 조직적 · 의식적 · 계속적으로 노력하는 것이다(WHO).

이상의 4가지 정의를 분석하여 도출된 공통된 내용을 살펴보면, 기획이란 의도된 미래의 상에 맞추기 위해 현재를 변화시키는 과정이라고 할 수 있다.

(1) 기획의 기본 구성요소

기획의 기본 구성요소에는 현재의 상태에 대한 이해(Where are we now?), 미래에 원하는 방향 또는 목적(Where do we want to get to?), 원하는 방향으로 가기 위한 방법: 전략과 세부사업(How do we get there?)이 포함되어 있어야 한다. 그리고 무엇을 해야 하는가(What action to take?), 필요한 행동을 어떻게 지원할 것인가(How to get support for that action?)도 포함되어야 한다.

2) 보건기획의 필요성

(1) 각종 요구와 희소자원의 배분

요구되는 모든 사업을 충족시켜 주기 위해서는 의료인, 보건의료요원 등의 인적자원과 시설, 장비 등의 물적자원 그리고 재정 등이 충분히 확보되어야 하나 자원은 언제나 부족한 상태이고 앞으로도 부족할 것이다. 그러므로 개인이나 지역사회의 각종 기대를 충족시키기 위해서는 우선순위를 결정하여 기대되는 요구와 자원의 배분을 상호 조정하여야 하기 때문에 기획이 필요하다.

(2) 이해대립의 조정 및 결정

목표를 달성하기 위한 방법과 수단을 결정할 때, 흔히 상충되는 갈등으로부터 최정적인 결정을 내리기 어려운 상황이 발생하기 쉽다. 이러한 갈등에 대한 선택의 문제를 해결하는 데에도 기획이 필요하다.

(3) 변화 · 발전하는 지식과 기술개발에 따른 적용

새로 개발된 기술의 소화능력과 이용가능성에 따라 무엇을 취해서 이용해야 할 것인지 적절히 선택하기 위해 기획이 필요하다.

(4) 합리적 결정수단 제공

보건의료조직은 환경에 대처하고 보다 효과적이며 효율적으로 기능을 발휘할 수 있어야 한다. 조직이 기획을 잘하지 않으면 외부환경의 변화에 능동적으로 대처하지 못하게 된다. 현황, 우선순위, 목표 및 목적의 결정, 활동계획의 선정을 통한 기획은 능률과 효율의 원칙을 기반으로 하여 합리적인 정책 결정을 내릴 수 있는 수단을 제공할 수 있다.

3) 보건기획 과정

굴릭Gulick)의 관리과정(POSDCoRB)은 계획(Planning), 조직(Organizing), 인사배치(Staffing), 지휘(Directing), 조정(협동, Co-ordination), 보고(Reporting), 예산(Budgeting) 단계를 갖는다. 일반적으로 보건관리는 업무를 기획하여 이를 집행한 후 그 결과를 평가하고 이를 다시 기획에 반영하는 과정을 반복한다. 보건기획은 보건관리에서 가장 중요한 부분이며, 기획과정(planning process), 집행과정(executing process), 평가과정(evaluation process)으로 접근한다.

3. 오렘의 자가간호이론

1) 이론의 개요

오렘(Orem, 1991)의 자가간호이론은 자가간호(theory of self-care), 자가간호 결핍(theory of self-care deficit), 간호체계(theory of nursing system)의 세 가지 이론으로 이루어진 일반 이론이다. 그는 자가간호를 "개인이나 지역사회가 자신의 삶, 건강, 안녕을 유지, 증진 하기 위해 시도되고 수행하는 행위"라 정의하였으며, 인간의 구조적 통합과 기능의 활성화, 인간발달과 관련된 지속적이며 체계적인 행위로 설명하고 있다.

자가간호이론에서 전제하고 있는 기본 가정(Orem, 1991)은 다음과 같다.

- 인간은 자신의 건강에 책임을 가지며, 건강관리에 대한 선택을 할 능력이 있다.
- 인간은 자신의 안녕, 기능, 건강을 위한 자가간호를 수행할 능력을 갖는다.
- 자가간호는 학습되어지며 목표지향적 활동이다.
- 인간은 자가간호에 필수적인 인지적, 실제적 기술을 발전시킬 잠재력을 지닌다.
- 자가간호의 수행방법은 문화적 특성을 지니며, 개인과 사회집단에 따라 다양하다.
- 자가간호는 심사숙고된 행위의 형태이다.

- 자가간호 수행은 자신을 관리할 능력을 요구한다.
- 자가간호 수행은 개인의 삶, 발달, 건강, 안녕을 위한 개인의 자가간호에 대한 가치에 의해 영향을 받는다.

(1) 자가간호이론

자가간호이론은 세 이론의 기초가 되는 것으로 인간의 자가간호 행위를 설명해 준다. 여기에서 인간은 자신의 삶, 기능, 안녕을 위해 자신의 기능을 조절하도록 자신이나 환경에 대해 스스로 실천하는 자가간호를 수행하는 존재로 본다.

자가간호는 일반적, 발달적, 건강이탈적 자가간호 필수요소의 세 가지 형태로 이루어지며, 그 중에서 질병을 진단받은 환자는 건강이탈적 자가간호를 수행하게 된다. 건강이탈적 자가간호에 포함되는 내용에는 ① 일반적 자가간호 필수요소를 충족하고 적응하는 활동, ② 자가간호에 대한 새로운 기술을 선택하는 활동, ③ 자아상을 바꾸는 것, ④ 일상생활의 습관을 바꾸는 활동, ⑤ 새로운 삶의 형태를 발전시키는 일, ⑥ 건강이탈 결과에 적응하는 활동이 있다.

오렘은 인간을 자가간호 능력을 가진 존재로 보고, 자가간호를 시작하고 유지시키며, 자가간호에 참여할 수 있게 하는 개인의 능력을 자가간호 역량(self-care agency)이라 하였다. 자가간호의 상태와 정도는 개인의 역량이 자가간호 필수요소를 충족시킬 수 있는 정도에 달려 있으며, 그런 점에서 자가간호 역량은 자가간호의 정도를 결정짓는 중요한 개인의 속성이 된다(Orem, 1991).

자가간호에 영향을 주는 자가간호 역량은 후천적 능력으로 지적 호기심이나 타인의 교육과 지도, 자가간호 수행 경험에 의한 학습과정으로 발달된다. 자가간호 역량은 세 가지 능력의 형태로 이루어진 복합적 구조로, 기본적 능력과 속성, 자가간호를 가능하게 하는 능력인 힘(power)요소, 자가간호 작동능력으로 구성된다. 기본능력은 감각, 지각, 기억 등의 능력이 며 자가간호 작동능력은 가장 즉각적으로 자가간호 수행에 필요한 것으로 자가

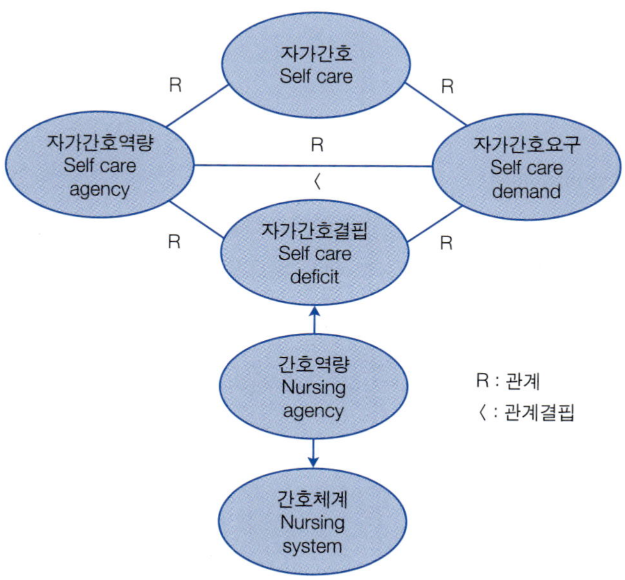

그림 5-2 오렘의 자가간호 모형

간호가 필요한 환경과 자신을 평가하고 수행해야 할 내용을 결정하여 행위를 수행하는 능력이다.

힘요소는 기본 요소를 기초로 작동능력에 영향하는 중간적 능력요소가 되는데, 여기에는 ① 자신에 대한 주의 집중과 감시의 유지능력, ② 신체적 에너지의 조절적 사용, ③ 신체 조절능력, ④ 논리적 인식능력, ⑤ 동기화, ⑥ 의사결정 능력, ⑦ 자가간호에 관한 기술적 지식의 획득, 유지, 조작능력, ⑧ 자가간호 수행에 채택할 다양한 목록(repertoire), ⑨ 자가간호 활동의 순위화, ⑩ 자가간호의 통합적 수행능력의 10가지 요소(power component)가 포함되고 있다.

(2) 자가간호 결핍이론

자가간호 결핍이론은 간호의 필요성을 설명하며 중심이 되는 이론이다. 자가간호 역량의 부족으로 생명유지, 건강, 발달 및 안녕의 유지와 증진을 위해 요구되는 간호의 정도인 치료적 자가간호요구를 충족시키지 못하면 자가간호 결핍이 발생하고, 이 때 간호체계가 적극적으로 개입하게 된다.

(3) 간호체계이론

간호체계이론은 개인의 치료적 자가간호 요구를 충족시키고 대상자의 자가간호 역량을 조절하도록 관련된 도움과 활동을 제공하는 간호형태를 설명한다. 간호체계는 대상자를 돕기 위해 간호사가 행하는 일련의 활동으로 직접적 활동, 안내, 교육, 지지, 발달적 환경제공들로 이루어진다. 또한 대상자의 자가간호 수행능력과 요구에

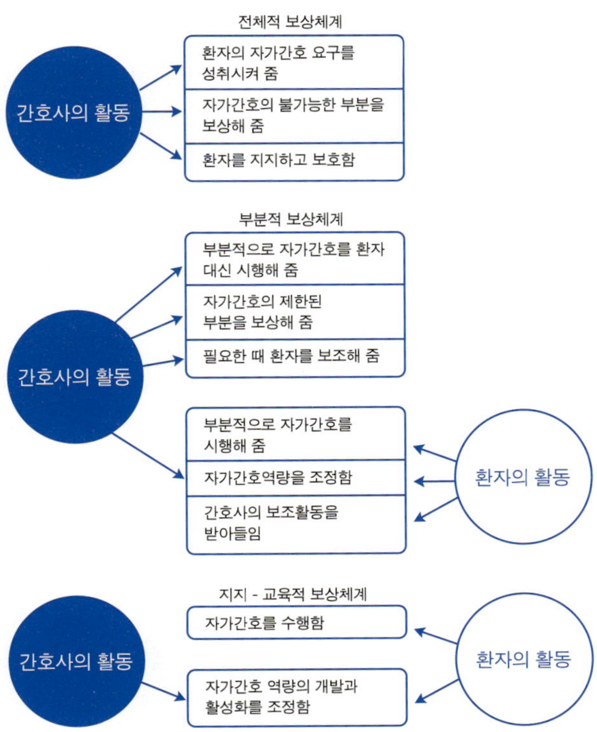

그림 5-3 오렘의 기본적인 간호체계

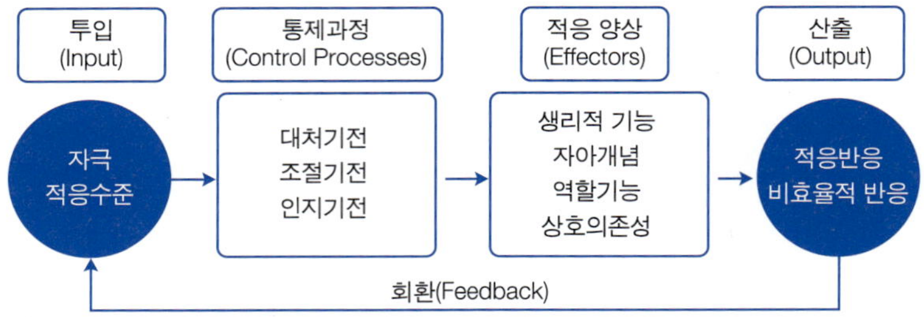

그림 5-4 적응체계로서의 인간(Roy, 1984)

따라 완전보상적, 부분보상적, 지지-교육적 간호체계의 세 형태로 구성된다. 그 중에서 환자가 어느 정도 자가간호 수행능력을 가질 때 지지-교육적 간호체계는 자가간호 역량을 발전시키고 조절하는 것을 돕는 수준으로 간호활동이 제공된다(그림 5-3).

2) 이론의 적용

자가간호이론을 적용한 연구들은 대부분 간호대상자의 건강문제를 해결하고 안녕을 증진시킬 수 있게 하기 위한 자가간호 증진에 초점을 맞추고 있다. 자가간호를 증진시키는 가장 기본적인 중재방법은 환자교육으로 이는 관련된 지식의 변화가 자가간호 수행에 영향을 주는 자가간호 역량의 기본 요소가 되기 때문이다. 이에 관한 연구들은 지식이 건강행위의 주요 영향변수임을 제시하고 있어 이를 뒷받침해 주고 있다.

라스무센(Rasmussen, 1989)은 어머니를 대상으로 아동의 질병관리에 도움이 되는 자가간호와 관련된 책자를 제공하고 교육한 효과로 의료 서비스의 활용이 높아졌음을 들어 교육이 관련된 건강행위를 변화시킬 수 있음을 제시하였다.

또한, Dodd(1984; 1986)는 화학요법을 받는 암환자들에게 부작용을 관리할 수 있는 기술을 교육한 후 관련된 자가간호 행위가 유의하게 증가하였음을 보고하였으며, 무어(Moore, 1987)의 연구도 초등학생에게 자기주장 훈련과 응급처치법을 교육하여 자가간호 역량이 유의하게 증가하였음을 밝혀 건강행위를 구체적으로 관리할 수 있는 내용이 교육에 포함되어야 함을 보여 준다.

4. 로이(Roy)의 적응이론

1) 이론의 개요

로이(Callista Roy)에 의해 개발된 적응이론은 다양한 기존의 이론에서부터 개념화되었다. 이 이론은 적응수준이론, 체계이론 및 스트레스 적응이론 등을 바탕으로 체계화되었고, 이들 이론들의 영향을 받았다.

로이는 1970년에 "Adaptation: A conceptual framework for nursing"이란 논문을 통 해 자신의 이론을 처음 소개하였다. 1976년에 "Introduction to nursing: An adaptation model"을 저술하여 이론을 보다 확대하였으며, 1984년

에 이를 다시 개정하였다.

적응이론에서 인간은 주위환경으로부터 끊임없이 자극을 받고 이에 대한 반응을 나타내는 체계로 보았다. 인간은 변화하는 환경과 계속적으로 상호작용하며 적응해 가는 존재이며, 이를 위해 생물적 · 심리적 · 사회적 기전을 다양하게 사용한다. 즉 변화하는 내외적 환경과 끊임없이 상호작용하며 전체로서 기능하는 개방적 적응체계인 생물적 · 심리적 · 사회적 존재로 보았다. 이러한 특성에 따라 다양한 적응양상이 나타나게 되며, 인간의 적응수준은 주어지는 자극에 대한 긍정적 반응으로 나타나는 범위를 의미한다.

개인의 적응과정은 그림 5-4와 같이 체계이론에 기초한 투입, 과정, 산출, 회환의 네 가지 요소에 따라 구성된 적응체계로서의 인간을 중심으로 설명될 수 있으며, 이들의 구성요소를 구체적으로 살펴보고자 한다.

(1) 자극의 유형유형

환경으로부터 개인에게 투입요소로 주어지는 자극은 내 · 외적 원천에서 발생하는 것으로 세 가지 형태가 있다. 초점자극(focal stimuli)은 개인이 직면하는 즉각적 변화가 요구되는 상황이나 사건 그 자체를 말한다. 관련자극(contextual stimuli)은 초점자극이 주어졌을 때 그 밖에 관련된 다른 환경요소로 영향을 주는 것이며, 잔여자극(residual stimuli)은 현재의 상황에 영향을 미치는 개인의 신념, 태도, 습관과 경험 등을 말한다.

적응이론에서 환경은 개인이나 집단을 둘러싸고 있으면서 이들의 행동에 영향을 미치는 모든 조건, 상황 및 영향요소라 할 수 있다. 환경에서 주어지는 내 · 외적 자극은 세 가지 형태가 서로 복합적으로 작용하게 되므로 이들을 구분하는 것이 간호중재를 위해 필요하다.

(2) 통제과정

반응을 조절하는 통제과정(control process)으로 인간의 체계적 기능은 두 가지 대처기전(coping mechanism)에 의해 이루어진다.

인지기전(cognator)은 자극에 대해 인지적인 대처활동이 이루어지는 것으로 정보처리 기능, 학습, 판단 등의 행위를 통해 환경적 자극을 확인하고 관리하는 능력을 말한다. 인지기전이 비효율적으로 작용하면 목표 확인의 실패로 목표달성에 필요한 적절한 방법을 결정하지 못하게 된다.

조절기전(regulator)은 중추신경계를 통해 이루어지는 자율신경계에 의해 조절되는 기능을 말하며, 호르몬 반응이나 정신 · 신체 기전과 같은 무의식적이고 반사적인 반응이 나타난다.

자극에 대한 두 가지 적응기전의 효율적 기능은 다음의 적응양상에 영향을 미치는데, 조절 기전은 주로 생리적 적응에, 인지기전은 자아개념, 역할기능, 상호의존 적응에 관련된다.

(3) 적응양상

자극에 대한 반응은 네 가지 작동양상(effector mode)을 통해 이루어지며, 두 가지 대처 기전도 이들 양상과 연관되어 작용하는 것이라고 볼 수 있다. 이는 개인의 적응양상(adaptive mode)이라고 할 수 있으며, 적응기전에 의해 형성되는 적응방법의 종류로 욕구 변화와 행위 사이의 매개변수로 작용한다. 만일 적절한 적응양상이 형성되지 못하고 과잉되거나 결핍이 있을 때는 적응문제로 나타나게 된다.

① 생리적 양상(physiological mode) : 신체적 통합성을 위해 자극에 반응하는 방법으로 기본욕구에 대처하게 된다. 따라서 이 적응양상에 의하여 생리적 통합성에 대한 기본 욕구인 수분과 전해질, 영양, 배설, 산소, 감각, 체온, 내분비 등의 문제에 대한 조절이 이루어진다.

② 자아개념 양상(self-concept mode) : 개인의 정신적 통합성에 관한 적응양상으로, 자아개념은 신체적 자아(physical self), 개인적 자아(personal self) 및 대인적 자아(interpersonal self)에 대한 신념으로 구성되었다. 신체적으로 자신을 지각하고 느끼는 주관적 생각으로 감각과 신체상이 포함되고, 개인적 자아는 자신의 성격, 기대, 가치에 대한 평가로 도덕-윤리적 자아, 자아일체감, 자아이상과 기대가 포함된다. 타인과의 관계에서 나타나는 의사소통, 공격성 등은 대인적 자아와 관련된다.

③ 역할기능 양상(role function mode) : 사회적 통합성 요구에 대한 적응방법으로 환경내 다른 사람과 상호작용을 하고 적절한 역할행동을 수행하는 것을 말한다. 역할기능은 세 가지 유형으로 1차적 역할, 2차적 역할 및 3차적 역할이 있으며 역할기능에 문제가 생기면 역할상실이나 역할갈등이 초래된다.

④ 상호의존 양상(interdependence mode) : 상호작용에 초점을 둔 사회적 적응양상으로 독립심과 의존심 간의 균형을 이루는 것이다. 이 양상은 타인과 지지체계와의 관계, 사랑, 존경과 가치를 주고받는 것과 관련이 되며, 부적절한 적응의 문제로 소외감, 거부, 공격성, 경쟁심, 이탈성, 지배성 등이 나타나게 된다.

적응이론에서 간호활동의 목표는 이들 네 가지 적응양상에서의 적응이 적절하게 이루어지도록 하는 것이다. 즉 건강-질병의 연속선상에서 생리적 욕구, 자아개념, 역할기능 및 상호 의존성에서의 적응문제를 해결하여 적응수준을 증진시키는 것이 간호활동에 포함된다.

간호사는 네 가지 적응양상을 평가하고 이에 영향을 주는 자극을 조정하며, 간호대상자가 효율적 적응을 하도록 촉진시키는 역할을 수행하여야 한다.

(4) 반응

로이의 적응과정의 최종 결과는 대처기전의 활동에 의한 적응양상이 바로 반응(response)으로 나타나는 것이다. 반응은 두 가지 형태로 구분되는데 생존, 성장, 재생산, 자아실현 등과 같이 개인의 통합성을 증진시키는 효율적 적응반응과 통합성을 증진시키지 못하거나 방해가 되는 비효율적 반응이 있다.

적응과정은 인지기전과 조절기전이 잘 기능하도록 촉진하여 적응반응을 가져오는 적응양상을 형성한다. 만일 초점자극이 개인의 적응수준 범위 안에 주어지면 반응은 적응적이지만 적응수준을 벗어나는 자극인 경우에는 비효율적으로 반응하게 된다. 이러한 비효율적 반응은 적응문제를 일으키고 개인의 통합성과 일반적 목표달성을 방해한다고 보았다.

로이는 건강을 "통합된 전체로 되어가는 과정 또는 상태"로 보았는데, 이 정의는 적응이 생리적, 심리적, 사회적 통합성을 증진시키는 과정이라는 점에서 비롯된 것이다. 즉 건강은 환경변화인 자극에 대해 긍정적인 반응이 나타난 적응상태를 말하며, 적응반응의 결과로 생존, 성장, 성숙과 같은 인간의 통합성을 형성시켜 나가는 것이다.

2) 이론의 적용

로이의 적응이론은 발표 초기인 1968년경부터 간호영역인 실무, 연구 및 교육분야에 적용되었고 일부 대학의 교육과정틀로 활용되기도 하였으며, 특히 환자 중심의 간호실무에 많이 적용되었다. 적응이론의 실무적용 유용성은 관련 논문을 통해 지지되었는데, 로이 자신은 당뇨환자를 예로 들었으며 상황생성이론으로서 적절한 요소를 갖추고 있음을 보고하였다(Dicoffs & James, 1968).

Wagner 등(1976)은 적응이론을 외래환자에 적용하기 용이한 것으로 제시하였으며 입원 환자의 지지간호에도 도움을 줄 수 있음을 밝히고 있다. 또한 가정간호를 실시하는 지역사회 간호분야에도 적용하여 욕구사정, 우선순위 및 목표설정, 효과적 중재수립에 유용함을 보고하였으며(Schmitz, 1980), 임종환자를 대상으로 편안하게 죽음을 수용할 수 있도록 내 · 외적 자극을 조절하는 간호중재를 네 가지 양상에 따라 제시하였다(Starr, 1980).

현재 일부 대학에서는 이 이론을 간호학과에 적용하였고(Roy, 1979), 듀크대학에서는 노인간호사 양성 프로그램에 이를 사용하고 있다(Brower & Baker, 1976). 이 밖에도 이론을 통해 확인될 수 있는 적응문제, 조절기전, 중재내용 등은 이들 요소의 관찰과 체계화할 수 있는 모형을 관련 연구를 통해 제공해 준다(Wagner, 1976; Silva, 1987).

5. 교환이론

1) 이론의 개요

교환이론은 사회학 분야에서 발달된 사회심리이론으로 인간의 사회적 상호작용에서 보상과 부담의 교환을 다루며, 주로 강화원리에 바탕을 두고 있다(홍대식, 1989; Homans, 1974). 이론의 대표적 인물인 호멘즈는 사회학의 중심은 인간의 행동과 상호작용에 초점을 두어야 한다고 보고 인간의 행동을 유발시키는 보상과 희생의 관계인 인간행동의 재강화 유형에 관심을 두었다(김화중 등, 1998).

교환이론은 인간의 사회적 행동에 초점을 두고 발전되었는데, 보상을 받은 행동은 계속되는 경향을 보이는 반면에 희생을 가져온 행위는 지속하지 않게 된다. 따라서 개인의 행위를 이해하기 위해서는 그들의 보상과 희생에 관련된 배경을 이해하여야만 한다.

인간은 자신의 욕구를 충족시키기 위해 다른 사람들과 상호작용을 하게 된다. 이 때 상호작용에서 얻을 수 있는 이익과 손해에 따라 달라지는데, 상호작용의 보상이 투입한 시간이나 에너지와 같은 비용을 초과하거나 비슷한 수준일 때에만 관여하게 된다. 이와 같이 인간의 사회적 관계는 보상과 대가를 주로 하는 교환관계로 보상이 클수록 관계의 가치는 높아지게 된다.

교환과정은 주고받는 과정을 말하며 물질적 교환과 비물질적 교환이 있다. 물질적 교환은 물건값을 주고 물건을 사는 행위와 같은 것이며, 비물질적인 경우는 미소를 짓는 사람에게 함께 미소를 짓게 되고 두 사람 간의 관계가 원만해지는 것을 들 수 있다(김화중 등, 1998). 교환자원도 물질적 자원과 비물질적 자원으로 구분되며, 보상(reward)은 교환을 통해 얻을 수 있는 것으로 심리적, 사회적, 물질적, 신체적 보상이 있다. 보상을 얻기 위해 지불하는 비용(cost)은 시간, 비용, 노력 등을 말한다. 교환에 영향하는 요소로 권력(power)은 상대방으로부터 보상을 얻어내는 능력을 말하며, 규범(norm)은 상호관계에서 인정되는 행동규칙이다.

2) 이론의 적용

지역사회 간호사와 주민 간의 교환과정은 물질적인 것과 비물질적인 것이 함께 이루어지는데, 이 과정에서 바람직한 결과, 즉 상호관계가 좋은 방향으로 변화될 수 있도록 노력할 수 있다.

예를 들어, 예방접종을 주민에게 실시하면서 그에 대한 값을 지불받는 동시에 예방접종의 주의사항이나 필요성에 대한 대화를 함으로써 두 가지 형태의 교환이 바람직하게 이루어지게 된다. 반면에 지역주민이 거부감을 갖는 식이요법을 시행하도록 강요할 경우에는 간호사와의 협조적인 관계가 형성되기 어려울 것이다.

지역사회 간호사는 보건의료 서비스가 지역사회에 전달되고 지역사회는 전달된 서비스에 대해 응분의 보상이 이루어질 수 있도록 상호 교환과정을 적절하게 적용해야 한다. 즉 교환 과정을 위한 조직과 기준을 확립하고 교환결과에 대해 송환이 이루어져서 다음 과정에 참고해야 한다. 일방적인 교환이 되지 않도록 주민들과 함께 보건사업 내용을 계획하고 정기적으로 평가함으로써 그들과 긍정적인 교환과정을 성립할 수 있다(김화중 등, 1998).

6. 베티 뉴만의 건강관리체계이론

1) 이론의 개요

베티 뉴만(Betty Neuman)은 1972년에 체계이론을 바탕으로 건강관리체계 모형을 처음 발표한 이후 1982년 저서를 통해 계속적으로 발전시켜 왔다. 그는 간호를 환경과의 관계에서 환자세계에 역점을 두는 독특한 실무로 보고 대상자에 대한 총체적 관점을 갖도록 하였다.

(1) 기본 구조와 보호선

뉴만의 체계모형에서 간호대상자는 기본 구조와 이를 둘러싸고 있는 세 가지 방어선으로 형성된 체계로 설명된다. 또한 인간은 환경과 상호작용하는 개방체계이며, 대상자는 개인, 가족, 지역사회 또는 집단이 되므로 지역사회 간호대상자를 모두 포함하고 있다.

기본 구조는 대상자의 생존요인, 유전적 특징, 강점 및 약점이 모두 포함되어 있는 생존에 필요한 에너지 자원이라고 볼 수 있다. 생리적, 심리적, 사회 · 문화적, 발달적, 영적 변수들이 역동적으로 구성되어 개인의 고유한 특성을 나타내며 외부 스트레스원에 대한 방어선에 영향을 준다.

기본 구조를 둘러싸고 있는 세 가지 보호선의 기능은 다음과 같다.

① 저항선(line of resistance): 기본 구조에 가장 가까이 있어 이를 보호하는 역할을 한다. 저항선의 기능은 기본 구조의 통합성을 방어하는 것이며, 정상 방어선을 통과한 스트레스원에 의해 활성화된다. 저항선이 비효율적으로 방어하면 체계는 생명을 잃을 수도 있는데, 저항선의 기능에는 면역체계와 같은 내적 저항요소를 보유하고 있다.

② 정상 방어선(normal line of defense): 개인의 안녕상태나 적응상태를 유지하게 만드는 정상 방어선은 유연

방어선을 침입해 들어온 스트레스원에 의해 영향을 받는다. 이 때 대상자는 불안정 상태나 질병의 증세를 보이게 된다. 정상 방어선은 개인의 대처유형, 삶의 형태, 문화적 영향 등 비교적 장기적으로 형성된 저항능력으로 나타난다.

③ 유연 방어선(flexible line of defense): 가장 바깥에 위치하고 있는 유연 방어선은 외부 세계로부터 체계를 일차적으로 보호해 주는 쿠션과 같은 역할을 한다. 인간에게 완충 역할을 하며, 환경으로부터 가장 먼저 스트레스에 대항하는 1차 방어선이다. 인간은 정상적 안녕상태를 유지, 증진시키기 위해 이 방어선을 이용하는데 대상자의 욕구에 따라 확장되거나 수축되어 스트레스에 방어를 한다. 환경과 상호작용을 하면서 스트레스를 조정해 가는 융통성이 많은 방어선이지만, 환경적 스트레스원이 너무 강할 경우 유연 방어선의 완충기능은 방어역할을 하지 못하게 되고 체계는 다음 방어선을 이용해야 한다.

(2) 환경과 스트레스원의 종류

환경은 뉴만 모형에서 중요한 개념인데, 내적 · 외적으로 인간을 둘러싸고 있는 힘으로 대상자에게 영향을 미친다. 내적 환경은 대상자의 하위체계 간 관계의 결과라고 볼 수 있으며, 가족의 경우는 가족구성원 간의 상호작용이 해당된다. 외적 환경은 대상자의 경계 밖에 있는 외적 영향력으로 물리적 자연이나 타인과의 관계 등이 될 수 있다. 또 다른 창조된 환경(created environment)은 새로운 용어로 대상자가 안전한 상황을 창조하기 위해 내적 · 외적 환경과 에너지를 교환하는 개방체계를 말한다. 예를 들어 새로 이사간 집의 낯설고 불편한 느낌을 완화시키기 위해 이전과 유사하게 가구배치를 하거나 행동을 하게 되는 것은 새롭고 낯선 환경과 옛날 환경 간의 격차를 줄이려는 무의식적 시도인 것이다.

스트레스원은 환경의 일부로 불균형의 원인이 되거나 긴장을 야기시키는 자극이라고 본다. 스트레스원은 인간의 개체 내부와 외부환경에 존재하는 것으로, 세 가지 유형이 있다.

① 내적 스트레스원(intrapersonal stressor): 대상자의 경계 내부에서 발생되는 것으로 내부 환경적 상호작용에 의해 발생된다. 통증, 상실, 분노와 같은 감정이나 조건반사와 같은 경우이다.

② 대인적 스트레스원(interpersonal stressor): 대상자의 경계 밖에서 발생한 외적 환경요인으로 개체 간에 발생되는 자극이다. 한 사람 이상의 사이에서 나타나는 역할기대와 같은 예이다.

③ 외적 스트레스원(extrapersonal stressor): 대상자의 경계 밖에 있는 외적 환경의 변화 요인으로 관습, 경제상태, 실직 등이 해당된다.

스트레스원의 영향력은 두 가지 측면과 밀접한 관계가 있다. 하나는 스트레스원의 강도와 수에 따라 달라지며, 두번째는 스트레스원에 반응하기 위해 세 가지 방어선을 사용하는 대상자의 방어능력이다. 따라서 유사한 스트레스원에 대한 대상자의 반응은 개인의 방어능력에 따라 다양하게 나타나게 된다.

(3) 간호중재

간호중재의 목표는 대상자의 안녕을 유지시키는 것으로 세 가지 유형의 예방으로 제시된다. 세 단계의 예방은 체계가 안정되도록 돕고 안녕상태에 도달하거나 증진될 수 있도록 만든다.

① 1차 예방(primary prevention): 1차 예방은 체계의 안정성을 유지시키기 위해 위험 요인이 발생되기 전에 반

응은 아직 나타나지 않은 상태에서 수행되는 예방활동이다. 개인이 직면한 스트레스원의 가능성과 반응 가능성을 감소시키기 위해 유연 방어선을 강화시켜 준다. 환경적 스트레스원에 개체가 잘 견딜 수 있도록 의심되는 스트레스원을 규명하고 강도를 조절함으로써 정상 방어선을 보호하려는 간호중재이다.

② 2차 예방(secondary prevention): 스트레스원이 정상 방어선을 침입한 후 나타난 증상을 완화시켜 체계 안정을 취하는 중재이다. 개체의 내적, 외적 자원이 체계의 안정이나 반응감소를 위해 내적 저항선을 강화시키기 위한 것으로 기본 구조를 보호한다. 저항선과 정상 방어선의 재구성이 빨리 이루어지도록 강화하고 반응 정도를 파악하여 증상을 치료함으로써 기본 구조가 침해받지 않도록 방어해 준다.

③ 3차 예방(tertiary prevention): 스트레스원에 의해 파괴된 균형을 찾도록 기본구조의 재구성으로 안녕상태를 회복하는 예방활동이다. 반응재발의 예방, 재구성 확인, 체계안정의 유지 등이 간호중재로 제공된다. 이를 위해 재교육을 통해 스트레스원에 대한 저항력을 강화시켜 준다.

간호중재는 스트레스원에 위협받고 파괴된 체계안정을 회복하고 유지할 수 있으며 내 · 외적 환경에 대한 적응 과정을 돕는 활동이다. 또한 간호활동은 대상자의 방어선 유지 수준을 사정하고 이에 따라 수행되어야 한다.

2) 이론의 적용

뉴만의 건강관리 체계이론은 간호대상자인 인간을 체계로 보는 개념틀을 제공하고, 환경과 상호작용하며 안녕상태를 유지하려는 대상자를 세 가지 간호중재를 통해 도울 수 있는 간호활동을 설명해 주는 실무 안내적 이론이

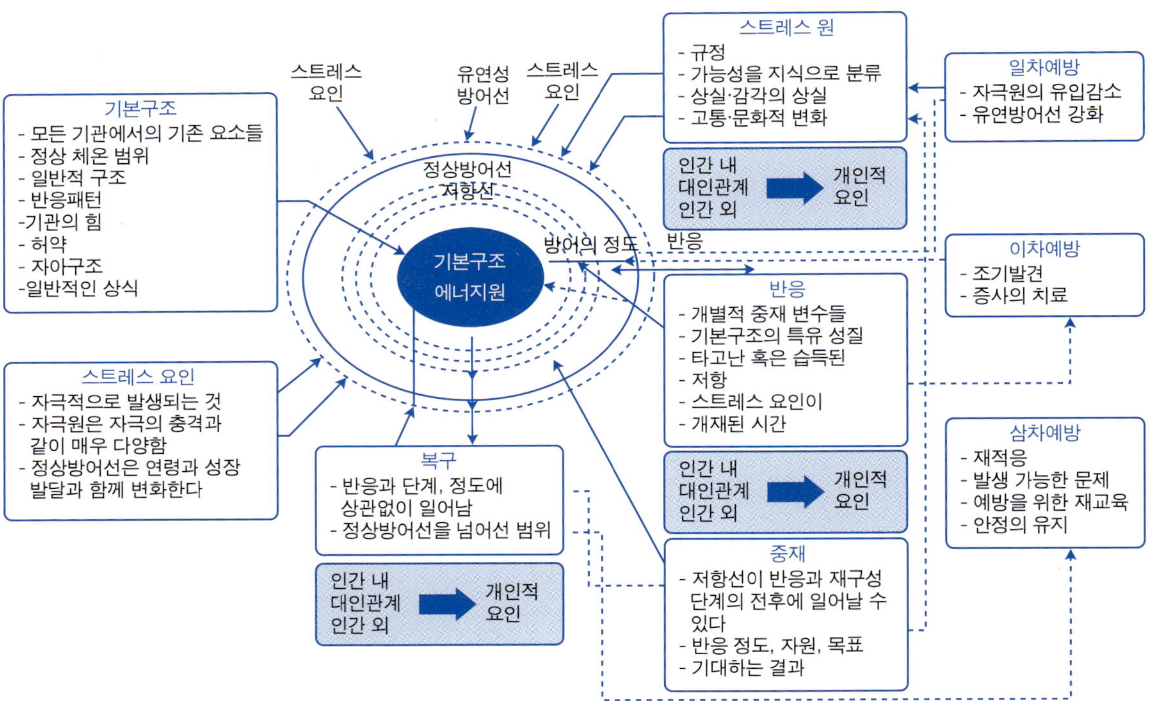

그림 5-5 뉴만(Neuman)의 건강관리체계 모형

다. 특히 간호대상자를 개인에 국한하지 않고 가족, 집단, 지역사회를 포함하고 있어 지역사회간호학을 비롯한 다양한 실무현장에 쉽게 적용할 수 있는 강점을 가졌다.

뉴만 이론은 가족치료, 보건, 재활 등 여러영역에 적용되었으며 간호관리자를 위한 관리과정 도구도 개발되었다. 미국 내 교육과정의 이론적 틀로 사용되기도 하였고, 간호교육 프로그램으로 운영되는 등 간호교육에도 활발히 적용되는 이론의 하나이다. 뉴만 자신도 연구를 통해 보건의료서비스, 1차예방 프로그램의 개발, 가정과 장기 간호환자를 위한 건강증진 프로그램 등을 개발하는 노력을 계속하고 있다.

앞으로 우리나라 지역사회간호 분야에도 적용되어 다양한 건강 프로그램의 개발과 연구가 활성화된다면 간호이론을 바탕으로 한 체계화된 보건사업이 가능해질 것이다.

제2절 지역사회 보건사업 기획

1. 지역사회 보건사업 기획의 정의

기획이 무엇인가에 대해서는 사람마다 제각기 견해가 상이할 수 있다. 헨리 하이타워(Henry Hightower)는 "기획이란 무엇인가라는 질문이 기획에 관한 모든 논의의 시발점"이라고 언급한 바 있다.

기획의 정의 3가지를 살펴보면 다음과 같다.

① 기획이란 복잡한 상황 하에서 발생하는 새로운 문제들을 해결함으로써 바람직한 목표를 달성하기 위하여 최적의 전략을 개발하려는 의도적인 사회활동 또는 조직활동이라고 정의할 수 있으며, 이 활동들은 선택된 전략을 집행하는 데 필요한 자원과 권한을 수반하여야 한다(E. R. Alexander).

② 기획은 미리 정해진 방법으로 대상에 변화를 발생시켜 줄 '행동을 설계하는 것'이다(H. Ozbekhan).

③ 보건기획은 보건상의 목표를 달성하기 위하여 복수의 대안 중에서 최선의 안을 선택하여 조직적으로, 의식적으로, 계속적으로 노력하는 것이다(WHO).

이상의 3가지 정의를 분석하여 보면 기획이란 의도된 미래의 상에 맞추기 위하여 현재를 변화시키는 과정임을 알 수 있다.

2. 기획의 구성요소

기획이 의도된 미래의 상에 맞추기 위하여 현재를 변화시키는 과정이라면 모든 기획에는 현재의 상태, 미래에 원하는 방향(목적), 원하는 방향으로 가기 위한 방법(전략과 세부사업)이 기본적인 구성요소로 포함되어 있어야 한다.

① 현재의 상태
② 미래에 원하는 방향(목적)
③ 원하는 방향으로 가기 위한 방법(전략과 세부사업)
④ 무엇을 해야 하는가?
⑤ 필요한 행동을 어떻게 지원할 것인가?

3. 보건사업 기획의 특성

지역사회보건사업의 기획이 보건상의 목표를 달성하기 위하여 최선의 안을 선택하여 조직적, 의식적, 계속적인 동태적 과정으로 다음과 같은 특성이 있다.

① 기획은 본질적으로 목표 지향적이며 미래지향적이다. 기획은 미래에 대한 불확실성을 최소화하면서 미래를 의도(목표)에 맞게끔 변화시키고자 하는 수단이다. 따라서 기획은 목표 지향적이다. 기획은 현재를 무시하지는 않으나 결코 현재에 안주하지 않는다. 우리가 얼마나 미래를 잘 예측하고 통제할 수 있을지 모르나, 거의 모든 경우에 기획이란 미래의 행동에 관한 것이다. 기획이란 미래에 대한 불확실성을 최소화하면서 우리의 미래를 건설하고자 하는 인간의 노력으로 미래지향적이다.

② 기획은 본질적으로 목표달성을 위한 최적의 수단을 제시한다. 기획은 막연히 바람직한 미래를 상상하는 것과는 다르다. 기획은 목표에 도달하기 위한 최적의 수단을 계획적으로 제시하는 것이다.

③ 기획은 본질적으로 권한과 자원을 동반하는 행동지향적이다. 어떤 전략을 실행할 의도가 없거나 실행할 권한이 없더라도 변화를 위한 전략을 강구하는 것을 바람직하지 못하다고 할 수는 없다. 기획이 나름대로 가치를 가지기 위해서는 기획가에게 권한을 부여하여 계획을 성공적으로 수행할 수 있도록 하여야 한다.

④ 기획은 본질적으로 체계적인 일련의 의사결정 과정이다. 즉 기획은 일회적이거나 단편적인 의사결정들이 아니라 하나의 연속적인 과정으로 이루어지며, 기획과정의 여러 단계는 체계적으로 연결되어 상호 영향을 미친다.

4. 보건사업기획의 필요성

우리는 왜 기획을 하는 것일까? 기획의 가치는 어디에 있는 것일까? 기획의 유용성을 어디에 있을까?

1) 지휘의 수단

자원에 대한 제한을 비롯한 여러 가지의 제약 하에서 미래의 불확실성에 대처하고 변화를 추구하여야 하는 조직에 있어 기획은 지휘의 수단으로서의 중요성을 갖는다.

2) 효과적 통제의 수단

조직적 노력의 목적이 제시되고 조직 전체를 통하여 이것이 이해된다면 구성원에 대한 효과적 통제가 가능하다. 기획은 조직 목표를 결정할 뿐만 아니라 일정한 시간과 공간의 범위 내에서 수행되어야 할 업무를 명확하에 확인해 준다.

3) 가용자원의 효율적 사용

기획은 개별적, 단편적 활동보다는 통합적 활동을 촉진시키는 경향이 있으므로 그 결과 업무의 흐름을 개선하고 잘못된 업무의 착수를 감소시켜 준다.

4) 업무 수행능력의 강화

기획은 업무수행의 성과를 증진시키는 새로운 창안을 하고, 의욕을 북돋우며, 의사전달을 촉진하기 때문에 이러한 자극에 의하여 구성원들의 업무수행의 역량을 증가시키는데 이바지한다.

5) 미래에의 대비

기획의 가치 중 하나는 장래에 있어 발생할 가능성이 높은 사태에 대하여 대처하는 전략을 준비한다는 것이다.

5. 보건사업기획의 유형

1) 범위에 따른 분류

① 전략기획 : 종합적 또는 통합적 기획이라고 하며 거시적 관점에서 조직차원의 총괄적이고 장기적 대책을 강구하는 기획으로 조직의 비전과 미션에 입각하여 사업별, 부서별로 우선순위를 정하고 가용자원의 한계하에서 사업들 간의 조정을 꾀하게 된다.

② 사업기획 : 사업부서에서 작성하는 단위사업들의 목적과 목표, 사업활동에 대한 기획이다. 대부분의 경우 철학이나 장기전망과 같은 기본방향이 결여되어 있어, 전략적 기획이 선행되지 않는다면 제시된 사업이나 정책들이 조직의 목표나 우선순위와 연관되어지지 못하고, 상대적인 비용효과나 실현가능성도 비교하기 어렵다.

③ 실행기획 : 사업의 실행을 위한 예산, 일정, 담당자의 역할에 대한 기획이다.

2) 대상에 따른 분류

① 물리적 기획 : 도시계획, 토지이용계획과 같이 공간 및 자연을 개발하고, 공공편익을 증 진하기 위해 수립하는 기획이다.
② 경제기획 : 경제의 성장과 균형발전, 안정화 등을 위한 기획이다.
③ 사회기획 : 계층과 지역 간의 부의 불균형을 해소하고, 나아가서는 국민복지를 증진하기 위한 기획이다.
④ 행정기획 : 조직을 효율적으로 관리하고, 목표를 효과적으로 달성하기 위하여 수립하는 기획이다.

3) 수단에 따른 분류

① 규제적 기획 : 바람직한 상태를 기술하고, 이러한 상태를 이루기 위하여 승인된 범위나 한계를 벗어나는 개인적인 의사결정이나 행동에 규제를 가한다. 따라서 계획을 집행하고자 하는 공권력이 요청되며, 각 지방의 종합기본계획이나 환경에 대한 규제, 소비자 보호를 위한 규제 등이 그 예이다.
② 배분적 기획 : 바람직한 목표나 활동을 자원공급을 통해 유도, 직접적인 규제가 아니라 유인에 의존하는 기획으로 조세 혜택 등이 그 예이다.
③ 예시적 기획 : 확실한 정보와 분석, 미래에 대한 정확한 추계, 대안적인 기준의 제시 등을 통해 목표를 달성하고자 한다. 따라서 예시적 기획이 실행되기 위해서는 중요한 당사자들의 기획과정에의 적극적인 참여가 필수적이다.

4) 기간에 따른 분류

① 단기 기획 : 1년 이내의 기획으로 연차계획이 이에 해당된다.
② 중기 기획 : 5년(3년 ~ 7년) 정도에 걸친 기획이다.
③ 장기 기획 : 10년 또는 20년에 걸친 기획으로 구조적 변동이나 획기적 발전을 유도할 수 있다. 보건사업에 있어 최종목표인 건강수준의 변화는 장기 기획을 통해 확인할 수 있다. 그러나 기획가의 능력, 정보의 축적, 미래예측을 위한 기법 등이 확보되어 있지 않으면 장기기획은 시행하기 힘들다.
④ 기획의 목적과 용도에 따라 단기, 중기, 장기 기획은 별개의 기획이 아니라 상호 연결된 것이다.

5) 대상지역에 따른 분류

① 지방기획 : 시, 군, 구 단위의 기획으로 시, 군, 구 지역보건의료계획이나 건강증진 사업 계획이다.
② 지역기획 : 광역 지역을 대상으로 하며, 시, 도, 지역보건의료계획이나 건강증진사업계획이다.
③ 국가기획 : 새국민건강증진종합계획과 같은 국가보건계획이다.
④ 국제기획 : 세계보건기구, 국제개발은행 등이 보건에 대한 국제기획을 하고 있다.

6. 지역사회 보건사업의 기획과정

실제 보건사업 기획을 하게 될 경우 어떤 단계를 거쳐 기획을 진행하여야 할까? 기획의 과정에 대해 모든 사람이 동의할 수 있는 과정은 없지만 지역사회보건사업을 효율적으로 개발하기 위해서는 사전에 어떠한 절차를 거쳐야 하는지 결정하고 필요한 제반 자원들을 예측하여야 한다.

1) Galloway

① 목표의 설정
② 조사연구
③ 대안의 발견
④ 정책 작성
⑤ 집행

2) PATCH(Planned Approach To Community Health)

미국 CDC가 개발한 지역사회 보건기획 지침

- 1단계 : 지역자원의 동원
- 2단계 : 자료수집 및 분석
- 3단계 : 우선순위 결정
- 4단계 ; 실행(개입)사업 개발
- 5단계 : 평가

3) MAPP(Mobilizing for Action through Planning and Partnerships)

미국에서 CDC와 함께 개발한 지역보건사업 기획지침

- 1단계 : 기획의 성공을 위한 조직화와 협력체계의 개발
- 2단계 : 비전의 확립
- 3단계 : 지역현황 평가
  - 지역의 건강수준 평가
  - 지역사회의 관심과 장점
  - 지역보건체계의 평가
  - 건강문제와 해결능력에 영향을 미치는 환경의 변화
- 4단계 ; 전략적 과제의 확인
- 5단계 : 목표와 전략의 개발
- 6단계 : 행동

제3절 보건간호사업 질 관리

1. 의료의 질 개념

1) 의료의 질의 정의

미국 의료협의체(IOM, 1990)에서는 의료의 질 개념을 개인과 인구집단에 대한 보건의료 제공을 통하여 바람직한 건강상의 결과의 가능성을 증진시키며, 현재의 전문적 지식에 부합하는 정도로 정의하였다. 그러나 의료의 질 개념은 어느 한 측면에서 정의하기란 쉽지 않다. 예를 들어 환자와 소비자들은 의료의 질을 의사의 진단과 치료능력에 따라서 평가하고, 병원행정가들은 최소의 비용으로 최대의 서비스를 제공할 수 있는 능력으로 평가할 수 있다.

(1) 메이어의 정의

메이어(B. A. Myers)는 의료체계의 궁극적인 목표는 모든 주민이 이용할 수 있는 좋은 의료를 만드는 것이라고 하였으며, 양질의 의료를 접근성, 질, 지속성, 효율성의 4가지 요소로 설명하고 있다. 메이어의 구성요소를 살펴보면 다음과 같다.

1 접근성(accessibility)

접근성은 시간이나 공간적인 접근의 용이도를 의미한 것으로 환자가 의료를 필요로 할 때 쉽게 접근하여 적절한 의료를 이용할 수 있어야 하는 것을 말한다. 질병의 적절한 치료는 물론 예방까지도 포함하는 포괄적인 의료서비스를 받을 수 있어야 한다.

2 질(quality)

가능한 범위 안에서의 최신 의과학 지식과 기술을 보건의료에 적용하는 것을 말한다. 의료의 질에서는 의료인의 전문적인 능력이 가장 중요한 요소이다. 의료인은 항상 최신의 지식과 기술뿐만 아니라 윤리적인 면에서도 부족함이 없어야 함을 말한다.

3 지속성(continuity)

의료의 전문화와 세분화로 인한 단편적인 진료가 아니라 예방, 치료, 사회로의 복귀가 연결되어야하며 육체적인 치료 뿐만 아니라 정신적인 안녕까지도 성취되어야 함을 말한다.

4 효율성(efficiency)

보건의료서비스의 제공에 있어서 자원이 불필요하게 소모되지 않는 정도를 의미하는 것으로 불필요한 입원, 과잉진료 등을 제거함은 물론 조기진단과 치료를 강조하여 최소의 비용으로 최대의 효과를 얻을 수 있도록 함을 말한다.

(2) 도너베디안의 정의

도너베디안(Donabedian)은 양질의 의료란 "진료의 모든 과정에서 예상되는 이익과 손해의 균형을 맞춘 상태에서 환자의 복지를 가장 높은 수준으로 높일 수 있는 것으로 예상되는 의료"로 보았으며 질의 구성요소와 속성에 대해 다음과 같이 정의하였다.

[1] 구성요소

① 의학기술

의과학 및 의료기술의 적용과 관련된 측면으로 의학기술을 개인의 건강문제에 적용하는 것을 말한다.

② 인간관계

의료제공자와 환자와의 인간관계 측면으로 환자와 치료자 간의 사회적, 심리적 작용을 관리하는 것을 말한다.

③ 쾌적성

의료서비스를 제공하는 시설이나 제도의 편안함으로 쾌적한 대기실, 편안하고 따뜻한 진찰실, 깨끗한 입원실 침대와 침상 옆 전화, 좋은 음식 등을 말한다.

[2] 속성

① 효능성(efficacy)

보건의료의 과학과 기술을 가장 바람직한 환경하에서 사용하였을 때 건강을 향상시키는 능력을 의미한다.

② 효과성(effectiveness)

현재 가능한 건강개선의 정도에 비해 실제로 취득된 개선의 정도를 말한다. 즉 현재 수준에서 수명연장, 기능개선 및 안녕 등에서 가장 나은 개선을 가녀 오는 것을 뜻한다.

③ 효율성(efficiency)

가능한 건강개선을 줄이지 않고 의료비를 낮출 수 있는 능력을 말한다. 즉 우리가 목표로 삼는 건강과 기능의 개선을 가장 낮은 비용으로 얻을 수 있어야 한다는 것을 의미한다.

④ 적정성(optinality)

건강개선과 그 건강개선을 얻는 비용간의 균형을 말한다.

⑤ 수용성(acceptability)

환자 및 가족의 희망, 바람 및 기대에 대한 순응정도를 말한다.

⑥ 합법성(legitimacy)

사회적 선호도(윤리적 원칙, 가치, 법, 규제)와 개인의 수용성의 일치 정도를 말한다.

⑦ 형평성(equity)

의료서비스의 분포와 의료의 편익이 인구집단에게 얼마나 공평하게 제공되는가를 말한다.

2) 의료의 질 관리의 접근방법

도너베디안의 접근방법은 의료의 질 평가 방법에 대해 개념적으로 가장 많이 알려져 있는 모델로써 1980년 도너베디안은 환자 진료 평가의 이론적인 배경을 공식화 하였는데 그가 제시한 의료의 질 평가를 위한 접근방법은 구조(structure), 과정(process), 결과(outcome)모델이다.

1 구조(structure)

구조는 의료가 제공되는 조건을 구성하는 요소를 말하는 것으로 인적, 물적, 재정적 자원이 포함된다. 구조는 의료의 질에 대하여 간접적인 영향을 끼치며 직접적인 서비스 제공에 영향을 미치는 요인이라고 할 수 있다.

- 시설 및 장비와 같은 물적자원
- 전문인력의 수, 종류 및 자격요건과 같은 인적자원
- 의사인력과 간호인력의 조직, 교육 및 연구기능 유무, 감독과 업무검토의 종류 및 의료비 지불방법과 같은 조직적 특성

2 과정(process)

과정은 의료의 질 평가의 주된 관심 영역으로 의료제공자와 환자 간에 혹은 의료서비스 제공 과정에서 일어나는 행위에 관한 것을 말한다. 과정에는 의약품의 사용여부와 같은 기술적인 측면에서부터 환자들에게 바람직한 태도를 취하였는가 하는 인간관계의 문제까지 포함될 수 있다.

3 결과(outcome)

결과는 선행되는 의료행위에 의한 현재 혹은 미래의 건강상태를 말하는 것으로 건강을 구성하는 제반요소, 즉 신체적인 것 뿐만 아니라 사회적, 심리적요소와 환자의 만족도가 포함된다. 결과는 건상상태의 변화에 대해 의료행위 이외에 다른 요소들이 영향을 미치기 때문에 과정보다는 간접적인 지표라고 할 수 있다.

- 건강수준의 변화
- 앞으로의 건강에 영향을 미칠 수 있는 환자나 가족의 지식 및 행태변화
- 환자나 가족원의 의료 및 그 결과에 대한 만족도

3) 질 관리의 단계적 접근방법

1 문제의 발견

팀을 구성하여 다양한 자료원을 통하여 문제를 발견한다.

2 문제의 우선순위 결정

우선순위를 결정하는 기준에 따라 문제의 우선순위를 정한다.

- 의학적 중요성 : 유병률과 건강에 미치는 영향, 드물지만 위중한 문제
- 사회적 중요성 : 비용, 가족과 사회에 미치는 영향이 큰 문제
- 문제확인의 가능성
- 개선과제의 실현 가능성
- 현재 존재하는 비효율성의 개선 가능성

3 문제의 분석

인식된 문제의 원인 혹은 영향을 미치는 요인을 규명하고 인식된 문제와 기여요인과의 관계를 확인한다.

• 문제에 대한 진술과 생각 할 수 있는 가설을 설정한다.

4 문제에 대한 심층 연구

문제의 존재 여부, 크기, 성격 등을 증명한다.

• 가설을 검증한다.

5 개선 과제의 규명

문제 연구의 결과를 근거로 가장 효과적인 개선과제를 규명한다.

6 개선과제의 실행

개선과제에 따른 실행 계획을 제시하고 직접 실행한다.

7 문제에 대한 지속적인 모니터링 및 재평가

개선사업의 효과를 측정하고 개선과제 문제점이 발견되면 이를 수정한다.

2. 의료의 질 향상 역사

1) 서구의 의료의 질 향상 역사적 발전과정

(1) 고대

의료의 질 향상의 역사는 고대 이집트, 앗시리아, 중국, 그리스, 로마 시대부터 시작되었는데 4000년 전 바빌로니아의 함무라비 법전에 기록되어 있는 내용에는 의사의 의료행위에 대한 보상 뿐만 아니라 의사의 의료과실에 대한 처벌 내용이 나오는데 의사가 심한 상처를 가진 사람을 수술하여 죽거나 눈에 고름을 제거하다가 눈을 멀게 하면 수술한 의사의 손가락을 절단하라고 되어 있어 치료비에 합당한 치료와 치료자가 책임을 질 수 있는 진료를 하도록 하고 있다. 히포크라테스 선서에서는 최선을 다해 치료하는 의사의 윤리적 의무를 강조하고 있다.

(2) 근대

플로렌스 나이팅게일(Florence Nightingale)은 1854년 크리미아 전쟁 반발 후 부상병을 간호하고 불결한 병원 환경을 개선하여 환자 사망률을 100명당 42명에서 2.2명으로 감소시켰다. 또한 상병 및 사망에 관한 자료를 수집하여 상병별 사망률을 산출하고, 이를 기반으로 병원 간 사망률의 차이를 비교하였다. 1863년 나이팅게일은 근대적 의미에서 최초의 질 평가 기법을 도입하였으며 질 평가를 위한 진료의 결과기록, 병원간 통계 비교의 기초를 제시하였다.

(3) 20세기

1 아브라함 플렉스너

아브라함 플렉스너(Abraham Flexner)는 1905년~1910년 카네기 재단 후원을 받아 미국과 캐나다 의과대학을 조사하여 1910년 플렉스너 보고서를 발표하였다. 플렉스너 보고서 "Medical Education in the United States and Canada"에는 대학의 위치, 입학조건, 학생수, 교수의 학위와 수, 검사실, 실습실 등 구조적인 부분과 의학교육의 질적인 부분의 현황을 파악하여 의학교육의 개선점을 제시함으로써 의학교육의 개혁 계기를 마련하였다.

2 어네스트 아모리 코드만(Ernest Amory Codman)

1914년 미국 Massachusets General Hospital의 외과 의사였던 코드만은 수술을 받고 퇴원한 환자를 1년 후에 추적하여 치료의 "최종결과"를 평가한 연구 결과를 발표하였다. 연구결과에 의하면 의사의 능력만으로 의료의 질이 결정되지 않음을 밝혔으나 의료계의 반발로 해고되는 수난을 겪기도 하였다. 코드만은 의료의 질 향상 활동의 주요 과제 중의 하나인 결과평가를 개척한 선구자로 현대 의료의 질 향상 활동의 기본 틀을 마련한 인물로 현대 QI의 기본틀을 마련하였다. 병원의 신임제도, 질병의 중증도, 의료제공의 경제적 장애요인 등에 대해서도 연구하였다.

3 미국 외과학회(American College of Surgeons)

1912년 창설된 미국외과학회는 병원에서의 환자 진료수준의 향상에 많은 관심을 가져 진료기록의 유지, 사체부검의 시행, 병원조직을 주요 골자로 하는 기준을 도입하였다. 1917년 12월 미국외과학회에서는 병원의 타락성을 바로잡고 수준을 향상시키기 위하여 5개 부문의 최저기준(minimum standard)을 만들어 병원표준화 사업을 시작하였는데, 이는 자발적인 의료기관 신임제도의 효시로 간주되고 있다.

미국외과학회에서 제시한 최저기준은 다음과 같다.

① 유능하고 윤리적인 의사단을 갖고 있는가?
② 의사는 자기들의 진료내용을 재검토하는 회의를 정기적으로 갖고 있는가?
③ 환자를 소개해주고 치료비를 나누어 갖는 행위는 하지 않는가?
④ 모든 환자에게 정확하고 완전한 진료기록이 작성되는가?
⑤ 임상검사실, X-ray 실을 포함한 적절한 진단 및 치료시설을 갖고 있는가?

4 JACH(Joint Commission on Accreditation of Hospitals)

미국외과학회 중심의 병원표준화 사업은 외과병원에 대한 인증 사업이었는데 이를 다른 진료과 등으로 확대할 필요가 있음에 따라 외과학회, 병원협회, 의사협회 등이 모려서 병원표준화 사업을 전담하는 새로운 기구인 JACH를 1952년에 설립하였다. 이러한 병원신임합동위원단은 1987년에 의료제공 조직의 다양화에 따라 병원 이회의 다른 보건의료기관까지 포함하여 의료기관신임합동위원단(Joint Commission on accrediration of Health Organization)으로 명칭을 변경하였다.

5 PSRO(Professional Srandards Review Organization)

1965년 미국에서 메디케어(65세 이상 노인), 메디케이드(저소득층) 제도가 시행됨에 따라 진료비에 대한 심사가 필요하였다. 이를 위해 1972년 PSRO가 설립되었다. PSRO는 메디케어를 포함하는 연방 사회보험 수혜자들의 의료이용을 심사하기 위한 의사들의 지역적 비영리조직이었으며, 환자들에게는 의학적으로 필요한 의료서비스가 효율적으로 전달되도록 보장하기 위한 목적으로 설립되었고, 의료의 질 향상을 위해 의료의 질 평가를 수행하였다. 1970년대 후반 PSRO에 대한 정부평가에서 의료비용 절감에 PSRO가 거의 영향을 끼치지 못했다는 결과가 밝혀져 프로그램 폐지를 주장하게 되었고 이에 폐지를 위한 조치가 취해졌다.

6 PRO(Peer Review Organization)

1982년 미국의회는 조세평등과 제정책임법안을 통과시킴으로써 의료이용을 제한하는 노력을 강화하고, 입원환자의 비용에 대한 Medicare 대상자들의 의료비 상환을 보다 강력히 통제하기 위해 보상을 좀 더 엄격하게 통제할 것을 결정하였다. 제정책임법안은 PSRO를 폐지하고 의료이용도조사와 질 관리를 위한 동료심사제도(Utilization and Quality Control Peer Review Progran)로 대체하였다.

(4) 21세기

JCI(Joint Commission Internation)

JCI는 미국 병원의 평가를 담당하고 있는 JACHO의 하부조직으로 국제적인 병원평가를 수행하고 있다. JCI는 환자진료와 직접적으로 관련된 부분은 물론 이를 지원하는 체계까지 포함하여 환자에게 진료서비스를 제공하는 모든 과정을 평가한다. “모든 환자는 항상 효과적이고 안전한 의료를 제공 받을 권리가 있다(All patients have a right to effective safe care at all times)"를 강조하면서 환자안전을 최우선으로 초점을 맞추고 있다. JCI 인증은 호주, 캐나다. 국제 의료기관 인증 프로그램에 비해 비교적 역사가 긴 편으로 국제사회에서 인지도가 높은 편이다.

2) 우리나라 의료의 질 향상 역사적 발전과정

(1) 병원표준화 심사(병원 신임 평가)

1977년 의료보험이 시행되면서 의료의 공급과 수요가 증가됨으로 이에 따른 의료의 질 문제가 대두 되기 시작하였다. 우리나라의 의료서비스 질 향상을 위한 본격적인 노력은 1981년 병원협회에서 실시한 병원표준화 심사사업이라 할 수 있다. 대한병원협회가 1963년부터 시행했던 수련병원 지정을 위한 심사를 확대 발전 시킨 것으로, 1981년부터 매년 전국의 수련병원을 대상으로 실시하는 병원평가제도이다. 이 제도는 병원의 진료윤리, 건물 및 기능의 안전도, 의사업무의 조직화, 진료수준, 시설장비 및 경영관리 면에서 일정한 기준을 설정하여 모든 병원이 여기에 도달할 수 있도록 동기를 부여함으로써 병원의 수준을 향상시키고 환자에게 최선의 진료를 제공하는 데 그 목적이 있으며 2003년부터 병원신임평가로 명칭이 변경되었다. 주요 심사내용 원병원개요 및 행정부서편, 진료부서편, 특별진료부서편, 지원부서편, 질 관리부분, 수련행정편의 6개편 52개 부분으로 되어 있다. 심사방법은 현지심사와 서면심사로 구성되어 있다.

(2) 한국의료QA학회

1994년 창립되었고, 봄, 가을 학술대회를 통해 병원의 질 향상 활동에 관한 발표 및 의견교환의 장이 되었다. 한국의료QA학회에서는 의료질 지표연구와 환자만족도 조사도구 등을 개발하였다.

(3) 의료기관 평가제도

병원신임평가는 주로 인턴, 레지던트 수련병원을 대상으로 의료 인력을 양성할 수 있는지를 평가하는 것이기 때문에 대상 병원이 제한적이며 환자 중심의 양질의 의료서비스를 제공하고 있는지에 대한 평가로는 미흡한 측면이 많았다. 이를 해결하기 위해 보건복지부는 국민들의 의료기관 이용에 따른 불편을 최소화하고 의료서비스 수준을 향상시킴으로써 쾌적한 의료환경을 조성하는 것을 목표로 의료기관서비스 평가제도를 실시하고 있다. 의료기관 평가제도는 1994년 의료보장개혁위원회에서 개혁과제의 일환으로 제기되었다. 의료기관 평가의 목적은 의료기관이 제공하는 의료서비스 수준의 평가를 통해 의료서비스 수준의 향상을 도모하고 의료기관 이용상의 불편을 개선함으로써 양질의 의료서비스를 국민들이 제공받을 수 있도록 하는 데 있다.

의료기관 평가 기준은 진료 및 운영체계편의, 환자의 권리와 편의, 진료체계, 안전관리, 인력관리, 감염관리, 질향상의 6개 분야와 부서별 업무성과 편의, 입원생활, 응급, 약제, 의료정보/의무기록, 검사실, 중환자실로 구성되어 있다. 2007년부터 폐렴, 중환자, 수술감염 예방, 모성과 신생아 등 4개 영역 14개의 임상 질 지표에 대한 평가가 추가 되었다. 조사방법은 서면조사와 현지조사로 구성되어 있으며, 현지조사는 현장조사, 환자면담, 환자 지정 면담으로 구성되어 있다. 현재는 300병상 이상의 병원에 대해서 평가를 실시하며 의료기관들이 의료의 질향상을 위해 노력하도록 하는데 큰 기여를 하였다. 하지만 의료기관 서비스 평가제도는 전담기구와 전문평가요원의 부족으로 중 · 장기적인 정부의 지원이 필요한 실정이다.

(4) 요양급여 적정성 평가

2000년 7월 국민건강보험법 시행과 함께 요양급여 적정성 평가 업무가 건강보험심사평가원의 중요한 업무로 신설되었다. 이는 건강보험에서 제공된 요양급여(의료서비스 내용)의 의학적 타당성과 비용 효율성을 판단하여 서비스 수준과 비용 부담의 적정성을 추구함을 목표로 한다. 이는 종전에는 자원 및 행위의 과잉, 부당청구 억제 등 개별 청구권별 비용심사기능 위주였으나 최근 서비스의 질 향상과 의료발전 추세에 부응하는 방향으로 전환하여 가입자의 포괄적 의료서비스 이용권을 보호하는 측면으로 영역을 확대하였다. 보다 구체적인 목적은 불필요한 급여비용 억제, 급여와 진료질서의 확립, 의료서비스 향상과 국민의 의료이용권 증진, 요양급여의 거시적 효율성 제고 등이다.

3. 지속적인 질 향상(Continuous Quality Improvement, CQI)

1) CQI의 정의

CQI란 내부 및 외부 고객에게 제공되는 의료서비스의 질적 향상을 추구하기 위해 의료기관의 직원 전체가 서로를 존경하고 서로의 존재가치를 인정하는 가운데 끊임없이 노력하고자 하는 새로운 개념시도이고 방법이다.

(1) CQI의 PDCA Cycle

CQI는 PDCA의 cycle에 따라 진행이 되며 CQI를 통해 달성하고자 하는 목표에 도달할 때까지 계속해서 PDCA cycle을 진행하게 된다.

1 계획(Plan)

- 고객과 고객의 기대 파악
- 현재의 상황을 요약
- 측정 및 분석
- 개선 가능성 분야의 집중검토
- 근간이 되는 과정 파악
- 해결방안의 모색 및 선택

2 실행(Do)

- 시험방안 구상
- 시험방안 적용

3 평가(Check)

- 시험 적용 후 결과의 평가
- 결론 추출

4 조정(Act)

- 개선방안의 표준화
- 조정, 개선에 의한 효과 유지

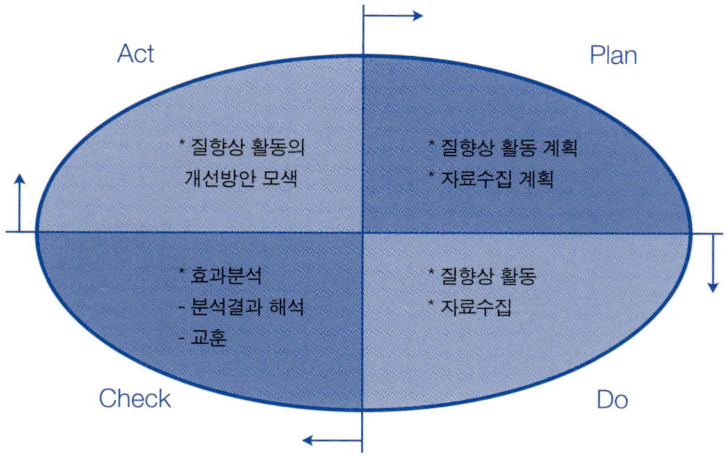

그림 5-6 PDCA Cycle

2) CQI Team 구성 및 운영

CQI는 CQI Team을 구성하며, CQI Team의 목표를 달성하기 위해 CQI에 필요한 도구들을 활용하여 PDCA cycle을 따라 진행을 한다.

3) CQI Team의 주제 선정

CQI 팀의 주제를 선정할 때는 다음의 사항을 고려하여 결정한다.

- 의료서비스의 질 향상을 위한 것
- 내부 및 외부 고객의 만족도 향상을 가져올 수 있는 것
- 생산성의 향상의 효과를 가져 올 수 있는 것
- 6개월 이내에 성공적 해결이 가능한 것
- 진료체계와 과정에 관계되는 사항들

참고문헌

- 고성진 외(2007). 보건행정학. 수문사.
- 국민건강보험공단(2013). 고령화시대의 노인의료비 중, 장기추이 전망 및 정책과제.
- 국민건강보험법(2013). 보건의료관계법령집. 법제처.
- 국민기초생활보장법(2013). 보건의료관계법령집. 법제처.
- 김동석 외(2009). 공중보건학. 수문사.
- 김동석 외(2009). 보건의료관계법규. 수문사.
- 김승희 고민석(2009). 국민건강보험 관련법규. 현문사.
- 김승희 외(2009) 건강보험 기초이론. 현문사.
- 김정남, 신유선 등(2008). 지역사회간호학. 수문사.
- 김화중 외(2005). 한국보건복지정책론. 수문사.
- 김현이(2008). 적정진료관리. 현문사
- 강성홍 외(2010). 글로벌 헬스케어 시대의 의료의 질 향상. 고려의학
- 노인복지법(2011). 보건의료관계법령집. 법제처.
- 노인장기요양보험법(2011). 보건의료관계법령집. 법제처.
- 노화준(2004). 정책학원론. 박영사.
- 농어촌 등 보건의료를 위한 특별조치법(2011). 보건의료관계법령집. 법제처.
- 대한간호협회 정책연구소(2007). 간호통계연보.
- 문상식(2006). 보건행정학. 보문각.
- 문재우, 김기훈(2008). 보건행정학. 계축문화사.
- 보건복지가족부(2013). OECD health data 2013.
- 보건복지부(2013). 2010보건복지통계연보.
- 보건복지부(2013). 2011보건복지부 길잡이 통계.
- 보건복지부(2013). 2010 보건복지백서.
- 사회보장기본법(2014). 보건의료관계법령집. 법제처.
- 안양희, 송남호 등(2009). 개정판 지역사회간호학. 정담 미디어.
- 오미성 외(2015). 지역사회간호학. 퍼시픽 북스.
- 오영호(2006). 의료공급 중장기 추계, 한국보건사회연구원 정책보고서.
- 유승흠 외(2008). 예방의학. 계축문화사.
- 유호신(2001). 보건의료제도와 보건의료관리, 건강관리론. 고려대학교.
- 의료법(2013). 보건의료관계법령집. 법제처.
- 이규식(2007a). 의료에 대한 이념과 정책. 보건행정학회지, 17(3);106-128.
- 이규식(2007b). 21세기 보건의료정책의 새로운 방향 모색, 제 32회 보건학 종합학술대회 기조강연. 대한보건협회. 서울대학교 보건대학원 강당 11월 9일.
- 이규식(2009). 보건의료정책 패러다임 변화 대한보건연구.
- 이성란(2008). 적정진료보장. 청구문화사
- 조유향 외(2014). 지역사회간호학. 현문사.
- 지역보건법(2013). 보건의료관계법령집. 법제처.
- 최연희 외(2014). 지역사회보건간호학. 수문사.
- 최병호, 신윤정(2003). 국민건강보험 총액예산제 도입방안 연구. 한국보건사회연구원.
- 한국보건산업진흥원(2009). 2008 산업보건백서.
- 한국보건행정학회 학술대회 연제집(2009). 노인장기요양보험제도 성과와 과제. 보건행정학회.
- 한국보건행정학회 학술대회 연제집(2011). 우리나라 질병관리사업에서 민간-공공협력의 문제점과 전망. 보건행정학회.
- Feldstein, P.J.(2005). Health Care Economics(6th ED.), Albany, New York; Delmar Publishers Inc.

- Fry, J.(1970). Medicine in three Societies, American Elserier Publishing Co.
- Institute of Medicine(US), Committee for the Study of Future of Public Health(2002). The Future of Public? Health in the Twenty-first Century. Washington DC; National Academy Press.
- Roemer, M.(1991). National health care systems of the world, New York: Oxford University Press.
- Shi, L. & Singh, D. A.(2001). Delivering health care in America : A systems approach. aspen publishers, Inc.
- Smith, J.P.(1999). Health Bodies and Thick Wallers; The Dual Telation Between Health And Economic Status? Journal of Economic Perspectives, 13(2): 145-166.

제 6 장

자원활용

학습목표

- 다양한 지역사회 간호활동을 수행할 수 있다.
- 방문 활동의 원리를 이해하고 설명할 수 있다.
- 건강관리실 운영방법을 알고 구별할 수 있다.
- 자원 활용을 위한 계획을 세울 수 있다.
- 상담의 원리를 이해하고 설명할 수 있다.
- 매체의 종류를 알고 장, 단점을 비교할 수 있다.
- 지역사회 조직을 활용할 수 있다.
- 사례관리의 정의와 원칙을 설명할 수 있다.
- 건강문제 유형별 사례관리 모델을 설명할 수 있다.
- 사례관리 흐름 및 절차를 설명할 수 있다.
- 사례관리 프로그램 운영사례를 예시할 수 있다.

개요

- 지역사회간호사가 간호사업의 대상인 개인, 가족, 지역사회의 적정기능 수준 향상을 위해 수행하는 간호활동으로는 방문활동, 건강관리실 운영 활동, 자원 활용 및 의뢰, 상담활동, 매체활용, 지역사회 조직과 활용 등이 있다.
- 지역사회간호사는 대상자의 간호문제 해결을 위해 실현가능한 수단과 이용 가능한 자원을 파악 및 비용 효율적인 방법을 선택하고, 대상자의 수용성을 고려한 최적의 간호활동을 하도록 한다.
- 사례관리는 최근 의료비용의 감소와 의료관리의 효율성을 추구하면서 도입된 포괄수가제로 인해 관심을 집중하게 된 관리 방법의 하나이다. 자유기업형 보건의료 제도의 가장 큰 문제 중 하나는 의료비의 지속적인 상승이다. 이러한 문제를 해결하면서 질적인 간호를 유지하기 위한 하나의 방법으로 사례관리가 활용되고 있다. 이 절에서는 사례관리의 정의와 필요성, 목적과 사례관리의 원칙, 사례관리 모델, 사례관리 흐름 및 절차, 우리나라 사례관리 사업, 사례관리 프로그램 실제 사례 등으로 구성하여, 사례관리의 전반적인 사항을 이해할 수 있도록 하였다.

주요용어

• 방문활동 • 건강관리실 • 지역사회자원 • 상담 • 매체활용 • 지역사회 조직사례관리 • 사례관리 모형
• 의료급여 사례관리 • 건강보험공단 사례관리 • 보건소 방문간호사업 사례관리 • 치매관리사업 사례관리

제1절 지역사회 간호활동

1. 방문활동

방문활동은 역사적으로 가장 오래전부터 활용되었던 간호활동으로 대상자의 가정에서 포괄적인 건강간호 서비스를 제공하는 지역사회중심의 적극적인 간호활동이다.

방문활동의 대상은 가정을 포함한 학교, 산업장, 공공기관 등의 조직과 모성 및 영유아집단, 노인집단과 같은 인구집단 등 지역사회 간호대상 모두를 포함한다. 이들의 건강상태, 위생상태, 경제 상태, 교육정도, 생활양식 등을 파악하여 다양한 상황에서 가족과 대상자에게 치료적 면담을 제공하고, 마지막 단계에서는 방문 후 문서작성과 의뢰를 포함한다. 지역사회간호사는 가정에서 환자와 가족의 건강 요구를 충족시키기 위해 지속적으로 새로운 지식과 기술을 습득할 수 있으며, 자원을 이용하여 최적의 간호를 제공해야 한다.

1) 방문활동 목적

방문활동의 목적은 지역사회간호사가 방문활동을 통해 건강문제를 가진 대상자와 가족을 확인하여 질병예방 및 관리, 건강증진을 위한 적절한 보건의료서비스를 직접 또는 타 분야와 협력을 통해 제공하거나, 대상자와 가족이 스스로 문제를 해결할 수 있는 능력을 증진시키기 위함이다.

방문활동의 구체적인 목적은 다음과 같다.

(1) 대상자의 실제 상황에 적합한 효율적이고 포괄적인 간호를 제공하기 위함이다.

(2) 가족이 거주하는 실제 가정환경에서 간호와 관련된 자료를 수집하여 자료의 신뢰도를 높이고 정확한 간호진단을 내리기 위함이다.

(3) 가정환경을 관찰하여 가족건강의 강점과 취약점을 확인하기 위함이다.

(4) 가족이 스스로 문제해결을 할 수 있는 자가건강관리 능력을 향상시키고 간호수행을 용이하게 하기 위함이다.

(5) 활용 가능한 가족 내 자원을 직접 파악하기 위함이다.

2) 방문활동 원리

방문활동은 지역사회의 의뢰 또는 요청에 의해 이루어지거나 지역사회간호사가 간호사업을 위해 세운 계획에 따라 이루어진다. 효과적인 방문활동을 위해서는 정확한 계획과 대상자와의 신뢰관계(rapport)형성을 위한 의사소통 기술, 지역사회간호사의 인내심(경청)등을 가장 중요한 기본 원칙으로 삼아야 한다.

방문활동의 원리는 다음과 같다.

(1) 방문활동은 업무계획에 따라 정확히 시행되어야 한다.

(2) 대상자의 감정상태, 요구사항 등을 고려하여 융통성 있게 업무를 처리한다.

(3) 개인, 가족, 지역사회의 의견을 충분히 이해하고 대상자에게 접근한다.
(4) 간호사가 수행하는 간호기술은 과학적 근거를 가지고 전문적이고 숙련되게 이루어져야 한다.
(5) 지역사회 자원을 적극적으로 활용하고, 타 업무분야와 연계하고 협력한다.
(6) 방문 대상인 개인, 가족, 지역사회의 환경을 파악하고 객관적으로 분석한다.
(7) 간호 계획, 수행, 평가 시 개인, 가족, 지역사회 대상자를 포함시킨다.
(8) 간호의 양과 질을 모두 고려한 간호를 제공한다.
(9) 방문횟수의 결정은 대상자의 문제, 방문 가능한 간호 인력의 수, 가용시간, 예산 등을 고려하여 융통성 있게 정한다.
(10) 만성 질환을 고려하여 방문일정을 수립하고 시행한다.
(11) 방문 간호활동 시 일반적으로 만성질환 보다는 급성질환, 비감염성 질환보다는 감염성 질환, 개인보다는 집단이 우선순위가 높다.
(12) 상담과 교육내용은 과학적인 근거를 가져야 한다.

방문활동 수행 시 유의사항

- 방문 전에 사전 약속을 한다.
- 방문 계획을 미리 세우고 방문하도록 한다.
- 능숙한 인간관계와 면담기술을 통해 신뢰관계를 구축한다.
- 방문 중에 알게 된 가족의 비밀을 보장하고 개인정보를 보호한다.
- 문제가 있는 가족 구성원과 가족 전체를 대상으로 자료를 수집하되, 문제점과 강점은 모두 사정한다.
- 가족 외에도 친척, 이웃, 의료기관, 통반장 등 지역자원 및 기존자료를 통해 자료를 수집한다.
- 가족에 대한 자료수집 시 질적 자료가 요구되므로, 영역별로 충분한 시간을 할애하되 너무 무리하게 자료를 얻지 않도록 주의한다. 지속적인 면담을 통해 자료를 보강한다.
- 수집된 자료 중 의미 있는 자료를 선택하여 범주화 한다.
- 가족을 간호과정에 참여시켜 간호사와 대상자가 함께 진단을 내리고 중재 방법을 결정하도록 한다
- 1회 면담시간은 되도록 30분이 넘지 않도록 한다.

3) 방문 활동 단계

방문활동은 방문 전 활동, 방문 중 활동, 방문 후 활동으로 이루어진다.

(1) 방문 전 활동

효율적인 방문활동을 수행하기 위해서는 사전준비를 철저히 해야 한다.
① 가정기록부, 상담 일지 등 대상자와 가족에 대한 전반적인 정보를 수집하고 구체적인 간호계획을 세운다.
② 전화로 방문이 가능한 날짜와 시간을 대상자와 상호 협의하여 정하고 방문 전 재확인한다.
③ 방문가방을 준비해 둔다.
④ 방문목적, 행선지, 가능한 교통수단, 출발시간 및 돌아올 예정시간을 소속기관 해당부서에 보고한다.

⑤ 복장은 정해진 유니폼을 입거나 간호활동에 편리한 복장을 취한다.

(2) 방문 중 활동

대인관계에 있어서 첫 대면 순간은 매우 중요하다. 첫 면담이 가정방문의 전체 흐름과 성공적인 간호의 수행을 좌우하기 때문이다. 성공적이고 효율적인 간호수행을 위해서는 방문간호의 목적과 한계에 대한 명확한 인식이 있어야 한다. 간호사가 자신의 경험과 능력에 무리하게 개인적이고 주관적인 판단에 의해 간호를 진행할 경우 역효과를 가져 올수 있다.

① 자신의 이름과 소속을 밝히고 대상 및 가족과 우호적인 신뢰관계를 유지한다.

② 방문 목적을 설명하고 환자에게 도움을 주기 위해 관심을 가지고 이해하고 있다는 인상을 심어준다.

③ 중립적인 내용의 질문으로 시작하여 환자의 자발성을 살려주며 건강 상태를 파악하고 지난번 방문 때와 비교하여 어느 정도 진전이 있었는지 관찰 및 측정한다.

– 비판적이거나 감정을 자극하지 않는 대화, 예를 들면 "오늘 날씨가 포근하군요, 오늘 무엇을 하고 계셨습니까? 건강은 어떻습니까? 요즘 약은 잘 드십니까?" 등의 주제로 시작하여 환자가 편안한 가운데 자발적으로 자신을 표현하도록 해 준다.

④ 환자의 과거력, 하루의 일과, 현재의 문제점들을 확인하고 해결책을 모색하며 계획된 간호를 제공한다.

⑤ 대상자의 질문에 응하고 상담을 실시한다. 대상자가 자신을 표현하고 평가하고 스스로 결정할 수 있도록 격려하며 자신의 문제를 수용하도록 도와준다.

⑥ 간호대상자와 함께 공동의 활동계획을 작성한다. 향후 간호대상자가 수행해야 할 활동 계획을 스스로 수립하도록 하여 스스로 문제를 해결할 방법을 알아본다.

⑦ 제공되는 간호 내용을 가족에게 교육하여 가족을 환자의 지지체계로서 전환을 시도하며, 안전사고의 가능성을 파악, 주의시킨다. 가족이 이해하기 쉽게 충분히 설명한다.

⑧ 방문활동에 대한 대상자의 만족도를 확인하고 다음 방문일과 시간을 협의하여 결정하고 인사를 한다.

⑨ 면담 시 주의사항은 다음과 같다.

- 예의와 간호윤리를 엄격하게 지킨다(언어, 행동, 외모).
- 가족과 환자에게 반말을 사용하지 않는다.
- 환자나 보호자가 불쾌하게 대하더라도 화를 내거나 말로 표현하지 않는다.
- 책임 있는 약속을 하고, 정직하고 솔직하게 대한다.

(3) 방문 후 활동

① 기록 : 방문자, 방문 시 제공된 간호활동, 대상자의 반응, 건강문제, 검사결과, 합의된 활동사항, 앞으로 고려해야 할 주의사항 등을 가정방문 기록부에 요약하여 기록한다.

② 보고 : 동료 및 상급자에게 가정방문 결과를 구두 혹은 서면으로 보고하며 필요시 방문 결과에 대한 평가와 토의를 할 수 있도록 한다.

③ 의뢰가 필요한 대상자의 경우 의뢰해야 할 기관에 연락을 취하고, 계속적인 추후관리 계획을 세워 추후관리 카드를 작성한다.

④ 방문활동에 대한 평가 : 매 가정방문 후 간호계획에 의거하여 수행한 활동에 대한 평가를 한다. 이는 목표달성 정도, 간호활동에 대한 대상자의 반응, 간호활동 전후의 활동 효과, 사정, 계획 등에서의 평가범주를 포함시킬 수 있다.

4) 방문활동 시 안전을 위한 유의사항

지역사회간호사는 자신의 신변 안전을 위해 항상 주의해야 한다. 우리나라의 경우 가정방문으로 인한 사고는 비교적 적지만 사건이 발생될 가능성은 존재하기 때문에 가정방문 시 간호사의 안전을 위해 다음의 사항을 유의한다.

(1) 우범지역 가정 방문 시는 지역 내 신변보호를 해줄 수 있는 사람과 동행한다(예 : 통장, 반장 등).

(2) 사람을 해칠 수 있는 동물이 있는 경우에 대비하여 출입문에서 부터 확인하고 들어간다. 다음 방문을 위해 가정 기록부에 표시해 둔다.

(3) 정신질환자나 약물중독자가 가족 없이 혼자 있거나, 위험이 발생하면 꼭 필요한 조치만 취하고 빨리 나온다.

(4) 응급상황에 대비해 집의 모든 출구를 미리 확인해 두고 응급상황 발생 시 바로 연락할 수 있도록 조치를 취해둔다.

(5) 대상자나 가족이 이상하거나 무리한 요구가 있을 때는 그 집에서 빨리 나온다.

(6) 가능한 한 가족이 함께 있도록 대비한다.

5) 방문 가방

방문활동을 할 때 즉각적이고 필수적인 간호제공을 위해 방문가방을 준비할 필요가 있다.

방문가방에 들어갈 내용물은 목적에 따라 다소 달라질 수 있으나, 기본적으로 준비해야 할 내용물품은 다음과 같으며, 방문목적에 따라 약품이나 처치기구, 검사기구 등이 추가될 수 있다.

(1) 방문가방 내용물품

① 간호용품 및 약품 : 주사기, 소변검사기구, 외용약, 응급처치를 위한 물품 등

② 드레싱 용품 : 멸균 소독용품, 드레싱 포, 소독 캔, 소독겸자, 가위, 반창고, 욕창용 파스, 붕대, 소독거즈, 면봉 등

③ 건강사정 용품 : 혈압계, 청진기, 체온계, 혈당계, 채혈침, 알코올 솜, 줄자 등

④ 기타 : 소독용 비누, 고무포, 일회용 수건, 폐기물 통, 기록서식, 필기도구 등

(2) 방문가방 사용 원칙

① 방문가방 내 물품은 사용 전에 반드시 손을 씻는다.

② 가방은 항상 깨끗이 유지하고, 사용하지 않을 때는 닫아둔다.

③ 사용한 물품은 보충하여 항상 사용할 수 있도록 한다.
④ 가방에 개인 소지품은 넣지 않는다.

6) 방문활동의 장점

(1) 대상자의 상황을 파악할 수 있고 상황에 맞는 간호를 제공할 수 있다.
(2) 가족의 자원을 활용하여 가족과 함께 일하며 시범을 보일 수 있어 효과적인 방법이다.
(3) 가정방문을 통해 간호사는 가족이 발견하지 못한 문제를 발견할 수 있다.
(4) 가족의 포괄적인 건강관리 및 가족단위 보건교육이 가능하다.
(5) 교통수단을 이용할 수 없거나 거동이 불편한 대상자에게도 간호서비스를 제공할 수 있다.
(6) 대상자와 함께 계획을 세우는 것이 용이하다.
(7) 대상자와 우호적인 신뢰관계 형성이 용이하다 .

7) 방문활동의 단점

(1) 시간과 비용이 많이 요구된다.
(2) 간호사 이외의 다른 보건의료전문가의 서비스를 받는데 한계가 있다.
(3) 같은 문제를 가진 사람들끼리 서로 정보를 나누는 집단효과를 볼 수 없다.
(4) 대상자가 간호사의 방문에 대해 부담감을 느낄 수 있다.
(5) 교육이나 상담 중 전화나 다른 가족들로 인하여 산만하거나 혼란스러운 상황이 발생할 수 있다.

2. 건강관리실 활동

건강관리실은 지역사회간호사가 간호계획을 수립하고 실행하는 활동장소이다. 건강관리실 활동은 많은 지역사회 대상자의 이용을 극대화 할 수 있으며, 그 지역사회의 특성을 반영하여 운영해야 한다.

건강관리실은 고정되어 있는 건강관리실 형태와 이동 가능한 이동 건강관리실 형태로 나눌 수 있다. 보건소의 예방접종실, 진료실, 모자보건실, 결핵관리실 등과 학교의 보건실, 산업장의 건강관리실은 고정되어 있는 건강관리실이며, 이동 건강관리실은 이동 버스를 이용하여 건강관리를 하는 경우가 있다.

건강관리실을 담당하는 지역사회간호사는 건강관리실을 적절한 장소에 설정하고 필요한 기구와 도구를 갖추어 운영해야 한다.

1) 건강관리실의 설치

건강관리실의 위치는 대상자가 쉽게 찾을 수 있는 곳으로 주민들이 잘 아는 곳, 교통이 편리한 곳이 적당하다.

건강관리실은 건강관리 대상자의 특성에 따라 배치하는 것이 좋다. 보건소의 모자보건실은 채광이 잘되는 1층이 적합하고, 결핵관리실은 격리가 필요하므로 한쪽에 배치하며 예방접종실 등과 떨어진 곳에 배치한다. 학교의 보건실은 밝고 따뜻하며 누구나 찾기 쉬운 교사의 중앙 1층이 좋다. 산업장의 건강관리실은 본관 건물에 두어 누구나 이용할 수 있도록 하거나, 현장에서 가까운 곳에 두어 근로자들이 필요할 때 이용할 수 있도록 한다.

2) 건강관리실 운영

(1) 대상자 관리

건강관리실은 대상자가 쉽게 이용할 수 있도록 이용절차를 안내해 주도록 한다.

먼저 접수를 하도록 하고 대상자의 건강상태를 사정한 뒤 필요에 따라 의사에게 의뢰를 하고, 의뢰 결과에 따라 필요한 검사실 등으로 안내한다. 또한, 상담 및 지도, 다음 방문일정을 정하는 등의 절차를 거치며, 제공된 모든 간호 내용과 건강교육 내용을 기록 및 보고하도록 한다.

(2) 시설 및 기구

건강관리실은 처치실, 안정실, 상담실로 구분하고 각각의 목적에 맞는 시설과 장비가 필요하다. 처치실은 기본적인 기구를 넣어둘 장과 처치에 필요한 약품과 기구가 필요하며 안정실 은 침대와 침구를 갖추어 쉴 수 있도록 스크린으로 보호해 주며, 상담실은 상담을 할 수 있는 테이블 및 의자와 장소가 필요하다.

건강관리실은 청결을 유지하고 건강관리실의 방문이 보건교육 기회가 되도록 교육자료를 항상 비치하고 교육용 소책자 등을 준비하여 대기시간 동안 읽을 수 있도록 준비한다.

(3) 추후 관리

건강관리실 활동은 지속적으로 이루어져야 하므로 방문해야 할 대상자가 건강관리실에 오지 않았을 경우 지속적인 관리 방법을 계획한다.

즉, 대상자와 접촉은 유지하면서 대상자가 부담감을 느끼지 않도록 배려해야 한다. 대상자의 상황이 급하지 않을 경우에는 일주일 정도 기다렸다가 연락을 하고, 대상자의 상태가 중요하거나 즉각적인 조치가 필요할 때에는 다음날 가정 방문을 하도록 한다.

4) 건강관리실 활동의 장점

(1) 시간과 경제적으로 절약된다.
(2) 간호사 이외의 다른 보건의료전문가의 서비스를 활용할 수 있고, 전문적인 시설을 이용할 수 있다.
(3) 같은 문제를 가진 대상자들끼리 서로의 경험을 나누어 자신들만이 해결할 수 있는 방법을 알 수 있다.
(4) 교육 및 간호 수행에 불필요한 외부요소를 차단할 수 있다.
(5) 다양한 물품 및 기구를 활용할 수 있다.

5) 건강관리실 활동의 단점

(1) 대상자의 상황을 직접적으로 파악하기 힘들다.
(2) 거동이 불편한 대상자의 경우 건강관리실로 방문하기 어렵다.
(3) 가정에서와 같은 심리적 안정감을 갖기 어려워 대상자가 긴장하여 편안한 대화가 이루어지기 어렵다.
(4) 개별적인 장소 설치가 어려운 경우 상담이나 건강검사 시 비밀 보장이 어렵다.

3. 자원활용 및 의뢰

지역사회간호사는 간호문제를 발견한 이후 자신이 해결할 수 있는 문제는 가족과 함께 노력하여 해결한다. 그러나 자원의 부족, 지식의 부족, 시간 등의 부족으로 해결하지 못하는 문제는 다른 자원을 활용하거나 다른 전문가 또는 기관에 의뢰해야 한다.

활용할 수 있는 자원의 종류에는 지역사회나 가족의 자원, 지역사회간호사의 자원, 가족 및 지역사회 이외의 자원이 있다. 지역사회 자원을 활용하는 경우 기존에 있던 사용 가능한 자원을 우선적으로 이용하여야 한다. 또한, 지역사회 내 보건사업의 범위와 제한점을 숙지하고 있어야 하며, 간편하고 편리한 방법을 사용하는 것이 좋다.

1) 자원의 종류

(1) 지역사회 및 가족의 자원

지역사회나 가족이 건강문제를 해결하고자 할 때 가장 활용하기 좋은 자원은 쉽게 이용 가능하고, 지역사회나 가족이 가지고 있는 것이다. 이러한 자원은 대상자 자신의 건강문제를 스스로 해결하는데 매우 유용하다. 인적자원, 물리적 자원, 사회적 자원, 경제적 자원 등이 있다.

① 인적자원

가족 중에 가족의 건강문제를 해결하는데 도움이 될 수 있는 사람이 누구인지를 찾아 그들을 교육하고 가족 간호인으로 활용할 수 있다. 또한, 지역사회가 가지고 있는 인적자원, 예를 들어 자원봉사자들을 찾아 목록을 만들고 이들을 활용할 수 있다.

② 물리적 자원

지역사회 주민의 건강관리를 위한 건물, 시설, 도구, 기구 및 자료 등으로 보통 가정 및 지역사회에 이미 있는 것을 조정하여 문제해결에 활용할 수 있다.

③ 사회적 자원

지역사회 내 각종 자조모임, 전문직업인 단체, 자원봉사 단체, 종교 단체 등의 사회적 자원과 가족 및 지역사회의 건강에 대한 지식, 기술수준, 지역사회 및 가족의 조직과 건강에 대한 가치관 등이 자원으로 활용된다. 이들의 건강지식과 기술수준 정도, 건강정보 및 기술 습득방법 및 경로, 활용방법 및 활용능력 등을 파악하여 지식과 기술 수준을 향상시키는데 적용할 수 있다.

④ 경제적 자원

지역사회 간호 사업에 필요한 경제적 자원은 건강문제의 종류, 지역사회 내의 기존 시설 이용가능성 여부, 총 수입 및 일반적인 재정적 책임 등에 따라 차이가 날 수 있다. 지역사회간호사는 가족 및 지역사회의 건강지불능력을 분석하여 재정적 능력이 없을 경우 사회사업 단체 등의 새로운 재원을 고려할 수 있다. 그러나, 최대한 가족과 지역사회 자체가 해결하도록 유도한다.

(2) 지역사회간호사의 자원

가족 및 지역사회 건강문제 해결에 지역사회간호사는 매우 중요한 자원이다.

① 건강 평가 기술

지역사회간호사는 관찰, 건강사정, 면접 등 각종 정보수집 방법을 통해 얻은 내용을 분석, 평가 후 가족 및 지역사회 건강문제와 간호요구를 파악할 수 있어야 한다.

② 간호기술

지역사회간호사는 가족 및 지역사회의 간호요구를 충족시키는 전문적이고 숙련된 간호기술을 가지고 있다. (예 : 응급처치 기술, 예방접종 기술, 분만기술 및 신생아 간호 기술 등)

③ 보건교육 기술

지역사회간호사는 개인, 가족 및 지역사회의 건강행태를 바람직한 방향으로 변화시킬 수 있는 각종 보건교육 기술을 가지고 있다(예: 상담기술, 시범 및 지도 기술, 면접기술 등).

(3) 가족 및 지역사회 이외의 자원

우리 지역을 대상으로 지역사회 간호 사업을 할 경우 우리 지역 이외의 다른 지역이나 단체에 있는 각종 자원을 의미한다. 공공기관 및 개인기관, 종합병원, 개인병원, 영리 및 비영리단체 등이 있으며 이를 지역사회간호사가 이용하기 편리하도록 목록을 만들어 활용한다.

2) 자원의 활용 및 의뢰

의뢰활동을 잘하기 위해서 지역사회간호사는 먼저 유용한 자원을 잘 알고 있어야 한다. 이용가능한 자원이 어디에, 어떤 목적으로, 어떤 대상에게, 어떤 일을 할 수 있는지 알고 있어야 한다. 또한 그 자원을 이용하기 위해서는 누구에게, 어떤 방법으로, 언제, 어떤 경로를 통해서 이용하며, 제한이나 한계는 무엇인지 잘 알아서 대상자가 불편함이 없도록 해야 한다.

(1) 자원 활용을 위한 준비

① 이용 가능한 보건자원을 파악하여 목록을 작성하고 보관한다.

② 각 보건사업의 목적, 적용 가능한 사업과 제한점을 파악한다.
③ 간편하고 편리한 자원의 활용 및 의뢰방법을 결정한다.
④ 의뢰 전에 먼저 대상자와 협의하여 의뢰 여부에 대한 결정을 대상자 스스로 할 수 있도록 한다.

(2) 자원 서류에 필요한 내용

① 자원의 명칭, 주소, 연락처
② 자원이 제공하는 사업의 목적 및 업무
③ 접촉방법 : 의뢰할 담당자, 담당자와 접촉 가능시간, 접촉하기 위한 방식(전화, 편지, 서식 등)
④ 자원을 이용할 수 있는 대상범위 및 조건 : 연령, 거주 지역, 경제 상태 등
⑤ 의뢰방법 : 의뢰양식, 의뢰기관 이용시간(진료시간, 입원 가능 요일 등), 의뢰절차(입원절차 등)
⑥ 의뢰하는 개인 및 기관 보고 방법 : 보고의 종류, 보고 횟수, 보고 양식 등

(3) 의뢰 및 연계 시 유의사항

대상자들은 보건의료기관의 방문 자체가 긴장 상황이고, 다른 기관으로 의뢰될 때 자신의 상황을 부정적으로 보게 되는 경우가 많다. 그러므로 의뢰되는 상황을 정확히 이해할 수 있도록 충분한 설명이 필요하며, 간호사는 대상자가 최대한 편리하도록 노력해야 한다. 의뢰 및 연계 시 유의사항은 다음과 같다.

① 의뢰 전에 대상자 및 가족 등과 의논하여 의뢰 사실을 받아들일 수 있게 한다.
② 의뢰 여부에 대한 결정은 반드시 대상자 본인이 결정하도록 한다.
③ 의뢰 전에 의뢰기관과 담당자에게 사전에 알린다.
④ 대상자에게 의뢰기관에 대해 필요한 정보를 제공해준다.
⑤ 의뢰는 가능한 개인을 대상으로 하며 의뢰 직전에 대상자 상태를 다시 확인한다.
⑥ 의뢰서에 필요한 정보를 기재한 후 대상자나 가족에게 주어 직접 그 기관으로 가도록 한다.
⑦ 대상자에게 의뢰기관 위치, 담당자를 만날 시간 및 장소 등을 알려준다.

(4) 자원 활용의 효과

지역주민은 지역사회 자원 활용을 통해 자원봉사의 개념을 터득하고, 지역간호사업과 관련된 다양한 정보를 습득하여 만족감을 얻으며 지역사회 활성화에 기여할 수 있다. 또한, 지역사회간호사가 자원 활용을 함으로써 인력, 시간, 비용을 절감할 수 있으며, 지역 주민의 참여로 인한 이해가 증진되어 변화에 잘 대응할 수 있게 되고, 타 지역 주민의 참여를 이끌어 낼 수 있는 계기가 되기도 한다.

4. 상담 활동

상담은 지역사회간호사가 개인 및 가족을 대상으로 건강에 관한 지식 습득과 태도 변화, 건강행위를 할 수 있

는 환경조성과 당면한 건강문제를 해결하기 위한 능력 개발을 지원하는 활동이다. 따라서 상담의 목적은 대상자가 자신의 문제를 인식하여 스스로 문제해결 방안을 갖도록 돕는 것이다. 상담의 기본 방법으로는 경청, 개방형 질문, 요약, 반영, 바꾸어 말하기, 명료화, 직면, 해석 등이 있다.

1) 상담의 원리

(1) 자기결정의 원리

상담활동 중 대상자 스스로가 자신의 문제를 해결할 수 있도록 도와야 한다.

(2) 비밀보장의 원리

상담을 통해 알게된 대상자의 비밀을 어떠한 경우라도 지키도록 한다.

(3) 개별성의 원리

대상자에 대한 편견이나 선입관을 배제하고 개인차를 인정해야 한다.

(4) 무비판의 원리

대상자의 잘못이나 문제에 대하여 객관적으로 평가하고, 심판적인 태도는 취하지 않도록 한다.

(5) 의도적 감정표현의 원리

대상자가 긍정적, 부정적 감정표현을 자유롭게 할 수 있도록 수용적인 태도를 가지고, 온정적인 분위기를 조성하여 의도적 표현을 할 수 있도록 해야 한다

(6) 수용의 원리

대상자를 있는 그대로 이해하고 존중하여 받아들이는 태도를 가질 수 있어야 한다.

2) 상담의 과정

상담은 대상과 목적에 따라 다양한 단계로 나타날 수 있다, 일반적인 단계는 다음과 같다.

(1) 초기단계 : 대상자와의 상호 신뢰감 형성과 경청하는 단계

(2) 중간단계 : 상담의 목적 탐색과 대상자가 자신의 문제를 직면하는 단계

(3) 종결단계 : 실천행동을 하도록 돕고, 실천 결과의 평가와 대상자의 긍정적인 변화에 대해 격려하는 단계

3) 상담 시 주의사항

(1) 대상자에 대한 긍정적인 태도를 가진다.
(2) 대상자가 신뢰할 수 있는 말과 행동이 일치하는 신중한 태도를 가진다.
(3) 현재의 문제만으로 공감대를 형성하도록 한다.
(4) 대상자가 자유롭게 의사표현을 할 수 있도록 편안한 분위기를 조성한다.
(5) 대상자가 부정적인 반응을 보여도 충분히 감정을 표현할 수 있도록 하고 수용한다.
(6) 대상자에게 지시, 명령, 훈계, 설득 등을 하지 않도록 주의한다.

5. 지역사회 조직의 활용

지역사회 조직의 활용은 지역사회의 문제를 발견하고 해결하기 위해 지역사회 주민들의 협동, 협력의 실천과정을 통하여 주민참여와 지역주민들의 역량을 강화하고 지역사회 발전을 목적으로 하는 방법이다. 기존 조직을 활용하거나 새로운 조직을 개발하여 활용할 수 있다.

1) 기존 조직의 활용

기존 조직을 활용함으로써 새로운 조직형성에 소요되는 시간과 비용, 노력을 절감할 수 있으나, 수행할 업무의 내용에 따라 활용에 제한이 있을 수 있다. 따라서, 지역사회간호사는 기존 조직을 최대한 유익한 방향으로 활용하도록 해야 한다.

(1) 지역사회 공조직

공조직은 조직의 목표 달성을 위해 조직 내 구성원들의 역할관계를 인위적으로 체계화시킨 구조체계로 구성원의 직무에 대한 권한, 책임, 보고의무 등을 명백히 규정하고 있다. 공공기관, 학교조직, 통, 반 반상회 등이 있다.

(2) 지역사회 사조직

사조직은 조직 내 구성원들의 개인적, 사회적 요구의 필요성에 의해 생겨난 자생적인 조직으로 지역사회 간호업무의 성격에 따라 적절한 조직을 활용하는 것이 중요하다. 부녀회, 동호회, 시민단체, 종교단체 및 각종 직능단체 등이 있다.

2) 새로운 조직의 개발

지역사회조직의 개발은 지역사회간호사가 지역사회간호사업의 수행을 위하여 지역사회 주민들이 자발적이고 적극적으로 참여할 수 있도록 각종 조직을 개편 구성하는 것이다.

지역사회간호사는 의사결정자의 역할이 아닌 촉진자로서의 역할을 해야 하며, 지역사회 주민들의 의사결정을 지지, 격려하고 다음 사항을 고려하여 구성한다.

(1) 지역사회가 준비되었을 때 시작한다.
(2) 목적 달성을 위한 능력과 자질이 있는 사람들로 단체를 구성한다.
(3) 민주적인 원칙에 따라 주민이 자발적으로 참여하도록 한다.
(4) 지역사회 조직의 정책은 실질적이고 형식을 갖추어야 하며 합법적이어야 한다.
(5) 지역사회 주도권에 대한 충분한 이해와 신뢰가 있어야 하며 지역사회 주민들의 적극적인 참여를 유도할 수 있어야 한다.

3) 지역사회 조직화 과정

(1) 보건위원회 등의 조직구성을 통하여 지역간호사업의 합법성 확보
(2) 지역사회 주민의 요구도 사정을 위한 자료수집과 분석
(3) 선정된 문제에 대한 정의와 관련된 주요 인물들의 인식과 반응 파악을 통한 문제 이슈화
(4) 지역사회 실제적 자료 및 보건문제와 정치적 여건을 고려한 목표설정
(5) 목표 실행을 위한 방법 계획
(6) 준비된 계획안 실행을 위한 관련기관 승인, 홍보 마케팅 활동 전개
(7) 사업 결과에 대한 양적 질적 평가 자료 제시

6. 집단지도

지역사회간호사가 지역사회 조직을 활용하여 보건교육이 필요한 대상자를 단체로 모아 간호활동을 하는 방법으로, 다양한 보건교육 방법들이 여기에 포함된다. 강연회, 집단토론회, 심포지엄, 세미나, 패널토의, 분단토론, 시범, 역할극 등을 활용하여 대상자 스스로 문제를 해결할 수 있도록 도와주는 방법이다.

1) 집단 지도 내용

(1) 건강교실

지역사회 주민이 스스로 건강 개선 및 유지 할 수 있도록 다양한 프로그램을 실시할 수 있다. 당뇨, 고혈압, 심뇌혈관질환, 비만 등의 만성질환 관리와 모성과 영유아, 청소년들을 대상으로 한 건강증진 프로그램 등 다양하게 집단지도를 할 수 있다.

(2) 자조모임

지역사회 주민들이 자신과 동일한 상황에 처해있는 사람들과의 교류를 통해 자신의 현재 상태에 대한 인식과 상황에 대한 대처기술을 학습할 수 있는 모임으로 자발적으로 만들어진다. 만성질환, 이주민, 다문화, 중독예방 등의 자조모임이 있다.

(3) 환자가족모임

만성적 퇴행성 질환 및 특정 질환을 돌보는 가족들이 환자간호 및 가족의 정서적 지지에 도움이 되는 다양한 정보를 얻기 위한 모임이다. 암환자, 치매, 뇌졸중, 파킨슨병 가족 모임 등이 있다.

2) 집단지도 담당자의 역할

(1) 명확한 의사소통

집단지도를 이끌어 가는 경우 명확한 의사소통을 위해 표현을 간단명료하게 하고, 다른 사람들의 말을 경청하는 것이 매우 중요하다. 또한 다른 사람들이 자신의 의견을 자유롭게 표현할 수 있는 분위기를 만들어 주고 격려하며, 의사소통에 방해되는 상황을 파악하여 개선해 주어야 한다.

(2) 좋은 대인관계 유지

집단지도를 하기 전, 지역사회 주민 대표자들과의 만남을 통해 자신을 알리고, 주민 대표자들의 역할과 기능을 파악하여 상호협력 관계를 가진다. 즉, 집단 지도 후 긍정적인 효과를 얻기 위해서는 좋은 대인관계를 유지하도록 한다.

(3) 대상자 참여 조장

집단지도를 통해 대상자 스스로 자신의 문제를 해결하도록 도와줘야 하므로 대상자들이 자신의 문제에 관심을 가지고 적극적으로 참여할 수 있도록 격려해야 한다.

7. 지역주민 참여

1) 지역주민 참여의 중요성

지역 주민참여는 지역사회구성원이 관심을 갖고 수행하는 프로그램 혹은 지역사회간호활동에 참여하는 것을 말한다. 주민참여(community participation)는 사회개발지역이나 보건 분야에서 많은 관심을 가지는 개념으로 WHO(1987)에서 주민참여를 '모든 사람이 보건의료계획 및 수행에 개인적 · 집단적으로 참여해야 할 권리와 의무를 갖는 것'으로 규정하면서 보건의료에서의 주민참여의 중요성을 강조하였다. 또한, 지역사회보건사업에서 주민의 참여를 강조하기 시작하여 제 1회 오타와 건강증진 국제회의(1986)에서 대상자 참여를 위한 지역사회역량을 강화하도록 하였으며, 이후 3차, 4차 건강증진 국제회의에서 지속적으로 지역주민 참여의 중요성을 강조하였다. 지역주민 참여의 중요성은 다음과 같다.

(1) 지역사회보건사업에 지역주민이 적극적으로 참여해야 사업의 효과성이 높아진다.
(2) 주민참여를 통해 정부정책이나 관련 기관의 사업내용을 직접 전달할 수 있어 사업에 대한 주민 이해도를 높일 수 있다.
(3) 보건사업 관련 공무원, 지역사회간호사 등에게 그 지역에 필요한 수요를 직접 전달할 수 있다.
(4) 지역사회 공동운명체를 강화하여 다른 지역사회사업 개발 활동에 참여 의지를 높여 준다.
(5) 지역사회 보건사업 진행 중 예기지 못한 상황이 생길 경우 주민들의 이해를 얻을 수 있다.

2) 지역주민 참여 형태와 단계

(1) 개별 참여와 집단 참여

지역주민이 보건사업에 대한 개인적 관심으로 참여하는 개별 참여와 그 지역의 자생적 또는 비자생적 조직을 통해 참여하는 집단 참여가 있다. 집단참여는 어떤 목적을 위해 구성된 집단이 목표달성을 위해 함께 참여하여 노력하는 것을 말한다.

(2) 참여 수준에 따른 분류

지역사회 구성원의 참여 수준에 따라 3가지로 구분하는데 첫째, 제공되는 서비스와 시설을 이용하는 것, 둘째, 외부기관에 의해 계획된 사업에 협조하는 것, 셋째, 사업의 계획 및 운영에 참여하는 것이 있다.

(3) 참여 동기에 따른 분류

지역 보건사업에 지역주민이 참여하는 것이 모두 자발적인 동기를 가졌다고 할 수는 없다. 참여 동기에 따른 분류는 3가지로 강요된 참여, 유도된 참여, 자발적 참여가 있다.

강요된 참여는 보건사업에 필요한 인력과 사업비를 지역주민의 의사에 따르기보다 전체적인 계획에 따라 강제로 동원하는 것이다. 이런 참여를 흔히 동원(mobilization)이라는 표현을 사용하는데 이것은 지역사회 주민의 의사보다 보건사업의 행정적 필요에 의해 지역사회참여의 내용이 결정되는 것이 우선시 된다.

유도된 참여는 보건사업에서 가장 흔히 나타나는 참여 분류 형태로 보건사업 내용 결정에 지역사회가 참여하도록 유도하는 것이다. 예를 들어 지역사회 사업에 보상금 제도 등을 활용하여 지역 주민 참여를 유도하는 것이다.

마지막으로 자발적 참여는 보건의료사업의 내용 결정 등에 주민이 참여의 주도권을 가지는 경우로 이상적인 형태이나 실제적으로 흔하지 않은 형태이다.

(4) 참여 결과에 따른 분류

참여 결과에 따른 분류에는 지역주민의 실질적 참여와 형식적 참여가 있다. 보건사업의 과정에 지역주민의 의사 반영 정도에 따라 실질적인 참여인지 형식적인 참여인지 구분할 수 있다.

(5) 주민주도 정도에 따른 지역사회 주민 참여 단계

지역사회 주민참여는 지역보건의료체계의 보건의료인과 지역사회 주민 간의 관계구조에서 파생되는 사회적 과정이다. 이러한 관계구조에서 지역사회 주민이 보건사업의 과정에서 가지는 주도성(initiative)에 따라 주민참여 단계를 주도(initiative), 개입(involvement), 협력(cooperation), 협조(assistance), 그리고, 동원(mobilization)의 5단계로 구분할 수 있다.

주도단계는 주민의 주도적 접근이 최고조인 형태로 주민 스스로의 자주관리가 강조되는 단계이다. 따라서, 지역사회 주도성이 강할수록 주민들이 보건사업의 계획과 조정, 그리고 평가에 개입하기를 요구하게 된다.

개입단계에서는 주민 측에서 개발사업과정이 공개되기를 주장하고 의사결정과정에 개입하려는 참여형태이다.

협력단계는 설득방식에 의한 주민참여가 강조되는 형태의 단계로 보건사업의 계획과 조정하는 과정에서 주민들의 의사가 반영되도록 하는 단계이다.

협조단계에서는 주민의 참여를 유도하나 보건사업의 계획과 조정과정이 제공자 측에 여전히 독점되어 있는 단계로 협력단계보다 강제성이 강화된 주민참여 형태이다.

동일하게 유도된 참여라도 권한 이양의 정도에 따라 협력단계와 협조단계로 구분할 수 있는데, 협력단계에서는 사업결과에 따른 이익의 사전합의가 참여 동기가 되고 있는 반면, 협조단계에서 참여 동기는 일정 부분의 반대급부가 있게 된다.

동원단계는 주민의 자발적 참여 정도가 아주 낮은 형식적이고 강요된 참여로서 주민에 대한 권한 이양의 정도가 가장 낮아 형식적 참여에 머물고 있다. 이 단계에 해당하는 것으로 전통적 감염병 관리 사업에서의 주민의 참여 형태가 있다.

(6) 참여 유형에 따른 분류

주민참여가 어느 정도까지 이루어질 수 있는지와 관련하여 아른스타인(Arnstein)은 주민참여 단계를 8단계 모형으로 제시하였다. 참여 단계를 참여 성격에 따라 주민권력단계, 형식적 · 명목적 참여 단계, 비 참여 단계로 나누고, 각 단계별 세부적인 참여 유형으로 구분하고 있다. 아른스타인이 제시한 주민참여의 가장 상위 단계인 주민권력단계에 도달하기 위해서는 정책의 계획과 조정과정에 주민의 의사가 잘 반영될 수 있도록 제도적 장치 및 조작, 기전이 필요하다. 주민의 참여통로가 많아질수록 주민의 다양한 의견을 반영하게 되어 주민참여 수준은 향상되게 된다. 주민참여 8단계 모형은 표 6-1과 같다.

3) 지역주민 참여에 대한 문제점

지역주민 참여 시 사업의 전문성, 능률성 저하 가능성, 시간과 비용의 소모, 지엽적인 견해의 조장, 책임회피 또는 책임소재의 불분명, 주민의 참여회피 경향, 상용 전략의 문제점 등이 있다.

지역주민 참여에 방해되는 요인으로는 지역사회 다양성과 내적 분화가 대변될 수 있는 집단의 대표성, 관료주의, 보건행정가와 보건의료인들의 동기화와 태도 부족, 의료전문주의, 제도적 장치의 부족, 주민 참여 역량부족 등이 있다.

표 6-1 아른스타인(Arnstein)의 주민참여 8단계

참여 성격	참여 단계	참여의 중심내용
주민권력단계 (degree of citizen power)	8단계	주민통제(citizen control): 참여의 최고단계로 주민이 기획, 정책입안, 프로그램관리 등 모든 업무 관장
	7단계	권한위임(delegated power): 주민에게 일정한 정책대안이나 프로그램의 결정권을 이양함
	6단계	협동관계(partnership): 주민과 정책결정자들으 협상을 통해 권력을 공유하면서 정책 결정을 하며, 합동위원회를 통해 적극적인 주민의견 투입 가능
형식적 · 명목적 참여단계 (degree of tokenism)	5단계	회유(placation): 자문과 정책결정 또는 계획수립과정에서 주민(degree of tokenism)의 참여를 허용하지만, 집행과 그 가능성의 판단은 여전히 권력은 가진 자에게 있음(예: 위원회를 통한 의견제시, 의견수렴)
	4단계	상담(consultation): survey, 대중조사, 집회, 공청회를 통한 방법으로 주민의 의견과 아이디어를 수렴하는 단계이며, 이에 대한 통제는 권력을 가진 자에게 있음
	3단계	정보제공(informing): 정보의 고유 또는 공공성이 중요하지만 이러한 쌍방향적 정보흐름보다 일방적 정보흐름이 주류를 이룸(예 자료제공, 문의에 응답)
비참여단계 (degree of participation)	2단계	임상치료(therapy): 참여자를 치료의 수용자로서 제한시킴(동의하지 않는 자는 교육 또는 정보제공 안함)
	1단계	조작(manipulation): 주민들의 정칙지지를 이끌어내기 위한 의사결정자의 책략이 이루어지는 단계(예: 주민교육, 설득, 계몽)

출처 : Arnstein, sherry R. "A Ladder of citizen Participation." JAIP. Vol. 35, Np. 4, July 1969, pp.216–224.

4) 지역주민 참여 활성화 방안

(1) 정보의 공개와 홍보

방송, 포스터, 전시회 등을 이용하여 주민참여 활성화를 위해 정보를 제공하고 홍보한다.

(2) 여론의 수집

공청회, 설문조사, 면접 등을 이용하여 정확한 여론을 수집한다.

(3) 위원회 활성화

실질적인 주민참여를 위한 방안으로, 위원회 구성 시 지역사회 내 각 집단별 대표성을 가진 주민대표들로 구성한다. 또한, 취약집단의 의견을 반영할 수 있도록 지역 내 취약집단의 대표도 포함시키는 것이 좋다. 지역사회 참여 위원회에 기관장, 행정관료, 지역유지 등을 주요 구성원으로 포함시킬 경우 지역주민의 의견반영이 힘들 수 있다.

(4) 자생적 주민조직의 활용과 조직

지역사회 내 만들어진 조직의 특성에 따라 목적과 기능을 고려하여 활용한다. 부녀회, 친목회, 봉사조직, 청년회, 공공조직, 민간조직 등이 해당한다.

(5) 사회 지도층의 적극적인 참여

지역 내 유지, 공식 지도자, 지식인 들이 주민들과 협력관계를 유지하여, 필요시 이들이 주민참여를 적극적으로 유도할 수 있도록 한다.

(6) 주민의식과 자질 고취

지역주민이 스스로 지역사회의 문제를 인식하고, 해결방안을 제시할 수 있는 기회를 제공하여 주민의식을 고취시킨다.

(7) 다른 지역과 경쟁관계 유발

지역주민의 소속감을 활용하여, 다른 지역과 선의의 경쟁을 유도하여 지역사회 참여를 확대시킬 수 있다.

(8) 지역사회간호사 개발 : 지식, 기술, 태도 개발

지역사회 주민의 참여를 유도하기 위하여 지역사회간호사는 의사소통기술, 인간관계, 리더십, 조직 행동 등에 대한 지식, 기술 및 태도를 갖추어야 하며, 지속적으로 개발해야 한다.

(9) 보건요원 양성 및 배치

주민과 보건사업 제공 기관과의 이해관계를 조정할 수 있는 보건요원을 양성하고 적소에 배치한다.

8. 매체활용

지역사회 간호활동 시 대상자와 간접적인 접촉 방법으로 매체를 사용하는 것을 매체 활용이라 할 수 있다. 대상자 문제 해결을 위한 상담 및 교육 시 사용하는 매체는 교육자와 대상자, 대상자와 대상자간에 학습에 필요한 커뮤니케이션이 발생하도록 도와주는 다양한 매개수단과 제반체제를 말한다(주영주, 최성희, 2001). 즉, 일시에 많은 대상을 상대로 전달할 수 있는 홍보자료와 기자재를 뜻하는 것으로 효과적인 의사소통을 위한 보조 자료로 활용할 수 있다.

1) 전화

가장 광범위하게 이용되는 매체로 즉각적이면서도 쌍방향 의사소통이 가능한 매체이다. 시간과 비용 면에서 경제적이며, 서신 접촉보다 개인적이고 덜 사무적이어서 대상자의 부담감이 적다. 단, 청각 언어장애 있는 대상자인 경우 제한적일 수 있다.

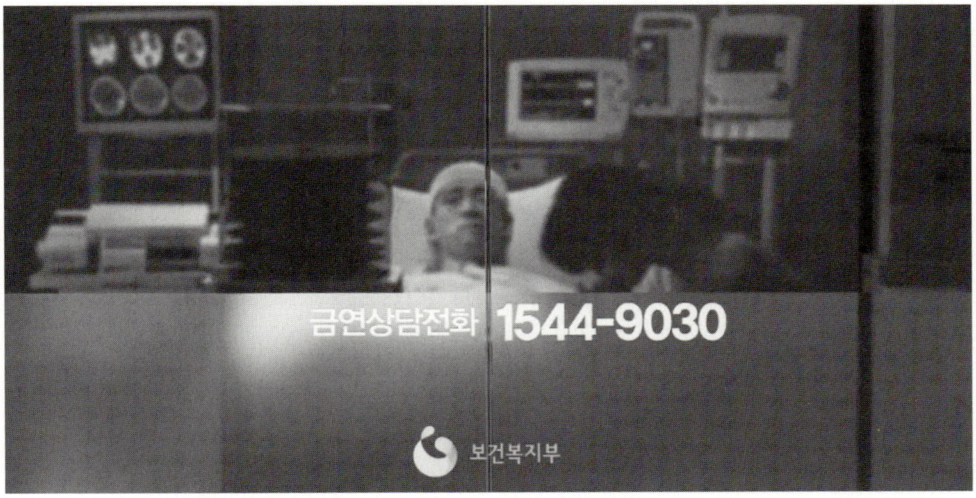

그림 6-1 금연캠페인을 위한 TV 방송 광고
출처 : 보건복지부 2014 금연캠페인 '더 늦기전에'

2) 방송

빠른 시간에 새로운 지식이나 정보를 대상자에게 전달할 수 있고, 인쇄물과 같은 매체에 노출되지 않는 대상자에게 적합한 매체이다. 특히 감염병과 같은 긴급한 건강문제가 발생한 경우 적절한 매체로 효율성이 매우 높다. 단, 태도나 행동변화를 즉시 유도할 수 있는 설득력이 약하고 방송망 활용이 번거로울 수 있다.

3) 멀티미디어

멀티미디어란 그림, 사진, 그래픽, 음향, 동영상, 애니메이션 등의 다양한 자료를 컴퓨터를 기반으로 한 디지털 방식의 통합 매체이다. 이를 활용하여 대상자가 다양한 정보나 자료를 접할 수 있으며, 지역사회 간호활동에 대상자의 적극적인 참여를 이끌어 낼 수 있다. 컴퓨터와 멀티미디어 사용에 능숙해야 하고 설비가 필요하여 비용이 발생할 수 있다.

4) 인터넷

컴퓨터를 통해 인터넷에 접속하여 홈페이지나 이메일을 통하여 정보전달 및 의사소통을 할 수 있는 매체로 보건교육이나 홍보를 위해 최근에 많이 활용되고 있다. 대상자는 인터넷을 통해 자료와 정보 습득 및 직접 교육도 받을 수 있다. 신속한 내용 전달이 가능하며 정보의 저장 및 관리가 용이하고, 원거리에서도 동일한 교육매체 활용이 가능하다. 단, 컴퓨터 활용이 불가능한 대상자에게는 적합하지 않다.

그림 6-2 예방접종 정보 사이트로 연결되는 QR코드
출처: 인천 서구 보건소. http://seo.incheon.kr/health/

5) 스마트폰

최근 정보통신기술의 급속한 발달로 기존 무선 전화기에 정보의 저장, 제작 기능과 인터넷 접속기능을 보유한 손안의 컴퓨터 역할을 하는 스마트 폰이 개발되어 많이 활용되고 있다.

스마트폰은 강력한 멀티미디어 기능, 다양한 어플리케이션을 사용할 수 있으며 사용자들의 필요에 의해 설치와 삭제가 자유롭고, 편리하게 휴대할 수 있다. 따라서, 언제 어디서든 다양한 정보를 저장하고, 확인하고, 제작 가능하며 이를 교육이나 상담의 매체로 활용할 수 있다. 다양한 교육용 어플리케이션을 통해 시간과 장소를 구애받지 않고 손쉽게 정보 전달과 학습을 가능하게 한다.

최근에는 보건소 및 보건의료기관에서 스마트폰 이용자들을 위한 보건교육 홍보매체로 QR코드(Quick Response Code)를 많이 활용하고 있다. 이것은 바코드보다 훨씬 많은 정보를 담을 수 있는 격자무늬의 2차원 코드로 QR코드를 스마트폰으로 스캔하면 각종 정보를 제공받을 수 있다(그림 6-2).

스마트폰은 대상자의 활용능력에 따라 많은 차이가 날 수 있으며, 스마트폰의 기능을 익히고 어플리케이션을 활용하는데 있어 노인 대상자들이 사용하기 어려운 제한점이 있다.

6) SNS(Social Network Service)

웹상에서 폭넓은 인적 네트워크(인간관계)를 형성할 수 있도록 해주는 서비스를 '소셜 네트워크 서비스'라고 하며, 간단히 'SNS' 라 부르기도 한다. 인터넷에서 개인의 정보를 공유할 수 있게 하고, 의사소통을 도와주는 1인 미디어, 1인 커뮤니티라 할 수 있다(두산백과).

초기에는 주로 친목 도모 용도로 활용되었으나 이후 각종 정보 공유 등 생산적 용도로 활용되고 있다. 또한, 인터넷 검색보다 소셜 네트워크 서비스를 통하여 최신 정보를 찾고 이를 활용하는 이들이 많아지고 있다. 최근에는 보건소 등 보건의료기관에서 SNS 소통창구를 개설하여 보건소 소식 및 다양한 건강정보를 시민들에게 보다 빠르게 제공하기 위해 활용하고 있다.

7) 우편

과거부터 많이 사용되어 온 편지나 엽서 등으로 날짜나 장소에 대한 정보 전달에 용이하고 경비가 절약되나 수신인에게 전달되지 않을 경우 확인하기 어려운 점이 있다

8) 유인물

지역사회 주민에게 보관하면서 지속적인 기억을 유지하도록 도움을 주는 매체로 주민이 보고 싶을 때 볼 수 있고, 전달 내용을 체계적으로 담을 수 있다. 하지만, 글을 알지 못하는 대상자에게는 제한점이 있다

9) 포스터/게시판

주민의 왕래가 빈번한 곳에 게시하여 홍보하는 데 사용되며 비교적 장시간 동안 정보를 전달 할 수 있으나 대상자의 지속적인 관심을 끌기 어렵고, 학습효과를 확인할 수 없다는 제한점이 있다.

제2절 사례관리

1. 사례관리의 이해

1) 사례관리의 정의

사례관리는 다양한 분야에서 활용되고 있는 만큼 학자에 따라 다양하게 정의되고 있다. 미국간호협회(1988)에서 사례관리는 "환자의 예상된 결과가 적정하게 오랫동안 지속되도록 용이한 성과에 도달하기 위해 설계된 건강관리 전달체계이고, 사례관리 목표는 건강관리 질을 규정한 것"이라 하였다. 1991년도 미국간호협회에서는 사례관리를 "건강관리 전달체계상에서 질적인 건강관리를 제공하고, 서비스 전달체계의 붕괴를 예방하여, 대상자의 삶의 질을 향상시키는 것을 목표로 하고 비용억제를 목적으로 한다"라고 진화된 정의를 내렸다.

또한, 사례관리는 등록된 간호사를 사례관리자로 활용하여 선택된 환자를 돌보고 나아가 건강관리 지속과 조정이 이루어지는 다학제적인 임상체계로 정의하여 대상자를 위한 다학제적 접근노력을 강조하기도 하였다. 사례관리란 개인을 대상으로 서비스를 계획, 조정, 관리, 검토하는 과정이며(Offredy, Bunn & Morgan, 2009) 자원의 연계를 통해 서비스망을 구축하고 통합적 서비스 전달을 위해 전달체계와 연계시켜 적절한 서비스를 받을수 있게 하는 것이라 정의되고 있다.

미국사례관리협회(2007)에서는 사례관리를 대상자의 의료 및 요양 욕구에 맞추어 질 높고 비용효과적인 서비스를 가능한 자원들을 활용하여 제공하기 위한 사정, 계획 수립, 실행, 조정 및 평가 등의 총체적인 과정(collaboratigve process)으로 정의하였다.

2) 사례관리의 필요성

사례관리는 간호, 의료, 사회복지 등의 전문분야에서 복합적인 서비스를 효과적으로 전달하기 위한 주요 실천 전략의 핵심요소이다. 즉, 재가노인복지영역, 정신보건영역, 장애인 직업재활 영역, 아동복지서비스 영역, 성장 장애 영역 등에서 대상자들의 다양한 요구를 충족시키기 위해 사회서비스를 조직하고, 주택, 고용, 정신보건, 건강보호와 같은 다양한 영역의 서비스를 모아 조정, 관리해야 할 필요성이 제기되었고, 이를 해결하기 위한 방안으로 사례관리가 도입되었다. 구체적인 사례관리의 필요성은 다음과 같다.

(1) 탈 시설화의 영향

사례관리의 필요성이 강조된 가장 중요한 배경으로, 시설에 입소했던 대상자가 시설에서 벗어나 지역사회기반의 프로그램이나 가족과 함께 생활할 수 있도록 지원하는 체계적인 서비스의 구축이 필요하게 되었다.

(2) 서비스 전달의 지방분권화

사례관리를 가속화시킨 요인으로, 지역사회 서비스의 지방분권화로 인해 기관 간의 서비스를 조직화하고 통합함으로써, 지방분권화에 따르는 부정적 영향들을 완화시킬 수 있는 사례관리자의 전문적인 활동이 필요하게 되었다.

(3) 다양한 문제와 요구도를 가진 대상자 증가

신체장애, 심한 의료적 질환, 정신지체, 정신질환, 심리적 문제 등 여러 유형의 복합적 요구도를 가진 대상자들의 증가로 이들의 요구도 충족을 위해서는 다양한 영역의 서비스들이 상호관련성을 가질 수 있도록 체계망을 구축하고 이를 제공하는 예방적 기능수행이 필요하게 되었다.

(4) 서비스 단편성 문제

다양한 영역에 걸쳐 분산되어 있는 기존 서비스의 단편성을 조정 및 통합하여 체계적으로 조직하는 역할이 필요하게 되었다.

(5) 비용효과성에 대한 인식 증가

부족한 자원의 한도 내에서 서비스 전달의 효과를 최대화하고 서비스 전달 비용을 억제하려는 관심의 증가로 비용효과성에 대한 요구가 증대되어 필요하게 되었다.

(6) 가족 기반 중재방법 필요성 증대

사례관리 대상자의 개인적 배경과 요구 외에도 가족의 기능, 역할, 자원 등에 대한 사정을 통해 가족 기반의 대상자 문제 해결방안을 모색함으로써 대상자 개인, 가족, 지역사회에서 문제해결능력을 증가하려는 시도가 요구되고 있다.

(7) 지원체계와 관계망의 영향력 인식 증대

사례관리를 통해 사회적 지원체계를 조직하고, 사회적 지지망을 확장하여 대상자의 요구와 문제를 해결함으로써 대상자의 삶의 질을 향상시킬 수 있다는 인식이 증가 되었다.

3) 사례관리 목적

사례관리의 목적은 크게 서비스 질 향상과 비용통제 두 가지로 나눌 수 있다.

미국사례관리협회에서는 사례관리의 목적을 양질의 의료를 추구하고 병원입원기간을 단축하여 자원 이용량을 감소시키고, 서비스의 연속성과 비용을 조절하는 것이라 하였다. 따라서, 사례관리의 목적은 지속적인 양질의 의료 제공과 의료의 단절화 방지, 삶의 질 향상 및 건강관리 자원의 효율적 활용을 통해 비용절감을 하기 위한 것이다.

4) 사례관리의 원칙

사례관리의 다양한 목적을 달성하기 위한 접근방법으로 다음과 같은 원칙을 가진다.

(1) 지속성 (continuity)

시간의 경과에 따라 변화하는 대상자의 요구를 충족시킬 수 있도록 사후관리, 지지적 체계, 재평가 등의 서비스를 연속적으로 제공함으로써 지속성을 보장한다.

(2) 포괄성(comprehensiveness)

특정시점에서 대상자가 가지고 있는 요구와 문제를 해결하기 위해 포괄적인 서비스로 조정하여 제공되어야 한다.

(3) 통합성(integration)

대상자의 다양한 요구에 대해 하나의 통합된 방법으로 서비스가 중복되지 않도록 조직화하고, 대상자 개인의 목표 뿐만 아니라 서비스 제공 체계의 목표를 위한 노력도 해야 한다.

(4) 개별성(individualization)

대상자의 요구는 개인의 특성이나 주어진 환경에 따라 다양하므로 개별적으로 접근해야 한다.

(5) 책임성(responsibility)

사례관리 전체 과정에 책임성을 가지고 대상자의 요구변화에 적절히 대응할 수 있도록 자원을 동원하고 변경할 수 있어야 한다.

(6) 접근가능성 역량 강화

대상자가 다양한 서비스 체계와 협의하는 것을 도와주어, 서비스를 쉽게 활용할 수 있는 역량을 강화해 줄 수 있어야 한다.

(7) 서비스의 적정성 확보

대상자의 요구에 적합하고 적절한 방법의 서비스가 제공될 수 있도록 보장할 수 있어야 한다.

5) 사례관리 대상자

다양한 요구를 가진 사례관리 대상자는 여러 가지 자원을 필요로 하지만 자원의 종류나 방법에 대해서 잘 알지 못하는 경우가 많다. 대상자의 특성 상 사례관리는 노인, 심신장애자 등 장기간의 서비스 제공이 필요한 경우 적합하다고 할 수 있다. 실제 사례관리 대상자로 선정되는 경우는 응급실이나 입원을 위해 병원을 자주 방문하는 고위험, 고비용 부담 대상자들과 자가 간호 요구가 충족되지 않는 대상자들이다. 따라서, 사례관리 대상자는 만성적인 건강문제와 합병증이 야기되어 많은 자원을 소요하는 대상자, 동일한 질환이라도 위험성이 높고 보건의료서비스를 과다하게 사용하는 대상자가 해당이 된다.

일반적으로 다음의 대상자는 사례관리 대상자 선정 시 검토할 필요가 있다.

- 복수의 서비스가 필요하거나 서비스를 이미 받고 있는 대상자
- 복잡한 신체적 정신적 손상을 가지고 있는 대상자
- 충분한 서비스를 받지 못하는 대상자
- 부적절한 서비스를 받고 있는 대상자
- 돌볼 가족구성원이 없거나 충분하지 못한 대상자
- 입퇴원을 반복하거나 스스로의 건강관리를 할 수 없는 대상자
- 자신의 문제나 요구에 대해 판단력이 부족한 대상자
- 금전관리가 불가능하거나 행정서비스 신청에 도움이 필요한 대상자
- 개인적으로 대변인이 필요한 대상자
- 시설입소가 검토되고 있는 대상자
- 행정서비스 이외에 이웃이나 자원봉사자 등의 비공식적인 도움이 필요한 대상자
- 가족구성원만이 돌보고 있는 환자

6) 사례관리자의 역할 및 자질

사례관리자는 대상자의 문제 해결을 위해 자원과 대상자의 요구를 조정하며, 문제의 내용에 따라 개인 또는 팀을 이루어 활동하는 것이 바람직하다. 또한, 사례관리자는 대상자의 문제해결을 위해 조정하고, 교육 및 상담,

대상자를 옹호하는 역할 뿐만 아니라 계획, 진단, 중재, 평가, 연계 및 자문, 지원을 통해 문제해결을 하는 역할도 수행하여야 한다.

이를 위해 사례관리자는 대상자의 문제나 요구를 파악하고 사례관리계획을 세울 수 있는 능력과 지역 내 자원에 대한 이해 능력, 대상자 및 기타 기관과의 의사소통 능력과 관련된 자질이 필요하다.

(1) 조정자

사례관리자는 대상자의 요구에 부합하는 자원을 파악하고, 서비스 상황에 따라 안내 및 정리, 통제하도록 한다. 대상자 중심의 접근과 지역사회 내 이용가능한 자원에 대한 정보를 알아야 하며, 대상자가 자기결정을 하는데 지원할 수 있는 전문적 지식을 가져야 한다.

(2) 교육자 및 상담가

사례관리자는 대상자가 서비스의 적합성과 질을 판단할 수 있는 방법을 교육하고, 대상자가 자신의 요구와 문제를 스스로 인식하고 자신의 문제해결을 위해 노력하도록 도와주는 역할을 해야한다. 교육과 상담의 역할은 사례관리 전 과정에서 충실이 이루어져야 한다.

(3) 옹호자

사례관리자는 대상자가 자신의 문제를 직면하고 스스로 해결할 수 있는 자기 옹호능력을 지원해 주고, 특히 취약한 위치에 있는 대상자에게 영향력이나 권한을 활용해 대변해 주는 역할을 해야 한다.

2. 사례관리 모형(model)

사례관리 실천방법에 여러 가지 실천 모델들이 제시되고 있다. 사례관리자는 다양한 실천 모형을 활용하여 대상자의 문제해결 및 서비스 제공을 할 수 있다. 이는 다양한 대상자 집단에 대하여 사례관리를 행하는 기관마다 조금씩 다른 실천모델을 취하고 있기 때문에 정형화된 서비스 전달방식이 있을 수 없다는 것을 의미한다.

보건의료체계에서 일반적인 Lyon(1993)에 의한 분류는 다음과 같다.

1) Lyon에 의한 분류

(1) 병원중심 사례관리 모형

1 뉴잉글랜드 모형

대상자 중심 모형으로 병원 안에서 간호사는 사례관리자로서 임상경로를 통해 임상간호와 재정적 성과에 대한 역할을 수행한다. 대상자 진행과정을 결정하고 소비한 자원을 모니터 하기 위해 임상경로를 사용하며 이는 의료

이용을 검토하거나 관리의료적인 기능을 의미한다. 퇴원 후 전화나 직접 방문이 이루어질 수 있다.

[2] 퇴원 설계자 및 중재자 모형

간호사가 대상자의 퇴원계획자와 의료이용 매니저의 역할을 동시에 수행하는 것으로 다학제간 의료이용 검토팀이 개입할 수 있으며, 프로그램 구성 요소에 대한 질관리는 대상자 성과의 과정 평가를 포함한다. 과정 평가는 지역사회 서비스로의 연계 결과를 포함한다.

[3] 노인전문간호사 모형

노인전문간호사가 사례관리자의 역할을 수행하는 모형이다. 입원노인을 대상으로 퇴원계획 프로토콜을 적용하며 이 프로토콜에는 포괄적인 대상자 사정(건강상태, 지남력 수준, 건강상태에 대한 지식 및 지각 정도, 동기수준 및 인구사회학적 자료)이 포함된다. 일반적으로 퇴원 후 최소 2주 동안 전화와 직접 방문을 수행한다.

(2) 병원과 지역사회 연속형 모형

퇴원 후 지역사회에서 지속적인 사례관리가 이루어지는 모형으로 애리조나 모형이 대표적이다. 간호사, 행정자, 교육자, 연구자, 임상전문가 등이 사례관리자로서의 역할을 수행하며, 대상자의 요구사정 결과에 따라 입원기간과 퇴원 후 적절한 지역사회 서비스 연계까지 책임을 담당한다. 사례관리자로서 간호사는 수개월에서 수년까지 만성질환자를 관리하며, 초기 3년간 대상자의 재원일수 감소에 따른 비용절감 효과를 나타내고 있다.

(3) 지역사회 중심 사례관리 모형

대상자 퇴원 이후 지역사회에서 독립적으로 사례관리를 수행한다. 덴버 모형의 경우 75세 이상 고위험 및 고비용 노인을 대상으로 퇴원 후 8주 동안 사례관리 서비스와 재가서비스를 제공하고 있다.

그 외에도 사례관리자 역할에 따른 분류, 서비스 제공기관에 따른 분류, 목적과 방법에 의한 분류 등이 있다.

2) 사례관리자 역할에 따른 분류

(1) 일반모델 (generalist model)

한 사례관리자가 모든 사례관리 기능에 책임을 지고 필요한 직접 조정, 옹호서비스를 제공한다. 이 모델은 만성 정신질환자를 위해 유용한 지지서비스의 폭넓은 연속체라는 면에서 효과적이다. 이 모델의 장점은 첫째, 각 대상자들은 치료계획과 서비스 문제에 대해 한 사람의 사례관리자와 일한다. 둘째, 사례관리자는 다양한 기능을 수행한다. 셋째, 사례관리자의 자율성이 격려된다.

(2) 일차적 치료자-사례관리자 모델 (primary therapist-case manager model)

일반모델과 비교해서 사례관리자와 대상자의 관계는 보다 치료적이다. 이 모델의 장점은 환자의 치료, 서비스 사정에 대해 한 사람과 관계한다는 것이다. 사례관리자와 자원이 부족한 영역에서 이 모델은 사례관리 서비스를 제공하는데 가장 유리하다. 그러나 치료자–사례관리자는 환자가 요구하는 사례관리 서비스보다 치료를 제공하는데 더 관심을 두는 문제가 있어 환자의 협조가 안 될 수도 있다.

(3) 인접전문가 팀 접근 모델 (interdisciplinary team approach model)

전문영역에서 서비스 전달의 책임을 갖는 구성원들이 모인 전문가들의 팀에 기반을 둔다. 각 사례관리자들은 사례관리 과정의 특별한 요소에 책임을 지고 최상의 서비스를 제공할 수 있다. 단, 팀 구성원이 상호협력과 환자의 복지에 충분히 집중하지 않으면 책임이 모호해져 책임회피를 할 수도 있다.

(4) 가족모델 (family model)

가족이 전문가들보다 만성 정신질환자에 대한 사례관리 서비스를 더 잘 제공할 수 있다는 개념의 모델이다. 낮병원의 치료자들은 가족에게 정규적인 교육 프로그램을 통해 환자를 관리하는 기술과 지식을 제공한 뒤 사례관리자의 역할을 위임할 수 있다. 대상자 관리의 역할을 결국 가족이 맡게 되므로, 가족을 관리의 책임자로 활용하여 시설로부터 독립시킬 수 있다.

(5) 지지적 관리 모델 (supportive care model)

지역사회 구성원 중에서 전문성에 관계없이 사례관리의 지지적인 관리책임자가 선택된다. 이들은 특별한 훈련을 통해 환자와 1 대 1로 관계를 맺는 법을 배운 뒤 유급으로 일한다. 이들은 매달 훈련과정과 사례분석을 통해 지도를 받는다.

(6) 자원봉사자 모델 (volunteer model)

지역사회 내 자원봉사자나 관련 대학원생들을 활용하여 전문적인 지도 아래 만성질환자와 1 대 1로 사례관리의 책임을 부여한다. 지역사회 자원봉사 사례관리자들은 지역 내 자원을 동원하고 조정하는데 효과적이며, 충분한 지도와 훈련을 통해 자신의 역할에 대한 책임감을 갖게 된다.

3) 서비스 방법에 따른 분류

(1) 중계모델 (broker model)

사례관리자는 대상자를 위해 필요한 여러 가지 서비스를 통합, 조정하는 역할을 하지만, 서비스를 직접 제공하지는 않고 필요한 서비스에 대한 중계만 해준다.

(2) 판매모델 (vender model)

사례관리기관 또는 사례관리자가 대상자에게 직접 서비스를 제공한다. 판매계약을 한 뒤 자체기관의 서비스를 환자에게 제공하거나 자체자금으로 다른 기관의 서비스를 구입하여 제공한다. 미국의 민간회사와 보험회사의 사례관리자가 이 모델에 해당한다.

(3) 통합된 중계판매모델 (integrated broker-vender model)

사례관리 기관은 제한된 서비스만 제공하고, 나머지는 외부기관과 협력해서 조정하며 주로 위기개입에 중점을 둔다. 병원을 기반으로 하는 사례관리가 가장 대표적이다. 미국에서는 병원들이 사례관리 체계를 개발해왔는데, 병원에서는 환자에게 급성치료만을 제공하고 퇴원시킨 뒤 가정과 지역사회에서 계속 사례관리를 받게 한다.

(4) 자원개발모델(resourse development model)

서비스가 마련되어 있지 않은 경우 사례관리자가 서비스 전달을 위해 필요한 자원을 파악하여 그 자원을 확보하는데 도움요소와 장애요소를 가려내어 자원확보를 위한 계획을 세우는 것이다. 의료전달체계가 취약한 지역에서는 이 모델이 적합한 모델이 될 수 있다.

4) 목적이나 방법에 따른 분류

(1) 중개자 역할 확대모델(expanded-broker model)

전통적인 사례관리 모형으로 사례관리자는 대상자의 요구를 사정하고, 지역사회자원과 연결시키는 데 초점을 두고 직접적인 중재서비스는 제공하지 않는다. 대상자에 대한 사정, 계획, 연결 및 옹호의 역할을 하게 된다.

(2) 강점모델(strengths model)

사례관리자는 대상자의 능력을 파악하고 목적을 달성할 수 있도록 장점을 최대한 발휘할 수 있는 환경을 만들어 준다. 직업교육, 사회적 지지, 의료보호, 주거시설 등의 자원을 대상자가 이용할 수 있도록 도와주며 직접적인 중재는 제공하지 않는다.

(3) 재활모델(rehabilitation model)

첫째, 대상자의 부족한 점을 파악하여 그 약점들을 극복할 수 있도록 여러 가지 기술을 가르친다. 개인의 강점 강조모델처럼 서비스는 미리 설정된 조직의 목적에 두지 않고 이용자인 대상자의 목적과 요구에 초점을 맞춘다. 둘째, 최소한의 전문적인 도움을 선택할 수 있는 사회적인 환경에 만족할 수 있도록 대상자의 가족이 대상자의 장점을 확인하고 증진시키는데 초점을 둔다.

(4) ACT모델(assertive community treatment model)

다학제적 전문가팀의 활동을 통해 사례관리 대상자를 효율적으로 관리하는 것으로, 임상적이고 대상자의 증상을 관리하는 측면 뿐 아니라 대상자의 요구를 충족하기 위한 지지적인 환경중재가 중요한 모델이다.

3. 사례관리 흐름과 절차

사례관리 과정은 사례관리 대상자나 기관의 특성, 사례관리자의 역할 및 목표 등에 따라 다양하게 나타날 수 있으며 사례관리에서 필수적인 활동이다.

일반적으로는 접수, 사정, 목표설정 및 계획 수립, 중재(개입), 모니터링 및 추후관리(점검), 재사정(평가) 및 종결의 6단계를 포함하여 사례관리 과정을 진행한다.

1) 1단계 : 접수

첫 단계로 사례를 발견하고 스크리닝을 통해 사례관리 대상자로 적합한지 판단하여 사정을 위한 자료수집을 하는 단계이다. 사례발견, 사전심사, 인테이크로 이루어진다.

(1) 사례발견 : 사례관리자에 의한 현장접근(outreach)를 포함하여 사례관리가 필요한 대상자를 발견하는 것이다. 기관을 방문하는 대상자나 공공기관, 가족, 지역사회, 조직, 경찰, 학교, 교회 등에서 의뢰받은 대상자 및 주변인물이나 대외추적을 통해 의뢰된 잠재적 대상자를 확보한다.

(2) 사전심사(screening) : 긴급한 요구도를 가진 대상자가 최우선으로 사례관리를 받을 수 있는 것이다. 즉, 대상자들이 서비스를 받을 자격과 서비스 이용에 적합한지, 적극적인 참여의사 여부 등을 파악하는 것이다.

(3) 인테이크(intake) : 사례관리 대상자로 적합한 경우 대상자에게 사례관리의 내용을 설명하고 사례관리를 받는다는 승낙을 얻고, 필요한 정보를 사정이 가능한 수준에서 수집한다. 대상자의 요구나 장애, 경제적 능력에 대해 개괄적으로 파악하고, 객관적인 사실들, 대상자가 경험하고 있는 문제와 더불어 인식하지 못하는 문제도 알아본다.

2) 2단계 : 사정

사정 단계는 사례관리 대상자의 문제와 상황을 검토하는 과정으로, 대상자의 발전과 성장을 가져올 수 있는 강점에 대한 파악과 동시에 제한점도 파악하는 단계이다. 이 과정을 통해 서비스 수준과 성격이 결정되고, 서비스의 양과 질에 대한 계획의 근거가 된다.

(1) 요구 및 문제사정 : 요구 및 해결해야 할 문제를 나열하고 우선순위를 정한다

(2) 자원 사정 : 사례관리 대상자가 문제를 해결하는 데 있어 유용하게 활용할 수 있는 자원을 사례관리 대상자와 함께 사정한다.

(3) 제한점 사정 : 사례관리 대상자가 자원을 활용하는데 있어 제한점 즉 장애물에 대한 사정을 실시한다.

3) 3단계 : 목표 설정 및 계획 수립

이 단계에서는 사례의 목표를 설정하고 목표달성을 위해 대상자에게 적합한 개별화된 계획을 수립한다. 대상

자가 가진 여러 문제와 각 문제별 해결을 위한 방법을 작성하고, 지원 종류, 공급주체, 필요한 시기, 적정 횟수, 순서 등을 결정하고 계획한다.

4) 4단계 : 중재(개입)

계획을 실행하는 단계로, 내부 자원의 획득을 위한 직접적인 서비스 제공과 외부자원 획득을 위한 간접적 서비스 제공으로 구분된다. 직접적 중재(개입)는 대상자의 서비스 접근과 활용기술 능력을 고양시키기 위한 것으로 대상자 교육, 대상자의 결정 및 행동에 대한 격려와 지지, 위기상황 개입, 대상자의 동기 부여 등이 있다. 간접적 중재(개입)는 대상자를 대신하여 체계 변화를 이끌어 내는 것으로, 필요한 자원체계와의 연계 또는 서비스 중개, 대상자를 대신하여 대상자 옹호 등의 실천 활동이다.

5) 5단계 : 모니터링 및 추후관리(점검)

기존의 계획이 제대로 수행되는지를 모니터링하기 위한 단계로 서비스의 전달과 실행을 추적하는 과정이다. 실제 서비스가 전달되는 과정 중 기존 계획의 만족 정도와 대상자의 새로운 요구로 계획을 변화시켜야 할 필요가 있는지 등을 지속적으로 점검한다. 이는 사례관리자에 의해 행해지는 활동적이고 유동적인 과정이다.

6) 6단계 : 재사정(평가) 및 종결

제공된 서비스와 계획의 일치, 서비스 구성요소, 사례관리자에 의한 동원, 조정된 서비스의 가치 정도를 판단하는 과정으로 , 필요시 3단계 목표설정 및 계획 수립 단계로 돌아가 다시 과정을 반복할 수 있다.

사례종결은 사례관리 대상자에게 더 이상의 서비스가 필요없게 되었을 때 이루어지는 것으로 대상자의 상태가 개선된 것을 의미한다. 또한 자원의 한계로 대상자의 조건을 더 이상 개선시키기 어려울 경우에도 종결은 발생한다. 종결의 최종과정은 사례관리 대상자에 대한 모든 서류 정리를 완료하는 것으로, 다른 서비스 제공자들에게도 이를 알리는 것이다.

4. 우리나라 사례관리사업 운영

1) 의료급여 사례관리사업

(1) 의료급여 사례관리의 개념 및 목적

의료급여 사례관리란 의료급여 수급자의 질 향상과 적정의료이용을 목적으로 수급권자의 욕구를 사정하고 필요한 건강 상담 및 필요한 정보를 제공하는 일련의 과정이다(보건복지부, 2015). 의료급여 수급권자 대부분은 최저생계비이하의 빈곤층으로, 가족의 지지체계가 부족하며, 65세 이상 노령인구가 많다, 이들은 자가 건강관리가

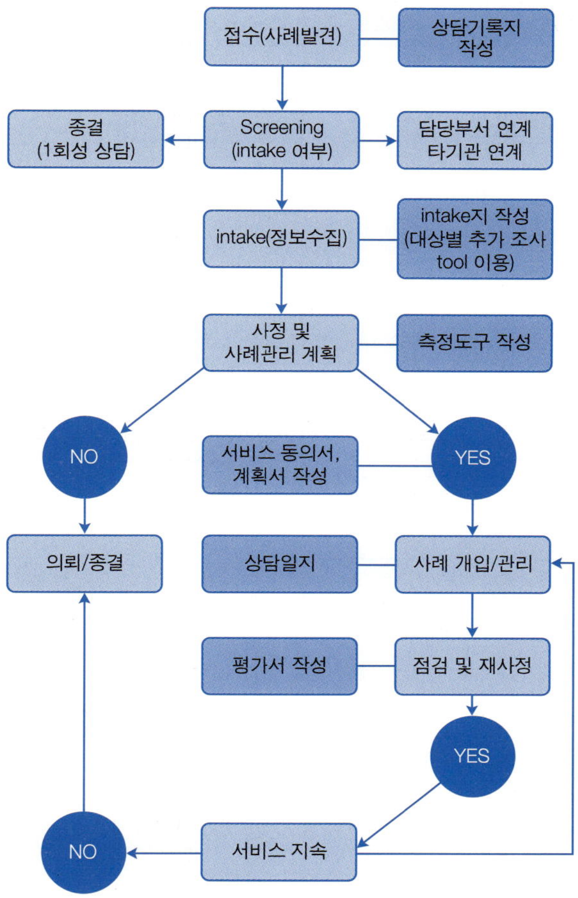

그림 6-3 사례관리 과정 예시

출처: 목감종합사회복지관. http://mokgam.or.kr. 2016.1

어렵고, 의료이용에 대한 의사결정능력이 부족하여 과다한 의료이용과 약물과다복용, 의료 쇼핑 등의 문제로 인해 건강악화 및 의료급여 재정의 급증을 초래하게 되었다. 이에, 급증하는 진료비 부담과 의료급여 수급권자의 적정의료이용 유도를 하여 의료급여 재정 효율화를 위해 2003년도부터 의료급여 사례관리사업을 도입하기 시작하였다.

따라서 의료급여 사례관리사업의 목적은 의료급여 수급권자의 자가건강관리 능력을 향상시키고, 합리적 의료이용을 유도하며, 지지체계 구축을 통해 건강한 삶의 질 향상과 의료급여 재정 안정화에 기여하고자 하는데 있다(그림 6-4).

(2) 의료급여 관리사 자격 및 업무

의료급여 관리사는 저소득 취약계층의 적정의료서비스 제공을 위한 사례관리 수행 인력이다. 의료급여 관리사는 2003년 의료급여사례관리 사업이 시행되면서 사례관리사업 수행을 위해 의료급여 관리요원이라는 이름으로 28개 시군구에 처음 배치되었다. 2004년 79명 확대배치 이후 2006년에는 전국 시군구에 모두 배치되어 사례관리

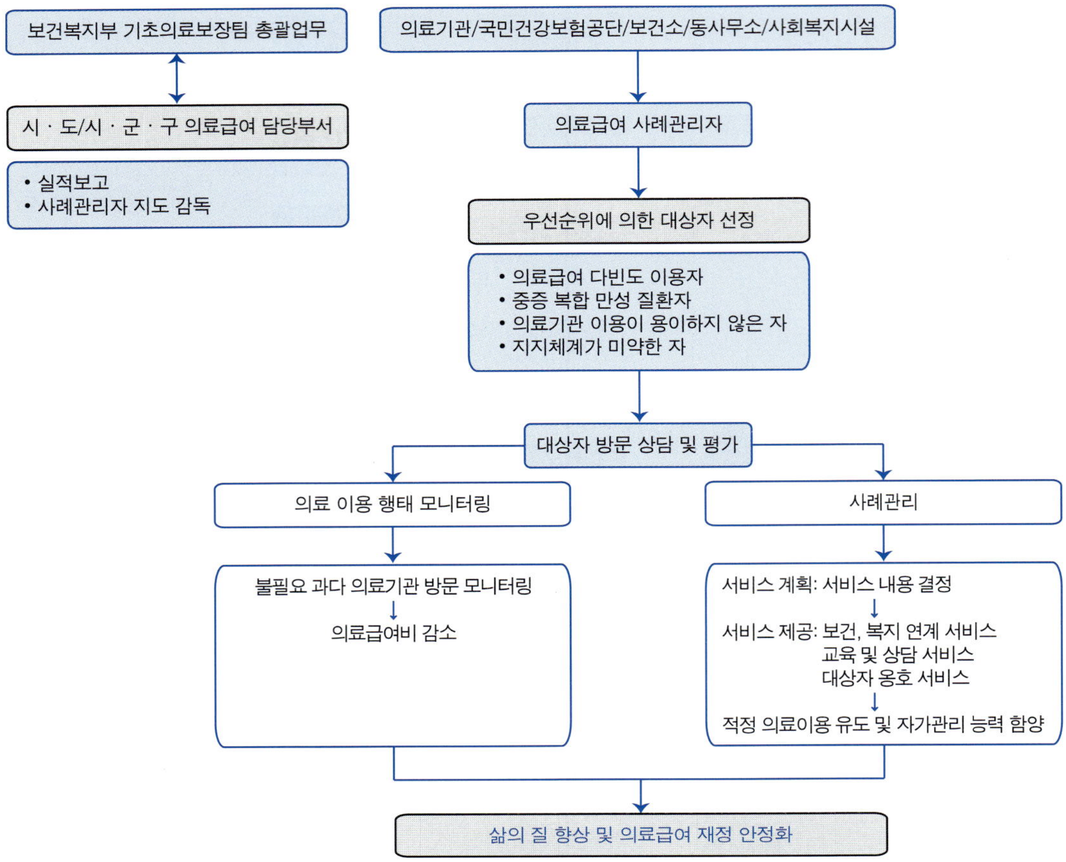

그림 6-4 의료급여사례관리 과정

출처 : 보건복지부(2015). 의료급여사례관리 업무 매뉴얼.

사업을 수행하였고, 2014년 현재 전국 17개 시도의 27명을 포함하여 전국 229개 시군구청에서 543명의 의료급여 관리사가 사례관리 업무를 하고 있다(민혜숙, 2015).

의료급여 관리자는 의료급여 수급권자를 대상으로 보건복지 의료에 관한 전문상담과 교육을 통하여 수급권자의 건강과 권익을 보호하고 의료급여재정 안정화를 도모하여 의료급여제도 발전에 기여하는 의료급여 전문가로서 의료급여 수급권자에게 건강 관련 정보제공 및 신속한 의료욕구 파악 등 밀착상담을 통해 수급자 개인에게 적정한 의료서비스를 제공하고 있다(유원섭, 2011). 이들의 자격 조건은 「의료법」 제2조에 따른 의료인(의사 · 치과의사 · 한의사 · 간호사 및 조산사)으로서 「의료법」제3조에 따른 의료기관(종합병원, 병원급의료기관, 의원급 의료기관, 조산원)에서 2년 이상 근무한 경력을 가진 사람으로 한다(의료급여법 시행규칙 제 2조의 3).

의료급여 관리사 배치는 특별시 · 광역시 · 특별자치 시 · 도 · 특별자치도에 각 1명이며 단,관 할 시 · 군 · 구의 수가 15개를 초과하는 경우 1명을 더 배치할 수 있다. 보장기관의 수급권자 수, 수급권자의 질환 정도 등을 고려하여 보건복지부장관이 정한 기준에 따라 더 배치할 수 있다. 의료급여 관리사의 업무는 다음과 같다(의료급여법 시행규칙 제 2조의 3).

① 수급권자의 건강관리 능력 향상을 위한 교육 및 상담

② 의료급여제도 안내 및 의료기관 이용 상담
③ 의사의 의료와 보건지도 및 약사의 복약지도에 대한 수급권자의 이행여부 모니터링 등 요양방법의 지도
④ 수급권자와 보장시설 등 보건복지자원과의 연계
⑤ 그 밖의 의료급여 관리에 필요한 사항으로서 보건복지부장관이 정하는 사항

(3) 의료급여 사례관리 대상자

의료급여 사례관리 수급권자의 특성에 따라 4가지 유형으로 나눠진다.

신규 의료급여 수급자로 선정된 대상자와 고위험군 사례관리, 장기입원 사례관리, 집중관리군 사례관리가 있다(표 6-2).

① 신규 의료수급자 사례관리 : 의료급여법 제3조에 의하여 의료급여수급권을 최초로 취득한 자로서 1개월 이내인 자 또는 재취득자를 대상으로 의료급여수급권을 처음 취득한 수급자를 대상으로 초기 제도 안내 및 적정 의료이용을 안내함으로써 잠재적 과다이용에 대한 예방적 관리를 위함

② 고위험군 사례관리 : 외래진료를 이용하는 의료급여수급자를 대상으로 불필요한 의료이용 행태를 보이는 대상자에게 제도 안내, 의료이용 정보제공, 건강 상담, 자원연계 등을 제공하는 일련의 과정이다. 사례관리 대상자 통보명단에서 총 급여일수, 총 진료비, 외래내원일수, 투약일수, 이용의료기관 수, 의약품 중복일수, 입원일수, 주 · 부상병명 등의 자료를 활용하여, 질병대비 과다이용자로 의료쇼핑, 비합리적 의료이용, 약물과다, 중복처방 등이 의심되는 대상자가 해당된다.

③ 장기입원 사례관리 : 입원진료를 이용하는 의료급여수급자를 대상으로 부적정 의료이용 행태를 보이는 대상자를 선정하여 제도 안내, 의료이용 정보제공, 건강 상담, 자원연계 등을 제공하는 일련의 과정이다. 치료목적이 아닌 입원의 경우 외래이용 전환, 재가서비스 또는 시설 입소 등 자원연계를 통하여 수급자의 자가 관리능력 향상시키고, 질병대비 불필요한 입원을 방지하여 적정 의료이용 도모 및 재정 안정화 기여하기 위함이다.

대상자는 동일상병으로 1회당 31일 이상 입원한 의료급여수급자,1일 이상 반복 입 · 퇴원자, 숙식목적으로 입원하는 자, 통원진료가 가능함에도 여러 병원을 옮겨 다니며 장기입원하는 자, 입원 시 가족이 불필요하게 입원하는 자가 해당된다.

표 6-2 의료급여 사례관리 대상자 관리 기간 및 목표관리 횟수

관리군	사례관리 기관	목표관리 횟수		
		방문	전화	서신
신규의료급여 수급자	1개월	필요시	1회이상	반기별 1회 이상
고위험군	3개월	2회이상	4회이상	수시
장기입원자	6개월	2회이상	6회이상	수시
집중관리군	연중관리(12월 일괄 종결)	대상자 특성에 따라 자율 수행 최소 고위험군 수행서비스 기준 이상 개입		

출처: 보건복지부(2015). 의료급여사례관리 업무 매뉴얼.

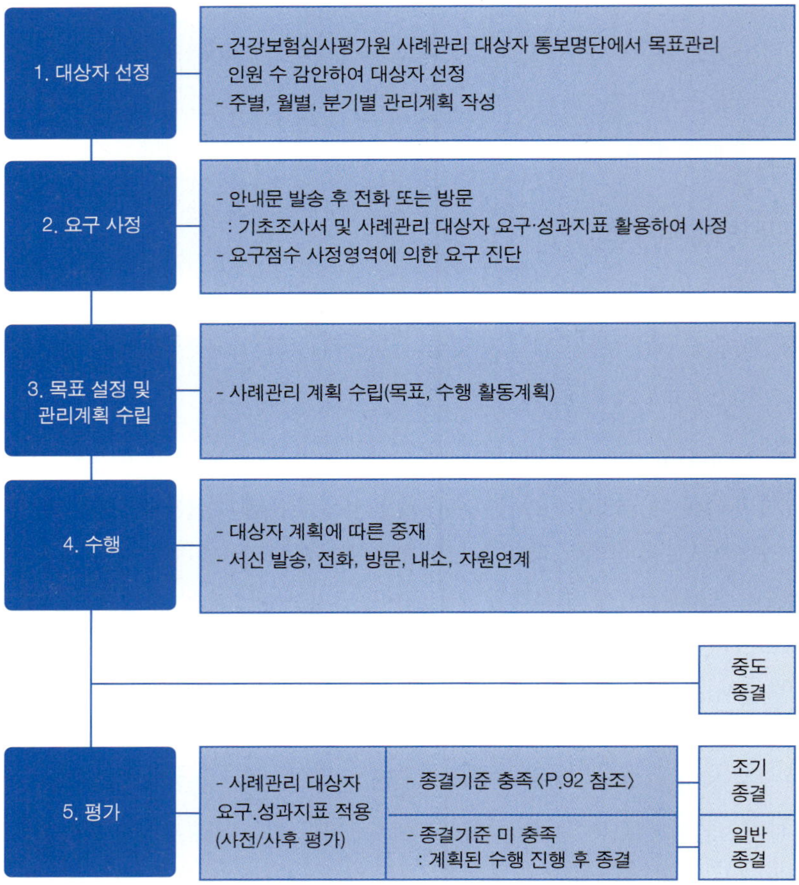

그림 6-5 고위험군 사례관리 업무 흐름도

출처 : 보건복지부(2015). 의료급여사례관리 업무 매뉴얼

④ 집중관리군 사례관리 : 질병대비 과다의료이용자로서 단기간의 개입으로는 의료이용 행태가 변화되지 않아 지속적 관찰 및 개입이 필요한 대상자가 해당된다.

(4) 의료급여 사례관리 수행절차

의료급여 사례관리 중 고위험군 사례관리 유형의 수행절차를 살펴보면 대상자 선정, 요구사정, 목표설정 및 관리계획 수립, 수행, 평가 및 종결의 5단계로 진행되며 업무 흐름도와 사례관리 구체적인 중재내용은 그림 6-5, 6-6과 같다.

2) 국민건강보험공단의 사례관리사업

(1) 개념 및 목적

국민건강보험공단의 사례관리 사업은 국민건강보험 재정안정을 위한 대책의 하나로 비용 절약적 의료이용 유

주차	수행 내용
1주차	• 1차 서신 발송 – 고위험군 사례관리 선정 안내 및 의료급여제도 안내문 발성 • 1차 전화 – 안내문 수신 여부 확인 – 의료급여관리사 및 고위험군 사례관리사업 등 소개 – 사례관리 대상자로 선정됨과 선정 사유 설명 – 대상자의 의료이용 행태 및 질환 간략하게 확인 ※ 전화 안내 전 대상자의 의료이용 형태 및 질환을 사전에 확인(행복e음 활용) – 의료급여제도의 이해 정도 확인 및 설명 – 향후 관리계획 및 방문일정 설명
2~3주차	• 1차 방문 – 초기 신뢰관계 형성에 초점 – 대상자 요구 사정 후 문제 영역에 따라 요구 진단 및 관리 목표 설정 – 문제 중심으로 행태개선을 위한 수행 • 제도 설명, 의료이용 상담, 질환 교육 등 구체적인 실천내용 확인 • 다빈도 질환 건강정보지, 의료급여제도 리플릿 등 활용 – 요구되는 자원연계 사정
4주차	• 2차 전화 – 교육 내용에 대한 사례관리 대상자의 이해 정도를 파악하고 필요시 추가 안내 – 자원연계가 필요한 경우 자원연계서비스 계획 설명 및 수혜여부에 대해 동의 절차, 자연연계 의뢰서 작성
5주차	• 2차 서신 – 대상자에게 필요한 정보(질환, 건강관리 방법 등)에 대한 서신 발송
6~9주차	• 3차 전화 – 교육 내용에 대한 사례관리 대상자의 실천 정도를 확인하고 요구 관련 재사정 – 필요시 계획 재수립 – 2차 방문에 대한 설명 및 동의
10~11주차	• 2차 방문 – 수행 내용에 대한 사례관리 대상자의 실천 정도를 재확인하고 진행 정도에 따라 지지 및 독려, 필요시 추가 안내 – 자원연계서비스 수혜 관련하여 모니터링
12주차	• 4차 전화 – 2차 방문 수행 내용 재확인 – 대상자의 의료이용 행태변화 여부 확인(DW 자료 활용) – 연계된 사회복지서비스 활용 점검 및 지속적인 모니터링 – 계획된 사례관리 기간 도래하여 종결함과 추후 요청사항 있을 시 계속적인 상담 가능함을 알림 – 의료이용 행태가 개선되지 않을 경우 지속적인 모니터링을 통해 사례관리 재개입할 수 있음을 설명

그림 6-6 고위험군 사례관리 수행 내용

출처 : 보건복지부(2015). 의료급여사례관리 업무 매뉴얼

도, 즉 합리적 의료이용 유도를 위한 방안을 모색하면서 도입되었다. 대상 질환은 사례관리 사업에서 효과가 있다고 알려진 고혈압, 당뇨병, 뇌졸중을 대상으로 수행되고 있다. 만성질환은 시기적절한 의료서비스가 제공되지 못할 경우 입원환자로 발전하여 의료이용급증을 야기하게 되는 특성을 가지고 있다. 그러나 가입자는 의학적 필요

성보다 주관적인 필요에 따라 의료를 이용함으로써 과다수진과 과소수진이 많은 것으로 건강보험가입자의 의료이용을 분석한 결과 나타나고 있었다. 이에 가입자의 질병관리, 건강관리를 위하여 2002년 8월부터 2003년 5월까지 전국 15개 지사에 각 2명씩 건강관리사를 배치하여 사례관리 사업을 실시한 것으로 부터 국민건강보험공단 사례관리 사업이 시작되었다(국민건강보험공단,2005).

과정초기에는 간호사로 구성된 건강관리사가 주축이 되어 운영되었으나, 이후 간호사가 아닌 일반직 직원이 사례관리 담당자로 참여하게 되었다. 치료중심의 직접적인 서비스를 제공하는 것은 아니며, 사례관리를 통해 환자 및 보호자가 질병의 악화 및 부적절한 비용의 지출을 예방하기 위한 행동을 할 수 있도록 정보와 지식을 제공하게 된다.

국민건강보험공단에서의 사례관리는 질병이 있는 대상자에게 건강상태를 향상하기 위해 자신의 질병에 대한 인식을 향상시키고, 개인의 건강위험요인과 질병으로 인한 합병증을 감소시키기 위한 건강행위, 의료이용행위를 하도록 대상자와 가족에게 상담,정보제공 등의 지원적 서비스를 제공하는 것을 의미한다(국민건강보험공단, 2003).

국민 건강보험공단 사례관리의 목적은 대상자 및 가족을 대상으로 만성질환에 대한 지식 및 정보제공, 사회적 지지를 제공하여 질병을 효과적, 효율적으로 관리하도록 지원하기 위해서이다. 또한, 건강상태와 대상 질환의 관리 목표를 이해하고, 의료기관이 제시한 관리지침을 준수하여 합병증을 예방할 수 있도록 지원하는 것이다.

2012년 7월부터 시행 중인 건강지원서비스는 만성질환관리제에 참여하는 환자 중 별도로 공단에 신청하는 환자들을 대상으로 고혈압, 당뇨병 관리를 도와주는 사업이다. 이들의 자가건강관리를 위해 맞춤형 건강정보제공, 건강길잡이 상담, 개별 건강 상담 서비스, 상담형 · 교육형 서비스, 알림서비스 등을 제공하고 있다. 이 중 개별 상담서비스가 사례관리에 해당된다.

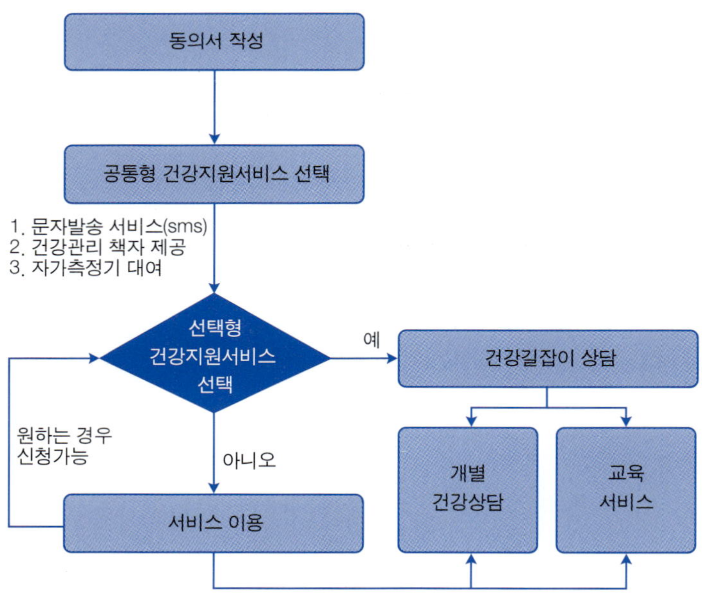

그림 6-7 건강지원서비스 서비스 이용절차

출처 : 건강보험공단 건강 IN 홈페이지 http://hi.nhis.or.kr/cf/ggpcf001/ggpcf001_m03.do

(2) 대상자 선정 및 수행절차

고혈압, 당뇨 환자를 대상으로 2012년 4월부터 시행중인 만성질환관리제에 의해 진찰료 본인부담을 경감 받은 환자, 즉 의원 외래진료자 중 본태성고혈압(I10) 환자와 인슐린-비의존당뇨병(E11) 환자를 대상으로, 사업안내문을 발송한 후 신청한 자 중 3개 이상의 문제목록을 가지고 있으며, 교육장으로의 이동이 어려운 대상자에게 12주간 수행하고, 대상자의 요구도에 따라 전화 또는 방문을 4회 이내로 실시한다. 사례관리는 6단계로 실시하며 대상자 선정, 기초면담(요구도 조사), 공통형 서비스 제공, 선택형 서비스 신청 시 건강길잡이 상담, 요구도 평가, 추구관리이다(그림 6-7).

(3) 개별 건강 상담서비스 (사례관리) 중재 방법

사례관리인 개별 건강 상담서비스는 건강지원시비스 중 선택형 건강지원 서비스로 맞춤형 개별 상담 및 건강정보를 제공하는 것이다. 구체적인 내용은 표 6-3과 같다.

표 6-3 개별건강상담 서비스(사례관리)

구분	내용
상담 중제	• 문제목록별 활동 – 건강길잡이 상담을 통하여 선정된 문제목록에 대하여 교육 및 상담 등의 중재 수행 – 면담내용, 자료제공목록, 차기관리계획, 자료제공목록 등 면담 내용 전산 기재 • 면담계획일자 대비 수행일자 및 수행결과 전산 등록내역 없는 경우, 미처리 내역으로 조회됨
「기본상담 기록지」 평가 등록	• 목적: 개별건강상담 서비스(건강 상담 및 교육 등) 제공 후 대상자의 건강 인식제고 등의 변화 정도를 평가하고, 건강생활 지속실천을 독려 • 방법: 개별건강상담이 종료된 자를 대상으로 전화(또는 면접) 실시 ※ 개별건강상담 마지막 단계로 건강길잡이 상담일 기준 12주 이내 시행 • 평가 정보 수집 – 대상자의 최종면담 시 개별건강상담 참여에 따른 대상자의 변화 정도를 평가 – 최초 요구사정 시 문제목록으로 선정되었던 항목에 대해 재측정하여 평가 결과 등록 – 문제목록별 전 · 후 사정내역을 비교하여 문제해소 여부를 평가 • 대상자 호응도 조사 실시
종결 처리	• 정상 종결: 건강길잡이 상담(요구사정) 시 계획한 개별건강상담일정이 모두 완료된 경우 정상종결로 환류 ※ 건강길잡이 상담(요구사정), 4회 이내의 면담(중재), 평가로 약 12주간의 관리일정이 모두 완료된 경우 • 중간 종결 – 개별건강상담을 받는 도중에 아래의 사유로 개별건강상담 대상에서 제외되는 경우 중간 종결로 분류 – 중간 종결된 경우 면담내용에 사유 전산 기재 • 중간 종결 – 거부 – 사망 – 요구사정 결과 문제목록이 도출되지 않은 경우 – 기타 – 입원 등 질병악화로 관리가 불가능한 경우 – 타 지역 이사 – 담당자의 안전 위협
추가 면담 등록	• 개별건강상담 종결 시점에 대상자가 추가로 관리를 원하는 경우 2회에 한하여 추가 면담 제공 가능 • 평가 등록 면담결과 – 추가면담 등록으로 전산등록한 후 면담 추가

출처 : 건강보험공단 2014 만성질환관리제 건강지원서비스 업무처리 지침

3) 방문건강관리사업의 사례관리

(1) 개념 및 목적

보건소에서 추진하고 있는 방문건강관리사업의 사례관리는 2007년부터 취약계층 및 노인의 건강관리를 위해 사례관리를 수행하고 있는데, 방문건강관리사업의 사례관리는 취약계층의 건강형평성과 건강수명연장을 목표로 도입되었다.

2007년 도입 당시 만성질환자 사례관리 대상은 고혈압, 당뇨, 뇌졸중, 관절염, 암, 치매였으며 보건복지부의 주의집중 사례관리업무 지침을 참조하여 서비스를 제공하였다(보건복지부 2007a). 2008년에는 취약계층 만성질환자와 보호자 건강관리 차원으로 고혈압과 당뇨 표적사례관리를 실시하였고, 2009년부터는 허약노인 사례관리를 추가하였다.

현재는 임산부, 신생아, 영유아, 다문화가족, 북한이탈주민과 관절통증부분을 포함하여 집중관리군, 정기관리군, 자기역량관리군으로 분류하여 집중관리군에 대해 사례관리기법을 적용하고 있지만, 사례관리라는 용어를 공

[방문건강관리사업 서비스 제공 흐름도]

대상자 발굴	- 국민건강보험공단에서 일반검진자 및 생애전환기검진자 중 검진 사후관리 동의자 검진결과 정보 연계 - 구청 사회복지과, 주민자치센터로부터 기초생활보장수급자, 차상위계층 명단 확보 - 전화로 방문 일정 약속
대상자 등록 및 군분류	〈대상자 등록〉 - 취약계층 일반검진자 및 생애전환기검진자 중 건강검진결과 상담과 방문건강관리 사업 등록 및 관리에 동의한 경우 - 기초생활보장수급자, 차상위 계층 및 지역사회기관으로부터 의뢰된 대상자 중 방문건강관리사업 등록 및 관리에 동의한 경우 〈군분류〉 - 방문 서비스제공인력은 기초조사표와 건강 상담 등으로 대상자의 건강위험요인 및 건강문제를 파악하여 집중관리군, 정기관리군, 자기역량지원군으로 군분류
군별 관리 내용	- 집중관리군 - 8회(6~10회)의 집중관리 - 정기관리군 - 2~3개월에 1회 직접 방문하여 건강관리서비스 제공 및 보건소 내·외 기관 연계 - 자기역량지원군 - 4~6개월에 1회 직접 방문하여 건강관리서비스 제공 및 보건소 내.외 기관 연계 ※ 모든 군은 필요시 내소 및 전화방문 가능
대상자 평가	- 매년 대상자 재평가로 건강위험요인 및 건강문제가 없거나, 미방문 기간이 총 2년을 초과하는 경우 퇴록 - 집중관리군은 8회(6~10회)관리 후 증상조절 여부에 따라 정기관리군 또는 자기역량지원군으로 분류

그림 6-8 방문건강관리사업 서비스 제공 흐름도

출처 : 2015년 지역사회통합건강증진 사업안내[방문건강관리]

식적으로 사용하지 않고 있다.

방문건강관리사업의 사례관리는 방문간호가 필수적인 취약계층(건강, 경제적, 인구 · 사회학적 문제 등)에게 서비스를 제공하여 취약계층의 건강인식제고, 자가건강관리능력 향상, 건강상태 유지 및 개선을 목적으로 한다.

방문건강관리 사업 전체 서비스 제공 흐름도는 그림 6-8과 같다.

(2) 대상자 선정 및 수행 절차

방문건강관리 사업 사례관리 대상자는 집중관리군으로 이들은 건강위험요인 및 건강문제가 있고 증상조절이 안되는 경우를 말한다. 건강위험요인 및 건강문제에 따라 집중관리를 실시하여 집중관리 요구도 조사 후 우선순위에 따라 관리계획(Care Plan)을 수립하고, 관리계획에 따라 건강관리서비스를 제공한다. 필요시 동일 대상자에게 연간 3회 집중관리가 가능하다. 집중관리군에 대한 사례관리 흐름은 그림 6-9와 같으며, 집중관리 완료 기준은 다음과 같다.

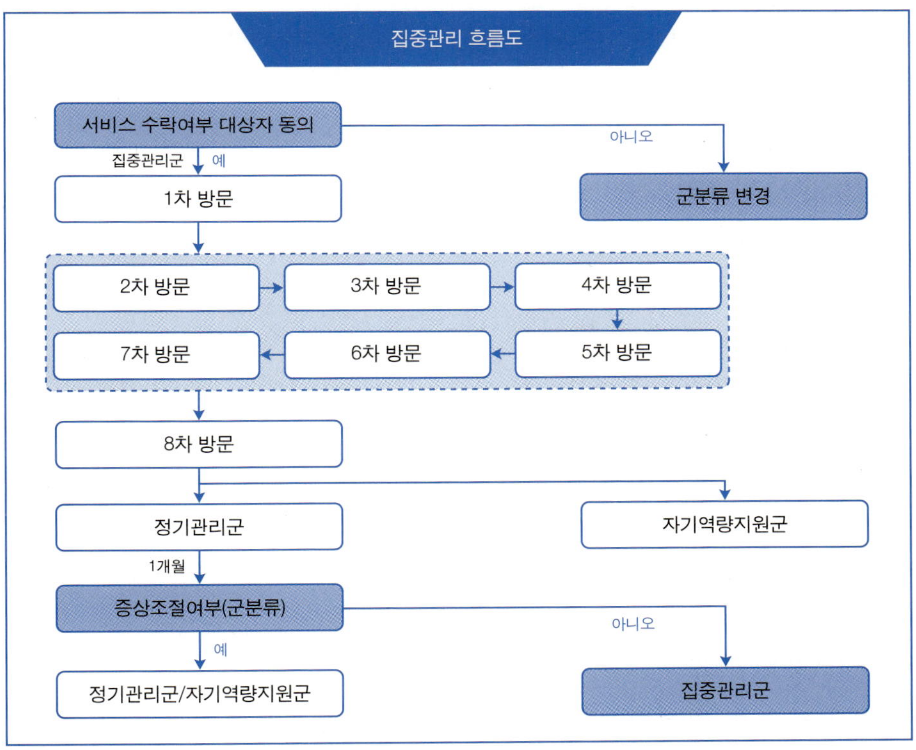

그림 6-9 방문건강관리사업 집중관리 흐름도

출처 : 2015년 지역사회통합건강증진 사업안내[방문건강관리]

〈집중관리 완료 기준〉

① 정상 완료

• 8회 직접방문 또는 7회 직접방문과 1회 내소 및 전화방문인 경우

② 중도 퇴록

• 사망, 전출, 노인장기요양보험 이관, 타기관 의뢰(장기입원 등)로 4회 이상 직접 방문 (전화방문 제외)인 경우

③ 중간 종료

• 건강상태가 자기역량지원군 수준이고 6회 이상 직접방문(전화방문 제외)인 경우

※ 자기역량지원군 수준 : 연속 3회 이상 수축기압 120㎜Hg 미만이고, 이완기압 80㎜Hg 미만이거나 공복혈당 100㎎/㎗ 미만이거나 식후혈당 140㎎/㎗ 미만인 경우

이는 2015년까지 현행을 유지하며 2016년부터 지역여건에 따라 군 분류, 방문횟수 등을 자체적으로 계획하여 수행 할 수 있도록 지역보건의료정보시스템(PHIS)과 같이 개선할 예정이다(2016 보건복지부 지역사회통합건강증진 사업안내[방문건강관리]).

4) 치매관리 사업의 사례관리

(1) 개념 및 목적

우리나라의 치매 유병률은 2012년 기준 전체 노인 인구의 9.18%였으며, 환자 수는 약 54만 명으로 2008년 42만 명과 비교하면 26.8% 증가하였다. 초고령화 사회로의 이행에 따라 치매 유병률은 계속 상승하여 2030년에는 약 127만 명, 2050년에는 약 271만 명으로 20년마다 약 2배씩 증가할 것으로 추산된다(보건복지부, 2013). 연간 총 진료비는 2009년 약 5,567억 원에서 2013년 약 1조 2,740억 원으로 5년간 128.8%로 증가하였으며, 5대 만성 질환보다 높은 수준으로 사회 · 경제적 부담이 가중되고 있어(보험심사평가원, 2014) 사회적으로 대책이 시급한 상황이다.

치매는 대표적인 만성진행성 질환으로 환자뿐 아니라 가족에게 부담과 고통을 주는 큰 질병으로, 조기 발견하여 꾸준히 관리하여야 진행을 늦출 수 있다. 이에 국가에서 국가치매관리종합대책을 수립하고, '2010년 맞춤형 치매 사례관리 안내' 라는 지침서를 통해 치매 사례관리를 진행중이며. 2012년에는 '치매관리법'을 제정하였다.

치매환자 사례관리란 만성적이고 퇴행적인 경과를 보이는 복합 질병인 치매 환자를 효과적으로 관리하기 위해 구체적, 포괄적, 객관적 평가에 기초하여 대상자 및 가족의 요구에 부합하는 개인별 맞춤형의 조호(돌봄) 계획을 수립한 후 필요한 서비스를 직접 제공, 연계 및 의뢰하고 모니터링하는 일련의 과정을 의미한다. 치매 사례관리는 진행성 인지기능 저하 억제와 문제 행동 감소를 통한 기능 유지 및 향상, 동반 질병에 대한 체계적인 관리와 생활습관 교정을 통한 이차장애 예방, 사고 예방과 안전관리 등을 통해 치매 환자의 기능을 유지 및 향상시킴과 동시에 삶의 질 향상을 위해 필요하다. 또한, 교육, 상담, 정보 서비스를 제공하여 가족이 치매 조호(돌봄) 기

술을 습득하도록 하고 가족의 치매 조호(돌봄)능력을 극대화하여 가족 부담을 경감시켜 환자와 가족의 삶의 질을 높인다.

치매 사례관리는 정확한 진단을 토대로 효과적이고 능률적인 관리 프로그램에 참여함으로써 지역사회 치매 서비스를 활성화하고 연계망을 구축하여, 중복 서비스와 불필요한 서비스 요구를 억제하는 공공과 민간, 의료와 복지가 통합된 치매 관리 시스템 구축을 견인하는 역할을 한다.

(2) 치매 사례관리자

간호사, 사회복지사, 전문 치료사 등 국가 전문자격증 소지자로서 치매에 대한 전문적인 교육을 이수하였거나 보건복지부에서 실시하는 치매 사례관리자 교육 프로그램을 이수해야 한다. 이들은 보건소 인력으로 배치되나 여건에 따라 치매센터가 설치된 지역에서는 센터에서 근무하며 사업을 진행할 수 있다.

(3) 대상자 선정 및 수행 절차

치매 사례관리 대상은 사례관리에 동의한 관할 지역 내 치매환자와 다음의 경우로 발굴된 대상자들이다.

① 치매조기검진 사업 담당자: 보건복지부 주관의 치매조기검진 사업에서 정밀 검진 후 치매 진단이 확인된 환자 중 치매 사례관리가 필요한 대상자라고 판단된 경우
② 보건소 방문보건간호사: 보건소 방문보건 간호 사업 대상자 중 기존에 치매로 진단된 경우
③ 지역 병원 의사: 치매로 진단받거나 치료받고 있는 환자 중 사례관리가 필요한 경우
④ 장기 요양보험 담당자: 장기 요양등급 판정 후 사례관리의 필요성이 있다고 판단되는 대상자
⑤ 관내 요양시설: 관내 요양시설에서 퇴소하거나 시설에서 사례관리가 필요하다고 판단하는 경우
⑥ 시/군/구청 사회복지과, 주민자치 센터, 통장, 부녀회, 지역사회 대표: 치매로 진단된 이후 사례관리가 필요하다고 인정되는 경우

인지 장애로 인하여 독립적 일상생활의 어려움이 있거나 행동 장애로 치매 진단을 받은 후 조호(돌봄)의 어려움이 있는 경우 치매 환자 본인 및 가족이 우편, 전화를 통해 할 수 있다.

신청 대상자가 너무 많은 경우 다음의 기준을 활용하여 등록 우선순위를 판단할 수 있다.

- 1순위 : 적극적인 개입 혹은 중재가 필요한 경우
  - 문제 행동이 심하다고 판단되는 경우
  - 동반 신체 질병이 심하다고 판단되는 경우
  - 주요 보호자가 심한 부담으로 도움이 절실한 경우
- 2순위 :사회적 지원이 매우 필요한 경우
  - 장기요양보험 등급 외 치매 환자
  - 저소득층 및 독거 등 열악한 가정환경
  - 1순위는 아니지만 환자나 보호자의 상태에 대한 지속적 모니터링이 필요한 경우
- 3순위 : 사회적 지원이 필요한 경우
  - 안정적이지만 지속적 관리와 모니터링이 필요한 경우
  - 장기요양 3등급 이내이지만 사정으로 인해 자원 활용이 제한된 경우

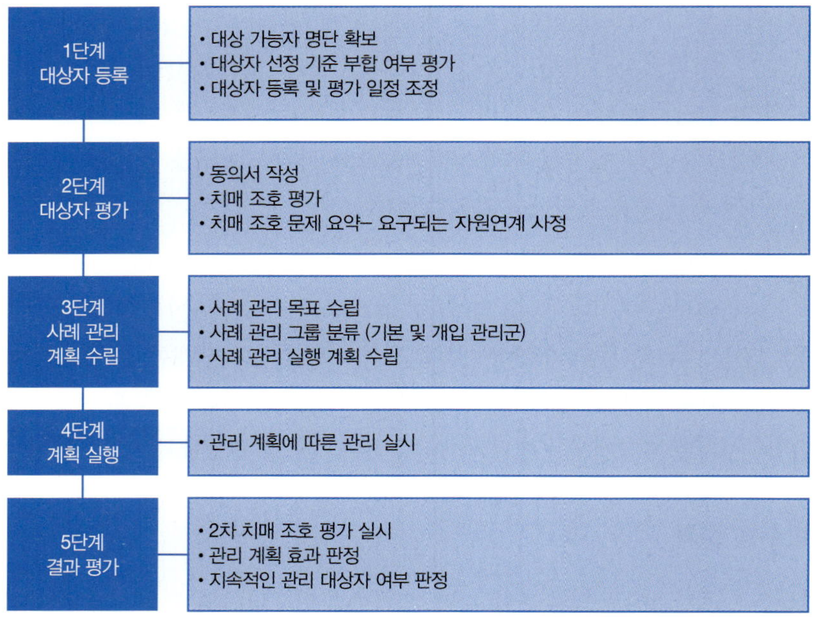

그림 6-10 치매사례관리 진행과정 개관

출처 : 보건복지부(2010). 맞춤형 치매사례관리 안내

치매 사례관리의 전체적인 수행 과정은 그림 6-10과 같고, 치매사례관리 과정 중 치매 조호평가표와 사례관리 목표 내용은 표 6-4, 표 6-5와 같다.

5) 재활 사례관리 사업

재활사례관리는 장애인들의 독립적인 생활이나 완전한 고용을 성취하기 위하여 필요한 서비스를 효과적으로 조직하고 전달하여 조정하는 체계이다. 특히 재활과정을 원활하게 도울 수 있도록 직업적 관점에서의 직업상담은 매우 중요하며, 이를 위해 사례관리자는 시간관리, 과제분석 등을 할 수 있도록 체계적이며 지속적인 교육이 필요하다.

재활 사례관리 과정은 초기면접, 문제상황 측정 및 평가, 재활계획, 서비스 조정, 모니터링, 재측정 과정으로 이루어진다. 목적은 전문적인 직업재활서비스와 사회적 자원을 활용하여 장애인의 독립성과 고용 잠재력을 증대시키며, 재활서비스와 관리를 공식적으로 전달하고 조정함으로써 역량을 강화하고, 재활서비스의 효율성을 증진시키는 것이다.

표 6-4 대상자 평가 목록

	평가영역	평가 목록	수행 방법
대상자 평가	Ⅰ. 기초정보	A. 대상자 기초정보	인터뷰
		B. 치매진단정보	인터뷰
	Ⅱ. 기능평가	A. 인지기능	평가
		B. 정신행동증상	인터뷰
		C. 신체적 일상생활동작	인터뷰 / 평가
		D. 도구적 일상생활동작	인터뷰 / 평가
	Ⅲ. 신체상태평가	A. 이환질병	인터뷰
		B. 기본 계측	측정
		C. 시력 및 청력	평가
		D. 구강 및 치아	평가
		E. 피부 병변	평가 / 관찰
		F. 통증	설문
		G. 운동능력	평가
		H. 기타 검사 결과	인터뷰
	Ⅳ. 생활 평가	A. 음주력	인터뷰
		B. 흡연력	인터뷰
		C. 활동도	인터뷰
		D. 영양상태	인터뷰
	Ⅴ. 치료 관리 상태 평가	A. 전반적 신체 건강	평가
		B. C. 대상자의 삶의 질	설문
		D. 치료 현황	인터뷰
		E. 의료기관 이용 현황	인터뷰
		F. 관리 서비스 이용 현황	인터뷰
		G. 치료 관리비 총계	인터뷰
조호환경 평가	Ⅵ. 조호 가정 평가	A. 가족 정보	인터뷰
		B. 조호자 정보	인터뷰
		C. 주거 환경 문제	평가
	Ⅵ. 조호 가정 평가	A. 평가 대상자 정보	인터뷰
		B. 조호 부담	인터뷰
		C. 조호자의 삶의 질	설문

출처 : 보건복지부(2010). 맞춤형 치매사례관리 안내

표 6-5 치매 사례관리에서 설정 가능한 일반 목표

목표	방법
1. 기능 향상	• 인지 기능 유지/향상 • 일상생활동작 기능 유지/향상 • 정신행동증상 완화 • 우울증 예방관리
2. 신체 건강 증진	• 시력 및 청력 교정 • 혈압, 당뇨, 콜레스테롤 수준 유지 • 비만 예방 • 구강 관리 • 근력 강화 및 낙상 예방 • 욕창 관리 및 예방
3. 생활습관 교정	• 절주 • 금연 • 운동 • 사회 활동 및 여가 활동 강화
4. 치료 관리 순응도 향상	• 정기적인 병원 방문 • 정기적인 투약 및 약물 관리 능력 향상 • 조호 서비스 이용율 증가 • 조호 서비스 요구도 증가
5. 안전 확보	• 낙상 예방 • 배회로 인한 실종 예방 • 흡인성 폐렴 예방 • 응급상황 대처능력 향상
6. 가정 조호 능력 향상	• 가정 조호 환경 개선 • 가족의 치매 조호기술 향상 • 조호자 부담감 감소
7. 사회적 지원 향상	• 지역사회 서비스 이용율 향상 • 불필요한 의료기관 방문건수 감소 • 의료비 및 요양비용 감소
8. 삶의 질 향상	• 전반적 치매 중증도 진행 억제 • 이차 치매 발생 예방 • 가족과 대상자의 긍정적 관계 유지
9. 사례관리 만족도 향상	• 만족도 • 호응도
10. 사례관리 타당성 입증	• 목표 달성 정도 • 효과성 평가

출처 : 보건복지부(2010). 맞춤형 치매사례관리 안내

5. 사례관리 프로그램의 실제

의료급여사업의 사례관리와 방문건강관리사업의 사례관리 프로그램을 적용하여 연구한 실제 사례는 다음과 같다.

1) 의료급여 사업 사례관리 실제 : 만성질환 의료급여수급자 대상 사례관리

본 의료급여 사례관리 실제는 의료급여관리사가 수행하고 있는 사례관리 중재효과를 알아보기 위한 것이다. 만성질환을 가지고 있는 의료급여 수급자를 대상으로 사례관리 개입 전과 후의 건강관리와 의료이용에 관한 사례관리 효과를 비교하는 단일집단 전후 비교설계연구이다. 이 연구는 의료급여 1종의 60세 이상인 만성질환을 가진 의료급여 수급자로서 2010년 365일을 초과한 의료과다 이용자 중 1개 이상의 만성질환을 가지고 고위험군으로 분류되어 3개월 사례관리를 받은 자들을 대상으로 하였다.

그 결과 사례관리 중재에 의해 대상자의 자가 건강관리 능력, 합리적 의료이용수준, 건강 삶의 질 수준에 긍정적인 중재효과가 나타났으며, 의료이용 및 기관부담금 같은 의료비용 절감에도 긍정적인 효과가 나타났다.

사례관리 프로그램 중재를 위한 수행절차와 평가도구는 다음과 같다(그림 6-11, 6-12)

2) 방문건강관리사업의 사례관리 실제 : 관절염 환자 사례관리

보건소 방문건강관리 사업 중 관절염 사례관리 대상자에게 제공된 사례관리 효과를 확인해보고자 실시한 연구로, 사례관리 이전, 중재 4주, 중재 8주, 중재 12주 시점의 관절 가동범위, 통증, 우울, 자기 효능감을 분석한 단일군 사전 사후 실험설계이다.

관절염 환자 사례관리의 전체적인 흐름은 방문간호사가 사례관리 대상자로 선정된 대상자의 가정을 방문하여 포괄적으로 대상자의 요구를 사정하고, 표준화된 문제목록을 이용하여 사례관리의 문제를 선정, 목표를 수립한 후 목표 달성을 위해 수립한 중재계획대로 표준화된 중재를 실시하고, 마지막으로 그에 대한 평가를 실시하는 것으로 이루어 졌다.

사례관리 후 대상자의 관절가동범위와 자기효능감이 증가하고, 통증과 불안정도도 감소하였으나 이러한 결과는 중재 이전과 중재 4주 후에는 큰 변화를 보였고, 중재 4주와 8주, 8주와 12주 사이에는 유지되는 양상을 보였다. 관절염 사례관리 프로그램 수행 과정은 그림 6-13과 같다.

주차	내용
1주차	• 1차 서신 발송 – 선정 안내문 및 의료급여제도 안내문 발성 • 1차 전화 – 안내문 수신 여부 확인 – 신뢰관계 형성에 초점 : 관리사 소개 – 사례관리 대상자로 선정됨과 선정 사유 설명 – 대상자의 의료이용 행태 및 질환 확인 – 의료급여제도 관련 지식수준 모니터링 및 설명 – 관리계획 및 일정 설명 : 방문일정 의논 및 약속
2~3주차	• 1차 방문 – 신뢰관계 구축에 초점 – 대상자 요구 측정 후 문제 영역에 따라 요구 진단 및 관리 목표 설정 – 목표 달성을 위한 수행: 제도 설명, 의료이용 관련 상담, 질환 교육 등 – 다빈도 질환 건강정보지, 의료급여제도 리플릿 제공 – 자원연계 필요시 사정
4주차	• 2차 전화 – 1차 전화, 1차 방문 수행 시 요구 진단에 따른 수행 관련하여 모니터링 : 의료이용 행태 개선 시에는 지지 및 옹호, 기선되지 않을 경우에는 재교육 – 필요시 자원연계 : 자원연계서비스 계획 설명, 수혜여부에 대해 동의 절차, 의뢰서 작성 등
5주차	• 2차 서신 – 기타 대상자에게 필요한 정보에 대한 서신 발송
6~9주차	• 3차 전화 – 2차 전화, 2차 서신 수행 시 요구 진단에 따른 수행 관련하여 모니터링 – 2차 방문에 대한 설명과 동의
10~11주차	• 2차 방문 – 3차 전화 수행 시 요구 진단에 따른 수행 관련하여 모니터링 – 자원연계 서비스 수혜 관련하여 모니터링
12주차	• 4차 전화 – 2차 방문 수행 시 교육내용 재확인 – 합리적 의료이용 행태 확인 – 연계된 사회복지서비스 활용 점검 및 지속적인 모니터링 – 계획된 사례관리 기간 도래하여 종결함을 알림 – 추후 요청사항 있을 시 계속적인 상담 가능함을 알림 – 의료이용 행태가 개선되지 않을 경우 지속적으로 재개입 및 모니터링 실시할 수 있음을 설명

그림 6-11 사례관리 수행절차

출처 : 김순아(2012) 의료급여 관리사가 수행한 사례관리 중재 효과 : 만성질환을 가진 의료급여수급자 중심으로, 한양대학교 임상간호정보대학원 석사학위논문

1. 자기관리능력 (30점)					
1. 자신의 질병상태	① 전혀 모른다	② 잘 모른다	③ 보통이다	④ 잘 아는 편이다	⑤ 매우 잘 알고 있다
2. 의료급여 제도이해	① 전혀 모른다	② 잘 모른다	③ 보통이다	④ 잘 아는 편이다	⑤ 매우 잘 알고 있다
3. 신체증상관리 / 상태조절	① 전혀 모른다	② 잘 모른다	③ 보통이다	④ 잘 아는 편이다	⑤ 매우 잘 알고 있다
4. 약물 복용	① 전혀 모른다	② 잘 모른다	③ 보통이다	④ 잘 아는 편이다	⑤ 매우 잘 알고 있다
5. 생활습관관리 (금연/절수/운동/식이)	① 전혀 모른다	② 잘 모른다	③ 보통이다	④ 잘 아는 편이다	⑤ 매우 잘 알고 있다
6. 위생 및 예방 (위생/청결/건강검진/예방접종)	① 전혀 모른다	② 잘 모른다	③ 보통이다	④ 잘 아는 편이다	⑤ 매우 잘 알고 있다

2. 합리적 의료이용 (30점)					
1. 전반적 의료이용의 적정성	① ② ③ ④ ⑤ ⑥ ⑦ ⑧ ⑨ ⑩ 매우 부적정 … 매우적정				
2. 의료 쇼핑	① 매우 심하다	② 조금 심하다	③ 보통이다	④ 거의 문제가 없다	⑤ 전혀 문제가 없다
3. 이용기관 전문수준	① 매우 심하다	② 조금 심하다	③ 보통이다	④ 거의 문제가 없다	⑤ 전혀 문제가 없다
4. 이용 기관수	① 매우 심하다	② 조금 심하다	③ 보통이다	④ 거의 문제가 없다	⑤ 전혀 문제가 없다
5. 중복처방 정도	① 매우 심하다	② 조금 심하다	③ 보통이다	④ 거의 문제가 없다	⑤ 전혀 문제가 없다

3. 지지체계 구축 (10점)			
1. 사회적 고립도	〈현재 상태를 판단〉 〈점수 – 체크된 항목 개수〉 – 무슨 일이 일어났을 때 도와줄 사람이 있다. – 문제가 생겼을 때 의논할 사람이 있다. – 금전적인 문제에 대해 도와줄 사람이 있다. – 밖에 나가 함께 어울릴 수 있는 사람이 있다. – 아플 때 돌봐줄 사람이 있다.	1. 자원연계	〈요구에 대해 필요한 자원연계 정도: 현재 상태를 판단〉 ① 매우 부족 ② 약간 부족 ③ 보통 ④ 양호 ⑤ 매우 양호

4. 건강삶의 질 (30점)	
1. 건강상태	① 매우 나쁘다 ② 나쁘다 ③ 보통이다 ④ 좋다 ⑤ 매우 좋다
2. 일상수행능력	① 완전히 무력하다. 자기 자신을 전혀 돌볼 수 없고, 전적으로 침대나 의자에 누워있어야 한다. ② 단지, 제한적으로만 자신을 돌볼 수 있다. 깨어있는 시간의 50% 이상을 누워있거나 앉아있다. ③ 보행이 가능하고 자신을 돌보는 모든 일은 가능하지만 깨어있는 시간의 50% 이상의 일을 할 수 없다. ④ 신체적으로 격렬한 활동은 제한 받으나 보행은 가능하고 가벼운일을 할 수 있다. ⑤ 제한 없이 모든 정상적인 활동을 수행할 수 있다.
3. 통증	① 매우 심한 통증이 있다. ② 심한 통증이 있다. ③ 가벼운 통증이 있다. ④ 아주 가벼운 통증이 있다. ⑤ 전혀 없다.
4. 우울	① 자살을 자주 생각하고 무력감에 빠져있다. ② 삶의 의미가 없다고 생각하고 별로 희망이 없다. ③ 때때로 지루하다고 생각하나 그런대로 삶에 만족한다. ④ 희망적이며 주위에 관심이 많은 편이다. ⑤ 매사에 활력이 있으면 삶에 만족하고 있다.
5. 건강관심도	① 매우 낮다 ② 낮다 ③ 보통이다 ④ 높다 ⑤ 매우 높다
6. 주거환경	– 채광 · 환기 우수 (1) 불량 (0)

그림 6-12 사례관리 대상자 평가표

출처 : 김순애(2012) 의료급여 관리사가 수행한 사례관리 중재 효과 : 만성질환을 가진 의료급여수급자 중심으로, 한양대학교 임상간호정보대학원 석사학위논문
2012 의료급여 사례관리 사업 업무 매뉴얼

단계	내용
사례관리 대상자 선정	• 관절염을 가진 표적 대상자 선정 • 선정 기준에 따른 참가자 선정
요구도 조사 : 가정방문(1회차)	• 관련 정보 우편 보내기 • 관절염 요구도 사정 도구를 활용하여 대상자 요구도 사정
사례관리를 위한 문제 선정 및 계획 수립 : 가정방문(1회차)	• 표준화된 문제목록을 이용한 문제 선정 • 관리 계획 수립
사례관리 실행	• 가정방문(2회차)–가정방문(3회차)–가정방문(4회차)–전화상담(5회차)–가정방문(6회차)–가정방문(7회차)–가정방문(8회차) 1) 2회차 방문(2~3주) : 1회자 가정방문 시 선정된 문제목록에 대한 중재(교육 및 상담) 2) 3회차 방문(4주): 평가, 선정된 문제 해결을 위한 중재교육 강화 3) 4회차 방문(5주) : 이행도 체크, 중재 추가 4) 5회차 전화상담(6주) : 문제에 대한 자가관리 정도 파악 및 격려 5) 6회차 방문(8주) : 평가, 문제 목록과 수행목표 점검 6) 7회차 방문(9–11주): 중재 강화, 교육 및 상담
평가	• 8회차 방문(12주) : 사업 효과 평가 1) 목표 달성 평가 2) 대상자와 함께 목표달성정도 점검

그림 6-13 관절염 사례관리 프로그램 과정

출처 : 양순옥 외(2011)보건소 맞춤형 방문건강관리사업 관절염 사례관리 효과. 지역사회간호학회지

참고문헌

- 강향숙 외(2015). 지역사회간호학. 퍼시픽북
- 건강보험공단(2014). 만성질환관리제 건강지원서비스 업무처리 지침
- 국민건강보험공단(2003) 건강보험 가입자 개인관리(Casemanagement, 사례관리)사업개발 및 평가
- 국민건강보험공단(2005). 2004 건강보험백서.
- 김성실 외(2003). 개정판 지역사회간호학(상). 정문각
- 김순아(2012). 의료급여 관리사가 수행한 사례관리 중재 효과 : 만성질환을 가진 의료급여수급자 중심으로, 한양대학교 임상간호정보대학원 석사학위논문
- 민혜숙(2015). 의료급여 사례관리 고위험군과 선택의료급여기관 적용군의 의료이용 비교. 한양대학교 임상간호정보대학원 석사학위논문
- 보건복지부(2007a). 맞춤형 방문건강관리사업 안내
- 보건복지부(2010). 맞춤형 치매사례관리 안내
- 보건복지부(2012). 의료급여 사례관리 사업 업무 매뉴얼
- 보건복지부(2013). 2013년도 치매관리사업 지침(수정)
- 보건복지부(2015). 2014 노인실태조사 결과 발표
- 보건복지부(2015). 의료급여 사례관리 업무 매뉴얼
- 보건복지부(2016). 지역사회통합건강증진 사업안내[방문건강관리]
- 안양희 외(2014). 지역사회보건간호학. 현문사
- 양순옥 외(2011)보건소 맞춤형 방문건강관리사업 관절염 사례관리 효과. 지역사회간호학회지
- 오미성 외(2015). 성과기반 지역사회간호학. 퍼시픽북.
- 유원섭 (2011). 의료급여 10주년 시행, 그 과제와 역할 조명. 국회토론회 자료.
- 의료급여법 시행규칙 제 2조
- 이정열 외(2014). 지역사회간호학 이론과 실제. 현문사
- 주영주, 최성희(2001). 교수매체의 제작과 활용. 남두도서
- 최연희, 이지현 외 (2014). 지역사회보건간호학 Ⅰ. 수문사
- 최연희, 이지현 외 (2014). 지역사회보건간호학 Ⅱ. 수문사
- Arnstein, sherry R. “A Ladder of citizen Participation.” JAIP. Vol. 35, Np. 4, July 1969, pp.216-224.
- Lyon(1993).Models of Nursing care delivery and case management: Clarificationof terms. Nursing Economics, 11(3), 163-168.
- Offredy, M. Bunn, F., & Morgan, J.(2009). Case management in long term condition: An inconsistent journey? British Journal of Community Nursing, 14(6), 252-257.
- Case Management Society of America(CMSA)(2007).Standard of practice for case management. Little Rock, AR: CMSA.

참고사이트

- 건강보험공단 건강 IN. http://hi.nhis.or.kr.
- 두산백과. http://www.doopedia.co.kr.
- 목감종합사회복지관. http://mokgam.or.kr.
- 보건복지부. http://mohw.go.kr.
- 보건복지부(2014) 금연광고 '더 늦기전에'. http://www.mohw.go.kr.
- 인천광역시 서구 보건소. http://seo.incheon.kr.

제 3 부

인구집단별 건강증진 및 유지

7장 보건교육
8장 건강증진
9장 공공보건사업
10장 감염성질환 및 만성질환관리
11장 가족간호
12장 학교보건
13장 산업간호

제 7 장

보건교육

학습목표

- 보건교육의 개념을 이해할 수 있다.
- 보건교육의 목적을 이해할 수 있다.
- 보건교육의 중요성을 알고 설명할 수 있다.
- 보건교육의 이론과 원리를 설명할 수 있다.
- 보건교육프로그램을 개발하고 계획할 수 있다.
- 보건교육의 방법과 교육 형태를 설명할 수 있다.
- 보건교육을 수행단계를 설명할 수 있다.
- 보건교육에 적절한 매체를 활용할 수 있다.
- 보건교육의 평가목적을 설명할 수 있다.
- 보건교육 평가유형을 알고 평가방법을 선택하여 활용할 수 있다.

개요

- 현재 우리나라는 평균수명 연장에 따라 만성 질환자가 급속도로 증가되면서 개인, 가족, 인구집단의 건강위험요인의 조기 발견과 관리를 지속적으로 강조하고 있다. 그러나 건강에 대한 현대적 개념으로 더욱 긍정적이며 적극적 개념인 건강증진이 제기되면서 대상자의 건강 잠재력이 충분히 발휘되어 적정기능수준을 이룰 수 있도록 건강생활 실천을 요구하고 있다. 국민건강증진법에서도 바람직한 건강생활 실천을 통해 생활양식의 변화를 가져오고 의식강화나 행동의 변화를 위한 수단으로 보건교육을 강조하고 있다.
- 7장에서 지역사회 대상자는 단순한 건강지식 습득보다는 자기 스스로가 건강관리를 할 수 있는 능력 배양을 요구하고 있으며, 보건교육자는 대상자의 건강 학습을 촉진하여 대상자가 자신의 건강문제를 정확하게 파악하고, 자신의 건강을 위해 필요한 실제적인 문제해결을 하도록 도우며, 또한 건강증진을 통한 삶의 질을 높일 수 있도록 지지한다.

주요용어

- 건강증진 • 보건교육 • 보건교육 매체 • 보건교육프로그램 • 생활양식의 변화

제1절 보건교육 개념의 이해

1. 보건교육의 정의

보건교육(Health Education)이란 건강(Health)을 교육(Education)한다는 건강과 교육의 합성어이다. 이는 교육의 형식과 방법을 통하여 건강한 방향으로 목적을 세우고 그를 달성하고자 하는 행위인 것이다.

세계보건기구(WHO)의 보건교육전문위원회에서는 "보건교육이란 주민들로 하여금 건강에 관한 지식, 신념, 태도, 행동에 대한 스스로의 노력으로 자신들의 건강을 유지하도록 돕는 것"이라 하였다.

그리피스(Griffiths)는 보건교육이란 최적의 건강행동에 관하여 알고 있는 것과 실제로 실행하는 것 사이의 간격을 좁히기 위하여 시도하는 활동이라고 주장하였다.

학교보건교육 용어제정위원회(미국)에서는 "개인 또는 집단의 건강에 관한 지식(knowledge), 태도(attitudes), 행위(practice or behavior)의 변화가 오도록 영향을 미칠 목적으로 학습경험을 베풀어주는 과정"을 보건교육이라 하였다. 미네소타대학의 루스와 그라우트(Ruth & Grout)는 "보건교육이란 우리들이 알고 있는 건강에 관한 지식을 교육이라는 수단을 통하여서 개인 또는 지역사회의 잘못된 행동을 바람직한 행동으로 바꾸어 놓는 것"이라 정의하였다.

2. 보건교육의 목적

보건교육은 바람직하지 않은 지식, 태도 및 행동 등에 영향을 주어, 이를 새롭고 올바른 양상으로 바꾸어 놓는 것이며, 지역사회 구성원 각자가 스스로 건강을 유지, 개선 및 향상하도록 함으로써 전 지역사회주민의 건강수준 향상에 기여하도록 하는데 그 목적이 있다.

세계보건기구(WHO)에 의하면, 건강에 대하여 자기 스스로 해야 할 일을 수행할 수 있는 능력을 갖도록 돕고 지역사회로 하여금 건강이란 가장 중요한 가치 있는 자산임을 인식시킨다. 또한 건강에 대한 인식을 배양해 주고 자주적인 태도를 갖도록 하는 것이다(self-care).

보건교육은 개인, 집단, 지역사회가 스스로 건강문제를 인식하고 해결함으로써 건강 회복, 유지, 증진하여 건강한 생활을 하기 위함이다. 즉, 보건교육의 궁극적인 목표는 건강에 관련된 지식, 태도, 기술(행위)을 변화시킴으로써 건강을 유지 증진하는 것으로써 이는 건강에 관한 올바른 지식을 습득하여 바람직한 건강습관에 따라 행동하도록 교육하는 것이다.

이러한 보건교육은 지역사회간호사가 지역사회간호사업을 수행함에 있어서, 개인이나 가족, 집단 또는 여러 지역사회가 건강을 유지하고 증진하는데 필요한 지식을 학습하여 올바른 건강태도를 가지도록 하는 지역사회 간호활동이다.

이러한 보건교육은 교육적 활동 뿐만 아니라 조직적, 정책적 노력과 경제적인 지원, 환경 운동과 각종 지역단위의 프로그램을 폭넓게 포함하여야 하며 크게 지역사회 보건교육, 학교 보건교육, 산업장 보건교육, 환자 보건교육 등으로 분류할 수 있다.

3. 보건교육의 중요성

1) 인간의 수명연장

우리나라는 현대사회에 이르러 고령화 사회로 진입하며 경제적인 성장과 의료수준의 발달에 의해 인간의 평균수명이 증가하였다. 이에 가족구성원의 경제적 · 사회적 생활방식이 변하면서 평균수명이 연장되어 사람이 오래 산다고 하는 그 자체가 노후의 건강생활에 대한 사회적 책임을 크게 하고 있다.

현재 65세 이상의 노인 인구의 비율이 전 인구의 7% 이상을 차지하며 출생률과 사망률이 저하된 장수사회를 의미하는 노인문제는 인구학, 법학, 행정학, 가족사회학, 사회복지학, 생리학, 의학, 심리학, 경영학 등 다학제적인 접근으로 노령의 전 과정을 종합적으로 다루는 추세에 있다.

2) 만성질환 증가에 의한 국민 의료비 상승

고령화 사회를 맞은 21세기는 경제적인 성장과 의료수준의 발달에 의해 인간의 평균수명이 증가하여 만성질환의 예방과 관리를 통한 삶의 질 향상과 경제적 부담감소가 국가 보건정책의 중요한 과제로 대두되고 있다. 따라서 흡연, 음주, 운동, 식생활 등 식생활양상의 변화와 생활양식의 변화로 인한 건강생활 습관의 개선으로 만성질환 증가에 따른 국민 의료비 상승을 억제할 수 있다.

3) 건강한 생활실천으로 삶의 질 향상

보건교육은 단순한 보건지식의 전달이 아닌 건강과 관련된 행위를 변화시키는 일이므로 주민들로 하여금 건강에 관한 지식, 신념, 태도, 행동에 대한 스스로의 노력으로 자신들의 건강을 유지하도록 돕는 구체적인 보건교육사업이 강화되어야 하며 이로 인한 삶의 질 향상에 노력하여야 한다.

4) 건강소비자의 권리 강화

- 1978년부터 세계보건기구(WHO)는 보건교육이 일차보건의료의 필수적인 요소로써 가장 중요한 서비스라고 주장하고 있다.
- 보건교육사업의 목표는 주민들의 건강에 대한 의식 행태 수준을 높여 건강생활을 습관화함에 있다. 따라서 이를 위한 체계적이고 효율적인 보건교육사업의 계획, 수행, 평가할 수 있는 보건교육 전문 인력이 필요하며 보건교육 전문 인력은 보건소, 산업장, 의료기관, 학교 및 민간 보건단체 등에 배치 및 활용되어져야 한다.

4. 보건교육의 이론과 원리

보건교육은 행동과학의 원리와 각종 건강과학의 정보를 대상자의 능력에 따라 적절한 학습경험을 제공하는 것으로 학습 목표 도달에 도움을 주는 내용(지식, 기술)의 전달과 내용이 의도대로 정확하게 전달되어 학습목표 도달을 용이하게 하는 모든 것을 말하며 그 이론은 다음과 같다.

1) 보건교육의 학습이론

보건교육의 학습이론이란 인간의 행동, 태도, 습관, 의식, 신념, 가치관 등이 어떻게 형성되고 변화되는가에 관해 설명할 수 있는 원리를 기술하는 이론이다.

(1) 행동주의 학습이론

1 고전적 조건 반사설(Ivan Pavlov)

행동주의적 관점에서 학습은 어떤 대상이나 사건과 같은 특정한 자극에 대해 새로운 반응을 형성한다는 이론으로, 조건화(conditioning) 결과로 이루어지므로 자극(stimuli)과 반응(responses)의 용어로 설명하고 있다. 즉, 개에게 종소리 후 먹이(무조건자극, 무조건반사)를 주고, 개는 종소리(조건자극)후 타액분비(조건 반사)를 조건화한다는 이론이다.

2 조작적 조건화(B. F. Skinner)

스스로 조작해서 보여주는 능동적 반응이 간접적으로 자극의 역할을 하여 반응이 강화된다는 이론으로 조작적 또는 도구적 조건형성(operant or instrumental conditioning)이라고 한다. 가장 효과적인 강화는 반응 직후에 주어지는 강화이다.

즉, 상자 속의 쥐가 기계장치(발판)를 통해 먹이를 얻는 능동적 조작에 대한 설명으로 학습된 것을 조직하고 이해하고 있는지에 대한 주의를 할 필요 없이 맹목적인 기억과 훈련만으로 학습시킬 수 있다는 행동이론이다.

3 손다이크(Thorndike) 자극-반응 이론(S - R: Stimuli - Reaction)

Thorndike의 시행착오설(trial and error)이라고 하며 인간과 동물이 환경 내에서 특정 자극(S)에 대하여 어떻게 반응(R)하는지를 설명하기 위한 실험을 하였다. 즉, 굶은 고양이가 장치된 곳의 생선을 여러 번의 비효율적인 다양한 반응을 통해 마침내 먹이를 얻게 되는 것에 착안한 이론이다.

(2) 인지주의 학습이론

인간의 행동변화에 관한 이론으로, 자극을 지각하고 해석하고 판단하는 내적 사고과정의 인지적 변화를 말한다. 인간의 내재적 심리과정을 다루는 이론으로 쾰러(Köhler)의 통찰학습과 레빈의 장이론, 블룸(Bloom)의 숙달학습 모형이 있다.

1 쾰러(Köhler)의 통찰학습이론

Köhler의 통찰이론은 형태주의 심리학에 근거하여 학습자는 학습상황에서 부분을 보는 것이 아니라 각 부분의 상호관계의 맥락에서 전체를 지각한다고 보는 이론이다.

인지이론에서 보이는 지각의 조직 및 연결에 나타나는 경향성 등은 인간의 모든 형태에 적용되는데, 문제 상황 속에서 개인이 이해하고 경험하는 장(field) 속에서 부분과 부분 간의 관계에 작용되는 것이 통찰(insight)이며, 학습은 통찰에 의해 이루어진다고 보았다.

2 레빈(Lewin)의 장 이론

Lewin은 그 당시 경험하는 인간의 행동은 모든 심리적 사실에 영향을 받으며, 한 개인의 전체적 상황으로서 생활공간(life space)을 이룬다고 보고 따라서 행동의 원인은 계속 역동적으로 변화하게 된다는 이론으로 심리학적 장 이론(field theory)이라 불렀다.

Lewin은 생활공간에 대한 인지구조의 변화과정을 학습이라고 정의하고 인지(cognition)는 통찰, 이해와 같은 의미로서 장을 이해하고 있는 상태, 인지구조가 성립되는 과정, 기존의 인지구조가 재구조화되는 과정으로 설명하고 있다.

3 블룸(Bloom)의 숙달학습 모형

Bloom은 학습자가 단순한 기억에서 새로운 관념이나 물질을 조합하며 합성하는 독특한 계층적 학습배열을 개발하였다. Bloom은 가장 낮은 수준의 인지영역에 기억을 두었는데(recall) 학습자가 나중에 기억해내려면 정보를 저장해야 한다. 단기간의 정보 저장에는 시연하고 부호화하는 것이 중요하다.

(3) 인본주의 이론

인본주의 학습 원리는 행동하는 사람의 입장에서 이해하려는 시도에서 시작되었으며 주관적 경험을 강조하며 본래적인 성향이 성장되도록 도와주고 잠재력을 실현시키려는 것이다. 학습자가 자신의 성취와 흥미에 관심을 갖는 철학이나 태도를 말하며 학습과정을 조절할 때 주의집중을 통해 학습이 증가된다는 이론이다.

인본주의가 가장 중요하게 고려하는 점은 자율성(autonomy)이다. 학자로는 매슬로우와 로저스가 있다.

1 매슬로우(Maslow)의 동기 위계적 교육이론

욕구의 위계적 단계를 가지며, 학습을 최대한 자발적인 자기실현을 위한 잠재력의 경험을 하도록 하며 경험을 촉진시키는 것이 교사의 역할이라고 하였다. 즉, 직접 경험적 지식과 간접적인 관찰학습을 통하여 자아실현을 추구하는 학습이다.

2 로저스(Rogers)의 완전한 기능을 위한 비지시적 유의미 교육이론

Rogers는 자신의 경험을 통하여 교육자는 학습자의 잘못을 지적하기보다는 학습자를 있는 그대로 무비판적으로 수용하여 그들의 느낌과 생각을 이해함으로써 학습자의 학습을 동기화시키거나 문제행동을 줄일 수 있다고 보는 이론이다.

즉, 인간의 내재적 기능을 충분히 발휘할 때가 가장 이상적인 상태라고 하며, 상처받기 쉬운 인생 초기에 중요한 타인으로부터 받는 긍정적 존경을 통하여 변화가 시작된다는 내담자 중심 학습 이론이다.

2) 보건교육 시 고려해야 할 일반적인 원리

- 기본적으로 모든 인간집단을 대상으로 한다.
- 개인이나 집단의 건강에 대한 지식, 태도, 행위를 긍정적인 방향으로 변화시켜 건강행동의 습관화를 목적으로 한다.
- 가능한 실제 상황과 비슷한 학습 환경에서 보건교육이 이루어질수록 큰 효과를 기대할 수 있다.
- 보건교육은 건강에 관한 타 분야와의 협조적인 노력이 반드시 필요하다.
- 보건교육을 계획할 경우 그 대상자의 건강에 대한 전반적 사항을 반드시 파악하여야 한다.
- 보건교육 대상자의 요구 또는 흥미에 따라 실시해야 그 효과를 극대화할 수 있다.
- 보건교육 대상자들의 연령, 교육수준, 경제수준 등을 고려하여 교육이 실시되어야 한다.
- 보건교육의 양과 질을 측정할 수 있는 평가지표가 미리 마련되어야 한다. 또한 이에 따른 피드백이 이루어져야 한다.
- 보건교육의 내용은 일상생활에서 응용되어 실천될 수 있어야 하며, 신체적, 정신적, 사회적 측면의 균형과 조화를 고려하여 실시되도록 한다.
- 보건문제는 창의적인 과정으로 해결해 나아갈 수 있도록 교육되어야 한다.
- 보건교육 대상자가 적극적이고 자발적으로 참여할 수 있도록 유도해야 한다.
- 보건교육의 내용은 개인, 가정, 이웃, 학교, 지역사회 등에 미치는 파급효과가 크다는 점을 명심 한다.

3) 보건교육의 원리 중 기본요소 4가지

- 교육자: 전문적인 보건교육자로서 실제로 보건교육을 실시하는 교육의 주체자이다.
- 학습자: 교육의 대상자로서의 개인, 환자와 가족, 집단, 지역사회 모두 포함한다.
- 교육내용: 건강과 질병에 관련된 것으로 인간의 건강에 관련된 신체적, 정서적, 정신적, 사회적, 환경적 요인들을 포함한다.
- 환경: 교육자와 학습자가 만나는 장소인 병원, 학교, 산업장, 지역사회, 가정 등이 해당된다.

4) 교수-학습개념

- 교수: 교육자가 교육의 중심이 되어 교육을 계획하고 학습자에게 지식 및 기능을 학습하도록 시키는 교육자 중심 교육활동이다.
- 학습: '배우는 것', 배운다는 것은 행동변화를 유도하는 것이다.

5) 보건교육자로서의 지역사회간호사 역할

지역사회간호사는 주민들의 보건교육 요구에 대하여 조사하여야 한다. 요구사정의 4단계는 다음과 같다.

– 과거에 어떠한 문제가 있었는지 기준과 표준을 정하는 것이다.
– 어떠한 자료가 수집되어야 하는지, 어떠한 내용으로 어디에서 수집할 수 있는지, 어떻 게 수집하는 것이 좋을지를 결정한다.
– 자료수집과 분석을 한다.
– 문제의 본질과 내용을 기술하는 것이다.

최근 2010년 이후 보건교육사 제도에 의해 전문적인 보건교육을 담당하는 보건교육사가 직업적 전문가로 양성되고 있다.

(1) 보건교육의 범위

① 홍보 ② 교육자 ③ 동기부여 ④ 건강문제 분석 ⑤ 출판 및 홍보물 발행

(2) 보건교육자로서 지역사회간호사의 활동

① 연구개발자
② 직접교육 수행
③ 보건사업 평가
④ 동기조성/ 변화촉진
⑤ 각종 건강 정보망의 관리
⑥ 지역사회건강정보 수집 및 분석
⑦ 지역사회 자원관리 및 협력관계 유지
⑧ 보건사업관련 요원을 대상으로 한 교육과 훈련, 홍보

(3) 요구되는 보건교육자의 자질(Quality of H. E.)

① 원만한 대인관계
② 친절한 태도
③ 의사소통–경청, 주의집중, 분명한 언어사용
④ 감정변화가 적어야한다.
⑤ 단정한 태도, 밝은 표정
⑥ 흥미와 열의
⑦ 편견제거
⑧ 대상자의 참여유도
⑨ 평가참여

(4) 보건교육에 의한 건강행동의 5단계(Leavell & Clark)

1단계: 건강증진은 의도적인 또는 습관화된 건강상 바람직한 행동을 말한다.

2단계: 질병예방은 질병에 이환되는 것에 대한 직접적인 방어행동을 말한다.
손 씻기, 전염병 · 식중독예방을 위한 예방접종, 일사병 예방을 위한 행동, 감기예방, 직업병예방을 위한 설비 개선, 보호구 착용, 자전거 안전헬멧 착용도 제1차 예방행동 등

3단계: 조기발견, 조기치료는 각종 건강 진단의 수진 이외에 유방암의 자기검진도 포함 진료행동은 치료를 위해 의료기관을 방문해서 의료를 받는 환자의 행동을 말한다.

4단계: 치료를 위한 환자행동에는 질병에 걸리게 됨에 따라서 자연적으로 발생된 생리적 현상이나 심리적 반응도 포함한다.

5단계: 복귀행동은 재활(rehabilitation) 과정에서 환자의 복귀를 위해 취하는 행동으로 즉, 근본적으로 자기간호(self–care)가 필요한 단계이다.

제2절 보건교육프로그램 개발

최근 몇 년 사이에 우리나라도 대사증후군이나 심혈관계 질환 등의 생활습관병의 발생률이 급격히 증가하고 있어 사회 · 경제 적으로 중요한 문제로 대두되고 있다.

따라서 현재의 건강문제를 일으키는 생활습관을 바람직한 건강행위로 변화되도록 보건교육 프로그램을 제공하여 건강문제를 해결하고 건강을 유지, 증진하며 건강한 생활을 영위할 수 있는 능력을 갖도록 하는 것이 필요하다. 생활습관과 행위를 변화시키기 위한 목적으로 금연 프로그램, 절주 프로그램, 운동 프로그램, 영양 프로그램을 제시하였다.

1. 보건교육 계획

1) 1 단계: 대상자의 선정 및 특성 파악

① 대상자의 수: 개인, 가족단위, 단체, 지역사회
② 보건교육 내용에 대한 대상자의 경험 및 지식 정도
③ 지역사회 문화적 배경
④ 대상자의 태도 및 동기정도
⑤ 교육 방법에 대한 기대 정도와 경험: 교육방법의 선호도 파악
⑥ 대상자의 교육수용 능력: 교육에 대한 이해도와 실천할 수 있는 능력정도

2) 2 단계: 대상자의 요구 및 우선순위 파악

보건교육 요구도 사정내용은 역학조사 자료, 사회 · 환경지수, 전문가나 대중의 여론을 근거로 파악하며 역학자료는 사망진단서, 병원기록, 진단서, 어린이 건강기록부, 질병발생기록, 장애인 등록기록에서 자료를 수집한다. 이때 보건교육으로 주민의 요구를 해결할 수 있는지 보건교육의 효율성을 판단해야 한다.

- Bradshaw 요구(Need)의 요구 분류
  ① 규범적 요구–객관적 요구
  ② 내면적 요구–감지된 요구
  ③ 외향적 요구–표현된(행동화) 요구
  ④ 상대적 요구–연구결과에 의한 요구

- 보건교육 요구에 대한 우선순위 결정시 일반적인 고려사항
  ① 교육대상의 관심과 자발성 정도를 고려해야 한다.
  ② 심각한 영향을 미치는 보건문제가 우선적이어야 한다.
  ③ 경제적 효율성 측면과 인력에 대하여 고려해야 한다.

④ 많은 사람에게 영향을 미치는 문제가 우선적이어야 한다.

⑤ 문제를 해결하기 위해 필요한 지식이나 기술, 즉 효과적인 교육방법이 실현가능한가를 고려한다.

3) 3 단계: 보건교육의 목적(Goal)과 목표(Objective)결정

(1) 보건교육의 목적

: 교육 대상과 내용에 따라 건강에 대한 지식, 인식 및 태도를 변화시켜 건강에 대한 올바른 결정을 유도하고 건강생활을 실천하도록 설정해야 한다.

보건 교육의 목표에 대한 방향을 제시하므로 일반적으로 광범위하다.

① 목표하는 장기적이면서 최적의 결과를 서술한다.

② 국가 및 해당 지역의 보건정책과 일치해야 한다.

(2) 보건교육의 목표(Objective)

① 의식 변화유도: 사람들에게 특정 건강 문제에 대해 지식을 제공함으로써 건강문제에 대한 의식의 변화를 유도하고 인지 정도를 고조시킨다.

② 올바른 지식 증대: 명확한 지식이 거의 없는 보건문제에 대한 정확한 지식 및 정보를 전달함으로써 올바른 지식의 증대를 유도한다.

③ 행동변화 유도: 건강에 관련해서 결정된 사항을 수행한다.

④ 태도변화 유도: 건강에 대한 정서적 반응, 믿음과 가치관을 전환 유도한다.

⑤ 올바른 결정 유도: 건강 문제를 해결하기 위해 무엇을 할 것인가를 결정하도록 돕는다.

⑥ 사회 변화 유도: 사회 환경을 변화시킴으로써 건강 생활을 쉽게 할 수 있도록 돕는다.

⑦ 지각 유도: 건강에 대한 가치관을 정립하는 것으로 대상자 자신에게 중요한 것이 무엇인가를 판단할 수 있도록 도와준다.

4) 4 단계: 세부 목표의 설정

(1) 세부 목표의 설정의 중요성

단계별 계획수립 과정에서 사전평가 결과 목표를 이루었을 경우 성취감을 미리 얻을 수 있고, 반대의 경우 계획을 재검토하여 미흡하거나 잘못된 부분을 변경보건교육의 결과를 미리 평가해 볼 수 있는 단계이다.

(2) 목표(Objective)설정 시 원칙

① 측정 가능한 의도 결과를 서술한다.

② 현실적이면서 실현 가능한 목표를 설정한다.

③ 반드시 상위개념 보건교육 목적과 연관되어야 한다.

④ 관찰할 수 있고 행동화할 수 있는 동사만을 사용한다.
⑤ 성공적으로 수행할 수 있는 현실적인 목표를 세워야한다.

5) 5단계: 이용 가능한 자원을 파악

보건교육 시 이용 가능한 자원을 최대한 활용한다.
① 교육대상자의 성공적 경험의 교환한다.
② 보건교육사: 보건교육사의 경험, 지식, 열정 및 시간을 파악한다.
③ 기존정책과 계획: 기존정책 자체가 보건교육의 기본 자료로 활용한다.
④ 교육대상자에 영향을 미치는 사람 및 시설 등 국가 및 지역사회의 기본정책 및 이용 가능한 기존 시설 및 교육 자료를 확인한다.
⑤ 교육 기자재: 홍보책자, 포스터, 전시용 자료, 교육실, 의자, 난방, 조명, 시청각 기자재 등을 점검한다.

6) 6단계: 내용 및 방법에 대한 계획

① 목표를 이루는 데 가장 적합한 방법은 무엇인가?
② 보건교육사 자신이 편리하게 사용할 수 있는 방법인지?
③ 그 방법이 대상자가 거부감을 갖지 않고 받아들일 수 있는 방법인가?

7) 7단계: 평가 방법의 계획

(1) 평가목적

① 투입된 자원과 빈도는 적절했는가?
② 목적이나 목표에 맞도록 진행되며 성취하고 있는가?
③ 목적이나 목표를 얼마나 달성했는가?
④ 유용한 피드백을 제공할 수 있다.
⑤ 목표달성정도의 효율성을 사정한다(장단점 수정 보완).
⑥ 미래의 발전에 관한 결정을 하기 위함이다.

(2) 평가단계

① 평가대상 및 기준설정
② 자료수집
③ 실적비교
④ 자료 분석(가치판단)
⑤ 재 계획

(3) 평가도구의 조건

① 타당성(Validity): 내용, 목표에 적합한가?
② 유용성(Usability): 경비, 시간의 유효성을 본다.
③ 신뢰성(Reliability): 평가도구의 오차가 적어야한다.
④ 객관성(Objectivity): 측정결과 일치성(검사자의 자질)을 본다.

(4) 평가의 범주

① 투입된 자원: 인원, 시간, 경비
② 사업의 효율성: 자원과 목표량비교
③ 목표달성 정도: 인원수, 이해도, 실천정도
④ 사업의 적합성: 교육대상자와 교육자의 비율
⑤ 사업의 진행정도: 계획이 내용 및 일정에 맞게 이루어졌는가?

(5) 평가의 유형

① 진단평가 – 사업을 시작하기 전에 지역사회 주민이 원하는 것은 무엇인가를 평가한다.
② 과정평가 – 프로젝트는 얼마나 잘 실행되었는가를 평가한다.
③ 영향평가 – 프로젝트에 의해 어느 정도 변화가 이루어졌는가를 평가한다.
④ 결과평가 – 예상했던 변화는 이루어 졌는가를 평가한다.

(6) 프로그램 평가기준

① 유용성: 대상자의 요구를 충족시켜주는 평가 설계를 평가한다.
② 적합성: 평가의 윤리적인 측면(인권보호)을 평가한다.
③ 실행 가능성: 실용적이고 현실적인 평가를 한다.
④ 정확성: 타당하고 신뢰할 만한 결과 도출이 가능한 설계였는가를 평가한다.

2. 학습목표 설정

1) 보건교육의 방향 설정

목표는 무엇인지, 보건교육 계획, 수행, 평가의 기준이 무엇인지 확인한다.
학습 목표로 일반적 목표와 구체적 목표의 범위를 설정한다.

2) 보건교육의 학습내용을 결정하기 전에 교육자가 먼저 준비해야 할 사항

① 학습자 인적 특성
② 학습욕구확인
③ 학습방법 결정
④ 학습평가 선택
⑤ 학습장소 및 시간

3) Bloom의 교육을 통한 학습목표의 영역과 수준

가. 인지적 영역: 지식, 이해, 적용, 분석, 종합(합성), 평가의 단계를 포함한다.
나. 정의적 영역: 반응, 가치화, 신념(주의), 조직화, 인격화, 동의, 선호, 태도를 포함한다.
드러나지 않으므로 측정이 어려운 단점이 있다.
다. 심리운동기술 영역: 시도, 주장, 준비, 표현, 완성을 포함 한다. 정의적 영역에 비해 관찰이 가능하기 때문에 확인하고 측정하기가 쉬운 것이 특징이다.

4) 학습 목표의 작성 원리

학습 경험의 결과로 필수적으로 알아야 하는 내용, 알면 유익한 내용, 알아두면 좋을 내용 등으로 구별하고, 구체적이고 명확한 학습목표를 설정하도록 하여 학생이 수행하기 바라는 행동으로 기술되어야 한다. 이때 단순 명료하게 한 문장에 최종 행위로 기술하여야 한다.

– 학습목표의 작성 원리 4가지 구성요소
① 최종행동 ② 변화내용 ③ 조건 ④ 평가기준

5) 학습 내용의 조직과 내용 선정

계열화, 조직화, 체계화 되어야 하고 쉬운 것에서 어려운 것으로, 아는 것에서 모르는 것으로, 구체적인 것에서 추상적인 것으로 진행되어야 하고 학습내용은 대상자의 자기건강관리를 위해 현재와 미래에 기여하는 내용이어야 한다.

대상자가 살고 있는 가정과 지역사회의 여건에서 요구되고 허용되는 내용이어야 한다.

내용은 지식의 참신성과 신뢰성, 학습 목표와의 일관성, 활용 범위 넓은 내용, 넓이와 깊이의 균형, 타당성 등을 갖추어야 하며 교육내용의 학습 시간의 계획으로는 도입(5~10분), 전개(20~25분), 정리(5~10분)정도를 유지한다.

3. 보건교육 프로그램

1) 금연 프로그램

다양한 요인들 중에서 인간의 건강에 가장 많은 피해를 주는 것이 담배이다.

19세 이상 성인을 대상으로 보건복지부가 조사한 결과에 의하면, 흡연율이 경제협력개발기구(OECD) 국가 중에서 가장 높은 수치이며, 15세 이상 남성 흡연율이 선진국에 비하면 아직도 매우 높은 수준이다.

흡연의 대부분은 25세 이전에 결정되므로 청소년 및 젊은 층에 대한 흡연 예방대책도 매우 중요하다. 그러나 흡연에 의한 폐암 등의 질병과 사망 발생을 예방할 수 있음에도 불구하고 흡연자들의 강한 중독성 때문에 이를 관리하기에는 어려움이 크다.

미국은 1997년 대통령이 담배를 마약으로 규정하고 강력한 금연정책을 추진한 결과 현재 금연정책이 성공하였다. 우리나라도 1995년 국민건강증진법을 제정하여 담배에 대한 규제가 본격적으로 이루어졌으며, 2004년에는 담배 자동판매기에 성인인증장치를 의무적으로 부착하도록 함으로써 청소년에 대한 담배판매를 제한하였고, 2005년 WHO 담배규제기본협약(FCTC ; Framework Convention on Tabacco Control)을 비준하는 등 금연에 대한 강력한 정책을 실시하고 있으나 흡연율은 여전히 선진국에 비해 높은 수준으로 국민건강을 위협하고 있다.

담배의 유해 성분 중에서 인체에 가장 큰 피해를 주는 대표적인 유해물질은 일산화탄소, 니코틴과 타르 이다. 흡입된 담배의 일산화탄소는 전량이 흡수되며, 니코틴의 90%는 뇌에 도달하고, 타르의 70% 정도는 기도에 축적되어 독성을 일으킨다.

(1) 간접흡연

흡연은 담배를 피우는 본인뿐 아니라 주위에 있는 사람들에게도 많은 피해를 주는 것으로 증명되었다. 담배연기는 주류연(main stream smoke)과 부류연(side stream smoke) 으로 되어 있다. 주류연은 흡연자가 담배연기를 들이마신 후 내뿜는 연기이고, 부류연은 타고 있는 담배 끝에서 나오는 생담배연기를 말한다. 간접흡연은 부류연이 85%, 주류연이 15%를 차지한다. 부류연의 독성 화학물질의 농도는 주류연보다 높고 담배연기 입자가 더 작아서 폐의 더 깊은 부분에 침착될 수 있다. 특히 임신한 여성이 간접흡연에 노출되면 태아도 흡연으로 건강장애를 입게 되어 유산, 전치태반, 태반조기박리, 저체중아 출산과 출생전후기(주산기) 사망률이 높아지게 된다고 하여 간접흡연에 의한 피해가 심각함을 알 수 있다.

흡연으로 위험성이 증가하는 대표적인 질환으로는 암, 심혈관질환, 폐질환, 담배의 중독성 등이 있다.

(2) 담배를 피우는 유형

담배를 피우는 유형은 손장난, 자극 추구, 즐거움과 편안함, 스트레스 해소, 신체 · 심리적 충동, 습관성으로 구분되며 자가진단을 통하여 알 수 있다.

(3) 금연단계에 따른 금연 전략

① 계획 전 단계-아직 담배를 끊고 싶다는마음이 들지 않아 동기 유발이 필요한 단계

② 계획단계-담배의 유해성은 알지만 당장 금연을 하는 단계는 아닌 단계
③ 준비단계-한 달 이내에 금연을 하고자 구체적 도움이 요구되는 단계
④ 행동단계- 금연을 실행 시작하고 1개월 이내 단계, 흡연욕구 및 금단증상에 대한 대처가 요구되는 시기
⑤ 유지단계-적어도 1개월 이상의 금연이 유지되고 실패하더라도 준비단계에서 다시 시작하는 단계

2) 절주 프로그램

음주는 대부분의 국가에서 중요한 사회적 문제 중 하나이다. 우리나라는 전통적으로 술에 대하여 허용적이고 관대할 뿐만 아니라 술이 사회적 관계를 연결해 주는 매개 역할을 하고 있어 술 소비가 높은 국가 중의 하나이다.

고위험 음주의 비율도 남성, 여성이 보고되어 전년도에 비하여 다소 낮아졌으나, 이러한 음주는 알코올 중독자의 증가로 이어진다고 볼 수 있다. 최근의 보고에 의하면, 강력범의 범죄는 취중 범죄이며 청소년 폭력의 대부분이 음주와 관련되어 있고, 음주로 인한 교통사고와 가정불화 등이 유발된다.

음주의 문제는 예방 가능한 보건문제로서 절주를 위한 적극적인 중재가 요구된다.

알코올은 간에서 대사되어 알코올이 알코올 탈수소효소에 의해 아세트알데히드(아세트산)로 산화되고, 이것이 분해되어 에너지, 이산화탄소, 물이 된다. 대사되지 않은 알코올은 혈중에 남아 있다가 호흡, 피부, 소변으로 배출된다.

술은 배설속도보다 흡수속도가 빠르기 때문에 마실수록 몸에 계속 축적되므로 과음을 한 경우에 체내에 심각한 농축현상이 생기게 된다. 정신적인 면에 서 알코올 섭취는 인간의 이성과 지성적인 면은 억압하고 본능적이고 감정적인 면을 강화하여 충동적이고 쾌락적인 성향을 띠게 만든다.

3) 운동 프로그램

운동이란 사람의 움직임을 말하는 것으로 여가시간 동안에 하는 신체활동을 말한다. 여기에는 스포츠, 댄스, 게임 등의 수행 또는 체조와 같은 형식적인 활동이나 걷기, 조깅, 수영 등의 비형식적인 활동이 포함된다.

인체의 건강상태가 잘 유지되기 위해서는 조화를 이루는 심혈관계의 적정성(심폐지구력), 근육의 힘, 근육의 지구력, 유연성, 체지방의 비율이다. 이와 같은 요소들을 조화롭게 하기 위해 지속적으로 운동을 해야 한다.

(1) 유산소 운동(Aerobic)

수영, 등산, 자전거 타기, 빨리 걷기, 달리기 등의 운동이 해당된다.

(2) 근력 운동(Weight training)

근육의 힘과 지구력을 키워주는 운동으로 헬스클럽의 웨이트 트레이닝, 팔굽혀펴기, 앉았다 서기 등의 운동이 있다.

표 7-1 절주 보건교육의 예시

<table>
<tr><td>대상</td><td>특성</td><td>○○대학교 학생</td><td>인원</td><td>○○명</td><td>교육자</td><td>권 ○○</td></tr>
<tr><td>주제</td><td colspan="4">대학 음주 – 이대로도 좋은가?</td><td>일시 및 장소</td><td>2015–12–30
00시 보건소 다목적실</td></tr>
<tr><td rowspan="2">학습 목표</td><td colspan="6">* 일반적 학습목표
2015년 12월 30일부터 2016년 12월 30일까지 학생들은 절주의 필요성을 알고, 절주를 실천한다.</td></tr>
<tr><td colspan="6">* 구체적 학습목표
– 대학 음주의 실태 및 문제점을 수 있다.
– 술이 신체에 미치는 영향을 알 수 있다.
– 술과 음주 및 음주문화를 개선하는 방법을 알 수 있다.</td></tr>
<tr><td>단계</td><td colspan="4">교육내용 및 활동</td><td>시간</td><td>학습방법 및 보조자료</td></tr>
<tr><td>도입</td><td colspan="4">인사 및 학습에 대한 주제와 학습 목표 소개
절주와 관련된 동영상 자료 시청</td><td>5분</td><td>학습에 대한 주제와 목표를 제시하고 절주와 관련된 자료를 시청한다.</td></tr>
<tr><td rowspan="6">전개</td><td colspan="4">절주에 대한 정의</td><td>2분</td><td>절주의 정의에 대해 설명한다.</td></tr>
<tr><td colspan="4">절주의 필요성</td><td>3분</td><td>절주의 필요성을 월간 음주율과 남 · 여 주종별 1회 평균 섭취량을 보여주며 설명한다.</td></tr>
<tr><td colspan="4">음주가 인체에 미치는 영향
· 긍정적 영향
· 부정적 영향</td><td>5분</td><td>음주가 인체에 미치는 긍정적인 영향과 부정적인 영향에 대하여 설명한다.</td></tr>
<tr><td colspan="4">대학생 음주 문화와 현황
· 대학생의 스트레스 해소법
· 대학생 음주문화 현황</td><td>10분</td><td>대학생들의 음주 문화와 현황에 대해서 설명한다.
–대학생의 스트레스 해소법에 대해 그래프를 보여준다.
–대학생 음주문화와 음주행위에 대해서 설명한다.</td></tr>
<tr><td colspan="4">고위험 음주
· 정의
· 고위험 음주율</td><td>5분</td><td>고위험 음주에 대하여 설명한다.
–고위험 음주의 정의에 대해 설명한다.
–고위험 음주율 그래프를 보여준다.</td></tr>
<tr><td colspan="4">절주 실천하기
· 절주하면 좋은점
· 술을 거절하는 방법
· 절주하는 방법</td><td>10분</td><td>절주하면 좋은점, 술을 거절하는 방법, 절주하는 방법에 대하여 설명하고 실천을 하고록 행동의 변화를 촉진한다.</td></tr>
<tr><td>요약 및 정리</td><td colspan="4">음주의 위험성(술의 위험성)
고위험 음주
절주 실천하기
O.X 퀴즈</td><td>10분</td><td>음주의 위험성에 대해 설명한다.
고위험 음주에 대해 설명한다.
절주 실천하기에 관한 설명을 한다.
절주에 대한 O.X 퀴즈를 내고 맞추는 시간을 갖는다.</td></tr>
<tr><td>평가</td><td colspan="4">질의 응답</td><td>10분</td><td>교육에 대하여 궁금한 점, 의문점 등을 질의 응답하는 시간을 갖도록 한다.</td></tr>
</table>

(3) 유연성 운동(Stretch gymnastics)

근육을 부드럽게 하여 관절의 운동범위를 넓혀주는 운동으로 일상생활 유영성에 도움을 주며, 부상의 위험성을 감소시켜 준다. 스트레칭, 맨손체조 등의 운동이 있다.

4) 영양 프로그램

영양소는 에너지원으로 이용하는 주영양소와 우리 몸의 생리작용을 조절하는 부영양소로 되어 있다. 현재 영양섭취기준에서는 성인 연령 기준을 20세에서 19세로 조정하였고, 소아, 청소년 체위기준이 다소 상향되어 그에 따른 영양소 섭취기준을 조정하였다.

(1) 식생활의 기본 원리

건강한 식생활은 신체가 필요로 하는 다양한 영양소를 여러 가지 식품으로 섭취함으로써 가능하다. 식품섭취 시 균형, 적당, 절제와 다양성이 모두 갖추어진 건강한 식생활을 실천하는 노력이 필요하다.

(2) 식품구성 자전거 모형

최근 한국영양학회가 새로 제작한 모형으로 우리 국민에게 권장되는 식생활 지침을 자전거 모형으로 알기쉽게 표현하였다. 식생활에서의 활용이 용이하도록 1인 1회 분량 기준으로 생애주기별 권장 식사패턴을 제안하고, 지향해야 할 식사구성 및 영양목표를 식품구성 자전거모형으로 홍보하고 있다. 식품구성 자전거는 6개의 식품군에 권장식사패턴의 섭취 횟수와 분량에 맞추어 바퀴 면적을 배분한 형태로, 기존의 식품구성 탑보다 다양한 식품 섭취를 통한 균형 잡힌 식사와 수분 섭취의 중요성 그리고 적절한 운동을 통한 비만 예방이라는 기본 개념을 나타낸다.

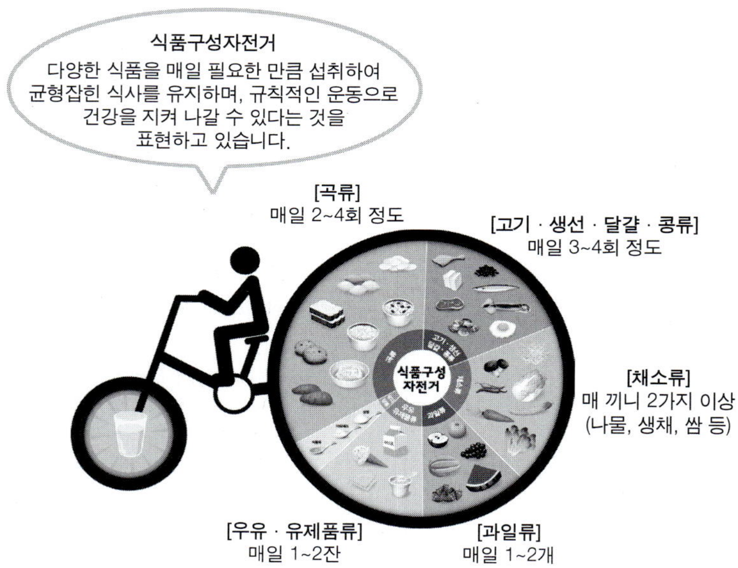

출처: 한국영양학회, 2015.

(3) 영양권장량

영양권장량은 국가, 지역사회의 식품영양정책을 수립하는 데 이용된다. 즉, 국민건강증진 방안, 영양교육 프로그램을 개발할 때, 영양 결핍증 및 과잉증 예방, 각종 식인성 질환의 예방대책 등 영양정책을 수립할 때 기준이 되며 영양권장량이 필요하다.

영양섭취 기준은 아래의 표 7-2와 같다.

표 7-2 영양섭취 기준

균형	식생활의 기본 영양소들을 균형 있게, 적시에 적절히 공급해 주어야 한다.
적당	우리 몸이 필요한 만큼 필수 영양소를 충분히 공급해 주어야 한다.
절제	지방, 소금, 설탕, 향신료 등을 많이 섭취하는 것을 피해야 한다.
다양성	신체가 필요로 하는 다양한 영양소를 여러가지 식품을 섭취하여야 한다.

(4) 개인별 식품조사방법

① 기록법 : 식품섭취를 일기식으로 적어 나가는 방법을 말한다.

② 회상법 : 개인이 질문지를 작성하여 내거나 조사원이 면접을 통해서 기록하는 방법이다.

③ 동일한 식품의 수거방법 : 먹은 양만큼의 양을 따로 모아 수거하여 조사하는 방법이다.

④ 식품섭취빈도 조사 : 특정한 영양소를 조사하기 위하여 그 특정한 영양소의 주공급원이 되는 식품을 열거하여 조사하는 방법이다.

(5) 영양과 질병

과식, 고지방 식이 등이 신체적 건강과 밀접하게 관련되어 있으며 역학조사 결과 만성질환으로 이환되어 사망위험을 증가시키는 것으로 밝혀지고 있다.

국민건강보험보험공단 자료에 의하면, 전체 암의 위험요소 중 35%를 식이요인이 차지하고 있으며, 심장병 사망요인의 22~30%, 당뇨병의 50~80%, 당뇨병 사망의 30%가 식이요인이 관련 있는 것으로 파악되고 있다. 관상동맥 심장질환 사망률의 16~30%, 동물성 지방을 줄임으로써 결장암 발병률을 낮출 수 있으며 뇌졸중 사망률의 23~39%는 염분 섭취량을 줄이면 감소시킬 수 있다.

바람직하지 못한 식생활과 관련된 질병들은 다음과 같다.

1 대사증후군

대사증후군(metabolic syndrome)은 대사 장애가 만성적으로 경과할 때 내당능 장애 또는 고지혈증, 비만, 당뇨병, 고혈압, 관상 또는 경동맥경화증과 같은 여러 가지 질환이 동시에 발생하는 것을 의미하며 인슐린 저항군이라고도 불리 운다.

대사증후군은 여러 가지 임상 질환의 발생에 인슐린 저항성이 중심적인 역할을 하게 되는 광범위한 개념이다.

원인은 체지방 증가와 대사의 불균형을 초래하는 최근의 서구화된 식습관과 신체활동량 감소로 인해 오기 때문이다. 그 결과 심혈관질환, 비만, 당뇨병의 증가로 이어져 심혈관질환을 포함한 성인병에 의한 모든 원인의 사망률도 증가시키기 때문에 사회경제적 요인으로 중요한 문제가 된다. 최근 우리나라도 대사증후군이 급증하고 있다.

대사증후군의 진단기준(3가지 이상에 해당되면 대사증후군에 해당)

① 중성지방 : 150㎎/L 이상

② 공복혈당 : 110㎎/L 이상 또는 당뇨병 치료 중

③ 고밀도 콜레스테롤 : 남성 40mg/L, 여성 50mg/L 이상

④ 혈압 : 수축기 130mmHg 이상 또는 이완기 85mmHg 이상

⑤ 복부비만 : 허리둘레 남성 102cm(동양인 80cm), 여성 88cm(동양인 80cm) 이상

2 골격계

골실질량이 증대되는 특정시기에 칼슘을 비롯한 골격 형성에 요구되는 영양소의 공급이 부족 시 골다공증, 골연화증이 발병한다.

3 면역계

① 비타민

비타민 A가 결핍되면 세포매개성 · 체액성 면역반응이 감소하며, 비타민 C는 섭취량이 증가할수록 식균세포의 반응성이 증가하기 때문에 부족 시 세균에 대한 저항력이 떨어지게 된다. 비타민 E는 항산화작용으로 세포막의 안정성을 유지시키므로 부족 시 면역능력이 저하된다.

② 무기질

철분 부족 또는 과잉 섭취 시 저항력의 약화로 감염되기 쉽다.

③ 열량과 단백질

열량과 단백질이 과잉섭취거나 부족하거나 하면 T세포의 면역매개성 면역반응이 감소한다.

④ 지질

고지질의 섭취 시 면역능력이 감소한다.

5) 비만과 질병

비만은 피하지방을 비롯한 체내 지방량이 비정상적으로 많아진 상태를 말한다. 비만은 지질대사에 영향을 미쳐 고지혈증이 발생하고 고지혈증은 뇌하수체나 갑상선, 에너지 대사 호르몬에 영향을 미쳐 당뇨병이 생기게 되고 각종 암 발생도 일으킨다.

체중이 1kg 증가하면, 모세혈관은 3cm 늘어나게 되고 체중 증가로 모세혈관 길이가 늘어나면 혈액을 공급하는 심장은 그만큼 부담을 가지게 되어 심장병, 고혈압이 생기게 된다.

또한 비만한 여성은 대사성호르몬과 여성호르몬의 영향을 받아 임신에 어려움을 겪는다.

(1) 어린이 영양교육 프로그램

어린이의 영양교육 프로그램의 목적은 아동에게 영양교육을 통하여 영양에 대한 인식과 식습관을 올바르게 형성하도록 하여 편식을 교정하고 예방하며, 비만의 위험성이 높은 아동에게 식습관 교정기회를 제공하여 편식을 고치고자 함이다.

최근 생활습관과 환경의 변화로 비만아동이 급격하게 증가하고 있으며 소아비만은 약 80%가 성인비만으로 이행되며, 심하면 어릴 때부터 성인병의 합병증을 유발하여 국민 건강의 위험요인이 된다.

[1] 소아비만의 원인

대부분 잘못된 식습관, 식품의 과다섭취, 활동량의 부족, 심리적인 원인 등이 작용하므로 올바른 식습관 형성을 위한 기술을 습득시켜서 어린이 비만 발생을 감소시켜 아동의 건강을 향상시키는 데 있다.

[2] 어린이에게 효과적인 교육방법

① 드라마(drama)

능동적 학습방법이며(2시간 정도, 중요하고 짧은 장면이나 사건들로 구성됨) 끝난 후 배우 와 청중들이 토론, 질문한다.

② 인형극(puppets)

소수에 의해 인형을 이용하여 행동을 보여 준다. 장점은 소수의 사람에 의해 내용 편성, 조작이 가능하고 즉각적으로 반응하고 상상력을 가지며 논쟁적이고 민감한 문제도 풍자적으로 다루기 때문에 효과적이다.

③ 우화(fable)

어린이 교육에 활용되고 소그룹, 라디오 사용시 활용가능하고 동물을 이용해서 적절한 행동을 가르친다.

④ 속담(proverv)

그 지역의 역사, 문화, 각종 문제들에서 배우며 대화, 시범, 이야기, 드라마와 병용한다.

⑤ 이야기(story telling)

정보와 생각을 주는 데 이야기를 이용하며 5~10분 정도로 간략하게 이야기한 다음 질문과 토론으로 학습을 확인하고 참가자를 격려한다.

⑥ 노래(song)

사람들의 생각이나 느낌을 노래로 나타낸다.

(2) 성인 영양교육 프로그램

중년의 비만은 젊은이의 비만보다 훨씬 위험하다. 그 이유는 불규칙한 식생활과 알코올 섭취, 성장호르몬의 감소로 인한 복부비만이다.

사회생활로 인한 스트레스가 젊은 이에 의해 상대적으로 높은데, 스트레스 호르몬인 코티졸이 복부 지방을 축적하는 직접적인 원인이 된다.

최근 30대 이상 성인 비만인구가 급격히 늘고 있어 사회적인 문제가 되고 있다. 노화에 의한 산화물질 분해능력 감소와 기초대사량의 감소, 비만의 지속기간이다.

같은 비만도(BMI)일지라도 20대와 40대의 성인병에 대한 위험도는 40대 이상이 젊은 20대에 비해 당뇨, 동맥경화, 고혈압 및 심장질환의 발병률이 2배에서 5배 이상 높다. 따라서 성인병 예방을 위하여 중년성인의 비만은 식생활을 통하여 되도록 빨리 관리가 시작되어야 한다. 성인 영양 교육 프로그램의 예시는 다음과 같다.

표 7-3 성인 영양 보건교육의 또 다른 형식의 예시

<table>
<tr><td>관련교과</td><td>보건교육</td><td>차시</td><td>1</td><td rowspan="2">학습자료</td><td rowspan="2">그림자료,
동영상 이용</td></tr>
<tr><td>일시</td><td>2015. 12.17. 14 : 00 –15 : 00</td><td>대상</td><td>지역사회 40세 – 60세 주민</td></tr>
<tr><td>단원</td><td>중년의 성인병 예방을 위한 균형있는 우리 몸</td><td>강의자</td><td colspan="3">김 ○○</td></tr>
<tr><td>본시주제</td><td colspan="5">식품의 종류와 역할</td></tr>
<tr><td>학습목표</td><td colspan="5">1. 우리 몸에 필요한 영양소가 하는 일을 안다.
2. 영양소와 건강과의 관계를 이해한다.
3. 중년의 위협요인 성인병 예방의 균형있는 식이영양을 알고 실천한다.</td></tr>
<tr><td>단계(시간)</td><td colspan="3">교 수 학 습 활 동</td><td colspan="2">유의점 및 자료</td></tr>
<tr><td>도입
(5 ′)</td><td colspan="3">1. 동기유발
• 사람들이 음식물을 섭취하는 이유를 알아본다.
– 몸에 필요한 음식물을 섭취하는 이유를 알아본다.
– 음식이 맛이 있기 때문에 – 식사를 하면서 친교를 맺기 위해서
2. 학습목표 확인하기
• 영양소의 종류와 역할을 알 수 있다. • 영양소와 건강과의 관계를 알 수 있다.
3. 학습활동 안내
〈활동①〉영양소의 의미,종류, 역할
〈활동②〉영양소와 건강과의 관계
〈활동③〉영양소와 중년건강과 성인병 예방의 관계</td><td colspan="2">• 주의가산만하지 않도록 한다.
• 자유로운분위기속에서 토의하도록 한다.
• 목표를 제시하고 아이들이 큰소리로 읽는다.</td></tr>
<tr><td>전개
(30′)</td><td colspan="3">학습활동 전개
1. 영양소의 의미, 종류, 역할
• 〈활동①〉영양소의 의미
• 영양소의 종류
• 영양소의 역할
2. 영양소와 식품군과의 관계
〈활동②〉 중년의 위협요인 성인병 예방의 균형 있는 식이영양을 알아본다.
• 곡류 및 전분류 – 탄수화물: 밥, 국수, 빵, 고구마, 감자 등
• 채소류 및 과일류 – 무기질 및 비타민: 해조류, 야채, 김치, 과일, 과일주스 등
• 고기, 생선, 달걀 및 ,콩류 – 단백질
• 우유 및 유제품 – 칼슘: 우유, 요구르트, 치즈, 아이스크림
• 유지류 및 당류 – 지방: 식물성기름, 버터, 설탕, 초코렛
〈활동③〉 영양소와 중년의 건강이 성인병과의 관계
• 영양결핍의 원인: 영양소 흡수작용의 이상, 결식, 편식, 저체중을 선호하는 식사형태
• 영양과다의 원인: 지나친 에너지의 섭취, 과식, 운동부족 등 건강에 미치는 영향: 비만 및 각종 성인병의 증가, 배탈 및 설사 등의 원인이 된다.
• 중년의 건강에 미치는 영향: 성장부진 및 허약, 피로감, 신경질적으로 변함, 골다공증, 병에 대한 저항력이 약해지고 정상적인 생활이 어렵다.</td><td colspan="2">• 동영상 및 실물 등을 이용한다.
• 하드 보드지를 이용하여주민들에게 설명한다.
• 모형자료 제시
• 주민들을 직접 참여시킨다.
• 산만하지 않도록 한다.
• 주민들에게 정리프린트를 나눠준다.
• 동영상을이용하여 보여준다.</td></tr>
<tr><td>요약
및
평가</td><td colspan="3">1. 정리하기–한국인의 식사 지침서
• 다양한 식품을 골고루 먹는다 • 단백질을 충분히 섭취한다.
• 지방질은 총열량의 20%정도 섭취한다. • 우유를 많이 마신다.
• 짜게 먹지 않는다. • 즐겁게 식사한다.
2. 정리 및 평가</td><td colspan="2">• 평가를 통해 수업내용을 다시 한 번 정리, 복습한다.</td></tr>
</table>

제3절 보건교육의 수행

1. 보건교육 방법

보건교육을 통하여 대상자가 쉽게 목표에 도달하도록 해야 한다. 다양한 요구와 흥미, 다양한 감각적 자극을 활용하여 원하는 목적으로 지식, 태도, 실천의 변화를 도모한다. 가장 짧은 시간 내에 계획된 목표에 도달할 수 있는 교육방법과 목표를 선정하고 학습내용을 선정 후 다양한 학습 방법을 활용하여 학습목표에 도달하도록 한다.

보건교육이 이루어지는 형태는 개별 보건교육과 집단 보건교육이 있다.

교수 – 학습 방법의 선택 및 개발 기준은 다음과 같다.

① 학습 환경의 조건과 인지능력 수행의 기회이다.
② 대상 집단의 크기, 대상자 능력, 과거 경험과 조화이다.
③ 학습 심리와 대상자의 만족이다.
④ 한 가지 이상의 긍정적 결과를 가져올 수 있는 방법의 선택이다.
⑤ 대상자의 성숙 수준과 폭넓은 사고를 유도한다.

■ 집단별 분류

1) 개별 보건교육

보건사업 현장에서 많이 활용하는 방법이다. 주로 임상에서 상담과 면접으로 교수–학습이 이루어지며 올바른 개별상담을 실시할 경우 효과가 높은 교육방법으로 가장 이상적이다.

(1) 개별 교육 시 유의점

① 학습자가 마음을 열 수 있도록 신뢰관계를 형성한다.
② 자유롭게 의사를 표시할 수 있도록 조용하고 친밀한 분위기를 조성한다.
③ 학습자의 감정을 잘 수용하고 공감대를 형성하며 상황을 긍정적으로 받아들인다.
④ 학습자의 능력에 적합한 목적을 세운다.
⑤ 서두르지 말고 여유 있게 대상자를 대한다.
⑥ 학습자 수준에 맞는 언어를 사용한다.
⑦ 현재의 문제에 초점을 맞추고 충고, 명령, 훈계, 설득, 권고 등을 피한다.

(2) 장 · 단점

① 장점
- 집단교육보다 교육효과가 높으며 학습자의 변화를 쉽게 유도하는 것이 가능하다.
- 집단교육에 비하여 대상자를 모아야 하는 시간을 소비할 필요가 없다.
- 어디에서나 보건교육의 적용이 가능하다.

② 단점
- 경제적인 측면에서 비효율적(한 번에 한명의 학습자 밖에 교육을 못하므로)이다.
- 학습자가 다른 사람들과 어울릴 기회가 없어 경험의 기회가 적다.
- 학습자가 심리적 압박감을 느낄 수 있다.

2) 집단 보건교육

집단이란 흔히 사람들이 모여 있는 것을 말하며 모여 있는 집단 다수에게 보건교육을 실시하는 형태이다.

(1) 집단 보건교육 실시형태

① 건강교실

보건교육 활동의 성과를 올리기 위해 건강교실 운영이 중요시 되어야 하며 건강교실 운영할 때는 육하원칙에 따를 것을 고려 .한다.

② 건강관리실 교육

보건소, 학교, 산업장, 보건진료소, 병원 외래 등에서 내소자를 중심으로 1회성으로 이루어지는 형태이다. 요점만 간단 명확히 짧게 교육하며(5~10분), 가능한 전문적인 도구와 실물이나 매체를 활용한다.

③ 지역사회에서의 교육

각종 모임을 이용하여 보건교육을 실시하는 것으로 노인정, 동사무소, 부녀회, 청년회 등 사전에 각 기관 및 조직의 책임자와 협의를 하여 협조를 받는 것이 좋다

(2) 교육시간

① 대상자들이 참여 가능한 시간을 선택하도록 한다.

예) 농촌지역(농한기), 주부(집안일을 끝낸 11시나 오후 2시 이후)

② 교육시간은 1시간 내에 끝내도록 한다.

(3) 교육환경

① 학습자 수에 적절한 크기의 장소를 준비한다.

② 소음이 적고, 냉 · 난방 시설이 갖추어 졌으며 채광이 좋은 곳이어야 한다.

③ 의자는 딱딱하지도 푹신하지도 않은 것으로, 바닥에 앉을 시에는 방석을 준비한다.

④ 큰 교육장에서는 일열 배치가 무난하나, 소규모 교육장에서는 원형이나 ㄷ자로 의자를 배치한다.
⑤ 교육시작 전에 교육기자재 사용 준비를 완벽하게 하도록 한다.

■ 보건교육방법에 대한 분류

1) 강의(Lecture)

가장 많이 이용되는 방법이며 모든 교육의 기본이 되는 원시적 방법이다. 교육자의 교육준비 시간이 절약되며 문자, 어구, 문장 등을 언어로 자유롭게 해석하여 학습자에게 전달하고 교육대상자들의 교육에 대한 긴장감이 적다. 학생 수가 많을 때와 예산이 부족한 경우, 대상자가 기본지식이 없을 때 이용되며, 좋은 강의를 위하여 준비하고 조직하며 전달하는 것이다.

- 장점은 짧은 시간 내 많은 학생 수에 지식정보를 전달하여 경제적인 방법이다.
- 단점은 학습자 참여가 수동적이며 많은 정보를 다 기억하지 못한다. 교육대상자의 회환이 어려워 학습 진행 정도를 교사가 인지하기 어렵고 개인차를 고려할 수 없다.

2) 집단 토의(Group discussion)

학습자들의 적절한 수는 5~10명 내외의 참여로 자신의 의견을 발표하는 형식으로 진행된다.

장점은 학습자가 참여하여 학습자의 의사 전달 능력, 비판적 사고가 배양, 교사 학습자 간 의견교환이 원활하여지고 상호 이해도가 높다. 단점으로는 토론 주도자의 기교가 필요하며 참여자 수가 많을수록 토론 참여는 소수만이 참여하여 경제성이 없다.

3) 버즈 학습(Buzz session discussion)

'분단토의' 또는 '와글와글 학습'이라고도 한다. 심리적 긴장감이 적고 소그룹의 장점을 살려 소그룹으로 먼저 토의한 후 전체 토의를 하는 형식을 말하며 6~8명이 적당하다.

장점은 전체의견을 상호 교환하고, 참여 기회가 동등하다는 것이며 단점은 실제 전원 참석이 불가능하고 한 두 사람의 의견이 제시되어 개인의 올바른 의견이 나오기 어렵다는 것이다. 그리고 토의가 가능한 고학년이 아니면 발표의 부담과 혼란을 가져올 수 있다.

4) 브레인스토밍(Brainstorming)

'묘안 착상법' 또는 '팝콘 회의', '기발한 아이디어'를 말하며 글로 기록하여 논리화하는 방법으로12~15명이 10~15분의 짧은 토론을 경험한다.

장점은 재미있고 창조적이며 기발하여 토론 주제가 다양하다. 단점으로는 토론의 고도 기술이 필요하며 시간 낭비가 될 수도 있다.

5) 배심 토의(Panel discussion)

'단상 토의'라고도 하며 어떤 주제에 대해 대립되거나 다양한 견해를 가진 4~7명의 전문가가 5~7분간 토론하며, 사회자의 진행 기교가 필요하다. 사회자는 문제제기나 대립의견을 청중에게 설명하고 토의를 유도하여 청중 참여의 기회를 주기도 한다.

장점으로는 전문적 지식을 습득하고 비판하는 능력과 분석, 예측의 능력이 배양되며 단점은 여러 전문가의 선정이 용이하지 않으며 경제적 부담이 우려된다. 배심 토의는 토의의 내용이 중복되기 쉬우며 사전 전문지식이 없으면 이해하기가 어렵다.

6) 강연식 토의법(심포지움, Symposium)

'향연'이라고도 하며 음식을 같이하면서 학습이나 예술이 토의되는 교양인의 모임에서 유래하였다. 전문가 2~5명이 10~15분 발표한 후 폭넓은 주제를 다각도로 다루며 사회자가 청중을 공개토론으로 참여시키는 방법이다. 사회자, 발표자, 청중 모두가 전문가로 구성되는 것이 특징이며 사회자는 내용을 짧게 요약하여 원활한 진행이 되도록 한다.

장점은 다양한 지식과 경험을 들을 수 있으며, 발표자가 바뀌므로 흥미있고 밀도있는 접근이 가능하다. 단점으로는 발표자의 준비가 부족하면 청중은 실망하게 되고 시간이 짧아 한정된 사람들의 질문으로 제한한다는 것이다.

7) 프로젝트 방법(Project method)

20세기 초에 대두되었고 실제 상황 속에서 목적달성을 위해 전심을 다해 수행하고자 하는 방법으로 학습목표를 제시하여 소그룹 또는 개인이 자료수집, 계획, 시행, 평가, 문제해결에 필요한 지식, 기술, 태도를 능동적으로 습득하는 방법이다.

장점은 학습자의 동기유발이 용이하고 능동적 연구와 자주성과 책임감 개발, 성취감, 탐구능력을 배양하는 방법이다. 단점으로는 수동적 학습자에게는 시간과 노력이 낭비되고 표준설정이 어려워 평가의 신뢰성 및 객관성이 결여되기 쉽다.

8) 시범(Demonstration)

시범은 실제적으로 실천을 바로 할 수 있도록 하는 가장 좋은 방법이다. 응급처치, 양치질, 손 씻기, 생리대 교환 등 이론과 실제장면을 만들어 지도하는 방법으로 소집단의 경우에는 반원형으로 모아 놓고 용어는 긍정적 접근을 한다.

장점은 주의 집중이나 동기 유발이 용이하고 실무에 적용하여 학습목표 도달이 용이하다.

단점은 교육 준비에 많은 시간이 필요하며 소수에게 적용하게 되어 경제성이 없다.

9) 역할극(Role playing)

역할극은 대상자들이 실제 상황 중에 한 인물로 등장하여 그 가치나 태도에 대한 이해를 높이는 효과적인 방법이다. 학습자가 연기 중 실제 그 상황에 놓인 사람들의 입장이나 상황을 이해하고 분석하여 문제해결을 하고자 하는 방법이다.

장점은 실제 가능한 기술 습득이 용이하며 실제 참여로 흥미와 동기를 유발하게 되고 정의적 영역에 적합한 방식이다.

단점은 많은 준비 시간이 요구되며 인물, 주위환경이 사실과 거리감이 있을 때 문제 속으로 대상자를 흡수하지 못한다. 태도변화에 단기효과는 높으나 지속성이 약하다.

10) 모의 상황(Simulated environment) 혹은 모의 실험극(Simulation)

실제상황에서 일어날 수 있는 대응반응을 유발할 수 있도록 고안된 인위적인 상황이다. 단순 명료화시킨 모의 상황 속에서 가장 기본적이고 중요한 요소만을 선택하여 교수상황을 설정하는 것으로 예를 들면 기본간호학에서의 근육주사 연습이 해당된다.

장점은 현실 경험, 학습자 참여, 즉각적인 회환이 가능하다는 것이고 인지적, 정의적, 운동적 측면의 교육이 동시에 가능한 방법이다.

단점은 교육목적을 인지 못해 흥미거리로 끝날 위험이 있으며 시간과 비용이 많이 소요된다.

11) 상담(Counseling)

상담은 실무현장에서 가장 많이 활용되는 방법이다. 상담을 통한 보건교육은 대상자가 자신의 문제를 생각해보고 , 문제의 원인을 이해하여 문제해결을 돕도록 하는 방법이다. 보건소를 방문한 대상자에게 건강에 관한 지식, 태도, 올바른 습관을 행동화하도록 도울 수 있으며 가정방문이나 전화를 이용할 수 있다.

장점은 집단보다 교육효과가 크고 대상자에 맞는 실천 가능한 변화가 용이하다. 다른 행정적 노력이 필요없으며 개인의 비밀에 속하는 건강문제(성병, AIDS)나 죄악시하는 미혼모, 유산문제 등의 문제해결에 적합하다.

단점은 한사람만을 상대하므로 경제적이지 못하다는 것이다.

12) 견학(Field Trip)

견학은 현장을 직접 방문하여 관찰을 통해 학습을 유도하는 교육방법이다. 견학 후 토의시간을 갖고 목적이 달성되었는지를 평가하여 보고서를 제출하고 관찰한 내용을 정리하도록 한다.

장점은 학습자의 흥미를 유발하고 적응력과 관찰력이 향상된다는 것이며 단점은 교통수단이 필요하고 비용과 시간이 요구되며 장소 선정이 어렵다는 것이다.

13) 대중매체 중심

대중매체 중심의 정의는 의사전달을 효과적으로 하기 위한 보조수단으로 일시에 많은 대상을 상대로 전달할 수 있는 홍보 및 계몽자료를 사용하는 것이다.

장점은 다수에게 많은 정보 전달하고 광범위한 파급 효과가 있으며 사회적 여론 조성, 동기 유발이 용이하다는 것이다. 또한 반복 정보 제공으로 지식 축적이 용이하고 경제적(정보량과 시간 고려)이며, 복잡한 내용을 간단하게 구성하여 중점을 요약할 수 있다는 점이다.

단점은 태도, 행위를 즉시 유도할 수 있는 설득력이 약하며 사회, 경제적 수준에 따라 정보전달이 달라 질 수 있다. 대중매체 중심은 세심한 계획을 필요로 한다.

(1) 교육 대중매체의 중요성

① 대상자의 경험의 폭을 넓혀준다.
② 시 · 공간적 제한을 극복한다.
③ 시각경험의 통일을 경험한다.
④ 강의 내용에 대한 새로운 동기화를 유발한다.
⑤ 추상적인 것에서 구체적인 것까지 다양한 경험을 한다.

(2) 교육 대중매체의 종류와 특성

교육에서 매체를 활용하면 새로운 정보 및 지식을 신속하게 전달할 수 있으며, 교육의 효율화를 높일 수 있고, 수업이 흥미롭고 다채로워 대상자의 주의집중이 가능하며, 시각+청각으로 지식의 흡수도(이해력)및 기억력(파지), 상황별 이해도를 높인다.

인체 감각기관별 지식 흡수정도를 보면 시각(83%), 청각(11%), 후각(3.5%), 촉각(1.5%), 미각(1.0%)의 순 이다. 또한 학습방법에 따른 기억의 효과를 보면 단순히 읽은 것(10%), 들은 것(20%), 본 것(30%), 보고 들은 것(50%), 소리내어 읽은 것(70%), 실제로 해 본 것(90%)으로 알려져 있다.

표 7-4 Edgar Dale의 교육경험 원추 모형의 시청각자료 활용의 중요성

시간 감각의 동체	3시간 후	3일 후	보조매체 활용 상황	이해도	기억도
귀	70%	10%	슬라이드 1번 보였을 때	56%	83%
눈	72%	20%	영화를 2번 보였을 때	40%	72%
귀와 눈	85%	65%	입으로 설명하였을 때	24%	70%

① 실물(Real- thing)이나 실제상황(Real- situation)

보건교육 시 실물(Real－ thing)이나 실제상황(Real－ situation)을 사용하는 것이 가장 효과적이다. 실제 콘돔이나 주사기를 가지고 교육하면 효과가 높다.

장점은 흥미를 갖고 오감각 동원의 입체적인 학습이 되고, 학습내용을 실생활에서 즉시 활용이 가능하다. 교사 학생 간 의사소통이 용이하다.

단점은 구하기 어렵고 경제적 어려움이 있으며 소그룹에게만 가능하다는 점이다. 또한 쉽게 손상이 우려되며 보관이 용이하지 못하다는 것이다.

② 영화

잘 제작된 영화는 청취자의 의도와 느낌에 성공적으로 도달할 수 있으며 행동변화를 유도하게 된다.

장점은 집단 교육에 적합하며 개인차를 최소화하면서 동일한 경험을 갖게 한다는 점이고, 단점은 필름 파손이 쉽고 전문 인력이 요구되고, 고가에 보관이 어렵다는 것이다.

③ 비디오테이프(Video tape)

비디오테이프는 시 · 청각을 자극하므로 실제경험과 가장 가까운 경험을 하도록 한다.

장점은 보관과 운반이 용이하고 선행교육 자료로 사용하면 가장 효과적이며 집단 크기에 관계없이 교육이 가능하다.

단점은 많은 예산이 드는 비디오, 카세트, 카메라 레코더와 모니터가 필요하여 비경제적이며 이러한 기구들의 이동이 번거롭다.

④ 모형이나 표본(Model)

실물과 닮은 것을 말하며 실물이 작아 교육이 어려우면 크게 만들어서 사용하여 교육의 효과를 높인다. 인체 장기 모형이나 자궁모형 등이 있다.

장점은 실물과 비슷한 효과를 내고 여러 번 반복이 가능하며, 교육자가 제작가능한 경우에 유용하다.

단점은 값이 비싸 경제성이 없다, 소그룹 교육에 가능하고 실생활 적용이 불가능하다.

⑤ 슬라이드(Slide)

실물이나 모형으로 보여줄 수 없는 희귀한 실물이나 실제상황을 다수에게 환등기를 통해 보여주는 시각적인 교육보조자료이다.

장점은 집단교육에 적합하고 정지 상태에서 상세히 볼 수 있다. 제작이 간편하며 반복이 가능하고 바꿔 끼울 수 있어 융통성이 있다.

단점은 환등기 사용할 때 전기와 암막이 필요하고 학습자의 잠을 촉진하여 주의집중이 어려워 여름 무더위에는 사용이 어렵다.

⑥ 녹음테이프(Tape recording)

학습해야 할 내용이 청각적인 것일 때 가장 효과적이며 그 예로 천식 환아의 호흡음에 대한 교육이 이에 해당한다. 장점은 녹음이 용이하고 반복 재생할 수 있으며 가격이 저렴하고 보관이 용이하여 경제적이다. 자율학습에 효과적이다. 단점으로는 단순한 청각자극 만으로는 지루해서 집중에 어려움이 있다.

⑦ 투시물 환등기(Over Head Projector; OHP)

투시물 환등기는 어떤 형태나 크기의 집단에도 가능하며 다른 어떤 시청각 매체보다 활용이 간편하고 효과가 크다.

장점은 활용이 간편하고 암막이 필요 없다. 대상자와 시선을 일치시키고 겹치기나 표현능력 개발에 폭넓게 사용이 가능하다.

단점은 기계가 커서 이동이 불편하고 교육자의 사전 시간과 노력이 요구된다는 점이다.

⑧ 실물환등기(Opaque projector)

실물환등기는 최근에 개발되어 실물 그대로를 TV 화면으로 투사하여 보여주는 것이다.

장점은 교사의 시간이 절약되며 정확하고 빠르게 내용을 제시하고 암막이 필요없다는 점이다.

단점은 기계 크고 비싸다는 점이다.

⑨ 팜플렛과 포스터(Pamphlet/ Poster)

정보를 짤막하고 명확하게 요약하여 그림과 함께 인쇄하여 사용하는 것으로 운반이 용이하고 효과적이다. 장점은 교육 전, 교육 중, 교육 후에 사용가능하고 장기간 활용이 가능하다는 것이나 단점은 제작기간이 필요하고 제한된 견해가 제공된다는 점이다.

⑩ 융판(Flannel boards)

다른 교육 자료가 여의치 않을 때 경제적으로 쉽게 만들어 사용하는 교육보조자료이다.

장점은 경제적이며 흥미를 유발하며 반복 가능이 가능하다는 것이고, 단점은 소수의 인원에 적합하고 제작 기술이 필요하다는 것이다.

⑪ 컴퓨터(Computer)

인지적 영역의 교육에 도움이 되며 고도의 기술을 교육에 활용하는 방법이다.

장점은 대상자의 조작이 가능하므로 교육에 능동적 참여가 가능하고, 무관심한 대상자에게 동기부여와 개인능력에 따라 즉각적 회환이 가능하여 교육시간을 절약할 수 있다는 것이다.

단점은 고가이며 정의적, 심리운동적인 측면의 교육으로는 효과적이지 못하다. 창의성이 무시되기 쉬우며 접근성의 문제(1인 1대)가 있다.

⑫ 교수공학 매체

가. 컴퓨터 중심 교육(computer based education)

컴퓨터를 교육목표 달성을 위한 교육의 매체로 보고 활용하는 것으로 교수-학습 상황에 컴퓨터를 사용하는 방식은 컴퓨터 보조수업(computer assisted instruction)과 컴퓨터 관리 수업(computer managed instruction)으로 구별한다.

CAI는 교육자가 가르칠 내용을 컴퓨터가 전달하는 방식으로 학습속도의 개인차를 고려하고 반복학습이 가능하다.

CMI는 교육자가 수업목표 달성을 위해 여러 가지 컴퓨터 프로그램을 활용하여 학습자에 관한 정보를 빠른 시간에 알 수 있도록 함으로써 교육자의 수업운영을 돕는 것이다.

나. 컴퓨터 통신(internet)

컴퓨터 통신은 컴퓨터와 컴퓨터 간에 전화선을 통해서 서로 자료를 주고받는 의사소통이다. 컴퓨터 통신은 초고속 정보망을 활용하여 필요한 정보를 신속하게 확보하고 이것을 유용하게 활용하도록 돕는다. 전자우편을 이용하여 교육자와 학습자, 학습자간의 의사교환이 가능하고 게시판을 통하여 질문에 답할 수 있으며 공동주제에 대한 토론도 가능하다. 자료실을 이용하여 필요한 정보를 신속하게 제공할 수도 있으며 검색을 통하여 다양한 정보를 얻을 수 있고 동호회를 이용하여 지지모임을 형성할 수도 있다.

다. 상호작용 비디오(Interactive video)

컴퓨터와 비디오디스크의 장점을 조합한 새로운 매체이다. 컴퓨터와 비디오디스크를 연결하여 컴퓨터로 통제하므로 상호작용, 개별화, 기억, 검색이 가능하고 비디오디스크의 저장 능력을 활용하여 많은 정보의 제공이 가능하다.

장점은 상호작용성이 있어 학습자가 참여할 수 있으며 학습자에 따라 학습내용이 다르게 제시되므로 개별학습이 가능하다. 더구나 정보 저장 능력이 뛰어나므로 학습자에게 다양하고 풍부한 학습경험을 제공할 수 있으며 학습자의 동기를 유발하고 유지시킬 수 있다.

단점은 활용을 위해 사전에 준비되어야 할 하드웨어에 소요되는 비용이 많으며 개발되는 소프트웨어의 질적인 수준에 영향을 받는다는 것이다.

⑬ 방송매체

교육방송은 학교교육이나 사회교육을 위한 교육내용 전달에 효과적으로 활용될 수 있다. 건강에 대한 정보를 제공하거나 건강에 유익한 가치 · 자세 · 행동의 토의가 가능하다. 드라마, 노래, 이야기, 강의, 토론, 격언을 포함한 많은 방법이 가능하다.

장점은 많은 사람을 대상으로 동시에 교육할 수 있어 공공성을 가지고 전파속도가 매우 빠르다. 음성이나 소리를 매개로 하기 때문에 학습자가 부담이 없으며 전파를 통해 전달되므로 시간의 흐름에 따라 내용이 전달된다.

그러나 단점은 일정한 시간에만 접할 수 있고 획일적이어서 개인차가 고려되지 않는다는 점이다. 더구나 일방적이어서 피드백이 안되고 수신 장치를 마련해야 하며 반복학습이 불가능하다.

(3) 교육 대중매체의 선택 시의 고려할 점

① 학습 목적에 맞아야 한다.
② 대상자의 성숙도, 흥미정도, 배경, 학습 경험을 고려한다.
③ 자료의 이용 가능성을 생각한다.
④ 교육자 대용으로는 사용하지 말아야 한다.
⑤ 교육 대중매체의 질을 고려한다.
⑥ 교육 매체는 가격이 싸고 구입절차가 간편해야 한다.
⑦ 교육 매체는 견고하고 사용상의 위험성이 없어야 한다.
⑧ 교육 자료로 선정한 경우 교육 전에 능숙하게 사용할 수 있도록 사용방법을 확인하여 교육진행에 차질이 없도록 한다.

2. 보건교육 진행과정

1) 도입단계

도입은 중심적인 교육단계에 들어가기 전에 학습자들과 관계형성, 주의 집중, 교육 동기 유발, 학습자들이 본격적인 교육을 받는 전개단계로 이행될 수 있도록 하는 단계이다.

(1) 관계 형성하기

① 단정한 옷차림을 하고 교육시간 30분 전에 사전준비를 하고 정시에 시작한다.
② 편안하고 자기 확신에 대한 태도를 가져 교육자에 대한 신뢰감을 갖게 한다.
③ 호의와 관심을 보이고, 교육에 대한 깊은 관심과 애정을 갖는다.
④ 즐거운 마음을 갖고, 교육시작 전에 간단한 대화나 운동으로 긴장을 푼다.

(2) 주의집중 시키기

① 교육을 여러 번 해야 하는 경우에는 첫 번 모임에 여러 가지 활동 등을 통하여 그룹 다이나믹을 형성한다.
② 교육자와 학습자의 상호작용을 높인다.
③ 연속적인 교육인 경우엔 이전 강의와 관련된 주제와 앞으로 제시될 주제와의 연관성을 제시하고 연속성을 강조한다.

(3) 교육동기 유발하기

① 관련된 사진이나 그림, 영화나 비디오의 일부분을 동원하여 설명한다.
② 주제에 관련된 질문을 하고 현재의 생활이나 앞으로의 생활에 어떤 의의가 있는지를 구체적인 예화를 통해 설득력 있게 제시한다.
③ 학습자에게 행동적 목표를 제시하며 그 중요성과 다루어질 내용 등을 설명한다.

2) 전개단계

학습의 중심이 되는 단계, 강의의 본론을 실제로 전달하여 본격적인 교육활동이 이루어지는 단계이다.

(1) 교육자의 교육자세

① 자세를 바르게 하고 자신감 넘치는 태도를 가진다.
② 자세를 다양하게 연출하여 변화를 주면서 시선을 골고루 두어 학습자의 얼굴을 보 고 강의한다.
③ 자신과 열의를 가지고 밝고 명랑한 표정으로 교육을 진행한다.
④ 자유롭고 즐거운 분위기 속에서 교육이 이루어지도록 한다.
⑤ 대상자에 대한 이해와 관심을 가지고 교육을 진행한다.

(2) 교육 시 유의사항

① 학습자 수준에 맞는 용어를 사용. 정확히 전달되도록 이야기한다.
② 다 들릴 수 있는 크기로 어조에 변화를 주며, 적당한 속도로 교육한다.

③ 속담, 우화, 유머나 삶의 경험을 적절하게 이용한다(필요이상으로 예는 들지 않음).
④ 중요한 점은 힘을 주어 반복해서 말하나 한꺼번에 많은 내용은 가르치지 않는다.
⑤ 간단한 것에서부터 복잡한 내용으로, 구체적으로 교육한다.
⑥ 능동적으로 교육에 참여하도록 유도한다.
⑦ 질문한 내용에 대해서는 반드시 성의 있게 명확한 답을 제시한다.
⑧ 교육 후 자유롭게 질문하고 토론할 수 있는 분위기를 조성한다.

3) 요약 및 정리단계

질문을 하거나 그동안 교육한 주요개념을 요약하고, 지켜야 할 일, 해야 할 일 등을 제시하며 교육성과를 평가하는 교육 마지막 단계로 습득한 내용을 정리할 수 있는 학습기회를 함께 한다.

– 질문을 위한 유의사항
① 미리 질문할 문항을 작성하여 수준에 맞게 질문을 한다.
② 골고루 질문을 하되 간단한 질문에서 시작하여 점차 복잡한 질문을 한다.
③ 한 번에 한 가지 질문만 하고 대답은 강요하지 않는다.
④ 칭찬과 격려를 하여 긍정적 강화를 해주고 명확한 답을 제시해 준다.

제4절 보건교육 평가

1. 평가의 개념

평가는 시험으로써 대상자의 행동변화 및 학습과정에 관한 정보를 수집해서 교육계획 수립에 활용하고 교육을 수행하는데, 도움을 주거나 의사결정을 하는 과정 자체를 말한다. 평가는 설정된 목표도달 유무를 구체적으로 분석 보완하고 효율적 교육수행의 기초자료로 활용하는 것으로 과정 평가는 교수방법, 학습 내용을 평가하고 산출 평가는 대상자의 지식, 태도, 행위의 변화에 대한 평가를 실시한다.

2. 평가의 목적

(1) 학습 목표의 도달 유무를 진단한다.(교육 평가의 1차적 목표)
(2) 학습 효과를 증진시키는데 영향 요인과 장애 요인을 파악한다.

(3) 교육자의 교육 방법, 교육 기교를 교정하는 것이다.
(4) 교육 방법이나 매체가 적절하였는지를 확인한다(교육 과정 및 내용 타당도)
(5) 교육 대상자에게 노력의 결과를 알려주기 위함이며 교육효과를 증진시킬 수 있다.
(6) 학습요구도를 파악하여 교육계획의 기본 자료로 삼는다.

3. 평가의 대상

(1) 학습자 (2) 교육자 (3) 교육과정 (4) 학습 환경

4. 평가의 내용

(1) 지식(인지적 영역)
(2) 태도(정의적 영역)
(3) 행위 및 기술(심리 운동 영역)

표 7-5 교육 평가 내용의 예시

교육 평가 내용	교육 평가 내용의 예시
지식(인지적 영역)	신종출현감염병의 초기 증상이 무엇인지를 알고 기억정도 평가(기억, 이해)
태도(정의적 영역)	비만 중년 여성이 규칙적인 운동을 실시하려하는지를 평가(적극성, 협조성)
행위 및 기술(심리 운동 영역)	손씻기를 올바로 하는지, 응급처치를 시행하는지 등의 평가

5. 보건교육 평가단계

보건교육 평가단계는 다음과 같은 단계를 갖는다.
1단계 – 평가대상 및 선정기준 설정
2단계 – 평가 자료 수집
3단계 – 비교
4단계 – 가치 판단
5단계 – 재계획

6. 보건교육 평가 유형

1) 기준에 따른 평가

(1) 절대평가(목표 지향 평가)

① 미리 도달해야 할 목표를 설정해 놓고 교육을 실시한 후 목표에 도달되었는지를 알아보는 목표 지향적 평가이다.
② 학습자 간에 점수를 비교하지 않는다.
③ 보건교육에서는 목표지향적인 절대평가를 더 많이 활용한다.
④ 교수 – 학습과정 전체가 평가의 대상이 되며 평가자는 반드시 교육자가 된다.

(2) 상대평가(기준 지향 평가)

① 무엇을 얼마나 성취했느냐보다 다른 사람에 비하여 어느 정도 성취했는지를 규정한다.
② 학습자가 무엇을 얼마나 아느냐가 아니라 다른 사람과 비교할 때 무엇을 얼마나 더 알고 있는가를 평가 하는 것이다.
③ 개인의 상대적 위치와 우열의 파악이 가능하여 경쟁을 통한 학습 동기를 유발한다.
④ 상대평가에서는 학습자가 주된 평가의 대상이다.
⑤ 평가자는 교육자 뿐 아니라 제 삼자도 할 수 있으며 평가도구의 신뢰도가 중요하다.

2) 평가의 시기에 따라 과정에 따른 평가

(1) 진단 평가 – 교육 전 학습자의 교육 이해도를 사전 측정하는 것이 목적이다.
(2) 형성 평가 – 학습자에게 형성된 교육의 결과(쪽지, 퀴즈, 질문)를 확인한다.
(3) 총괄(총합) 평가 – 일정한 교육 후 교육의 결과(쪽지, 퀴즈, 질문)를 확인한다.

(1) 진단 평가

교육이 시작되기 전에 학습자들의 지식, 태도, 행동을 변화 시키는데 있어서 가장 우선적인 것이 무엇인지 무엇을 교육할 것인지를 알아보는 적절한 방법으로 교육 전략을 세 워 교육의 효과를 극대화하기 위하여 실시한다.

(2) 형성평가

교육이 진행되는 동안 교육진행정도를 파악하여 교육내용이나 방법을 향상시키기 위하 여 조정할 사항이 있는지를 확인하기 위하여 시행한다.

학습자들의 교육동기를 유발시킬 수 있고 교육방법을 변경할 수도 있고 교육 단계에 서 학습자로 하여금 건강 신념이나 문제해결 능력을 향상 시킬 수 있다.

(3) 종합평가

보건교육사업의 일 단계가 완전히 끝났을 때 목표의 도달 여부를 알아보고 실시한 교육의 장단점을 평가하여 다음 교육을 할 때 더욱 좋은 교육 방안을 찾기 위하여 시행하는 평가이다.

7. 보건교육 평가방법

보건교육을 실시하는 교육자는 평가영역별 적절한 방법으로 평가를 수행하면 된다.

1) 영역별 평가방법

인지적 영역의 평가는 간접적인 방법으로 필기시험, 관찰도구 이용, 관찰시험, 설문지를 사용한다.

정의적 영역의 평가도 간접방법으로 프로젝트를 실시하여 관찰한다.

심리운동적 영역은 직접관찰로써 실제 현장이나 가상 상황을 시험하는 실기시험으로 평가한다. 평가방법의 예는 다음과 같다.

(1) 관찰법

행동측정 실기능력에 유용한 평가방법으로, 관찰자의 편견이 없이 관찰 즉시 관찰한 내용을 사실 그대로 기록하는 평가방법이다. 관찰법의 종류는 다음과 같다.

① 자연적 관찰방법: 관찰도구나 계획없이 자연상태 그대로 관찰, 사실 그대로를 관찰할 수 있다.

② 일화기록: 다른 방법으로 도저히 평가할 수 없는 영역 즉 인성, 적응능력 등을 평가하는데 대상의 행동을 구체적으로 관찰하여 기록한 후 평가한다.

③ 행동 목록표를 활용한 관찰방법은 미리 준비된 행동목록표를 갖고 표시를 하는 것이다.
장점으로는 기록이 능률적이고 양적인 처리가 용이하다.
단점으로는 행동단위를 의미있고 조직적으로 분류하기 어렵다.

(2) 면접법(구두질문)

관찰과 함께 사용할 수 있는 방법으로 교육자가 구두질문으로 학습자의 이해정도를 즉시 확인하는 방법이다.

장점은 교육자와 학습자가 직접 대화할 기회를 가지고 자기 스스로 대답을 구성하는 능력을 요구 할 수 있다. 더구나 학습자가 완전히 알고 있는 영역과 불완전하게 알고 있는 영역을 모두 표현할 수 있는 융통성이 부여된다.

단점은 불안, 초조 등의 불필요한 요인에 의해 영향 받을 수 있다.

(3) 질문지법

간접적인 측정법으로 글을 읽을 수 있고 질문을 이해할 수 있는 사람에게 사용이 가능하다. 이 방법의 특징은 평가자의 주관적인 편견이나 가치관 때문에 공정하지 못한 결과를 가져오는 것을 피하기 위해 복잡한 내용을 세분화하여 과학적 평가를 모색하는 것이다.

질문 문항은 측정하고자 하는 주요내용을 빠짐없이 논리적으로 작성하는데(질문 문항은 보기에서 선택하는 선택형과 질문에 대해 답을 제시하는 서답형) 도구가 만들기 쉽고 사용이 간편하여 보건교육에 많이 활용된다.

(4) 자가 보고서 및 자기 감시법

자가 보고서: 척도법을 사용한 설문지나 개방식 질문지 등의 양식에 따라 자가 보고를 하는 것이다.

자기 감시법: 자신의 건강행위 등의 행위를 한 후 자신의 행위를 기록하게 하는 것이다.

이 밖에 조사기록, 면접과 회의, 건강검사. 통계자료, 전문가 의견 등을 사용한다.

2) 좋은 평가도구가 갖추어야 할 조건

(1) 타당도: 평가하려고 하는 교육목표나 평가 기준을 얼마나 잘 측정하고 있는가에 대한 내용이다.

(2) 신뢰도: 측정하고자 하는 내용을 여러 번 평가해도 오차 없이 잘 측정할 수 있는 것을 말한다.

(3) 객관도: 평가자의 일관성을 의미하는 것으로서 동일한 답안지를 동일한 사람이 시간이나 상황을 달리해서 평가한다.

(4) 실용도: 평가도구가 적절한 난이도와 경제성, 간편성, 편의성을 나타내는 것이다.

기타 평가도구는 학습자가 잘 아는 문제로부터 전혀 새로운 문제까지 포함하는 참신성을 가지고 꼭 알고 있는 학습자만이 정답을 할수 있는 구조를 가져야 한다.

3) 기타 시험에 의한 선택형(selection type)

시험은 선다형으로 OX를 선택하는 진위형, 보기를 주고 몇가지를 선택하는 배합형, 4지 혹은 5지의 답가지 중에서 하나를 선택하는 선다형이 있고, 서답형으로는 간단한 단어로 답하는 단답형, 괄호 넣기 식의 완결형, 자유롭게 진술하는 논문형이 있다.

(1) 진위형(truefalse)은 추측에 의해 반을 맞출 수 있다. 많은 내용 짧은 시간, 모호한 문장, 지나치게 확실한 문장, 다중목적, 이중부정질문은 피한다.

(2) 배합형(matching)은 동질의 전제 답들로 구성한다.

(3) 선다형(mutiple choice)의 장점은 가장 객관적이고 융통성이 있다.
단점은 고도의 학습능력을 파악할 수 있는 문항 선정이 어렵고 간단명료한 어휘를 사용하여 문법적으로 일관성 있게 문항작성을 한다.

참고문헌

- 고재희 (2008). 보건교육방법 및 교육공학. 교육과학사.
- 교육과학기술부(2007). 교육과정 개요. 서울: 대한교과서 주식회사.
- 김재호(2003). 운동과 건강, 정담미디어.
- 박영임 외(2006). 건강증진과 보건교육, 수문사.
- 박인혜 등(2007), 보건교육, 정문각.
- 안옥희 등(2009), 보건교육학, 메디컬코리아.
- 유광수 등(2013), 지역사회간호학, 정담미디어.
- 윤순녕 등(2010), 보건프로그램 개발과 평가 보건프로그램 개발 및 평가, 수문사.
- 이주열 등(2012), 보건교육학, 군자출판사.
- 이경희, 권수자 등(2011), 보건교육학, 수문사.
- 이지연(2008), 보건교육방법 및 교육공학. 서현사.
- 최연희 등(2012), 보건교육학, 정담미디어.
- 최연희 등(2014), 지역사회간호학, 수문사.
- 한정선 등(2008), 보건교육방법 및 교육공학. 교육과학사.
- Ajzen, I.(1988). Attitudes personality, and behavior. Dorsey press.
- Becker MH et al(1974). A new approach to explaining sick-role behavior in low-income population AJPH : 64; 205-216.
- Cravener, P. A.(1996). Principles of adult health education. Gastroenterology nursing, 19(4), 140-145.
- Green L. W and Kreuter M. W(1991) Health promotion planning - An educational and environmental approach. 2nd ed. Mayfield pub. co.
- Green, L. W., and C.L. Anderson. 1986. Community Health. St. Louis: Times Mirror/Mosby.
- Guilbert, J. J.(1981). Educational handbook for health personnel. WHO.
- Katz D(1960). The functional approach to the study of attitudes. Public Opinion Quaterly. 24 : 163-204.
- Pender, N.J. 1996. Health Promotion in Nursing Practice(3rd ed.). Stanford: Appleton & Lange
- World health Organization. 1993. Health for all targets: the health policy for Europe, updated ed. WHO, Regional Office for Europe, Copenhagen.

참고사이트

- 국민건강보험공단, http://m.nhis.or.kr.
- 교육과학기술연수원, http://nest.go.kr.
- 보건복지부, 국민건강영양조사. http://mohw.go.kr.
- 보건복지부, 2013년 하반기 성인흡연 실태조사. http://mohw.go.kr.
- 보건복지부, 2014년 청소년 건강행태 온라인 형태조사. http://mohw.go.kr.
- 한국건강증진개발원, http://www.khealth.or.kr.
- 한국영양학회, http://www.kns.or.kr.
- 한국지역사회간호학회, http://www.kchn.or.kr.

제 8 장

건강증진

학습목표

- 건강증진의 개념을 설명할 수 있다.
- 건강증진의 정의, 역사적 배경 및 원칙을 설명할 수 있다.
- 건강증진 이론을 설명할 수 있다.
- 건강증진 프로그램을 계획할 수 있다.

개요

건강증진의 개념을 이해하고, 개인, 가족, 지역사회 및 인구집단을 대상으로 건강위험요인을 파악하여 건강불평등을 줄이고 건강잠재력을 최대한 발휘하도록 이끌어낸다. 또한 지원적인 환경조성 및 건강지향적 공공정책 수립에 노력하고 대상자의 건강수준을 향상시키기 위한 건강증진 프로그램을 계획한다.

주요 용어

• 건강증진 • 질병예방 • 건강보호 • 국민건강증진법 • 오타와헌장 • 건강신념 모형 • 합리적 행위이론 • 건강증진 모형 • PRECEDE-PROCEED 모형

제1절 건강증진의 이해

1. 건강증진의 이해

1) 건강증진의 개념

건강증진의 공식적인 개념이 제시된 것은 1974년 캐나다에서 국가의 새로운 보건의료정책에 대하여 발표한 1974년 캐나다의 라론드(Lalonde) 보고서이다. 라론드보고서는 건강을 결정짓는 주요 요인으로 보건의료 조직, 생물학적 요인, 환경 및 생활습관을 제시하였으며 이중 생활습관의 중요성을 강조하며 건강 행태 개선을 주장하였다. 라론드 보고서는 질병예방에서 건강증진으로 초점을 이동시키는 주요한 계기가 되었다. 다시말해 건강에 영향을 미치는 사람들의 생활양식과 일상생활에서 삶의 여건들을 건강에 이로운 방향으로 변화시켜가는 접근의 필요성이 제기되면서 건강증진의 개념이 대두되었다. 이후 1978년 세계보건기구가 2000년까지 지구상 모든 인류의 건강목표를 '사회적,경제적으로 생산적인 삶이 가능한 건강수준'으로 설정하고, 이를 달성하기 위한 핵심전략으로 채택한 1차 보건의료에 관한 알마아타 선언(WHO, 1978)과 건강불평등 해소를 위한 사회적, 환경적 요인에 관한 부문간 협력의 필요성 등이 논의되면서, 건강증진의 개념은 보다 확대되어서 건강에 중요한 영향을 미치는 사회적 및 환경적 요인에 대한 접근을 포함하게 되었다.

건강증진에 관한 다양한 정의들을 살펴보면 그린(Green) 등(1984)은 '건강에 유익한 행동을 유도하기 위한 건강 교육 및 건강과 관련된 조직적, 경제적, 환경적 지원의 조합'이라고 정의하였다.

오타와 헌장(1986)에서는 '건강증진은 건강불평등을 줄이고 모든 사람들의 건강잠재력을 최대한 발휘할 수 있도록 동등한 기회와 자원을 확보하는 데 목적을 두고, 건강지향적인 공공정책의 수립, 지원적인 환경조성, 개인의 건강관리 기술 개발, 지역사회 활동 강화, 국가의 보건의료서비스 방향 재정립을 포함한 활동'이라고 했다.

세계보건기구(1998)는 건강증진을 '개인의 기술이나 능력을 향상시키는 활동뿐 아니라 사회적, 환경적 상태를 개선하는 활동을 포함한 포괄적인 사회적이고 정치적인 과정'이라고 정의하였다.

건강증진은 흔히 질병예방 및 건강보호의 개념과 혼용되어 사용된다. 건강증진은 개인의 건강과 안녕의 잠재적 확대를 통해 건강을 향상시키려는 적극적이며 긍정적인 의미를 내포하고 있다면, 건강보호와 질병예방은 질병의 진행과정을 느리게 하거나 변화시키거나 제거함으로써 질병을 방어하려는 것에 초점을 둔 소극적, 부정적 개념이라 할 수 있다.

우리나라에서는 1995년 국민건강증진법이 제정된 이후, 지난 20여년간 건강증진을 위해 많은 노력과 이에 따른 발전이 이루어졌다. 수차례 국민건강증진법 개정과 함께, 국민건강증진종합계획 2010 및 2020 수립, 광역시 · 도 수준에서의 건강증사업지원단 설치 및 최근의 한국건강증진개발원 설립(2014) 등 건강증진 사업수행 및 지원체계 마련, 국민건강 영양조사 및 청소년 온라인 건강행태조사와 시 · 군 · 구 기초지방자치단체 수준의 지역사회 건강조사 등 건강정보 수립체계 구축, 이와 함께 담배값에 건강증진부담금 부과를 통한 국민건강증진기금 마련 등 건강중진을 위한 여러 측면의 하부 구조를 갖추기 위한 노력을 기울이고 있다. 이제 이 같은 하부구조가 어느 수준 이상 구축되었고, 중앙 및 지역수준에서 다양한 건강증진사업 및 활동이 활발하게 전개되고 있다. 특히 최근 담배값이 큰 폭 인상됨에 따라 국민건강진기금의 규모가 크게 확충되면서, 향후 국가 및 지역수준에서

더욱 많은 건강증진사업 및 활동연구들을 활발히 전개할 것으로 보인다(이명순, 2015)

2) 건강증진 국제회의

건강증진에 대한 세계적 합의와 기본 토대를 마련하기 위해 세계보건기구 및 회원국은 1986년 11월 캐나다 오타와에서 제 1회 건강증진에 관한 국제회의를 시작으로 주기적으로 국제회의를 개최하고 있다.

(1) 제 1차 건강증진 국제회의

제 1차 건강증진 국제회의는 1986년 11월 캐나다 오타와에서 개최되었고, 건강증진의 개념을 명확히 하였으며 오타와 헌장(Ottawa Charter for Health Promotion)을 제정해서 선포하였다. 오타와 헌장에서는 다음과 같이 세가지 전략과 다섯 수준의 건강증진 활동 영역을 제시하고 있다(그림 8-1).

Ⅰ 건강증진 전략

3가지 전략은 옹호(advocate), 역량강화(능력, 가능화, enable), 연합(조정, mediate)이다. 옹호(주창하다)는 건강에 대한 사람들의 관심을 불러일으키고 건강에 대한 옹호활동을 전개하는 것이며, 역량강화(가능하게 하다)는 지원적인 환경을 조성하고 정보를 제공하며 개인과 가족의 건강을 유지할 수 있게 하는 권리로서 인정하며 스스로 건강관리에 적극 참여하여 자신의 행동에 책임지는 것이다. 연합(조정)은 건강을 추구하기 위하여 집단간에 조정을 하고, 건강에 영향을 미치는 전문가들이 협조하는 것이다.

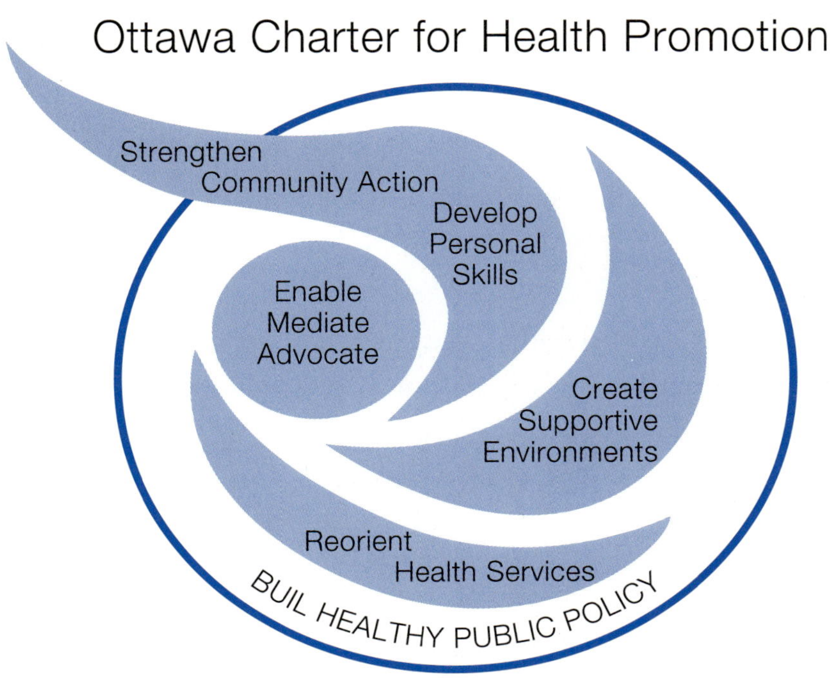

그림 8-1 WHO 오타와 헌장의 건강증진 상징 로고

출처: WHO. http://www.who.int/healthpromotion/conferences, 2015년 12월

2 건강증진 활동 영역

건강증진의 활동 영역은 건강지향적인 공공정책의 수립, 지원적 환경조성, 지역사회활동 강화, 개인의 건강관리 기술개발, 국가의 보건의료서비스 방향 재정립을 제시하였다. 보건정책이 건강에 영향을 미치는 중요성을 인식하고 건강한 보건정책을 수립하여야 하며, 보건정책 수립과 실천을 가능하게 하는 사회적 환경을 조성하는 것과 지역사회주민의 건강증진 활동을 위한 지역사회활동이 강화되어야 한다. 개인의 기술개발은 정보제공, 보건교육, 일상생활 기술 증진을 통하여 개인이 건강과 환경에 대한 통제능력을 향상시키고 건강에 유익한 선택을 할 수 있는 능력을 개발하는 것이다. 보건의료사업 방향 재조정은 증가하는 문화적 요구에 민감하게 대처하고 보건부문과 타 부문과의 협력을 통하여 건강을 추구하는데 기여하도록 하는 것이다.

(2) 제 2차 건강증진 국제회의

제 2차 건강증진 국제회의는 1988년 호주의 아델레이드에서 열렸으며, 제 1차 국제대회인 오타와헌장에서 제시한 건강증진전략 중 첫 번째인 건강한 보건정책 수립에 대하여 논의하였다. 건강정책에 경제정책과 사회정책을 연계하고 정부와 민간 집단의 연계를 통한 보건정책 수립이 필요함을 강조하였다. 회원국마다 건강증진을 위해 즉시 강구해야할 정책으로 여성건강 증진정책, 음식과 영양에 대한 정책, 술 및 담배에 대한 정책, 지지적 환경 조성을 위한 정책을 제시하였다.

(3) 제 3차 건강증진 국제회의

제 3차 건강증진 국제회의는 1991년 스웨덴의 선즈볼에서 개최되었으며 세계 모든 분야의 사람들이 건강에 지지적인 환경을 조성하는데 적극 참여해야 함을 주장하였다. 3차 회의에서는 세계적인 건강목표인 'Health For All by the Year 2000'의 성취를 어렵게 하는 요인이 극심한 가난과 궁핍, 열악한 환경임을 지적하였다. 환경은 물리적 환경뿐만 아니라 신체적, 정치적, 경제적, 문화적 환경임을 포함하며, 여성을 포함한 범국가적인 보건교육이 필요하며, 교육을 통하여 개인과 지역사회의 건강한 지지적 환경을 조성하고 건강과 환경과의 상호작용을 강화하기 위한 관련기관과의 협력이 필요함을 제시하였다.

(4) 제 4차 건강증진 국제회의

1997년 인도네시아의 자카르타에서 '21세기 건강증진을 이끌 새 시대를 위한 새 일꾼'이라는 구호 하에 건강증진의 공공부문과 민간부문이 동반자 관계를 형성해야 하며, 21세기에 우선적으로 해야 할 일로 건강에 대한 사회적 책임 증진, 보건 개발에 대한 투자 증가, 건강을 위한 협력체계 구축 및 강화, 지역사회의 능력 및 개인의 역량 강화, 건강증진을 위한 인프라 구축 등의 5가지를 제시하였다.

(5) 제 5차 건강증진 국제회의

2000년 멕시코의 멕시코시티에서 개최된 국제회의는 회원국들의 장관들이 모여 건강불균형 해소 및 전세계인의 건강 형평성 제고에 대하여 논의하고 성명서를 채택하였다. 건강증진과 사회 개발은 국가의 책임이며, 건강의 사회적, 경제적, 환경적 요인에 대한 관리가 필요하며, 모든 국민의 건강 형평성을 위해서는 공공정책과 프로그램이 필요함을 제시하였다.

(6) 제 6차 건강증진 국제회의

2005년 태국 방콕에서 세계화 추세에서 건강증진을 위한 방콕헌장이 채택되었다. 방콕헌장에서는 건강한 공공정책, 지원하는 환경만들기, 지역사회 활동 강화, 개인적 기술개발, 질병예방과 건강증진을 향한 보건의료의 재조정의 5가지 행동원칙이 제시되었다.

(7) 제 7차 건강증진 국제회의

2009년 케냐의 나이로비에서 실행을 위한 장애요인을 줄이는 행동강령을 채택하였다. 그동안의 과정을 보면 건강을 위한 개념이 개인에서 사회로, 다시 국가로 변해가고 있다는 것을 알 수 있다. 즉 건강은 개인이나 사회의 노력보다 건강의 사회적 결정요인이 중요하다는데 주목하기 시작하였다. 회의의 주요 논의사항은 지역사회 임파워먼트, 건강문해력과 건강행동, 보건체계 강화, 파트너쉽과 부문간 활동, 건강증진을 위한 역량강화이다.

(8) 제 8차 건강증진 국제회의

2013년 핀란드 헬싱키에서 제 8차 건강증진회의가 개최되었다. 헬싱키 회의는 건강을 모든 정책에 반영하는 헬싱키 선언을 발표하였다. 헬싱키 선언에서는 '건강은 기본적인 인권이며 건강평등은 사회정의의 표상이다. 건강은 삶의 질을 높이고, 학습능력을 향상시키며, 가족과 지역사회를 강화하고, 직장에서 생산성을 향상시킨다. 건강은 건강관련분야 뿐만 아니라 무역과 대외정책을 포함한 넓은 정치적 문제에도 영향을 받는다.'건강을 모든 정책의 목표로'는 모든 공공정책 의사결정 때 건강을 향상시키기 위해 건강영향을 살펴보고 시너지 효과를 감안하며 건강에 위해한 부분을 피하는 것이다라고 하여 공공 건강정책과 건강영향평가를 주요과제로 상정하였다.

2. 건강증진 관련 이론

건강증진 행위에 영향을 주는 요인들을 규명하고, 건강증진 행위의 영향요인을 설명하기 위한 다양한 이론들이 있다. 본 장에서는 건강증진 행위 이론 중 건강신념 모형, 합리적/계획된 행위이론, 건강증진 모형, PRECEDE – PROCEED 모형, 범이론에 대해 살펴보기로 하겠다.

1) 건강신념 모형

건강신념모델은 예방적 건강행위를 촉진시키기 위해 발달된 이론으로, 1950년대 공중보건 프로그램이 '성공' 하지 못하는 원인에 대해 설명하기 위해 고안된 개념으로 개인의 건강신념과 건강행동간의 관련성을 설명하기위한 이론이다. 건강신념모델(Health Belief Model, HBM)은 인간의 행위가 개인이 그 목표에 대하여 생각하는 가치와 목표를 달성할 가능성에 대한 생각에 달려있다고 가정하는 심리학과 행동이론을 기본으로 한다. 즉 개인의 지각에 따라 특정 행위를 할 것인지 혹은 하지 않을 것인지가 결정되고, 바람직한 행동을 유도하기 위해서는 특정행동의 실천으로 인해 질병을 예방하거나 완화시킬 수 있는 개인의 기대와 개인의 특정 질병을 예방하거나 완화사는 것이 가치가 있다고 지각할 때 그 행동의 실천이 일어난다고 한다. 즉, 예방행위란 자신이 건강하다고 믿는 사람이 증상이 나타나지 않는 상태에서 질병을 예방하거나 조기 발견할 목적으로 행하는 행위를 의미하며 이들에 대한 영향요인을 규명하기 위한 것이 건강신념모델이다. 주요 개념들을 살펴보면 다음과 같다.

(1) 지각된 민감성

지각된 민감성(Perceived susceptibility)는 어떤 건강상태가 될 것이라는 가능성에 대한 생각으로 자신이 어떤 질병에 걸릴 위험이 있다고 지각하거나, 질병에 이미 걸린 경우 의료적 진단을 받아들이거나 재발할 위험이 있다고 생각하는 등 일반적으로 질병에 민감하다고 믿는 것을 말하며, 개인의 민감성 정도에 따라 건강행위를 할 가능성이 달라진다.

(2) 지각된 심각성

지각된 심각성(Perceived seriousness)는 개인마다 다양한 질병발생에 대해 받아들이는 것이 다양한데, 질병으로 인한 죽음, 통증, 영구적 장애 같은 의학적 결과뿐만 아니라, 자신의 직업, 가족생활, 사회적 한계 등 사회적 결과에 대한 평가도 포함된다.

(3) 지각된 유익성

지각된 유익성(Perceived benefits)는 특정 행위를 하게 될 경우 얻을 수 있는 혜택에 대한 지각으로, 어떤 상황에 대해 개인의 민감성이 위협을 느껴 행동을 취할 때 유지시키고, 행동의 특별한 경우를 정의하지 않고 질병의 위협을 줄일 수 있는 다양한 행동의 효과를 이끄는 신념에 기초해서 정의한다. 즉, 건강행위는 질병 위협을 감소

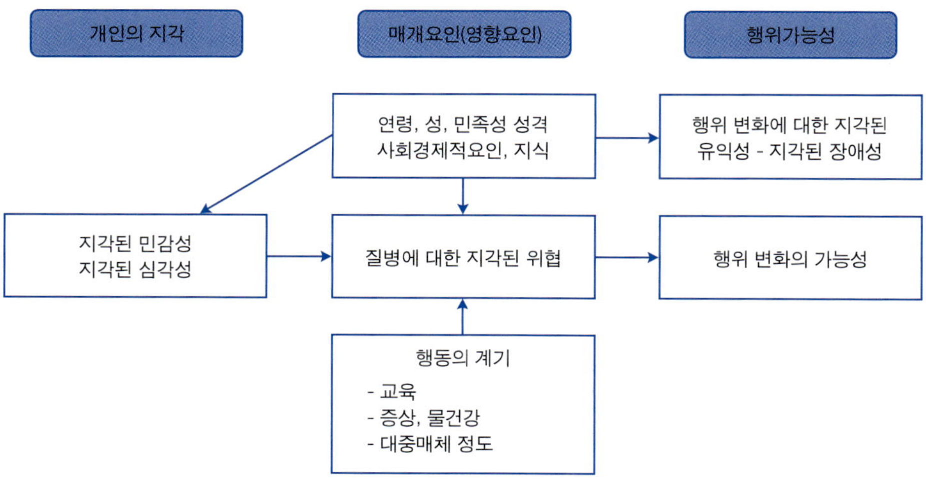

그림 8-2 건강신념모형

출처: Champion, V. L., Skinner, C. S.(2008). Health belief model components and linkages. In K. Glanz., B. K. Rimer&K.Viswanath(Eds.), Health Behavior and Health Education(pp.49). San Francisco: Jossey-bass.

시키는 행위의 효율성에 대한 신념이나 건강 행위의 유익성을 지각하는 것에 달려 있다. 이는 행위의 유익성을 높게 지각할수록 행위를 할 가능성이 높아지게 됨을 의미한다.

(4) 지각된 장애성

지각된 장애성(Perceived barriers)는 건강행동의 부정적 지각으로 어떤 행동을 하는 데 장애요소가 되는 것이다. 개인은 건강행위 수행이 질병위협을 감소시키는 데 효과적인 것이라고 지각할 수도 있으나 비용, 위험, 불편과 같은 부정적인 장애로 인해 건강행위를 수행하는 데 방해를 받을 수 있게 된다. 즉 행위의 장애성을 높게 지각할수록 행위를 할 가능성은 낮아진다.

(5) 행동의 계기

행동의 계기(cues to action)란 개인이 적합한 신념을 갖게 되었을 때, 그러한 신념이 구체적 행동으로 전환되기 위해서는 분명한 동기가 있어야 하는데, 그 것이 행동이 일어날 만한 구체적인 행동계기가 된다. 행동계기는 자신의 신체상태 인지와 같은 내적자극일 수도 있고, 대인관계나 대중매체와 같은 외적자극일 수도 있다. 이러한 행동계기가 주어졌을 때 지각된 심각성과 민감성으로 구성된 지각된 위협이 증가하고, 지각된 유익성이 증가하며, 지각된 장애성이 감소한다.

2) 합리적/계획된 행위이론

계획된 행위이론(Theory of Planned Behavior)은 피시베인(Fishbein)과 아젠(Ajzen, 1975)이 제안한 합리적 행위이론으로부터 확장된 이론이다. 합리적 행위이론은 인간의 행위가 자발적이고 개인의 의지적인 통제 하에 있다는 가정을 전제로 하여 행위에 대한 태도와 주관적 규범이 특정 행위를 하거나 하지 않도록 하는 행위 의도에 영향을 미치고, 행위 의도가 행위에 직접 영향을 미칠 수 있다는 영향관계를 설명하는 모델이다(Fishbein & Ajzen, 1975). 그러나 개인의 의도와는 상관없이 어떤 행위를 하기 위해서는 기회나 시간적, 물리적, 금전적 자원 등이 필요할 수 있는데, 이러한 자원들을 개인의 의지로 통제할 수 없을 수도 있고 환경이나 상황에 의해 개인이 의도적으로 행위를 통제할 수 없는 경우도 발생한다. 이처럼 인간의 행위는 개인의 통제가 불가능한 상황이

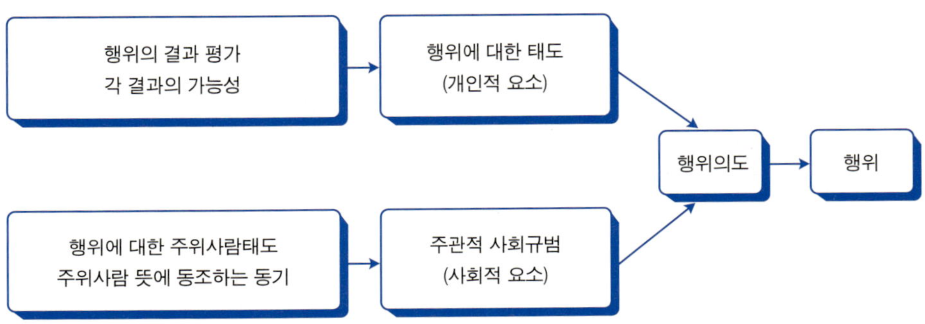

그림 8-3 합리적 행위이론

출처: Ajzen, I.(2005) Attitudes, personality, and behavior(2nd. Edition). Milton–Keynes, England: Open University Press / McGraw– Hill.

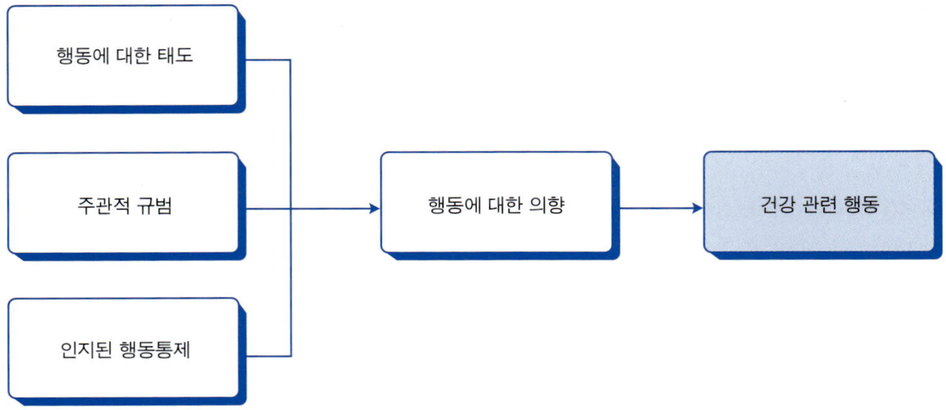

그림 8-4 계획된 행위이론

출처: Ajzen, I.(2005) Attitudes, personality, and behavior(2nd. Edition). Milton–Keynes, England: Open University Press / McGraw– Hill.

더 많이 발생할 수 있다는 점을 고려하여 행위의도가 행위로 연결되는 과정에서 내적, 외적요인들을 통제할 수 있는 통제감의 지각이 필요하다고 제기되었다. Ajzen(1985)은 합리적 행위이론의 이러한 문제점을 보완하기 위해 합리적 행위이론에 지각된 행위통제 요인을 추가하여 개인이 특정 행위를 하는 데 장애요인을 극복할 수 없거나 본인의 의지로 행위를 통제할 수 없는 상황을 설명하는 계획된 행위이론(Theory of Planned Behavior, TPB)을 발전시켰다.

합리적 행위이론과 계획된 행위이론의 주요개념들은 다음과 같다.

(1) 행위 의도

행위 의도는 자신이 하고자 하는 특정 행위에 대한 개인의 주관적 의사 표명으로, 어떤 행위를 하고자 하는 개인의 의지 또는 생각의 정도를 통해 개인이 특정행동을 하는데 있어서 얼마나 노력을 하는가를 말한다. 특정행위를 수행하는데 있어 행위 의도는 행위에 직접적으로 영향을 미치는 결정인자로 사람들은 행위 의도에 따라 행위를 하기 때문에 의도는 행위를 예측하는 가장 좋은 지표라 할 수 있다.

(2) 행위에 대한 태도

태도는 개인이 특정 행위를 수행하는 것에 대해 호의적이거나 부정적인 감정의 정도를 표현한 것으로, 어떠한 행위를 하는 것이 좋을 것인지 나쁠것인지, 또는 그 행위를 좋아하는지, 싫어하는지를 나타내는 판단을 의미한다. 특정 행위에 대해 개인이 갖는 태도가 긍정적이고 호감을 가질수록 그 행위를 하고자 하는 의도가 더 커지게 되므로 행위에 대한 태도를 보고 개인이 수행하는 행위의 경향을 유추할 수 있다.

(3) 주관적 규범

개인의 특정 행위 수행여부에 대해 특정행위를 해야 할지 또는 하지 말아야 할지를 결정하는데 있어 가족, 친구와 같은 중요한 영향력이 있는 사람들이나 주위 환경에 대한 사회적 압력을 개인이 지각하는 정도로서, 사회적 규범을 의미한다.

(4) 지각된(인지된) 행동통제

개인이 특정한 행위를 수행하는데 얼마나 성공적으로 수행할 수 있는지 행위 수행의 용이성 또는 어려움에 대해 개인이 지각하는 믿음의 정도로써 반듀라(Bandura)의 자기 효능감과 유사한 개념이다. 지각된 행위통제는 특정 행위를 수행하는데 시간, 돈, 자원, 물리적 요소, 장애요인에 대한 개인이 인식하는 통제신념과 행위를 촉진하거나 억제하는 자원이나 기회, 장애요인을 자신이 통제할 수 있다고 지각하는 통제력에 의해 결정된다. 행위를 수행하는데 자원, 기회, 능력, 기술, 의지력, 다른 사람의 협조, 장애요인 등에 대한 개인의 통제 신념이 높고, 장애물이나 방해요인들을 스스로 통제할 수 있다는 자신감이 높을수록 행위의도와 행위의 수행 가능성이 크다고 하였다.

3) 펜더(Pender)의 건강증진 모형(Health Promotion Model)

펜더(Pender)의 모형은 반듀라(Bandura)의 사회인지이론과 건강신념모델(Health Belief Model)로부터 도출되었다. 건강증진모형은 건강증진행위를 설명, 예측하기 위해 변수들 간의 상호작용을 규명하려는 실증적 연구를 토대로 구체적이고 다차원적인 접근을 시도하여 초기 모델(1987)이 수정되면서 1996년 3차 개정된 건강증진 모형을 제시하였다. 3차 개정된 모형에서는 건강행위에 영향을 주는 요인으로 개인의 특성과 경험, 행위와 관련된 인지와 감정, 행위의 결과로 구분하여 설명하고 있다(그림 8-5).

(1) 개인의 특성과 경험

개인의 특성과 경험에는 과거 건강관련 행위와 개인적 요인이 포함되어 있으며 이러한 요인들들이 건강행위에 직 · 간접으로 영향을 미친다.

[1] 과거의 건강관련 행위

과거의 건강관련 행위는 자기효능감, 지각된 유익성, 지각된 장애성, 행동과 관련된 감정의 지각을 통해 건강행위에 간접적인 영향을 미친다. 과거의 건강관련 행위경험은 건강관련 행위에 일일이 주의를 기울이지 않더라도 자동적이고 습관적인 행위가 된다.

[2] 개인적 요인

개인적 요인은 생물학적, 심리학적. 사회문화적으로 범주화되어 있다. 개인의 생물학적 요인에는 나이, 성(gender), 체질량지수(BMI), 폐경상태, 운동능력, 민첩성 같은 변수가 포함되고, 개인의 심리학적 요인에는 자아존중감, 개인의 능력, 지각된 건강상태, 건강의 정의와 같은 변수가 포함되고, 개인의 사회문화적 요인에는 인종, 민족성, 교육, 사회경제적 상태등의 변수가 포함된다. 이러한 개인적 요인은 건강행위뿐만 아니라 행위와 관련된 인지와 정서에도 직접적인 영향을 미친다.

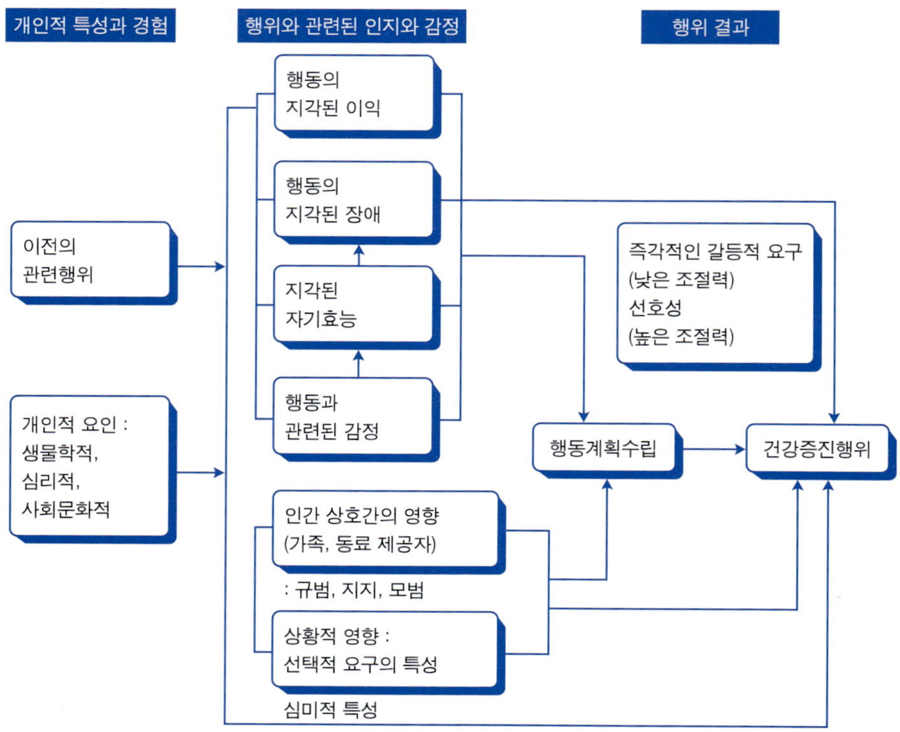

그림 8-5 펜더의 건강증진모형(Health Promotion Model

출처: Pender, N. J. (1996). Health promotion in nursing practice(3rd ed). Stamford, CT: Appletion & Lange.

(2) 행위와 관련된 인지와 감정

행위와 관련된 인지와 정서에 대한 요인으로는 지각된 유익성, 지각된 장애성, 지각된 자기효능감, 행동과 관련된 감정, 대인관계 영향, 상황적 요인이 포함된다.

[1] 지각된 유익성과 지각된 장애성

지각된 유익성이란 건강행위 실천 시 나타날 것이라고 기대하는 이익으로 건강행위를 지속시키는 동기요인으로 작용하며, 행위자체의 반복을 통해 유익성에 대한 믿음을 강화시키는 것으로 본다. 이러한 지각된 유익성이 클수록 건강행위 실천정도가 높다.

지각된 장애성은 건강행위를 실천하는데 있어 느끼는 어려움이나 불편함으로 건강행위를 실천하는데 걸림돌이나 장애물, 주어진 행위를 수행하는데 드는 개인적 손실 등을 말한다. 지각된 장애성이 클수록 건강행위 실천 정도는 감소한다.

[2] 지각된 자기효능감

자기효능감은 어떤 결과를 이루기 위해 필요한 행동을 조직하고 수행할 수 있는 개인의 능력에 대한 판단으로 자신감의 정의 중에서 자신의 능력에 대한 개인의 확신 또는 신념으로 정의할 수 있다. 자기효능감은 상황에 따라 달라질 수 있으며, 새로운 행위의 선택이나 지속, 행위의 재개 등 모든 부분의 행위에 영향을 미칠 뿐 아니라, 행위의 사고 능력이나 불안 등 정서적 반응에도 영향을 주게 된다. 자기효능감이 높은 개인은 도전적이고 구체적인 목표를 선택하는 반면에 자기효능감이 낮은 개인은 자신의 기술을 뛰어넘는 위협적인 상황을 피하려고 하며, 그들이 해결할 수 있는 쉬운 과제만을 선택하고 행동하게 된다.

③ 행동과 관련된 감정

사람들이 행동 전 · 후 · 과정 중에 느끼는 주관적인 느낌으로 그 행동 자체를 의미한다. 행위와 관련된 감정은 자기효능과 행동계획수립을 통해 건강행위에 직 · 간접적으로 영향을 미친다.

④ 대인관계 영향

대인관계 영향은 규범, 사회적 지지등으로 구성되고, 사회적 압력이나 행동계획수립을 통해 건강행위에 직 · 간접적으로 영향을 미친다.

⑤ 상황적 요인

상황적 요인은 건강행위에 영향을 미치는 것으로 상황은 행동을 유발하는 역할을 하면서 환경적 부담으로 작용하여 행위에 직접적인 영향을 미친다.

(3) 행위의 결과

행위의 결과는 행동계획수립, 즉각적인 갈등요구와 선호성, 건강행위가 포함된다.

① 행동계획수립

행동계획수립은 주어진 시간과 장소 내에서 특정한 행위를 수행하는것에 대한 관여와 행위를 도출하고 실행하고 강화시키기 위한 전략과정으로 건강행위에 직접적인 영향을 미친다.

② 즉각적인 갈등요구와 선호성

즉각적인 갈등요구와 선호성은 의도를 가지고 건강행위를 계획하기 이전에 있을 수 있는 행동과정으로 의식속에 개입된 선택적 행위로 건강행위의 수행가능성에 직 · 간접적으로 영향을 미친다.

③ 건강행위

건강행위는 건강증진모형의 최종 결과로서 궁극적으로 건강결과를 획득하려는 행위이다. 삶의 모든 측면을 포함하는 건강한 생활양식과 통합될 때 전 생애에 걸쳐 긍정적인 건강경험을 이룰 수 있다.

Pender 모델의 주요 가정은, 과거의 경험에 대하여 긍정적이고 유익한 감정을 가지고 있을수록 건강행위의 실천정도가 높은 것으로 보고 있다. 또한 건강행위의 유익성에 대한 인지가 크고, 자기효능정도가 높을수록, 행동에 관련된 정서가 긍정적일수록, 대인관계가 긍정적일수록, 주변환경이 건강관련행위를 촉진하고 흥미를 유발하는 상황일수록, 장애성에 대한 인지정도가 낮을수록 건강행위의 실천정도가 높을 것으로 보고 있다.

4) PRECEDE-PROCEED 모형

PRECEDE-PROCEED 모형은 1974년 Green이 교육적 진단을 목적으로 개발한 PRECEDE 모형에서 시작되었다. 그 후 1990년 Kreuter는 PRECEDE 모형에 행정적 진단단계인 PROCEED를 연결하여 정책개발 및 사업 수행과정과 평가과정의 연속적인 단계를 제시해주는 포괄적인 건강증진모형으로 발전시켰다. PRECEDE-PRO-

CEED (Predisposing, Reinforcing, and Enabling Causes in Educational Diagnosis and Evaluation –Policy, Regulatory, Organizational, Constructs in Educational and Environmental Development) 기획모형은 건강행태 변화 프로그램을 기획하고 평가하기 위한 개념을 제공하는 모형이다.

수정된 PRECEDE – PROCEED 모형은 4단계의 기획 단계와 1개의 실행단계, 3개의 평가 단계로 구성되어 있으며, 구체적인 단계는 다음과 같다(그림 8–6).

(1) 1단계: 사회적 진단(Social diagnosis)

지역사회에 대한 이해를 넓히기 위하여 많은 정보수집 활동들에 대한 폭넓은 참여와 적용을 통해서 사람들 자신의 요구 또는 삶의 질, 공공의 이익에 대한 열망을 결정하는 과정이다. 사회적 평가는 객관적, 주관적 자료를 통해 지역사회 인구집단을 조사하는 것이다. 이때 일차자료와 이차자료를 활용할 수 있다.

(2) 2단계: 역학적 진단(Epidemiological diagnosis)

이 단계에서는 1단계에서 수집한 자료를 통해 한정된 인구집단의 건강문제의 정도, 분포, 원인들을 기술하는 단계이다. 즉, 1단계에서 발견된 사회적 문제에 영향을 미치는 구체적인 문제를 확인하고, 확인된 우선순위가 높은 건강문제에 영향을 가장 많이 미칠 행태적, 환경적 요인을 구명하고, 건강문제에 대한 우선순위가 높은 문제를 측정가능한 목적으로 전환하는 단계이다.

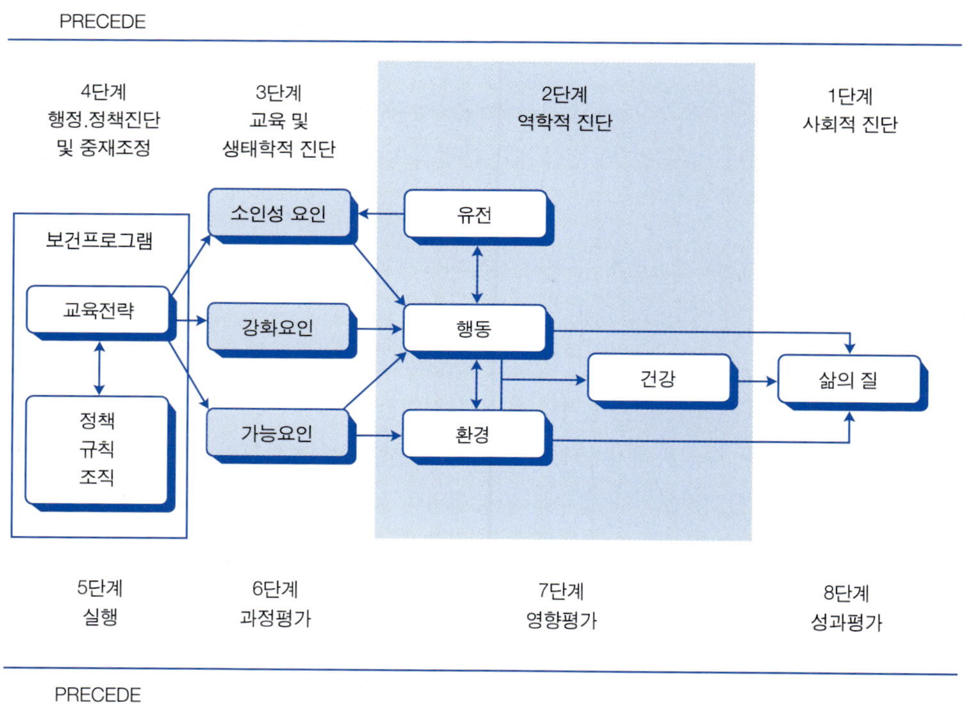

그림 8-6 수정된 PRECEDE – PROCEED 모형

출처: Green, L. W. & Kreuter, M. W. (2005). Health program planning: An educational and ecological approach. 4th ed. New York: McGraw–Hill.

(3) 3단계: 교육 및 생태학적 진단(Educational & Ecological diagnosis)

교육 및 생태학적 진단 단계에서는 보건교육의 내용설정을 위해 건강행위를 유발시키고 건강행위 결정에 영향을 주는 선행(소인성)요인, 강화요인, 가능요인을 사정한다.

선행요인(predisposing factors)은 사람들의 행위가 일어나기 전에 어떤 합리적인 근거나 동기를 부여하는 것으로 지식, 태도, 신념, 가치관, 인식등이 포함된다.

가능요인(enabling factors, 촉진요인)은 행위가 일어나도록 가능하게 도와주는 행동과 환경적인 요인으로 자원의 이용성과 접근성, 법규, 시간적 여유, 개인의 기술등이 포함된다.

강화요인(reinforcing factors)은 행위가 일어난 뒤 받게 되는 긍정적인 보상 또는 부정적인 피드백으로 행위를 지속하게 할 것인지 또는 '중단하게 할' 것인지를 결정하게 된다. 강화요인의 예로는 보상, 칭찬, 처벌등을 예로 들 수 있다.

(4) 4단계: 행정 및 정책적 진단(Administration & Policy diagnosis), 중재배열

행정적 · 정책적 평가는 이전 단계에서 세워진 계획이 건강증진 프로그램으로 전환되기 위해서 행정적 또는 정책적 진단이 필요하다. 행정적 · 정책적 평가는 건강증진 프로그램을 촉진하거나 방해하는 정책, 자원 및 조직의 환경을 분석하는 것이다. 조직 및 행정상의 제한점이나 시간, 인력, 물자, 예산 등에 장애가 있는지를 사정하고, 행정의 조직적인 능력을 개선시킬 수 있는 방안을 강구할 수 있다.

(5) 5단계: 실행(Implementation)

정책변화, 규정, 조직을 통하여 프로그램의 목표를 실행 시키는 행동을 의미한다.

(6) 6단계: 과정평가(Process evaluation)

정책 및 프로그램이 프로토콜에 따라 잘 수행되었는지 등에 대해 사정한다.

(7) 7단계: 영향평가(Impact evaluation)

성향요인, 강화요인, 촉진요인, 행동적 변화와 환경적 변화들을 포함하는 중간 목표에 대한 프로그램의 영향을 사정한다.

(8) 8단계: 결과(성과)평가(Outcome evaluation)

건강, 사회적 이익 또는 삶의 질 변화를 포함하는 궁극적인 목표에 대한 프로그램의 효과를 사정한다.

5) 범이론

범이론 모형(Transtheoretical Model)은 개인의 건강행위변화의 원칙과 과정을 설명하는 통합적인 모형으로 프로채스카(Prochaska)와 디클레멘트(DiClemente, 1983)에 의해 개발되었다. 이 모형의 구성개념은 행위변화단계

(stage of change), 변화과정(Process of change), 의사결정 균형(decisional balance), 자기효능감(self efficacy)으로 이루어져 있다. 범이론 모형은 변화 단계를 사정할 뿐만 아니라 변화단계별 중재 전략을 제공함으로써 대상자가 다음 단계로 진보하도록 돕는다. 따라서 운동, 흡연, 비만, 고지방식이 등과 같은 만성적인 건강행위 위험 요인에 대한 건강행위변화를 설명할 수 있는 연구에 적용되고 있다.

변화단계란, 하고자 하는 행위에 대해 대상자가 속해 있는 행위단계를 의미하는 것으로 이 단계는 행동변화를 위한 내적(동기적) 준비 상태의 연속선을 나타내며, 자신의 현재 상태가 어떠한 단계인지 잘 규명이 된다면 다음 단계를 향해 그 단계에서 해야 할 과제를 중재해 줄 수 있게 된다.

개인의 행위변화 단계는 행위변화에 대한 의지가 없고 문제에 대해 부인하는 단계로 앞으로 6개월간 행위변화를 하지 않겠다는 계획전단계, 문제가 있다는 것을 인식하고 그 문제에 대해 해결하기 원하는 단계로 6개월 내에 행위변화를 하고자 하는 계획단계, 한 달 안에 행동을 취하려고 계획하는 준비단계, 건강한 생활습관을 갖기 위하여 지난 6개월 동안의 생활 방식을 변화시키려고 노력하는 실행단계, 중독성 또는 습관성이던 불건전한 행위가 6개월 이상 지속되는 유지단계가 포함된다.

변화과정은 변화단계를 거치면서 행위변화를 위해 사용하게 되는 전략을 말하며, 변화과정은 인지적과정(cognitive process)과 행위적과정(behavioral process)으로 구성되어 있다. 인지적과정은 5개의 인지관련 기술을 말하며, 의식향상(conscious raising), 극적 안도감(emotional arousal), 환경적 재평가(environmental reevaluation), 자아 재평가(self reevaluation), 사회적 해방(social liberation)이 포함된다. 행위적과정은 행위변화를 위한 준비와 활동을 의미하는 5개의 행동관련 기술로, 역조건화(counterconditioning), 지지관계(helping relationship), 자극조절(stimulus control), 강화관리(reinforcement management), 자아 해방(self liberation)이 해당된다(Prochaska & DiClemente, 1983). 변화단계의 초기단계에서는 인지적 과정(experiential process)이 주로 이용되고, 변화단계가 발전할수록 상황적 자극에 대한 통제적 반응으로 변화를 유도하는 행위적 과정(behavioral process)을 이용하게 된다. 행위변화단계는 자기효능과 밀접하게 관련되어 있다. 자기효능감은 어떠한 결과를 달성하는데 필요한 행위를 수행하는 개인의 능력을 말하며, 직면한 상황에서 필요한 행동을 성공적으로 수행할 수 있다는 개인의 신념을 의미한다.

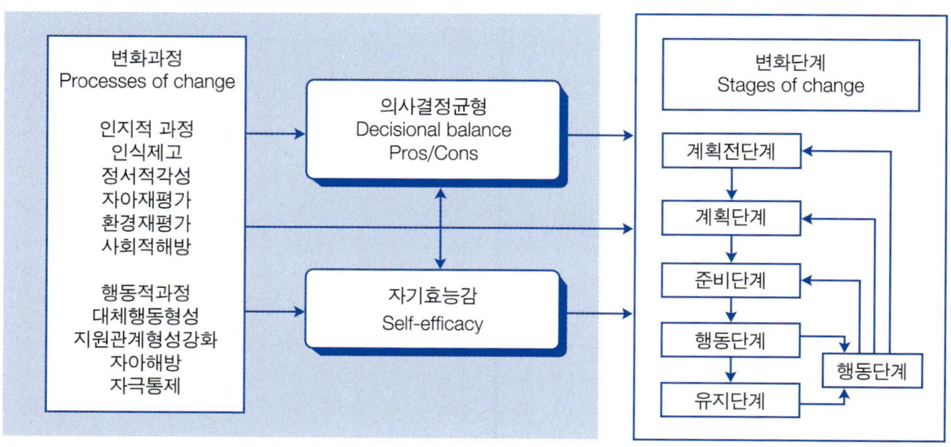

그림 8-7 범이론 모형

출처: Karen Glanz et al. (2008). Health Behavior and Health Eucation. Jossey-Bass.

제2절 건강증진 프로그램

1. 우리나라 건강증진 사업

1995년 국민건강증진법이 제정되어 국가 차원에서 건강증진정책과 사업을 강화할 수 있는 제도적 기틀이 마련되었으며, 보건소를 중심으로 건강증진사업이 이루어지고 있다. 우리나라 건강증진사업은 2005년 건강생활실천사업으로 시작해서 2008년 지역특화 건강행태개선사업, 2012년 건강생활실천 통합서비스사업으로 변경되었으며, 2013년부터는 통합건강증진사업으로 진행되고 있다. 보건복지부는 국가 차원의 중장기 계획으로 2002년 이후 '국민건강증진종합계획 2010(Health plan 2010)'을 수립하고 있다. 국민건강증진종합계획에서는 건강수명 연장 및 건강형평성을 목표로 제시하고, 이 목표를 달성하기 위해 흡연, 음주, 비만등 16개 분야를 선정하여 핵심 건강지표를 제시하고 있다. 현재는 국민건강증진종합계획 2020(HP 2020)이 진행되고 있다.

건강증진사업은 기본적 생활양식 변화를 중점과제로 선정하고, 운동, 영양, 금연, 절주, 구강건강, 스트레스 및 건강검진 등이 주요사업이다. 건강증진사업은 다양한 측면에서 접근할 수 있다. 우선 생애주기별 접근법은 영유아기에는 예방접종, 성장발달검사, 사고예방 등의 사업이 주요사업으로 될 수 있으며, 아동 · 청소년기에는 올바른 생활습관 확립, 성교육, 약물 오 · 남용관리, 시력관리 사업 등이 시행되며, 청 · 장년기를 대상으로는 고혈압 및 당뇨병 예방관리 사업을 전개할 수 있다. 노인을 대상으로는 치매 예방사업등을 제공하여 생애주기별 사업제공을 통해 대상자가 누락되거나 중복되지 않을 수 있다. 또한 생활터별 사업으로는 학교, 산업장, 군 조직, 지역사회 등을 대상으로 사업이 시행되고 있으며, 위험요인별로는 금연, 절주, 신체활동, 영양부분으로 사업이 이루어지고 있다. 이와같이 대상자별, 또한 생애주기별, 생활터별로 건강증진사업이 다양하고 포괄적으로 이루어지고 있으며 이 중 본 장에서는 국민건강증진종합계획의 건강생활 실천 분야인 금연, 절주, 신체활동, 영양 내용을 생활터 별로 살펴보기로 하겠다.

2. 보건소 건강증진사업

1) 보건소 모유수유클리닉 운영

(1) 모유수유클리닉 운영 목적

모유수유의 중요성 교육 및 홍보 강화로 장애요인을 제거하고 구체적 장점 및 방법등을 전달함으로써 모유수유에 대한 인식률과 실천율을 향상시키고자 한다.

(2) 주요 사업내용

- 모유수유 교육 및 간담회

- 모유수유의 중요성을 알리고 모유수유 실천 의지를 고취시켜 모유수유 성공률을 높이기 위한 모유수유에 필요한 지식제공 및 인식변화
- 임산부를 대상으로 정기적인 단체교육을 실시하여 모유수유에 대한 올바른 지식제공
- 직장맘 모유수유 활성화를 위해 건강관리 담당자 교육 및 간담회 개최
- 가임기 여성, 모유수유모, 남성 등을 교육대상의 다양화로 모유수유율 향상 유도
- 교육내용 : 모유수유의 일반적 내용, 수유자세 교정, 유방 통증관리, 유방울혈 예방 및 관리, 올바른 젖물리기와 젖에서 떼어내는 방법, 젖량 조절 방법, 모유착유기 위생관리 방법 등

○ 가정보건방문사업 및 산모, 신생아 도우미 사업 연계추진
- 저소득 계층이나, 장애아, 미숙아를 출산한 가정의 산모 · 신생아 모유수유의 문제점 해결과 모유수유에 대한 지식을 제공

○ 모유수유 관련 영양 상담
- 모유수유에 관련된 다양한 산모식과 이유식 상담 및 올바른 영양정보 제공

○ 모유착유기 위생관리 교육 및 상담
- 모유착유기 구입 · 이용시 유의사항 및 지식제공
- 제품구입시 기기 내외부 역류차단기능 확인, 세척 및 소독 용이성 사전검토
- 가정에서는 보건소 대여제품을 제외한 다른 사람이 사용하던 중고제품이나 공용 및 임대사용은 자제
- 사용전 손세척, 모유가 접촉하는 착유기 부품들 세척 · 소독여부 확인
- 올바른 모유착유 방법, 기기 내외부 세척 및 소독방법, 청결유지 등 관련 정보 제공 및 상담

○ 모유수유 홈페이지 운영
- 모유수유의 중요성을 강조하고 임신부들이 보건소 모유수유 클리닉사업에 적극 참여토록 유도함으로써 사업 활성화를 위한 홈페이지를 개발 운영
- 수유상담실 운영, 정보제공, 모유수유 엄마카페, 유축기 대여, 자가 유방관리법 (동영상) 및 자료목록 등 등록 운영
- 엄마젖 인터넷 상담 사이트(www.mom-baby.org)와 연계 · 운영(추진기관 : 인구보건복지협회)

○ 모유수유 동아리 모임
- 지역사회내 엄마젖을 먹이는 어머니들의 모임을 활성화 하여 상호간이 의견교환과 지지환경의 장을 구축하고 지역사회내 역량을 강화하여 모유수유를 홍보하고 모유수유사업을 확산

○ 모유수유 문자 서비스 제공
- 모유수유 서약자 중에서 성공적으로 모유수유를 할 수 있도록 하기 위하여 지속적인 관심과 올바른 지식을 전달 하고자 모유수유 문자 메시지를 단계적으로 보내줌

○ 모유수유 서명운동
- 보건소 및 동사무소 내소 임산부 등을 대상으로 모유수유 서약을 받음으로써 모유수유 실천의지를 공고화 함
- 지역내 분만의료기관의 모자동 실제 권유 및 모유수유 권장
- 병원급 이상 의료기관 개설 허가 및 신 · 증축 승인 시 모자동실제 적극 권장

• 산모가 있는 입원실에는 입원중인 산모가 신생아에게 엄마 젖을 먹일 수 있도록 산모와 신생아가 함께 있을 수 있는 시설을 설치하도록 노력(의료법시행규칙)
• 기존 병원에도 모자동 실제 시설을 갖추도록 행정지도

ㅇ 직장내 모유수유 · 착유실 설치 권유
• 직장내 모유수유 · 착유실 설치를 통한 아기와 직장여성의 건강증진 및 출산 친화적 분위기 조성
• 아기와 엄마가 행복한 방 · 사업 연계 추진(인구보건복지협회)
※명패, 유축기, 도서 및 리플렛, 띠벽지, 포스터(아크릴판넬), 수유쿠션 등 지원

ㅇ 모유수유 홍보
• 모유수유의 중요성 및 장점을 알리고 대상자 모두가 모유수유에 성공할 수 있도록 모유수유 클리닉운영을 적극적인 홍보로 모유수유를 실천할 수 있는 사회분위기를 확산하여 모유수유율 제고
• 엄마젖 먹이기의 중요성에 대한 홍보물 제작 · 배포

ㅇ 엄마젖 먹는 건강한 아기 선발대회
• 지자체와 민간단체가 협력하여 건강한 모유수유아를 선발함으로써 모유수유의 장점 홍보 및 분위기 조성

2) 금연 클리닉 운영

(1) 운영개요

흡연은 예방이 가능한 건강위협요인으로 개인의 건강 뿐 아니라 흡연으로 유발된 질병이나 사망은 국가적으로 막대한 직 · 간접적 비용을 발생시켜 사회경제적으로 매우 큰 부담으로 작용하고 있다. 따라서 보건소 등에서 대표적으로 시행되고 있으며 최근 국가금연지원센터가 설치됨에 따라 각 시 · 도의 금연지원센터에서 금연클리닉을 운영하고 있다.

1 목표

- 지역사회별 목표인원에 대한 금연지원서비스 제공
- 지역사회 흡연자의 금연시도 증가(등록률 및 결심률)
- 금연클리닉 등록자의 금연실천 증가(4주, 6개월 금연성공률)

2 대상자

- 지역사회 흡연자(청소년 포함)

3 서비스 제공내용

- 6개월 9차 이상 금연상담서비스 및 CO 측정
- 니코틴보조제(니코틴패치, 니코틴껌, 니코틴 사탕)
- 금연치료제(부프로피온, 바레니클린)
- 행동강화 물품
- 6개월 금연성공자 기념품

4 서비스 관리 및 인력

- 보건소 금연사업 정보시스템을 통해 등록 및 관리
  - 대상자 등록, 서비스 제공 관리, 만족도 및 금연성공 평가
- 금연클리닉 의사
  - 보건소 의사 중 1인을 금연클리닉 담당의사로 지정하여 총괄 책임
  - 금연상담사의 의뢰를 받아 부프로피온, 바레니클린 등 약물처방을 하거나 필요한 경우 흡연자 진료
- 금연상담사
  - 보건소 금연 클리닉 상담서비스 제공 및 평가
  - 찾아가는 금연 클리닉 운영 등

(2) 서비스 제공절차 및 방법

표 8-1 보건소 금연클리닉 상담서비스 흐름도

상담목표	회차	상담일정	상담내용	상담주기
금연성공	–	등록, 시작전	– 개인정보 수집동의 안내 – 금연클리닉 등록 및 평가(흡연자평가, 금연계획돕기, 금연방법 선택) – 금연상담 결심일 지정(등록 후 2주 이내)	〈등록~6주〉 대면상담: 3회이상 전화상담: 3회이상
	1차	금연시작(1일)	– 문제해결 및 대처기술 개발 – 약물요법 사용법 설명	
	2차	금연 1주(7일)	– 금연유지 확인 – 금단증상 파악 및 대처방법 찾기 – 약물요법 적합성 모니터링	
	3차	금연 2주(14일)	– 금연유지 확인 – 만성질환 연계 금연상담 – 약물요법 부작용 모니터링	
	4차	금연 4주(28일)	– 4주 금연성공확인 – 약물요법의 금연성과 평가	
	5차	금연 6주(42일)	– 6주 금연성공 확인 – 재흡연 예방상담 – 정보시스템에 6주 성공기록	
	6차	금연 8주(56일)	– 금연유지확인 – 흡연유혹상황 대처전략 찾기 – 내부의 적 극복하기 – 정보시스템에 상담기록	〈7~12주〉 대면상담: 1회이상 전화상담: 1회이상
재흡연예방	7차	금연 12주(84일)	– 12주 금연성공확인 – 금연성공기념품제공 – 금연 후 변화인지 – 절주, 운동 등 건강행위 상담 – 정보시스템에 상담 및 12주 성공기록	
금연유지	8~9차	금연 24주(168일)	– 24주 금연성공확인 – 수료식, 금연성공기념품제공 – 정보시스템에 상담 및 24주 성공기록	〈13~24주〉 대면상담: 1회이상 전화상담: 1회이상
추구관리	추구관리	금연 24주 이후 12개월까지	– 금연유지 확인 – 금연사업 정보시스템에 상담 기록	대면, 전화, SMS, 이메일 등

출처: 2015 지역사회 통합건강증진사업 안내(보건복지부)

(3) 금연클리닉 관련 서식

Ⅰ 금연클리닉 등록카드 및 니코틴 의존도 평가 문항

<table>
<tr><th colspan="5">금연클리닉 등록카드</th></tr>
<tr><td>등록일</td><td>년 월 일</td><td colspan="2">등록번호</td><td></td></tr>
<tr><td>성 명</td><td></td><td colspan="2">성 별</td><td>□남 □여</td></tr>
<tr><td>생년월일</td><td>년 월 일(만 세)</td><td rowspan="3">전화
번호</td><td>집</td><td></td></tr>
<tr><td>주 소</td><td></td><td>휴대폰</td><td></td></tr>
<tr><td>이메일</td><td></td><td>직 장</td><td></td></tr>
<tr><td>의료보장</td><td colspan="4">□① 건강보험 □② 의료급여 □③ 기타 □④ 모름</td></tr>
<tr><td>최종학력</td><td colspan="4">□① 무학 □② 초등학교 졸업 □③ 중학교 졸업
□④ 고등학교 졸업 □⑤ 전문대/대학교 졸업 □⑥ 대학원 졸업</td></tr>
<tr><td>직 업</td><td colspan="4">□① 관리자(의회의원, 민관 고위임직원 및 관리자 등)
□② 전문가 및 관련 종사자(특정분야 학자 및 전문가)
□③ 사무 종사자(민관 사무 · 행정원)
□④ 서비스 종사자(경찰, 소방, 보육, 요리, 여행 등 특정분야 서비스 종사자)
□⑤ 판매 종사자(각종영업 및 판매원)
□⑥ 농림어업 숙련 종사자(농림어업 재배, 사육자)
□⑦ 기능 및 관련기능 종사자(기공, 제조, 건축, 설비 등 관련 종사자)
□⑧ 장치, 기계조작 및 조립 종사자(철강, 식품가공 등에 따른 기계조작원)
□⑨ 단순 노무 종사자(건설, 하역, 운송 등 단순노무)
□⑩ 군인 □⑪ 초중고등학생 □⑫ 대학생 □⑬ 무직
□⑭ 기타( )
〈출처: 통계청 한국표준직업분류(6차개정)〉</td></tr>
<tr><td>금연지지자</td><td colspan="4">금연하는 데 도움을 주는 사람은 누구입니까?
□① 부모/조부모 □② 형제자매 □③ 배우자/애인 □④ 자녀
□⑤ 기타가족 □⑥ 친구/선후배 □⑦ 직장동료 □⑧ 교사
□⑨ 의사 □⑩ 기타(________) □⑪ 없음</td></tr>
</table>

<table>
<tr><td>금연클리닉
등록경로</td><td colspan="6">□① TV 및 라디오 광고를 통해
□② 플랜카드, 포스터, 홍보책자 등을 통해
□③ 인터넷을 통해 □④ 보건소 안내문을 통해
□⑤ 주변의 권유 □⑥ 금연상담전화를 통해
□⑦ 기타( )</td></tr>
<tr><td>신장(cm)</td><td></td><td>체중(kg)</td><td></td><td>BMI</td><td colspan="2"></td></tr>
<tr><td>복부둘레(cm)</td><td></td><td>혈압
(mmHg)</td><td>/</td><td>호기일산화탄소
농도(ppm)</td><td colspan="2"></td></tr>
<tr><td>질병력</td><td colspan="6">□① 고혈압 □② 당뇨 □③ 고지혈증 □④ 기타( )</td></tr>
<tr><td colspan="2">현재 복용 중인 약물</td><td colspan="2"></td><td>복용이유</td><td colspan="2"></td></tr>
<tr><td rowspan="3">음주경험</td><td colspan="6">□① 최근 1년간 음주경험 있음
□② 최근 1년간 음주경험 없음</td></tr>
<tr><td>1회 음주량</td><td colspan="5">소주 잔 / 맥주 잔</td></tr>
<tr><td>음주 횟수</td><td colspan="5">___회 / ___주</td></tr>
<tr><td rowspan="4">운동여부</td><td colspan="6">□① 있음
□② 없음
※ 주1회, 10분 이상, 평소보다 몸이 조금 힘들거나 숨이 약간 가쁜 중등도 신체활동 유무(테니스, 수영, 무거운 물건나르기 등)</td></tr>
<tr><td>운동종류</td><td colspan="5"></td></tr>
<tr><td>1회 운동량</td><td colspan="5"></td></tr>
<tr><td>운동 횟수</td><td colspan="5">___회 / ___주</td></tr>
<tr><td>처음흡연연령(세)</td><td></td><td>총 흡연
기간(년)</td><td></td><td>하루 평균 흡연량
(개비)</td><td colspan="2"></td></tr>
<tr><td>니코틴패치
금기증 여부</td><td colspan="6">□① 최근 2주내 불안정 협심증 혹은 심근경색
□② 중증 부정맥 □③ 뇌졸중
□④ 장기적인 피부염(건선 등) □⑤ 피부 알레르기
□⑥ 임신 □⑦ 수유 중 □⑧ 없음</td></tr>
<tr><td>상담시작일</td><td colspan="2">년 월 일</td><td>금연시작일</td><td colspan="3">년 월 일</td></tr>
</table>

흡연자 평가
1) 지난 1년 동안 금연 시도 여부? □① 예(가장 오랫동안 금연 시도 기간: ______개월 ______일 □② 아니오
2) 담배를 끊기 위해서 시도했던 방법은? (해당사항 모두 표시) □① 자기 의지 □② 니코틴보조제(패치, 껌, 사탕 등) □③ 약물치료(부프로피온, 바레니클린) □④ 보건소 금연클리닉, 금연교실 □⑤ 금연상담전화 □⑥ 병원 금연클리닉(진료) □⑦ 금연침, 금연초, 심심초, 뜸 등 □⑧ 전자담배, 무연 담배 등 □⑨ 기타 ____________________
3) 금연에 실패한 이유는? □① 본인의 의지가 약해서 □② 금단증상 때문에 □③ 스트레스가 쌓여서 □④ 주위의 유혹에 의해서 □⑤ 금연 후 체중이 늘어서 □⑥ 기타 ____________________
4) 이번에 담배를 끊고 싶은 이유를 가장 큰 이유부터 3가지를 표시하시오. 첫 번째 이유 ( ), 두 번째 이유 ( ), 세 번째 이유 ( ) ① 가족 혹은 주변사람들의 권유 ② 개인의 건강을 위해(현재 질병악화 및 장래 질병발생예방) ③ 담뱃값 인상 등 경제적 이유 ④ 금연구역 확대 등 환경적 이유 ⑤ 깨끗한 이미지 관리를 위해서(예: 입 냄새가 고약, 옷에 담배 냄새가 뱀) ⑥ 나의 흡연으로 주위사람 건강에 나쁜 영향을 미치는 것을 방지하기 위해서 ⑦ 금연의지를 보여주기 위해 ⑧ 흡연자에 대한 사회적 시선 때문 ⑨ 기타 ____________________
5) 평소에 하루 중 가장 흡연을 참기 힘든 시기는 언제입니까? □① 아침에 일어나자마자 □② 잠들기 전 □③ 식사 후 □④ 화장실에서/샤워 후 □⑤ 휴식시간 □⑥ 습관적 상황에서(활력이 필요할 때/담배를 피우지 않음을 깨달을 때, 술/커피마실 때, 혼자 있거나 무언가 기다릴 때 등) □⑦ 긍정적 상황에서(친구나 가족과 함께 있을 때, 대화나 피로를 풀 때 등) □⑧ 부정적 상황에서(스트레스 받을 때, 일이 뜻대로 안될 때, 화날 때 등) □⑨ 흡연자와 같이 있거나, TV의 배우 또는 주위 흡연자의 모습을 보았을 때 □⑩ 기타 ____________________

6) 금연동기, 금연자신감, 금연준비 정도

(다음의 각 항목에 따라 1점부터 10점까지 체크)

① 금연은 당신에게 어느 정도 중요합니까?

0 1 2 3 4 5 6 7 8 9 10

② 당신은 금연에 성공할 자신감이 어느 정도 입니까?

0 1 2 3 4 5 6 7 8 9 10

③ 당신은 금연할 준비가 어느 정도 되어 있습니까?

0 1 2 3 4 5 6 7 8 9 10

〈출처: Counsellors Manual for Commercial Tobacco Cessation Treatment, 2010, Canada〉

니코틴의존도평가

(1) 하루에 보통 몇 개비나 피우십니까?

□ (0) 10개비 이하 □ (1) 11~20개비 □ (2) 21~30개비 □ (3) 31개비 이상

(2) 아침에 일어나서 얼마 만에 첫 담배를 피우십니까?

□ (3) 5분 이내 □ (2) 6분~30분 사이 □ (1) 31분~1시간 사이 □ (0) 1시간 이후

(3) 금연구역(도서관, 극장, 병원 등)에서 담배를 참기가 어렵습니까?

□ (1) 예 □ (0) 아니오

(4) 하루 중 담배 맛이 가장 좋은 때는 언제입니까?

□ (1) 아침 첫 담배 □ (0) 그 외의 담배

(5) 오후와 저녁시간보다 오전 중에 담배를 더 자주 피우십니까?

□ (1) 예 □ (0) 아니오

(6) 몸이 아파 하루 종일 누워있을 때에도 담배를 피우십니까?

□ (1) 예 □ (0) 아니오

니코틴의존도 판정 결과	________점

상기 본인은 ○○○보건소 금연클리닉 상담서비스에 등록하는 것을 동의합니다.

20 년 월 일 성명 (서명)

2 금연클리닉 상담관리 카드 및 일일금연상담 기록지

<table>
<tr><th colspan="10">금연클리닉 상담관리카드</th></tr>
<tr><td>등록일</td><td colspan="3">년 월 일</td><td colspan="2">등록번호</td><td colspan="4"></td></tr>
<tr><td>성명</td><td></td><td>연령</td><td>만 세</td><td>생년월일</td><td colspan="2">년 월 일</td><td>성별</td><td colspan="2">□ 남
□ 여</td></tr>
<tr><td>주소</td><td colspan="5"></td><td>집 전화번호</td><td colspan="3"></td></tr>
<tr><td>이메일</td><td></td><td>직장
전화번호</td><td colspan="3"></td><td>휴대
전화번호</td><td colspan="3"></td></tr>
</table>

<table>
<tr><td colspan="2" rowspan="2">방문
내용</td><td>1회</td><td>2회</td><td>3회</td><td>4회</td><td>5회</td><td>6회</td><td>7회</td><td>8회</td><td>9회</td><td>10회</td><td>11회</td><td>12회</td><td>13회</td></tr>
<tr><td>월
일</td><td>월
일</td><td>월
일</td><td>월
일</td><td>월
일</td><td>월
일</td><td>월
일</td><td>월
일</td><td>월
일</td><td>월
일</td><td>월
일</td><td>월
일</td><td>월
일</td></tr>
<tr><td colspan="2">금연실천 여부</td><td></td><td></td><td></td><td></td><td></td><td></td><td></td><td></td><td></td><td></td><td></td><td></td><td></td></tr>
<tr><td colspan="2">호기 일산화탄소(CO)</td><td></td><td></td><td></td><td></td><td></td><td></td><td></td><td></td><td></td><td></td><td></td><td></td><td></td></tr>
<tr><td colspan="2">혈압</td><td></td><td></td><td></td><td></td><td></td><td></td><td></td><td></td><td></td><td></td><td></td><td></td><td></td></tr>
<tr><td colspan="2">체중(Kg)</td><td></td><td></td><td></td><td></td><td></td><td></td><td></td><td></td><td></td><td></td><td></td><td></td><td></td></tr>
<tr><td colspan="2">복부둘레(cm)</td><td></td><td></td><td></td><td></td><td></td><td></td><td></td><td></td><td></td><td></td><td></td><td></td><td></td></tr>
<tr><td colspan="2">BMI</td><td></td><td></td><td></td><td></td><td></td><td></td><td></td><td></td><td></td><td></td><td></td><td></td><td></td></tr>
<tr><td rowspan="2">음주
상태</td><td>평균 음주량(잔)</td><td></td><td></td><td></td><td></td><td></td><td></td><td></td><td></td><td></td><td></td><td></td><td></td><td></td></tr>
<tr><td>횟수/주</td><td></td><td></td><td></td><td></td><td></td><td></td><td></td><td></td><td></td><td></td><td></td><td></td><td></td></tr>
<tr><td rowspan="3">운동</td><td>횟수(회/주)</td><td></td><td></td><td></td><td></td><td></td><td></td><td></td><td></td><td></td><td></td><td></td><td></td><td></td></tr>
<tr><td>1회운동량(분/회)</td><td></td><td></td><td></td><td></td><td></td><td></td><td></td><td></td><td></td><td></td><td></td><td></td><td></td></tr>
<tr><td>운동종류</td><td></td><td></td><td></td><td></td><td></td><td></td><td></td><td></td><td></td><td></td><td></td><td></td><td></td></tr>
<tr><td colspan="2">니코틴 보조제 사용량
및 종류</td><td></td><td></td><td></td><td></td><td></td><td></td><td></td><td></td><td></td><td></td><td></td><td></td><td></td></tr>
<tr><td colspan="2">니코틴 보조제 부작용
경험 여부</td><td></td><td></td><td></td><td></td><td></td><td></td><td></td><td></td><td></td><td></td><td></td><td></td><td></td></tr>
<tr><td colspan="2">약물 사용량 및 종류</td><td></td><td></td><td></td><td></td><td></td><td></td><td></td><td></td><td></td><td></td><td></td><td></td><td></td></tr>
<tr><td colspan="2">약물 부작용 경험 여부</td><td></td><td></td><td></td><td></td><td></td><td></td><td></td><td></td><td></td><td></td><td></td><td></td><td></td></tr>
<tr><td colspan="2">흡연욕구 여부 및 시기</td><td></td><td></td><td></td><td></td><td></td><td></td><td></td><td></td><td></td><td></td><td></td><td></td><td></td></tr>
<tr><td colspan="2">금연증상 여부 및 증상</td><td></td><td></td><td></td><td></td><td></td><td></td><td></td><td></td><td></td><td></td><td></td><td></td><td></td></tr>
<tr><td colspan="2">금연자신감
※측정시 기입</td><td></td><td></td><td></td><td></td><td></td><td></td><td></td><td></td><td></td><td></td><td></td><td></td><td></td></tr>
<tr><td colspan="2">상담서비스내용
※측정시 기입</td><td></td><td></td><td></td><td></td><td></td><td></td><td></td><td></td><td></td><td></td><td></td><td></td><td></td></tr>
</table>

<table>
<tr><td rowspan="3">금연유지여부</td><td>4주 금연여부</td><td>□① 예 □② 아니오</td><td>6주 금연여부</td><td>□① 예 □② 아니오</td></tr>
<tr><td>12주 금연여부</td><td>□① 예 □② 아니오</td><td>6개월(24주) 금연여부</td><td>□① 예 □② 아니오</td></tr>
<tr><td>6개월 후 지속관리</td><td>□① 예 □② 아니오</td><td>1년(365일) 금연여부</td><td>□① 예 □② 아니오</td></tr>
</table>

<table>
<tr><td>종결</td><td>□① 정상종결
□② 중간종결 ☞</td><td>중간종결사유</td><td>□① 중간에 흡연(금연실패)
□③ 연락두절
□⑤ 질병 및 사망</td><td>□② 금연거부
□④ 타 지역으로 이사
□⑥ 기타</td></tr>
</table>

<table>
<tr><td colspan="6">일일 금연상담 기록지</td></tr>
<tr><td>상담일자</td><td colspan="2">년 월 일</td><td rowspan="2">상담방법</td><td colspan="2" rowspan="2">□① 대면/내소 □② 대면/방문
□③ 전화 □④ 기타 _____
(※ SMS, SNS, 이메일 등 정보제공은 상담에서 제외)</td></tr>
<tr><td>상담차수</td><td colspan="2">차</td></tr>
<tr><td>호기일산화탄소(CO)
※대면상담 필수</td><td>ppm</td><td>혈압(mmHg)</td><td>/</td><td>체중</td><td>kg</td></tr>
<tr><td rowspan="2">음주여부</td><td colspan="3" rowspan="2">□① 유 ☞
□② 무 ※ 최근 1년간, 음주 유무</td><td>1회 음주량</td><td>소주 잔 / 맥주 잔</td></tr>
<tr><td>음주횟수</td><td>____회 / ____주</td></tr>
<tr><td rowspan="3">운동여부</td><td colspan="3" rowspan="3">□① 유 ☞
□② 무
※ 주1회, 10분 이상, 평소보다 몸이 조금 힘들거나 숨이 약간 가쁜 중등도 신체활동 유무(테니스, 수영, 무거운 물건 나르기 등)</td><td>운동종류</td><td></td></tr>
<tr><td>1회 운동량</td><td></td></tr>
<tr><td>운동횟수</td><td>____회 / ____주</td></tr>
<tr><td rowspan="2">니코틴 보조제 제공 여부</td><td colspan="3" rowspan="2">□① 니코틴패치 1단계(종류: , 매)
□② 니코틴패치 2단계(종류: , 매)
□③ 니코틴패치 3단계(종류: , 매)
□④ 니코틴 껌 2mg(종류: , 정)
□⑤ 니코틴 껌 4mg(종류: , 정)
□⑥ 니코틴사탕(종류: , 정)</td><td>약물처방 여부</td><td>□① 있음
□A 부프로피온 □B 바레니클린
□② 없음</td></tr>
<tr><td>기타 행동 치료제품 제공여부</td><td>□① 제공함
(______________)
□② 제공안함</td></tr>
<tr><td>니코틴 보조제 부작용 경험
□① 패치
□② 껌
□③ 사탕</td><td colspan="5">□① 있음
(□A 피부증상 □B 두통 □C 어지럼증 □D 메스꺼움, 구토
□E 실신 □F 입안 통증 □G 딸꾹질 □H 타액분비 과다
□I 소화불량, 속쓰림 □J 기타(______________________))
□② 없음</td></tr>
<tr><td>약물 부작용 경험
□① 부프로피온
□② 바레니클린</td><td colspan="5">□① 있음
(□ A 불면증 □B 두통 □C 신경과민 □D 갈증
□E 소화불량, 구토 □F 변비 □G 오심 □H 우울, 불안
□I 기타(______________________))
□② 없음</td></tr>
<tr><td>흡연욕구</td><td colspan="5">다음 중 어떤 상황에서 가장 흡연을 참기 힘듭니까?
□① 아침에 일어나자마자 □② 잠들기 전 □③ 식사 후
□④ 화장실에서/샤워 후 □⑤ 휴식시간
□⑥ 습관적 상황에서(활력이 필요할 때/담배를 피우지 않음을 깨달을 때, 술/커피마실 때, 혼자있거나 무언가 기다릴 때 등)
□⑦ 긍정적 상황에서(친구나 가족과 함께 있을 때, 대화나 피로를 풀 때 등)
□⑧ 부정적 상황에서(스트레스 받을 때, 일이 뜻대로 안될 때, 화날 때 등)
□⑨ 흡연자와 같이 있거나, TV의 배우 또는 주위 흡연자의 모습을 보았을 때
□⑩ 기타 ______________________</td></tr>
<tr><td>금단증상</td><td colspan="5">□① 있음
(□A 긴장 및 불안 □B 우울 □C 입맛의 변화 □D 변비
□E 불면증 □F 집중력 저하 □G 현기증 □H 헛기침, 마른기침
□I 가래 □J 기타(______________________))
□② 없음</td></tr>
<tr><td>금연동기 및 자신감
※금연성공 평가 시(4주, 6주, 12주, 24주) 측정</td><td colspan="5">① 금연은 당신에게 어느 정도 중요합니까?
0 1 2 3 4 5 6 7 8 9 10
② 당신은 금연에 성공할 자신감이 어느 정도 입니까?
0 1 2 3 4 5 6 7 8 9 10
〈출처: Counsellors Manual for Commercial Tobacco Cessation Treatment, 2010, Canada〉</td></tr>
</table>

<table>
<tr><td rowspan="8">상담서비스 내용
※해당사항시 기입</td><td colspan="4">① 금연계획돕기
□A 금연서약서 작성/(재)확인 □B 외부에 자신의 금연알리기 격려
□C 금연의 방해요인 예상 □D 금연의 방해요인 제거</td></tr>
<tr><td colspan="4">② 문제해결 및 대처방법 개발
□A 긍정적 감정지지 □B 흡연의 경제적 손실계산
□C 스트레스 관리 · 대처 □D 심호흡 등 인지행동 전략
□E 담배거절하기 훈련 □F 새로운 생활습관 만들기
□G 금연의 양가감정표현(이득/손실) □H 금연과정에 대해 말로 표현하도록 격려</td></tr>
<tr><td colspan="4">③ 금연지식 제공
□A 흡연의 영향/흡연과 질병 □B 간접흡연
□C 금연의 장점과 이득 □D 금연의 오해
□E 신종담배(전자담배, 씹는담배 등) □F 기타(________)</td></tr>
<tr><td colspan="4">④ 만성질환 연계 금연상담
□A 고혈압(혈압) □B 당뇨(혈당)
□C 심뇌혈관질환 □D 폐질환
□E 암 □F 기타(________)</td></tr>
<tr><td colspan="4">⑤ 건강행위 연계 상담
□A 음주관리 □B 식이관리
□C 운동관리 □D 구강관리
□E 체중관리 □F 기타(________)</td></tr>
<tr><td colspan="4">⑥ 재흡연 예방
□A 금연축하 및 보상(금연수료증, 금연기념품 등) □B 재흡연 방지전략 마련
□C 내부의 적 극복하기 □D 기타(________)</td></tr>
<tr><td colspan="4">⑦ 금연 후 변화인지
□A 신체변화 인지 □B 심리변화 인지
□C 환경변화 인지(타인의 반응 등) □D 기타(________)</td></tr>
<tr><td colspan="4">⑧ 외부자원 연계
□A 금연상담전화(1544-9030) □B 초중고등학교
□C 금연길라잡이(www.nosmokeguide.or.kr) □D 건강길라잡이(www.hp.go.kr)
□E 기타(________)</td></tr>
<tr><td>기타 상담내용</td><td colspan="4"></td></tr>
<tr><td rowspan="7">금연유지여부</td><td>4주 금연여부</td><td>□① 실패 □② 성공</td><td>6주 금연여부</td><td>□① 실패 □② 성공</td></tr>
<tr><td>4주 금연확인방법</td><td>□① 자가 □② CO측정</td><td>6주 금연확인방법</td><td>□① 자가 □② CO측정</td></tr>
<tr><td colspan="4">※금연유지 확인메시지〈4주/6주〉
금연상담 시작 후 현재까지 담배를 한 개비라도 피우신 경험이 있습니까?
□① 예 ☞ 금연실패(중간종결) □② 아니오 ☞ 금연성공</td></tr>
<tr><td>12주 금연여부</td><td>□① 실패 □② 성공</td><td>6개월(24주) 금연여부</td><td>□① 실패 □② 성공</td></tr>
<tr><td>12주 금연확인방법</td><td>□① 자가 □② CO측정</td><td>6개월 금연확인방법</td><td>□① 자가 □② CO측정</td></tr>
<tr><td>6개월 후 지속관리</td><td>□① 예 □② 아니오</td><td>1년(48주) 금연여부</td><td>□① 예 □② 아니오</td></tr>
<tr><td colspan="4">※금연유지 확인메시지〈12주 이후〉
1) 금연성공 6주 이후부터 현재까지 담배를 2개비 초과하여 피운 경험이 있습니까?
□① 예(2개비 초과) ☞ 금연실패(중간종결) □② 아니오(2개비 이하) ☞ 금연성공
2) (1번문항 '예'일 경우) 그렇다면 최근 1주일 내 담배를 피우신 경험이 있습니까?
□① 예 □② 아니오</td></tr>
<tr><td>종결</td><td>□① 정상종결
□② 중간종결 ☞</td><td>중간종결 사유</td><td colspan="2">□① 중간에 흡연(금연실패) □② 금연거부
□③ 연락두절 □④ 타 지역으로 이사
□⑤ 질병 및 사망 □⑥ 기타</td></tr>
</table>

3) 영양플러스 사업

(1) 사업목적

취약계층 임산부 및 영유아의 영양문제(빈혈, 저체중, 영양불량 등) 해소하고, 스스로 식생활을 관리할 수 있는 능력을 배양하여 건강증진을 도모하기 위함이다.

(2) 사업수혜 대상 기준

구분	자격기준
영아	생후 만 12개월까지
유아	생후 만 1세~만 6세 미만(72개월 미만)
임신부	출산 후 6주까지
출산부	출산 후 6개월까지
모유수유부	출산 후 12개월까지 완전 모유수유부 및 혼합수유부 포함. 단, 혼합수유부의 경우 출산 후 7개월째부터 보충식품은 우유만 공급

※ 예) 모유수유를 하지 않은 출산 후 7개월인 어머니 : 해당 안됨
모유수유를 하는 출산 후 7개월인 어머니 : 해당됨

(3) 영양위험요인 기준

- 혈액검사: 빈혈 검사(혈중 헤모글로빈 농도)
- 신체계측: 신장, 체중
- 영양섭취상태조사: 24시간 회상법
- 기타 영양위험요인 조사; 저체중아, 조산, 사산, 유산, 기형아 출산, 다태아, 이유식 도입시기, 수유량 부족 등 식생활위험요인이 있는 영아 등

(4) 주요 사업내용

1 영양교육 및 상담

① 영양교육 내용은 대상자 범주 및 영양위험요인을 고려하여 바람직한 식생활 관리방법과 모유 수유를 촉진, 지원하기 위한 내용을 포함하고 있다.

② 주요 교육 내용
- 영양플러스사업 참여 방법
- 보충식품 이용 방법

③ 위생교육, 조리실습 등
- 올바른 영양 · 식생활관리법

표 8-2 보충식품패키지별 식품 제공량 (1인 1일 환산치)

기본 식품패키지						
식품명	식품패키지 1 (영아, 0~5월)	식품패키지 2 (영아, 6~12월)	식품패키지 3 (유아, 만 1세~ 만 6세 미만)	식품패키지 4 (임신 · 수유부[4])	식품패키지5 (출산부)	식품패키지 6 (완전모유수유)
조제분유[1]	필요량의 1/2까지	필요량의 1/2까지				
쌀		45g	45g	90g	90g	90g
감자		25g	25g	50g	50g	50g
달걀[2]		50g(노른자)[3]	50g	50g	50g	50g
당근		18g	18g	35g	35g	35g
우유			400mL	400mL	200mL	400mL
검정콩			10g	15g	15g	15g
김			3g	3g	3g	3g
미역				2.5g	2.5g	2.5g
참치통조림						30g
귤 · 오렌지주스						귤 중 1개 주스 200mL

대체식품							
식품명	대체식품명	식품패키지 1 (영아, 0~5월)	식품패키지 2 (영아, 6~12월)	식품패키지 3 (유아, 만 1세~ 만 6세 미만)	식품패키지 4 (임신 · 수유부[4])	식품패키지5 (출산부)	식품패키지 6 (완전모유수유)
쌀	혼합잡곡		–5)	30g	45g	45g	45g
	찹쌀		–5)	30g	45g	45g	45g
감자	국수		–5)	100g/주	200g/주	200g/주	200g/주
	고구마		–5)	25g	50g	50g	50g
검정콩	시리얼			30g	30g	30g	30g
	붉은 팥			10g	10g	10g	10g
당근	애호박, 서양호박		18g	18g	35g	35g	35g
	채소류[5]		시 · 도 자체위원회(식품영양전문가 2인 이상 필수 포함)를 통해 결정				
귤 · 오렌지주스	과일류[6]						
참치 통조림	닭가슴살통조림[7]						30g
영아용 생식품	이유식(분말)		필요한 경우 하루표준량의 1/2 이하				

1) 모유수유를 우선적으로 권장하여, 필요량에 따라 제품에 표기된 권장섭취량의 1/2까지 제공

2) 달걀 50g은 달걀 1개로 계산하여 공급

3) 달걀은 전란을 제공하지만, 영아는 노른자만 먹도록 필수 교육함

4) 혼합수유부의 경우 출산 후 7개월째부터 보충식품은 우유만 제공

5) 영아에서는 대체 불가

6) 채소 및 과일류 대체식품으로 추가할 경우, 시 · 도에서는 자체 위원회(식품영양 전문가 2인 이상 필수 포함)를 구성하는 것을 우선으로 하고, 위원회 구성이 어려운 경우에는 한국인 영양섭취기준에 따라 1단위 식품교환표내에서 교체 가능

7) 닭가슴살통조림을 대체식품으로 추가할 경우, 식품패키지 6의 기존 단가가 증액되지 않는 범위 내에서 제공량 산정

④ 식생활지침 및 식사구성안 활용방법
⑤ 편식, 저체중, 성장부진, 식품알레르기, 과체중의 올바른 대처방법
⑥ 모유수유 실천방법, 이유식 도입 및 진행방법 등

2 보충식품 공급

① 보충식품 개요

- 일상적인 식사에서 부족하기 쉬운 영양소를 보충하는데 도움을 주기 위해 공급하는 식품
- 보충식품만 먹으면 모든 영양문제가 해결되는 것은 아니며, 다른 식품과 함께 다양한 방법으로 이용하도록 교육

② 보충식품 내용

- 대상 구분 및 특성에 따라 6가지 패키지 중 처방(표 8-2)
- 대상 별로 처방된 패키지에 따라 쌀, 감자, 달걀, 우유, 검정콩, 김, 미역, 당근, 참치통조림, 귤/오렌지쥬스 등의 식품 공급

3 영양평가

① 대상자 선정시, 사업 참여 후 6개월 시점에 자격 재평가 실시
② 신체계측(신장, 체중), 생화학적 검사(혈중 헤모글로빈 검사), 영양섭취상태조사를 통해 평가

4) 신체활동 프로그램

(1) 국내 신체활동 현황

2013년 국민건강통계조사에 의하면 중등도 이상 신체활동실천율은 2013년 남자 24.9%로 여자 16.0%보다 높았으며, 2012년에 비해 남녀 모두 소폭 증가하였다. 걷기실천율은 2013년 남자 41.7%, 여자 34.4%로 감소경향이다.

(2) 신체활동 관련 사업 내용

1 생애주기별 교육 및 프로그램 제공 사업

① 전 생애주기: 대국민 신체활동 교육, 생애주기별 신체활동 프로그램 제공
② 노인: 노인 일상생활 기능향상을 위한 신체활동 프로그램 제공
③ 아동 및 청소년: 아동 및 청소년 비만 예방, 관리를 위한 신체활동 프로그램 운영, 영유아 신체활동 프로그램 운영매뉴얼, 건강새싹 프로그램 등 활용

2 만성질환 예방을 위한 개인별 서비스

① 만성질환 의심자 및 일반인 대상 신체활동 전문상담 서비스 제공
② 보건소 내 · 외 건강증진 프로그램 연계

3 홍보 및 캠페인

① 주민대상 홍보 및 정보제공 사업
② 신체활동 활성을 위한 지역사회 캠페인

4 환경조성

① 환경조성은 조례, 규칙 제정 등 공공정책접근을 통한 제도 개선을 포함
② 일상생활에서의 신체활동 실천 환경을 조성하여 여가 외 시간의 신체활동 실천을 유도
: 걷고 싶은 계단을 조성하여 일상생활 신체활동 실천을 활성화하고, 엘리베이터, 에스컬레이터 사용 감소를 유도하여 에너지 절약
③ 건강공원, 둘레길, 자전거 전용도로, 전철역 주변 자전거 주차장 설치 등 신체활동을 지원하기 위한 공간 또는 시설을 개발하고 확충

5 지역사회 지원 및 연계 강화

① 지역사회 공공, 민간기관과의 인적, 물적 연계체계 구축
② 지역사회 신체활동 자조모임 지원사업

3. 학교 건강증진사업

본 장에서는 학교건강증진사업과 관련하여 건강증진학교와 학교 건강증진프로그램에 대해 살펴보기로 하겠다.

1) 건강증진학교

건강증진학교란 학교의 교육적 기능에 건강증진이라는 보건학적 개념이 결합된 것으로 '배우고, 일하며, 생활하기 위한 건강한 장소로서 지속적으로 능력을 강화하는 학교'(WHO, 1996)를 의미한다. 효과적인 건강증진학교는 보건교육을 통해 학생들로 하여금 건강한 보건행동의 중요성을 인식시키고 건강증진 방법 및 기술을 습득시켜 이를 적극 실천하도록 촉진하며, 이를 통해 학교의 교육적 · 사회적 목표를 극대화하는데 기여하는 것을 목적으로 한다.

기존의 학교보건사업이 건강증진학교사업으로 패러다임이 변화하였다. 즉 학교중심에서 학생중심으로, 교육부에서 학교로 시달되는 학교보건정책이 개별 학교의 학생건강문제를 해결하는 방향으로 바뀌었으며, 학교보건사업을 위한 의사결정이 학교장의 일방적 지시에서 학교구성원의 의견이 반영된 민주적 방식으로, 학교보건의 범위가 학교 내에서 교내와 교외의 파트너십을 통한 지역사회 연계, 보건교육의 목표가 지식 습득에서 역량강화로, 부분적 학교보건사업에서 통합적 건강증진사업으로 변화하였다.

학교 건강증진사업의 목표는 다음과 같다(그림 8-8).
- 학생건강검사 결과에 따른 지역별 건강문제 파악
- 지역별 학생들의 건강위해요인 및 건강문제 특성 파악

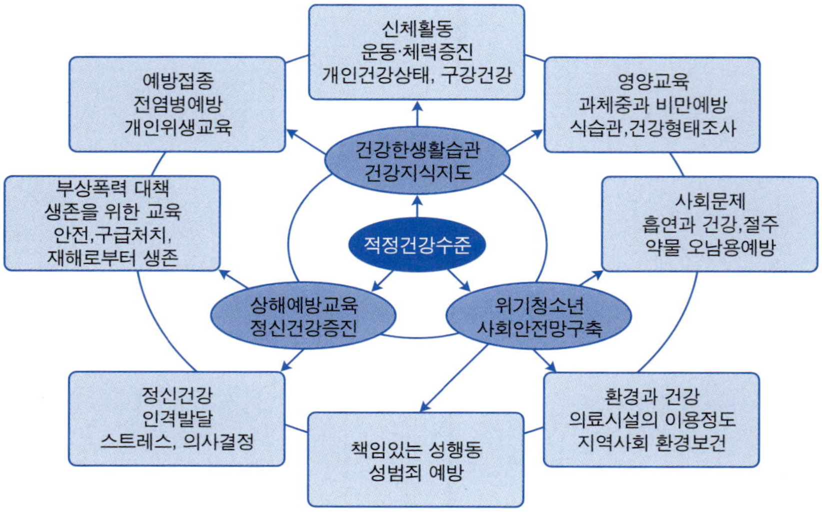

그림 8-8 학교건강증진 사업의 목표

출처: 서울특별시 학교보건진흥원. 2015년 12월

- 주요 건강위해요인을 해결하기 위한 다양한 프로그램 적용
- 프로그램의 평가와 환류를 통하여 더욱 효과적인 프로그램 개발
- 개발된 질병예방 및 건강증진 프로그램 확대와 정착

세계보건기구에서 건강증진학교의 평가지표로 핵심구성요소 6가지를 제안하였으며 그 내용은 다음과 같다.

- 건강한 학교정책
- 학교의 물리적 환경
- 학교의 사회적 환경
- 개인의 건강기술과 행동 역량
- 지역사회연계
- 학교보건서비스

2) 학교 건강증진

학교건강증진사업은 건강관리, 환경관리, 급식관리 영역으로 나누어 이루어지고 있으며, 이중 건강관리 사업 중심으로 간단히 소개하겠다.

(1) 감염병 예방관리 강화

Ⅰ 감염병 예방을 위한 보건교육 강화 및 감염병 대응체계 구축

① 기침예절 등 개인위생수칙 준수 및 손씻기 등을 통해 질병을 사전에 예방할 수 있도록 보건교육 강화

② 학교 신.개축 및 보수 시 손씻는 시설 및 온수공급 시설이 확충될 수 있도록 적극적인 시설개선 요구

③ 비누, 종이타월, 손 건조기 등 손 닦는 비품 비치 및 개인 손수건 휴대하기 지도

2 학교 감염병 발생 시 보고 및 관리 철저

① NEIS를 통한 감염병 발생 보고 및 환자 통계 관리 철저

② 감염병 담당 공무원의 관리 역량 강화

- 감염병 발생에 따른 학교 및 교육청의 단계별 대응체계 확립 및 담당공무원의 전문성 함양을 위한 특별 연수 등 실시
- 특히 보건교사 미배치교의 경우 감염병 관리 업무가 철저히 추진될 수 있도록 보건담당교사 연수 등을 통한 업무역량 강화 추진

③ 학교 내 결핵예방 및 관리강화

- '학교 결핵관리지침'을 철저히 준수하여 학교 내 결핵 전파를 조기에 차단
- 기숙사 운영학교는 입소학생이 보건소를 통한 무료 결핵검진을 받을수 있도록 입소 전 해당학생 및 학부모에게 안내
- 학생 예방접종 관리를 통한 감염병 발생 예방

④ 학생들의 면역력 강화 및 교내 감염병 발생 예방을 위해 예방접종력을 확인하여 접종 금기자 등을 제외한 접종 누락자가 발생하지 않도록 관리 철저

⑤ 매 학년도(3월 1일부터 다음 해 2월말일)가 종료되기 전 학생건강기록부에 예방접종기록 등의 누락, 입력착오 등의 사항이 없는지 확인 후 정정할 것

⑥ 학교 내 예방접종 또는 학교단위 단체 예방접종은 금지하고, 방역당국 주관 예방 접종시에도 사전 예진을 철저히 하여 부작용 방지

(2) 흡연. 음주 등 약물 오 · 남용 예방

1 학교에서의 체계적인 약물 오 · 남용 예방교육 실시

① 모든 학생을 대상으로 의무적 교육 실시

② 유치원 및 초, 중, 고등학교 운동장을 포함한 학교 전체에 대한 금연구역 지정, 운영

③ 약물 오 · 남용 예방교육을 위한 교육자료 공유

2 교원 연수를 통한 지도능력 배양 및 흡연학생 관리

① 연수기관에서는 교원 연수 시 흡연 등 약물 오 · 남용 예방교육 내용을 포함토록 하고, 필요한 경우 전문지도자 과정 운영

② 흡연 등에 중독된 학생은 보다 적극적으로 개입하여 금연할 수 있도록 관련 전문기관 등과 긴밀한 협력체계 구축

3) 학교 건강증진 프로그램

학교 건강증진은 학교 건강증진사업을 통해 학생들의 질병과 사고를 예방하고, 건강에 대한 올바른 지식을 습득하게 하고 건강한 태도 및 습관의 형성으로 성인기의 질병예방과 평생건강의 기틀을 형성하기 위함이다. 본 장

에서는 국민건강증진종합계획 2020에서 소개된 사업을 소개하고자 한다.

- 흡연예방사업
- 음주예방사업
- 비만예방 및 관리사업, 나트륨 섭취 감소 사업
- 학교 스포츠클럽 활성화 사업
- 약물사용 예방사업

(1) 학생들의 개인위생 실천율의 증가 사업

- 손씻기 강화사업, 칫솔질 활성화 및 강화사업
- 지속적인 손씻기 교육을 시행하고, 손씻기 시설을 설치함
- 칫솔질의 필요성 및 올바른 칫솔질에 대해 교육함
- 점심식사 후 칫솔질 할 수 있는 학교환경을 조성함

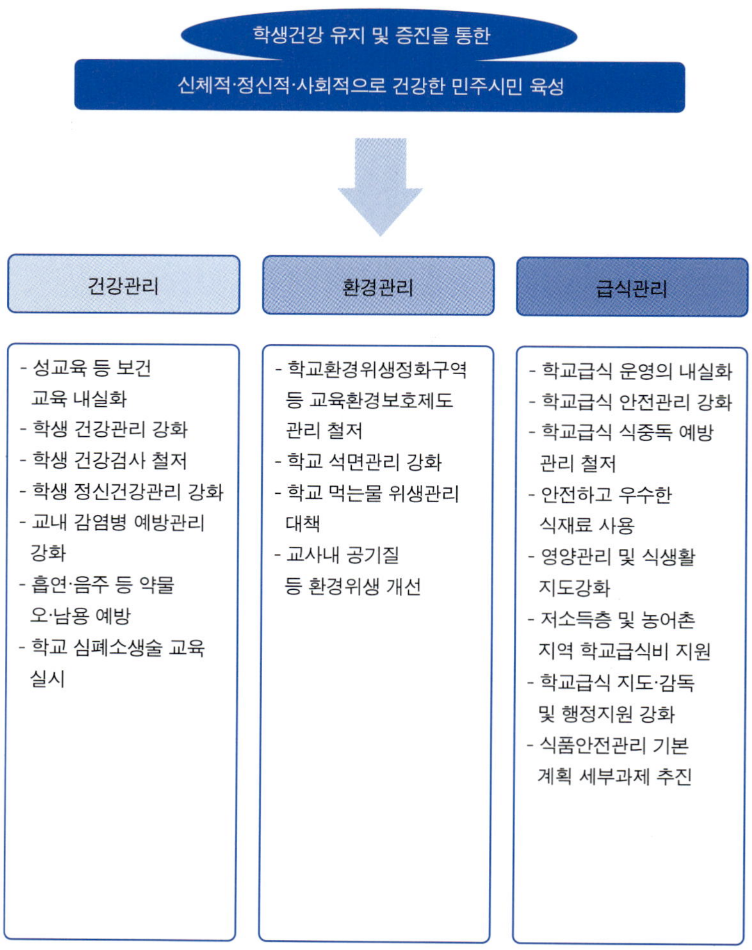

그림 8-9 학생 건강증진 기본 방향(교육부, 2015)

(2) 학생들의 정신건강 향상

- 자살예방 사업, 스트레스 인지 감소사업
- 자살예방교육, 교내외 및 인터넷 상담, 동료 멘토결성 지원을 실시함
- 방과 후 학교스포츠 클럽의 결성과 지원으로 단체활동과 신체활동량의 증가를 유도함.

(3) 학생들의 건전한 이성교제의 조성

- 인터넷 성문제 상담 및 신고시스템의 개발 및 확충, 성교육의 강화 및 보건교육교재 보급, 임신 및 출산 학생을 위한 육아교육
- 건전한 이성교제를 위한 성교육을 활성화함
- 인터넷 성상담 및 신고시스템을 구축함
- 임신 학생들의 보호와 교육을 위한 사업을 시행함
- 임신 및 출산 학생을 위한 육아 교육 및 육아지원을 시행함

(4) 학생들의 손상예방

- 학교 내 안전사고 발생 감소사업, 학교손상 모니터링 시스템 구축, 안전사고 예방행동 실천율 향상 사업
- 안전사고 예방 교육, 교통안전에 대한 현장교육, 교통안전 캠페인을 실시함
- 안전벨트 착용 및 오토바이, 자전거 및 인라인 스케이트 등의 헬멧과 보호대의 착용 교육을 실시함
- 안전교육 및 포스터 공모전을 실시함(헬멧, 보호대 등을 부상으로 수여)
- 안전사고 유발 학교시설에 대한 안전장치를 강화함

(5) 학생들의 인터넷 중독 감소사업

- 인터넷 유해 사이트 차단 프로그램 보급, 인터넷 게임중독 감소사업
- 정규 수업 이외에 학교 내 인터넷 사용 환경을 차단하거나 유해인터넷 사이트 차단 소프트웨어를 개발 및 보급함

4. 산업장 건강증진사업

1) 산업장 건강증진사업

산업장 건강증진운동은 사업주가 근로자의 건강증진을 위하여 건강 지향적 환경을 만들고 조직활동을 강화하는 것이다. 즉, '금연, 스트레스, 운동, 영양, 절주' 등 건강한 생활습관 실천을 통해 근로자가 더 건강하고 행복한 직장을 만들어가는 활동을 말한다. 본 장에서는 산업장의 건강증진 프로그램에 대해 소개하고자 한다.

2) 근로자 건강증진활동

근로자의 건강증진 활동을 위한 단계를 준비, 실행, 평가로 나누어 살펴보기로 하겠다.

(1) 준비

○ 준비단계는 근로자 건강증진활동을 도입하는데 가장 중요한 단계이다. 아무리 좋은 제도와 프로그램이어도 경영자와 근로자의 지지를 받지 못한다면 현실적으로 도입이 불가능하다. 이번 장에서는 경영자(근로자)의 관심을 유발하는방법, 건강증진활동의 변화 등을 파악한다.

◆ Step 1. 경영자와 근로자의 관심 유발하기

○ 건강증진활동은 많은 시간이 들지 않고 몸도 힘들지 않다. 무엇보다 비용이 많이 들지 않는다. 적은 비용, 독창적인 방법으로도 효과적인 프로그램이 시행 될 수 있다.

◆ Step 2. 「근로자 건강증진활동」추진원칙 세우기

○ 근로자 건강증진활동은 회사와 근로자가 함께 건강을 증신, 유지하기 위해 도입하는 프로그램이다. 경영자(근로자)의 관심이 유발되었으면 이제 그 추진원칙을 세워본다.

- 일반적인 근로자 건강증진활동의 접근방법은 전시적이어야 하고 교육, 훈련 및 복지를 증진시키는 직장 환경 개선 의지를 포함해야 한다.

○ 건강증진활동을 효율적으로 추진하기 위한 주요원칙

- 근로자 개인의 건강상태와 상관없이 모든 근로자의 요구를 충족시킬 수 있는 활동이어야 한다.
- 근로자 개인의 생활방식은 건강증진활동을 통해 올바르게 변화될 수 있음을 알리는데 주력해야 한다.
- 건강증진활동 담당자는 각 사업장 환경에 따라 근로자의 다양한 요구도, 선호도가 있음을 인지하고 그에 상응하는 활동프로그램을 전개해야 한다.
- 사업주가 건강증진활동을 포괄적으로 지원할 수 있도록 유도하고, 근로자의 적극적인 참여를 지지하는 분위기를 조성해야 한다.
- 구체적인 목표를 설정하고 진행과정을 공유하며, 문제점으로 노출된 사항은 목표설정 단계로 피드백(feedback) 시켜야 한다.

※ 추진원칙을 모두 고려하여 건강증진활동을 실행하는 것이 가장 바람직하다. 그러나 건강증진활동을 추진하고 있는 담당자라면 '모든 사업장이 준비된 상태에서 추진원칙에 따라 건강증진활동을 도입해야 하는가'에 대해서는 의문이 들 것이다. 때로는 사업장 규모와 업종에 맞게 추진 원칙을 부분적으로 도입하여 발전시켜 나가는 것이 현실적인 방안이 될 것이다.

◆ Step 3. 성공적인 「근로자 건강증진활동」 특징 파악하기

○ 추진원칙을 세운 이후, 다른 사업장에서 추진하고 있는 건강증진활동과의 특징을 비교하는 것 또한 중요하다. 이제, 성공적인 근로자 건강증진활동의 특징과 우리 사업장에서 설정한 추진원칙을 비교해 본다.

성공적인 근로자 건강증진활동의 특징	우리 회사의 추진원칙	
	일치	불일치
각 사업장 환경에 따른 특징을 고려하고 있다. ⇒ 조직의 사업과 조직구조 및 문화를 고려하는 전략을 선택해야 한다.		
현재의 건강위험과 상관없이 모든 직원의 요구에 맞추어져 있다.(각기 다른 요구와 선호, 태도를 고려하고 있다.) ⇒ 근로자 건강증진활동에 적극 참여하는 사람이나 의료지원을 요구하는 사람들만을 위한 프로그램으로 보이면 안 된다.		
개인의 올바른 생활양식과 환경요인이 건강한 삶을 유지시키는 데 영향을 준다는 사실을 인식하고 있다. ⇒ 근로자 건강증진활동은 개인적인 건강에 영향을 주는 모든 측면을 담고 있어야 한다.		
사업장 조직문화 발전에 기여하고 있다. ⇒ 근로자 건강증진활동은 개인에게만 영향을 미치는 것이 아니다. 프로그램은 조직의 건강정책과 이에 따른 절차를 나타내는 조직문화를 만들어 가는 데 도움을 주어야 한다.		

건강증진 활동자원을 통해 경영자가 적극적으로 지원하며, 회사가 실질적인 방법으로 근로자의 건강관리를 강조한다.

(2) 실행

○ 실행단계는 프로그램을 계획(디자인)하고 실행하는 방안에 대해 알아보는 단계이다. 이번 장에서는 일반적인 계획 절차를 소개하고, 대표적인 활동(금연, 스트레스 관리, 운동, 영양, 절주)실행에 대해 상세한 예를 들어 알아본다.

◆ Step 1. **프로그램 계획하기**

○ 근로자 건강증진활동이 효과적이기 위해서는 요구도를 수집, 책정 가능한 목표설정, 평가하는 절차가 필요하다. 따라서 건강증진활동을 계획하는 일에는 다음과 같은 결정이 포함되어야 한다.

- 무엇을 요구하는가?
- 어디에 우선순위가 있어야 하는가?
- 어떤 목표와 목적을 세우고 있는가?
- 무엇이 특정한 프로그램 수행방법인가?
- 프로그램 수행의 과정을 어떻게 평가할 것인가?

○ 특정한 활동으로 이루어진 프로그램들은 실행하기가 더 힘들 수 있다. 프로그램을 계획하는 일은 우선순위를 정하고, 프로그램의 효율성을 평가하는 역할을 한다.

○ 요구도 파악(평가)의 필요성

- 근로자 건강증진활동 참가율(%)을 증가시킨다.
- 미래의 계획을 위한 기초 데이터를 만든다.
- 다양한 건강 관련 이슈들 사이의 우선순위가 매겨진다.
- 근로자 건강증진활동의 분명한 목적을 세우게 된다.
- 자원을 효율적으로 이용하게 된다.

◆ Step 2. **생활습관 실태조사 활용하기**

○ 생활습관 실태조사는 건강증진 및 생활습관 실태를 파악하기 위해 한국산업안전보건공단에서 제시하는 설

문조사표이다. 사업장에서 필요한 내용을 전체 또는 부분적으로 발췌하여 건강증진활동의 요구도를 파악하는 데 활용하도록 한다.

[건강 관련 일반]

1. 귀하는 같은 연령의 사람과 비교해 자신의 건강이 어떻다고 생각합니까?

□① 매우 건강하지 않다.
□② 건강하지 않은 편이다.
□③ 건강한 편이다.
□④ 매우 건강하다.
□⑤ 잘 모르겠다.

2. 귀하의 평균 수면시간은 어떻게 되십니까?

□① 6시간 미만
□② 6~8시간 미만
□③ 8시간 이상

3. 귀하의 직업 관련성질환(직업병, 뇌 · 심혈관질환, 근골격계질환) 예방에 대한 관심은 어느 정도입니까?

□① 매우 낮다.
□② 낮은 편이다.
□③ 보통이다.
□④ 높은 편이다.
□⑤ 매우 높다.

[흡연 관련]

(※비흡연자 및 과거흡연자 : 4, 5번만 작성)

4. 귀하의 흡연 정도는? (금연프로그램에 참여할 의사가 있으면 사내 담당자에게 연락)

□① 흡연을 하지 않음
□② 매일은 아니나 가끔 흡연
□③ 하루에 반 갑 미만 흡연
□④ 하루에 반 갑에서 한 갑 미만 흡연
□⑤ 하루에 한 갑 이상 흡연

5. 귀하의 과거 흡연 기간은?

□① 흡연을 하지 않음
□② 2년 미만
□③ 2~5년 미만

□④ 5~10년 미만
□⑤ 10년 이상
6. 귀하는 사내 흡연관리에 대해 어떻게 생각하십니까?
□① 흡연을 금지해야 한다.
□② 흡연구역이 별도로 지정되어야 한다.
□③ 모든 구역에서 자유롭게 해야 한다.
□④ 잘 모르겠다.
7. 귀하가 금연을 하신다면 다음 중 가장 효과적인 방법이 무엇입니까?(흡연자만 해당)
□① 특별한 방법 없이 자신의 의지로
□② 금연 보조수단 이용[예: 금연패치(파스), 금연껌, 금연침 등]
□③ 금연을 위한 적극적 방법(예: 금연학교, 지역보건소 활용 등)
□④ 금연을 위한 건강교육을 통해서
□⑤ 기타( )
[음주 관련]
8. 평소 귀하는 술을 얼마나 자주 드십니까?(절주프로그램에 참여할 의사가 있으면 사내 담당자에게 연락)
□① 전혀 안 마심
□② 월 1회 이하
□③ 월 2~4회
□④ 주 2~3회
□⑤ 주 4회 이상
9. 귀하는 1회 술 마시는 양이 얼마입니까?
□① 소주 1~2잔(맥주 1병 이하)
□② 소주 3~4잔(맥주 2병, 양주 3잔)
□③ 소주 5잔(맥주 3병, 양주 5잔)
□④ 2홉 소주 1병(맥주 4병, 양주 6잔)
□⑤ 2홉 소주 2병(맥주 8병, 양주 12잔) 이상
10. 귀하의 음주 기간은 얼마입니까?
□① 음주를 하지 않음
□② 1~2년
□③ 3~5년
□④ 6~10년
□⑤ 10년 이상
11. 귀하에서 현재 또는 앞으로 절주 혹은 금주를 한다면 어떤 방법이 가장 효과적이라고 생각하십니까?
□① 술 마시는 자리를 되도록 피한다.
□② 술자리에서 음주량을 절제한다.

□③ 절주 혹은 금주 프로그램(또는 알코올 중독 예방관리 교실 등)을 이용한다.
□④ 간식이나 음식을 먹는다.
□⑤ 기타(   )

[식생활습관 관련]
12. 귀하는 하루 식사를 몇 회나 하십니까?
□① 3회
□② 2회
□③ 1회
□④ 불규칙하다.
13. 귀하는 평상시 육식과 기름기 많은 동물성 식품을 많이 드십니까?
□① 매우 그렇다.
□② 그런 편이다.
□③ 보통이다.
□④ 그렇지 않은 편이다.
□⑤ 전혀 그렇지 않다.
14. 평소 귀하의 식생활습관은 어떠합니까? (식생활 프로그램에 참여할 의사가 있으면 사내 담당자에게 연락)
□① 음식을 다소 짜게 먹는다.
□② 과식을 하는 경우가 자주 있다.
□③ 기름진 음식(튀김, 볶음 요리 등)을 자주 먹는다.

[운동 관련]
15. 귀하가 숨이 약간 차는 듯한(약간 땀이 나는 정도) 정도의 운동을 30분 이상 한 날 일주일 중 며칠입니까?
※강렬한 육체노동 근로자는 비해당
□① 5일 이상
□② 3~4일
□③ 1~2일
□④ 전혀 하지 않음(16번 응답하지 마세요)
16. 귀하가 매주 1회 이상 운동할 때, 1회 운동 시간은 얼마입니까?
□① 하루 30분 정도
□② 하루 30분~1시간 미만
□③ 하루 1시간~2시간 미만
□④ 하루 2시간 이상

17. 귀하는 건강을 위해 규칙적으로 어떤 종류의 운동을 하고 싶습니까? (3항목까지 응답 가능하고 운동 활동에 참여할 의사가 있으면 사내 담당자에게 연락)

※강렬한 육체노동 근로자는 비해당

□① 걷기

□② 등산(약수터 및 근처 야산)

□③ 요가 및 단전호흡

□④ 수영

□⑤ 자전거 타기

□⑥ 에어로빅

□⑦ 헬스운동

□⑧ 맨손체조 등

□⑨ 인라인 스케이트

□⑩ 기타(   )

[건강증진 활동]

18. 귀사에서 가장 중점적으로 추진하고 있는 건강증진활동은 무엇입니까? (3항목까지 응답 가능)

□① 금연

□② 절주

□③ 운동

□④ 스트레스 관리

□⑤ 식생활 개선

□⑥ 근골격계질환관리

□⑦ 응급조치

□⑧ 기타(작업환경개선 등)

19. 귀사에서 가장 중점적으로 적용해야 하는 프로그램은 무엇이라고 생각합니까?(3항목까지 응답 가능)

□① 금연

□② 절주

□③ 운동

□④ 스트레스 관리

□⑤ 식생활 개선

□⑥ 근골격계질환관리

□⑦ 응급조치

□⑧ 기타(작업환경개선 등)

◆ Step 3. 세부 프로그램 운영하기

○ 준비단계를 거쳐 디자인된 건강증진활동을 직접 운영해 본다.

표 8-3 주요 건강증진 실천활동 요약

실천활동	슬로건	주요활동의 예
금연	금연 실천하기	사업장 내 금연 프로그램, 흡연구역 지정, 보건교육, 사업장 내 담배판매 금지
스트레스	긍정적으로 들어주기(멘토만들기)	긍정적으로 들어주는 창구 개설 · 운영(멘토만들기), 노 · 사 참여형 정신건강기법, 스트레스 이완요법 실행
절주	회식자리에서 술 권하지 않기	절주프로그램 운영, 작업장 내 음주금지, 동료들의 지지 프로그램
운동	작업 전 · 후 스트레칭하기	체력증진 체력단련 프로그램, 체육활동 종목별 동호회 구성
영양	제때 골고루 먹기	체중조절교실, 저지방식이 등 영양상담

표 8-4 금연: 금연실천하기

구분		목표	목표치
금연교육	투입	– 장비 및 자료 : 홍보자료 및 패널 ※지역보건소와 연계추진	
	과정	– 금연교육시간 마련 – 홍보 및 패널전시, 게시판 활용한 프로그램 환경 조성	
	결과	– 금연에 대한 필요성 증가	
금연선포 및 프로그램 참여	투입	– 장비 및 자료 : 프로그램 투입, 니코틴 대체제 및 성공자 포상자료 – 인력 : 관리자(보건관리자, 관리감독자) ※지역보건소와 연계추진	
	과정	– 3개월, 6개월, 12개월, 18개월 프로그램 투입 – 성공자 시상 – 니코틴 대체요법 및 개별 면담 및 관리	
	결과	– 흡연율(%) 감소	10% 이상(예시)

표 8-5 스트레스 관리 :긍정적으로 들어주기

구분		목표	목표치
직무스트레스	투입	– 직무스트레스관리 교육	
	과정	– 긍정적으로 들어주기(멘토만들기) – 직무스트레스요인 조사 및 환경조성 – 인지 및 대처방안 마련	창구개설, 멘토지정
	결과	– 직무스트레스 지수 감소	
이완요법 위한 공간 마련	투입	– 장비 및 자료 : 교육자료 및 미디어장치 마련 – 인력 : 이완요법 교육	
	과정	– 공간확보 및 이완요법을 위한 비디오 또는 음악 마련 – 자료 게시, 교육	
	결과	– 이완요법을 위한 공간 이용 활성화	

표 8-6 절주(건전한 음주) : 회식자리에서 술 권하지 않기

구분		목표	목표치
올바른 회식 문화조성	투입	– 절주서포터즈, 강사, 자원봉사자, 홍보용품 ※한국음주문화연구센터, 지역보건소 등과 연계 추진	
	과정	– '올바른 회식문화'홍보관 운영 및 캠페인 개최 – '술 권하지 않기'서명운동 및 절주서약서 작성 – 음주예방 건강교실 – 기업체 전광판 및 통근버스 이용 음주예방 홍보	
	결과	– 남성 고위험 음주율을 ( )%에서 ( )%로 낮춘다.	5% 감소(예시)
건강한 가족 만들기	투입	– 절주서포터즈, 강사, 자원봉사자, 홍보전단(편지용) ※한국음주문화연구센터, 지역보건소 등과 함께 추진	
	과정	– 간담회개최 – 절주서포터즈 발대식 및 주1회 '금주 Day=가정 Day'선포식 – 좋은 부모 되기 교실 운영 – 가족에게 사랑의 편지쓰기	
	결과	– 한 달에 한 번 이상 음주를 ( )%에서 ( )%로 낮춘다.	10% 감소(예시)

표 8-7 운동 : 작업 전 · 후 스트레칭하기

구분		목표	목표치
하루에 1회 이상 스트레칭하기	투입	– 외래강사 자문 및 활용, 포스터와 리플릿, CD ※공단과 연계 추진	
	과정	– 스트레칭 교육 – 홍보물 제작 – 1회 이상 스트레칭 실천비율 조사	
	결과	– 만성질환 위험인자 감소를 위한 운동 실천비율을 ( )%에서 ( )%로 증가시킨다.	10%이상 증가(예시)
걷기운동	투입	– 만보계, 운동상담사, 홍보물 등	
	과정	– Walking Map 작성 사업장 수, 걷기 교육, 운동상담 – 운동일지 작성자 수	
	결과	– 성인 1일 30분 이상 걷는 사람의 비율을 ( )%에서 ( )%로 증가시킨다.	10%이상 증가(예시)

표 8-8 영양관리 : 제때 골고루 먹기

구분		목표	목표치
바른 식생활 실천	투입	– 영양관리평가 ※대한영양사협회, 지역보건소 등과 연계	
	과정	– 관리 대상자의 식습관 분석 – 월1회 건강소식지 제공 ※대한영양사협회 자료 활용	
	결과	– 고른 영양섭취 실천비율을 10% 향상시킨다. – 과일과 채소를 1일 500g 이상 섭취하는 비율을 증가시킨다.	
아침먹기 운동	투입	– 신장, 몸무게 측정기 ※지역보건소 등과 연계	
	과정	– 영양교육 실시 – 영양교육용 현수막 게시 – 아침밥 먹기 실천스티커 붙이기 – 홍보물 배부 – 저(과)체중 근로자 개별상담	
	결과	– 잘못된 식습관에 의한 아침결식률을 감소시킨다. – 저(과)체중 비율을 감소시킨다.	실천율 10%이상 증가 (예시)
만성질환 예방관리	투입	– 영양평가 프로그램, 신장, 몸무게 측정기 ※지역사회 보건소와 연계	
	과정	– 개별상담 및 식사일기 분석 – 만성질환 영양교육 – 질환별 리플릿 배부	
	결과	– 적정체중(18.5≤BMI≤25) 비율을 증가시킨다. – 영양관리(교육 및 상담수혜)를 받는 비율을 증가시킨다. – 식품선택에 영양표시를 활용하는 비율을 증가시킨다.	적정체중 비율 10%이상 증가(예시)

(3) 평가

○ 지금까지 건강증진활동의 구체적인 프로그램을 실행했다면, 이제 투입 대비 효과에 대한 평가가 필요하다.
 – 평가에 관한 도구와 방법은 매우 다양하기 때문에 평가기간, 주체 및 대상 등은 사업장에서 자율적으로 결정할 수 있다.
 – 평가는 건강증진 프로그램의 가치를 증명하기 위해 반드시 필요한 절차이다.
 – 건강증진활동에서 반드시 평가해야할 영역은 구조 · 과정 · 결과 등 세 가지 영역이다.
 – 이러한 평가결과는 건강증진 활동의 계속 수행여부와 수정보완점을 결정하여 재계획에 반영되어야 한다.

○ 본 추진기법에서는 한국산업안전보건공단에서 제시한 평가표를 소개한다.

[건강증진 프로그램에서 반드시 평가해야 할 3가지 영역]

1. 구조
   - 프로그램에 무엇이 포함되어 있는가?
   - 프로그램은 어디에서 수행하는가?
   - 누가 프로그램을 관리하는가?

2. 과정
   - 얼마나 많은 사람이 참석하는가?
   - 참석자들은 만족하는가?
   - 프로그램의 어떤 면이 가장 잘 수행되었는가?

3. 결과
   - 프로그램이 건강 이슈에 관한 지식을 향상시키는가?
   - 프로그램이 행동을 변화시키는가?
   - 프로그램은 비용을 절감시키는가?

○ 근로자 건강증진활동 개인 평가표

○ 흡연 평가(비흡연자는 작성 제외)

– 최근 3개월간 금연프로그램에 참여한 적이 있습니까?

① 없다. ② 있다. ③ 시도했으나 실패했다.

– 하루에 얼마나 담배를 피우십니까?

① 10개피 미만 ② 10~20개피 미만 ③ 20개피 이상

○ 스트레스 평가

– 당신의 불만을 긍정적으로 들어줄 수 있는 사람(동료)이 있습니까?

① 있다. ② 없다.

–일에 대한 본인의 생각을 전달할 수 있는 기회와 통로가 있습니까?

① 있다. ② 없다.

○ 절주 평가

– 최근 3개월 내 회식자리에서 술을 권한 적이 있씁니까?

① 없다. ② 가끔 있다. ③ 자주 있다.

– 최근 3개월 내 '한 번에 소주 1병 이상 혹은 맥주 4병 이상' 마시는 경우는 얼마나 자주 있습니까?

① 없다. ② 월 1~3회 미만 ③ 월 3회 이상

○ 운동평가

– 일주일에 3~4회, 30분 이상 숨이 찰 정도로 운동을 하고 있습니까?

① 한다. ② 가끔 한다. ③ 안 한다.

– 지난 3개월 간 '스트레칭'을 실시한 적이 있습니까?

① 한다. ② 가끔 한다. ③ 안 한다.

○ 영양 평가

– 지난 3개월 간 규칙적으로 식사를 하고 있습니까?

① 그런 편이다. ② 보통이다. ③ 아닌 편이다.

– 모든 식품을 골고루 섭취하는 편입니까? (편식하지 않는다)

① 그런 편이다. ② 보통이다. ③ 아닌 편이다.

참고문헌

- 안양희 외. 2014. 지역사회보건간호학. 현문사.
- 안양회 외. 2013. 보건교육학. 현문사. 제2판.
- 유호신 외. 2014. 지역사회간호학Ⅱ. 수문사. 제4판.
- 이정열 외. 2014. 지역사회간호학 이론과 실제. 현문사.제2판.
- 장창곡(2014). 학교보건의 새로운 패러다임: 건강증진학교. 대한보건연구, 40(4), 133-139.
- 최연희 외. 2014. 지역사회보건간호학. 수문사.
- Ajzen, I.(1985). From intentions to actions: A theory of planned behavior. In J. Kuhi & J. Beckmann (Eds.), Action. control: From cognition to behavior. Heidelberg: Springer.
- Fishbein, M., & Ajzen, I.(1975). Belief, Attitude, Intention, and Behavior: An introduction to theory and research, reading. MA: Addison-Wesley Publishing Company.
- Prochaska, J. O., & DiClemente, C. C.(1983). Stage and process of self-change of smoking: Toward and intergarative model of change. Journal of Consulting and Clinical Psychology, 51, 390-395.
- WHO. School health promotion-series 5: Regional guidelines; Development of health promotion school: A framework for action. Manila: World Health Organization.

참고사이트

- 교육부. 2015 학생건강증진 기본방향.
- 보건관리 직무지침. 한국산업안전공단.
- 보건복지부. 제3차 국민건강증진종합계획(2011~2020).
- 보건복지부. 지역사회 통합건강증진사업 안내.
- 보건복지부. 지역사회 통합건강증진사업(영양).
- 보건복지부. 지역사회 통합건강증진사업(금연).
- 보건복지부. 지역사회 통합건강증진사업(여성.어린이특화).
- 산업장 건강증진 매뉴얼. 한국산업안전공단.
- 보건관리 실무 가이드라인. 한국산업안전보건공단.

제 9 장

공공보건사업

학습목표

- 보건의료전달 체계를 설명할 수 있다.
- 일차보건의료에 대해 설명할 수 있다.
- 보건소의 기능을 설명할 수 있다.
- 영유아보건사업을 이해하고 기획할 수 있다.
- 여성보건사업을 이해하고 기획할 수 있다.
- 노인보건사업을 이해하고 기획할 수 있다.

개요

이 장에서는 보건의료 전달체계, 일차보건의료에 대해 소개하고, 공공의료기고나의 기능 및 생애주기별 사업에 대해 설명한다.

주요용어

- 보건의료전달체계
- 일차보건 의료
- 보건소의 기능
- 영유아보건
- 여성보건
- 노인보건
- 보건의료 전달체계의 구성요소

제1절 보건의료 전달체계

보건의료 전달체계는 모든 사회구성원의 건강을 유지·증진하기 위하여 그들이 필요로 하는 보건의료서비스를 제공하는 체계로 보건의료제도라고도 불린다. 보건의료 전달체계는 수세기에 걸쳐 의도적 계획 없이도 사회적 요인들에 의하여 서서히 구축되어 왔다. 특히, 건강상태에 기여한다든가 영향을 미칠 수 있는 모든 사회적 요인들을 고려하면 보건의료 전달체계와 일반 사회체계(교육, 문화, 사회)와 밀접한 관계가 있다. 따라서 보건의료 전달체계는 지역사회 그 자체뿐만 아니라 다른 여러 조직의 체계와 서로 연관되고 조화를 이루는 구성부분으로 이루어져 일관된 전체로 이루어진다. 이때 이들의 구성부분들은 주민들의 건강에 하나 또는 복합적으로 영향을 미친다.

1. 보건의료 전달체계의 구성요소

WHO는 보건의료 전달체계의 구성요소를 보건자원의 개발, 자원의 조직적 배치, 보건의료의 제공, 경제적 지원, 보건의료관리로 제시하고 이 5대 요소가 사회구성원을 대상으로 구조적·기능적으로 상호관계를 유지하며 국민의 건강을 향한 재조직을 계속하게 된다.

1) 보건의료 자원의 개발

어떤 보건의료 전달체계라도 운영 초기단계에는 보건의료 전달체계 안에서 보건의료를 제공하고 지원하는데 필요한 인적, 물적 자원의 개발을 포함한다. 보건의료자원은 보건의료인력, 보건의료시설, 보건의료장비 및 물

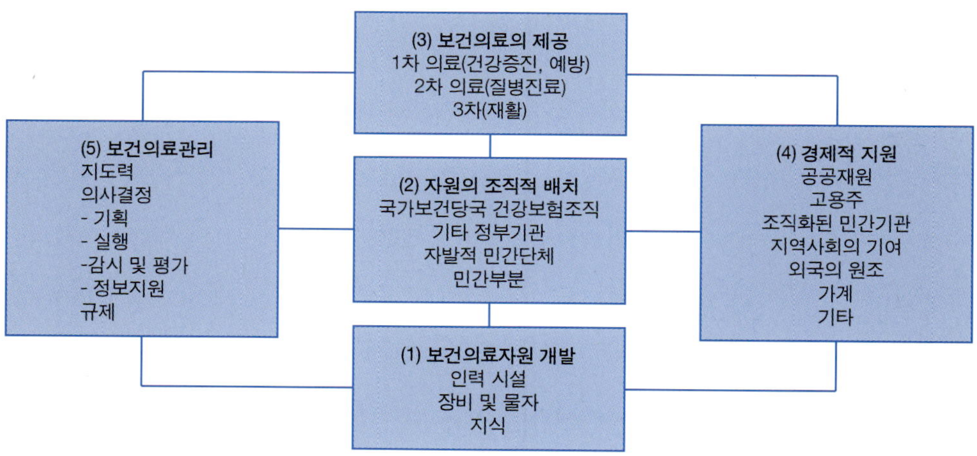

그림 9-1 보건의료 전달체계의 주요 구성요소

자, 보건의료지식 등의 범주로 분류할 수 있다.

(1) 보건의료 인력

보건의료 인력은 국민의 건강과 생명에 직결되는 일을 하는 전문적 직업인들이므로 국가가 법으로 그 자격을 엄격하게 규정하고 면허 또는 자격 소지자가 아니면 보건의료관계 행위를 할 수 없도록 규제하고 있다. 의사를 비롯한 보건의료 인력의 양성에는 장기간의 준비기간과 많은 투자를 필요로 하기 때문에 그 수급 대책은 장기적인 목표 아래 수립되어야 하며, 또한 전체적인 보건의료 계획 내에서 이루어져야 한다.

우리나라에서 법으로 정하고 있는 보건의료 관계 인력은 「의료법」 제2조에 의하여 의료인으로 규정된 의사, 치과의사, 한의사, 조산사 및 간호사를 비롯하여 「약사법」 제3조 및 제3조의 2에서 규정하고 있는 약사 및 한약사, 「의료기사 등에 관한 법률」 제2조에서 규정하고 있는 의료기사(임상병리사, 방사선사, 물리치료사, 작업치료사, 치과기공사, 치과위생사)와 의무기록사 및 안경사, 「응급의료에 관한 법률」 제2조의 응급구조사가 있으며, 그 밖에 「의료법」 제80조의 간호조무사 등이 이에 포함된다.

우리나라 보건의료인력의 연평균 증가율은 선진국에 비하여 높으나 양적으로는 아직까지 미흡한 수준으로 평가된다.

표 9-1 연도별 보건의료 인력 면허등록 상황

(단위: 명)

보건의료 인력	1990	1995	2000	2005	2010	2011	2012	2013	2014
의사	42,554	57,188	71,045	85,284	101,569	104,332	107,221	109,500	112,407
한의사	5,792	8,714	11,481	15,200	19,097	19,846	20,600	21,287	22,007
치과의사	9,619	13,681	17,748	21,566	25,425	26,087	26,791	27,398	28,123
약사	37,118	43,269	49,538	54,845	61,114	62,245	63,647	63,292	63,150
조산사	7,643	8,352	8,733	8,657	8,614	8,562	8,528	8,422	8,382
간호사	89,032	120,415	160,301	213,647	270,393	282,656	295,254	307,797	323,041
간호조무사	143,760	188,714	242,262	340,375	470,954	508,113	539,962	571,736	601,941
의료기사	44,841	65,961	94,432	134,373	187,417	199,538	212,069	225,912	240,496
의무기록사	2,123	4,681	7,645	10,825	15,390	16,453	17,689	18,821	20,662
안경사	10,260	14,671	20,168	26,001	33,334	34,791	35,934	37,225	38,482
응급1급	–	–	3,032	5,528	8,720	9,616	10,577	11,594	12,742
응급2급	–	146	2,429	4,935	7,690	8,239	8,789	9,831	11,182

출처: 2014 보건복지백서

표 9-2 인구 1,000명당 보건의료인력 수 국제 비교

(단위: 명)

	의사	간호사	치과의사	약사
OECD 평균(2011)	3.2	9.1	0.64('10)	0.76('10)
한국(2012)	2.1	4.8	0.44	0.65

출처: 2014 보건복지백서(2015)

표 9-3 보건의료관계 인력의 양성기관 및 2014년 입학정원

(단위: 명)

대학	학교수	정원
의과대학	41	3,058
치과대학	11	750
한의과대학	12	750
약학대학	35	1,700
간호대학	152	13,513
간호전문대학	50	4,553

출처: 2014 보건복지백서(2015)

표 9-4 보건의료인 국가시험 시행근거법령 및 시험 종목

근거법령	시험 종목
「의료법」	의사, 치과의사, 한의사, 간호사, 조산사, 간호조무사
「의료기사 등에 관한법률」	임상병리사, 방사선사, 물리치료사, 작업치료사, 치과기공사, 치과위생사, 의무기록사, 안경사
「약사법」	약사, 한약사, 한약조제자격
「식품위생법」	영양사
「위생사에관한법률」	위생사
「응급의료에관한법률」	응급구조사 1급 및 2급
「장애인복지법」	의지 · 보조기기사, 언어재활사
「국민건강증진법」	보건교육사 1급, 2급, 3급
「노인복지법」	요양보호사

출처: 2014 보건복지백서(2015)

Ⅰ 의사인력

① 의사

2014년도 의사 면허자 수는 112,407명이고, 인구 천명당 활동 의사 수(한의사 포함)는 2.1명으로 아직은 OECD 평균 3.2명에 비해 상대적으로 의사 수가 다소 부족한 실정이다.

1977년에는 의과대학 입학 정원이 14개교에 1,380명이었으나, 1978년 이후 의료보험 실시에 따른 의료수요 증가에 대처하기 위하여 의사 인력공급을 확대하였으며 2006년 이후로는 41개교에 3,058명 수준을 유지하고 있다. 한편 이공계 활성화 등을 위한 제도로 2005년부터 의학전문대학원 제도를 도입하여, 당시 41개 의과대학 중 일

부 대학이 의학전문대학원을 신설하였으나, 현재에는 공중보건의 공급 감소 및 이공계 인재들의 의학계로 이탈 등으로 2013년부터 다시 의과대학으로 전환하는 추세이다.

의사에 대한 사회의 일반적 여론은 농촌지역의 부족현상, 높은 보수 수준 등으로 의사양성의 증원 요구가 강력히 주장되고 있으나 의사집단의 반대로 인해 좋지 않은 인상을 받고 있다. 현재 우리나라의 의사 인력에 대한 또 하나의 논란은 전문의 수의 문제로 전문의가 전체 의사에서 차지하는 비율이 점차 높아지고 전문의의 개업이 보편화됨에 따라 과도한 전문의 비중은 의료자원의 낭비 및 국민의료비의 급증 등 의료자원의 효율적인 활용이라는 측면에서 많은 문제점을 낳고 있다.

전문의는 의사면허를 가진 자로서 「의료법」 제77조 및 「전문의의 수련 및 자격인정 등에 관한 규정」에 따라 보건복지부장관이 지정하는 수련병원(기관)에서 인턴 1년(가정의학과 제외)과 레지던트 4년(가정의학과, 결핵과, 예방의학과 3년)의 수련과정을 이수한 자로서 대한의사협회에서 시행하는 해당 전문의 자격시험에 합격한 후 보건복지부장관으로부터 전문의 자격을 인정받은 자이다. 2014년도 말 현재 전문의 자격등록자는 26개 전문과목에 85,262명(사망자 제외)으로 전체 의사의 75.9%에 이르고 있다.

② 치과의사

2014년도 현재 치과의사 수는 28,123명이다. 주요 선진국의 인구 천명당 활동 치과의사 수는 0.64명이나, 우리나라의 경우는 0.44명으로 선진국 수준에는 못 미치지만, 향후 10년 이내에 선진국 수준에 이르게 되어 치과의사 공급수준은 비교적 적정한 것으로 분석하고 있다. 단, 치과의사의 지역적인 불균형의 문제에 대한 해결이 필요하다.

③ 한의사

우리나라의 한의사 수는 2014년도 말 현재 22,034명이다. 한의사 인력은 의사인력과의 관계 등 그 특성상 적정인력 수준을 정하기가 어려울 뿐 아니라 건강보험 적용범위가 제한되어 있어 수급 추계를 위한 기초 자료가 극히 미흡하여 의료이용량의 변화를 예측하기에 다소 어려움이 있다. 2007년 당시 대통령공약사항으로 한 · 양방 협진과 한의학의 과학화 · 세계화를 위해 국립부산대학에 한의학전문 대학원을 설립되었으며, 2011년 말 현재의 11개 대학 및 1개 한의학 전문대학원으로 되었다.

2 간호 관계 인력

간호 관계 인력으로는 간호사, 전문간호사, 조산사, 간호조무사로 나눌 수 있다.

① 간호사

간호사는 상병자 또는 해산부의 요양상의 간호 또는 진료의 보조 및 대통령령이 정하는 보건활동에 종사함을 임무로 하고 있으며, 2014년도 말 현재 우리나라 간호사는 323,041명으로 인구 천 명당 활동 간호사(간호조무사 포함)는 4.8명으로 OECD 국가 평균 9.1명에 비하면 매우 부족한 실정이다.

간호인력난을 해결하기 위해 간호학과 입학 정원을 증가시켜, 2014년부터는 연간 2만명 이상의 간호대학 졸업생을 배출되고 있다. 그러나 현재 간호인력난은 배출인력 수의 문제가 아니라 활동인력 부족의 문제로, 면허를 가진 전체 간호사 중에서 현재 의료기관에 고용되어 있는 활동 간호사 수는 147,210명으로 면허자의 45.6%에 불과하다. 따라서 유휴 간호인력을 활용하는 방안에 초점을 두어 간호인력 수급방안을 모색하여야 한다.

2011년 간호교육 4년 일원화를 위한 고등교육법 개정안이 통과되면서 '전문대학 수업연한 4년제 간호과 지정' 시행 계획에 따라 전문대학의 3년제 간호학과가 4년제로 변경되고 있다. 간호학제 4년제 일원화는 2017년까지

표 9-5 연도별 활동간호사 수

(단위: 명)

년도	간호사 수	활동간호사 수	취업률
2001	170,845	83,092	48.6
2002	181,800	86,145	47.4
2003	192,480	89,590	46.5
2004	202,012	94,012	46.5
2005	213,644	99,088	46.4
2006	223,781	103,902	46.4
2007	235,687	108,796	46.2
2008	246,840	114,005	46.2
2009	258,568	120,793	46.7
2010	270,274	116,071	42.9
2011	282,656	118,771	42.0
2012	295,254	120,491	41.0
2013	307,797	134,748	43.4
2014	323,041	147,210	45.6
평균			45.6

출처: 2015 보건복지통계연보

표 9-6 전문간호사 배출현황

(단위: 명)

분야	자격시험시행이전자격자수(A)	자격시험												합계 =(A)+(B)
		2005년	2006년	2007년	2008년	2009년	2010년	2011년	2012년	2013년	2014년	2015년	합계(B)	
가정	5,358	364	399	11	42	51	55	51	44	32	25	14	1,088	6,446
감염관리	–	–	40	49	49	24	–	33	–	45	22	21	283	283
노인	–	7	259	256	455	162	159	125	160	167	134	118	1,995	1,995
마취	570	–	–	2	7	10	–	12	–	6	5	7	56	626
보건	2,048	–	3	–	–	1	–		–	–	–	–	4	2,052
산업	–	–	73	15	15	3	–	7	–	9	4	3	129	129
아동	–	–	–	–	–	12	10	12	–	19	8	11	72	72
응급	–	–	57	30	42	28	–	30	–	42	19	17	265	265
임상	–	–	–	–	–	–	30	37	44	36	26	27	20	200
정신	188	–	47	29	64	22	–	49	–	52	18	29	310	498
종양	–	–	81	79	85	40	31	82	78	72	63	76	687	687
중환자	–	–	111	80	96	58	41	46	45	42	40	30	589	589
호스피스	–	–	54	39	83	34	40	36	46	45	40	32	449	449
합계	8,164	371	1,124	590	938	445	366	520	417	567	404	385	6,127	14,291

출처: 한국간호교육평가원 홈페이지(2016.1)

마무리 될 것으로 예상되고 있는데, 이는 2015년 11월에 간호학 교육과정을 운영하는 대학은 인증평가를 의무적으로 받아야 한다는 고등교육법 개정안이 통과되면서 2017년까지 간호대학은 인증평가기준을 모두 충족하는 조건을 갖추어야 하기 때문이다.

② 전문간호사

전문간호사(Advanced Practice Nurse, APN)는 보건복지부장관이 인증하는 전문간호사 자격을 가진 자로서 해당 분야에 대한 높은 수준의 지식과 기술을 가지고 자율적으로 의료기관 및 지역사회 내에서 간호대상자(개인, 가족, 지역사회)에게 상급수준의 전문가적 간호를 제공하는 자를 말한다.

2000년부터 전문간호사 자격제도를 운영하여, 현재 13개 분야(보건, 마취, 정신, 가정, 감염관리, 산업, 응급, 노인, 중환자, 호스피스, 종양, 임상, 아동)의 전문간호사를 인정하고 있다. 전문간호사는 10년 이내에 해당 분야에서 3년 이상의 실무경력을 가진 자가 보건복지부장관이 지정한 전문간호사 교육기관에서서 2년 이상의 해당 전문간호사 교육과정(석사과정)을 이수 한 후 전문간호사 자격시험을 통과하여야 한다.

전문간호사 제도는 국민의 의료서비스 기대수준의 상승에 부응하면서, 해당분야에 보다 비용 효과적이고 전문적인 간호서비스 제공함에 있어 그 역할이 점점 확대되고 있으며, 앞으로는 의료기관에 내원하지 못하는 환자들을 위한 전담인력으로 가정전문 간호사를 활용하는 방안도 고려되고 있다.

③ 조산사

조산사는 간호사 면허를 가지고 보건복지부장관이 인정하는 의료기관에서 1년간 조산의 수습과정을 마친자 또는 보건복지부장관이 인정하는 외국 조산사의 면허를 받은 자로서 조산사 국가시험에 합격한 후 보건복지부장관의 면허를 받아야 하며, 2014년 말 조산사는 8,382명이 등록되어 있다.

④ 간호조무사

간호조무사는 특성화고등학교, 간호조무사양성소(국 · 공립병원 내 설치), 간호학원, 평생교육시설에서 양성이 가능한 간호보조인력으로, 간호업무의 보조와 환자진료의 보조에 관한 업무를 수행하는 것을 그 임무로 하고 있다.

3 약 사

약사는 국민 건강증진을 위하여 일하는 약에 대한 전문가로서, 의약품을 조제 투약하고 약물복용에 대한 복약지도를 하며, 약의 생산 조제 공급 관리를 비롯한 다양한 영역에서 약사법에 의해 약(藥)에 관한 업무를 담당하는 전문 직능인으로 약사 국가시험을 통해 보건복지부장관의 면허를 받은 사람을 말한다. 2009년도부터 약대 교육년한을 6년으로 연장하여 "2+4" 약학대학 학제를 도입하여 운영 중이다.

2014년 기준으로 63,150명의 약사가 등록되어 있으며, 인구 1000명단 0.65명의 약사가 활동 중이다. OECD 평균 0.76명과 비교하여 비슷한 수준을 유지하고 있다.

(2) 보건의료시설

보건의료시설은 종합병원, 병원, 한방병원, 치과병원, 요양병원, 의원, 조산원 등 의료기관과 보건소, 보건의료원, 보건지소, 보건진료소 등의 보건기관을 들 수 있다.

1 의료기관

의료기관이란 「의료법」 제3조에 따라 의료인이 공중(公衆) 또는 특정 다수인을 위하여 의료 · 조산의 업(이하

"의료업"이라 함)을 하는 곳으로, 2014년말 의료기관수는 63,675개소로 종합병원 321개소, 요양병원 1,304개소, 일반병원 1,436개소, 의원 30,689개소가 있다.

① 회사 또는 산업체의 종업원을 위한 부속의원임 (의료법 제35조).

가. 의원급 의료기관

의사, 치과의사, 한의사가 주로 외래환자를 대상으로 의료 행위를 하는 의료기관을 말하며, 그 종류는 '의원, 치과의원, 한의원'이 있다.

나. 조산원

조산사가 조산과 임부.해산부.산욕부 및 신생아를 대상으로 보건활동과 교육.상담을 하는 의료기관으로, 출산전후와 출산후의 산모와 신생아의 의료와 양호를 담당하는 시설과 입원실을 갖추고 주로 출산전후의 기간에 한정하여 중점적으로 돌보는 산부인과 병원의 역할과 유사한 임무를 수행하는 곳을 말한다.

다. 병원급 의료기관

의사, 치과의사 또는 한의사가 주로 입원환자를 대상으로 의료행위를 하는 의료기관을 말하며, 그 종류는 '병원, 치과병원, 한방병원, 요양병원, 종합병원'이 있다.

– 병원.치과병원.한방병원

병원.한방병원은 30개 이상의 병상을 갖추어야 한다. 단, 치과병원에 대해서는 별도의 병상 요건을 규정하고 있지 않다.

– 전문병원

보건복지부장관은 '병원급 의료기관' 중에서 특정 진료과목이나 특정 질환 등에 대하여 난이도가 높은 의료행위를 하는 병원을 '전문병원'으로 지정할 수 있다.

– 요양병원

요양병원에는 노인성질환자.만성질환자 등 주로 장기입원이 필요한 환자를 대상으로 의료행위를 하는 곳으로 요양병상을 갖추어야 한다.

– 종합병원

의료법에 따라 100개 이상의 병상과 7개 또는 9개 이상의 진료과목, 각 진료과목에 전속하는 전문의를 갖춘 의료기관으로 100병상 이상 300병상 이하인 경우에는 내과 · 외과 · 소아청소년과 · 산부인과 중 3개 진료과목, 영상의학과, 마취통증의학과와 진단검사의학과 또는 병리과를 포함한 7개 이상의 진료과목을 갖추고 각 진료과목마다 전속하는 전문의를 두어야 하며, 300병상을 초과하는 경우에는 내과, 외과, 소아청소년과, 산부인과, 영상의학과, 마취통증의학과, 진단검사의학과 또는 병리과, 정신건강의학과 및 치과를 포함한 9개 이상의 진료과목을 갖추고 각 진료과목마다 전속하는 전문의를 두어야 한다.

– 상급종합병원

종합병원 중에서 중증질환에 대하여 난이도가 높은 의료행위를 전문적으로 하는 종합병원을 상급종합병원으로 지정할 수 있는데, 보건복지부령으로 정하는 20개 이상의 진료과목을 갖추고 각 진료과목마다 전속하는 전문의를 두어야 하며, 전문의가 되려는 자를 수련시키고, 보건복지부령으로 정하는 인력 · 시설 · 장비 등을 갖추며, 질병군별 환자구성 비율이 보건복지부령으로 정하는 기준에 해당하여야 한다.

표 9-7 의료기관 현황

(단위: 명)

구분	계	병·의원				특수병원			치과병의원		한방병 의원		부속 의원	조산원
		종합 병원	요양 병원	일반 병원	의원	결핵	한센	정신	치과 병원	치과 의원	한방 병원	한의원		
2004	47,378	282	92	763	24,491	3	2	95	107	11,968	154	9,196	158	67
2005	49,568	290	177	794	24,512	3	1	102	123	12,520	146	9,765	187	46
2006	51,286	295	363	850	26,078	3	1	107	134	12,808	142	10,294	172	39
2007	52,914	302	593	945	26,265	3	1	107	151	13,280	138	10,895	182	52
2008	54,165	313	690	1,064	26,581	3	1	118	184	13,618	139	11,248	175	31
2009	55,769	312	762	1,129	27,104	3	1	130	178	14,071	151	11,705	185	38
2010	56,244	312	849	1,154	27,334	3	1	143	188	14,074	159	11,804	186	37
2011	58,496	319	975	1,245	27,909	3	1	144	199	15,002	178	12,305	180	36
2012	59,519	323	1,087	1,327	28,762	3	1	156	202	14,800	199	12,440	184	35
2013	60,899	324	1,228	1,331	28,816	3	1	160	200	15,579	203	12,816	191	47
2014	63,675	321	1,304	1,436	30,689	3	2	170	202	15,933	234	13,135	213	33

출처: 한국간호교육평가원 홈페이지(2016.1)

2 보건기관

보건기관은 「지역보건법」 제9조에 따라 국민건강증진부터 지역사회보건의료현황의 연구사업 등 16가지 업무에 대하여 지역보건사업을 수행하고 있다.

① 보건소

지역보건법령에 따라 시군구별로 1개소씩 설치하며, 지방자치단체장이 지역주민의 보건의료를 위해 특히 필요하다고 인정하는 경우에는 추가로 설치할 수 있다. 보건소의 업무는 지역보건법9조에 따라 국민건강증진사업, 진료, 모자보건사업, 공중위생 등 총 16개 사업을 관장하도록 규정되어 있다

② 보건지소

지역보건법 제10조에서 보건소 업무수행을 위해 읍면마다 1개소씩으로 하고, 특히 지역주민의 보건의료를 위하여 필요한 지역에 보건지소를 설치·운영하거나, 수개의 보건지소를 통합하여 1개의 통합보건 지소를 설치·운영할 수 있도록 규정되어 있다. 보건지소 사업운영은 관할 보건소가 정하여 운영할 수 있어 진료외에도 건강증진사업을 수행할 수 있다.

③ 보건진료소

「농어촌 등 보건의료를 위한 특별 조치법」의 규정에 의하여 리(里)단위의 오·벽지에 설치 설치·운영되고 있다. 의사가 없는 무의촌리 지역에 보건진료소를 설치하여 보건진료원(24주의 직무교육을 받은 간호사)으로 하여금 경미한 의료행위를 할 수 있도록 하였다.

(3) 보건의료 장비와 물자

보건의료장비와 물자는 의약품 및 의료기기 등을 의미한다. 의약품이란 사람이나 동물의 질병을 진단 · 치료 · 경감 · 처치 또는 예방할 목적으로 사용하는 물품(기구 기계 장치 제외)이고, 의료기기란 사람이나 동물에게 단독 또는 조합하여 사용되는 기구 · 기계 장치 재료 또는 이와 유사한 제품으로서 질병을 진단 · 치료 · 경감 · 처치 또는 예방할 목적으로 사용되는 제품 등을 말한다.

우리나라의 경우 특히 의약품 및 의료장비는 고가인 경우가 많아 이로 인한 의료비 지출 등의 문제가 발생함에 따라 고가의료장비의 적정수급 및 효율적인 이용에 관심을 두어야 한다.

(4) 보건의료 지식 및 기술

건강증진 및 예방, 질병의 진료, 재활 등에 관한 다양한 지식과 지술로 이는 지속적인 연구 및 개발을 통해 획득된다. 인간의 생명 유지 및 건강과 직결되는 보건의료 지식과 기술은 신약, 의료기기 등을 통한 부가가치 창출이라는 산업적 측면과 함께, 질환으로 인한 경제 · 사회적 문제를 해결해 주는 측면까지 고려한다면 그 중요성은 매우 크다고 할 수 있다. 그러나 우리나라 보건산업의 기술수준은 최고기술보유국인 미국의 78~80% 수준으로

5~6년의 기술격차가 있으며, 보건의료에 대한 R&D투자 역시 선진국에 비해 미비한 수준이므로 지속적 투자와 노력이 필요하다.

2) 자원의 조직적 배치

보건의료 전달체계의 다양한 자원들을 보건의료활동으로 옮겨 그 자원들로 하여금 적절히 기능 할 수 있도록 하려면 일정 유형의 사회조직이 필요하다. 보건의료자원들은 효과적인 상호관계를 갖고 보건의료 전달 유통을 통하여 개인이나 지역사회로 하여금 자원과 접촉할 수 있도록 자원들의 조직적 배치가 이루어져야 한다.

보건의료조직이 국가와 국민의 건강수준을 결정하는데는 여건과 환경의 영향을 받게 됨은 물론이나 보유하고 있는 각종 보건의료 자원을 어떻게 조직 활용하며 국민들에게 배분 하는가 하는 서비스 조직도 중요한 기능을 갖는다.

(1) 국가보건행정조직

우리나라의 보건사업은 중앙정부의 책임 하에 수행하는 경우와 지방자치단체의 책임 하에 수행하는 경우로 나누어 볼 수 있다. 보건사업의 지역사회가 기본단위이며, 지역사회 보건사업이 중요하지만 중앙정부의 책임 하에 보건사업을 수행하여야 하는 이유들도 있으며, 보건 사업의 성격과 내용에 따라 중앙정부와 지방자치단체 간에 균형있는 사업 수행이 필요하다고 할 수 있다.

Ⅰ 중앙보건행정조직

우리나라는 중앙보건행정조직으로는 보건복지부(Ministry of Health and Welfare)를 두어 보건과 복지 두 가지 분야의 정책을 다루고 있다. 중앙정부 주도로 행정부 운영이 이루어지고 있는 우리나라에서는 국민의 보건과 복지의 중요한 의사결정과 재원조달을 보건복지부에서 담당하고 있다.

보건복지부의 연혁을 보면, 1948년 보건 · 후생 · 노동 · 주택 및 부녀문제에 관한 사무를 관장하기 위해 사회부가, 1949년 국민보건 · 위생 · 의정 · 방역 및 약정에 관한 사항을 분장하기 위해 보건부가 신설 되었다. 1955년 보건부와 사회부를 통합하여 보건사회부 설립하여 의무 · 방역 · 보건 · 위생 · 약무 · 구호 · 원호 · 후생 · 주택 · 부녀문제 및 노동에 관한 사무를 관장하도록 하였다. 1994년 보건사회부를 보건복지부로 개편하여 보건위생 · 방역 · 의정 · 약정 · 생활보호 · 자활지원 · 여성복지 · 아동(영유아보육제외한다) · 노인 · 장애인 및 사회보장에 관한 사무를 관장하도록 하였으며, 2008년 2월 보건위생 · 방역 · 의정 · 약정 · 생활보호 · 자활지원 및 사회보장 · 아동(영 · 유아 보육을 포함한다) · 청소년 · 노인 · 장애인 및 가족에 관한 사무를 관장하기 위해 보건복지부를 보건복지가족부로 개편하였다가, 2010년 3월 보건복지가족부의 청소년 · 가족 기능을 여성부로 이관하고 보건복지정책 중심으로 사무를 관장하기 위해 보건복지가족부를 보건복지부로 개편하였다.

사회부	보건부	보건사회부	보건복지부	보건복지가족부	보건복지부
1948~1955	1949~1955	1955~1994	1994~2008	2008~2010	2010~

그림 9-2 보건복지부 연혁

보건복지부의 조직은 그림 9−3에 나타난 바와 같이 4실(기획조정실 · 보건의료정책실 · 사회복지정책실 · 인구정책실),

6국(건강보험정책국 · 건강정책국 · 보건산업정책국 · 장애인정책국 · 연금정책국 · 사회보장위원회사무국)으로 운영되고 있다.

소속기관으로는 국립소록도병원 · 오송생명과학단지지원센터 · 국립망향의동산관리원 · 질병관리본부 · 국립서울병원 · 국립나주병원 · 국립부곡병원 · 국립춘천병원 · 국립공주병원 · 국립마산병원 · 국립목포병원 · 국립재활원 등이 있으며, 산하기관으로는 국민건강보험공단 · 국민연금공단 · 건강보험심사평가원 · 국립중앙의료원 · 대한적십자사 · 국립암센터 · 한국보건복지인력개발원 · 한국보건산업진흥원 · 한국장애인개발원 · 한국사회복지협의회 · 한국건강증진재단 · 한국노인인력개발원 · 한국국제보건의료재단 등이 있다.

2 지방보건행정조직

지방보건행정조직은 안정행정부 직속기관으로 지역 실정에 맞고 지역주민이 원하는 보건 의료사업을 실시하며, 보건의료사업은 행정자치부장관의 지도 · 감독을 받고, 보건관계 기술 행정의 지도, 감독은 보건복지부장관의 지도 · 감독을 받는 이원화 체제이다.

지방보건행정조직은 각 지방자치단체의 규정에 따라 안정행정부의 승인을 얻어 다양한 형태로 설치 · 운영되면, 중앙보건행정조직인 보건복지부와 보건의료사업 수행단위 기관인 시 · 군 · 구 보건소를 연결하는 중간보건행정조직이다.

(2) 건강보험조직

건강보험제도는 질병이나 부상으로 인해 발생한 고액의 진료비로 가계에 과도한 부담이 되는 것을 방지하기 위하여, 국민들이 평소에 보험료를 내고 보험자인 국민건강보험공단이 이를 관리 · 운영하다가 필요시 보험급여를 제공함으로써 국민 상호간 위험을 분담하고 필요한 의료서비스를 받을 수 있도록 하는 사회보장제도이다

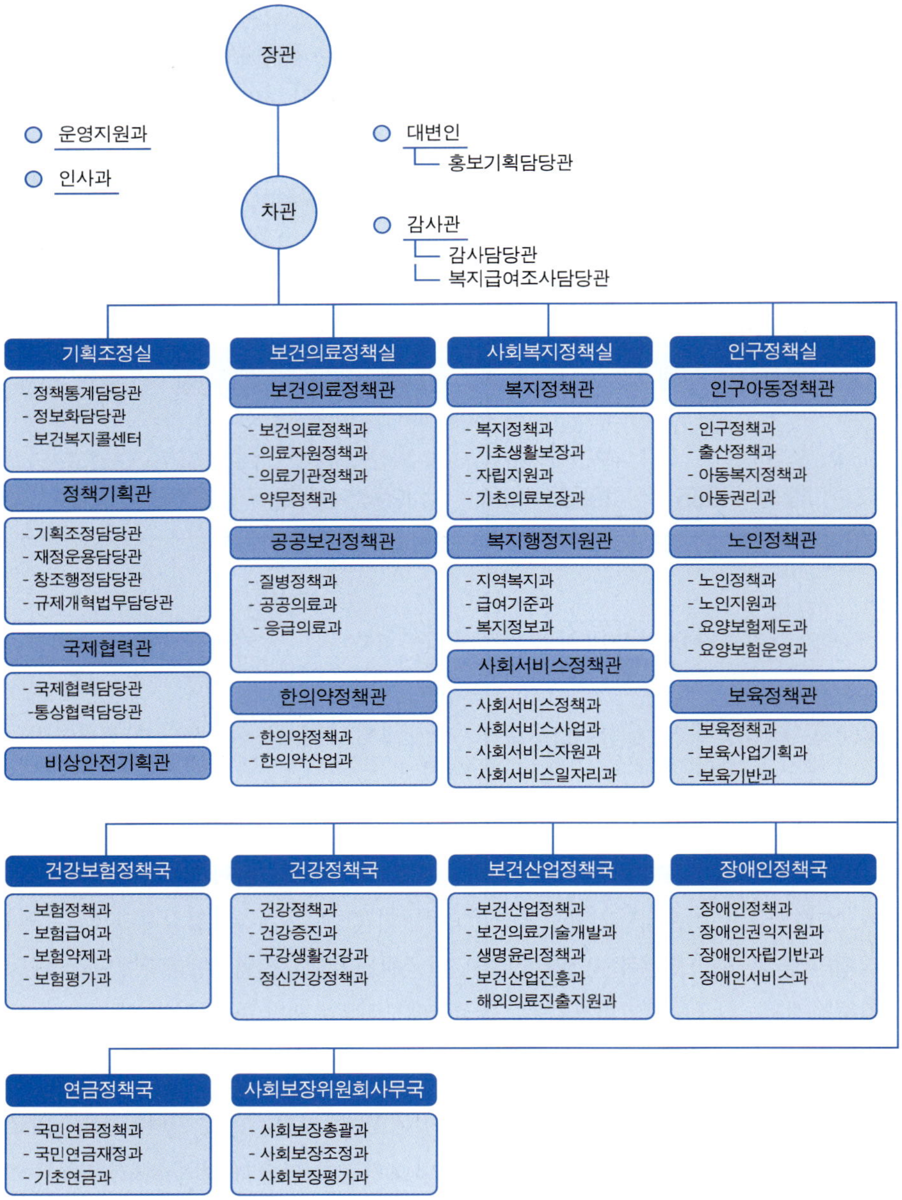

그림 9-3 보건복지부 조직도(2015)

출처: 보건복지부 홈페이지 2016.1

⑴ 국민건강보험공단

국민건강보험공단은 「국민건강보험법」 제12조 내지 제38조에 근거하여 국민의 질병 · 부상에 대한 예방 · 진단 · 치료 · 재활 · 출산 · 사망 및 건강증진에 대하여 보험 서비스를 제공함으로써 사회보장을 증진시키기 위해 설립된 준정부기관으로 주요 업무로는 건강보험의 보험자 가입자의 자격관리, 보험료 기타징수금의 부과징수, 가입자 등의 건강유지증진을 위한 예방사업, 요양급여비용의 계약, 의료시설의 운영, 요양급여비용의 지급업무 등이 있다.

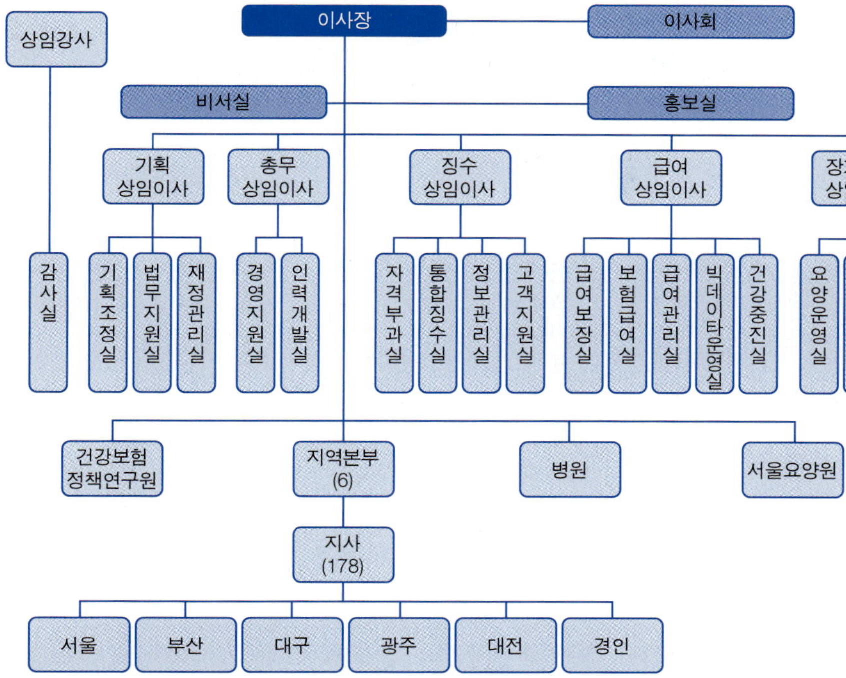

그림 9-4 국민건강보험공단 조직

출처: 국민건강공단 홈페이지 2016.1

2 건강보험심사평가원

건강보험심사평가원은 「국민건강보험법」 제55조 내지 제54조에 근거하여 설립된 병의원 약국 등에서 건강보험가입자를 진료하고 청구된 진료비를 건강보험법의 기준과 원칙에 따라 심사 · 평가하는 기관으로, 주요 업무는 요양급여비용 심사, 요양급여 적정성 평가, 진료심사평가위원회의 설치, 심사 및 평가기준의 개발, 다른 법률의 규정에 의하여 지급되는 급여비용의 심사 평가에 관하여 위탁 받은 업무 등이 있다.

(3) 기타 정부조직

보건복지부 외의 보건행정과 관련 있는 정부조직으로는 고용노동부, 환경부, 여성가족부, 행정자치부, 교육부 등이 있다. 행정자치부는 지방보건의료조직의 인사권 및 예산집행권 등을 담당하며, 고용노동부는 산업장 안전보건관리와 근로자 건강보호 및 산재근로자 보상업무를 담당한다. 교육부에서는 학교보건관련 업무를, 환경부에서는 환경보존과 환경오염방지 등에 대한 업무를 관할하고 있다.

즉, 우리나라의 중앙행정조직은 여러 형태로 다원화되어 있으며 이로 인해 보건의료정책 수행과정에서의 보건복지부의 기능과 역할이 여러 부분에서 제약을 받아 보건의료사업의 효과나 효율면에서 많은 어려움을 겪고 있는 단점도 있다.

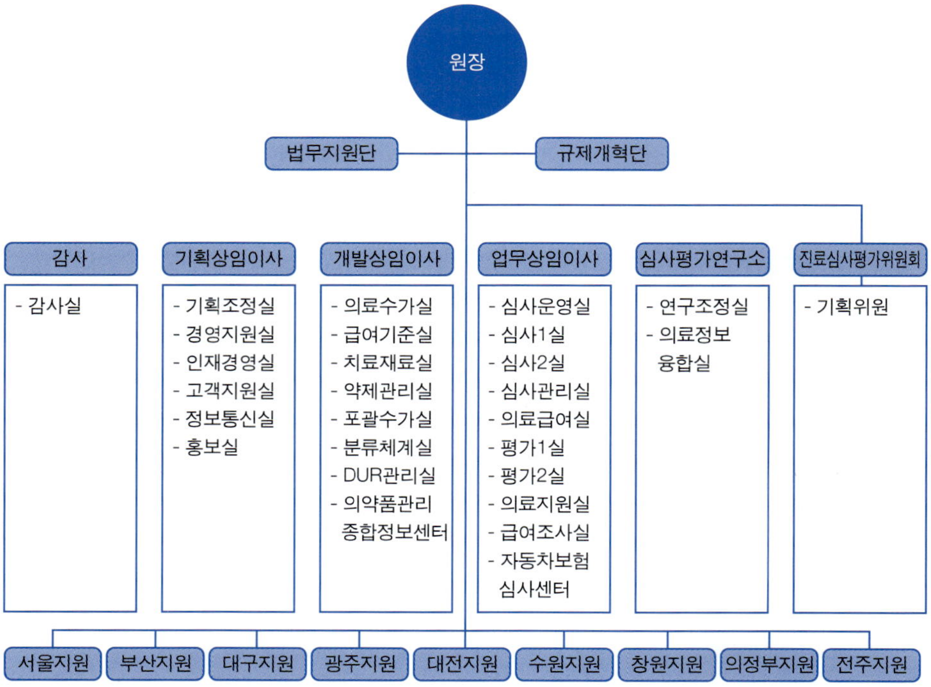

그림 9-5 건강보험심사평가원 조직(2015)

출처: 건강보험심사평가원 홈페이지 2016.1

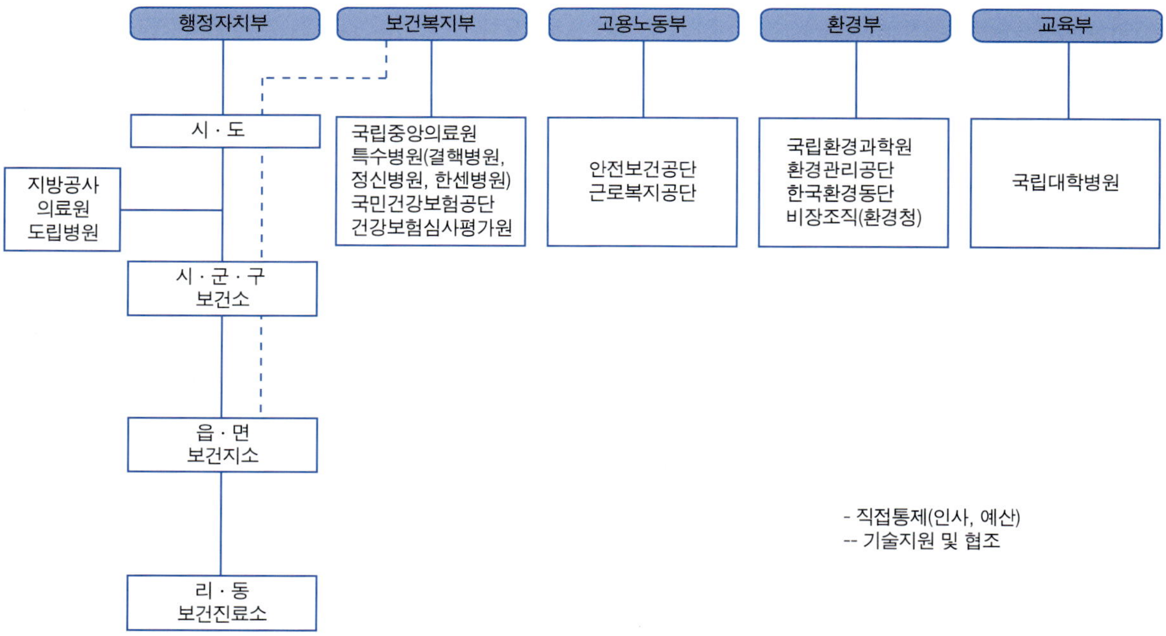

그림 9-6 중앙보건행정조직

(4) 민간보건조직

민간보건조직은 공중보건조직과 상호 협조하여 융통성 있는 업무추진을 가능케 해 주므로 공공보건사업의 보완적 역할을 한다. 현재 우리나라에서 활약하고 있는 주요 민간보건조직은 다음과 같다.

1 대한결핵협회

1953년에 발족되어 국가결핵관리사업을 지원하며 우리나라 결핵의 근절과 호흡기 질환 퇴치에 기여한다. 사업내용은 결핵 및 호흡기 질환에 관한 계몽 지도 및 교육, 결핵과 호흡기 질환의 예방 및 진료, 결핵과 호흡기 질환에 관한 학술연구, 결핵의 근절과 호흡기 질환에 관 한 학술적 국제 교류, BCG 백신의 생산과 연구에 관한 사업 등을 하고 있다. 아울러 결핵 유병조사를 실시하여, 2000년에 제8차 전국 결핵 실태조사를 시행하였다.

이 협회는 본부 산하에 결핵연구원, 지방에는 12개 지회와 지사 및 4개 복십자의원을 두어 운영하고 있으며, 「결핵예방법」 제21조의 규정에 따라 결핵에 관한 조사연구와 예방 및 퇴치사업을 수행함으로써 국민보건 향상에 이바지함을 목적으로 하고 있다.

2 대한적십자사

1905년 인도주의 실현과 세계 평화와 인류 복지에 공헌하기 위하여 설립하였다. 주요 사업내용은 구호사업, 지역보건사업, 사회봉사사업, 혈액사업, 청소년사업, 국제사업, 국내외 이산가족 찾기 사업, 안전사업, 남북적십자회담, 원폭피해자 복지사업, 인도주의이념 보급, 병원사업, 의료정보사업 등이다. 각 시 · 도에 지사를 두며, 사업기관으로 각 시 · 도의 14개 지사와 15개 혈액원, 6개 병원, 기타 교육원, 혈액제제연구소 등을 운영하고 있다.

3 한국한센복지협회

1948년 9월 대한나예방협회 창립, 1956년 10월 대한나협회로 개칭, 1962년 8월에는 사단법인 대한나협회 법인 설립, 1982년 4월에는 재단법인 한국나병연구원을 흡수통합, 1984년 1월 대한나관리협회로 개칭, 2000년 7월 27일 국가시책에 따라서 한국한센복지협회로 개칭되었다. 주요사업으로는 나병 예방 및 치료사업, 나병에 관한 교육홍보사업, 나병의 조사연구에 관한 사업, 장애인의 재활치료 및 사회복귀 사업, 나병에 관한 국제적 학술교류 및 협력지원 사업, 난치성 나병 환자의 입원치료 사업, 나병등록자의 생활수준 향상을 위한 대책강구 사업, 나병 이동진료 사업, 일반 피부병 환자의 검진 및 치료 사업 등이다

4 한국건강관리협회

1986년 11월 기생충박멸협회와 병합하여 전국 주요 시, 도에 위치한 15개 건강증진의원을 중심으로 질병의 조기발견을 위한 건강검진, 질병예방을 위한 건강생활실천상담 및 보건교육 등의 건강증진 서비스를 제공하고 있다.

5 기타 기관

이 밖에 대한산업보건협회, 대한산업간호협회, 대한보건협회, 대한병원협회, 대한의사협회, 대한한의사협회, 대한치과의사협회, 대한간호협회, 대한조산사협회, 대한약사협회 등이 있다. 보건의료관련 연구기관으로는 한국보건사회연구원, 한국의료경영연구원, 국립보건연구원 등이 있다.

(5) 국제보건기구

정보 통신 및 교통의 발달로 세계화되고 국제 교류가 활발해지면서 개인이나 국가의 노력만으로 건강관리가

불가능해짐에 따라 국제적인 협력이 필요하게 되었다. 따라서 국가 간의 보건의료에 관한 정보의 교환과 의료기술의 지원 및 이전 등이 불가피해졌다. 따라서 국제보건기구들이 점차 늘어나게 되었고 우리나라는 이들 기관과 긴밀한 관계를 가지면서 의학적 조언과 기술적 지원을 교류하고 있다.

1 세계보건기구(World Health Organization ; WHO)

1945년 San Francisco 회의에서 국제연합헌장이 기초될 때 국제보건기구의 설치가 필요 하다고 인정되어 세계보건기구는 1946년 6월 뉴욕에서 개최된 국제보건회의의 의결에 의하 여 1948년 4월 7일 국제연합의 보건전문기관으로 정식 발족하게 되었다.

WHO는 국제보건활동에 대한 지휘, 조정기구로 국제보건, 의료사업 지도, 조정, 연구를 통한 질병 없는 세계의 구현, 각국의 보건의료 부문의 발전을 위한 재정 지원, 기술 훈련 및 자문 활동을 하는 것을 목적으로 하고 있다.

① WHO의 주요 기능

세계보건기구는 국제보건사업을 지도하고 조정하며, 회원국 정부의 요청이 있을 경우에 요청국의 보건부문 발전을 위한 원조를 제공한다. 평상시 및 긴급사태 발생 시에 각국 정부에 기술 원조를 제공하고, 전염병과 풍토병, 기타 질병의 퇴치사업을 수행한다. 필요 시에 타 전문기구와 긴밀히 협조하여 영양, 주택, 위생, 오락, 근로조건 및 환경위생을 증진시키는 활동을 펼친다

② WHO의 조직

WHO의 조직은 세계보건총회(World Health Assembly;WHA), 실행이사회(executive board), 사무국(secretar-ia), 지역 위원회, 지역 사무소로 구성되어 있다.

회는 매년 1회 모든 회원국과 준 회원국이 참석하며, 2008년 기준 WHO의 정회원국은 193개국이었다. 우리나라는 1949년 8월 17일 세계 65번째로 회원국에 가입하였다. 사무국은 사무총장, 5인의 사무차장과 그 하부에 기술 및 행정요원으로 구성된다. 2003년~2006년에 이종욱 사무총장이 제6대 사무총장을 지냈으며, 이는 한국인으로서는 최초로 국제연합(UN, United Nations) 산하기구 대표를 지낸 기록이다.

집행이사회는 세계보건총회에서 지명된 이사국으로 구성되며 세계보건총회의 결정 사항과 정책을 집행한다. WHO의 본부는 스위스 제네바(Geneva)에 있으며 6개의 지역사무소(아프리카, 아메리카, 동남아시아, 유럽, 중동, 서태평양)를 두고 있다.

우리나라는 서태평양 지역에 속하고 북한은 동남아시아 지역에 속한다. 우리나라가 속한 서태평양 지역 사무소는 필리핀의 마닐라에 위치하고 있고, 회원국은 한국, 일본, 중국 등 27개국으로 구성되어 있다. 지역 사무소의 업무는 지역 위원회의 행정기관으로 세계보건총 회와 이사회에서 결정된 사항을 지역 내에서 집행한다.

2 국제연합아동기금(United Nations International Children's Fund, UNICEF)

1946년 12월 제2차 세계대전 이후 국제연합 총회의 결의로 설립되었다. 설립 초기 목적은 분쟁지역 아동에 대한 영양보충 및 공급이 목적이었으나 그 후부터 어린이들의 건강문제 특히 전 세계 개발도상국 어린이를 위하여 긴급구호, 영양, 보건, 예방접종, 식수 및 환경개선, 기초교육 등의 기본교육을 실시해 오고 있다. 세계보건기구인 WHO와 긴밀한 관계에 있으며 WHO와 공동으로 모자보건의 향상과 보건의료 개발에 기여하고 있다. UNICEF의 조직으로 는 집행이사회와 사무국을 두고 있는데, 집행이사회는 우리나라를 포함하여 36개국이 이사국으로 구성되어 정책을 수립하고 계획을 검토하며 사업예산 및 운영비용 등을 승인한다. 사 국은 전 세계 개

발도상국에서 이루어지는 실제적인 활동을 담당한다. 우리나라에서는 UNICEF가 영양 및 모자보건사업을 한 바 있다.

③ 기타 국제보건기구

이 외에도 국제적인 보건관련기구로 가족계획 및 인구사업을 위한 유엔인구활동기금 (United Nations Fund for Population Activities, UNEPA), 인류의 영양기준 및 생활향상을 목적으로 설립된 유엔식량농업기구(Food and Agricultural Organization, FAO), 개발도상국의 경제적, 사회적 개발을 촉진하기 위한 유엔개발계획(United Nations Development Programme, UNDP), 교육 · 과학 · 문화의 보급 및 교류를 통해 여러국민들 사이의 이해를 돈독히 하고 협력관계를 촉진함으로써 국제평화와 안전을 확보하려는 국제연합의 전문기관인 국제연합교육문화기구(United Nations Educations Scientific and Cultural Organization, UNESCO), 노동자의 노동조건 개선 및 지위향상을 위해 설치된 국제노동기구(International Labour Organization, ILO), 지구 환경 문제를 논의한 국제연합환경계획(United Nations Environmental Program, UNEP) 등이 있다.

우리나라는 경제규모의 확대와 경제협력개발기구(OECD)가입 및 세계화의 노력 등으로 보건의료부문에서 세계 각국 및 국제기구로부터 그에 상응한 국제사회에서의 역할을 요청받고 있으며, 탈 냉전 이후 보건복지문제가 21세기의 인류의 주요문제가 되고, 국제화에 따른 하나의 지구촌화로 보건 및 복지분야의 국제협력, 통상현안에의 대응 등 국제협력업무를 대폭 확대해가고 있다.

(6) 비정부 기구(Non-Governmental Organization, NGO)

어떠한 종류의 정부도 간섭하지 않고, 시민 개개인 또는 민간 단체들에 의해 조직되는 단체로 국제적으로 인지도 있는 비정부 기구로는 국제사면위원회(AI), 국경없는의사회, 그린피스 등이 있다.

3) 보건의료의 제공

다양한 보건의료 서비스를 제공하게 되는 것으로 국가마다 각기 다른 과정들을 갖고 있다. 보건의료전달의 보편적인 방법은 기능에 따라 건강증진, 예방서비스의 1차 의료, 질병진료인 2차 의료, 재활서비스인 3차 의료로 구분할 수 있으며, 환자 후송체계에 따라 의원 및 보건소에서 외래 환자에 대한 기본적인 진료 및 질병 상담의 1차 의료, 병원급 의료기관에서 제공되는 입원, 수술, 분만, 방사선 및 임사병리 등의 진단과 진료라는 2차 의료, 종합병원에서의 고도화된 전문서비를 제공받는 3차 의료로 구분된다.

4) 국가 보건의료 전달체계에 대한 경제적 지원

모든 보건의료자원 및 보건의료제공 체계는 어떤 사회에서든지 경제적 지원을 필요로 한다. 보건의료에 대한 요구는 의식주와는 달리 수요에 대한 예측이 불가능하다. 예방 서비스에 대한 수요, 보건의료에 대한 주민 자신들의 요구와 관련된 의료 서비스에 대한 비용의 부담은 개인의 경제수준과 관계된다. 국가적 경비지출의 우선순위를 국민의 건강과 복지 우선의 정책으로 끌어들일 수 있어야 한다. 경제적 지원과 재원조달방법은 크게 공공재원과 민간재원으로 나눌 수 있다. 공공재원 및 준공공재원으로는 일반조세, 부채, 소비세 수입, 사회보험, 복권 등이 있으며, 민간재원은 고용주의 부담, 민간의료보험, 지역사회의 기여, 외국의 원조금, 일반 가계 등으로 이루어질 수 있다.

(1) 재원의 종류

1 공공재원

공공재원은 국고에 충당하는 재원으로 보건의료 전달체계를 운영하는 보건의료 전달체계와 관련해서는 일반조세수입이 큰 역할을 차지한다. OECD 국가 중 일반조세를 이용하여 보건의료재원을 마련하는 대표적 국가는 캐나다, 영국 등이 있다. 부채는 국내 혹은 외국에서 돈을 빌려 보건의료사업의 재원으로 충당할 때 이루어지며, 우리나라의 경우 1979년을 전후하여 세계은행으로부터 3천만 달러의 차관을 도입하여 농어촌 지역에 89개소의 모자보건센터를 설립하였다. 담배나 주류 등의 판매로부터 얻어지는 소비세 수입, 복권 발행을 통해서도 보건의료 공공재원 조달이 가능하다. 또한 사회보험을 통해서도 재원조달이 가능한데, 특히 우리나라의 경우 사회보험형 건강보험의 형태이므로 전국민이 납부하는 건강보험료를 가장 큰 보건의료도 재원으로 볼 수 있다.

2 고용주

상용자인 기업주가 근로자의 건강보험을 일부 및 근로자의 건강관리를 위해 제공하는 각종 서비스 등이다.

3 민간의료보험

개인 또는 단체가 영리 혹은 비영리조직으로부터 의료보험을 사게 되면서 사회보험 및 공공재원으로 충당하기 어려운 부분에 대한 민간보험시장을 형성한다.

4 지역사회의 기여

지역사회에서 공공재원 이외에 개인이나 단체의 기부로 얻은 기금을 통해 보건의료서비스를 제공할 수 있다.

5 외국 원조

종교단체나 세계은행 및 유엔의 각종기구 등과 같은 세계기구에서의 종교적 자선이나 경제개발 및 보건의료를 위한 원조를 제공할 수 있다.

6 일반 가계

이용자의 본인부담금으로 공공재원 및 기타재원으로 충당하기엔 부족한 부분이나 도덕적 해이가 발생하지 않도록 일반 가계에서 재원을 지출한다.

(2) 재원조달 방법에 의한 분류

1 국민보건서비스 방식 (National Health Service)

정부재정으로 보건의료전달체계를 운영하는 형태로 사회주의 국가 또는 공산주의 국가에서 주로 채택되고 있는 방법이다. 국민에 대한 보건의료 서비스를 국가가 책임지므로 전체 비용은 국가의 재정에서 충당되고 국민에게는 무료로 제공된다. 자유민주주의 정치 경제체계의 정치구조를 가진 국가 중에서도 재원조달 방법에 있어서는 NHS(National Health Service) 형태를 취하는 대표적인 국가는 영국, 스웨덴 등이 있다.

[2] 국민보험방식 (National Health Insurance)

사회복지식 재원조달 형태로 사회보장 정신에 입각하여 보건의료 서비스가 전달되며 보험료를 각출함으로써 사회복지, 사회보장의 형태를 취한다. 의료비에 대한 1차적 책임은 국민에게 두며 국민이 내는 보험료로 대부분의 재원을 조달한다. 개인의 책임형태로 재원을 조달하지만 소득 수준에 따라 정률제를 적용하기도 하며, 직장에 고용되거나 부담능력이 없는 사람은 기업주와 국가가 공동으로 분담하는 부분도 있다. 이러한 형태의 의료보험 형태에서는 제3자 지불형태를 취하고 있어 의료기관과 보험자 간의 마찰이 있을 수 있고 계속되는 의료비 상승 등의 갈등이 있을 수 있다. NHI 방식을 채택한 대표적인 국가로는 독일, 프랑스, 일본, 우리나라 등이 있다.

[3] 개인 책임 의료재원 조달형태

미국이 전형적인 국가이며 보건, 의료를 위한 비용은 원칙적으로 개개인의 책임하에 두는 형태이다.

(3) 공공의료비

우리나라의 경우 재원측면에서 국민건강보험(의료급여)을 국가가 관리 · 운영함으로써 의료가 공공의 이익에 부합하도록 하고 있으나, 우리나라 의료비 지출 중 공공재원에 의한 지출비중은 55.9%로 OECD 평균(72.2%)에는 미치지 못하는 수준으로, 본인부담금 수준이 매우 높은 편이다.

국민의료비는 보건의료 서비스 및 물품 구입을 위해 지출된 보건의료비 지출 총액규모이다. 이중 공공의료비는 중앙 및 지방정부, 사회보험 등에 의해 지출된 보건의료비이며, 민간의료비는 개인 본인부담, 민간보험 등에 의해 지출된 보건의료비를 말한다.

표 9-8 재원조달 방법에 의한 분류

구분	국가보건서비스방식(NHS)	국민보험방식(NHI)
기본이념	국민의료비에 대한 국가책임 견지	의료비에 대한 국민의 1차적 자기책임 견지
재원조달	정부 일반 조세	보험료, 일부 국고지원
진료보수	인두제, 봉급제 등	행위별수가제, 총액계약제 등
관리기구	정부기관(중앙, 지방)	보험자
의료 서비스	의료비통제효과 강함 의료의 질저하 입원 대기환자 급증	국민의료비 억제기능 취약 상대적으로 양질의 의료제공 첨단의료기술 발전에 긍정적 영향
해당국가	영국, 스웨덴, 이탈리아	독일, 프랑스, 일본, 한국

표 9-9 국민의료비 중 공공부문 지출 비율(%) 추이

구분	2008	2009	2010	2011	2012	2013	OECD평균(2010)
공공의료비 구성비	56.5	57.6	58.0	57.2	56.3	55.9	72.2

출처: 2015 보건복지통계연보

5) 국가 보건의료 전달체계의 관리

보건의료 전달체계의 적절한 기능에 관련된 과정과 관리는 그 과정 모두의 효과적 조직 운영에 서 하나의 독특한 요인이다. 관리의 적용 양식은 한 국가의 역사, 문화, 사회적 가치에 좌우 되며, 각국 정부의 권력구조에 좌우되기도 한다. 의료의 관리는 근본적으로 행정의 역할, 기능, 체계, 국민의 건강을 증진시키기 위해 행정의 갖가지 수준에서 개인이 수행하는 업무체계이다. 반면, 관리 직무는 조직의 목적 설정, 생산성 직무 수행에 대한 직원들의 사회적 효과를 성취하고 책임을 다하게 하는 것이다. 보건의료 전달체계 관리의 결정적 내용은 ① 지도력, ② 의사결정, ③ 규제이다.

지도력(leadership)은 보건제도 구성요소 중에서 보건사업을 추진함에 있어서 저해요인들을 해소하는 데 지도자 기능의 필요성이 강조된다. 보건의료사업 조직에 속한 모든 직원들 은 성공적인 직무 수행을 위한 의사결정 과정에 참여해야 되므로 민주적, 또는 참여적 지도력이 첨가된다.

의사결정(decision making)은 책임이행을 의미하며 결정과정은 계획, 수행, 지도, 평가와 정보의 지원으로 이루어진다. 보건의료제도 관리에 있어서 보건정보의 지원은 보건제도 내의 자동 정보장치에 대한 개발과 강화의 필요성이 있기 때문에 대부분의 국가가 정보 발생의 근원이 된다.

규제(regulation)는 보건의료 종사자들의 자격, 기관의 승인, 약품유통의 통제, 보건의료 서비스 이용에 대한 입법적 규제 형태이다. 한 나라의 보건법규가 제정되었을 때 사전에 정확하게 알고 공식화한다는 것은 어렵기 때문에 매우 일반적인 성격으로 표현되어야 하며 필요한 규정들을 공포하는 것이 국가의 책임이다. 각종 규제의 궁극적 목적은 국가 보건제도를 통제함으로써 능률과 효과 및 보건의료 서비스 제공 형평의 목표를 달성할 수 있게 하는 것 이다.

2. 진료비 지불보상제도

진료비는 언제 의료제공자에게 진료비를 지불하는지에 따라 환자가 의료를 이용하기 전에 내는 선불제와 의료

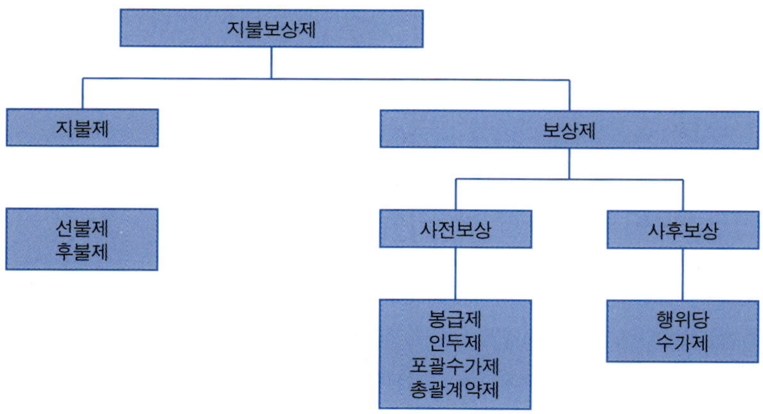

그림 9-7 진료비 지불보상제도

를 이용한 후 지불하는 후불제로 나뉜다. 우리나라의 경우 선불제와 후불제를 병행하고 있다. 매월 일정금액을 건강보험료를 내는 것은 선불제에 해당하며, 진료 후 본인부담금을 지불하는 면에서는 후불제인 것이다.

그러나 보건의료 전달체계 내에서는 언제 진료비를 지불하느냐 하는 것 보다는 어떻게 보상받는냐 하는 지불보상방법이 더욱 중요하게 작용한다. 진료비 보상방법에는 행위별수가제, 포괄수가제, 봉급제, 인두제, 총괄계약제 등이 있으며, 행위별 수가제는 진료를 받은 후 총 제공받은 서비스의 진료비를 지불하는 방식으로 사후보상 방식이며, 포괄수가제와 봉급제, 인두제는 진료를 받기 전에 병원이나 의료인에게 지불된 총액이나 그 비율이 미리 정해져 있다는 면에서 사전보상방법에 해당한다.

우리나라의 진료비 지불보상제도는 기본적으로 행위별수가제이나 2002년부터 8개 질병군에서 시작하여, 2013년 7월부터 정상분만을 제외한 7개 질병군(수정체수술, 편도선수술, 항문수술, 탈장수술, 충수염수술, 자궁수술, 제왕절개수술)에 대하여 포괄수가제를 적용하고 있다.

1) 행위별수가제(fee for service)

의사의 시술 내용에 따라 진료행위 당 수가(상대가치수가×환산지수)를 정하여 의료를 공급하는 것으로 자유민주주의 및 자본주의 체제를 취하는 국가에서 사용하는 제도이다. 제공된 서비스의 단위당 가격과 서비스의 양을 곱한 만큼 보상을 받게 되며, 치료의 종류와 기술의 난이도에 따라 의료비가 결정된다.

장점으로는 의료인의 자율성이 보장, 양질의 의료 유지, 환자들로서는 최선의 진료, 고급 의료기술 개발 등이 있으며, 단점으로는 의료수가의 결정이 대단히 곤란하며 의사의 수입과 행위가 직결되므로 과잉진료 문제가 대두된다. 또한 의료비 지급에서는 과잉진료를 막기 위해 심사, 감사 또는 기타 방법을 동원 하게 되며 복합적인 문제가 따르게 되고 이러한 것들이 의료비 상승의 요인이 되기도 한다.

2) 포괄수가제(case payment)

환자 1인당 또는 환자 요양일수별로 혹은 질병군별로 총 보수단가를 설정하여 보상하는 방식으로, 일반적으로 입원환자의 경우 질병별로, 외래환자의 경우 방문일수 별로 정해진다. 1960년대에 미국 예일대학에서 의료비 절감 및 병원 경영 개선을 위해 진료내용이 유사한 질병군을 묶어 같은 묶음에 있는 질병에 대한 치료내용이나 기간 및 비용을 일반화한 DRG(Diagnostic related group) 지불제도방식을 개발하면서 대표적이 포괄수가제 방법이 되었다. 미국은 1983년 467 DRGs에 의한 제도적 도입으로 가정간호수요를 급증시킨 바 있다.

DRG는 병원에서 진료받고 있는 입원 환자를 질병 정도, 중요도, 진료과목 등을 종합하여 분류함으로써 진료비 지급을 정하며, 진료의 표준화를 유도하고 경제적 진료, 행정 사무의 간편화 등의 장점이 있지만, 서비스의 최소화 경향 및 의료의 질적 저하 문제가 야기되고 있다.

3) 봉급제(salary)

의사의 근무경력, 기술수준, 근무하는 의료기관 및 직책에 따라 보수규정을 정하고 그 규정 에 따라 일정 기간에 1회씩 월급을 지급하는 방법을 말한다. 대개 공산주의 국가나 사회주의 국가가 이러한 방법을 선택하고 있으며 행위별 수가제보다는 일반적으로 의사의 수입이 적다.

4) 인두제(capitation)

이러한 방법을 쓰는 나라는 적지만 영국, 스웨덴, 네덜란드 등으로 주로 일반의에게 보수를 지급하는 방법인데 주민이 일반의에게 등록을 하면 개인 또는 가족 단위로 1인당 얼마씩을 정 하여 선불하면 등록된 대상에 대하여 예방적 조치, 치료, 관리, 교육 등 여러 가지 방법으로 건강문제를 책임진다.

5) 총액계약제(negtiation system)

지불측과 진료측이 미리 진료보수 총액을 정해 계약을 체결하고, 진료 측의 단체는 그 총액의 범위 내에서 진료를 담당하고 지불자는 진료비에 구애받지 않고 보건의료서비스를 이용하는 제도이다. 장점으로는 총의료비 억제 가능가 가능하며 진료 보수의 배분을 진료 측에 위임함으로써 개별 의사의 과잉진료에 대해 자체적으로 통제가 가능하나, 단점으로는 매년 진료비 계약을 둘러싼 교섭의 어려움과 첨단 의료서비스 도입동기가 상실 등이 있다.

표 9-10 진료비 지불보상제도별 장 · 단점

	장점	단점
행위별수가제	의료인의 자율성이 보장 양질의 의료 유지 고급 의료기술 개발	과잉진료 및 의료남용 의료수가의 결정의 어려움 복잡한 행정 예방보다 치료중심의 서비스 의료비 상승
포괄수가제	진료의 표준화 유도 과잉진료 예방 입원일수 단축 의료비 억제 행정 사무의 간편화	서비스의 최소화 경향 의료의 질적 저하
봉급제	의료비 억제 불필요한 경쟁 및 과잉진료 예방 의사 수입 안정	진료의 형식화 및 관료화 의료의 질과 효율성 저하
인두제	진료의 계속성 증대 예방서비스 중심 행정절차의 간편화	환자의 선택권 제한 과소진료 과다한 환자 후송의 문제 발생
총액계약제	총진료비 억제 과잉진료에 대한 자율적 억제	매년 진료비 계약을 둘러싼 교섭의 어려움 첨단 의료서비스 도입동기 상실

3. 주요 국가별 보건의료 전달체계

한 나라의 의료제도는 그 나라의 정치, 경제, 사회 및 행정구조의 산물이다. 각 국가가 각 기 다른 역사와 전통을 가지며 지리적 조건이 다르고 사회적으로 다른 특성을 가지고 있기 때문에 지구촌의 어느 국가도 똑같은 형태의 나라가 없는 것처럼 보건의료제도에 있어서도 똑같은 나라는 없다.

각 국가의 보건제도를 비교하려면 그 국가가 보유하고 있는 국가의 면적, 위치, 정치구조, 정치, 경제, 이념, 인종, 언어의 비교와 보건의료비 지표, 인구지표, 보건의료 이용 지표, 주 요 보건지표, 의료제도 성격, 의료보장제도의 특성 등이 고려되어야 한다.

1) 보건의료전달 체계의 분류

보건의료전달체계는 기준이나 관점에 따라 달리 분류될 수 있는데, Fry(1970)는 자유방임형, 사회보장형, 사회주의형으로 구분하였다.

(1) 자유방임형

국민 대다수가 개인의 책임 아래 보건의료를 공급받는 것으로, 개개인의 능력과 자유를 최대한 존중하여 자유시장경제의 논리에 따라 민간주도로 이루어지는 보건의료전달체계이다. 정부의 통제나 간섭은 극소화한다. 일본과 우리나라처럼 질병이 발생했을 때를 대비하여 의료비와 소득상실을 보험방식으로 공동부담하는 국민건강보험제도가 정착되어 있기도 하며, 미국처럼 개인의 가계 및 민간보험에 의존해야 하는 경우도 있다.

장점으로는 의료의 질적 수준이 높고, 의료 내용 · 범위 · 수준 결정에 의료인의 재량권을 부여하며, 개인이 의료기관과 의료인을 선택할 수 있는 최대한의 권리를 부여한다. 단점으로는 의료형평성의 이념에 어긋나고 국민의료비 지출이 높은점 등이 있다.

(2) 사회보장형

사회보장형 의료전달체계는 정부주도형으로 보건의료를 기획하여 누구에게나 균등한 보건의료서비스를 무료로 제공하면서도 국민에게는 일정부분 선택의 자유권이 주어진다. 영국, 뉴질랜드, 스웨덴 등에서 채택하고 있는 방식으로 재원은 일반조세와 의료보험을 통해서 이루어진다. 의료비 지불은 인두제를 따르고 있는 경우가 많다. 장점으로는 의료의 형평성이 높으고 치료와 예방을 포함하는 포괄적 의료서비스 제공이 가능하며 보건기획 및 자원의 효율적 활용이 가능하다는 점 등이 있으나, 행정체계의 복잡성이나 관료주의적 특징, 의료서비스의 질적 수 준이 다소 낮아지는 단점이 있다.

(3) 사회주의형

의료자원과 의료서비스의 균등한 분포와 균등한 기회 제공을 목표하며 과거 공산주의 국가에서 채택하는 방식이다. 강력한 중앙집권식 관리를 통해 보건의료서비스의 전달이 이루어진다. 장점으로는 의료의 형평성이 높으

표 9-11 진료비 지불보상제도별 장 · 단점

	자유방임형(미국)	사회보장형(영국)	사회주의형(구소련)
의료의 형평성	−	++	++
의료서비스의 포괄성	−	++	++
의료균점	−	++	++
의료비 절감	−	++	++
의료자원의 효율성	−	++	+
의료의 질적 수준	++	+	−
선택의 자유	++	+	−

며 예방위주의 서비스 제공이 가능하여 의료비 절감에 효과가 있으나, 의료의 질적 수준이 낮고, 국민 개인의 선택권이 저하된다는 단점이 있다.

2) 주요 국가의 보건의료 전달체계

국가 보건의료제도는 보건의료 분야에서 한 나라가 경험한 것이 다른 나라에 그대로 옮겨질 수는 없으며, 어떤 나라에서 성공한 어떤 방법이라 해서 어느 다른 나라에서도 같은 방법을 써서 성공을 거둘 수 있다는 보장은 없다. 그러므로 몇몇 국가가 선택하고 있는 보건의료제도를 소개하고자 한다.

(1) 일본

일본의 보건의료제도의 성격, 의료보장과 기본적인 보건지표들은 앞장에서 비교대상 국가 일괄표로 제시한 바 있다. 일본의 보건제도체계 유형은 사회보험형으로 국가의료체계 (NHS)를 취하는 영국과 스웨덴과는 다르며 민간시장체계 유형의 미국과 차이가 있다.

보건의료 조직은 일본 중앙정부의 주무 보건행정 조직인 후생노동성으로서 일본의 전체 보건의료 전달체계를 조망하고 큰 틀에서 보건의료에 관한 포괄적 기능을 수행하고 있다. 보건사업 조직에서 의료 서비스 제공 체계는 민간부문의 비중이 크다. 이에 따라 일본의 의료 서비스는 주로 개업의와 민간병원에 의해 이루어지고 있으며, 이들 사이에 환자 유치를 위한 경쟁이 치열하기도 하고 병원들과의 협조기능에 중복현상을 보이기도 한다. 공중보건 서비스는 보건소와 보건센터가 제공하는데 보건소는 도(道)/부(府)/현 (縣)에, 보건센터는 시(市)/정(町)/촌(村) 단위에 설립되어 있다. 보건소는 질병의 예방, 건 강증진, 환경위생 등 공중보건 활동의 중심기관으로 건강진단, 모자보건, 구강보건, 영양개 선 등의 서비스 내용을 가지고 있으며 우리나라 보건소의 사업내용과 유사하다.

시/정/촌의 보건센터는 건강상담, 건강교육, 건강검사 등의 보건 서비스를 시행하는 기관으로 국가가 비용을 보조하고 주민의 자발적 참여로 운영하는 것이 특징이다. 의료보장을 위한 조직에 대한 일본의 의료보험은 피용자 보험과 국민건강 보험 및 이를 기초로 한 공동 사업인 노인복지법에 의한 노령보험으로 나눌 수 있다.

일본은 영국이나 스웨덴과는 달리 의료 서비스가 주로 민간부분에서 공급되고 있지만 이와 같은 형태의 의료체계를 갖고 있는 국가로서는 비교적 낮은 수준의 의료비를 부담하고 있다. 1922년에 제정된 건강보험법에 근거하여 1961년 전 국민을 대상으로 확대된 사회보험에 기초하고 있다. 즉, 직업 및 거주지역에 기초하여 조직된 여러 가지의 보험제도를 통해 전 인구에게 포괄적인 의료보장을 제공하고 있으며, 이들에 의한 재원은 다섯 가지로 구분된다. 여러 가지 보험의 피보험자가 납부하는 보험료, 피고용자 보험에서 고용주 가 납부하는 보험료, 의료기관 이용 시 환자 부담금, 중앙정부 및 지방정부 보조금 등이다.

의료 공급체계는 민간의료에 의해 주도되며 환자의 의료기관 선택권이 자유롭게 보장된다. 이 때문에 의료전달체계는 확립되지 못하며 의료 서비스의 제공은 외래진료와 입원진료 경로로 구분된다.

1차 외래진료는 개업의에 의하여 이루어지는 것이 보통인데 개업의의 대다수는 일반의나 가정의, 소수의 전문의들(내과, 소아과 등)로 구성되어 있다.

(2) 스웨덴

스웨덴 의료체계의 가장 큰 특징은 스웨덴 국민에 대한 보건의료 서비스의 공급을 주정부가 직접하는 것이다. 각 주는 주민의 소득에 대해 세금을 거두고 이를 재원으로 주가 의료서 비스를 생산, 공급하는 철저한 지역화의 특징을 가진다. 보건의료 관련 주요 정책은 거의 중앙 정부 수준에서 이루어지지만 그 집행과 관리는 주 평의회의 권한이다. 신 보건의료 서비스 법에 따라 의료 서비스뿐만 아니라 건강증진과 질병예방의 차원까지 그 권한이 확대되었다. 의료비 재원은 주 정부가 징수하는 개인 소득세, 의료보험, 중앙정부 보조금, 본인 부담금으로 이루어지지만, 대부분 주 정부가 주민에게 주는 소득세로서 의료비의 70%가 이 공공재 원에서 나온다.

인구 1,000명당 활동 의사와 간호사 수는 OECD 국가 중에서도 높은 수준이다. 의사는 95%가 주립병원이나 지방 의무관 진료소에 근무하는 공무원이다. 민간의료는 거의 없는 수준이고, 민간 의료기관에서 전일근무 의사는 8% 정도이고 대부분은 공직에 근무 하면서 과외로 민간 의료기관에 종사한다.

시설은 병원의 대부분이 공립이고, 주로 병원 중심의 의료보장이 이루어졌으며, 최근 20년간은 1차 보건의료에 노력해 왔고, 병원부문과 1차 보건의료 간의 관계는 변화를 가져왔다.

1983년 제정한 보건의료법(신 보건의료 서비스법)에 의하여 주 정부의 주관하에 보건의료 서비스를 제공하고 있다. 국가 수준의 관리체계는 집행기능이 전혀 없고 기획과 정책수립 기능만 보유하고 있는 반면, 지방정부 수준에서 실질적인 서비스 제공을 담당한다.

인구 5,000명에서 10,000명을 표준으로 1개소 또는 그 이상의 지역 보건센터를 두는 1차 보건의료 지역으로 조직화되어 각 지역은 그 지역에 속한 인구의 건강에 대한 책임을 진다. 여기에는 일반의나 때로는 전문의를 배치하여 치료와 예방 서비스를 한다. 건강관리체계는 주로 지역사회 간호사와 조산사와 아동 보건요원이 담당하고 사업체계는 건강검진 (screening), 예방접종, 자궁암검사(pap smear), 유방암 조기발견 검사를 한다. 1차 진료 수준에서 불충분할 경우에는 주 또는 지역 수준으로 의뢰한다. 지역 의료보장체계는 많은 환자의 문제 요구를 책임질 수 있는 많은 수의 전문의를 둔다. 이러한 목적을 위해 스웨덴은 6 개의 의료보장 지구로 나뉘어져 있고, 지구 활동은 각 지구에 속한 주 정부에 의해 조절된다. 각 지구는 적어도 하나의 지구 병원을 가지며, 의과대학이 있는 고도의 전문화된 병원으로 연구와 교육병원의 기능을 하며 각 병원은 지역 주 정부에 의해 관리된다.

(3) 영국

영국의 보건의료제도는 1946년 제정된 국민보건서비스법(National Health Service Act)에 근거해 질병예방 및 재활훈련을 포함한 포괄적인 의료 서비스를 제공하고 있다. 국민보건서비스법은 그 기본구조가 병원의 국영화, 병원 종사자의 공무원화, 개업의와 국가 간 의 청부체결 등에 의한 의료공급의 사회화를 전제로 주로 국가의 일반재원에 의해 경비를 조 달함에 따라 모든 주민에게 원칙적으로 무료의료를 보장하고 있다.

영국의 국민보건 서비스는 소득감소가 발생한 원인 중 질병에 따른 노동 불능 상태를 회복 하는 조치로서 질병의 예방, 치료 및 노동능력의 회복을 목적으로 한 포괄적 보건 서비스와 재훈련 서비스가 사회구성원 전원에 제공되는 것이다.

영국의 국가보건서비스(National Health Service ; NHS) 제도를 통하여 사회적 지위와 무관하게 치료받을 수 있다는 것이다. NHS의 조직구조는 중앙정부의 보건부장관이 책임을 지고 있고 NHS 행정관리부 (management executive)의 의장이 운영을 맞는다. NHS의 재원조달은 대부분이 일반조세와 국가보험으로 이루어 지는데 국가보험은 소득세와 고용자의 기부금 등 수입 수준에 따라 다양하다. 일반 조세와 국가보험을 합하면 90% 이상을 차지하여 공공재원이 대부분을 이루고 있다. 결론적으로 영국의 보건의료제도에 대해서는 평등의 측면에서 NHS가 가지는 장점을 높히 평가하는 긍정적 입장과 다른 하나는 거대한 관료체계가 가지는 비효율성에 대한 비판적 입장이다.

(4) 미국

미국의 보건의료제도는 자유경쟁 원리에 근거한 제도로서 국민의 의료보장은 원칙적으로 민간 보험의 임의 구입방식을 도입하고 있으며 공적 의료보장제도는 고령자, 장애자 및 일부 저소득층만을 대상으로 하고 있다. 즉 미국의 보건의료제도는 시장을 통한 자유경쟁 원리를 기초로 하고 있다.

민간주도의 의료체계가 경쟁 위주로 발전해 온 미국은 세계 최고의 국민의료비를 지출함에 도 불구하고 보건의료 성과지표(영유아 사망률, 평균 수명 등)가 OECD의 다른 나라에 뒤지고 있다.

현재 미국의 보건의료제도상 의료보장형태는 민간 의료보험 외에 의료보장 성격의 제도로 는 Managed Care, HMO(Health Maintenance Organization), Medicare, PPOs 제도(Preferred Provider's Organization), Medicaid 등이

표 9-12 주요 국가의 보건의료 전달체계의 특징

		한국	일본	캐나다	스웨덴	영국	미국
유형		사회보험형	사회보험형	국가보건서비스형	국가보건서비스형	국가보건서비스형	민간보험형
재원		보험료	보험료	지방재정 지방목적세 지방보험료	지방정부	보건부	본인부담
관리기구		보험조합	보험조합	주정부	지방정부	보건부	민간보험조합
의료서비스		치료 중심	치료 중심	포괄적 서비스 치료 서지스	포과절 서비스 치료 서비스	포괄서비스	치료중심
의료비지불 방식	의사	행위별수가제	행위별수가제	행위별수가제	봉급제	인두제	행위별수가제
	병원급의료 기관	행위별수가제	행위별수가제	선불총액예산제	선불총액예산제	선불총액예산제	행위별수가제 (DRG)

있다. 미국은 연방정부와 주정부 관계에 있어서 주가 극히 광범위하고 강대한 권한을 가지고 있는데 민간 의료기관에 대한 규제권한이 기본적으로 주에 있다.

사회보장법에 근거를 둔 Medicaid도 각 주에 광범위한 재량권을 주고 있기 때문에 대상자 급여의 내용이 주마다 다르다. 또한 미국은 의료자원의 분포, 인구구성, 산업구조, 재정, 실업률, 소득수준, 주민의 건강신념과 가치관 등 의료보장을 지지하는 조건이 각 주마다 다르다.

제2절 일차보건의료

1. 일차보건의료의 철학과 전략

1) 일차 보건의료의 개념

일차보건의료는 1977년 세계보건기구(WHO)에서 "Health for all by the 2000 year(2000년 까지 모든 사람에게 건강을)"이라는 인류건강실현목표를 채택하면서, 1978년 WHO의 알마아타회의에서 그 목표실현을 위한 접근방법으로 제시되었다.

일차보건의료(Primary Health Care ; PHC)는 "지역사회의 개인과 가족 누구나 접근 할 수 있는 실제적이고 과학적으로 타당하며 사회적으로 받아들일 수 있는 방법과 기술에 기초한 필수적 보건의료"로 정의된다. 이는 개인, 가족, 지역사회가 국가보건의료 전달체계와 처음 만나는 곳으로, 사람들이 살고 일하는 장소에서 가능한 가끼운 곳에서 만나는 연속적 보건의료 과정의 첫 번째 요소를 차지한다.

2000년 이후 WHO에게 일차보건의료의 목적을 "Better Health For All(모든 사람에게 보다 나은 건강을)"로 제시하면서 오늘날 일차보건의료는 국가보건의료 전달체계에 입문하는 첫 단계로 자리매김하였다.

2) 일차보건의료의 철학

일차보건의료는 다음의 4가지 철학을 지니고 있다.

첫째, 건강은 인간의 기본 권리인 동시에 그 건강을 보존하고 유지해야 하는 인간의 기본의무와 책임이기도 하다. 건강에 대한 기본 인권을 보호하기 위해서는 효과적인 보건서비스전달체계가 고안되어야 한다.

둘째, 건강은 근본적으로 자원의 분배나 가용에 관계된다. 일차보건의료는 형평(균점)에 관여하며, 이 형평을 보장하기 위해 보건 및 사회 가용자원의 공정한 배분을 가하고, 특히 건강요구가 가장 큰 대상에 대해서 특별한 고려를 해야 한다.

셋째, 건강은 전반적인 개발이 통합된 부분이다. 그러므로 건강에 영향을 주는 것은 사회, 문화, 경제, 생물학적, 환경적 요소들이다.

사회 주민의 참여와 의사 아닌 간호사(당시 서울대학교 보건대학원 이경식 교수 주관)를 포함한 기타 보건요원(health worker)에 의하여 이루어진 것으로 우리나라 지역보건사업의 시발점이었다. 그 후 이러한 성격의 지역사회 보건사업은 의과대학을 중심으로 10여개 지방에서 지역사회의학(community medicine) 시범사업이 실시되었으며, 정부와 세계보건기구는 1970년부터 경기도 용인군에서 종합보건개발사업을 시작하여 보건소와 보건지소를 재조직하고 면 단위에 근무하는 보건 요원을 다목적 요원화하는 사업을 시작하였다.

정부는 미국 국제개발처의 500만 달러의 재정지원을 받아 보건개발을 위한 총괄적 보건사업을 위해 사용하도록 1976년 한국보건개발연구원(KHDI: Korean Health Development instiute)을 설립하였고 강원도 홍천, 전라북도 옥구, 경상 북도 군위 외 3개 군을 시범지역으로 지정하고 시범사업을 시작하였다.

정부가 1975년 12월 31일 한국보건개발연구원법을 제정하여 한국보건개발연구원을 설립 한 것은 무의촌을 일소하고 저소득층에 대한 의료시혜를 개선 확충한다는 방침 아래 의료제도의 개발을 계획하고, 도시 영세민이나 농 · 어촌 저소득층이 싼 값으로 의료 혜택을 받을 수 있는 한국 실정에 맞는 새로운 의료체계를 개발하며 이에 필요한 무의촌(1975년 5월 기준) 179개소 일소 방안과 전국민을 대상으로 의료보험제도를 연구 개발하도록 하기 위한 것이다.

한국보건개발연구원법에 의한 한국보건개발연구원의 설립 목적은 국민보건 전반에 관한 제도의 발전 및 이와 관련된 제부문의 과제를 현실적이고 체계적으로 연구하게 함으로써 국가의 보건계획 및 보건정책의 수립에 기여하기 위해서였다.

3) 농어촌 보건의료를 위한 특별조치법 적용 사업

우리나라의 일차보건의료 사업은 앞에서 언급한 바와 같이 사회변동으로 인하여 야기되는 국민의 건강요구의 상승과 "Health for all by the 2000 year"라는 1978년 알마아타 선언의 구호에 발맞추어 급진적으로 구체화되기 시작하였다.

1978년 한국보건개발연구원에 의해 일차 보건의료 사업의 정착을 위한 시범사업 결과를 실현하기 위한 방안들이 정책화되었다.

1980년 12월「농어촌 보건의료를 위한 특별조치법」을 제정하고 보건진료 전담공무원과 공중보건의를 제도적으로 농어촌에 배치하는 기반을 마련했다. 이는 1976년부터 1980년 말까지 5년간에 걸친 주민들에게 부족한 기본 보건의료 서비스의 제공과 효율적인 인력 개발, 보건의료 조직체계의 구축을 위한 시범사업의 결론이었다. 그리고 전국에 의료시설이 취약한 군 단위의 의료취약 지역에는 병원화 보건소(보건의료원)를 건립하는 등 시설과 장비의 현대화 추진을 하였다.

즉, 보건소와 보건지소, 건강생활지원센터는 「지역보건법」, 보건진료소는 「농어촌 등 보건의료를 위한 특별 조치법」의 규정에 의하여 설치 · 운영되고 있다.

2014년 10월 말 현재 보건소는 254개소, 보건지소는 1,339개소, 보건진료소는 1,904개소 등 총 3,497개소의 지역보건의료기관을 설치 · 운영하고 있다.

1) 보건소

우리나라 보건의료전달체계는 유사 이래 조선시대까지 체계적으로 구축되지 못하였고 다만 한의학에 의해 환자를 치료하는 데에 그쳤다. 구한말 이후 일본의 식민지하에서 보건의료 는 경찰행정 산하로 귀속되었다가 해방 후 미군정하 미군정 법령 제1호(1945. 9. 24)를 공포하여 예방보건사업 중심의 보건소 사업을 추진하여 오늘날과 같은 유형의 보건의료 전달체계를 갖추게 되었다.

오늘날 보건소(Health Center)는 지역보건법에 근거하여 운영되고 있다, 정부는 보건소 등 지역보건 의료기관의 설치 운영 및 지역보건 의료사업의 연계성 확보에 필요한 사항을 규정함으로써 보건행정을 합리적으로 조직 · 운영하고 보건시책을 효율적으로 추진하여 왔다. 이에 국민보건의 향상에 이바지함을 목적으로(「지역보건법」 제1조) 1995년 12월 29일자로 지역보건법 전문이 개정됨에 따라 보건소 간호사업도 많은 변화에 직면하게 되었고, 보건소 사업에서 주도적인 역할을 이행할 기회를 맞이하게 되었다.

(1) 보건소의 변천사

보건소 활동의 효시는 1859년 영국 Liverpool에서 William Rathbone이 보건간호사업과 방문간호사업을 계획하여 1862년 Liverpool을 18개 지역구로 나누고 각 구에 방문간호사 1명씩 배치하여 모자보건 상담과 보건지도를 시작한 것으로 알려져 있다.

1887년에는 영국 Edinburgh에 Phillip이 건강상담소를 설치하여 결핵관리와 영유아 사망에 대한 사업을 하였고, 1890년에 Herrgot는 프랑스 Nancy에 영아 개인 상담소를 설치 하였으며, 1901년에 Calmett는 프랑스 Lell에 결핵 상담소를 설치하고 가정방문사업을 하였다.

현대적 의미의 보건소 개념은 1920년 영국의 Dawson Committee의 보고서에 의하여 최초로 제창되었다. 이 개념은 경제적인 효율성 및 일반 주민과 보건의료 전문직이 만족할 수 있는 조직을 만들어 가난한 사람만이 아니고 일반 지역주민에게 예방보건사업과 치료사업을 종합적으로 제공하는 것을 말한다.

실질적인 의미에서의 보건소의 설립은 록펠러 재단의 후원으로 1926년에 스리랑카 Kalutura Village에서 이루어졌는데, 여기에서는 모자보건, 예방접종, 환경위생, 보건교육, 조산업무 등의 예방보건 서비스를 중심으로 하였다. 그 후 보건소에 대한 관심이 높아짐에 따라 1931년 국제연맹보건기구는 의료자원이 적은 농촌지역의 보건문제에 대처하기 위하여 농촌 보건소의 설립을 주장하였다.

우리나라의 보건소는 해방 이후 미군정에 의해서 처음 도입되어, 미군정 법령 제1호 (1945. 9. 24)를 공포하여 예방보건사업 중심의 보건소 사업을 시행하였으며, 사회 정치 환경과 보건의료제도의 맥락 속에서 발전되어 왔다. 해방 이후 법률 제정 및 공포와 관련하여 보건소법이 변천되어 온 과정을 간단히 살펴보면 다음과 같다(표 9-15).

표 9-15 보건소의 변천사

연도	내용
1945년 9월	미군정법 제'1'호 공포, 예방보건사업 위주 보건사업 시작
1946년 10월	서울에 조직을 갖춘 보건소로서 모범 보건소 설치
1948년	국립중앙보건소로 승격
1949년 7월	대한민국 최초 보건부 설립, 의정국 내 산파 간호과 설립
1951년 9월	국민의료법 제정되면서 보건소 조직 확대
1953년	15개 보건소와 471개 보건지소 설치
1956년 12월	보건소법 제정, 시 · 도립 보건소를 설치 · 운영할 수 있는 직제 마련
1962년 9월	보건소법 전면 개정, 보건소 설치 및 운영 주체가 시 · 도에서 시 · 군 으로 이관, 13개 보건소 업무 규정
1976년	보건소법 시행령 공포, 보건소 설기기준 마련, 보건소장에 의사, 보건직 공무원 임용 가능
1980년 12월	농어촌보건의료를 위한 특별조치법 제정, 인구비례(행정구역 단위)로 보건소를 설치할 수 있게 되어 구보건소가 설치되기 시작
1981년 9월	보건진료 전담공무원 배치
1988년~1989년	15개 병원화 보건소 설치
1991년 3월	보건소법 개정, 보건지소 설치근거
1995년 12월	지역보건법 개정, 전문인력 배치기준 재정(보건소장직에 보건/의무직군(간호직) 삽입)
1998년	건강증진 시법 사업 시작
2005년	도시보건지소 시범사업 시작
2007년	맞춤형 방문건강관리사업 시작 도시보건지소 확충사업을 실시
2013년	지역사회통합건강증진 사업 시작 건강생활지원센터 확충사업 실시
2015년	지역보건법 개정 (지역사회 건강실태조사 도입, 지역보건의료업무의 전자화, 지역보건의료심의위원회 도입, 보건소의 기능 및 업무 명시, 건강생활지원센터 설치)

(2) 보건소의 설치 및 인력

[1] 보건소의 설치

보건소는 「지역보건법」 제7조에 의거 시 · 군 · 구(자치구가 아닌 구 포함)별로 1개소씩 설치한다. 다만, 당해 지방자치단체의 장이 지역주민의 보건의료를 위해 필요하다고 인정하는 경우에는 보건복지부장관의 승인을 얻어 보건소를 추가로 설치 · 운영할 수 있다.

보건소는 중앙정부 조직인 보건복지부로부터 보건행정과 보건의료사업의 기능을 지도 · 감독받고 행정자치부로부터는 인력, 예산지원을 받는 하부 행정단위로서 이원화된 지도 · 감독 체제로 이루어져 있다.

보건소 직제는 보건행정기관의 최일선 조직으로 지역주민 건강에 매우 중요하며 지방자치 단체의 조례에 의하여 설치하도록 되어 있어 전국적으로 조직이 통일되지 않았으나, 일반적로 특별시형, 광역시형, 통합 시 · 군형, 일반 시 · 군형, 보건의료원형으로 구분 할 수 있다.

2 보건소의 인력

① 보건소장

「지역보건법 시행령」 제13조에 근거, 보건소에 보건소장(보건의료원의 경우에는 원장을 말한다) 1명을 두되, 의사 면허가 있는 사람 중에서 보건소장을 임용한다. 다만, 의사 면허가 있는 사람 중에서 임용하기 어려운 경우에는 보건 · 식품위생 · 의료기술 · 의무 · 약무 · 간호 · 보건진료 직렬의 공무원을 보건소장으로 임용할 수 있다. 단, 보건 등 직렬의 공무원을 보건소장으로 임용하려는 경우에 해당 보건소에서 실제로 보건등과 관련된 업무를 하는 보건 등 직렬의 공무원으로서 보건소장으로 임용되기 이전 최근 5년 이상 보건 등의 업무와 관련하여 근무한 경험이 있는 사람 중에서 임용하여야 한다. 보건소장은 시장 · 군수 · 구청장의 지휘 · 감독을 받아 보건소의 업무를 관장하고 소속 공무원을 지휘 · 감독하며, 관할 보건지소, 건강생활지원센터 및 「농어촌 등 보건의료를 위한 특별조치법」 제2조 제4호에 따른 보건진료소 직원 및 업무에 대하여 지도 · 감독한다.

표 9-16 보건소 전문인력의 면허 또는 자격의 종류에 따른 최소 배치 기준(지역보건법 시행규칙 제4조제1항 관련)

(단위: 명)

직종별 \ 구분	특별시의 구	광역시의 구, 인구 50만명 이상인 시의 구 및 인구 30만명 이상인 시	인구 30만명 미만인 시	도농복합형태의 시	군	보건의료원이 설치된 군
의사	3	3	2	2	1	6
치과의사	1	1	1	1	1	1
한의사	1	1	1	1	1	1
조산사	(1)	(1)	(1)	(1)	(1)	(1)
간호사	18	14	10	14	10	23
약사	3	2	1	1	1	2
임상병리사	4	4	3	4	2	4
방사선사	2	2	2	2	2	3
물리치료사	1	1	1	1	1	2
치과위생사	1	1	1	1	1	1
영양사	1	1	1	1	1	2
간호조무사	(2)	(2)	(2)	(2)	(2)	(6)
의무기록사	–	–	–	–	–	1
위생사	(3)	(3)	(2)	(2)	(2)	(2)
정신보건전문요원	1	1	1	1	1	1
정보처리기사 및 정보처리기능사	(1)	(1)	(1)	(1)	(1)	(1)
응급구조사	–	–	–	–	(1)	1

※ 비 고

1. 이 기준은 보건소장을 제외한 기준이며, 해당 지방자치단체의 실정에 따라 이 기준을 초과하여 필요한 전문인력을 배치할 수 있다.
2. 의사, 치과의사, 한의사의 기준은 공중보건의사를 포함한다.
3. 조산사 및 간호조무사는 간호사 전체 인력의 범위에서 간호사에 갈음하여 배치할 수 있다.
4. 위생사의 기준은 보건소에서 위생 업무를 관장하는 경우에 한정하여 적용한다.
5. 정보처리기사 · 정보처리기능사 및 응급구조사의 기준 중 ( )로 표시된 기준은 해당 시 · 군 · 구의 여건에 따라 이 기준을 조정하여 배치할 수 있다.
6. 영양사는 인구 5만명 미만의 군(보건의료원이 설치된 군은 제외한다)의 경우에는 해당 군의 여건에 따라 이 기준을 조정하여 배치할 수 있다.

② 전문인력

보건소에는「지역보건법」제16조에 의거 의무 · 치무 · 약무 · 보건 · 간호 · 의료기술 · 식품위생 · 영양 · 보건통계 · 전산등 보건의료에 관한 업무를 전담할 전문인력 등을 둔다. 전문인력은 해당 분야의 면허 또는 자격을 소지한 자로 하되, 당해 분야의 업무에 2년 이상 종사한 자를 우선 임용 하여야 한다.

③ 보건간호사

보건소에서의 보건간호는 보건소 업무의 대부분을 차지하는 가장 많은 인력으로 관할지역 주민의 건강요구를 스스로 충족시킬 수 있는 능력을 개발하고 건강요구를 충족시키며 심각한 건강문제를 적절한 보건의료기관에 의뢰함으로써 국민의 건강권 보장을 목적으로 활동한다.

이와 같은 목적의 달성을 위해 주민의 신체적, 정신적, 정서적, 사회적, 영적 안위를 도모하고 보건의료소비자로서의 주민의 간호를 위하여 간호제공자, 교육자, 상담자, 연구자의 역할을 감당하여야 한다. 특히, 지역보건법에 명시된 보건소 업무에서 국민건강증진 방안으로 지역사회의 보건문제 조사연구, 건강상담 및 건강교실 운영, 이용 주민의 개인별 건강상태의 기록 · 유지, 보건교육, 주민영양지도, 감염병 예방 및 관리, 모자보건 및 가족계획사업, 노인보건사업, 방문보건 사업 등의 업무에는 간호사를 활용하는 것이 전체 국가 보건의료 인력수급에서 가장 효율적이 라고 생각된다.

(3) 보건소의 기능

[1] 보건소의 기능

보건소는 지역보건의료계획을 수립하고 시행 · 평가하는 보건기획과 평가기능, 관련업소와 단체의 지도 · 감독 · 지원하는 행정규제와 지원 기능, 지역보건사업의 전개로 포괄적 서비스(예방, 진료, 행정)를 제공하는 기능을 한다.

지역보건법에 명시된 목적은 보건소 등 지역보건의료기관의 설치 · 운영 및 지역보건의료 사업의 연계성 확보에 필요한 사항을 규정함으로써 보건행정을 합리적으로 조직 · 운영하고, 보건시책을 효율적으로 추진하여 국민보건의 향상에 이바지함을 목적으로 하였다. 또한 국가와 지방자치단체의 의무 조항으로 국가는 지역보건의료에 관한 조사, 연구, 정보의 수집, 정리 및 활용, 인력의 양성 및 자질향상에 노력하여야 하고 특별시, 광역시 · 도 및 시 · 군 · 구의 보건의료시책의 수립, 시행에 필요한 기술적, 재정적 지원시책을 강구하여야 하며, 시 · 도는 당해 시 · 도의 보건시책의 추진을 위한 조사, 연구, 인력확보, 자질향상 등에 노력하고 보건의료시책의 수립, 시행에 필요한 기술적, 재정적 지원을 하도록 명시하였다.

보건소의 업무는「지역보건법」제11조에 의거 다음과 같다.

- ▶ 건강 친화적인 지역사회 여건의 조성
- ▶ 지역보건의료정책의 기획, 조사 · 연구 및 평가
- ▶ 보건의료인 및「보건의료기본법」제3조제4호에 따른 보건의료기관 등에 대한 지도 · 관리 · 육성과 국민보건 향상을 위한 지도 · 관리
- ▶ 보건의료 관련기관 · 단체, 학교, 직장 등과의 협력체계 구축
- ▶ 지역주민의 건강증진 및 질병예방 · 관리를 위한 다음 각 목의 지역보건의료서비스의 제공

- 국민건강증진 · 구강건강 · 영양관리사업 및 보건교육
- 감염병의 예방 및 관리
- 모성과 영유아의 건강유지 · 증진
- 여성 · 노인 · 장애인의 건강유지 · 증진
- 정신건강증진 및 생명존중에 관한 사항
- 지역주민에 대한 진료, 건강검진 및 만성질환 등의 질병관리에 관한 사항
- 가정 및 사회복지시설 등을 방문하여 행하는 보건의료사업

▶ 법 제11조 제1항 제2호에 따른 지역보건의료정책의 기획, 조사 · 연구 및 평가

- 지역보건의료계획 등 보건의료 및 건강증진에 관한 중장기 계획 및 실행계획의 수립 · 시행 및 평가에 관한 사항
- 지역사회 건강실태조사 등 보건의료 및 건강증진에 관한 조사 · 연구에 관한 사항
- 보건에 관한 실험 또는 검사에 관한 사항

▶ 법 제11조 제1항 제3호에 따른 보건의료인 및 「보건의료기본법」 제3조 제4호에 따른 보건의료기관 등에 대한 지도 · 관리 · 육성과 국민보건 향상을 위한 지도 · 관리

- 의료인 및 의료기관에 대한 지도 등에 관한 사항
- 의료기사 · 의무기록사 및 안경사에 대한 지도 등에 관한 사항
- 응급의료에 관한 사항
- 「농어촌 등 보건의료를 위한 특별조치법」에 따른 공중보건의사, 보건진료 전담공무원 및 보건진료소에 대한 지도 등에 관한 사항
- 약사에 관한 사항과 마약 · 향정신성의약품의 관리에 관한 사항
- 공중위생 및 식품위생에 관한 사항

▶ 지역사회 건강실태조사는 「지역보건법」 제4조에 의거 매년 보건소(보건의료원 포함)를 통하여 지역 주민을 대상으로 지역사회 건강실태를 조사하는 것으로, 표본조사를 원칙으로 하되, 필요한 경우에는 전수조사를 할 수 있다. 지역사회 건강실태조사의 내용은 다음과 같다.

- 흡연, 음주 등 건강 관련 생활습관에 관한 사항
- 건강검진 및 예방접종 등 질병 예방에 관한 사항
- 질병 및 보건의료서비스 이용 실태에 관한 사항
- 사고 및 중독에 관한 사항5. 활동의 제한 및 삶의 질에 관한 사항
- 그 밖에 지역사회 건강실태조사에 포함되어야 한다고 보건복지부장관이 정하는 사항

2 보건소의 간호사업 내용

보건소에서 주민의 건강요구를 충족시킬 수 있는 보건간호사업 내용을 구체적으로 제시하면 다음과 같다.

표 9-17 보건소에서 수행할 수 있는 기능 및 업무의 예시(지역보건법 시행규칙 제3조 관련)

업무	예시
기능 1. 보건의료인 및 「보건의료기본법」 제3조제4호에 따른 보건의료기관 등에 대한 지도 · 관리 · 육성과 국민보건 향상을 위한 지도 · 관리	
가. 의료인 및 의료기관에 대한 지도 등에 관한 사항	1) 의료기관의 개설 및 지도에 관한 사항 가) 의원 · 치과의원 · 한의원 및 조산원의 개설신고 수리 나) 부속의료기관의 개설신고 수리 다) 의료기관의 진단용 방사선 발생장치 및 특수의료장비의 설치 · 운영 신고 수리 라) 의료기관의 폐업 · 휴업 신고 수리 및 진료기록부 등의 이관 · 보관 등에 관한 사항 마) 의료기관에서 나오는 세탁물 처리업자에 대한 신고 수리 바) 「의료법」 제28조제1항에 따른 중앙회의 지부 또는 분회 설치에 대한 신고 수리 2) 의료에 관한 지도 · 감독 및 행정 처분 가) 의료기관의 업무개시 명령 나) 의료기관 또는 의료인에 대한 보고 명령 다) 업무상황 · 시설 또는 진료기록부 · 간호기록부 등의 검사 라) 의료시설 · 장비사용의 제한 또는 금지 처분 마) 의료기관에 대한 업무정지 · 허가취소 · 폐쇄 처분 및 과징금 부과 등 바) 의료지도원의 임명
나. 의료기사 · 의무기록사 및 안경사에 대한 지도 등에 관한 사항	1) 치과기공소 및 안경업소의 개설 등록 2) 치과기공소 및 안경업소의 폐업 · 등록사항 변경 신고 수리 3) 치과기공소 및 안경업소의 개설자에 대한 시정명령 4) 치과기공소 및 안경업소의 영업정지 및 등록취소 등
다. 응급의료에 관한 사항	1) 환자가 여러 명 발생한 경우 응급의료 및 응급환자 이송 등의 업무에 대한 종사 명령 2) 지역응급의료기관 지정 및 지정취소 3) 당직의료기관 지정 4) 응급의료기관 외의 의료기관 내 응급의료시설 설치 · 운영신고 수리 5) 구급차 등의 운용자에 대한 운용정지 및 말소등록 요청 6) 구급차 등의 운용상황과 실태점검 · 시정 · 정지 명령
라. 「농어촌 등 보건의료를 위한 특별조치법」에 따른 공중보건의사 · 보건진료 전담공무원 및 보건진료소에 대한 지도 등에 관한 사항	1) 공중보건의사의 시 · 군 · 구안의 근무지역 · 근무기관 · 근무시설 변경 및 변경 결과 보고 2) 공중보건의사의 시 · 군 · 구 파견근무 명령 3) 공중보건의사에 대한 근무지역의 이탈금지 명령 4) 공중보건의사의 복무에 관한 지도 · 감독 5) 보건진료소의 설치 · 운영 6) 보건진료 전담공무원의 근무지역 지정 · 임용 및 징계 7) 보건진료 전담공무원의 관할구역 이탈금지 명령 8) 보건진료소의 업무에 대한 지도 · 감독
마. 약사에 관한 사항과 마약 · 향정신성의약품의 관리에 관한 사항	1) 약국 및 의약품 관리 가) 약국 개설등록 수리 나) 약국 폐업 또는 휴업, 휴업한 약국의 재개 신고 수리 다) 약국제제 또는 조제실제제의 제조 품목 신고 수리 라) 안전상비의약품 판매자 등록 수리 마) 한약업사 및 의약품 도매상 허가 바) 약국 또는 점포 외 장소 의약품 판매 승인 사) 약국개설자, 의약품 판매업자에 대한 보고명령 · 시설과 서류의 검사 및 의약품의 수거 아) 약국개설자, 의약품 판매업자의 의약품 생산, 업무 개시 명령 자) 약국개설자, 의약품 판매업자의 의약품 회수 · 폐기 또는 조치 명령 차) 약국개설자, 의약품 판매업자의 시설 개수 명령 또는 사용 금지 명령 카) 약국개설자의 관리자 변경 명령 타) 약국개설자, 의약품 판매업자의 허가 · 승인 · 등록 취소 파) 안전상비의약품 판매자 등록 취소 하) 약사감시원 임명 2) 마약류 취급자 및 마약류 관리 가) 대마 취급자의 허가 및 허가증 교부 나) 대마 재배 면적, 생산 현황 및 수량 보고, 폐기 보고 수리 다) 마약류도매업자, 마약류소매업자, 마약류취급의료업자, 마약류관리자, 대마 재배자의 마약류 취급 감시 및 단속

	라) 마약류도매업자, 마약류소매업자, 마약류취급의료업자, 마약류관리자, 대마 재배자의 마약류 폐기 및 조치 명령 마) 마약류도매업자, 마약류소매업자, 마약류취급의료업자, 마약류관리자, 대마 재배자에 대한 관리 및 업무 보고 명령 바) 마약류 감시원 및 마약류 명예지도원 운영
바. 공중위생 및 식품위생에 관한 사항	1) 공중위생영업자 및 해당 시설에 대한 지도 · 관리 가) 공중위생영업 · 폐업 · 승계에 대한 신고 수리 나) 이용사 및 미용사의 면허 등 교부 · 취소 등 다) 공중위생영업자 및 공중이용시설의 소유자 등에 대한 보고관리 및 출입 · 검사 라) 공중위생영업자 및 공중위생시설의 소유자 등에 대한 위생지도 및 개선명령 마) 위생관리등급 공표 등 바) 공중위생감시원 임명 등 2) 식품접객업소 등에 관한 지도 · 관리 가) 위해평가 결과 등에 관한 보고 등 나) 식품위생 영업소 등에 대한 출입 · 검사 · 수거 등의 조치 다) 식품 등의 검사 · 재검사 수행 및 검사결과 등의 통보 라) 식품위생감시원 임명 및 소비자 식품위생감시원 위촉 마) 식품위생 영업의 허가 및 영업 승계 등에 대한 신고 수리 바) 위해식품 및 식품 등의 이물 등에 대한 신고 수리 및 회수조치 · 보고 · 품목 제조정지 등 사) 식품 등의 제조 · 가공업소, 식품접객업소 또는 집단급식소에 대한 위생등급 관리 및 모범업소 지정 등 아) 조리사의 면허 교부 및 취소 등 자) 식품위생업소 등에 대한 시정명령 및 위해식품에 대한 폐기처분 등 차) 위해식품 등의 공표에 관한 사항 카) 식품위생 영업시설 개수명령 등 타) 식품위생 영업의 허가취소 및 식품위생영업소 등의 폐쇄조치 파) 집단급식소 설치 · 운영에 대한 신고 수리 하) 어린이 기호식품 조리 · 판매업소 관리 거) 어린이 기호식품 우수판매업소 지정 너) 어린이 기호식품에 대한 안전과 영양공급 등에 대한 교육 및 홍보 더) 어린이 기호식품 조리 또는 진열 · 판매하는 자에 대한 시정명령
기능 2. 지역주민의 건강증진 및 질병예방 · 관리를 위한 지역보건의료서비스의 제공	
가. 국민건강증 · 구강건강 · 영양관리사업 및 보건교육	1) 국민건강증진 가) 건강증진프로그램의 개발 및 실시 나) 주민건강의 증진에 관한 세부계획의 수립 및 시행 다) 담배자판기 설치 단속 등 금연을 위한 조치 라) 금연구역 관리 마) 질병의 조기발견을 위한 검진 등 2) 구강보건 가) 구강건강에 관한 교육사업 나) 수돗물에 대한 불소화사업 다) 충치예방을 위한 치아홈메우기 사업 라) 불소용액 양치사업 3) 영양관리사업 가) 영유아 · 임산부 · 수유부 · 노인 · 환자 및 성인 등의 영양관리사업 나) 영양 및 식생활 교육 · 홍보 다) 집단급식시설에 대한 현황 파악 및 급식업무 지도 라) 그 밖에 영양과 식생활개선에 관한 사항 4) 개인 또는 집단에 대한 보건교육 실시 가) 금연 · 절주 · 신체활동 등 건강증진에 관한 사항 나) 구강건강에 관한 사항 다) 영양 및 식생활에 관한 사항 라) 만성질환 등 질병의 예방에 관한 사항 마) 공중위생 및 식품위생에 관한 사항 등
나. 감염병의 예방 및 관리	1) 감염병의 예방 · 관리 가) 감염병 예방을 위한 교육 · 홍보 나) 감염병의 신고 수리 · 보고 다) 관할구역에 거주하는 감염병 환자 또는 의사 환자에 관한 환자 명부의 작성 · 관리 및 상황 보고

	라) 디프테리아 · 폴리오 · 백일해 · 홍역 · 파상풍 · 결핵 · B형간염 등 기타 보건복지부장관이 지정하는 감염병에 관한 정기 · 임시 예방접종 실시 마) 예방접종의 공고 및 완료 여부의 확인 바) 예방접종 기록의 보존 및 보고 사) 예방접종 증명서의 교부 아) 감염병관리기관의 지정 · 관리, 감염병 위기 시 감염병 관리기관의 설치 자) 감염병 환자 등의 파악 · 관리 및 입원통지 차) 감염병 유행에 대한 방역 조치 및 감염병 예방을 위한 소독 등 카) 소독업 개시 · 휴업 · 대행에 대한 신고 접수 및 시정명령 · 영업정지 등 타) 예방위원의 임명 또는 위촉 2) 후천성면역결핍증 관리 가) 후천성면역결핍증의 진단 · 검안사실 및 감염인 사망 등에 대한 신고 수리 · 보고 나) 후천성면역결핍증에 관한 정기 또는 수시검진 다) 후천성면역결핍증에 관한 역학조사 라) 감염인의 전문진료기관 또는 요양시설의 치료 및 요양 권고 마) 후천성면역결핍증검사확인서 발급 바) 감염자관리명부 작성 및 관리 3) 결핵관리 가) 결핵환자 진단 · 사망 및 사체 검안에 관한 신고 수리 나) 신고된 결핵환자에 대한 검진 및 잠복결핵감염자에 대한 치료 등의 조치 다) 결핵 집단발생이 의심되는 경우 역학조사 · 검진 · 치료 등의 조치 라) 결핵조기발견을 위한 결핵검진 마) 신생아 등에 대한 결핵예방접종 실시 바) 전염성결핵환자에 대한 접객업 등의 업무종사 정지 · 금지 명령 및 전염성소실 시 정지 · 금지 명령 취소 사) 결핵환자에 대한 입원명령 아) 전염성결핵환자 접촉자에 대한 결핵검진 및 관리
다. 모성과 영유아의 건강유지 · 증진	1) 임산부의 신고 접수 및 보고 2) 모자보건수첩의 발급 3) 미숙아 등에 대한 등록카드 작성 · 관리 4) 임산부 · 영유아 · 미숙아 등의 건강관리 등 5) 피임약제 등의 보급 6) 산후조리업의 개설 · 승계 · 폐업 · 휴업 및 재개에 대한 신고 접수 7) 산후조리원의 보고 · 출입 · 검사 및 시정명령, 폐쇄 등 행정조치 등
라. 여성 · 노인 · 장애인의 건강유지 · 증진	1) 노인에 대한 건강진단 · 상담 및 보건교육 2) 홀로 사는 노인에 대한 방문요양서비스 등의 서비스와 안전 확인 등의 보호조치 3) 치매검진 및 치매관리사업 4) 치매상담센터 설치 및 운영 5) 장애인의 검진 · 재활상담 및 재활서비스 등
마. 정신건강증진 및 생명존중에 관한 사항	1) 정신건강증진 가) 정신질환자의 발견 · 상담 · 진료 및 만성 정신질환자의 관리 나) 정신보건센터 설치 다) 사회복귀시설의 설치 · 운영 라) 사회복귀시설의 폐지 · 휴지 · 재개신고 수리 마) 사회복귀시설 폐쇄 또는 정지 명령 바) 정신질환자의 입원 · 퇴원 및 통지 등에 관한 사항 사) 정신의료기관 입원환자의 퇴원 또는 처우개선 청구 수리, 기초정신보건심의위원회 회부 및 퇴원 또는 처우개선 조치 명령 2) 생명존중에 관한 사항 가) 자살예방센터 및 자살예방용 긴급전화의 설치 · 운영 나) 자살위험자 조기 발견, 상담 및 치료 등 지원에 관한 사항 다) 자살예방 상담 · 교육 · 홍보 등에 관한 사항
바. 지역주민에 대한 진료, 건강검진 및 만성질환 등의 질병관리에 관한 사항	1) 일반진료 2) 치과진료 3) 한방진료 4) 만성질환 예방 및 관리 프로그램 개발 · 운영 5) 희귀난치성질환자 의료비 지원 사업 6) 암환자 의료비 지원 사업

2) 보건지소

(1) 보건지소의 설치 및 인력

1 보건소지의 설치

보건소지소는 「지역보건법」 제13조에 의거 지방자치단체에서 보건소의 업무수행을 위해 필요하다고 인정하는 경우 대통령이 정하는 기준에 따라 지방자치단체의 조례로 보건소의 지소를 설치할 수 있다. 「지역보건법 시행령」 제10조에 따르면 보건지소를 설치할 수 있는 기준은 읍 · 면(보건소가 설치된 읍 · 면은 제외)마다 1개소씩 이며, 필요할 경우 시장 · 군수 · 구청장은 보건지소를 추가 설치 · 운영하거나 수개의 보건지소를 통합하여 1개의 통합모건지소로 설치 · 운영할 수 있다.

2 보건지소의 인력

① 보건지소장

「지역보건법 시행령」 제14조에 의거 보건지소에 보건지소장 1명을 두되, 지방의무직공무원 또는 임기제공무원을 보건지소장으로 임용한다. 보건지소장은 보건소장의 지휘 · 감독을 받아 보건지소의 업무를 관장하고 소속 직원을 지휘 · 감독하며, 보건진료소의 직원 및 업무에 대하여 지도 · 감독한다. 보건지소의 사업 내용은 다음과 같다.

사업	내용	형식
건강증진 및 보건교육 실시	– 지역사회주민의 신체적, 정신적, 사회적, 정서적, 영적으로 건강한 일상 생활에 대한 지식, 태도, 실천방법 교육 – 지역 특수 건강문제 및 만성퇴행성 건강문제 관리방법을 교육하고 프로그램을 개발, 실시 – 건강에서 이탈한 주민의 건강관리 방법을 교육, 보건의료 소비자로서의 주민의 건강권 보장을 위하여 보건의료시설 이용에 대한 교육 및 상담, 알선을 하고 보건의료시설에 대하여 주민의 건강을 대변한다.	영양지도 교실, 모자보건 및 가족계획 교실, 학교 보건교육, 산업 보건교육, 일반집단 보건교육, 청소년 교실, 결혼상담 교실, 건강상담 교실, 각종 건강문제 교실(당뇨병, 고혈압, 흡연, 암, 불구불능, 노인건강 교실 등) 등 운영
방문간호사업	– 가정에 기거하는 신체적, 정신적, 정서적, 사회적, 영적으로 불편한 주민을 방문하여 간호 제공 – 산전 · 산후 간호, 신생아간호, 정신간호, 만성퇴행성 질환간호, 노인간호, 불구불능의 간호, 재활간호, 임종간호 등 – 투약, 각종 상처치료, 주사, 각종 검사 및 측정, 일상 생활교육, 가정환경 위생관리, 우호적 가족 관계 유도, 가정간호에 도움이 요구되는 각종 기관 의뢰, 상담 및 자문 등 실시 – 가정에서 환자가 스스로 관리하는 데 관련된 제반 여건 마련.	– 보건간호사 1인이 1구역 담당 – 담당한 구역에 거주하는 주민의 건강 요구의 심각 정도에 따라 방문계획 – 의사의 지시서에 의해 이루어지는 간호는 제공한 후 담당의사에게 보고 – 가정기록부에 제공된 간호 기록
만성퇴행성질환 및 특수 건강문제 관리	– 특수 건강문제를 가진 집단을 발견하는 활동으로 발견된 환자를 등록하여 의학적 진단을 받도록 하고 치유가 될 때까지 보건소를 방문하여 관리를 받도록 함	– 지역의 특수 건강문제를 집중적으로 관리하기 위하여 크리닉 개설
감염병 간호	– 담당 지역에 흔히 발생하는 급 · 만성 감염병 환자 등록 및 관리 – 감염병 발생예방을 위한 역학조사 실시 및 감시 – 예방접종을 실시	– 예방접종실을 운영
모자보건 및 가족계획 간호	– 산전 · 산후 · 신생아 관리 대상자 등록 및 관리 – 결혼 및 유전 상담 실시 – 부인병 및 영유아 질병예방을 위한 정기검진 – 가족계획 상담 및 가족계획 방법 제시, 실천 도모	– 산전 · 산후의 임산부와 영유아 정기검진 조기 실시 – 합병증을 예방 – 가족계획 요구 가정을 등록관리

표 9-18 보건지소의 전문인력 등의 면허 또는 자격의 종별에 따른 최소배치기준

(단위: 명)

구분	의사	치과의사	한의사	간호사 또는 간호조무사	치과위생사
보건지소	1	1	1	3	1
통합 보건지소	1 ×관할 읍 · 면수	1 ×관할 읍 · 면수	1 ×관할 읍 · 면수	3 ×관할 읍 · 면수	1 ×관할 읍 · 면수

※ 비 고
1. 치과의사 및 한의사는 공중보건의사로서의 치과의사 및 한의사의 인력 사정에 따라 이 기준을 조정하여 배치할 수 있다.
2. 치과위생사는 치과의사의 배치를 고려하여 이 기준을 조정하여 배치할 수 있다.

② 전문인력

「지역보건법」 제16조에 의거 의무 · 치무 · 약무 · 보건 · 간호 · 의료기술 · 식품위생 · 영양 · 보건통계 및 전산 등 보건의료에 관한 업무를 전담할 전문인력을 두게 되어 있다. 의사, 치과의사, 간호사 또는 간호조무사, 치과위생사 등의 전문인력을 둔다.

3) 건강생활지원센터

농어촌 지역에 비해 도시지역은 취약인구(노인, 기초생활수급권자, 중증장애인 등)가 집중되어 있으나, 보건소 1개소 만으로 공공보건사업을 운영함에 따라 도시 취약지역 주민에 대한 질병예방, 건강증진 등 보건의료 및 건강증진서비스가 충분히 제공되지 못하였다. 이에 따라 도시지역 저소득층, 거동불편노인, 장애인 등 보건의료취약계층의 접근성 제고 및 통합적 보건의료서비스 제공을 위해 2007년부터 도시보건지소 확충사업을 실시하였다.

도시보건지소에서는 건강생활실천 통합서비스 및 고혈압 · 당뇨 등 만성질환관리, 방문건강관리, 재활보건서비스를 핵심사업으로 수행하도록 하고, 지역특성에 따라 구강보건, 모자보건, 정신보건서비스 등을 선택사업으로 제공하도록 설계하였다. 그러나 도시보건지소는 큰 사업규모로 대지 확보 및 인력 투입이 어려웠으며, 도시보건지소의 진료기능으로 인해 지역민간의료기관과의 갈등이 유발되어, 2013년부터는 도시보건지소 대신, 갈등 소지가 있는 진료 기능을 없애고, 시설 및 인력규모도 효율화한 건강생활지원센터로 진화하였다.

(1) 건강생활지원센터의 설치 및 인력

1 건강생활지원센터의 설치

표 9-19 건강생활지원센터 추진 경과

연도	추진 경과
2007년 ~ 2013년	2013년 까지 도시보건지소 38개소 사업 추진
2013년	도시보건지소 효율화 모형인 건강생활지원센터(7개소) 시범사업 실시
2014년	건강생활지원센터 정규사업 실시 – 2014년 건강생활지원센터 6개소 선정
2015년	건강생활지원센터 5개소 선정

출처: 2016 건강생활지원센터 사업 안내

표 9-20 도시보건지소 및 건강생활지원센터 확충 현황

구 분		2007년	2008년	2009년	2010년	2011년	2012년	2013년	2014년	2015년	계
확충 기관	도시보건 지소	6	11	7	4	4	4	–	–	–	36
	건강생활 지원센터	–	–	–	–	–	–	9[1)]	6[2)]	5[3)]	20

1) 9개소 중 2개소는 '도시보건지소'에서 '건강생활지원센터'로 전환
2) 6개소 중 1개소는 지자체 자체 운영기관으로 시설 지원 없이 장비 지원을 통해 '건강생활지원센터'로 전환
3) 5개소 중 1개소는 지자체 자체 운영기관으로 시설 지원 없이 장비 지원을 통해 '건강생활지원센터'로 전환
출처: 2016 건강생활지원센터 사업 안내

「지역보건법」 제14조에 의거 지방자치단체는 보건소의 업무 중에서 특별히 지역주민의 만성질환 예방 및 건강한 생활습관 형성을 지원하는 건강생활지원센터 설치 할 수 있다.

2 건강생활지원센터의 인력

① 건강생활지원센터장

「지역보건법 시행령」 제15조에 의거 건강생활지원센터에 건강생활지원센터장 1명을 두되, 보건등 직렬의 공무원 또는 「보건의료기본법」 제3조제3호에 따른 보건의료인을 건강생활지원센터장으로 임용한다. 건강생활지원센터장은 보건소장의 지휘 · 감독을 받아 건강생활지원센터의 업무를 관장하고 소속 직원을 지휘 · 감독한다.

② 전문인력

상근 전문인력 센터장을 포함하여 최소 5인 이상으로 하되, 지역사회 연계, 협력 및 사업기획, 관리 인력 등 포함하여 지역여건 및 수행사업에 따라 8~10인 이상 배치 권장한다.

(2) 건강생활지원센터의 기능 및 업무

건강생활지원센터는 지역의 건강문제를 발견 및 해결하는 지역사회 건강증진 거점기관으로서 진료사업을 하지 않는 대신, 지역 민간의료자원과의 연계와 협력, 지역주민 참여를 통해 지역 특화된 통합건강증진사업을 발굴 · 수행한다. 지역사회 통합건강증진사업 중 금연, 절주, 영양, 신체활동과 만성질환예방 · 관리 분야를 필수로, 지역 특성을 반영한 지역특화형 서비스를 발굴하고 수행하여 지역주민의 만족도를 향상시키고 건강수준을 개선하고 기능을 가지고 있다.

표 9-21 건강생활지원센터의 전문인력등의 면허 또는 자격의 종별에 따른 최소배치기준

(단위: 명)

구분	의사 또는 한의사	간호사 또는 간호조무사	물리치료사 또는 체육지도자	영양사
건강생활지원센터	1	3	1	1

※ 비 고
1. 의사 또는 한의사는 촉탁 등 비상근으로 배치할 수 있다.
2. 건강생활지원센터 사업 규모, 사업 내용 등에 따라 지방자치단체 여건에 맞게 기준을 조정하여 배치할 수 있다.

표 9-22 건강생활지원센터의 전문인력 배치(예시)

구분		소요 인력	주요업무(예시)
필수 (5인)	센터 총괄	1인	• 건강생활지원센터 기획 · 운영 총괄 · 감독
	만성질환관리 예방 및 관리 사업	3인	• 만성질환예방 및 관리사업(질환군, 건강위험군 등)을 위한 상담 및 교육 등 운영
	건강행태 개선사업 (금연,절주,신체활동,영양)		• 금연 및 절주 교육, 상담 및 홍보 프로그램 등 실시 • 전문적 식생활 상담 및 영양교육 프로그램 등 수행 및 홍보 • 전문적 운동처방 및 지도, 신체활동 교육 프로그램 등 운영 및 홍보
	주민참여 및 자원연계		• 지역 체감도 향상, 지역특화형 사업 발굴, 주민참여 활성화, 지역사회 연계 사업 추진
	지역특화사업	1인	• 지역여건 및 특성에 맞는 특화 사업 추진 (사업장, 노인정, 다문화가정 대상 사업 등)
선택 (3인 이상)	선택사업	3인이상	• 기타 지역 수요 및 여건에 따른 건강증진사업 수행

출처: 2016 건강생활지원센터 사업 안내

[지역사회 통합건강증진사업 수행을 위한 전문인력 자격 및 기준 (권장사항)]

- 금연 : 대학이상 졸업자로 간호학, 보건교육학, 보건학, 심리학, 상담학 등 보건의료 및 관련 전공자, 보건교육사, 보건업무 5년 이상 경력자
- 절주, 신체활동, 비만 : 의사, 간호사, (임상)영양사, 체육지도자*, 신체활동 전공 인력, 보건교육사
- 영양 : (임상) 영양사
- 구강보건 : 치과의사, 치위생사
- 고혈압, 당뇨병, 고지혈증 등 만성질환 : 의사, 한의사, 간호사, (임상)영양사
- 한의약건강증진 : 한의사, 간호사, 영양사, 운동전문인력, 기공지도사
- 아토피 · 천식 : 의사, 간호사, (임상)영양사
- 임산부 · 어린이 특화 : 의사, 간호사, 조산사
- 치매 : 의사, 한의사, 간호사, 사회복지사
- 지역사회중심재활 : 의사, 간호사, 물리치료사, 작업치료사
- 방문 : 간호사, 물리치료사, 작업치료사, 운동전문인력, 영양사, 치과위생사, 사회복지사, 북한이탈주민 상담사 등 팀 구성

※체육지도자: 스포츠지도자, 건강운동관리사, 장애인스포츠지도자, 유소년스포츠지도사, 노인스포츠지도사

출처: 2016 지역사회 통합건강증진사업안내 (총괄)

4) 보건진료소

(1) 보건진료소의 변천사

보건진료소제도가 생기게 된 배경은 1977년 세계보건기구에서 기본보건의료(Basic Health Service ; BHS)의 정책을 수정하여 "2000년까지 모든 주민에게 건강을(Health for All by the Year 2000)"이라는 목표를 설정하였으며, 이 목표를 달성하기위해 일차보건의료(primary health care)를 방법으로 제시하였다. 1978년 소련 Alma-hata에서 개최된 국제회의에서 이를 선언함과 동시에, 각 회원국 에 1차 보건의사를 배치하도록 하였고, 1차 보건의

료사업을 위한 조직으로서 보건소, 보건 지소 및 보건진료소를 운영하기에 이르렀다.

우리나라가 처음으로 농어촌 벽 · 오지 주민의 보건의료 요구를 충족시키기 위하여 보건정책을 실시하게 된 것은 1977년부터 1980년까지 한국보건개발원에서 실시한 보건의료 시범 사업(일명 마을건강사업)에서부터이다. 이 시범사업에서 중요한 사업이 보건진료원 개발 및 활용에 대한 것이었다. 시범사업이 성공적으로 이루어지고 정부는 1980년 12월 31일"농어촌 등 보건의료를 위한 특별조치법(농특법)"을 공포하였고, 1981년부터 보건진료원이 교육 · 배출되어 2000년 정부의 감축이 있기까지 2,048개소가 운영중이었다. 그러나 1998년 정부의 구조조정 정책에 의하여 전국의 보건진료소 중 약 7.4%를 감소시키겠다는 정책 아래 감소시킨 결과 2014년 말 현재 전국에 1,904개소의 보건진료소가 운영 중에 있다.

(2) 보건진료소의 설치 및 인력

1 보건진료소의 설치

「농어촌 등 보건의료를 위한 특별조치법(농특법)」 제15조의 보건진료소의 설치 · 운영 규정에 의하면 시장(도농복합형태의 시의 시장을 말하며, 읍 · 면 지역에서 보건진료소를 설치 · 운영하는 경우만 해당) 또는 군수는 보건의료 취약지역의 주민에게 보건의료를 제공하기 위하여 보건진료소를 설치 · 운영한다. 다만, 시 · 구의 관할구역의 도서지역에는 해당 시장 · 구청장이 보건진료소를 설치 · 운영할 수 있으며, 군 지역에 있는 보건진료소의 행정구역이 행정구역의 변경 등으로 시 또는 구 지역으로 편입된 경우에는 보건복지부장관이 정하는 바에 따라 해당 시장 또는 구청장이 보건진료소를 계속 운영할 수 있다.

보건진료소는 의료 취약지역을 인구 500명 이상(도서지역은 300명 이상) 5천명 미만을 기준으로 구분한 하나 또는 여러 개의 리 · 동을 관할구역으로 하여 주민이 편리하게 이용할 수 있는 장소에 설치한다. 다만, 군수는 인구 500명 미만(도서지역은 300명 미만)인 의료취약지역 중 보건진료소가 필요하다고 인정되는 지역이 있는 경우에는 보건복지부장관의 승인을 받아 그 지역에 보건진료소를 설치할 수 있다.

보건진료소 운영을 원활히 하기 위하여 보건진료소가 설치되어 있는 지역마다 주민으로 구성되는 보건진료소 운영협의회를 두며, 보건진료소의 운영 지원 및 보건진료소 운영에 관한 건의 등의 업무를 수행한다.

2 보건진료소의 인력

보건진료소에 보건진료소장 1명과 필요한 직원을 두되, 보건진료소장은 보건진료 전담공무원으로한다.

① 보건진료 전담공무원

보건진료 전담공무원의 자격은「농어촌 등 보건의료를 위한 특별조치법」 제16조에 의거 간호사 또는 조산사 면허소지자로 보건진료직렬의 공무원임용시험에 합격한 후 보건복지부장관이 실시하는 24주 이상의 직무교육을 받은 자이어야 한다. 직무교육에 관하여 필요한 사항은 보건복지령으로 정한다.

보건진료 전담공무원의 24주의 직무교육 과정은 이론교육 과정 8주, 임상실습 과정 12주, 현지실습 과정 4주로 구분한다. 이론교육 과정에서는 지역사회보건관리, 모자건강, 가정간 관리, 보건사업 운영 관리 및 기술지도, 기타 통상질환 관리 및 소양에 관한 과목이며, 임상실습 과정에서는 환자의 치료에 필요한 기본적인 임상실습으로 하며, 현지 실습과정에서는 적응방법, 기존 보건기관의 연계방법 등 보건의료 활동의 실습을 하도록 하고 있다.

보건진료 전담공무원의 신분 및 임용은 1981년 당시 보건진료원이란 명칭으로 군수의 위촉만을 받는 신분이었으나 1992년 이후 보건진료원은 지방공무원 별정직으로 하며, 보건소장의 추천을 받아 시 장 · 군수 또는 구청장이 근무지역을 지정하여 임용하였다. 초기에는 보건진료원의 관할지역 내 거주의 의무를 규정하고 있었으나, 2012년 일상생활권역 안에 거주해야 한다는 의무를 삭제하고 관할구역 이탈금지 조항을 신설하였으며, 일반직 공무원인 보건진료 전담공무원으로 명칭 변경하였다.

② 보건진료 전담공무원의 역할

보건진료 전담공무원은 「의료법」 제27조에도 불구하고 근무지역으로 지정받은 의료 취약지역에서 대통령령으로 정하는 경미한 의료행위를 할 수 있다.

- 보건진료 전담공무원의 의료행위의 범위
  - 상병상태를 판별하기 위한 진찰 · 검사
  - 환자의 이송
  - 외상 등 흔히 볼 수 있는 환자의 치료 및 응급 조치가 필요한 환자에 대한 응급처치
  - 상병의 악화 방지를 위한 처치
  - 만성병 환자의 요양지도 및 관리
  - 정상분만 시의 분만개조
  - 예방접종
  - 위의 의료행위에 따르는 의약품의 투여
- 의료행위 외의 업무
  - 환경위생 및 영양개선에 관한 업무
  - 질병예방에 관한 업무
  - 모자보건에 관한 업무
  - 주민의 건강에 관한 업무를 담당하는 사람에 대한 교육 및 지도에 관한 업무
  - 그 밖에 주민의 건강증진에 관한 업무

(3) 보건진료소의 기능

보건진료소은 지역사회주민의 1차적인 접촉자(entry point)로서 개인, 가족, 지역사회에 포괄적인 서비스를 제공하고 있다. 보건진료소의 보건진료 전담공무원은 지역사회 보건 관리자, 서비스 제공자, 변화 촉진자, 교육자, 상담 및 의뢰자, 보건팀 요원, 평가 및 연구자, 정보수집 및 보급자의 역할로 다음의 7가지 기능을 원활히 수행해야만 한다.

2. 지역보건의료계획

1995년 지방자치제가 본격적으로 실시되면서 「보건소법」을 「지역보건법」으로 전부 개정 하게 되었고, 1996년부터 전국의 기초 및 광역자치단체는 매 4년마다 지역보건의료계획을 자체적으로 수립하고 매년 연차별 시행계획을 수립하도록 하였다. 2015년부터 2018년 까지는 제6기 지역보건의료계획으로, 지난 제5기까지는 지역보건의료계획이 보건소를 주축으로 하는 지역보건기관의 업무범위 내의 보건사업에 국한되어 있었으며, 지역보건 전

표 9-23 보건진료소의 기능

기능	내용	
1) 지역사회 조직 및 개발 기능	① 사업대상 지역의 각종 조직 파악 ② 지역사회 조직의 활용 ③ 보건진료소 운영협의회	
2) 사업계획 수립 기능	① 사업대상 지역의 인구구조 및 특성의 파악 ② 지역사회 보건통계자료의 수집 ③ 지역사회 보건의료 자원의 조사 및 활용 ④ 보건대상자 파악 및 사업 우선순위 결정 ⑤ 보건사업 평가 계획 수립	
3) 지역사회 보건관리 기능	① 음료수 관리를 위한 수질검사용 가검물의 채취 ② 화장실의 위생관리 교육 ③ 농약의 관리 교육 ④ 지역주민의 영양관리 ⑤ 취약 아동들의 보건교육 실시 ⑥ 지역주민의 집단 보건교육 실시	
4) 모자보건 및 가족계획 기능	① 임신 진단 ③ 고위험 임산부 관리 ⑤ 분만세트 사용법 지도 ⑦ 임산부의 건강상태 파악 ⑨ 영유아 관리, 예방접종 ⑪ 가족계획 대상자 계몽교육 ⑬ 피임 약제 배부 ⑮ 가족계획 실시자의 부작용 관리	② 산과적 진찰및 일반적 처치 ④ 정상 분만의 개조 ⑥ 이상분만의 감별 ⑧ 신생아의 이상 상태 감별 및 의뢰 ⑩ 유아기의영양지도 ⑫ IUD 시술 ⑭ 가족계획 실시자의 추구관리 ⑯ 영구불임시술을 위한 의뢰
5) 통상질환 관리 기능	① 환자 진단을 위한 병력 조사, 진찰, 임상검사 의뢰 ② 기초진료 범위 내의 환자투약 및 처지 ③ 기초진료 범위 외의 환자 의뢰 ④ 기초진료 범위 내의 응급환자의 치료 ⑤ 기초진료 범위 외의 응급환자의 의뢰 ⑥ 질병예방을 위한 교육 실시	
6) 사업운영 관리 및 기술지도 기능	① 보건진료소 사업운영을 위한 계획서 작성 ② 장비, 물품, 비품관리를 위한 대장의 비치 ③ 약품관리를 위한 대장의 비치 ⑤ 환자 진료기록부 작성 ⑦ 일반 관리업무(공문서, 회계기록, 활동기록) 및 기타 기록부 작성 ⑧ 보건진료소 사업평가의 실시 ⑩ 마을 건강원의 활용 ⑫ 마을 건강원에 대한 교육 및 활동 지도	④ 보건진료소 운영상황 보고서 작성 ⑥ 조사기록부 작성 ⑨ 마을 건강원의 조직 ⑪ 보건요원의 활용 ⑬ 보건요원의 지도 · 감독
7) 보건정보체계 개발 기능	① 보건정보 수집	② 보건정보체계 개발

반을 아우르지 못하는 한계가 있어, 제6기 지역보건의료계획에서는 지역사회 전체 건강정책의 총괄관리 기능을 보건소가 수행하도록 하기 위하여 전달체계 구축 및 자원재정비를 위한 역량을 강화하는 계기를 마련할 것이다.

지역보건의료계획의 특징은 보건사업에 대한 각종 계획을 중앙정부에서 수립하여 시달하고 지방자치단체에서는 이를 피동적으로 집행하던 종전의 상의하달방식(top-down)에서 탈피하여 지방자치단체가 주도적으로 계획을 작성한 후 중앙정부의 조정을 거쳐 지방자치단체에서 시행하는 하의상달방식(bottom-up)을 채택함으로써 지자체 스스로 보건기관의 기획능력 향상 및 동기를 부여하고 지방자치단체장, 지방의회, 지역의사회 및 지역사회 네트워크를 포함한 관련단체와 기관 등이 계획수립에 참여함으로써 추진목표를 명확히 하며, 보건의료에 대한 인식을 제고하고 주민건강증진에 이바지하는 것이다.

1) 지역보건의료계획의 목적

지역보건의료계획의 목적은 기초 및 광역자치단체 수준에서 지역실정에 맞는 보건의료사업에 대한 계획을 수립하여 지역주민의 건강욕구에 부응하는 지역보건의료사업을 개발함으로써, 보건의료서비스의 질을 향상시키고 주민건강 향상을 도모하기 위한 것이다.

2) 지역보건의료계획의 수립

「지역보건법」 제7조에 의거 시장 · 군수 · 구청장은 지역주민, 보건의료관련기관 · 단체 및 전문가의 의견을 들어 당해 시 · 군 · 구의 지역보건의료계획을 수립한 후 당해 시 · 군 · 구의회의 의결을 거쳐 특별시장 · 광역시장 · 도지사에게 제출하여야 한다. 지역보건의료계획을 제출받은 시 · 도지사는 관할 시장 · 군수 · 구청장, 지역주민, 보건의료관련기관 · 단체 및 전문가의 의견을 들어 시 · 도의 지역보건의료계획을 수립한 후 당해 시 · 도의회의 의결을 거쳐 보건복지부장관에게 제출하여야 한다. 지역보건의료계획을 수립함에 있어서 필요하다고 인정하는 경우에는 보건의료관련기관 · 단체 등에 대하여 자료제공 및 협력을 요청할 수 있으며, 그 요청을 받은 당해 기관 · 단체 등은 정당한 사유가 없는한 이에 응하여야 한다.

지역보건의료계획은 4년마다 수립하여야 하지만 그 연차별 시행계획은 매년 수립하여야 한다. 보건의료환경의 변화에 따라 필요한 경우에는 지역주민, 보건의료관련기관 · 단체 및 전문가의 의견을 들어 시 · 도 또는 시 · 군 · 구의회의 의결을 거쳐 지역보건의료계획을 변경할 수 있다.

시장 · 군수 · 구청장	시 · 군 · 구 의회	특별시장 · 광역시장 · 도지사	시 · 도 의회	보건복지부 장관
지역주민, 보건의료관련기관 · 단체 및 전문가의 의견을 들어 당해 시 · 군 · 구의 지역보건의료계획을 수립	당해 시 · 군 · 구 의회의 의결	관할 시장 · 군수 · 구청장, 지역주민, 보건의료관련기관 · 단체 및 전문가의 의견을 들어 시 · 도의 지역보건의료계획을 수립	당해 시 · 도 의회의 의결	승인

표 9-24 지역보건의료계획 및 시행결과 작성주기

작성주체	작성계획	주기	제출시기	제출처
시 · 도	지역보건의료계획서 연차별 시행계획 연차별 시행결과	4년 1년 1년	시행전년 11월 시행전년 11월 시행 후 3월	보건복지부
시 · 군 · 구	지역보건의료계획 연차별 시행계획 연차별 시행결과	4년 1년 1년	시행전년 6월 시행전년 6월 시행 후 2월	시 · 도

출처: 2014 보건복지백서

3) 지역보건의료계획의 내용

「지역보건법」 제7조에 의거 지역주민의 건강증진을 위해 다음이 내용이 지역보건의료계획에 포함되어야 한다.

- 보건의료 수요의 측정
- 지역보건의료서비스에 관한 장기 · 단기 공급대책
- 인력 · 조직 · 재정 등 보건의료자원의 조달 및 관리
- 지역보건의료서비스의 제공을 위한 전달체계 구성 방안
- 지역보건의료에 관련된 통계의 수집 및 정리

지역보건의료계획의 세부 내용은 다음과 같다.

▶ 시 · 도의 지역보건의료계획

- 지역보건의료계획의 달성 목표
- 지역현황과 전망
- 지역보건의료기관과 보건의료 관련기관 · 단체 간의 기능 분담 및 발전 방향
- 보건소의 기능 및 업무의 추진계획과 추진현황
- 지역보건의료기관의 인력 · 시설 등 자원 확충 및 정비 계획
- 취약계층의 건강관리 및 지역주민의 건강 상태 격차 해소를 위한 추진계획
- 지역보건의료와 사회복지사업 사이의 연계성 확보 계획
- 의료기관의 병상(病床)의 수요 · 공급
- 정신질환 등의 치료를 위한 전문치료시설의 수요 · 공급
- 특별자치시 · 특별자치도 · 시 · 군 · 구(구는 자치구를 말하며, 이하 "시 · 군 · 구"라 한다) 지역보건의료기관의 설치 · 운영 지원
- 시 · 군 · 구 지역보건의료기관 인력의 교육훈련
- 지역보건의료기관과 보건의료 관련기관 · 단체 간의 협력 · 연계
- 그 밖에 시 · 도지사 및 특별자치시장 · 특별자치도지사가 지역보건의료계획을 수립함에 있어서 필요하다고 인정하는 사항

▶ 시 · 군 · 구의 지역보건의료계획

- 지역보건의료계획의 달성 목표
- 지역현황과 전망
- 지역보건의료기관과 보건의료 관련기관 · 단체 간의 기능 분담 및 발전 방향
- 보건소의 기능 및 업무의 추진계획과 추진현황
- 지역보건의료기관의 인력 · 시설 등 자원 확충 및 정비 계획
- 취약계층의 건강관리 및 지역주민의 건강 상태 격차 해소를 위한 추진계획
- 지역보건의료와 사회복지사업 사이의 연계성 확보 계획
- 그 밖에 시장 · 군수 · 구청장이 지역보건의료계획을 수립함에 있어서 필요하다고 인정하는 사항

2013년 지역사회통합건강증진사업의 도입에 따라 지역의 여건을 반영한 건강증진사업 계획을 수립하여 2013년 지역보건의료계획 2012년 연차별 시행결과 및 2013년 시행계획에 통합하여 수립하도록 하였다. 2010년의 제

5기 지역보건의료계획의 주요 내용으로 시 · 도에서는 지역보건의료계획 비전 및 목표, 지역사회 현황분석, 중점과제 선정, 중점과제 해결전략 수립, 개별보건사업계획 수립, 보건기관 자원 확충 및 지원계획, 지역보건의료계획 수립활동 등을 수립하도록 하였고, 시 · 군 · 구에서도 동일한 내용이 포함되도록 하되, 지역실정에 맞게 계획을 수립하도록 하고 특히 지역보건의료자원 역량 강화 계획을 추가하도록 하였다.

4) 지역보건의료계획의 평가

「지역보건법」 제9조에 의거 매 4년마다 수립하는 지역보건의료계획과 그에 따라 매년 수립하는 연차별 시행계획의 시행결과를 보건복지부장관이 정하는 평가기준에 따라 평가하고 있다.

지역보건의료계획의 결과 평가 기준은 다음과 같다.

- 지역보건의료계획 내용의 충실성
- 지역보건의료계획 시행 결과의 목표달성도
- 보건의료자원의 협력 정도
- 지역주민의 참여도와 만족도
- 그 밖에 지역보건의료계획의 연차별 시행계획에 따른 시행 결과를 평가하기 위하여 보건복지부장관이 필요하다고 정하는 기준

1996년과 1997년에 걸쳐 시행된 지역보건의료계획 평가는 평가의 목적이 농어촌 의료서비스 개선사업 평가의 일부로 편입되어 농어촌 보건소 지원순위를 선정하는 평가영역의 일부로 시행되었으며, 서류평가만 시행하였다.

2001년에 지역보건의료계획 시행결과에 대한 평가 기준 및 평가체계 개발에 관한 연구용역을 실시하여 서류평가와 현지평가를 병행하는 평가체계를 구축하였다.

2002년에는 전국 40개 보건소를 대상으로 시범사업을 실시하였으며 2003년 40개소, 2004년 68개소, 2005년 69개소, 2006년 69개소를 선정하여 지역보건의료계획에 따른 업무수행 과정을 중점적으로 평가하였다

2008년에는 지자체의 업무부담을 경감하고 업무 효율성을 향상시키기 위해 계획 및 평가 방식을 변경하여 개별적으로 수행되던 보건사업 평가를 지자체 보건사업 통합평가로 추진하기 시작하였으며, 개별 보건사업에서 수립하던 보건사업 계획을 지역보건의료계획으로 통합하여 수립하였다.

한편 , 지방자치단체에서 수행하는 각종 국가위임사무, 국고보조사업, 국가주요시책의 추진상황에 대한 평가가 정부업무합동평가를 중심으로 통합 · 운영됨에 따라 지역보건의료계획 시행결과 평가도 '지자체 합동평가, 체제로 통합되었다. 이 중 보건사업평가는 보건위생분야에 지자체 보건관리시책으로 포함되었으며, 총 13개 평가지표에 대해 41개 세부지표로 구성되었다.

2009년에는 지역보건의료계획, 연차별 시행계획 및 시행결과를 종합 진단 · 평가하고 이를 지방자치단체에 환류하는 '지역보건의료계획 시행, 체계를 구축하였다. 동 체계에서 개별 보건사업계획을 지역보건의료계획 중심으로 통합하여 2010년 연차별 시행 계획을 수립함으로써 계획수립 효율화를 도모하고 온라인시스템을 통해 진단 · 환류를 강화하는 등 지자체보건사업의 체계적인 관리를 위한 발판을 마련하였다.

2010년에는 제5기 지역보건의료계획(.11~.14)의 수립년도로서 지자체가 수립한 지역보건의료계획에 대한 평가 및 환류를 강화하여 지자체의 계획서 활용도를 높이도록 운영하였다. 또한, 시 · 도 광역기술지원단을 운영하여 사전 기술지원으로 계획서의 수준 향상 및 환류기능을 강화하고자 하였다.

표 9-25 지역보건의료계획 수립 및 평가 과정

제1기(1996년)
- 제1기 지역보건의료계획(.97~.98) 수립 및 일부지역 평가시행

제2기(1998년)
- 제2기 지역보건의료계획(.99~.02) 수립 및 일부지역 계획서 평가

제3기(2002년)
- 제3기 지역보건의료계획(.03~.06) 수립 및 전국 시 · 도, 시 · 군 · 구 계획서 평가
- 제3기 지역보건의료계획 1차 현지평가 시행(.03.10)
- 제3기 지역보건의료계획 시행결과(.03) 및 시행계획(.04년) 평가시행(.04.5)
- 제3기 지역보건의료계획 2차 현지평가 시행(.04.9)
- 제3기 지역보건의료계획 시행결과(.04) 및 시행계획(.05) 평가시행(.05.3)
- 제3기 지역보건의료계획 3차 현지평가 시행(.05. 9)
- 제3기 지역보건의료계획 시행결과(.05) 및 시행계획(.06) 평가시행(.06.5)
- 제3기 지역보건의료계획 4차 현지평가 시행(.06. 9)
- 제3기 지역보건의료계획 시행결과(.06) 평가시행(.07.3)
- 제3기 지역보건의료계획 종합 평가대회 실시(.07.8)

제4기(2007년)
- 제4기 지역보건의료계획(.07~.10) 수립 및 전국 시 · 도, 시 · 군 · 구 계획서 평가
- 제4기 지역보건의료계획 1차 현지평가 시행(.07.9)
- 제4기 지역보건의료계획 2008년 시행계획 수립 및 평가시행(.08.2)
- 제1차 지방자치단체 보건사업 통합평가 시행(.07 시행결과)(.08.10)
- 제4기 지역보건의료계획 2009년 시행계획 수립(.08.9)
- 제2차 지방자치단체 보건사업 통합평가 시행(.08 시행결과)(.09.7)
- 제4기 지역보건의료계획 2008년 시행결과 평가 시행(.09.10)
- 제4기 지역보건의료계획 2010년 시행계획 수립(.09.10)
- 제1회 보건사업 성과대회 개최(.10.1)
- 제4기 지역보건의료계획 2009년 시행결과 평가 시행(.10.2)
- 제3차 지방자치단체 보건사업 통합평가 시행(.09 시행결과)(.10.2)
- 제2회 보건사업 성과대회 개최(.10.12)
- 제4기 지역보건의료계획 2010년 시행결과 평가 시행(.11.2)

제5기(2010년)
- 제4차 지방자치단체 보건사업 통합평가 시행(.10 시행결과)(.11.2)
- 제5기 지역보건의료계획(.11~.14) 수립 및 전국 시 · 도, 시 · 군 · 구 계획서 평가
- 제5기 지역보건의료계획 2012년 시행계획 수립 및 평가시행(.11.2)
- 제3회 지방자치단체 보건사업 통합성과대회 개최(.11.12)
- 제5기 지역보건의료계획 2012년 시행결과 제출 및 2013년 시행계획 수립(.12.12)
- 제4회 지방자치단체 보건사업 통합성과대회 개최(.12.12)

출처: 2014 보건복지백서

3. 보건전문간호사의 역할

1) 보건전문간호사

보건전문간호사는 의료법에 의한 전문간호사 자격으로써, 「지역보건법」에 의한 보건기관, 「농어촌 등 보건의료를 위한 특별조치법」에 의한 보건진료소, 그리고 시 · 도 및 보건복지부 보건업무의 3년이상 실무경력을 소지한 자가 2년의 보건전문간호사과정을 이수하고 자격시험에 합격해야 자격을 취득할 수 있다. 2015년 기준 보건전문간호사는 2,052명으로 등록되어 있다.

2) 보건전문간호사의 역할

전문간호사의 역할은 다음과 같다.

- 전문가적 간호실무 제공자: 자신의 전문분야에서 간호와 간호 관련 학문에 대한 폭넓은 지식과 기술을 기초로 대상자에게 상급 간호 실무를 제공
- 교육자: 환자, 가족, 일반간호사, 간호학생, 타 보건의료 인력을 대상으로 교육을 실시하고 보수교육 또는 실무교육프로그램 개발에 참여
- 연구자: 기존의 연구결과를 현장에 적용하고 실무 중에서 간호문제를 발견하여 연구 문제로 제시하며, 연구를 시행하거나 참여
- 지도자: 대상자에게 제공하는 간호의 질 및 상급간호실무의 수준을 향상시키기 위해 변화 촉진자, 역할모델 및 옹호자로서 활동하는 임상적 지도력 발휘
- 자문가: 대상자 간호의 질을 향상하기 위해 환자, 가족, 일반간호사, 타 보건의료인력을 대상으로 상급지식과 기술, 판단력을 사용하여 자문
- 협동자: 대상자를 위해 간호의 효과를 최대화하기 위해 일반간호사 및 관련 보건의료인력과 협동적 관계 형성 및 조정 활동

특히, 보건전문간호사는 개인 · 가족 · 지역사회 자료수집 및 건강요구사정, 개인 · 가족 · 지역사회 건강문제 진단, 보건사업 계획, 사례관리, 가족간호, 생애주기별간호, 만성질환별간호, 건강증신사업, 평가에 대한 전문가적 간호실무능력을 지니고 예산 · 인력 · 조직 · 시설 · 질 · 보건간호정보 · 자원 · 정책 · 법 · 윤리영역에서 리더십을 가지고 관리하며, 교육 및 상담, 간호이론과 연구, 자문 및 협동의 역할을 수행하여야 한다.

제4절 영유아보건사업

세계보건기구는 어린이 보건목표를 "모든 어린이들은 적절한 건강관리와 충분한 의료혜택을 받으며 사랑과 건강이 있는 화목한 가정 속에서 육성되어야한다."고 제시하고 있다. 영유아의 건강은 모성의 건강관리와 불가분의 관계를 가지며 모성 건강관리를 통한 태아 건강에서부터 시작되어 평생의 건강 자질에 기초를 이룬다. 또한 출산 후 성장과정을 통해 질병 의 감염기회 그리고 사고의 위험이 크며 스스로 자기관리를 할수 없는 신체적, 정신적, 사회 적 특성이 있어 발달단계에 따라 정확한 지식과 양육의 기술은 매우 중요하다.

1. 영유아보건사업의 대상

「모자보건법」 제2조에 의거 영유아란 출생 후 6년 미만인 사람을 말하며, 신생아란 출생 후 28일 이내의 영유아

를 말한다. 미숙아란 임신 37주 미만의 출생아 또는 출생 시 체중이 2천500그램 미만인 영유아로서 보건소장 또는 의료기관의 장이 임신 37주 이상의 출생아 등과는 다른 특별한 의료적 관리와 보호가 필요하다고 인정하는 영유아를 말하며, 선천성이상아란 선천성 기형 또는 변형이 있거나 염색체에 이상이 있는 영유아로서 선천성이상으로 사망할 우려가 있는 영유아, 선천성이상으로 기능적 장애가 현저한 영유아, 선천성이상으로 기능의 회복이 어려운 영유아를 말한다.

2. 영유아보건지표

1) 영유아 사망지표

- 영아 사망률 : 연간 출생아 1,000명당 출생 후 1년 이내에 사망한 영아 사망수로 국가 간의 보건수준을 나타내는 대표적 지표이다. 그 이유는 영아사망은 모자보건, 환경위생 및 영양수준 등에 아주 민감하며, 생후 12개월 미만의 일정연령군 이므로 조사망률에 비해 통계적 유의성이 높고, 국가간 영아 사망률이 변동범위가 조사망율에 비하여 훨씬 크기 때문이다.

$$\text{영아 사망률}=\frac{\text{같은 연도 출생후 1년 미만의 사망 영아 수}}{\text{특정 연도의 총출생 수}}\times 1,000$$

- 신생아 후기 사망률: 연간 출생아 1,000명 당 생후 28일부터 1년 이내에 사망한 영아 수이다.

$$\text{영아 후기 사망률}=\frac{\text{같은 연도 생후 28일부터 1년 미만의 영아 사망 수}}{\text{특정 연도의 총출생 수}}\times 1,000$$

- 신생아 사망률: 생후 28일 이내에 발생하는 사망을 신생아사망이라고 한다. 신생아기의 주요 사망원인은 조산과 선천성 기형 등이다.

$$\text{신생아 사망률}=\frac{\text{같은 연도 생후 28일내에 사망한 신생아 수}}{\text{특정 연도의 총출생 수}}\times 1,000$$

- 초생아 사망률: 생후 7일 이내에 발생하는 사망을 초생아 사망이라 한다.

$$\text{초생아 사망률}=\frac{\text{같은 연도 생후 7일 이내의 초생아 사망 수}}{\text{특정 연도의 총출생 수}}\times 1,000$$

- 주산기 사망률: 임신 제28주 이후의 후기 사산 수와 생후 1주미만의 초생아 사망을 합한 것이다. 주산기 사망률은 모체의 건강상태가 태아에게 미치는 영향을 나타내는 지표의 역할을 한다.

$$\text{주산기 사망률}=\frac{\text{같은 연도에 발생한 28주 이후의 사산수+생후 1주일 이내의 사망 수}}{\text{특정 연도의 총출생 수}}\times 1,000$$

- 유아 사망률: 1~4세 유아의 사망확률을 나타낸다.

$$\text{유아사망률}=\frac{\text{1～4세의 사망자 수}}{\text{그해 중앙시점의 1～4세 인구 수}}\times 1,000$$

- α-index: 특정 연도의 영아 사망자 수와 신생아 사망자 수를 비교한 것으로, α-index가 1에 근접할수록 영아 사망의 대부분이 신생아 사망이므로 그 지역의 건강수준이 높음을 나타낸다. 이는 신생아 사망의 원인은 조산

및 선천성 기형 등으로 예방이 쉽지 않기 때문이다. α-index가 클수록 신생아 사망보다 영아 사망이 많다는 것이므로 영야 사망에 대한 대책이 필요하다. 이는 그 지역 영아의 사망이 유전적 요인이기 보다는 예방가능한 사회환경적 요인에 의한 것일 가능성이 크기 때문이다.

$$\alpha\text{-index} = \frac{\text{특정 연도의 영아 사망 수}}{\text{특정 연도의 신생아 사망 수}} \times 1{,}000$$

$$\text{주산기 사망률} = \frac{\text{같은 연도에 발생한 28주 이후의 사산수+생후 1주일 이내의 사망 수}}{\text{특정 연도의 총출생 수}} \times 1{,}000$$

$$\text{초생아 사망률} = \frac{\text{같은 연도 생후 7일 이내의 초생아 사망 수}}{\text{특정 연도의 총출생 수}} \times 1{,}000$$

$$\text{신생아 사망률} = \frac{\text{같은 연도 생후 28일내에 사망한 신생아 수}}{\text{특정 연도의 총출생 수}} \times 1{,}000$$

$$\text{영아 사망률} = \frac{\text{같은 연도 출생후 1년 미만의 사망 영아 수}}{\text{특정 연도의 총출생 수}} \times 1{,}000$$

$$\text{신생아 후기 사망률} = \frac{\text{같은 연도 생후 28일부터 1년 미만의 영아 사망 수}}{\text{특정 연도의 총출생 수}} \times 1{,}000$$

$$\text{유아사망률} = \frac{\text{1～4세의 사망자 수}}{\text{그해 중앙시점의 1～4세 인구 수}} \times 1{,}000$$

$$\alpha\text{-index} = \frac{\text{특정 연도의 영아 사망 수}}{\text{특정 연도의 신생아 사망 수}} \times 1{,}000$$

3. 영유아보건사업 내용

1) 건강관리

(1) 건강검진

영유아 건강관리의 목적은 모체나 태아, 신생아 그리고 영유아기를 대상으로 성장 발육과 건강을 유지, 증진하며 질병 발생 시 조기 발견, 조기 치료를 행함으로써 정상적인 생활을 하도록 하는데 있다.

일반적으로는 출생 후 1개월까지는 2주에 1회, 2～6개월은 한달에 1회, 12개월까지는 두달에 1회, 13～30개월까지는 3개월에 1회가 바람직하다.

「모자보건법 시행규칙」 제5조에 따르면, 정기 건강진단은 영유아의 경우 출생 후 1년 이내는 1개월 마다 1회, 출생 후 1년 초과 5년 이내는 6개월마다 1회씩으로 규정하고 있다. 미숙아의 경우 분만의료기관 퇴원 후 7일 이내에는 1회, 1차 건강진단 시 문제가 있는 경우에는 최소 1주에 2회로 규정하고 있다. 발견된 건강문제가 없는 경우에는 영유아 기준에 따라 건강진단을 실시하면 된다.

현재 국민건강보험공단에서는 생후 4개월부터 71개월까지의 영유아를 대상으로 검진시기별로 건강검진 7회, 구강검진 3회를 시행하고 있다. 영유아 건강검진 결과는 검진완료 후 수검자의 보호자에게 직접 통보해 주고 있다.

검진시기별 검진항목은 다음과 같다.

표 9-26 영유아 건강검진 시기별 항목

검진시기			취학전 준비
1차	건강검진	생후 4~6개월	문진 및 진찰, 신체계측, 건강교육
2차	건강검진	생후 9~12개월	문진 및 진찰, 신체계측, 발달선별검사 및 상담, 건강교육
3차	건강검진	생후 18~24개월	문진 및 진찰, 신체계측, 발달선별검사 및 상담, 건강교육
	구강검진	생후 18~29개월	구강문진 및 진찰, 구강보건교육
4차	건강검진	생후 30~36개월	문진 및 진찰, 신체계측, 발달선별검사 및 상담, 건강교육
5차	건강검진	생후 42~48개월	문진 및 진찰, 신체계측, 발달선별검사 및 상담, 건강교육
	구강검진	생후 42~53개월	구강문진 및 진찰, 구강보건교육
6차	건강검진	생후 54~60개월	문진 및 진찰, 신체계측, 발달선별검사 및 상담, 건강교육
	구강검진	생후 54~65개월	구강문진 및 진찰, 구강보건교육
7차	건강검진	생후 66~71개월	문진 및 진찰, 신체계측, 발달선별검사 및 상담, 건강교육

건강검진 항목별 검진 방법은 다음과 같다.

- 문진 및 진찰: 문진표, 진찰, 청각및 시각문진, 시력검사
- 신체계측: 키, 몸무게(체질량지수), 머리둘레
- 건강교육: 안전사고예방, 영양, 영아돌연사증후군 예방, 구강, 대소변 가리기, 전자미디어노출, 정서 및 사회성, 개인위생, 취학전 준비
- 발달평가: 한국 영유아 발달선별검사(K-DST)를 통한 평가 및 상담
- 구강문진 및 진찰: 구강문진표 및 진찰
- 구강보건교육: 매뉴얼을 이용한 보호자 및 유아 구강보건교육

(2) 선천성대사이상 검사 및 환아관리

선천성 대사이상 질환은 단백질 등 영양분의 소화와 흡수과정인 물질대사(metabolism) 과정이 완전하게 이루어지지 않아 인체에 유독한 물질의 축적으로 신생아 사망 및 심각한 정신지체 등 장애를 유발하는 질환이다. 이와 같은 질환의 조기발견 및 치료를 통해 영유아의 장애를 예방하기 위해 1991년부터 선천성대사이상 검사 및 환아

표 9-27 연도별 선천성대사이상 검사 및 환아발견 실적

(단위: 명)

구분		2010	2011	2012	2013	2014
검사인원		467,957	465,175	483,510	429,952	435,251
발견	페닐케톤뇨증 등	104	104	105	61	61
	갑상선 기능저하증	308	378	381	317	349

출처: 2014 보건복지백서

지원사업을 추진하여 왔다. 특히 한국인에게 발생 빈도가 높은 6종의 선천성 대사이상 질환(페닐케톤뇨증, 갑상선 기능저하증, 호모시스틴뇨증, 단풍당뇨증, 갈락토스혈증, 선천성 부신 과형성증)의 검사 비용을 모든 신생아에게 지원하고 대사이상으로 확진된 환아에게 특수조제분유, 특수식이(저단백 식품) 및 의료비를 지원하고 있다.

(3) 신생아 청각선별검사 지원 실시(신생아 난청 조기진단)

선천성 난청으로 인한 언어발달 장애 및 사회부적응 등의 후유증을 최소화하기 위해 2007년~2008년 시범사업으로 신생아 청각선별검사를 실시하였다. 2년간의 시범사업을 통해 난청 조기발견을 위한 정부지원사업의 타당성 및 합리적인 사업체계를 구축하고 2009년에는 전국 차상위계층(최저생계비 120% 이하)을 대상으로, 2015년에는 전국 가구 월평균 소득 60% 이하로 대상자 범위를 확대하였다. 2014년 출생아 중 약 6만 8천여 명에게 선별검사비용을 지원하였으며 향후 신생아 전원에게 검사비를 지원할 수 있도록 확대해 나갈 계획이다.

2) 예방접종사업

어린이는 태어날 때부터 어떤 질병에 대해서는 면역성을 모체로부터 받아 나오지만 이 면역성은 생후 수개월부터 점차 감소되어 없어지므로 몇 가지 중요한 질환에 대해서는 인공능동면역으로 이를 예방해야 한다. 따라서 예방접종사업의 목적은 영유아에게 기본예방접종을 적기에 실시하여 인공면역을 획득하게 함으로써 전염병을 예방하고 영유아의 기초건강을 확 보하는 데 있다.

(1) 표준예방접종

우리나라는 「어린이 국가예방접종 지원사업」을 통해 감염병 예방을 위해 꼭 필요한 예방접종 서비스를 가까운 병의원에서도 비용 부담없이 무료로 접종 받을 수 있도록 접종비용을 국가가 지원하고 있다. 대상은 만 12세 이하 모든 어린이(2002년 1월 1일 이후 출생자)이다. 2015년 무료접종 대상 백신은 14종으로 다음과 같다.

BCG(피내용), B형간염, DTaP(디프테리아/파상풍/백일해), IPV(폴리오), DTaP-IPV(디프테리아/파상풍/백일해/폴리오), MMR(홍역/유행성이하선염/풍진), 수두, 일본뇌염(사백신), 일본뇌염(생백신), Td(파상풍/디프테리아), Tdap(파상풍/디프테리아/백일해), Hib(b형 헤모필루스 인플루엔자), 폐렴구균, A형간염

소아용 표준예방접종 일정은 그림 9-15와 같다. 국가예방접종은 국가가 권장하는 예방접종으로 국가는 감염병의 예방 및 관리에 관한 법률을 통해 예방접종 대상 감염병과 예방접종의 실시기준 및 방법을 정하고, 국민과 의료제공자에게 이를 준수토록 하고 있다. 기타예방접종은 국가예방접종 이외 민간 의료기관에서 접종 가능한 예방접종이다.

표 9-28 표준 예방접종 일정표(소아용)

	대상 감염병	백신종류 및 방법	회수	출생~1개월이내	1개월	2개월	4개월	6개월	12개월	15개월	18개월	24개월	36개월	만4세	만6세	만11세	만12세
국가필수예방접종	결핵	BCG(피내용)	1	1회													
	B형간염	HepB	3	1차	2차			3차									
	디프테리아 파상풍 백일해	DTaP	5			1차	2차	3차		4차				5차			
		Td / Tdap	1													6차	
	폴리오	IPV	4			1차	2차	3차						4차			
	b형헤모필루스 인플루엔자	PRP-T/ HbOC	4			1차	2차	3차	4차								
	폐렴구균	PCV(단백결합)	4			1차	2차	3차	4차								
		PPSV(다당질)	4									고위험군에 한하여 접종					
	홍역 유행성이하선염 풍진	MMR	2						1차					2차			
	수두	Var	1						1회								
	A형간염	HepA	2						1~2차								
	일본뇌염	JEV(사백신)	5						1~3차						4차		5차
		JEV(생백신)	2						1~2차								
	인플루엔자	Flu(사백신)	–					매년접종									
		Flu(생백신)	–									매년접종					
기타예방접종	결핵	BCG(경피용)	1	1회													
	로타바이러스	RV1	2			1차	2차										
		RV5	3			1차	2차	3차									
	인유두종바이러스	HPV2/HPV4	3													1~3차	

출처: 예방접종 도우미 홈페이지. 2016. 01

(2) 예방접종 주의 및 금기 상황

가. 접종 전 주의 사항

- 아이의 건강상태를 가장 잘 알고 있는 사람이 데리고 온다.
- 집에서 아이의 체온을 측정하고 열이 없는 것을 확인하고 방문한다.
- 모자보건수첩 또는 아기수첩을 지참하고 방문한다.
- 접종 전날 목욕을 시키고, 깨끗한 옷을 입혀서 데리고 온다.
- 가능하면 예방접종을 하지 않을 아이는 데리고 방문하지 않는다.

나. 접종 후 주의사항

- 접종후 20~30분간 접종기관에 머물러 아이의 상태를 관찰한다.
- 귀가후 적어도 3시간이상 주의 깊게 관찰한다.
- 접종당일과 다음날은 과격한 운동을 하지 않는다.
- 접종당일은 목욕을 하지 않는 것이 좋다.

예방접종의 금기사항과 주의사항

금기 사항	- 백신을 접종할 경우 이로 인한 심각한 이상반응을 일으킬 가능성이 매우 높은 경우
주의 사항	- 백신을 접종할 경우 생명을 위협할 수 있는 상황이 생길 수 있는 가능성이 있거나 면역 형성이 잘 안되는 경우

엄격한 의미에서 예방접종을 할 수 없는 영구적인 금기사항은
1) 백신의 성분에 아나필락시스와 같은 심한 알레르기 반응이 있었던 경우
2) 백일해 백신 접종 후 7일 이내에 원인을 알 수 없는 뇌증(encephalopathy)이 발생한 경우의 두 가지 뿐입니다.

개별 백신별 금기사항/주의사항 및 접종이 가능한 경우(일반적인 경우)

금기 사항	- 이전에 백신 접종시 심한 알레르기 반응(아나필락시스 등)을 보인 경우 - 백신 성분에 대한 심한 알레르기 반응(아나필락시스 등)
주의 사항	- 중등도 또는 중증의 급성질환(발열 여부에 무관)
접종이 가능한 경우	- 경증 또는 중등도의 국소 이상반응 - 열이 없거나 미열이 동반된 가벼운 급성 질환 - 이전 접종 후 미열 혹은 중등도의 발열 - 건강해 보이는 유소아가 이전에 검진받은 적이 없는 경우 - 항생제 치료를 받고 있는 경우 - 질병의 회복기 - 미숙아 - 최근에 전염병에 폭로된 경우 - 페니실린 알레르기,백신이 아닌 물질에 대한 알레르기, 알레르기의 가족력, 알레르기 유발물질로 면역치료 중인 경우, 백신성분에 대한 비아나필락시스성 알레르기, 비특이적인 알레르기 - 모유 수유

그림 9-9 예방접종의 금기사항과 주의사항

출처: 예방접종 도우미 홈페이지. 2016.1

- 접종부위는 청결하게 한다.
- 접종후 최소 3일간은 특별한 관심을 가지고 관찰하며 고열, 경련이 있을 때에는 곧 의사진찰을 받도록 한다.
- 접종부위에 발적, 통증, 부종이 생기면 찬 물수건을 대 준다.
- 아이는 반드시 바로 눕혀서 재운다.

3) 영양관리

영양은 성장발육과 건강유지 증진에 필수 불가결한 요소이다. 따라서 부모에게 영유아의 식이와 영양에 대한 교육과 상담을 하는 것은 계속성 있는 영유아 건강관리의 기초가 된다.

부모에 대한 구체적인 영양교육 및 상담내용에서 포함해야 할 것은 다음과 같다.

- 가족들이 가져야 할 어린이 식사에 대한 올바른 지식과 태도
- 모유 또는 우유수유 및 이유를 거쳐 혼합식이로 옮기는 과정의 중요성과 다루는 방법에 대한 이해와 실천
- 어린이 음식물의 양과 식품선택 및 조리방법
- 음식물을 먹이는 방법
- 식사시의 분위기와 식사방법
- 음식물이 즐거움을 준다는 사실
- 모유수유를 위한 교육 및 상담

– 인공영양을 위한 교육 및 상담

– 보충식이에 대한 교육 및 상담

국민의 건강증진과 만성질환의 예방을 위한 건강한 식습관 형성과 평생에 걸친 생애주기별 영양관리를 위하여 지난 2010년 9월에 「국민영양관리법」이 제정 · 시행되어 임산부 및 영유아 대상으로 보건소에서 영양플러스 사업, 임산부 철분, 엽산제 지원, 다문화가정 영양관리 사업 등이 시행되고 있다.

영양플러스 사업은 가구 규모별 최저생계비 대비 200% 미만 임산부 및 영유아 중 영양위험요인(빈혈, 저체중, 성장부진, 영양섭취불량 등)을 가진 대상자에게 영양교육 및 상담을 실시하고 보충식품 패키지를 제공하여 영양개선위험요인 개선 및 스스로의 식생활관리 능력 배양하는 사업이다.

4) 통상증상 질환관리 및 응급처치

사고란 예기치 못한 상황에서 갑자기 발생하는 것이나 가족의 따뜻한 보살핌과 주의깊은 관찰과 지혜로운 대

표 9-20 연령에 따른 사고의 안전 대책

연령	운동기능의 발달	사고의 종류	예방 대책
1세 미만	4개월: 물건을 손으로 집으려 한다. 5개월: 두 손으로 사고 물건을 잘 쥐며 아무것이나 입에 넣는다. 6~7개월: 뒤집는다. 10개월: 잡고 선다. 12개월: 혼자 선다	질식, 추락, 중독, 이물 흡입, 화상, 익수	– 너무 푹신한 베개나 요를 사용하지 않는다. – 침대 옆에 난간을 설치하며, 높은 곳에 혼자 두지 않는다. – 비닐 봉지, 끝이 뾰족하거나 조그만 조각으로 떨 어져 나가기 쉬운 장난감, 동전, 팝콘이나 콩 등 을 치워 둔다. • 물이 담긴 그릇, 뜨거운 음식, 전열기구 등의 근 처에 혼자 두지 않는다. • 자동차에 태울 때 유아용 의자를 사용한다. • 구토제를 상비약으로 준비해 둔다.
1세	15개월: 혼자 걷는다. 계단을 기어 올라 간다. 18개월: 서랍을 연다	중독, 추락, 익수, 사고, 교통사고, 화상, 이물 흡입, 질식, 외상	• 약품, 독성물질, 동전, 핀, 구슬 등을 치운다. • 창문에는 창살을 설치하고 꼭 잠근다. • 실내에서 놀도록 하며, 실외로 나갈 경우 주의깊게 관찰한다. • 난로 위에 있는 주전자나 프라이팬의 손잡이를 손에 닿지 않게 하고, 뜨거운 음식 그릇을 식탁 가장자리에 놓지 않는다. • 갑자기 떨어져 내릴 수 있는 장난감 상자를 치 운다. • 목욕탕이나 수영장에 혼자 두지 않는다. • 자동차에 태울 때는 유아용 의자를 사용한다
2~3세	호기심이 많다. 계단을 오르내린다. 세발 자전거를 탈 수 있다.	교통사고, 추락,익수사고, 화상,중독, 외상	• 길에서 자동차를 주의하라고 가르친다. • 큰길로 굴러가는 공을 잡으려고 쫓아가는 것은 위험하다고 가르친다. • 모든 화기는 잠가 두고, 가스 레인지는 벽의 밸브까지 잠근다. • 과도, 전열기구, 약품, 성냥, 동전, 핀, 구슬 등은 손이 닿지 않는 곳으로 치운다. • 자동차에 태울 때는 어린이용 의자를 사용한다.
5~9세	대담하고 모험적이다. 아이들과 경쟁적 놀이를 한다.	교통사고, 자전거사고, 익수사고, 외상	• 안전하게 자전거를 타는 법을 가르친다. • 자전거를 탈 때에는 헬멧을 쓰도록 한다. • 교통 법규를 가르친다. • 자동차 안전 벨트 매는 법을 가르친다. • 수영을 배워 둔다.
10~15세	부모와 떨어져 지내는 시간이 많아진다.	교통사고, 익수사고, 화상, 중독, 추락	• 교통 법규 및 보행자의 안전 규칙을 가르친다. • 자전거를 탈 때에는 헬멧을 쓰도록 한다. • 플라스틱 총알이 발사되는 장난감 총을 가지고 놀지 못하게 한다. • 레크리에이션이나 사회 체육 활동에 필요한 안 전한 장소를 제공한다. • 밖에서는 짝을 지어 다니거나 놀게 한다.

처로써 어느 정도 예방이 가능하다. 안전사고는 아동의 사망원인 1위이므로 어린이 사고예방과 안전에 대한 내용 을 부모에게 교육시키는 것이 중요하며 생활지도에 교통사고, 익사사고 예방교육이 매우 필요하다.

5) 구강관리

출생 후 5~6개월을 전후하여 발생하는 유치와 6세 전 · 후의 유치탈락 및 영구치에 대한 건강관리가 필요하다.

구강의 기형, 치아형태의 이상, 구강질환의 조기발견을 위한 관찰과 조기에 치료 의뢰가 이루어지도록 한다. 생후 2년부터 위생적인 칫솔 사용법, 건강한 치아 유지를 위한 식이 등 구강교육을 실시하며, 치과적 사고에 대한 예방교육을 실시한다.

▶ 구강의 기형 및 질환

- 치아 수의 이상,
- 치아 형태의 이상,
- 치아의 위치 이상,
- 유치와 영구치 교환 시에 나타나는 이상,
- 구개파열, 토순

6) 미숙아 및 선천성이상아 등록관리 및 의료비 지원

미숙아 및 선천성이상아의 집중 치료에 따른 과다한 의료비 지출로 인한 치료포기, 치료시기 지연 등으로 발생하는 장애 및 영아사망을 예방하고자 2000년부터 미숙아나 선천성이상아로 출생하는 신생아에게 의료비를 지원하고 있다. 전국가구 월평균가구소득 150% 이하 가정 미숙아의 경우 체중별로 500~1000만 원까지, 선천성이상아의 경우 최대 500만 원까지 의료비를 지원한다. 의료기관으로부터 미숙아 및 선천성이상아의 출생을 보고받은 보건소에서는 미숙아 등을 출산한 임산부의 주소지 관할 보건소로 관련 자료를 이송하고 관내 미숙아 출산 가구에는 의료비 지원을 안내하고 있다.

4. 보건소 영유아실 관리 및 등록업무 절차

보건소 영유아실 간호사는 대상자가 최초 보건소 방문 시 접수 및 등록절차에 따라 등록하고, 건강 기록부를 작성하며 영유아 출생에 대한 정보는 모자보건수첩에 기록한다.

방문 시 접수 및 등록절차:

영유아 방문 → 접수 및 등록 → 성장발육 측정 → 건강상담 (예방접종, 투약) → 관리결과 기재 → 업무보고

지역사회에서 영유아 보건사업 대상자의 발견방법은 다음과 같다.

- 관할 구역 내 인구의 성별, 연령별 분포를 분석한다.
- 구청/군청, 또는 동사무소를 통해 출생자를 확인한다.
- 가정방문을 통해 영유아 보건대상을 확인한다.
- 지역사회 보육시설, 유치원 등을 이용하는 아동 수를 파악한다.
- 지역사회 병 · 의원의 영유아 이용률을 확인한다.

제5절 여성보건사업

1. 여성보건의 개념

여성보건사업에서 포함하는 여성은 광의의 의미에서 초경기에서부터 폐경기에 이르는 모든 여성을 의미하나 협의의 의미에서는 임신, 분만, 출산 후 6개월 미만 또는 1년 미만의 여성을 말한다. 「모자보건법」에 따르면, 임산부란 임신 중이거나 분만 후 6개월 미만인 여성을 말하며, 모성은 임산부와 가임기 여성을 말한다.

「모자보건법」의 제정 목적은 모성 및 영유아의 생명과 건강을 보호하고 건전한 자녀의 출산과 양육을 도모함으로써 국민보건 향상에 이바지하는 것으로, 모자보건사업은 모성과 영유아에게 전문적인 보건의료서비스 및 그와 관련된 정보를 제공하고, 모성의 생식건강 관리와 임신 · 출산 · 양육 지원을 통하여 이들이 신체적 · 정신적 · 사회적으로 건강을 유지하게 하는 사업을 말한다. 2009년 임신과 출산의 중요성을 북돋우기 위해 10월 10일을 임산부의 날로 정하였으며, 「모자보건법」 제4조에 의거 모성 등의 의무는 다음과 같다.

- 모성은 임신 · 분만 · 수유 및 생식과 관련하여 자신의 건강에 대한 올바른 이해와 관심을 가지고 그 건강관리에 노력하여야 한다.
- 영유아의 친권자 · 후견인이나 그 밖에 영유아를 보호하고 있는 자는 육아에 대한 올바른 이해를 가지고 영유아의 건강을 유지 · 증진하는 데에 적극적으로 노력하여야 한다.

일반적으로 여성보건사업은 혼전상담에서부터 산전, 분만, 산후관리 등을 철저히 함으로써 모든 임산부가 정상적으로 건강한 자녀를 분만하고 합병증 없이 회복되도록 도우며 고위험 임부관리, 불임지도, 그리고 폐경기 건강관리 등도 포함한다. 최근에는 여성이 처한 가족에서의 위치 및 사회적 역할에 대한 중요성이 강조되면서 출산 가족까지의 포함하는 포괄적 건강관리로 확대되고 있으며, 여성의 경제활동참가율 증가와 결혼연령의 상승 및 고령출산의 증가 등으로 가임기 여성의 생식건강 악화가 사회적으로 이슈화됨에 따라 제1차 「저출산 · 고령사회 기본계획」(새로마지플랜 2010)에서 건강한 임신 · 출산에 대한 사회적 책임을 강화하고 동 대책에 의하여 2006년부터 가임기여성의 건강증진 지원사업을 추진되고 있다.

2. 여성보건사업의 의의 및 목적

여성보건사업은 여성의 건강뿐만 아니라 다음세대를 이어갈 영유아 및 아동의 건강에도 직접적인 영향을 주기 때문에 여성보건사업이 가지는 의의가 매우 크다. 특히, 이러한 모자보건사업은 제한된 투입으로 큰 효과를 낼 수 있기 때문에 비용효과 측면에서도 의의가 있다. 또한 UN의 새천년 개발 8대목표 (Millennium Development Goals, 2000) 중 2개 목표가 여성 어린이 건강 분야로 유아사망률 감소와 모성건강 증진이다. 태아기때 부터의 건강투자는 국가성장 및 발전의 핵심이며, 건강한 여성은 국가의 자산이다. 여성과 영유아 및 아동보건 수준은 국가나 지역사회의 보건 수준을 나타내는 지표로 활용 되므로 그 구체적 의의는 다음과 같다.

– 여성과 영유아 및 아동은 전체 인구의 다수층을 차지하고 있다.
– 다음 세대의 인구 자질에 영향을 준다.
– 예방사업의 효과가 크고, 지속적 건강관리와 질병예방에 영향을 준다.
– 제한된 투입으로도 인구의 건강증진에 기여하는 정도가 크다.
– 임신중 질병은 유산, 사산, 기형아 등을 유발할 수 있다.
– 영유아기는 다른 연령층에 비하여 건강상 취약성이 높다.
– 임산부와 영유아는 질병에 이환되기가 쉽고, 질병과 사고가 가져오는 장애문제는 치명률이 높거나 후유증으로 불구가 되기 쉽다.

여성보건사업의 목적은 여성의 생명과 건강을 보호하고 건강한 자녀의 출산과 양육을 통해 모자의 삶의 질을 향상시키므로 국민건강수준을 유지 증진시키는 데 있다. 이를 달성하기 위한 구체적인 목적은 다음과 같다.

– 임산부 · 가임기여성의 신체적 · 정신적 · 사회적 건강 증진 도모
– 건강에 대한 사전 예방적 투자로 차세대 건강한 인적자원 확보
– 임신 · 출산 · 양육에 대한 사회적 환경조성
– 가족건강사업의 지원 및 전달체계 구축

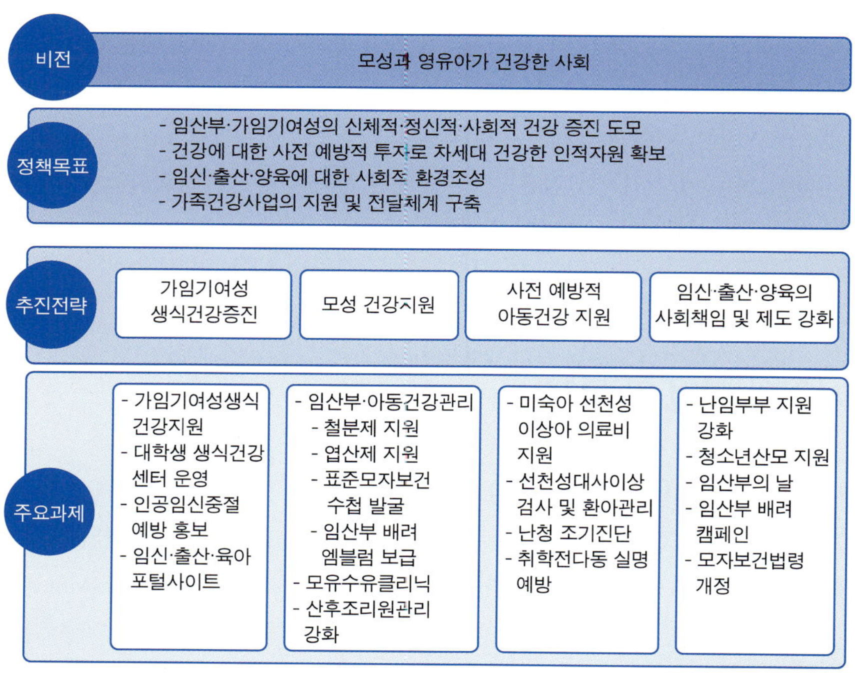

그림 9-10 여성과 어린이 건강증진체계

출처: 2014 보건복지백서

3. 여성보건사업의 변천

여성과 아동에 대한 관심은 고대사회나 중세사회에서는 거의 찾아 볼 수가 없으나 19세기 에 들어오면서 유럽 여러 나라에서 영아사망에 관한 관심이 높아졌으며, 19세기 후반기에 아동과 임산부 보호에 대한 법이 제정됨으로써 국가가 아동과 여성의 보호에 관여하기 시작하였다. 미국에서는 모든 인구 중 특히 모성과 아동의 건강을 증진시킬 목적으로 1912년 법이 제정되면서부터 모자보건사업이 본격화되기 시작하였다

우리나라의 모자보건사업의 시작은 1923년 노선복 선교사에 의한 어머니교실 및 영유아 보건사업 실시에서 그 근원을 찾을 수 있다. 실제적인 모자보건사업의 개념 도입은 1945년 미군정의 영향을 받아 보건후생부 예방국 방역과에 모자보건계가 설치되면서 정부차원의 관심이 시작되었고, 다음과 같은 추진과정을 거쳐 오늘에 이르고 있다.

- 1923년 노선복과 한신광에 의한 어머니 교실 및 영유아 보건사업
- 1945년 보건후생부 예방국 방역과 모자보건계 설치하고 서울시 시립 보건소 설립(임부 · 영아 건강상담 실시)
- 1947년 서울시 각 구(9)에 보건소 설립, 모자보건사업 실시
- 1956년 보건소법 공포, 193개 군에 보건소 설치
- 1961년 아동법 공포
- 1962년 1956년도 제정된 보건소법 개정, 군 단위 보건소에서 모자보건사업 실시
- 1964년 보건사회부 보건국에 모자보건과 신설
- 1967년 읍 · 면에 유자격 조산원 배치
- 1972년 보건사회부 보건국 모자보건과가 모자보건담당실로 개편, 모자보건정책 강화, 가족계획계에서 가족계획과로 개편
- 1973년 모자보건법 공포, 대도시 · 중소도시에 모자보건센터 설치
- 1981년 정부기구 통폐합 방침에 따라 모자보건과와 가족계획과가 통합되어 가족보건과로 축소
- 1982년 전국 농어촌에 모자보건센터 설치
- 1983년 보건소에 가족보건계 설치
- 1985년 모자보건, 가족계획, 결핵관리사업을 통합보건사업으로 전환하여 모자보건요원이 통합보건요원으로 변경, 민간 병 · 의원에 11개 모자보건종합센터 설립
- 1986년 모자보건법 개정에 준거한 사업확대기반 구축, 모자보건수첩 발급제도 수립, 모자보건관리 체계화
- 1988년 보건소에 모자보건계 설치
- 1990년 영유아 예방접종사업을 모자보건사업으로 전환
- 1995년 보건소법이 지역보건법으로 개정, 지방자치단체의 관할구역 안에서 모자보건사업 실시
- 1998년 보건복지부 조직개편으로 모자보건 업무를 보건자원관리국의 지역보건과에서 관장
- 1999년 전국 23개 보건소 대상 모자보건선도사업 추진
- 2002년 보건복지부 가정보건복지심의관 내 가정 · 아동복지과에서 모자보건업무를 담당
- 2005년 모자보건선도사업을 여성과 어린이 건강증진사업으로 변경
- 2006년 모자보건 중추기관으로 보건소 지원 육성, 생애주기별 서비스를 통한 평생 관리체계 구축 노력

– 2007년 보건복지가족부 저출산 · 고령사회정책본부 산하 인구아동정책관내 출산지원팀에서 모자보건업무 담당
– 2010년 보건복지부 저출산 · 고령화 정책실 신설
– 2011년 보건복지부 건강정책국 산하 구강가족건강과에서 모자보건사업 담당
– 2013년 보건복지부 인구정책실 출산정책과에서 모자보건업무 담당

4. 여성보건지표

여성보건지표는 여성의 보건수준 및 보건사업을 질적, 양적으로 평가할 수 있는 자료를 의미한다. 여성보건지표의 종류는 출생지표, 사망지표 등으로 계산 방법은 다음과 같다.

1) 출산지표

출생이란 재태기간과 상관없이 태아가 모체 밖으로 완전히 나오고 탯줄 절단 후에 살아 있는 표시(호흡, 심장박동, 탯줄맥박, 근육의 운동 등)가 있는 경우를 말한다. 사산이란 재태기 간과 상관없이 태아가 모체 밖에 나오기 전에 사망한 것을 의미하며 출산의 의미는 출생과 사산을 합친 것이다.

– 조 출생률(crude birth rate)

$$\text{조출생률} = \frac{\text{연간출생아 수}}{\text{연 중앙인구(그해 7월 1일 현재 총인구 수)}} \times 1,000$$

– 사산율(fetal death rate, stillbirth rate)

사산은 자연사산과 인공사산으로 구분된다. 사산률은 경제생활의 안정과 의료기술의 발전으로 일반적으로 감소추세를 보이고 있으나 전시나 천재지변 등으로 변동을 보이기도 한다.

$$\frac{\text{해당연도 사산아 수(임신 28주 이후)}}{\text{특정 연도 출산아 수(출생아+사산아)}} \times 1,000$$

– 일반 출산율(general fertility rate)

주민의 성별, 연령구조, 출생, 사망, 인구이동에 대한 영향을 가장 적게 받는 지수이다.

$$\text{일반출산율} = \frac{\text{연간 총출산 수}}{\text{가임연령(15∼44 또는 49세) 여성 인구 수}} \times 1,000$$

– 연령별 특수 출산율(age–specific fertility rate)

15∼49세의 여성인구군에서 각 연령, 또는 연령군별로 한 개인이 1년에 평균 몇 명의 아이를 낳는가를 나타내는 것이다. 본 통계는 결혼연령, 연령층 유배우율, 연령별 피임 실시율에 따라 크게 영향을 받는다. 우리나라는 20대의 연령별 출산율은 감소세를 보이고, 30대는 증가세를 보이고 있다. 이는 사회 · 경제적 환경 및 가치관 변와에 따라 결혼 기피 및 연기로 결혼연령 상승과 출산 기피 현상 때문인 것으로 판단된다.

$$\text{연령별 특수 출산율} = \frac{\text{그해의 특수 연령층 여자에 의한 출생 수}}{\text{어떤 해 7월 1일 특수 연령층 여자 수}} \times 1,000$$

표 9-30 우리나라 연령별 출산율과 합계 출산율의 변화

(단위: 명)

구분		2008	2009	2010	2011	2012	2013	2014
합계출산률		1.19	1.15	1.23	1.24	1.30	1.19	1.21
모의 연령별 출산율	20~24세	182	16.5	16.5	16.4	16.0	14.0	13.1
	25~29세	85.6	80.4	79.7	78.4	77.4	65.9	63.4
	30~34세	101.5	100.8	112.4	114.4	121.9	111.4	113.8
	35~39세	26.5	27.3	32.6	35.4	39.0	39.5	43.2

※ 자료: 통계청, 「2014년 인구동태통계연보」, 2015

※ 주) 합계출산율: 가임기간 여성 1명이 평생 낳을 것으로 예상되는 평균 출생아 수

– 합계출산율(total fertility rate)

한 여자가 가임기간(15~49세) 동안 출산하는 평균 자녀수를 나타내며, 연령별 출산율의 총 합이다. 출산력 수준 비교를 위한 대표적인 지표로서 한 사회의 출산 수준을 다른 사회와 비교할 때 유용하다. 2014년 합계출산율은 1.21명으로 2005년 1.08명을 저점으로 증가하다가 2008년 이루 감소, 2010년에 다시 증가하였으나 인구의 대체수준인 2.1명에는 미치지 못하고 있다.

$$\text{합계출산율} = \frac{\text{연령별출산율(15~49세)의 합}}{1{,}000}$$

– 총재생산률(gross reproduction rate)

인구의 증감을 예측할 때 사용되는 지표의 하나로 한 여성이 일생 동안 낳은 여아의 수를 나타낸다.

$$\text{총재생산율} = \text{합계출산율} \times \frac{\text{여아 출생 수}}{\text{총출생 수}}$$

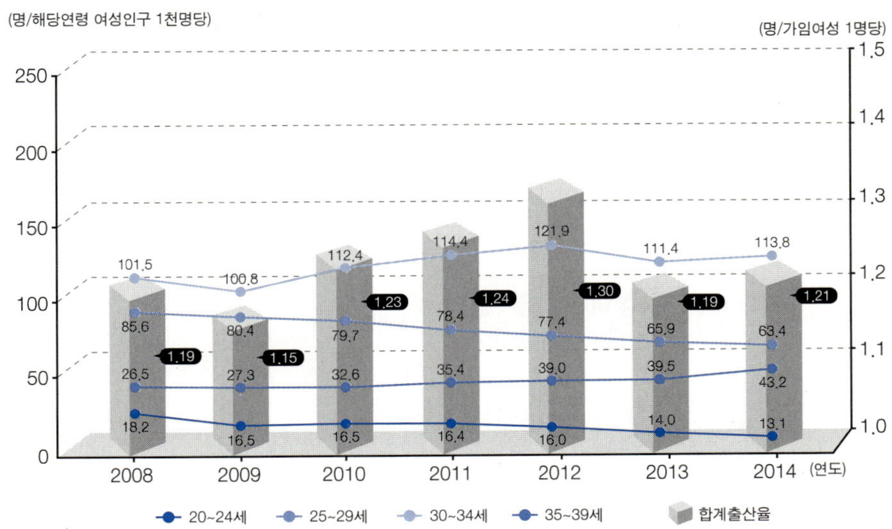

그림 9-11 우리나라 연령별 출산율과 합계 출산율의 변화 추이

– 성비

성비는 남녀인구의 균형상태를 나타내는 지수로서 보통 여자 100명에 대한 남자의 수로 표시되며 1, 2, 3차 성비로 구분된다. 1차 성비는 태생기의 성비이며, 2차 성비는 출생시의 성비, 3차 성비는 현재 인구의 성비를 말한다. 일반적으로 1차 성비는 110, 2차 성비는 105, 3차 성비는 101 정도로 남자가 여자보다 많다가 결혼연령에서 남녀 인구수는 비슷해진다. 출산순위별 출생성비에서는 첫째 아이보다 셋째 아이로 갈수록 성비가 높아지는 추세를 보인다.

$$\text{성비} = \frac{\text{남자 수}}{\text{여자 수}} \times 100$$

2) 사망지표

– 모성 사망비(Maternal mortality ratio)

모성 사망비은 전반적인 보건수준을 나타내는 중요한 지표로 연간 정상 출생수 100,000명에 대한 임신, 분만, 산욕과 관련하여 분문 후 42일 이내에 발생한 여성사망자 수의 비율로 임신부의 산전, 산후관리 수준 반영 및 지역사회 의료전달체제, 사회경제적 수준을 반영한다.

$$\text{모성사망비} = \frac{\text{같은 해의 임신, 분만, 산욕으로 인한 모성 사망 수}}{\text{특정 연도의 출생 수}} \times 100,000$$

– 모성사망률(Maternal mortality rate)

임신과 관련된 원인으로 임신 또는 분만 후 42일 이내에 발생한 여성사망자 수를 해당 연도의 가임기(15~49세) 여성의 연앙인구로 나눈 수치를 100,000분비로 표시

$$\text{모성사망률} = \frac{\text{당해연도 모성사망자 수}}{\text{당해연도 가임기여성의 연앙인구}} \times 100,000$$

$$\text{조출생률} = \frac{\text{연간 총출생 수}}{\text{연 중앙인구(그해 7월 1일 현재 총인구 수)}} \times 1,000$$

$$\frac{\text{해당연도 사산아 수(임신 28주 이후)}}{\text{특정 연도 출산아 수(출생아+사산아)}} \times 1,000$$

$$\text{일반출산율} = \frac{\text{연간 총출산 수}}{\text{가임연령(15～44 또는 49세) 여성 인구 수}} \times 1,000$$

$$\text{연령별 특수 출산율} = \frac{\text{그해의 특수 연령층 여자에 의한 출생 수}}{\text{어떤 해 7월 1일 특수 연령층 여자 수}} \times 1,000$$

$$\text{합계출산율} = \frac{\text{연령별출산율(15～49세)의 합}}{1,000}$$

$$\text{총재생산율} = \frac{\text{합계출산율} \times \text{여아 출생 수}}{\text{총출생 수}}$$

$$\text{성비} = \frac{\text{남자 수}}{\text{여자 수}} \times 100$$

$$모성사망비 = \frac{같은\ 해의\ 임신,\ 분만,\ 산욕으로\ 인한\ 모성\ 사망\ 수}{특정\ 연도의\ 출생\ 수} \times 100{,}000$$

$$모성사망률 = \frac{당해연도\ 모성사망자\ 수}{당해연도\ 가임기여성의\ 연앙인구} \times 100{,}000$$

5. 여성보건사업의 내용

「모자보건법」 제7조에 의거 국가와 지방자치단체는 모자보건사업 및 가족계획사업을 보건소에서 담당하도록 하고 있는데, 그 내용은 다음과 같다.

- 임산부의 산전 · 산후관리 및 분만관리와 응급처치에 관한 사항
- 영유아의 건강관리와 예방접종 등에 관한 사항
- 모성의 생식건강 관리와 건강 증진 프로그램 개발 등에 관한 사항
- 부인과 질병 및 그에 관련되는 질병의 예방에 관한 사항
- 심신장애아의 발생 예방과 건강관리에 관한 사항
- 성교육 · 성상담 및 보건에 관한 지도 · 교육 · 연구 · 홍보 및 통계관리 등에 관한 사항

1) 지역사회통합건강증진 사업내 여성 대상 특화 사업

(1) 가임기 여성

가임기 여성의 임신 및 출산 육아에 대한 지식습득의 기회가 적고 양육기술이 부족하여 임신 출산 육아에 대한 막연한 불암감을 가지고 있기 때문에 임산부 자신은 물론 출생아 및 가족의 건강을 증진하고 분만 및 모성역할에 대한 자신감 만족도에 긍정적 영향을 미치는 산전교육의 효과적 · 체계적 보급 필요하다.

표 9-31 임산부 건강교육 프로그램의 중점 교육내용

교육회수	중점 교육내용
1회	임신 중 자기관리(self-care)와 태교 산전 산후 일상생활과 영양관리
2회	분만과정 이해와 편안한 출산(진통감소, 호흡법 등) 부부가 함께하는 호흡법, 이완법, 연상법 실습
3회	성공적인 모유수유 실천을 위한 지식습득과 유방관리 신생아 특성과 남편의 역할
4회	산후 건강관리와 정상 및 이상증상 이해 출산준비와 신생아 돌보기
5회	영아 건강관리, 산후우울증 관리 산욕기 체조 실습

(2) 청장년층 생식건강증진

청소년층 및 청장년층 남 · 여 대상 생식건강증진을 위한 교육 상담 홍보사업을 전개하고(중고등학교, 대학교, 산업체 등 방문사업), 결혼준비 예비부부 대상 건강증진, 심리 · 사회적 · 신체적 임신준비 계획, 임신 홍보 교육 등 사업을 시행하고 있음.

(3) 임산부 및 신생아 가정방문 지도

취약계층 임산부, 유질환 임산부 등의 가정을 방문하여 보건지도 및 건강유지증진을 위한 일생생활 전반에 대한 상담 조언을 하며, 신생아, 특히 미숙아 양육을 위한 전문가(간호사, 조산사 등)의 방문지도는 육아의 경험이 없는 산모에게 큰 도움이 되고 있다.

(4) 산후건강관리 코칭

출산 후 산모의 건강관리 및 신생아 건강관리의 방향성을 제시하고 산후조리원 이용, 산후 가족 등 외부 지원 관련 올바른 지식 정보 제공하고 있음.

(5) 임산부, 출산 수유부, 영유아 대상 영양관리

여성 및 어린이 건강증진을 위한 영양교육 영양섭취상태 개선 등 영양취약계층에 대한 영양관리사업(영양플러스사업)에 대상자를 연계하고 이유식 · 유아식 조리방법 및 영유아 비만예방을 위한 식습관 운동 관련 교육과 영유아 양육 부모 간에 정보교환을 위한 온 · 오프라인 환경을 마련해 주고 있다.

2) 혼전상담

건강한 결혼생활의 필수조건은 건강이다. 따라서 여성보건사업에서 혼전상담을 통한 임신 전의 건강관리는 매우 중요하다. 임신 전에 질환이 있을 경우 임신부의 건강은 물론 태아 건강에 영향을 줄 수 있으므로 결혼 당사자들간에 건강상태에 대한 정보를 교환해야 한다. 혼전 건 강상담을 위한 검사는 혈액검사, 소변검사, 성병검사, 흉부 X선검사, 내분비검사, 신체검사 등이다.

그 밖에도 유전상담 및 관련 의료정보 제공, 영양상태 지도, 성상담 및 교육, 부모의 책임과 역할에 대한 교육 및 상담, 그리고 예방접종(간염, 여성의 경우 풍진) 등을 실시한다. 미혼모의 경우 임신에 대비한 부모의 건강, 자녀양육에 대한 도의적인 책임과 경비, 출산과 육아에 알맞은 환경조성, 그리고 임신 및 임신지속 여부의 결정, 지역사회 자원 의뢰 등에 대한 상담 및 지도가 요구된다.

3) 산전관리

산전관리의 목적은 임부와 태아의 건강상태를 주기적으로 진단하여 위험요인을 조기에 발견하고 집중적인 관리 및 상담을 통해 건강한 임신 및 분만을 도모하며 보건교육을 실시하므로 임부 스스로 조기에 위험요인을 발견

함으로써 건강관리를 잘하는 데 있다. 또한 임신, 수유 중의 건강 및 영양관리의 필요성을 인식시키고 관리능력을 증진시키므로 건강한 아기를 분만하며 잘 양육할 수 있도록 한다. 이러한 산전관리를 통해 사산율, 주산기 사망률, 저체중아 또는 미숙아 출산율, 선천성 기형아 출산율을 감소시키며 모성측의 빈혈, 고혈압, 자간전 증 및 자간증, 감염 등에 의한 모성 사망과 유병률을 감소시킬 수 있어 어느 국가이든지 산전관리를 여성보건사업의 가장 중요한 요소로 간주하고 있다. 우리나라는 2000년 7월 1일부터 임부 산전관리 건강보험급여를 실시 · 확대하고 있다.

(1) 임신 · 출산 · 육아 종합정보 제공

여성이 스스로 임신 · 출산 · 양육과 관련하여 자신의 건강을 관리할 수 있도록 정보접근 기회 확대 및 건강관리 능력 제고를 위하여 정부지원사업으로 2005년 7월에 포털사이트 아가사랑(www.aga-love.org)을 구축하였다.

2006년부터 임산부에 대한 정보 욕구조사를 통해 출산지원 시책 제공, 전문가 24시간 On-line 상담, 전화상담(1644-7373), 동영상교육 등의 콘텐츠 확충사업을 실시하였으며, 2010년에는 스마트폰 어플리케이션(숙녀 다이어리)을 제작 · 배포하였다. 2011년에는 가임기 여성의 임신 · 출산 · 육아 관련 정보제공을 위한 콘텐츠(계획임신 프로그램, 동영상 제작, 놀이와 교육, 영양과 이유식)를 개발하였으며, 2012년에는 산후 우울증 체크프로그램 개발, 여성건강 카툰 개발 등 온 · 오프라인(페이스북, 트위터 운영 등) 정보 연계를 통한 사이트 홍보를 활성화하였다. 2013년에는 아가사랑 홈페이지를 디자인, 접근경로 등을 개편하여 이용자가 더욱 편리하게 사이트를 이용할 수 있도록 보완하였다. 2014년에는 산전 · 후 우울증 콘텐츠 개발, 다국어(영어, 중국어, 베트남어)사이트 운영 등으로 다양한 계층을 대상으로 임신 · 출산 · 육아에 대한 신뢰성 있는 종합정보 및 전문가 상담을 제공하여 임신 · 출산에 친화적인 환경을 조성하고 있다. 또한 임신중 약물목용 중 위험요소 관련 전문상담센터 마더세이프 (www.mothersafe.or.kr) 등 정부위탁 전문정보 상담사업 적극 활용하고 있다.

(2) 임산부 등록 관리 및 표준보자보건 수첩 지원

임산부는 민간의료기관 또는 보건소에 임신 또는 분만 사실을 신고하여 임산부로 등록하고 관리 받을 수 있다. 특시 보건소에 등록될 경우 분만 전까지 주기적으로 전화 상담을 통해 내소를 유도하여 산전관리를 실시하고 있다.

임산부로 등록되면 표준모자보건수첩을 발급 받는데 이는 임신부터 영유아기까지의 각종 검사 및 건강관리에 대한 안내, 예방접종, 검진 등 의무기록 유지 등 필수 · 객관적 정보를 제공하고자 시행되고 있는 사업이다. 2008년에부터 임산부 및 어린이건강수첩을 제작 · 배포하였으며, 2011년부터 다문화가정의 임산부 및 어린이를 위한 다국어 번역수첩을, 2014년에는 시각장애인을 위한 점자 산모수첩을 제작 · 배포하여 편의를 제공하고 있다.

모자보건수첩에는 다음의 사항이 포함되어 있다.

- 임산부 또는 영유아의 인적 사항
- 산전 · 산후 관리 사항
- 임신 중의 주의사항
- 임산부 또는 영유아의 정기검진 및 종합검진
- 영유아의 성장발육과 건강관리상의 주의사항
- 예방접종에 관한 사항

(3) 정기 건강검진

정기적 산전관리는 임신 7개월까지 월 1회 임신 8~9개월까지 월 2회, 임신 10개월~분만까지 주 1회이며, 이상이 있으면 수시 진찰한다. 임상검사 및 진단과 문진(내 · 외과적 기왕력, 월경력, 임신 및 출산력, 가족력, 현재의 임신상태)을 통해 건강 상태를 검진하며, 산전관리 위험요인 사정한다. 산전관리 위험요인은 다음과 같다.

- 연령, 임신중독 및 자간전증 경험, 제왕절개수술 경험, 선천성 기형아 분만 경험, 질출혈 경험, 난산 경험, 주산기 사망, 자연유산 경험, 임신회수(유산, 사산포함 5회 이상), 이전 출생아 체중.

(4) 고위험 임산부 특별관리

여성의 경제활동 참가율 증가, 교육수준 향상 등으로 초혼 연령이 늦어지고, 결혼 후 첫째아 출산에 소요되는 기간이 점차 길어짐에 따라 출산 평균연령 증가 추세이다. 고령임신으로 인한 고위험 임신은 임산부와 태아의 건강문제 및 국민의 건강수준 저하의 요인으로 작용 산전 산후 관리의 중요성 대두되었다. 고위험군 대상의 적절하고 체계적인 산전관리를 통해 가임기 여성의 건강증진 및 건강한 신생아 출산에 기여하고 있다.

고위험 임신 대상자는 다음과 같다.

- 20세 미만과 35세 이상의 임산부
- 조산 사산 거대아를 출산한 경력이 있는 임신부
- 유전질환 등 가족력이 있는 임신부
- 고혈압, 당뇨병, 갑상선질환, 심장병, 신장병, 자가면역질환 등 질환자
- 저체중이거나 비만한 임신부

표 9-32 고령 임신 시 내과적 · 산과적 문제별 관리 방안

문제		관리방안
임신	임신성고혈압(임신중독증)	임신전후 고혈압관리 적정 혈당치 유지를 위한 치료
	임신성당뇨	
분만전	초기 유산	건강검진
	빈혈	
	비뇨기계 감염	
	전치태반	임신 중 산전 진찰 철저히 증상교육 및 신속한 연락
	태반 조기박리	
	양막조기파수	
	조산	
	양수과다증	
태아	임신중유전질환	트리플 혹은 쿼드검사
	출산기형	염색체의 분자 생화학 진단(필요시)
	염색체이상(다운증후군 등)	임부의 혈청 내 태아 당 단백 검사
출산중	분만지연 등	산과적으로 제왕절개술을 시행해야 하는 적응증이 없는 경우 자연분만을 시도

출처: 2014년 지역사회통합건강증진(여성, 어린이특화) 안내.

– 산전검사 이상 소견이 있는 임신부
– 다산 임산부(특히 5회 이상)
– 산과적 합병증의 경력이 있는 자
– 정서적 문제를 갖고 있는 가족의 임산부
– 미혼 임산부
– 직장을 가진 임산부
– 저소득층 임산부

고령에 임신에 따른 문제점으로는 산모의 연령이 증가할수록 출산경험과 관계없이 임신성 고혈압 당뇨 등의 합병증이 증가하고 유산, 기형아 출산, 조산으로 인한 태아 사망이나 손상확률 증가, 제왕절개분만 증가 및 고령 산모 사망 증가 등이 있다.

(5) 청소년 산모 임신출산 의료비 지원 사업

청소년산모는 사회적 노출 기피, 부모와의 관계단절 등으로 임신출산에 대한 산전관리가 미흡한 실정으로, 청소년산모와 태아의 건강증진을 위해 2011년도에는 청소년산모 임신출산 의료비 지원 신규사업을 마련하여 미혼모자시설에 입소한 만 18세 이하 청소년 산모를 대상으로 산전검사비 및 출산비용을 1인당 120만원 이내에서 지원하였으며, 2012년부터는 지원대상을 확대하여 시설입소자뿐 아니라 만 18세 이하 모든 산모가 이용할 수 있도록 수기로 직접 신청하던 것을 '맘편한카드'를 신규 도입하여 산전 · 후 의료비를 지원하고 있다.

(6) 임산부 철분제 · 엽산제 지원

임신 중기의 임산부 건강 및 태아의 성장 증진을 도모하기 위하여 2008년부터 보건소에 등록된 임신 5개월 이상인 임산부에게 분만 전까지 철분제를 지원하고 있다. 임산부의 철분 결핍성 빈혈은 조산, 유산, 태아사망, 산모사망을 발생시킬 수 있으므로 이에 대한 예방 필요하다. 2008년 하반기부터 전국 시 군 구 보건소에서 임신 5개월(20주) 이상 임산부에게 분만전까지 철분제를 지원하였는데, 2013년 부터는 지역사회 통합건강증진사업으로 추진되어 임신 16주 이상 보건소 등록 임산부에게 5개월분의 철분제를 지원하고 있다. 출산을 위해 임시 거소 이동, 직장 등의 사유로 임산부가 희망하는 경우, 2~5개월분을 일시 지급 가능하다. 보통의 건강한 임산부들이 섭취해야하는 하루 최소 철분함량 27mg이다.

엽산제의 경우, 2012년부터 유 · 사산 또는 선천성 기형아 출산을 예방하기 위하여 35세 이상 임산부에게 우선적으로 지원하였고 2013년부터는 연령제한 없이 보건소에 등록된 모든 임산부에게 임신일로부터 3개월까지 지원하여 계획 임신 및 건강한 아기 출산을 장려하고 있다. 수정 후 4주 이내에 중추신경계가 형성되나 모체의 엽산 부족 시 신경관 결손으로 유사산 또는 선천성기형아를 출산할 가능성이 있으므로 엽산 섭취 시 효과적으로 예방 가능하다.

(7) 산전 · 후 우울증 진단 및 사후관리 안내

모든 보건소 등록 임산부 및 보건소 방문 가임기 여성 등에 대한 체계적 우울증 진단을 실시하여 사후관리 안내 및 상담 등을 통해 우울증 예방관리를 강화하고 있다. 지자체(보건소)별 임산부 교실 등을 활용한 산전 · 후 우울증 교육프로그램 개발하여 실시 중이다.

(8) 임산부 건강관리 교육

분만예정일 계산법, 체중증가, 치아관리, 산전체조, 유방관리, 흡연, 음주 금기행위, 유산예방(심한 운동 및 성생활의 절제, 심리적 긴장조절) 등을 포함한다.

1 영양관리

- 임신중반기(+340 kcal/일) 및 후반기 (+450 kcal/일)에 영양 필요량 증가에 따른 다양하고 적절한 영양섭취 지도
- 임신기간 중 체중증가 및 체중관리
- 음주, 흡연 중지
- 영양상 위험이 있는 임신부(빈혈, 체중, 혈당, 임신중독증)의 개별 정기 영양지도 실시

2 임산부 운동지도

임산부 운동지도는 임부가 약품이나 기계를 사용하지 않고 건강하게 분만 과정을 수행할 수 있도록 신체적 훈련을 지도함으로써 임부 스스로 분만과정을 긍정적으로 받아들일 수 있도록 하는 데 있다. 최근 많이 도입되는 기술로는 라마즈체조법, 이완법, 마사지법 등이 있다.

표 9-33 임산부 1일 여양섭취 기준

영양소	성인여자		임신초기	임신중기	임신후기
열량(Kcal)	19–29세	2,100	0	+340	+450
	30–49세	1,900			
단백질(g)	19–29세	50	0	+15	+30
	30–49세	45			
비타민A(㎍ RE)	650		+70	+70	+70
비타민D(㎍)	5		+5	+5	+5
비타민E(mg α-TE)	10		0	0	0
비타민K(㎍)	65		0	0	0
비타민C(mg)	100		+10	+10	+10
티아민(mg)	1.1		+0.4	+0.4	+0.4
리보플라빈(mg)	1.2		+0.4	+0.4	+0.4
나이아신(mg NE)	14		+4	+4	+4
비타민B6(mg)	1.4		+0.8	+0.8	+0.8
엽산(㎍)	400		+200	+200	+200
칼슘(mg)	650		+280	+280	+280
인(㎍)	700		0	0	0
철(㎍)	14		+10	+10	+10
아연(mg)	8		+2.5	+2.5	+2.5
셀레늄(㎍)	55		+4	+4	+4

출처: 2014년 지역사회통합건강증진(여성, 어린이특화) 안내.

③ 임신기간 동안의 위험증후군에 대한 지도

호흡곤란, 계속적인 오심과 두통, 구토, 시력장애, 현기증, 상 · 하복부통, 부종, 태동의 사라짐, 하혈, 파수 등에 대한 지도를 통해 합병증을 조기 발견할 수 있게 한다. 특히 고위험 임산부는 집중 건강관리를 통해 철저한 산전관리와 필요 시 전문가 의뢰 및 자원을 제공 한다.

4) 분만 및 산욕기 관리

분만이란 자궁내의 태아와 그 부속물이 만출기전에 따라 산도를 지나 모체 밖으로 배출되는 현상이다. 분만과정은 특히 짧은 시간 내에 위험한 과정이 진행되므로 분만 전에 철저한 준비와 관리를 하는 것이 좋다. 산욕기란 분만 후 6~8주까지로 분만으로 인해 생긴 성기의 상처가 완전히 회복되어 모체가 임신전 상태로 회복되는 기간을 말하며, 산욕기 건강은 다음 의 임신과 여성건강에 영향을 미치는 매우 중요한 시기이다.

(1) 분만준비

분만준비는 대상자의 분만장소 결정에 따른 의사, 조산사 등 전문가의 분만유도, 출산 및 산후섭생을 위한 교육과 운동 그리고 임신손실 예방교육 등이다.

지역사회간호사가 대상자에게 시설분만을 권장할 경우는 다음과 같다.

- 초산부
- 35세 이상의 고령 임산부
- 4회 이상 분만 경험을 가진 경산부
- 내과적 합병증(심장병, 당뇨병, 고혈압, 결핵 등)을 가진 임산부
- 산과적 합병증(후기 임신중독증, 돌연한 출혈, 분만 후 출혈 경력을 가진 경우)의 경험이 있는 임산부
- 사산 및 신생아 사망을 경험한 임산부
- 현 임신 중에 임신 합병증이나 임신 후유증 발병이 가능한 임산부

(2) 분만시 관리

분만 시작을 아는 방법(양수막 파수, 이슬, 진통 등)을 지도한다. 의료인을 부르는 시간이나 병원에 가는 시간에 대해 지도한다.

(3) 분만 직후 관리

- 산후출혈, 제대처리, 아기의 상태 등을 포함한 산모와 아기의 증상을 관찰한다.
- 충분한 영양섭취와 휴식을 권장한다.
- 산모와 태아에 대한 위생관리를 지도한다.
- 출산 및 자녀양육에 대한 심리적 안정 및 사회적 지지를 유도한다.

(4) 산욕기 관리

산욕기는 분만 후 6~8주 정도의 기간으로 여성이 임신과 분만 과정에서의 신체적 이상이 정상으로 회복되는 시기이다. 분만과정에서 출혈이나 단백질, 철분 손실이 크므로 양질의 식사를 통해 체력을 보충해야 하며, 산후 목욕은 세균감염의 위험이 있으므로 분만 후 3~4주 후에 권장한다. 성생활은 6~8주 이후에 산후 진찰을 받아본 부에 가지는 것이 좋으며 피임에 신경을 써 출산간격 및 터울을 조절 할 수 있도록 해야 한다.

보건소에서는 분만 후 1주 내 전화 등을 이용하여 건강 이상 유무를 확인하고 분만 4주 이내 전화 또는 방문상담을 실시하여 산모 및 영유아의 건강관리를 제공하고 있다.

5) 산후우울증 관리

(1) 필요성

산후 우울증은 출산 후 4~6주 사이 시작되어 우울한 기분, 심한 불안감, 불면, 과도한 체중변화, 의욕저하, 집중력 저하, 죄책감 등을 경험하며 심하면 자살이나 죽음에 대한 생각으로 인해 일상생활에서 기능저하를 초래하는 질환이다. 출산 후 10일~1년 이내 우울증의 발생률은 10~15%에 이르며, 가벼운 산후우울감도 산모의 사회심리적 기능에 부정적 영향을 끼치고, 관리되지 않으면 심각한 산후우울장애로 발전할 가능성이 커 산후우울장애는 관리가 필요하다. 산후우울증은 산모 본인의 고통과 기능저하 뿐만 아니라 자녀의 성장발달에 영향을 미치고, 배우자에게까지 부정적 결과 초래한다.

(2) 내용

아가사랑 사이트(www.agasarang.org) 산후우울증 검사(한국어판 에딘버러 산후우울 검사)를 할 수 제공하고 있으며, 산전 · 후 우울증 관련 정신과 전문의의 온라인 상담을 실시하고 있으며, 예방접종, 의료비지원 등을 목적으로 보건소를 이용하는 산모에게 산후우울증 선별도구를 이용하여 검사를 시행하고 있다. 특히 맞춤형 방문건강관리사업, 산모 신생아 도우미 지원사업, 신생아 난청검사 등 저소득층 지원사업 대상 산모에 대한 선별검사를 실시하며, 관내 산후조리원에 선별검사 도구를 배포허요 건강관리 중인 출산후 산모의 우울장애 선별 관리가 필요한 대상자에게 보건의료기관 정보가 제공될 수 있도록 보건소와의 긴밀한 협조체계 유지하고 있다. 선별검사 결과 고위험군 판정 시 지역내 정신보건센터에 의뢰하여 전문가에 의한 추후 관리가 연계되도록하고 있다.

6) 모유수유 증진을 위한 모유수유 클리닉 운영 및 홍보사업

산전 모유수유 교육은 계획률과 실천율 증진에 큰 영향을 주므로 산전 교육 홍보를 강화하고, 산후 방문 시 모유수유의 필요성, 권장시기, 수유법 등 지도 관리를 시행하고 있다. 또한 세계 모유수유 주간에 자체적 또는 민간기관(단체) 등과 협력하여 모유수유의 우수성 교육 홍보 및 실천 증진을 위한 캠페인, 모유수유아 선발대회 등을 실시하고 있다.

모유는 영아성장을 위해 필요한 모든 영양소를 공급하고 질병에 대한 면역 증강뿐만 아니라 모자간의 정서적 유대를 촉진하고, 신생아에게는 질병예방 및 두뇌발달을 돕는 가장 이상적인 영양 공급원임에도 우리나라 모유 수유율은 34.5%로 낮은 수준이다.

▶ 초유의 특징

- 보통 유즙보다 맑고 노란색을 띤다.
- 탄수화물과 지방은 적고 단백질, 무기질은 풍부하며 면역체를 함유하고 있다.

▶ 모유의 장점

- 비타민 C, D를 제외한 단백질, 지방 열량이 적당량 포함되어 있다.
- 소화가 용이하고 변비를 예방할 수 있다.
- 변화가 적고 청결이 유지되며 신선한 공급이 가능하다.
- 면역물질을 함유하여 생후 6개월 이내의 질병이 자연스럽게 예방될 수 있다.
- 모성의 자궁수축을 도와준다.
- 경제적이고 준비나 소독이 필요 없다.
- 심리적으로 모자관계가 돈독해질 수 있다.

▶ 모유수유 금기사항

- 산모가 폐결핵, 급성전염성 질환, 심장병, 신장병, 성병 등을 앓고 있을 때
- 정신건강이 원만하지 못할 때
- 심한 산욕기 패혈증이나 간질에 의한 발작이 있는 경우
- 신생아가 미숙아여서 보육기에 있을 경우
- 신생아가 토순, 구개파열 등이 있어서 유두를 물 수 없는 경우
- 유방에 염증이 있을 때
- 심리적 요인으로 수유를 원하지 않을 때 보건소에서는 모유수유 클리닉을 설치 · 운영하고 있는데, 주요 사업내용은 다음과 같다.
- 모유수유 교육 및 간담회
- 가정보건방문사업 및 산모 신생아 도우미 사업을 연계하여 모유수유의 문제점 해결과 지식 제공
- 모유수유 관련 영양 상담
- 모유착유기 위생관리 교육 및 상담
- 모유수유 홈페이지 운영: 엄마젖 인터넷 상담 사이트(www.mom-baby.org)
- 모유수유 동아리 모임
- 모유수유 문자 서비스 제공
- 모유수유 서명운동
- 지역내 분만의료기관의 모자 동실제 권유 및 모유수유 권장
- 직장내 모유수유 착유실 설치 권유
- 모유수유 홍보
- 엄마젖 먹는 건강한 아기 선발대회

7) 임산부의 날 행사 및 임산부 배려 캠페인 실시

임신과 출산의 중요성을 고취하고 모성친화적 사회분위기 조성을 통한 저출산 문제의 극복을 위하여 2006년부터 10월 10일을 임산부의 날로 정하고 행사를 개최하고 있다. 2013년에는 임산부배려 교통문화 정착을 위하여 수도권 및 4대 광역시 등의 전국 지하철과 전철 차량에 기존 노약자석과는 별도로 차량 1대당 2좌석을 확보하여 임산부배려 엠블럼을 부착하고 임산부 배려석을 도입 · 확대하였다. 2013년과 2014년에는 초기 임산부 배려 문화 확산을 위해 임산부 배려 홍보 CF 및 동영상을 제작하여, 지하철 · 버스 등 다중이용시설을 통해 상영하고, 임산부 배려 엠블럼이 새겨진 '가방고리'를 제작 · 배부하는 등 초기 임산부에 대한 배려 문화 확산에 노력을 집중하였다.

8) 난임부부 지원사업

우리나라 가임기 여성의 초혼연령 상승, 환경오염 등 사회적 요인에 의해 기혼 여성의 난임률이 증가하면서 난임문제가 개별의 가정문제가 아닌 사회현상으로 간주되어 국가적 책무 이행이 요구됨에 따라 일정 소득계층 이하의 난임부부에게 자녀를 가질 수 있도록 체외수정 및 인공수정 시술비 일부를 지원하는 출산지원 시책을 실시하고 있다.

2006년 시작된 난임부부 지원사업은 난임부부에게 체외수정 시술비의 일부를 지원하여 경제적 부담을 경감시킴으로써 임신 · 출산에 따른 사회 · 의료적 장애를 제거하여 출산 기회를 제공하고 있다. 지원대상은 전국가구 월평균소득 150% 이하의 난임부부로서 부인의 연령이 만 44세 이하로 법적 혼인상태인 경우이며, 체외수정의 경우 지원금액은 2010년 1회 지원비 150만원 (기초생활수급자 270만 원)에서 2011년 180만 원(기초생활수급자 300만 원) 범위 내로, 지원횟수는 2010년 3회에서 2011년 4회로 확대하였다. 2010년 신설 지원하기 시작한 인공수정의 경우 1회 지원비 50만 원 범위에서 총 3회에 걸쳐 지원하였다. 2013년에는 체외수정 4회차 지원금을 100만 원에서 180만원으로 확대하였으며, 2014년에는 체외수정 지원횟수를 4회에서 신선배아 3회, 동결배아 3회로 최대 6회까지 확대하여(단, 동결배아 미발생시 신선배아 4회까지 지원) 난임부부의 경제적 부담을 덜어주었다.

위와 같은 지원기준으로 2014년에는 체외수정 4.1만여 건, 인공 수정 3.5만여 건의 시술을 지원하였으며, 체외수정의 경우 전국 평균 31.9%의 임신율을, 인공수정의 경우 전국 평균 13.5%의 임신율을 보여주고 있다.

9) 성교육 · 성상담 프로그램

올바른 성 생식건강 정보제공 및 생명존중 인식 제고를 통해 건전한 성문화 정립에 기여하기 위해 성교육 자료를 개발 · 보급하고 지역 내 보육시설, 각급 학교, 사회복지시설, 관공서, 직장 등에서 성교육을 실시하고 있다. 또한 방문, 전화, 집단상담, 사이버상담 등을 통해 연령대별 올바른 성가치관 확립을 위한 상담 및 정확한 성지식, 위기상황시 필요한 대처방안 등을 전달하고 있다.

10) 피임방법 교육

(1) 피임법의 조건

- 피임효과(effectiveness) : 피임효과가 확실하여야 한다. 피임 실패율(임신율)은 100 명이 1년 동안 사용하여 피임에 실패하는 횟수(임신되는 수)로 나타나는데, 피임효과가 99%이면 임신율은 나머지 1%라는 뜻이다.
- 안정성(safety) : 사용할 때 부작용이 없어야 하고 혹시 피임에 실패해 임신이 되었을 경우 태아에게 악영향을 주지 않아야 한다.
- 수용성(acceptability) : 누구나 쉽게 사용할 수 있어야 하며 피임방법이 쉽고 간편하고, 성감에 해를 주지 않아야 한다.
- 경제성(economical efficiency) : 비용이 적게 들어야 한다.
- 복원성(reversibility) : 일시적 피임방법은 사용을 중지하고 임신을 원할 경우, 즉각적으로 임신이 가능하여야 한다.

(2) 피입방법의 분류

▶ 피임효과의 지속성에 의한 분류
- 영구적 피임법 : 정관 결찰술, 난관 결찰술
- 일시적 피임법 : 콘돔, 성교 중절법(질외사정법), 경구 피임약, 자궁내 장치, 월경주기 이용법, 다이아프램, 살정제 등

▶ 사용자에 의한 분류
- 남성 피임법 : 정관 결찰술, 콘돔, 성교 중절법(질외사정법)
- 여성 피임법 : 난관 결찰술, 먹는 피임약, 자궁내 장치, 월경주기 이용법, 다이아프램, 살정제 등

▶ 피임원리에 의한 분류
- 물리적 피임법 : 성교중절법, 질 세척법, 콘돔, 다이아프램, 자궁내 장치
- 화학적 피임법 : 발포성 정제, 젤리
- 호르몬 피임법 : 먹는 피임약, 주사제
- 외과적 피임법 : 난관 결찰술, 정관 결찰술

① 콘돔

남자의 음경에 씌워 정자가 질 내에 사정되는 것을 방지하는 방법이다. 값이 저렴하고 사용이 간편하며 부작용이 없으며 성병을 예방해주는 효과가 있으나, 피임실패율이 다소 높으며, 성감의 장애가 있고 장기 사용할 때 외상으로 인한 질염을 일으킬 가능성이 있다.

② 월경주기법

월경주기에 따라 배란일과 정자의 생존기간을 고려하여 임신가능 기간을 계산하는 피임방법이다. 월경주기가 28일형일 때의 임신 가능기간은 월경 시작 후 10~17일까 지이지만 보다 안전하게 하려면 이 기간 전후 3일을 더 피임해야 할 것이다. 자연 그대로의 피임법으로 약물이나 기구를 사용할 필요가 없다는 장점이 있으나, 월경주기가 매우 짧거나 불규칙한 경우 안전성이 떨어진다.

③ 기초 체온법

배란 날짜를 기초 체온으로도 계산하는 방법으로 배란전 체온이 약간 내려갔다가 배란 후 높아져 월경이 있기까지 유지되기 때문에 체온이 상승된 배란 3일 저녁부터 월경이 시작될 때 까지를 성관계 안전기로 보는 방법이다. 월경주기법을 함께 사용하면 정확한 피임효과를 볼 수 있으나, 다른 요인으로 이한 체온의 변화로 정확하게 배란으로 인한 기초체온 변화의 측정이 어려운 경우가 많다.

④ 점액 관찰법(mucus method)

일반적으로 월경이 끝난 후 2~3일 동안 건조기로서 분비물이 거의 없고 3~4일 후부터 점액분비가 시작된다. 점액은 차차 양이 많아지며 에스트로겐이 가장 많은 배란 직전에는 그 성질이 맑고 매끄러우며 생계란 흰자위 와 같은 점액이 섞여 나오고 배란 후는 다시 차차 감소되어 14일 후에는 월경이 시작된다. 그러므로 이 방법을 사용하려면 먼저 1~2개월 정도 콘돔으로 피임하면서 각자의 점액변화를 매일 관찰 기록하게 한다. 또 기초 체온법과 같은 점액 분비의 변화를 상세 히 기록하여야 하며 기초 체온법을 병행 실시하면 보다 안전하다.

⑤ 경구 피임약

약 복용을 통해 배란을 억제함으로써 피임이 되는 방법으로, 대부분의 약은 에스트로겐과 프로게스테론의 합성 제 인 프로제스테론(progesterone)이다. 보통 월경주기 첫날부터 21일 동안 매일 복용하고 복용을 7일간 휴약을 하게 되면 그 사이에 생리를 하게 된다. 이를 반복하여 피임을 유지하는 방법이다. 피임효과의 우수성이 가장 크며, 사용이 간편하고 성생활에 영향을 받지 않는다는 장점이 있으나, 호르몬이 포함되어 피임작용뿐 아니라 전신에도 영향을 미친다.

⑥ 살정자 피임법

정자가 경관으로 들어가기 전에 죽이는 약으로 성교 5~10분 전에 질 안 깊숙이 넣는데 어떤 약이라도 피임이 안전하지는 않다. 제품에는 발포성 정제, 젤리, 크림, 븐무식 포말 등이 있다. 참고로 콘돔이나 다이아프램을 겸해서 사용하면 좋다. 사용법이 간편하고 1회 삽입으로 피임이 가능하고 경제적이며 부작용이 적은 장점이 있다.

⑦ 다이아프램

테두리에 용수철이 든 고무로 만든 납작한 캡을 경관에 씌워 정자가 경관으로 들어가지 못하도록 막는 법이다. 사용법은 먼저 양면에 살정제를 묻힌 후에 손으로 테두리를 모아 오므려서 납작하게 된 것을 질후벽으로 밀어 넣어 경관 뒤까지 들어가면 펴서 앞부분이 치골에 잘 닿도록 한다. 또한 손가락을 빼기 전에 캡을 통해 경관을 만져서 위치가 정확한지 확인한다. 성교하기 1시간 전에 삽입하고 성교 후 8시간 전에 는 빼지 말아야 한다. 뺄 때는 손가락으로 테두리를 집어낸다. 효과가 좋고 부작용도 없으나, 사용 전 의사에게서 골반 계측을 받아 크기를 맞추어 이용해야 한다.

⑧ 피임주사

피임약은 매일 복용해야 하는 문제가 있기 때문에 작용이 3개월 지속되는 프로게스테론(Depo Provera) 약을 사용하는 수가 있다. 그러나 복용자의 30%가 불규칙적인 출혈과 약 20~30%가 무월경을 호소하게 된다.

⑨ 자궁내 장치(intra-uterine contraceptive device: IUD)

자궁 내 피임 장치의 일종으로 플라스틱 몸체에 실이 붙어 있어 제거가 가능한 형태로 플라스틱 몸체에 대개 구리가 추가된다. 자궁내막에 국소적인 이물 반응을 유발하여 수정을 방해함으로써 피임 효과를 나타낸다. 3~5

년 동안 피임 효과를 보인다. 특별히 신경 쓸 필요가 없고 병원 방문횟수가 적어도 되며, 자궁경부암 등의 위험요인이 적으나, 삽입시 반드시 전문가의 진단이 필요하며, 삽입초기에는 자연배출이나 위치이동으로 피임효과가 감소될 수 있다.

⑩ 페미돔

페미돔은 여성의 질벽을 감싸는 여성용 콘돔으로 영국에서 1987년 개발되어, 우리나라에는 1993년 질병관리본부에서 피임 및 성병예방 효능 적합 판정을 받은 피임기구이다

⑪ 정관 절제술

정자가 정액에 섞여 사정관에 들어가지 못하도록 양쪽 수정관을 절단하는 수술로서 성생활에 아무런 지장이 없고 임신만 되지 못하도록 하는 방법이다. 수술 후 2~3개월 동안은 정자가 존재하므로 약 6개월간은 다른 피임법(예 : 콘돔)을 쓰고 적어도 2번은 정액검사를 하여 정자가 없는지를 확인해야 한다. 영구불임이 되며, 성욕감퇴도 없고, 정액량도 여전히 줄지 않는다. 부작용이 적고 입원이 필요없다.

⑫ 난관 절제술

난자와 정자가 서로 만나지 못하게 하는 수술로 피임은 정관 절제술과는 달리 즉시 된다. 방법은 결찰하거나 고리를 끼오거나 전기소작으로 시술한다. 수술이 간단하고 수술 다음날부터 활동이 가능하며 부작용이 적은편이나 드물게 폐쇄나 절단된 난관이 이어져 피임에 실패할 수가 있다.

⑬ 응급피임법

응급피임이란 계획되지 않은 성행위나 성폭력 등 불시의 성행위 후에 피임약 복용 및 기타 방법으로 원치 않는 임신을 방지하는 것으로 수정 6일 후 수정란이 자궁에 착상하는 것을 이용하여 이 기간 동안에 착상을 방지하는 약물이나 기구를 사용하여 임신을 예방하고자 하는 방법이다. 성교 후 72시간 이내 복용하는 것을 원칙으로 하며, 빨리 복용할수록 효과가 높다. 응급 피임약은 일반 피임약에 비하여 호르몬 함량이 약 10배 이상 높은 정도로 체내 호르몬 농도를 인위적으로 갑자기 폭발적으로 증가시켜 착상을 방해하는 것이므로, 여성의 생리 주기 자체를 바꾸기도 하고, 그 외 부정 자궁 출혈, 배란 장애의 부작용이 있을 수 있다.

11) 여성건강관리

여성 자신 및 가족의 건강과 영양관리에 대한 정보를 제공하여 질병에 대한 인식과 지식을 증진시키고 스스로 건강문제를 해결할 수 있는 능력을 함양시킨다. 또한 여성에게 많이 발생하는 빈혈, 골다공증, 유방암, 자궁암의 예방관리를 위한 건강 및 운동과 식이지도를 제공한다.

(1) 기본 건강관리, 보건교육 및 상담

- 성인 건강진단 내용을 기초로 한 유방암, 자궁암 진단의 중요성을 교육시킨다.
- 암선별 검사: 각자의 나이 건강상태에 따라 전문가의 자문을 받도록 한다.
- 성인기에 발생하는 질환에 대한 예방교육을 실시한다.
- 유방암 자가진단방법을 교육한다.

(2) 영양관리

- 가족 식생활 관리
- 질병과 관련된 영양관리: 보충을 위한 식이섭취 및 보충 영양제의 복용을 지도한다. 빈혈의 경우 철분, 비타민 B12, 엽산 및 기타 무기질의 보충을 위한 식이섭취 및 보충 영양제의 복용을 지도한다.
- 영양증진을 위한 식사지침을 지도한다.

가. 섭취하는 음식의 가지 수 늘이기
나. 섭취량과 운동량의 균형 맞추기
다. 곡물, 야채, 과일을 많이 섭취하기
라. 지방, 포화지방, 콜레스테롤이 적은 음식 섭취 마. 당, 염분, 알코올 섭취 절제

- 여성에게 필요한 비타민(비타민 E), 무기질(칼슘, 철분) 섭취를 권장한다.

(3) 신체 건강활동 지도

체력평가에 근거한 운동처방을 가지고 규칙적인 운동을 하도록 지도한다.

6. 보건소 여성 관리 및 등록업무 절차

보건소 모자보건실 간호사는 대상자의 요구에 따라 간호제공, 필요한 인력의 준비, 물품의 공급 및 관리 등을 실시한다. 임산부가 보건소 모자보건실 방문 시 등록업무 절차는 다음과 같다.

임산부 방문 → 접수 및 등록(모자보건수첩 발급) → 건강상담(산전, 분만, 산후 관리, 검사의뢰, 투약 및 보건교육) → 관리결과 기재 → 업무보고

지역사회 여성보건사업 대상자 발견 방법은 다음과 같다.

- 적극적인 지역주민에 대한 사업 홍보
- 가정방문을 통한 대상자 발견
- 지역 동사무소, 읍 · 면사무소의 출생신고 자료 및 전입 전출 신고자료 이용
- 지역사회 병 · 의원 연계를 통한 분만건수 확인 및 산후관리 대상자, 신생아 대상자 파악

제6절 노인보건사업

1. 노인보건의 정의 및 의의

인간의 생활과정 중 신체적, 정신적, 사회적, 경제적인 여러 측면에서 그 능력이나 적응성이 퇴화현상으로 인하여 사회기능 수행에 장애를 초래하는 시기를 노년기라 하고 노년기의 사람을 노인이라 칭한다. 노년기의 연령은 노인복지법상 65세를 기준으로 하고 있어 일단은 65세 이상 된 자를 노인이라 부르며, 인구지표 및 국가 간 통계자료 비교에도 이를 기준으로 사용한다. 평균수명이 증가됨에 따라 노인을 연소노인(65~69세), 중고령노인(70~74세), 고령노인(75~84세), 초고령노인(85세 이상)으로 구분하기도 한다.

현대사회는 과학의 발달과 산업화 등으로 변화의 속도가 점차 가속화되고 있으며, 그로 인해 여러 가지 사회문제가 파생되고 있으며, 가족의 구조와 역할변화를 초래하게 하였고, 한국사회도 가족의 기능 및 역할에 많은 변화를 초래하고 있다. 노인인구의 증가와 노령화는 여러 가지 문제점을 발생하게 하는데 노인문제는 단지 개개인의 노화정도에 따라 발생하는 것이 아니고 사회경제적 구조와 밀접하게 관련되어 발생한다. 젊은 세대로 하여금 부양비 부담을 가중시키고, 도시화나 산업구조의 변화로 인하여 노인의 상대적 지위가 하락하고 기능이 상실되고 있으며, 소득원의 상실로 오는 빈곤문제, 건강불량으로 오는 병고문제, 역할상실과 생활변화로 오는 소외문제 등 다양하게 발생하고 있다.

노인의 건강은 노화과정과 관련하여 생리적으로 신체기능의 퇴화가 오고 이로 인해 만성 퇴행성 질환의 영향을 받게된다. 노인은 언제나 그 특성상 건강상의 문제가 항상 존재하고 있으며, 노인들은 타 연령층에 비하여 질병이환율이 2배 이상 높고, 대다수의 노인이 만성 퇴행성 질환을 앓고 있어 제도상의 보호가 필요하며, 노인의료수요가 일반인에 비해 매우 높게 나타나고 있다. 노인문제의 양상은 다른 인구문제에 비하여 다양하며, 경제적 문제를 제외하고는 저소득층 노인이나 중산층 노인이나 별차이없이 공통적으로 많은 문제를 내포하고 있다.

노인문제를 해결할 수 있는 대책으로서 노인보건이나 복지를 생각할 수 있다. 노인보건이란 노인의 제반 건강문제를 해결하기 위한 각종 서비스나 정책, 프로그램 등이 포함되며, 노인복지란 한 마디로 노인의 복리를 의미하는 말로서 노인에게 혜택을 주기 위한 사회복지 프로그램과 함께 노인복지 서비스를 제공해주는 사회복지 실천을 의미한다.

기본적으로 노인보건복지의 원칙은 첫째, 존엄성, 독립성, 안정성을 유지하여야 하며, 둘째, 선택의 자유를 제공하여야 하며, 셋째, 충분한 사회참여를 증진하도록 해야 하며, 넷째, 노령의 부정적 충격을 감소하도록 해야 하며, 다섯째, 개인적인 활동을 권장해야하며, 여섯째, 정부가 책임을 인식하여야 하며, 일곱째, 모든 노인에게 동등하게 지원되어야 하며, 여덟째, 변화해 가는 요구에 보조를 맞추어야 하며, 아홉째, 새로운 지식의 획득, 보급 및 적용이 필요하며, 마지막으로 노인보건, 노인복지의 목표나 목적의 우선 순위에 따라서 발전시켜야 한다.

2. 노인인구 변화추이

보건사업을 계획하고 수행함에 있어서 그 대상자를 파악하는 일은 무엇보다도 중요하다. 노인보건사업에 있어서 지금까지의 인구의 변화와 앞으로의 인구변화를 예측하여 노인보건 사업계획에 기초자료로 활용되어야 한다.

한국인의 평균 수명은 1970년 여성 65.5세, 남성 58.6세에서 2011년 여성 84.4세, 남성 77.6세로 지난 40년간 20세가 넘게 증가하였으며, 전체 인구 중 노인인구의 비율이 7%가 넘으면 고령화사회, 14%가 넘으면 고령사회, 20% 이상 되면 초고령사회라고 하는데, 우리나라는 1970년 3.1%에서 2000년 7.2%로 고령화 사회에 진입하였으며, 2015년 13.1%이다. 2017년에는 14.0%로 고령사회, 2026년에는 20.8%로 초고령사회에 진입할 것으로 예상하고 있다. 외국 국가의 고령화 속도와 비교하면 우리나라의 고령사회 도달 소요연수는 17년, 초고령사회 도달 소요연수는 8년으로 매우 빠른편이다. 노년부양비도 1970년 5.7인것에서 2015년 17.9로 증가하였으며, 노령화지수도 1970년 7.2에서 94.1로 증가하였다. 2017년에 이르면 노령화지수가 104.1로 고령인구가 유소년인구를 초과할 것으로 예상되고 있다.

표 9-34 노인인구 변화추이

구분	1970	1980	1990	2000	2010	2015	2020	2025	2030	2040	2050
총인구	32,241	38,124	42,869	47,008	49,410	50,617	51,435	51,972	52,160	51,091	48,121
노인인구	991	1,456	2,195	3,395	5,452	6,624	8,084	10,331	12,691	16,501	17,991
구성비	3.1	3.8	5.1	7.2	11.0	13.1	15.7	19.9	24.3	32.3	37.4
노년부양비	5.7	6.1	7.4	10.1	15.2	17.9	22.1	29.6	38.6	57.2	71.0
노령화지수	7.2	11.2	20.0	34.3	68.4	94.1	119.1	153.3	193.0	288.6	376.1

출처: 2015 보건복지통계연보

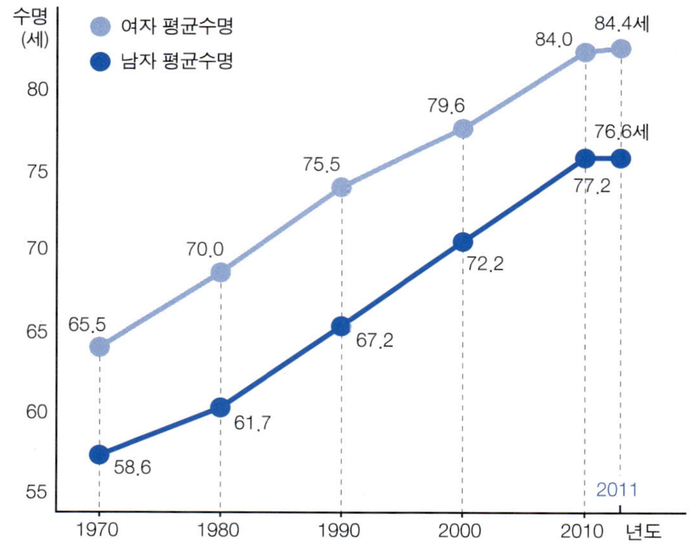

그림 9-12 우리나라 연도별 평균 수명

출처: 통계청 홈페이지. 2016.1

표 9-35 주요국가 고령화 속도

구분	도달년도			소요년수	
	고령화사회(7%)	고령사회(14%)	초고령사회(20%)	고령사회도달	초고령사회도달
일본	1970	1994	2005	24	11
프랑스	1864	1979	2018	115	39
영국	1929	1975	2028	46	53
미국	1942	2014	2032	72	18
한국	2000	2018	2026	18	8

출저: 지역사회간호학. 최연희 외. 수문사(2014)

표 9-36 노인보건복지의 주요 흐름

구분	1998~2002	2003~2007	2008~2012
소득보장	• 경로연금 도입('98) – 65세 이상 생활 보호대상 노인과 저소득 노인으로 확대 – 월 3.5만 원~5만 원 지급	• 경로연금 지속지급 – 월 3.5만 원~5만 원 지급 • 「기초노령연금법」 제정('07) • 정부지원 노인일자리 마련 – 3만 5천 개('04)→11만 개('07) – 대한노인회 지부별 취업지원센터 설치 지원 – 시 · 도별 노인일자리박람회지원 – 한국노인인력개발원 설립	• 기초노령연금 지급 개시 – 소득 하위 60%, 290만 명('08) – 소득 하위 70%, 363만 명('09), 393만 명('12) • 노인일자리 확대 – 117천 개('08)→196천 개('09)→189천 개('10) → 197천 개('11) → 220천 개('12) – 인프라 확대 • 한국노인인력개발원 지역본부: 3 → 5개소('09) → 6개소('11) • 지역사회 시니어클럽 :70('08) → 88('09) → 93('10) → 114('12)
요양 · 건강보장	• 공립 요양병원 지원 – 9개소('98) → 27개소('02)	• 공립 요양병원 지원 확대 – 44개('03) → 74개('07) • 치매조기검진사업 실시('07) • 「노인장기요양보험법」 제정 ('07.4) • 노인장기요양보험보험 시범사업 실시	• 노인장기요양보험제도 시행('08. 7) • 제1차 치매종합관리대책 수립('08.9) • 제2차 국가치매관리종합계획 수립('12.9) – 치매극복의 날('08~'12) – 치매 유병률 조사('08/'12) – 치매조기검진 보건소 전국 확대 – 70, 74세 건강검진항목에 치매포함('09) – 공립치매병원 지원 : 신축 7개소, 증축 7개소('08), 2개소('09), 5개소('10), 4개소('11), 6개소('12), 25개소('13)
시설보호	• 전문요양시설 지속 지원 – 4개소('98) → 85개소('02) ※ 요양시설 : – 75개소('98) → 171개소('02)	• '03년부터 노인요양시설 매년 100개소씩 확충 – 231개('03) → 647개('07)	• 양로시설 확충 지원 – 2개소('10) → 16개소('11) → 35개소('12) • 노인요양시설 확충 지원 – 534개소('08) → 420개소('09) → 231개소('10) → 232개소('11) → 232개소('12)
재가복지	• 재가노인 식사배달 시작('00)	• 노인돌보미바우처사업('07.5) • 독거노인생활지도사파견('07.6)	• 노인돌봄서비스 통합('09) – 독거노인생활관리사와 노인 돌보미바우처 사업 • 노인재가시설확충 지원 50개('08) →100개('09) → 22개('10) → 16개('11) →7개('12) • 장기요양보험제도의 방문요양, 주야간보호, 단기보호, 방문목욕 서비스 시작('08)
경로효진 및 권익증진	• 수도권 전철 50% → 100% 할인 확대 • 무궁화호 30% 할인 ('97.8)	• 노인학대예방센터(노인보호전문기관) 설치('06) – 중앙(1개소), 지방(18개소)	• 노인보호전문기관 확대 – 21개소('09) → 25개소('12) • 효행장려 및 지원에 관한 법률 시행('08.8) • 「장사법」 개정 : 자연장제도 도입('08.5)

출처: 2014 보건복지백서

3. 노인의 사망률 저하 및 보건의료 수요의 증가

노인인구가 증가하면서 동시에 노인의료의 수요 증가가 문제시되고 있다. 노인의료수요가 증가하게 된 이유를 몇가지로 요약하면 다음과 같다.

첫째, 노인인구가 급속히 증가하였으며, 특히 고령의 노령인구가 증가하면서 일상생활 활동에 지장이 있는 노인이 증가하고 있다. 둘째, 노인인구의 사망률이 급격하게 떨어지면서, 노인인구의 질병 이환율은 계속 증가하고 있다. 셋째, 노인인구의 의료 이용률이 현저히 증가하고 있다는 사실이다.

4. 노인보건사업

급격한 고령화는 노인의 퇴직 후 수입 감소로 인한 빈곤, 노화에 따른 질병, 역할상실에 따른 무위, 고독과 소외를 초래하며, 이는 필연적으로 노인보건복지정책의 변화를 요구한다. 이러한 정책변화 수요에 대응하여 그간 정부는 국민연금 개선, 기초노령연금과 노인장기요양보험제도의 도입, 노인일자리의 확대, 독거노인 등 취약노인 안전 및 보호 강화, 치매대책의 추진 등 기본적인 노인보건복지정책의 틀을 지속적으로 갖추어 왔다.

우리나라 노인보건복지사업의 법적근거는 「저출산 · 고령사회기본법」, 「노인복지법」, 「노인장기요양보험법」, 「국민연금법」, 「국민기초생활보장법」, 「고령자고용촉진법」 등을 들 수 있다.

1) 노인보건복지사업의 개요

(1) 노인보건복지사업의 흐름 및 주요 노인보건복지사업

최근 노인보건복지의 주요 흐름은 다음과 같다.

주요 노인보건복지사업으로는 노후 소득보장에 국민연금, 기초노령연금, 맞춤형노인일자리 제공이 있으며, 건강보장에 노인장기요양보험, 치매검진 및 치료 · 관리, 노인건강운동, 노인 안검진 및 개안수술, 사회참여확대에 노인자원봉사활성화, 노인여가활동지원, 사회서비스 제공에 노인돌봄서비스, 노인안전 · 안부확인 서비스, 노인학대 상담서비스, 장사 인프라 확충 및 품위있는 장사문화 창출 등이 있다.

(2) 노인보건복지사업의 추진방향

- 노인장기요양보험 보장성 확대 및 수준향상을 통한 내실화
- 국가치매관리체계를 구축하고 치매 관리사업을 확대 추진
- 독거노인에 대한 사회안전망 강화와 노인학대 예방 및 취약노인에 대한 안전 및 보호 강화
- 노인일자리사업의 확대
- 노인의 사회참여를 도모
- 장사관리시스템 개선

표 9-37 주요 노인보건복지사업

구분	지원서비스
노후 소득보장	• 국민연금 개선 • 기초노령연금 지급 • 맞춤형 노인일자리 제공
건강보장	• 노인장기요양보험 보장성 확대 및 서비스 품질 제고 • 치매 검진 및 치료 · 관리 • 노인건강운동 • 노인 안검진 및 개안수술 등
사회참여 확대	• 노인자원봉사 활성화 • 노인여가활동 지원 등
사회서비스 제공 등	• 노인돌봄서비스 • 노인안전 · 안부확인 서비스 • 노인학대 상담서비스 • 장사 인프라 확충 및 품위 있는 장사문화 창출 등

출처: 2014 보건복지백서

2) 노인장기요양보험제도

(1) 노인장기요양보험 개요

1 노인장기요양보험제도의 도입경과

급속한 고령화의 진전으로 노령, 치매 · 중풍 등으로 장기요양을 필요로 하는 노인 수는 늘어나고, 가족에 의한 간병은 핵가족화 및 여성의 사회 참여 증가 등에 따라 약화되었다. 반면, 그간의 노인복지서비스 체계는 저소득층을 기반으로 한 공급자 중심의 제한적으로 제공되는 공공부조 방식을 유지함으로써 중산, 서민층 가정이 이용할 수 있는 요양서비스 체계가 절대적으로 부족한 반면, 노인의료비는 급증하고 있는 상태였다.

이러한 문제의식에서 고령화 초기에 공적 노인요양보장체계를 확립하여 국민의 노후불안을 해소하고 노인요양가정의 부양부담을 경감하고자 일반국민을 대상으로 수요자 선택권 중심의 전문적이고 다양한 서비스를 제공하는 제5의 사회보험제도로 노인장기요양보험이 도입되었다.

2 노인장기요양보험제도 추진 경과

- 2001.08.15 대통령 경축사에서 노인요양보장제도 도입 제시
- 2002 대통령 공약사항 포함
- 2003.03 ~ 2004.02 「공적노인요양보장추진기획단」설치, 운영
- 2004.03 「공적노인요양보장제도실행위원회」 구성, 운영
- 2005.10.19 ~ 2005.11.08 입법예고
- 2006.02.16 정부입법 국회제출
- 2007.04.02 국회통과
- 2005.07 ~ 2006.03 1차 시범사업실시
- 2006.04 ~ 2007.04 2차 시범사업실시

표 9-38 노인장기요양보험제도와 기존 노인복지서비스체계 비교표

구분	노인장기요양보험제도	기존 노인복지서비스 체계
관련법	노인장기요양보험법	노인복지법
서비스대상	보편적 제도 – 장기요양이 필요한 65세 이상 노인 및 치매 등 노인성질병을 가진 65세 미만자	특정대상 한정(선택적) – 국민기초생활보장 수급자를 포함한 저소득층 위주
서비스선택	수급자 및 부양가족의 선택에 의한 서비스 제공	지방자치단체장의 판단(공급자 위주)
재원	장기요양보험료+국가 및 지방자치단체 부담+이용자 본인부담	정부 및 지방자치단체의 부담

출처: 국민건강보험공단 홈페이지. 2016. 01

– 2007.05 ~ 2008.06 3차 시범사업실시
– 2008.03 ~ 2008.07 노인장기요양보험제도 시행 준비
– 2008.07 노인장기요양보험제도 시행
– 2009.03 외국인 근로자 장기요양보험가입자 제외제도 도입
– 2009.05 농어촌지역거주 수급자 본인일부부담금 감경 도입
– 2010.03 장기요양기관장 의무 및 공단 장기요양기관 설치 근거 신설
– 2013.08 장기요양기관의 운영질서 확립 및 관리 강화
– 2014.07 노인장기요양 등급체계 개편: 3등급체계 → 5등급체계(치매특별등급)

3 노인장기요양보험제도의 목적

고령이나 노인성 질병 등의 사유로 일상생활을 혼자서 수행하기 어려운 노인 등에게 신체활동 또는 가사활동 지원 등의 장기요양급여를 제공하여 노후의 건강증진 및 생활안정을 도모하고 그 가족의 부담을 덜어줌으로써 국민의 삶의 질을 향상하도록 함을 목적으로 하는 사업이다.

4 노인장기요양보험제도의 주요 특성

– 건강보험제도와 별도 운영
– 사회보험방식을 기본으로 한 국고지원 부가방식
– 보험자 및 관리운영기관의 일원화
– 노인중심의 급여

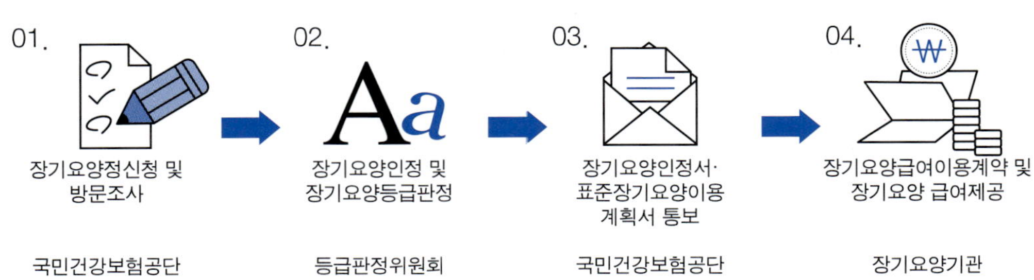

그림 9-13 장기요양인정 및 이용 절차

출처: 국민건강보험공단 홈페이지. 2016.1

(2) 장기요양 인정 및 이용 절차

1 장기요양 인정의 신청자격

- 자격: 장기요양보험가입자 및 그 피부양자, 의료급여수급권자
- 대상: 65세 이상 또는 65세 미만으로 노인성 질병(치매, 뇌혈관성질환, 파킨슨 병 등 대통령령으로 정하는 질병)을 가진 자

단, 장애인 활동지원 급여를 이용중이거나 이용을 희망하는 경우 장기요양 등급이 인정되면 장애인 활동지원 신청 또는 급여가 제한됨

2 장기요양 인정의 신청 (노인장기요양보험법 제13조)

- 신청장소: 전국 공단지사(노인장기요양보험운영센터)
- 장기요양 인정 신청하기 신청방법: 공단 방문, 우편, 팩스, 인터넷
- 신청인: 본인 또는 대리인
- 제출서류: 장기요양 인정신청서

3 등급판정

인정신청을 하게 되면 간호사, 사회복지사, 물리치료사 등으로 구성된 공단 소속장기요양 직원이 직접 방문하여 「장기요양인정조사표」에 따라 조사 한 후 등급판정위원회에서 방문조사 결과, 의사소견서, 특기사항 등을 기초로 신청인의 기능상태 및 장기요양이 필요한 정도 등을 등급판정 기준에 따라 1등급에서 5등급으로 심의 및 판정한다.

4 장기요양 인정서 등 수령

수급자가 되면 국민건강보험공단으로 부터 장기요양인정서와 표준장기요양이용계획서, 복지용구 급여확인서, 이용 가능한 장기요양 기관 정보를 제공 받고, 급여이용 설명회 또는 1:1 면담을 통해 종합적 상담을 받게 된다.

장기요양인정 유효기간은 최소 1년 이며 갱신신청 결과, 직전 등급과 같은 등급으로 판정된 경우 1등급은 3년, 2등급~5등급은 2년으로 유효기간 연장된다.

(3) 노인장기요양보험의 내용

1 급여 종류

① 재가급여

- 방문요양: 장기요양요원이 수급자의 가정 등을 방문하여 신체활동 및 가사활동 등을 지원하는 장기요양급여
- 방문목욕: 장기요양요원이 목욕설비를 갖춘 장비를 이용하여 수급자의 가정 등을 방문하여 목욕을 제공하는 장기요양급여
- 방문간호: 장기요양요원인 간호사 등이 의사, 한의사 또는 치과의사의 지시서에 따라 수급자의 가정 등을 방문하여 간호, 진료의 보조, 요양에 관한 상담 또는 구강위생 등을 제공하는 장기요양급여
- 주 · 야간보호: 수급자를 하루 중 일정한 시간 동안 장기요양기관에 보호하여 신체활동 지원 및 심신기능의 유지 · 향상을 위한 교육 · 훈련 등을 제공하는 장기요양급여
- 단기보호: 수급자를 보건복지부령으로 정하는 범위 안에서 일정 기간 동안 장기요양기관에 보호하여 신체활

동 지원 및 심신기능의 유지 · 향상을 위한 교육 · 훈련 등을 제공하는 장기요양급여
- 기타재가급여: 수급자의 일상생활 · 신체활동 지원 및 인지기능의 유지 · 향상에 필요한 용구를 제공하거나 가정을 방문하여 재활에 관한 지원 등을 제공하는 장기요양급여로서 대통령령으로 정하는 것

② 시설급여

장기요양기관이 운영하는 「노인복지법」 제34조에 따른 노인의료복지시설 등에 장기간 동안 입소하여 신체활동 지원 및 심신기능의 유지 · 향상을 위한 교육 · 훈련 등을 제공하는 장기요양급여

③ 특별현금급여

- 가족요양비: 도서 · 벽지 등 장기요양기관이 현저히 부족한 지역에 거주하거나 천재지변이나 그 밖에 이와 유사한 사유로 인하여 장기요양기관이 제공하는 장기요양급여를 이용하기어려운 경우, 신체 · 정신 또는 성격 등의 사유로 가족으로부터 장기요양을 받아야 하는 경우 수급자에게 가족요양비를 지급
- 특례요양비: 수급자가 장기요양기관이 아닌 노인요양시설 등의 기관 또는 시설에서 재가급여 또는 시설급여에 상당한 장기요양급여를 받은 경우 수급자에게 특례요양비 지급
- 요양병원 간병비: 수급자가 요양병원에 입원한 때 장기요양에 사용되는 비용의 일부를 요양병원간병비로 지급

2 재원

노인장기요양보험 운영에 소요되는 재원은 장기요양보험료와 국가 및 지방자치단체 부담 그리고 장기요양급여 이용자가 부담하는 본인일부부담금으로 운영된다.

① 장기요양보험료

- 건강보험료액 × 6.55%(2015년도 보험료 기준)
- 장기요양보험 가입자는 건강보험 가입자와 동일

② 국가의 부담 (「노인장기요양보험법」 제58조)

- 국고 지원금: 당해 장기요양보험료 예상 수입액의 20%
- 국가 및 지방자치단체 부담: 의료급여수급권자에 대한 장기요양급여비용, 의사소견서 발급 비용, 방문간호지시서 발급비용 중 공단이 부담해야 할 비용 및 관리운영비의 전액

③ 본인일부부담금(「노인장기요양보험법」 제40조)

- 재가급여: 당해 장기요양급여비용의 100분의 15
- 시설급여: 당해 장기요양급여비용의 100분의 20

3) 안전한 노후 생활

(1) 독거노인 보호 확대

1 노인돌봄기본서비스

노인돌봄기본서비스는 생활관리사가 요보호 독거노인을 주 1회 직접 방문하고, 주 2~3회 전화 통화를 통해 안부를 확인하는 사업이다. 2007년 '독거노인 생활관리사 파견' 사업으로 시작하여 2009년 노인돌보미 바우처 사업과 함께 노인돌봄서비스로 통합되어 '노인돌봄기본서비스'로 명칭이 변경되었다.

표 9-14 노인장기요양보험 급여 수가(2015년)

구분				1급	2급	3급	4급	5급
시설 급여	노인요양시설			56,080	52,040	47,990		
	노인요양공동생활가정			51,290	47,590	43,870		
재가 급여	재가급여 월 한도액			1,185,300	1,044,300	964,800	903,800	766,600
	복지용구 연 한도액			1,600,000				
	단기보호(1일당)			44,900	41,590	38,410	37,390	36,380
	주·야간 보호 (1일당)	라-1	3시간 이상 ~ 6시간 미만	25,990	24,060	22,210	21,200	20,190
		라-2	6시간 이상 ~ 8시간 미만	34,840	32,280	29,800	28,780	27,760
		라-3	8시간 이상 ~ 10시간 미만	43,350	40,150	37,070	36,060	35,030
		라-4	10시간 이상 ~ 12시간 미만	47,750	44,230	40,860	39,840	38,820
		라-5	12시간 미만	51,200	47,440	43,820	42,810	41,790
	방문요양 (방문당)	가-1	30분 이상	11,390원				
		가-2	60분 이상	17,490원				
		가-3	90분 이상	23,450원				
		가-4	120분 이상	29,610원				
		가-5	150분 이상	33,650원				
		가-6	180분 이상	37,200원				
		가-7	210분 이상	40,470원				
		가-8	240분 이상	43,500원				
	방문간호 (방문당)	다-1	30분 이상	31,760원				
		다-2	30분 이상 ~ 60분 미만	39,850원				
		다-3	60분 이상	47,940원				
	방문목욕 (방문당)	나-1	방문목욕 차량을 이용한 경우(차량내 목욕)	72,540원				
		나-2	방문목욕 차량을 이용한 경우(가정내 목욕)	65,410원				
		나-3	방문목욕 차량을 이용하지 아니한 경우	40,840원				
의사소견서		「의료법」에 따른 의료기관(보건의료원 포함)		31,960	31,960	31,960	31,960	47,500
		「의료법」에 따른 보건소 및 보건지소		20,650	20,650	20,650	20,650	36,200
방문간호지시서		「의료법」에 따른의료기관(보건의료원 포함)						
		가. 대상자가 의료기관을 방문하는 경우		17,510				
		나. 의사가 가정을 방문하는 경우		56,220				
		「의료법」에 따른 보건소 및 보건지소						
		가. 대상자가 보건기관을 방문하는 경우		4,610				
		나. 의사가 가정을 방문하는 경우		10,280				

주민등록 상의 동거자 유무에 관계없이 실제로 혼자 살고 있는 65세 이상 노인으로서 일상적 위험에 매우 취약하여 정기적인 안부 확인이 필요한 경우, 사업 수행기관에서 신청자의 생활환경을 고려하여 보호가 필요한 순으로 지원대상자를 선정한다. 단, 돌봄종합서비스, 장기요양보험, 국가보훈처 복지도우미 등 유사 재가서비스를

받고 있는 경우 대상에서 제외된다.

[2] 독거노인 응급안전서비스

독거노인 응급안전서비스는 건강상태가 취약한 홀로 사시는 어르신들을 대상으로 댁내에 화재 · 가스 · 활동 감지기 및 응급호출가능 장비를 설치하여 위급 상황 발생 시 지역센터서비스관리자 · 생활관리사 · 소방서와 신속하게 연계하여 독거노인의 생명과 신체를 보호하는 사업이다. 독거노인 응급안전서비스는 2008년부터 2012년까지 시범사업을 실시하고 2013년부터 본격적으로 시행되었으며 2014년에는 81,000가구가 서비스 수혜를 받았다.

읍 · 면 · 동 주민센터를 통해서 서비스 신청이 가능하며, 65세 이상 독거노인 중 보호가 필요한 치매 또는 치매 고위험자, 노인장기요양서비스(재가) 및 방문 보건서비스 이용자 등 건강 취약자, 기타 지방자치단체에서 인정하는 자 가운데서 대상자가 선정된다.

[3] 독거노인 사회관계활성화 지원 사업

독거노인 사회관계활성화(친구만들기) 지원사업은 사회관계가 취약한 독거노인의 고독사 · 자살 등의 예방을 위해 도시와 농촌의 특성을 고려한 '맞춤형 독거노인 자립생활 지원'의 일환으로 2014년 첫 시범사업이 시작되었다.

도시형의 경우 보건복지부 주관으로 고독사 · 자살 고위험군의 독거노인을 대상으로 독거노인끼리의 모임을 구성하여 사회관계를 촉진할 수 있도록 독거노인에게 친구를 만들어주는 자조모임을 운영 · 지원하고 있으며, 농촌형의 경우 농식품부 주관으로 독거노인들이 경로당 · 마을회관 등을 개조하여 함께 모여살 수 있는 공동 생활 홈을 구축하도록 지원하고 있다.

[4] 독거노인 사랑잇기 사업

독거노인 사랑잇기 사업은 공공기관과 민간기업, 일반 자원봉사자가 서로 연계하고 협력하는 자원봉사 사업으로 사랑잇는 전화, 마음잇는 봉사를 특징으로 한다. 사랑잇는 전화는 홀로 사시는 어르신에게 자원봉사자들이 주기적으로 전화를 드려 안부를 확인하고 말벗도 해드리는 프로그램이며, 마음잇는 봉사는 자원봉사자가 결연을 맺은 독거노인을 직접 방문하여 보살펴 드리고 후원물품을 전달하는 프로그램이다. 독거노인 사랑잇기 사업은 2011년 처음 시작된 사업으로 민간 참여 기업과 단체가 꾸준히 증가하고 있다.

사업 대상자는 독거노인종합지원센터나 지역의 독거노인돌봄기본서비스 수행기관에 신청이 가능하며, 신청자의 가정을 직접 방문하여 사전조사를 한 후 만65세 이상 독거노인 중에서 경제상황, 건강상태, 이웃과의 관계를 종합적으로 판단하여 선정된다.

(2) 노인학대 예방 사업

2004년 노인복지법이 개정됨에 따라 법적 기반을 마련하여 노인보호전문기관을 설치하여 노인의 인권보호와 노인학대 예방을 위해 운영하고 있다. 현재 전국 16개 광역시 · 도에 27개 노인보호전문기관과 1개의 중앙노인보호전문기관이 운영되고 있으며, 노인학대 신고접수부터 현장조사, 학대피해노인 및 가족에 대한 통합적지원, 노인학대 예방교육 및 홍보, 학대피해노인을 지원하기 위한 지역사회 네트워크 구축 등 학대받는 노인의 인권향상을 위해 지속적인 활동을 펼치고 있다.

노인학대 사례의 조기발굴과 신속한 대응 체계마련을 위해 2014년 전국 경로당을 '학대노인 지킴이 센터'로 지정(63천여개), 희망복지지원단과 노인학대 사례연계, 노인돌봄기본서비스 생활관리사 등 을 활용한 노인학대 사례 모니터링 체계를 마련하였으며, 이를 기반으로 하여 지속적으로 지역사회 노인학대 사례발굴을 위한 지역사회 네트워크 체계를 강화해 나가고 있다. 또한 학대 연령대별 특성에 따른 맞춤형 교육자료와 학대행위자의 기질적 특성에 따른 치료, 상담 프로그램을 개발 보급하고 학대행위자의 상담 및 교육, 치료 등의 권고사항 등에 관한 법적 근거를 마련할 계획이다.

4) 편안한 노후 생활

(1) 치매예방 및 치매가족지원

현재 65세 이상 노인인구의 약 9.8%인 648천 명 정도('15. 기준)가 치매노인으로 추정되고 있으며, 이 비율은 노인인구 증가에 따라 지속적으로 증가할 것으로 예상된다. 치매는 치매노인 본인은 물론, 가족들에게 정신적, 육체적, 경제적으로 심각한 부담을 초래하며, 이로 인해 개인과 가족의 삶의 질이 저하되는 것은 물론이고, 공식 · 비공식 의료비용을 포함한 사회 경제적 비용이 증가하여 국가재정에도 큰 부담으로 작용하고 있다.

2011년 8월에 「치매관리법」을 제정해 치매예방 · 관리의 중요성을 범국가적으로 천명하고 치매예방 · 치료 · 관리, 가족지원 등 치매 전반에 대한 국가적 관리체계를 수립해 나가기로 하였다. 「치매관리법」은 치매관리종합계획의 수립, 국가치매관리위원회의 구성과 운영, 중앙 및 광역치매 센터 지정, 치매검진사업, 의료비 지원 등의 내용을 담고 있다. 2012년 7월에 「제2차 국가치매관리종합계획」을 수립하여 치매 조기발견 및 예방을 강화하고, 맞춤형 치료 및 보호를 강화하며, 효과적인 치매관리를 위하여 인프라를 확충, 가족지원 강화 및 사회적 인식 개선을 하는 방안을 강구하는 등 치매환자와 가족의 삶의 질 향상을 위하여 정책에 포함하였다. 이에 국가치매관리정책을 지역실정에 맞게 확대 · 보급하고, 광역 시 · 도별 치매관리 시행계획을 주도적으로 시행할 수 있는 치매상담센터 등 치매관련자원을 효율적으로 관리하고, 서비스 기술 지원 및 교육 훈련을 수행할 인프라 구축을 위하여 광역치매센터를 설치하고 있다.

2006년부터 보건소에서 치매조기검진사업을 시작해 2010년부터는 전국 보건소에서 무료로 치매선별검사를 실시하고 있으며, 전국가구 평균소득 100%이하(4인기준 4,974천 원) 대상자에게는 진단검사 및 감별검사 비용을 지원하고 있다. 2010년 4월부터는 치매 진단을 받고 치료제를 복용 중인 환자들에게 월 3만 원 상한내 실비금액을 치료관리비로 지원하고 있다. 2013년 11월부터는 치매상담콜센터(1899-9988)를 개소 · 운영함으로써 치매환자와 가족에게 전문적 · 체계적인 치매 관련 정보제공, 치매환자 돌봄 방법과 간병스트레스 해소를 위한 상담을 제공하고 있으며, 매년 9월 21일을 치매극복의 날로 규정하고 있다.

(2) 노인종합돌봄 서비스 및 단기가사 서비스 제공

노인종합돌봄 서비스는 혼자 힘으로 일상생활을 영위하기 어려운 노인에게 가사 · 활동지원 또는 주간보호서비스를 제공하여 안정된 노후생활 보장 및 가족의 사회 · 경제적 활동기반을 조성할 목적으로 2007년 시행되어 노인장기요양보험제도와 더불어 공적 노인장기 요양서비스로 자리잡고 있다.

대상자는 만 65세 이상의 노인(단기가사의 경우 독거노인 또는 고령(만75세이상)부부노인가구) 중 노인장기요양보험의 대상에서 제외된 자 중 가구소득, 건강상태 등을 고려하여 돌봄서비스가 필요한 노인들을 대상으로 서비스를 제공하며, 소득수준과 이용시간에 따른 차별적 본인부담금과 지방정부 지원금이 전자바우처 형식으로 한

표 9-39 노인돌봄종합 서비스 유형별 내용

유형	대상자	서비스 내용	비고
방문서비스	• 연령: 만 65세이상 • 건강기준: 노인장기요양 등급 외 A,B • 소득기준: 가구 소득이 전국가구 평균소득의 150%이하 ※ 시 · 군 · 구청장 인정자 • 건강기준: 장애1~3등급 또는 중증질환자 • 소득기준: 차상위 계층 이하	식사, 세면도움, 옷갈아 입히기, 신체기능의 유지 · 증진,화장실 이용도움, 외출동행, 생필품구매, 청소 · 세탁 등	목욕보조서비스는 보호자가 입회하는 경우에만 가능
주간보호서비스	• 연령: 만 65세이상 • 건강기준: 노인장기요양 등급 외 A,B • 소득기준: 가구 소득이 전국가구 평균소득의 150%이하 ※ 시 · 군 · 구청장 인정자 • 건강기준: 장애1~3등급 또는 중증질환자 • 소득기준: 차상위 계층 이하	심신기능회복서비스(여가, 물리치료 · 작업치료 · 언어치료 등의 기능 훈련), 급식 및 목욕, 노인가족에 대한 교육 및 상담 등	
단기가사서비스	• 연령: 만65세 이상 독거노인 또는 고령(부부 도두 만 75세 이상)의 부부노인가구 • 건강기준: 골절(인공관절포함) 또는 중증질환 수술자로서 최근 2개월이내 의사진단서(소견서)제출 • 소득기준: 가구소득이 전국가구 평균소득의 150%이하	식사도움, 옷갈아 입히기, 외출동행, 취사, 생활필수품 구매, 청소, 세탁 등	의료인이 행하는 의료 · 조산 · 간호등 의 의료서비스 제공은 불가

출처: 2014 보건복지백서

국보건복지정보개발원에 예치, 지불, 관리되고 있다. 제공되는 서비스유형은 방문서비스, 주간보호서비스, 단기가사서비스가 있으며, 사회서비스이용 및 이용권 관리에 관한 법률에 따라 시 · 군 · 구에 등록한 제공기관에서 서비스가 제공된다.

(3) 노인 복지시설

1 노인 복지시설의 종류

노인복지시설의 경우 노인장기요양보험제도 도입으로 「노인복지법」이 개정('07.8.3)됨으로써 기존제도가 개편되었다. 주거 및 의료복지시설의 무료 · 실비 · 유료의 구분을 없애고 노인주거복지시설의 노인공동생활가정과 노인의료복지시설의 노인요양 공동생활가정을 신설하여 2008년부터 시행하고 있다.

2 노인 주거복지시설 지원

지역사회와 국가가 적극적으로 노인을 부양해야 한다는 관점에서 노인주거복지시설을 지원하고 있다. 기존의 기

표 9-40 노인복지시설 종류

분류	시설종류		
노인주거복지시설	• 양로시설	• 노인공동생활가정	• 노인복지주택
노인의료복지시설	• 노인요양시설	• 노인요양공동생활가정	
노인여가복지시설	• 노인복지관	• 경로당	• 노인교실
재가노인복지시설	• 방문요양서비스 • 방문목욕서비스	• 주 · 야간보호서비스 • 재가지원서비스	• 단기보호서비스

출처: 2014 보건복지백서

초수급자 위주의 보호시설인 양로시설, 노인공동생활가정에서 중산층을 위한 다양한 공급방안을 모색하고 있다.

2014년 12월 말 현재 445개소의 노인주거복지시설이 운영되고 있으며, 시설을 이용하고 있는 노인들이 13,994명에 이르고 있다.

3 노인 여가복지시설 지원

건강한 노인과 건강하지 않은 노인, 저소득층 노인과 중산층 이상의 노인들의의 복지에 대한 욕구가 다르기 때문에 일반 노인을 대상으로하는 노인여가문화 활성이 사업이 필요하여 정부에서는 노인들이 활기찬 노후생활을 보낼 수 있도록 노인여가복지시설 설립 및 운영을 지원하여 다양한 여가활동을 할 수 있도록 하고 있다. 2014년 12월 말 전국에 경로당 63,627개소, 노인복지관 344개소, 노인교실 1,361개소가 운영 중 이다.

5) 노인 일자리확충사업

(1) 노인 일자리 사업

고령사회에 대비하여 노인의 능력과 적성에 맞는 일자리를 창출 · 제공함으로써 노인의 삶의 질 향상과 사회적 부양부담을 경감하고 국가경쟁력을 강화하기 위하여 2004년부터 노인일자리사업을 시작하였다.

(2) 시장 자립형 노인 일자리 사업

2011년부터 민간부문과의 협력을 통해 예산제약의 한계를 극복하고 노인들의 시장자립 기반을 조성하기 위해 시장자립형 노인일자리사업을 실시하고 있다. 시장자립형 노인일자리 사업은 양질의 노인일자리 창출을 위해 시장경쟁력 있는 기업 설립을 도모하는 고령자 친화기업 지원사업, 인턴지원을 통한 고용을 유도하는 시니어인턴십 지원사업 그리고 퇴직 전 경륜을 활용할 수 있는 단체설립을 지원하는 시니어직능클럽 지원사업으로 구분한다.

표 9-41 노인 일자리 유형 및 내용

유형		정의	일자리 예시	추진체계
사회공헌형	공익형	지역사회 발전 및 개발에 공헌하는 공익성이 강한 일자리	거리 · 자연환경지킴이, 초등학교 급식 도우미, 도서관 관리지원 등	지자체 중심
	교육형	전문지식 · 경험 소유자가 복지 시설 및 교육기관 등에서 강의	숲생태 · 문화재해설사, 예절 · 서예 · 한자강사 등	노인복지관 중심
	복지형	사회활동이 어려운 소외계층의 생활안정과 행복 추구를 지원	노(老)–노(老)케어, 노인학대예방사업, 보육도우미 등	재가노인시설 중심
시장진입형	시장형	(생산품제조) 생산품을 제조 및 판매하는 사업을 연간 운영하면서 일정수익이 발생	장류, 김부각, 두부과자, 양파즙, 한과, 천연조미료	시니어클럽 중심
		서비스 제공 사업 운영을 통해 시장에서 일정수익 발생	아파트택배, 지하철 택배 세차 및 세탁 사업	
	인력파견형	수요처의 요구에 의해 파견되어 일정 임금을 지급받는 일자리	시험감독관, 주례, 가사도우미, 건물관리 등	다양한 수행기관 (노인회 등)
재능나눔활동		재능 · 경험이 있는 노인이 취약 · 학대노인 발굴, 상담, 교육 등 노인을 위한 권익증진 활동 수행	노노케어 종합상담, 사기예방교육, 치매예방봉사, 상담지원 등	기관 위탁 (노인회 등)

출처: 2014 보건복지백서

표 9-42 시장 자립형 노인 일자리 유형 및 내용

유형	정의	일자리 예시
시니어인턴십	노인이 기업 내 사업현장에 인턴으로 참여할 수 있는 기회 및 교육훈련 제공	상점판매원, 대형마트 물류관리, 주유원, 차량관리원, 고객상담, 홀서빙 및 크루 등
고령자 친화기업	고령자 적합직종을 개발하여 기업설립을 지원함으로써 시장경쟁력과 지속성을 갖춘 노인일자리 창출	㈜고을, ㈜Delicious Plan, ㈜6088식품, (주) 천 년 누 리 , (주) 탑 리 서 치 코 리 아, ㈜에이지 상조 등
시니어 직능클럽	전문경력을 보유한 퇴직노인에게 경륜나눔형 일자리 제공 및 재능의 사회기부 기회 제공	건강보험심사평가원SFC, 국립공원관리공단 SFC, 대한지적공사 SFC, 한국감정원SFC, 한국조폐공사SFC, 한국전력거래소SFC, 등

출처: 2014 보건복지백서

(3) 대한노인회 취업지원센터 운영

노동시장 내에서 경쟁력을 확보하고 있는 노인들의 욕구에 부응하여 민간취업 인력파견형 일자리 프로그램을 활성화하기 위해 대한노인회 취업지원센터를 운영하여 구직희망 노인의 상담, 알선, 취업, 연계조정, 사후관리 서비스를 제공하고 있다.

(4) 노인 자원봉사 활성화

노령전문인의 지식과 경험, 재능 등을 활용하기 위해 2007년부터 전문노인자원봉사 프로그램을 운영 · 지원하고 있으며, 2011년부터 대한노인회 노인자원봉사지원센터를 통해 경로당을 중심으로 하는 노인자원봉사클럽을 조직 · 운영하여 노인의 적극적인 사회참여 기회를 제공하고 있다.

6) 건강한 노후생활

(1) 노인 건강검진 및 실명 예방사업

노인질환을 조기에 발견하고 건강지도 및 보건교육을 실시하여 노인건강 증진을 도모하고자 1983년부터 국민기초생활보장 수급노인(2000년 이전 생활보호대상 노인)을 대상으로 무료 노인건강진단을 실시하였고, 매년 검진대상과 건강진단 항목을 점차적으로 확대하고 있다. 노인건강진단은 1차와 2차로 구분 실시하고, 1차 검사결과 질환 의심자에 대해서는 2차 건강진단을 받도록 하고 있으며, 지역 특성에 따라 검진항목을 조정할 수 있도록 하였다.

2003년부터는 저소득층 노인에 대한 정밀 안 검진을 실시하여 안질환을 조기 발견 · 적기 치료함으로써 노인들의 실명을 예방하고 일상생활이 가능한 시력을 유지하도록 지원하고 있다. 검사결과 안경이나 돋보기가 필요한 노인에게는 안경을 지원하고 있으며, 실명원인성 안질환인 백내장 등으로 수술이 필요한 노인에게는 수술비를 지원하여 의료비 부담을 경감시켜주고 있다.

(2) 노인 운동지원

정부는 2005년부터 노인들에게 적합한 운동프로그램을 개발보급하고 내실있는 건강교육을 실시함으로써 노인

들의 신체기능 저하를 예방하고 건강한 노후생활을 유지할 수 있도록 지원하고 있다. 전국의 경로당 및 노인복지관 등에 운동강사를 파견하여 노인들이 주 2회, 1시간 가량 규칙적으로 운동을 하도록 지원하고 있다. 이외에도 어르신들이 스스로 모여서 꾸준히 운동할 수 있도록 운동 자조모임을 구성할 수 있도록 지원하고 있으며, 지자체 보건소 · 노인복지관 등을 통해서도 노인운동 프로그램이 제공되고 있다.

참고문헌

- 법제처. 2016. 노인장기요양보험법.
- 법제처. 2016. 노인복지법.
- 법제처. 2016. 농어촌 등 보건의료를 위한 특별조치법.
- 법제처. 2016. 저출산 · 고령사회기본법.
- 법제처. 2016. 지역보건법.
- 보건복지부. 2014 지역사회 통합건강증진사업 안내[여성 · 어린이 특화]. 2014.
- 보건복지부. 2013 보건복지백서. 2014.
- 보건복지부. 2014 보건복지백서. 2015.
- 보건복지부. 2016 지역사회 통합건강증진사업 안내(총괄). 2015.
- 보건복지부. 2015 보건복지통계연보. 2016.
- 보건복지부 외. 2016 건강생활지원센터 사업안내. 2015.
- 보건복지부 외. 제6기 지역보건의료계획 수립 안내. 2014.
- 최연희 외. 지역사회보건간호학. 수문사. 2014.
- 유광수 외. 지역사회간호학 3판. 정담미디어. 2013.

참고사이트

- 건강보험심사평가원, http://www.hira.or.kr
- 건강IN, http://hi.nhis.or.kr
- 국가법령정보센터,http://www.law.go.kr
- 국민건강보험공단, http://www.nhis.or.k
- 노인장기요양보험, http://www.longtermcare.or.kr
- 보건복지부, http://www.mohw.go.kr
- 마더세이프, www.mothersafe.or.kr
- 엄마젖 인터넷 상담 사이트, www.mom-baby.org
- 예방접종도우미, https://nip.cdc.go.kr
- 임신육아종합포털 아이사랑, http://www.childcare.go.kr
- 통계청, http://kostat.go.kr
- 한국간호교육평가원, http://www.kabone.or.kr

찾아보기

ㄱ

가구원 555
가네미 사건 777
가스상 물질 765
가스폭발 816
가양성자 115
가역성 84
가음성자 115
가임기간 123
가임기 여성 437
가장 작은 기본단위 530
가정간호 558
가정간호사업 480
가정간호사업 대상자 483
가정간호사업의 목적 483
가정간호사업의 목표 483
가정간호의 개념 및 정의 480
가정간호의 수가 487
가족 530
가족간호 547
가족간호사의 역할 549
가족간호수행 560
가족간호진단 556
가족간호평가 561
가족 강점 554
가족관계 554
가족구조도(가계도) 552
가족권력 535
가족문제와 위기 547
가족 밀착도 553
가족밀착도 552
가족발달 542
가족사건 552
가족 사정도구 552
가족역할 535
가족연대기 552, 555
가족의 기능 531
가족 의사소통 형태 537
가족의 성장 541
가족의 쇠퇴 541
가족의 유형 534
가족의 정의 530
가족의 질병력 552
가족의 특성 533
가족의 해체 541
가족 이동 552
가족집담회 560
가치체계 540
각막 이물 633
간접법 135
간접흡연 301
간호계획 133, 142
간호 관계 인력 375
간호기술능력 821
간호사 375
간호사정 133
간호수행 133, 145
간호제공자 550
간호조무사 377
간호중재 145
간호진단 558
간호체계이론 213
간호평가 133
간호학적 건강개념 177
간호현상 558
간호활동 238
간호활동과 결과 558
갈등 554
감각온도 763
감독 146
감수성 80
감수성 숙주 99, 101
감시 78, 146
감염 98
감염경로 102
감염고리 99
감염 과정 99
감염과정 98
감염력 101
감염병 78, 98
감염병관리 507
감염병발생정보 78
감염병 발생주보 78
감염병 예방활동 654
감염상태 99
감염성 병원체 99
감염성 질환 81, 98, 101
감염성 질환관리사업 504
감염성 질환의 관리 104
감염성 질환의 발생 98
감염성 질환의 생성 99
감정적 유대 533
감정적 지역사회 31
강검사 내용 및 방법 604
강도율 700
강연식 토의법 312
강의 311
강점모델 264
강-질병의 연속성 180
개방감염 99
개방기간 99
개방체계 208
개별 보건교육 309
개인보호구 712
개인질환 555
거미줄 모형 82
건강개념의 유형 176
건강검진 결과 판정기준 609
건강검진의 진단검사 113
건강관리실 242, 746
건강관리체계이론 218
건강교실 249
건강도시 130
건강도시 프로젝트 132
건강보균자 102
건강보험심사평가원 383
건강보험조직 381
건강상담 561
건강생활지원센터 412
건강수준 106, 112, 117
건강신념 모형 330
건강신념모형 329
건강요구 134
건강요구를 제공 547
건강유지조직 45
건강의 결정요인 178
건강의 정의 32
건강자원 555
건강증진 326
건강증진 국제회의 327
건강증진 전략 327
건강증진학교 353, 590
건강지표 106
건강진단 사후관리 694
건강한 노후생활 464
건강한 체중관리 595
건강형평성 176

찾아보기

건강형평성과 건강 불평등 181
건강형평성 정책 183
건축물 붕괴 816
검사방법의 타당도 114
검역 105, 508
격리 105, 711
견학 313
결과평가 147, 561
결론 136
결막 이물 633
결핵 510
결핵검사 614
결핵 관리체계 659
결핵환자 발생 시 관리체계 659
결혼 531, 534
결혼이주자의 건강문제 199
경구 피임약 448
경제개발협력기구/개발원조위원회 67
경제기획 224
경제적 기능 531
경제적 자원 245
경제적 타당성 144
경제협력개발기구 67
경증환자 820
계층 208
고령사회 124
고령화 사회 124
고용률 122
고위험 가족의 정의 562
고위험군 사례관리 269
고위험인구 110
고위험 임산부 특별관리 440
고전적 조건 반사설 292
고화처리 796
골절 629
공동 사회 집단 533
공동유대감 29
공적개발원조 68
공중보건의 정의 33
과망간산칼륨 소비량 779
과정평가 147, 561
과호흡증후군 635
관계 552, 554
관계를 고찰 540
관련자극 215
관리감독자 682
관찰법 322
광화학적 스모그 766
교육매체의 선정 581
교육시간 배정 581
교육자 550
교차비 119
교차비 또는 비의비 107
교환이론 217
구강검진 614
구강관리 430, 594
구강 외상 634
구성비율 106, 108
구조기능적 이론 540
구조적 지역사회 30
구조평가 147, 561
구토(오심) 622
국가기획 224
국가보건정책 4
국가보건행정조직 380
국가통계 121
국가필수예방접종 512
국경없는 의사회 825
국민건강보험공단 382
국민건강보험공단의 사례관리사업 270
국민건강증진종합계획 7, 15
국민건강증진종합계획 2020의 목표와 사업 20
국민보건서비스 방식 388
국민보험방식 389
국제 간호협회 65
국제간호실무진단분류체계 557
국제공중보건비상사태 78
국제기획 224
국제노동기구 674
국제보건규칙 58, 78
국제보건기구 385
국제보건에서의 간호사의 역할 70
국제보건의 목표 61
국제보건의 정의 57
국제보건활동 64
국제비정부기구와 민간재단 68
국제연합아동기금 386
국제적십자기구 825
군집독 761
굿네이버스 824
권력구조 540
귀속위험도 108, 121
귀의 외상과 이물 634
규제적 기획 224
균등종국 209
근골격계 질환 740
근로복지공단 679
근로자 건강진단 692
금연 클리닉 341
금연 프로그램 301
급성 질환 111
기간 유병률 110
기관간의 상호작용 555
기능적 지역사회 31
기능촉진 550
기대수명 124
기류 762
기본감염재생산수 104
기상문제 815
기술 532
기술역학 117
기술역학의 주요변수 117
기술적 타당성 144
기습 762
기아 815
기여위험도 108
기여위험도(귀속위험도) 121
기온 762
기온역전 767
기존 지식과의 일치성 84
기준의 명확성 115
기초우선순위평정법 141
기초 체온법 448
기침예절 653
기타예방접종 512
기획 221
기획의 구성요소 221
기획이론 209
기후 762
기후요소 762
기후인자 762
긴급환자 820
긴장 532
길리스 547
김화중의 지역사회간호의 정의 35

찾아보기

ㄴ

나이팅게일 42
난관 절제술 449
내적 스트레스원 219
네겐트로피 209
노년부양비 122, 124, 126
노동력을 재생산 532
노령화지수 124
노인 건강검진 및 실명 예방사업 464
노인돌봄기본서비스 458
노인보건사업 451
노인 복지시설의 종 462
노인 운동지원 464
노인인구 변화추이 452
노인 일자리확충사업 463
노인장기요양보험 방문간호의 인력기 490
노인장기요양보험의 내용 457
노인장기요양보험의 방문간호사업 488
노인장기요양보험제도 455
노인종합돌봄 서비스 461
노인학대 예방 사업 460
노인 허약예방 476
노출 562
녹음테이프 315
농어촌 보건의료를 위한 특별조치법 400
누적 발생률 109
누적발생률 109
누적성 809
눈의 외상과 이물 633
능동면역 104
님비현상 759

ㄷ

다문화가족, 북한이탈주민 등 관리 477
다문화의 이해 185
다문화의 정책현황 194
다문화의 현황 187
다이아프램 448
다이옥신 796
단계별 간호요구 818
단기가사 서비스 제공 461
단기 기획 224
단면조사연구 78, 118
단시간 노출기준 709
단위인구 109
당뇨병 인지율 110
대기 알레르겐 636
대기오염 764
대면공동체 30
대상자 550
대상자 사정능력 820
대상자 중심역할 51
대유행성 117
대응단계 819
대인관계 능력 56
대인적 스트레스원 219
대중매체 중심 314
대처기전 215
대한결핵협회 385
대한산업보건협회 680
대한산업안전협회 681
대한적십자사 385
데이터 품질관리 121
도덕 532
도수율 700
도시화 130
도식화 553
독거노인 사랑잇기 사업 460
독거노인 사회관계활성화 지원 사업 460
독거노인 응급안전서비스 460
독력 102
독소생성력 100
동물병원소 103
동일한 요구를 가진 공동체 31
두통 623
듀발 542
드라마 307

ㄹ

라니냐 현상 768
런던형 스모그 사건 769
레빈의 장 이론 293
로선복 46
로스앤젤레스형 스모그 사건 769
로이의 적응이론 214
로저스(Rogers)의 완전한 기능을 위한 비지시적 유의미 교육이론 293
로젠버거 46
리스크 커뮤니케이션 804
릴리안 왈드 43
링겔만 차트 765

ㅁ

만성병 119
만성보균자 102
만성질병 82, 111
만성질환관리사업 492, 498
만성질환의 감시체계 502
만성퇴행성질환 122
만족모형 10
망원인별 구성비 122
매슬로우의 동기 위계적 교육이론 293
매연 765
매체활용 254
먼지 765
멀티미디어 255
메디케어 45
메디케이드 45
면담 135
면역력 102
면역수준 80
면역증강 509
면접법(구두질문) 322
모성사망률 436
모성 사망비 436
모유수유클리닉 339
모의 상황 313
모의 실험극 313
모형이나 표본 315
목적 143
목표 143
목표달성 정도 평가 147
목표설정 143
무생물 병원소 103
무증상 감염 102
무질서의 에너지 209
문서 관리 668
문제 557
문제중심 접근 557
문제해결 공동체 31

찾아보기

문제해결 능력 56
문제해결의 방안 561
물리적 기획 224
물리적 자원 244
물질적 교환 217
미나마타병 776
미등록관리장애인 523
미숙아 및 선천성이상아 등록관리 및 의료비 지원 430
미스트 765
미혼 자녀 534
민간보건조직 385
민감도 114, 115
밀착관계 553

ㅂ

바나나현상 759
바람직한 역할 532
바이러스성 식중독 784
바퀴형 537
발달이론 541
발달적 관점 555
발병률 109
발생률 77, 107, 109
발생률과 유병률의 관계 110
발생률의 비 107
발생밀도 110
발생빈도 109
발열 624
방문 가방 241
방문간호사업체 43
방문건강관리사업 서비스의 내용 473
방문건강관리사업 서비스 제공과정 473
방문건강관리사업의 대상 472
방문건강관리사업의 전략 470
방문보건사업 468
방문보건의 개념 468
방문요구별 군분류 472
방문활동 238
방사능 802
방사선 802
방송 255
방송매체 317
방콕헌장 329
방한력 794
배분적 기획 224
배심 토의 312
배출부과금 755
배치 전 건강진단 694
배합형 323
백분율(%) 108
버즈 학습 311
범세계적 117
범이론 337
범이론 모형 337
법적 절차 533
법적 타당성 144
법정감염병 505
법정감염병 감염자 관리 655
법정감염병의 종류 506
베티 뉴만의 건강관리체계이론 218
벤조피린 766
변비 621
변화 541
변화촉진자 550
변환 209
병원급 의료기관 378
병원력 101
병원소 98, 99, 102
병원 신임 평가 231
병원중심 사례관리 모형 261
병원체 80, 97, 99
병원체와 병원소 관리 105
병원체 요인 81
병원체의 탈출 103
병원.치과병원.한방병원 378
병원표준화 심사 231
보건간호 5
보건간호와 지역사회간호의 차이 37
보건관리대행 687
보건관리자 682
보건관리자(산업간호사) 55
보건교사 53, 572
보건교사 배치기준 572
보건교사의 역할 641
보건교사의 직무 573
보건교육 560
보건교육 방법 309
보건교육의 목적 290
보건교육의 범위 295
보건교육의 정의 290
보건교육의 중요성 291
보건교육의 학습이론 292
보건교육프로그램 개발 296
보건기획의 필요성 210
보건분야 새천년개발목표 63
보건사업 기획의 특성 222
보건소 379
보건수준 106
보건실 운영 663
보건의료 수요 117
보건의료시설 377
보건의료의 사회 · 경제적 특성 14
보건의료 인력 373
보건의료 자원의 개발 372
보건의료 전달체계 372
보건의료전달 체계의 분류 393
보건의료정책의 개념 13
보건의료정책의 기본이념 14
보건의료정책의 특성 14
보건전문간호사 421
보건지소 379
보건지표 77, 109, 112, 121
보건진료소 379, 414
보건진료 전담공무원 54, 415
보건통계활용 121
보균자 102
보통침전 772
복구(회복)단계 819
복사성 역전 767
복사열 763
복잡성 809
복통 618
본처리 780
봉급제 391
부모역할 535
부모와 동거 534
부모-자녀 권력 536
부부 534
부부권력 536
부부역할 535
부영양화/적조현상 777
부유물질 778
부정기관리장애인 522
북한이탈주민의 건강문제 200
분류 136

찾아보기

분석역학 117, 118
분율 109
분진 765
불연속점 773
불쾌지수 764
불현성 감염 99, 101
불확실성 809
브레인스토밍 311
브루스터 43
브릿지 플랜 2020 122
블룸의 숙달학습 모형 293
비 106
비교 136
비교습도 762
비디오테이프 315
비례사망률 112
비례사망지수 112
비만과 질병 306
비면역집단 104
비물질적 교환 217
비전리방사선 731
비정부 기구 387
비출혈 632
비판적 사고능력 820
비행기 사고 816
비효율적 반응 216
빈도 106
빈도율 700

ㅅ

사건 555
사랑 531
사례관리 대상자 260
사례관리 모형 261
사례관리 목적 259
사례관리의 원칙 259
사례관리의 정의 257
사례관리의 필요성 258
사례관리자 550
사례관리자의 역할 및 자질 260
사례관리 흐름과 절차 265
사례 발견자 550
사례연구 560
사망률 77, 106, 122
사망 만인율 699
사망원인 추이 통계 122
사망지표 111, 121, 436
사망통계자료 106
사산율 434
사슬형 537
사업기획 223
사업의 적합성 평가 148
사업장폐기물 794
사업진행 평가 147
사업 효율성 평가 147
사이버네틱 모형 13
사인별 특수사망률 112
사회기획 224
사회보장형 393
사회재난 809
사회적 상호작용 29
사회적 자원 244
사회적 지표 106
사회적 타당성 144
사회주의형 393
사회지지도 552, 555
사회화의 관계 540
산사태 815
산성비 768
산소 761
산업간호 674
산업간호과정 688
산업간호사 55
산업보건 674
산업보건의 683
산업안전보건위원회 683
산업장 건강증진사업 357
산업재해 697
산업재해보상보험제도 704
산업재해 통계지표 699
산업전문간호사 686
산전관리 438
산전 · 후 우울증 진단 및 사후관리 안내 441
산출 143, 209
산후건강관리 코칭 438
살정자 피임법 448
상급종합병원 378
상담 313
상담의 과정 247
상담자 550
상담 활동 246
상대위험비 107, 121
상대평가(기준 지향 평가) 321
상병지표 121
상징적 상호작용이론 540
상호관계 553
상호관계 연구 118
상호의존 양상 216
상호이해 533
상호작용 539, 540, 553
상호작용성 809
새로 발생한 환자 수 109
새집증후군 792
생리적 양상 216
생물학적 발생빈도 84
생물학적 설명 가능성 84
생물학적 요인 81
생물화학적 산소요구량 778
생산가능인구 122, 124
생식기능 531
생애주기별 건강증진사업 26
생애주기에 따른 건강관리 470
생태학적 모형 80
생태학적문제의 공동체 30
생활폐기물 794
서비스 전달 중심의 역할 51
선다형 323
선박 사고 816
선천성대사이상 검사 및 환아관리 425
설문지 조사 135
설사 620
성비 106, 436
성 빈센트 드 폴 42
성인 표준 예방접종표 513
성폭력 · 성매매 예방 및 성교육 강화 596
성 프란시스 드 살레스 42
세계보건기구 65, 130, 386, 826
세계식량계획 66
세계은행 67
세균성 식중독 784
소각법 795
소변검사 612
소속감 533
소속공동체 31
소음 726

찾아보기

소집단 146
소화불량(식체) 619
속담 307
속성 208
손다이크 자극-반응 이론 292
손씻기 652
수레바퀴 모형 81
수시 건강진단 694
수용성 227
수은 735
수인성 감염병관리 509
수질개선부담금 755
수질오염 776
수행계획 145
숙주 80
숙주관리 105
숙주 요인 81
순환 541
스마트폰 256
스웨덴의 선즈볼 328
스트레스 532, 554, 562
슬라이드 315
시 560
시간가중 평균 노출기준 709
시간관리 능력 57
시간적 속발성 84, 119
시간적 차원 541
시그마 국제학회 65
시력검사 613
시력관리 593
시범 312
시블리 47
시설 561
시설급여 458
시점 유병률 110
시점조사 119
식중독 783
식품위생 781
신뢰도 116, 121
신생아 사망률 424
신생아 청각선별검사 지원 실시(신생아 난청 조기진단) 426
신생아 후기 사망률 424
신종감염병 78
신종감염병관리 510
신체능력검사 615
실 314
실물환등기 316
실제상황 314
실행기획 223
실험역학 121
실험적 증거 84
심뇌혈관질환 499
심포지움 312
쓰레기통 모형 11

ㅇ

아동 · 청소년기 호발 법정감염병 및 특성 649
아른스타인 252
안구 좌상 633
안구 천공상 633
안전관리자 682
안전보건관리책임자 681
안전보건관리체계 681
안전한 노후 생활 458
알마타선언, 오타와헌장, 유엔환경개발회의 지역의 제21 131
암 등록자료 106
암발생률 122
암 조발생률 122
애정 533
애정 및 성기능 531
앨리슨 모형 12
약품침전 772
양성예측도 115
업무상질병 724
업무조정과 의사소통 146
에너지의 유입 554
에너지의 유출 554
에드윈 체드윅 42
엔트로피 209
엘니뇨 현상 768
엘리자베스 프라이 42
여과 772
여성보건사업 431
여성보건지표 434
역사 555
역삼각형 125
역학 76, 78
역학연구방법 78
역학적 검사방법 113
역학적 연구방법 117
역학적 측정지표 105
역학조사 79
역할구조 540
역할극 313, 560
역할기능 양상 216
역할 모델 550
역할 변화 562
역할분담 552
연 734
연구자의 역할 550
연기 765
연령별 특수 사망률 112
연령별 특수사망률 109
연령별 특수 출산율 434, 436
열섬현상 768
열전도율 793
열차 사고 815
염소 소독법 773
염좌 628
영아 사망률 424
영양 프로그램 303
영양플러스 사업 350
영유아보건사업 422
영유아보건지표 423
영화 315
예방수준 97, 98
예방(완화)단계 818
예방접종 105
예방접종 주의 및 금기 상황 427
예비처리 780
예산 관리 669
예시적 기획 224
예측도 115
예측적 안내 560
오렘의 자가간호이론 211
오마하간호진단(오마하진단분류체계) 557
오마하 문제분류 체계 138
오염 802
오타와 헌장 327
옥스팜 824
온열조건 762
온열지수 763
옹호자 550

찾아보기

완전통로형 537
외국인 근로자의 건강문제 200
외부인물 555
외부체계 554
외부체계도 552, 554
외부환경 체계 539
외상 628
외상 후 스트레스 신드롬 817
외상 후 스트레스 장애 817
외적 스트레스원 219
요약 136
요양급여 적정성 평가 232
요양병원 378
요양 재해율 700
요통 625
용량-반응관계 84
용존산소 778
우선순위 결정 141
우편 257
우화 307
운동 프로그램 302
운명적 533
원인관계 119
원인규명 118
원인적 연관성 76, 80, 82, 120
월경곤란증 626
월경주기법 447
위생적 매립법 795
위양성률 115
위음성률 115
위험 562
위험요인 107, 119
위험요인의 노출여부 120
위험요인 폭로 수준 121
위험집단 109
윌리엄 라스본 43
유기화합물 733
유니세프 826
유병률 77, 106, 107, 109, 110, 115
유병 조사 118
유소년 인구 124
유아사망률 424
유엔 난민 고등 판무관 사무소 826
유엔아동기금 66
유엔에이즈계획 67
유엔인구활동기금 66
유연 방어선 219
유인물 257
유행 104
유행곡선 117
유행병 76
유행성 117
윤리적 태도 57
율 109
융판 316
음성예측도 115
응급상황 관리 639
응급상황 발생 시 대처요령 647
응급증상 VS 응급에 준하는 증상 646
응급피임법 449
응급환자 820
응급환자 발생 시 교직원 행동수칙 644
응급환자 발생에 따른 처치 및 이송 판단 기준 646
응급환자 후송 흐름도 643
의뢰 561
의료급여 관리사 267
의료급여 사례관리사업 266
의료기관 평가제도 232
의료자원 이용 561
의료정보 821
의복기후 793
의복위생 793
의사소통 552
의사소통능력 56, 821
의사소통양상 540
의약(외)품 관리 664
이산화탄소 761
이상기압 729
이상기온 727
이야기 307
이중 맹검법 121
이타이이타이병 777
이환기간 110
이환율 106
이환지표 109
인간병원소 102
인간환경선언 755
인공적 면역 104
인공조명 790
인과관계 118, 119
인구동태 77
인구자료 106
인구재산생산 수준에 관한 지표 106
인구재생산 123
인구절벽 122
인구절벽 현상 124
인구집단 수준 건강관련 데이터 121
인구집단 중심의 역할 51
인두제 392
인력 561
인본주의 이론 293
인위재난 815
인적자원 244
인지기전 215
인지주의 학습이론 292
인터넷 255
인형극 307
일관성 84
일반건강진단 692
일반 출산율 434
일반출산율 436
일산화탄소 761
일차 건강관리 제공자 550
일차보건의료 397
일차보건의료와 간호 45
일차보건의료의 개념 397
일차보건의료의 전략 398
일차보건의료의 철학 397
일차보건의료의 필수서비스 398
일차적 집단 533
일체감 533
임산부, 신생아, 영유아 관리 476
임상간호분류체계 558
임상실험 연구 121
임상연구 78
임시 건강진단 694
입자상 물질 764

ㅈ

자가간호 결핍이론 213
자가간호 역량 212
자가간호이론 211
자가 보고서 323

찾아보기

자궁내 장치 448
자기 감시법 323
자녀 534
자녀양육과 사회화 기능 532
자동차 사고 815
자료분석단계 136
자료수집 134
자료수집 방법 135
자상 628
자아개념 양상 216
자연독에 의한 식중독 784
자연사 76, 77
자연재난 808, 814
자연적 533
자연적 면역 104
자연조명 790
자원공동체 31
자원 의뢰자 550
자원활용 237, 244
자유방임형 393
자유 에너지 209
자정작용 760
자조모임 250
작업관련성 질환 관리 740
작업환경관리 706
작업환경 유해인자 706
작업환경측정 720
잔여자극 215
잠복기 99
잠복기보균자 102
잠재감염 99, 102
장기 기획 224
장기입원 사례관리 269
장애인 재활 관리 477
재가급여 457
재난관리 단계 818
재난관리 시 필요한 간호사의 역할 820
재난관리의 개념 818
재난 발생현황 810
재난의 분류 808
재난의 유형 808
재난의 정의 808
재난의 특성 809
재원의 종류 388
재평가 149
재해율 699
재활간호사업 514
재활간호사업의 정의 516
재활모델 264
재활 사례관리 사업 278
저출산 126
저항선 218
적응성 809
적응이론 214
적정기능수준에 영향을 미치는 요인 37
적정성 227
전달체계 550
전략기획 223
전리방사선 731
전문간호사 52, 377
전문간호사제도 45
전문병원 378
전문적인 기술 561
전산화 간호기록 558
전염기 99
전염병 122
전염성 98
전염성 질환 98
전염성 질환 감시자료 106
전쟁 816
전통적 학교보건사업의 범위 590
전파 77, 98, 99, 104
전파경로 77
전파과정 105
전파방법 103
전파방지를 위한 관리 105
전파수단 99
전향적 연구 120
전화 254
절단 796
절대습도 762
절대평가(목표 지향 평가) 321
절상 628
절주 프로그램 302
점액 관찰법 448
점증모형 11
접근성 226
정관 절제술 449
정기관리장애인 522
정보 552, 561
정보원 면담 135
정상 방어선 218
정서적 안정과 휴식의 기능 532
정서적지지 553
정책 8
정책결정 9
정책결정의 모형 10
정책과정 9
정책의 개념 8
정확도 114
정확도에 영향을 미치는 요인 115
제3차 저출산 · 고령사회 기본계 122
제7차 건강증진 국제회의 329
제8차 건강증진 국제회의 329
제거 및 대치 711
제도 533
조사 802
조사망률 109, 111
조산사 54, 377
조작적 조건화 292
조절기전 215
조직 30
조출생률 111, 434, 436
종합병원 378
종합평가 322
주민주도 252
주산기 사망률 424
주요 국가의 보건의료 전달체계 394
주요 국가의 보건의료 전달체계의 특징 396
준비(대비)단계 818
중개자 역할 확대모델 264
중기 기획 224
중성대 791
중앙보건행정조직 380
증상 557
지구온난화 768
지도자 550
지렛대이론 80
지리적 영역의 공유 29
지방기획 224
지방보건행정조직 381
지속성 226
지식 532
지역기획 224
지역보건의료계획 7, 22, 416
지역사회간호 4, 5
지역사회간호 대행자 550

찾아보기

지역사회간호사 역할 50
지역사회간호사의 역할 개발 55
지역사회간호업무의 표준 40
지역사회간호의 속성 39
지역사회간호의 역사 41
지역사회를 기반으로 한 간호 5
지역사회를 중심으로 한 간호 5
지역사회보건 32
지역사회 보건사업 기획 221
지역사회 보건의 목표 33
지역사회보건의 정의 33
지역사회의 기능 32
지역사회의 속성 29
지역사회의 유형 30
지역사회의 정의 28
지역사회 조직의 활용 248
지역사회중심 재활사업의 개념 519
지역사회통합건강증진 사업내 여성 대상 특화 사업 437
지역사회 통합건강증진사업 모형 26
지역주민 참여 250
지연환자 820
지정폐기물 794
지정학적 공동체 30
지진 814
지표 106
직무스트레스 743
직업 552
직접 간호제공 561
직접법 135
진단명 557
진단 평가 321
진동 727
진료비 지불보상제도 390
진위형 323
진폐증 737, 765
진행단계별 평가 활동 146
질 226
질문지법 323
질병관리능력 821
질병관리방법 117
질병관리본부 78
질병관리센터 78
질병발생 80, 82
질병발생 모형 80
질병발생의 모형 80
질병분포 117
질병양상 110
질병예방 97
질병예방 및 관리방법 98
질병의 순간발생률 110
질병의 자연사 97, 117
질병통계 106
질소 761
질소산화물 766
질환발생률 107
집단 533
집단검진 방법 115
집단면역 104
집단 보건교육 310
집단의 역학적 진단 117
집단 중심 550
집단지도 249
집단 토의 311
집중관리군 사례관리 270
집합체 30
징후 557

ㅊ

차창밖조사 136
찰과상 628
참여관찰 136
천식 636
첫 자녀 542
청소년건강행태온라인조사 605
청소년 금연프로그램(END) 운영 계획안 (예시) 599
체계 208
체계이론 208, 539
체질적 요인 81
초고령사회 124
초생아 사망률 424
초저출산 123
초점자극 215
총액계약제 392
총재생산률 435
총재생산율 436
최고 노출기준 709
최적모형 11
출산력지표 121
출산율 106, 123, 124
출산지표 434
출생률 106
출혈이나 시력장애 633
취약가족 562
취약가족과 간호 197
취약점 555
치료율 110
치매관리 사업의 사례관리 276
치매 사례관리자 277
치매예방 및 치매가족지원 461
치명률 102, 111, 113
치사율 113
침강성 역전 767
침입경로 103
침전 772

ㅋ

카드뮴 736
컴퓨터 316
컴퓨터 중심 교육 316
코호트 연구 78, 107, 119
콘돔 447
쾌감대 763
쾰러의 통찰학습이론 293
크롬 736

ㅌ

타당도 114
타박상 628
태풍 814
테러 816
테러와 전쟁 816
토네이도 815
토양오염 797
토착성 117
통계적 연관성의 강도 84
통제과정 215
통합건강증진사업 7
통합건강증진사업 모형 26
퇴비화법 795
투기법 795
투시물 환등기 315
투입 143, 209
투입자원 평가 147
트리할로메탄 773

찾아보기

특별재난지역 812
특별현금급여 458
특수건강진단 693
특수사망률 112
특수흥미공동체 31
특이도 114, 115
특이성 84

ㅍ

파비올라 41
파쇄 796
파울라 41
팜플렛과 포스터 316
페미돔 449
페베 41
펜더의 건강증진 모형 333
평가도구의 조건 299
평가의 개념 319
평가의 내용 320
평가의 대상 320
평가의 목적 319
평가의 범주 299
평가의 유형 299
평가지표 121
평균발생률 110
평균수명 106, 112, 126
평생국민건강관리사업 469
폐기물 794
폐기물 부담금 755
폐기물 예치금 755
폐쇄적 집단 533
폐쇄체계 208
포괄수가제 391
포스터/게시판 257
표준예방접종 426
표준 예방접종 일정표(소아용) 512
프란시스 루트 43
프레이밍햄 심장연구 79
프로그램 평가기준 299
프로젝트 방법 312
피동면역 104
피임방법 교육 447
피임주사 448

ㅎ

하위체계 539
학교감염병 관리 648
학교감염병 대응체계 658
학교감염병 대책위원회 구성 657
학교건강증진 588
학교건강증진사업의 범위(WHO지침, 1995) 590
학교건강증진의 기본방향 589
학교건강증진 프로그램 355
학교건강평가 603
학교기반 성교육 프로그램 597
학교보건관련 법률 574
학교보건교육 571
학교보건교육의 중요성 578
학교보건교육의 평가 584
학교보건법 578
학교보건서비스 571
학교보건의 개념 570
학교보건의 내용 571
학교보건의 목적 570
학교보건의 인력 572
학교보건의 중요성 570
학교약사 574
학교약사 직무 574
학교의사 574
학교의사 직무 574
학생건강기록부 기록 · 보관 등 관리 616
학생건강조사 시스템 605
학습내용의 조직과 내용 선정 300
학습목표의 구성요소 580
학습목표의 분류 580
학습목표의 작성 원리 300
한계 115
한국건강관리협회 385
한국국제보건의료재단 69
한국국제협력단 69, 825
한국보건개발연구원 47, 399
한국산업간호협회 680
한국산업안전보건공단 680
한국산업인력공단 680
한국직업건강간호학회 680
한국한센복지협회 385
합계출산율 122, 123, 435, 436
합리적/계획된 행위이론 331
합리적 모형 10
합법성 227
항상성 209
항체 101
해소 532
해체 562
핵가족 534, 542
행동주의 학습이론 292
행위 561
행위별수가제 391
행정기획 224
헌집증후군 792
현성 감염 99
현성감염 101
혐기성 처리 780
형성평가 321
형태 요인 81
형평성 227
호기성 처리 780
호주의 아델레이드 328
혼란변수 83
혼합주사모형 11
홍수 814
화산폭발 814
화상 630
화학물질 위험성평가 718
화학적 산소요구량 778
화학적 식중독 784
화학적 화상 633
확대가족 534
환경 80, 208, 754
환경개선부담금 755
환경보건 754
환경보건서비스 803
환경영향평가 756
환경오염 758
환경요인 80, 81, 97
환경호르몬 759
환기 712, 791
환기량 791
환자가족모임 250
환자-대조군 연구 78, 119
황산화물 765
회복기보균자 102
회상 555

찾아보기

회환 146, 209
효과성 227
효능성 227
효율성 226, 227
효율적 적응반응 216
후향성 연구 119
훈연 765
휴식 532
흄 765
흑구온도계 763
흡연예방교육 585
흡연, 음주 등 약물 오 · 남용 예방 355

A

absolute humidity 762
acceptability 227
accessibility 226
acid rain 768
aerobic treatment 780
agent 80
age specific death rate 112
age-specific fertility rate 434
aggregate 30
air humidity 762
air movement 762
air polluton 764
air temperature 762
anaerobic treatment 780
analytic epidemiology 117, 118
apparent infection 99, 101
AR 108
Arnstein 252
artificial lighting 790
assertive community treatment model 264
attributable risk 108
attributes 208
average duration 111

B

banana 759
Basic Priority Rating System 141
Basic reproductive number 104
belonging community 31
benzopyrene 766
B. F. Skinner 292
biochemical oxygen demand 778
biological plausibility 84
biologic gradient 84
Bloom 293, 580
BOD 778
BPRS 141
Brainstorming 311
break point 773
Buzz session discussion 311

C

C 709
cancer registry data 106
capitation 392
carrier 102
case-control study 119
case fatality rate 102
case-fatality rate 113
case payment 391
Categorize 136
cause specific death rate 112
CCC 556
Cd 736
CDC 78
CDMR 78
CDWR 78
Ceiling 709
Center for Disease Control and Prevention 78
chain of infection 99
chemical food poisoning 784
chemical oxygen demand 778
chlorine 773
chronic carrier 102
climate 762
climate elements 762
climate factors 762
clinical trial 121
CLO 794
clothes unit 794
clothing sanitation 793
CO 761
CO_2 761
COD 778
cognator 215
coherence 84
cohort study 119
comfort zone 763
communicable disease 98
Communicable Diseases Monthly Report 78
communicable disease surveillance data 106
Communicable Diseases Weekly Report 78
communities of ecology 30
communities of identifiable need 31
communities of interest orientation 31
communities of solution 31
Community-based nursing practice 5
Community health nursing 4
Community health nursing practice 5
Community-oriented nursing practice 5
Compare 136
complexity 809
compositing 795
Computer 316
computer based education 316
Conclusion 136
confounding variable 83
consistency 84
contamination 802
contextual stimuli 215
continuity 226
control process 215
convalescent carrier 102
coping mechanism 215
correlation study 118
Counseling 313
count 106
Cr 736
critical mass community 31
cross-sectional study 118

찾아보기

crowd poison 761
crude birth rate 434
crude death rate 111
cumulative incidence rate 109
cumulativeness 809
cut off score 817
cutting point 115

D

delayed 820
demographic data 106
Demonstration 312
descriptive epidemiology 117
Developmental Theory 541
Development Assistance Committee 67
DI 764
dioxin 796
discomfort Index 764
dissolved oxygen 778
DO 778
dose-response 84
double blind method 121
drama 307
Dr. Sibley 47
dumping 795
dust 765
Duvall 542

E

ecological model 80
Eco-map 554
Edwin Chadwick 42
effectiveness 227
effective temperature 763
efficacy 227
efficiency 226, 227
EHS 803
Elizabeth Fry 42
Elma T. Rosenberger 46
El Niño 768
endemic 117
entropy 209
environment 80, 208
environmental health services 803
epidemic 76, 117
epidemic curv 117
epidemiology 76
equifinality 209
equity 227
expanded-broker model 264
expectant 820
experimental evidence 84
extrapersonal stressor 219

F

Fabiola 41
fable 307
face to face community 30
false negative 115
false positive 115
Family Attachment Pattern Diagram 553
Family-lifr chronology 555
feedback 146, 209
fee for service 391
fetal death rate 434
Field Trip 313
filtration 772
Flannel boards 316
flexibility 809
flexible line of defense 219
Florence Nightingale 42
focal stimuli 215
food sanitation 781
Framingham Heart Study 79
France Root 43
frank case 102
frequency rate 700
fume 765

G

Garbage can model 11
gas 765
general fertility rate 434
geopolitical community 30
GHS 717
Goal 143
Good Neighbors 824
gross reproduction rate 435
Group discussion 311

H

HACCP 781
Hazard Analysis Critical Control Point 781
health index 106
Health Maintenance Organization 45
Health Promotion Model 333
healthy carrier 102
Henry Street Settlement Project in New York 43
herd immunity 104
Hg 735
hierarchy 208
HMO 45
host 80

I

ICIDH 514
ICN 65
ICNP
ICNP 556, 557
IHR2005 58
ILO 674
immediate 820
immunogenicity 102
inapparent infection 99, 101
incidence density 109, 110
incidence rate 109
incineration 795
incremental model 11
incubation period 99
incubatory carrier 102
infection 98
infectious agent 99
infectious disease 98
infectivity 101
Informant interview 135
input 209
Input 143
Interactional Theory 540
interactivity 809
interdependence mode 216

International Classification of Impairments 514
International Council of Nurses 65
International Regulation 58
interpersonal stressor 219
Interview 135
intrapersonal stressor 219
intra-uterine contraceptive device 448
irradiation 802
isabilities and Handicaps 514
isolation 105, 711
itai Itai diease 777
IUD 448
Ivan Pavlov 292

K

kata cooling power 763
KHDI 47, 399
KMnO4 779
Koch's postulates 83
KOFIH 69
Köhler 293
KOICA 69
Korea International Cooperation Agency 69

L

La Niña 768
latent infection 99, 102
Lecture 311
legitimacy 227
Lever Theory 80
Lewin 293
Lillian Wald 43
line of resistance 218

M

Mary Brewster 43
Maslow 293
matching 323
Maternal mortality rate 436
Maternal mortality ratio 436
MDs 63
Medecins Sans Frontieres 825
Medicaid 45
Medicare 45
minamata disease 776
minimal 820
minor 820
mist 765
mixed scanning model 11
MMWR 78
model 261
Model 315
moderate 820
monitoring 146
Morbidity Rate 109
morbidity statistics 106
Mortality Morbidity Weekly Report 78
Mortality Rate 111
mortality statistics 106
MSDS 715
MSF 825
mucus method 448
mutiple choice 323

N

N2 761
NANDA 556
National Health Insurance 389
National Health Service 388
natural lighting 790
negative predictability 115
negentropy 209
negtiation system 392
neutral zone 791
NGO 387
NGOs 68
nimby 759
nitrogen oxide 766
Non-Governmental Organization 387
Nongovernmental Organizations 68
normal line of defense 218
NOx 766
nursing assessment 133
nursing evaluation 133
nursing implementation 133
nursing intervention 145
nursing planning 133

O

O2 761
Objective 143
ODA 68
odds ratio 107
OECD 67
OECD/DAC 67
Office of UN High Commissioner for Refugees 826
Official Development Assistance 68
OHP 315
OMAHA 556
Opaque projector 316
optimal model 11
optinality 227
OR 107
organization 30
Organization for Economic Cooperation and Development 67
Ottawa Charter for Health Promotion 327
Outcome evaluation 147
output 143, 209
Over Head Projector 315
OXFAM 824
Oxford Committee for Relief 824

P

Pamphlet/ Poster 316
pandemic 117
Panel discussion 312
Participant observation 136
PATCH 142
patent infection 99
patent period 99
pathogen 99
pathogenicity 101
Paula 41
Pb 734

찾아보기

PEARL 142
period of communicability 99
period prevalence rate 110
Phoebe 41
physiological mode 216
Planned Approach To Community Health 142
Planning Theory 209
PMI 112
PMR 112
pneumoconiosis 765
point prevalence rate 110
positive predictability 115
post traumatic stress disorder 817
Post Traumatic Stress Syndrome 817
predictability 115
prevalence rate 110
prevalence study 118
primary prevention 219
Process evaluation 147
Project method 312
proportion 106, 108
proportional mortality index 112
proportional mortality rate 112
Propriety, Economic feasibility, Acceptability, Resources, Legality 142
prospective study 120
proverv 307
PTSD 817
PTSS 817
public health emergency of international concern 78
Public health nursing practice 5
puppets 307

Q

quality 226
quarantine 105

R

R0 104
radiation heat 763
rate 109
ratio 106
rational model 10
RC 804
Real- situation 314
Real- thing 314
regulator 215
rehabilitation model 264
relative risk ratio 107
reliability 116
reservior of infection 102
reservoir 98
residual stimuli 215
retrospective study 119
reversibility 84
Ringelmann smoke chart 765
risk communication 804
risk factor 119
Rogers 293
role function mode 216
Role playing 313
RR 107
RUMBA 143

S

salary 391
sanitary landfill 795
satisfying model 10
SDGs 61
secondary prevention 220
sedimentation 772
self-care agency 212
self-concept mode 216
sensitivity 114
severe 820
severity rate 700
sex ratio 106
Short-Term Exposure Limit 709
sick house syndrome 792
sigma theta tau international 65
Simulated environment 313
Simulation 313
Slide 315
smog 766
smoke 765
SNS 256
Social Network Service 256
Sociosupportgram 555
SOx 765
specific death rate 112
specificity 84, 114
S - R: Stimuli - Reaction 292
SS 778
steady state 209
STEL 709
St. Francis de Sales 42
stillbirth rate 434
story telling 307
strength 84
strengths model 264
Structural-Functional Theory 540
Structure evaluation 147
STTI 65
St. Vicent de Paul 42
subclinical infection 102
substitution 711
sulfur oxide 765
Summarize 136
supervising 146
surveillance 78
Survey 135
suspended solids 778
Symposium 312
system 208
system theory 539

T

Tape recording 315
temperature inversion 767
temporality 84
tertiary prevention 220
thermal condition 762
Thorndike 292
throughput 209
Time-Weighted Average 709
total fertility rate 122, 435
Transtheoretical Model 337
trihalomethanes 773
truefalse 323
TWA 709

찾아보기

U

UNAIDS 67
uncertainty 809
UNFPA 66
UNHCR 826
UNICEF 66, 386, 826
United Nations Children's Fund 826
United Nations International Children's Emergency Fund 66
United Nations International Children's Fund 386
United Nations Population Fund 66
United Nations Programme on HIV/AIDS 67

V

validity 114
ventilation 712
Video tape 315
virulence 102

W

web of causation model 82
WFP 66
wheel model 81
WHO 32, 65, 386, 826
William Rathbone 43
Windshield survey 136
World Bank Group 67
World Food Programme 66
world health organization 65
World Health Organization 386

기타

α-index 424
1차 예방 76, 98, 219
2차 예방 76, 98, 220
3대 552
3차 예방 76, 98, 220
8단계 542
10가지 특성 547
42개의 문제 557
1980년 국제장애분류 514
2000년 멕시코의 멕시코시티 328
2009년 케냐의 나이로비 329
2013년 핀란드 헬싱키에서 제 8차 건강증진회의가 개최 329
2030 Agenda for Sustainable Development Goals 61
2030 개발의제 61
ACT모델 264
HP 2020의 기본 틀 18
HP 2020의 목표 18
HP 2020의 비전 18
IDME 분류 820
Kata 냉각력 763
NANDA 간호진단 137
NANDA 간호진단(북미간호진단분류체계) 557
PRECEDE-PROCEED 모형 335
PTSD감별 절단점 817
SWOT 분석법 136
VDT 증후군 740
WHO의 건강개념 176
Y형 537